Teoría y diseño organizacional

NOVENA EDICIÓN

Richard L. Daft

VANDERBILT UNIVERSITY

Revisión Técnica

Enrique Benjamín Franklin F.
Facultad de Contaduría y Administración
Universidad Nacional Autónoma de México

Australia · Brasil · Canadá · México · Singapur · España · Reino Unido · Estados Unidos

Teoría y diseño organizacional, 9ª ed.

Richard L. Daft

Presidente de Thomson Learning Iberoamérica:
Javier Arellano Gutiérrez

Director editorial Iberoamérica:
José Tomás Pérez Bonilla

Gerente editorial y de producción:
Lilia Moreno Olvera

Editor senior:
Javier Reyes Martínez

Editora de produción:
Abril Vega Orozco

Coordinador de preprensa:
Alejandro A. Gómez Ruiz

Coordinador de manufactura:
Israel Robles Martínez

Traductor:
Érika M. Jasso Hernánd Borneville
Traductora profesional

Revisión técnica:
Enrique Benjamín Franklin F.
Facultad de Contaduría y Administración
Universidad Nacional Autónoma de México

Impreso en México
Printed in Mexico
1 2 3 4 10 09 08 07

Para mayor información contáctenos en:
Corporativo Santa Fe
Av. Santa Fe, núm. 505, piso 12
Col. Cruz Manca, Santa Fe
C.P. 05349, Delegación Cuajimalpa
México, D.F.

Puede visitar nuestro sitio en:
http://www.thomson.com.mx

Traducido del libro *Organization Theory and Design*, 9th ed. Publicado en inglés por South Western una Compañía de Thomson Learning (Copyright © 2007)
ISBN 0-324-40542-1
Datos para catalogación bibliográfica:
Daft, Richard: *Teoría y diseño organizacional, 9a. Ed.*
ISBN-10: 970-686-753-8
ISBN-13: 978-970-686-753-7
Contenido:
1. Organizaciones y teoría organizacional. 2. Estrategia, diseño organizacional y efectividad. 3. Fundamentos de la estructura organizacional. 4. El entorno. 5. Relaciones interorganizacionales. 6. Diseño de organizaciones para el entorno internacional. 7. Tecnologías de manufactura y servicio. 8. Tecnología de la información y control. 9. Tamaño, ciclo de vida y declive de la organización. 10. Cultura organizacional y valores éticos. 11. Innovación y cambio. 12. Procesos de toma de decisiones. 13. Conflicto, poder y política.

División Iberoamericana

México y América Central:
Thomson Learning
Corporativo Santa Fe
Av. Santa Fe, núm. 505, piso 12
Col. Cruz Manca, Santa Fe
C.P. 05349, Delegación Cuajimalpa
México, D.F.
Tel. (5255) 1500 6000
Fax (5255) 1500 6019
editor@thomsonlearning.com.mx

Cono Sur:
Thomson Learning
Rojas núm. 2128
Buenos Aires, Argentina
Tel. (5411) 4582 0601
Fax (5411) 4582 0087
thomson@thomsonconosur.com

El Caribe:
Thomson Learning Caribe
Metro Office Park 3
Suite 201 St. 1
Lot. 3
Zip Code 00968-1705
Guaynabo, Puerto Rico
Tel. (787) 641 1112
Fax (787) 641 1119
tasha.ruiz@thomson.com

España:
Thomson Learning
Calle Magallanes, núm. 25
28015 Madrid, España
Tel. (3491) 446 3350
Fax (3491) 445 6218
clientes@paraninfo.es

Pacto Andino:
Thomson Learning
Carrera 55, núm. 67 A-05
Bogotá, Colombia
Tel. (571) 630 8212
Fax (571) 630 7999
cliente@thomsonlearning.com

Este libro se terminó de imprimir en el mes de agosto de 2007, en Edamsa Impresiones, S.A. de C.V., Av. Hidalgo 111, Col. Fracc. San Nicolás Tolentino, Delegación Iztapalapa, C.P. 09850, México, D.F.

Acerca del autor

El doctor, Richard L. Daft, es profesor Brownlee O. Currey Jr., de administración en la Owen Graduate School of Management en la Vanderbilt University. Es especialista en el estudio de la teoría de la organización y el liderazgo. Es socio de la Academy of Management y ha colaborado en consejos editoriales de la *Academy of Management Journal*, *Administrative Science Quarterly* y *Journal of Management Education*. Fue editor asociado en jefe de *Organization Science* y se desempeñó durante tres años como editor asociado de *Administrative Science Quarterly*.

El profesor Daft ha sido autor y coautor de 12 libros, incluyendo *Administración, La Experiencia del Liderazgo,* ambos publicados por Thomson Learning, y *What to Study: Generating and Developing Research Questions* (Sage, 1982). En fecha reciente publicó *Fusion Leadership*: *Unlocking the Subtle Forces That Change People and Organizations* (Berret-Koehler, 2000, con Robert Lengel). Ha escrito docenas de artículos, y colaboraciones académicas. Su trabajo se ha publicado en *Administrative Science Quarterly, Academy of Management Journal, Academy of Management Review, Strategic Management Journal, Journal of Management, Accounting Organizations and Society, Management Science, MIS Quarterly, California Management Review* y *Organizational Behavior Teaching Review.* Ha sido ganador de varias becas gubernamentales para la investigación, a fin de concentrase en estudios sobre diseño, innovación y cambio organizacional, implementación de estrategias y procesamiento de información organizacional.

El profesor Daft también es un activo docente y consultor. Ha impartido cursos de administración, liderazgo, cambio organizacional, teoría de la organización y comportamiento organizacional y ha participado de manera activa en el desarrollo directivo y consultoría para varias compañías y organizaciones gubernamentales, como la American Banking Association, Bell Canada, National Transportation Research Board, NL Baroid, Nortel, TVA, Pratt & Whitney, State Farm Insurance, Tennneco, la Fuerza Aérea de Estados Unidos, la Armada de Estados Unidos, J. C. Bradford & Co., Central Parking System, Entergy Sales and Service, Bristol-Myers Squibb, First American National Bank y el Vanderbilt University Medical Center.

Contenido breve

Contenido

Parte 4: Elementos de diseño interno 243

Parte 5: Administración de procesos dinámicos 357

Prefacio

Mi visión para la novena edición de *Teoría y diseño organizacional* es integrar los problemas contemporáneos acerca del diseño organizacional con las ideas y teorías clásicas de una forma interesante y agradable para el lector. Algunos cambios importantes de esta edición incluyen actualizaciones en cada capítulo que incorporan las ideas más recientes, nuevos ejemplos, reseñas bibliográficas y casos de final de capítulo, así como nuevos casos de integración al final del libro. La investigación y teorías en el campo de los estudios organizacionales son ricas y reveladoras y ayudarán a lectores y directivos a entender el mundo de la organización y a resolver problemas de la vida real. Mi misión es combinar los conceptos y modelos de la teoría de la organización con los eventos cambiantes en el mundo real, a fin de proporcionar la perspectiva más actualizada del diseño organizacional disponible.

Características distintivas de la novena edición

Muchos estudiantes en un curso típico de teoría de la organización no cuentan con una experiencia profesional amplia, en especial en los niveles medios y altos, donde se puede aplicar más este tipo de teorías. Para involucrar al lector en el mundo de las organizaciones, la novena edición agrega y amplía importantes segmentos: los recuadros titulados *Liderazgo por diseño* con ejemplos actuales de compañías exitosas, gracias al uso de conceptos del diseño organizacional para competir en el mundo de negocios contemporáneo, que es complejo e incierto, actividades experimentales para el lector que lo involucra en la aplicación de los conceptos del capítulo, nuevos *Marcadores de libros*, nuevos ejemplos de los recuadros *En la práctica*, y nuevos casos de integración y de final de capítulo para el análisis. El conjunto total de características amplía y mejora de manera sustancial el contenido y accesibilidad del libro. Estas herramientas pedagógicas múltiples se utilizan para mejorar la participación del lector en los materiales de la obra.

Liderazgo por diseño El contenido de estos recuadros describe a compañías que han experimentado una transformación importante en su diseño organizacional, dirección estratégica, valores o cultura, a medida que luchan por ser más competitivas en el entorno global y turbulento de nuestros días. Muchas de estas compañías están aplicando nuevas ideas de diseño como la organización reticular, comercio electrónico, o sistemas provisionales para la flexibilidad y la innovación. Los ejemplos de los recuadros de Liderazgo por diseño ilustran las transformaciones que han experimentado las organizaciones para transmitir el conocimiento, para el *empowerment* a los empleados, implementar nuevas estructuras, nuevas culturas, derribar las barreras entre departamentos y organizaciones y unir a los empleados en una misión común. Ejemplos de las organizaciones de estos recuadros incluyen a Wegman Supermarkets, Google, The Salvation Army, JetBlue, Corrugated Supplies, Shazam, los Rolling Stones y Dell Computer.

Marcador de libros Estos recuadros son una característica exclusiva de esta obra; son análisis de libros que reflejan las cuestiones actuales de interés para directivos que trabajan en organizaciones reales. Estas reseñas describen las diferentes formas en que las compañías están enfrentando los desafíos del entorno cambiante actual. Los nuevos Marcadores de libros de la novena edición incluyen: El futuro del trabajo: ¿Cómo transformará el nuevo orden corporativo su organización, su estilo de administración y su vida?; Ejecución: La disciplina de lograr que las cosas se hagan; Lo que realmente funciona: la fórmula 4 + 2 para el éxito perdurable de los negocios; Intermitencia: El poder de pensar sin pensar; La compañía: una breve historia de una idea revolucionaria y Confrontación de la realidad: Tomar las medidas necesarias para lograr que las cosas se hagan bien.

Nuevos casos Esta edición contiene numerosos ejemplos nuevos para ilustrar los conceptos teóricos. Muchos de ellos son internacionales, y todos están basados en organizaciones reales. Entre los nuevos casos de entrada de capítulo para esta novena edición se encuentran Gruner + Jahr, Boots Company PLC, Maytag, Toyota y American Axle & Manufacturing. Los nuevos casos de la sección En la práctica que se utilizan dentro de los capítulos para ilustrar conceptos específicos incluyen a TiVo Inc., General Electric, J.C. Penney, Genentech, Ryanair, Charles Schwab and Company, Nike, Verizon Communications, eBay, Tyco International, Sony y el FBI.

Una mirada al interior de Estos recuadros abren cada capítulo con un ejemplo relevante e interesante de alguna organización. Varios ejemplos son internacionales, y todos están basados también en organizaciones multinacionales. Entre los nuevos casos se encuentran los de Boots Company PLC, International Truck and Engine Company, Gruner + Jahr, Morgan Stanley, Toyota y American Axle & Manufacturing.

En la práctica Estos casos también ilustran los conceptos teóricos en escenarios organizacionales. Entre los nuevos casos que se utilizan en el interior de los capítulos para ilustrar conceptos específicos se encuentran: J.C. Penney, Charles Schwab and Company, eBay, el FBI, Ryanair, Chevrolet, Genentech, Tyco International y Sony.

Portafolios Éstos son notas al margen distribuidas en cada uno de los capítulos, y ayudan al lector a utilizar los conceptos para analizar casos y administrar organizaciones.

Cuadros Con frecuencia se utilizan cuadros a fin de ayudar al lector a visualizar las relaciones organizacionales. Las ilustraciones se han rediseñado para comunicar los conceptos con mayor claridad.

Resumen e interpretación El resumen e interpretación ayuda al lector a comprender por qué los puntos del capítulo son importantes en un contexto más amplio de la teoría de la organización.

Casos para el análisis Estos casos están hechos a la medida de los conceptos del capítulo y proporcionan un medio para el análisis y la discusión por parte de los estudiosos.

Casos de integración Los casos de integración al final del texto están ideados para fomentar en el lector la participación y el análisis. Estos casos incluyen los de Royce Consulting; Custom Chip, Inc.; W. L. Gore & Associates, Inc.; XEL Communications, Inc.; Empire Plastics; The Audubon Zoo, Moss Adams, LLP; y Littleton Manufacturing.

Nuevos conceptos

Se han agregado o ampliado muchos conceptos en esta edición. El nuevo material se refiere a cuestiones culturales, de aprendizaje y de desempeño; a las estructuras organizacionales de redes virtuales; a la aplicación de la ética para diseñar organizaciones socialmente responsables; el *outsourcing*, la manufactura esbelta; la administración de relaciones con el cliente; las tácticas políticas para incrementar y utilizar el poder directivo; la aplicación de la inteligencia de negocios, y el uso de mecanismos de coordinación global para la transferencia de conocimiento y la innovación. Muchas ideas han tenido la intención de ayudar al lector a diseñar organizaciones para un ambiente caracterizado por la incertidumbre, con un enfoque renovado en la ética y en la responsabilidad social; y con la necesidad de una respuesta rápida ante el cambio, las crisis y las expectativas cambiantes de los clientes. Además, el manejo de la complejidad del entorno global contemporáneo se analiza con mayor profundidad en el capítulo 6.

Organización del capítulo

Cada capítulo está profundamente enfocado y organizado con base en un marco no tradicional. Muchos libros acerca de la teoría de la organización tratan el material de una forma secuencial, como "He aquí la perspectiva A, he aquí la perspectiva B, he aquí la perspectiva C", etcétera. Este libro muestra cómo se aplican estos conceptos en las organizaciones. Además, cada capítulo se orienta al punto central. No se presenta al lector material extraño o disputas metodológicas confusas que se suscitan entre los teóricos de la organización. El cuerpo de la investigación en la mayoría de las áreas apunta hacia la tendencia principal que se analiza. Varios capítulos desarrollan un marco que organiza las principales ideas en un esquema general.

Este libro ha sido probado en gran medida por los estudiantes. En esta edición se ha utilizado la retroalimentación por parte de ellos y de los profesores. La combinación de los conceptos teóricos organizacionales, reseñas de libros, ejemplos de organizaciones líderes, ilustraciones de casos, ejercicios experimentales y otros mecanismos de enseñanza, está diseñada para satisfacer las necesidades de aprendizaje del lector, y éste ha respondido de manera favorable ante ella.

Recursos para el profesor

Este libro cuenta con una serie de recursos para el profesor, los cuales están disponibles en inglés y sólo se proporcionan a los docentes que lo adopten como texto en sus cursos. Para mayor información, comuníquese a las oficinas de nuestros representantes o a las siguientes direcciones de correo electrónico:

Thomson México y Centroamérica	clientes@thomsonlearning.com.mx
Thomson América del Sur	cliente@thomsonlearning.com
Thomson Caribe	amy.reyes@thomsonlearning.com
Thomson Cono Sur	thomson@thomsonlearning.com.ar

Además encontrará más apoyos en el sitio Web de este libro:

http://daft.swlearning.com

Las direcciones de los sitios Web de esta obra y de las referidas a lo largo del texto no son administradas por Thomson Learning Iberoamérica, por lo que ésta no es responsale de los cambios que puidieran ocurrir. Sin embargo, le recomendamos visitar con frecuencia dichos sitios para mantenerse al tanto de cualquier actualización.

Mención especial

International Thomson Editores desea expresar un agradecimiento muy especial a Miguel Gutiérrez Alfaro, PhD, de la Universidad Estatal a Distancia, en Costa Rica, por su notable labor y profesionalismo en el desarrollo de esta obra.

Su esfuerzo será valioso y contribuirá, sin duda, en la formación de los líderes de negocios del futuro.

Agradecimientos

La elaboración de este libro ha sido un esfuerzo en equipo. La novena edición cuenta con ideas integradas y un arduo trabajo por parte de muchas personas a quienes estoy muy agradecido. Los revisores y los participantes del focus group hicieron un aporte en especial importante. Ellos elogiaron muchas de las características de este texto y también ofrecieron sugerencias valiosas.

David Ackerman
University of Alaska, Southeast

Michael Bourke
Houston Baptist University

Suzanne Clinton
Cameron University

Jo Anne Duffy
Sam Houston State University

Cheryl Duvall
Mercer University

Patricia Feltes
Missouri State University

Robert Girling
Sonoma State University

John A. Gould
University of Maryland

Ralph Hanke
Pennsylvania State University

Bruce J. Hanson
Pepperdine University

Guiseppe Labianca
Tulane University

Jane Lemaster
University of Texas–Pan American

Steven Maranville
University of Saint Thomas

Rick Martinez
Baylor University

Janet Near
Indiana University

Julie Newcomer
Texas Woman's University

Asbjorn Osland
George Fox University

Laynie Pizzolatto
Nicholls State University

Samantha Rice
Abilene Christian University

Richard Saaverda
University of Michigan

W. Robert Sampson
University of Wisconsin, Eau Claire

Amy Sevier
University of Southern Mississippi

W. Scott Sherman
Pepperdine University

Thomas Terrell
Coppin State College

Jack Tucci
Southeastern Louisiana University

Judith White
Santa Clara University

Jan Zahrly
University of North Dakota

Entre mis colegas profesionales, estoy agradecido con mis amigos y compañeros en la Vanderbilt's Owen Scholl –Bruce Barry, Ray Friedman, Neta Moye, Rich Oliver, David Owens y Bart Victor– por su estímulo intelectual y retroalimentación. También debo un favor muy especial al decano Jim Bradford y al decano asociado Joe Blackburn por proporcionarme el tiempo y los recursos para mantenerme al tanto de la literatura acerca del diseño organizacional y por haber desarrollado las revisiones del libro.

Deseo extender mis agradecimientos más especiales a mi asistente editorial, Pat Lane. Ella con gran destreza elaboró un borrador de los materiales sobre diferentes temas y características especiales, encontró recursos, y realizó un trabajo extraordinario en la corrección de estilo del manuscrito y las lecturas de prueba. El entusiasmo personal de Pat y el cuidado con el contenido del texto permitió que la novena edición continuara con su alto nivel de excelencia.

El equipo de South-Western también merece una mención especial. Joe Sabatino realizó un extraordinario trabajo en el diseño del proyecto y en la implementación de sus ideas para mejorarlo. Emma Guttler fue maravillosa como editora de desarrollo, al ser capaz de mantener a la gente y al proyecto según lo previsto mientras resolvía los problemas de manera creativa y rápida. Cliff Kallemeyn, editor de producción, proporcionó una coordinación excelente para el proyecto y utilizó su creatividad y habilidades de administración para hacer posible que este libro se terminara a tiempo.

Por último, deseo agradecer el amor y las contribuciones de mi esposa, Dorothy Marcia, quien siempre ha alentado mis proyectos bibliográficos y ha creado un entorno en el cual juntos podamos crecer. Ayudó a que este libro diera un paso gigantesco hacia adelante, gracias a la elaboración de sus ejercicios para el estudiante en los libros y talleres de trabajo. Quizá lo mejor de todo es que Dorothy me permite practicar aplicando las ideas de diseño organizacional como coproductor de sus obras teatrales. También deseo agradecer el amor y el apoyo de mis hijas, Danielle, Amy, Roxanne, Solange y Elizabeth, quienes han hecho de mi vida algo especial durante el precioso tiempo que hemos pasado juntos.

PARTE 1

Introducción a las organizaciones

1 Organizaciones y teoría organizacional

Una mirada al interior de

Xerox Corporation

Alguna vez Xerox fue un icono de innovación y éxito corporativo en el negocio del copiado y la creación de imágenes digitales. En la víspera del siglo XXI, todo indicaba que la compañía se encontraba en la cima del mundo, con ganancias en rápido ascenso, el precio de sus acciones al alza y una nueva línea de copiadoras-impresoras computarizadas que eran tecnológicamente superiores a los productos de la competencia. Menos de dos años más tarde, muchos pensaron que Xerox ya no era popular, y que en el futuro estaba destinado a desaparecer gradualmente. Considere los siguientes sucesos:

- Cuando las máquinas digitales de alta tecnología de Xerox fueron igualadas por la competencia y ésta pudo ofrecer productos comparables a precios más bajos, las ventas y los ingresos de Xerox cayeron en picada.
- Las pérdidas de Xerox en el primer año del siglo XXI sumaron $384 millones, y la compañía continuó arrojando números rojos. Su deuda ascendió a $17 000 millones.
- En medio de temores acerca de que la compañía interpondría la declaración de quiebra para solicitar la protección otorgada por el gobierno federal, las acciones cayeron desde un valor alto de $64 a menos de $4. En un periodo de 18 meses, Xerox había perdido $38 000 millones en recursos accionarios.
- Veintidós mil trabajadores de Xerox perdieron sus empleos, lo que debilitó aún más la moral y la lealtad de los empleados restantes. Los principales clientes también se apartaron, debido a una reestructuración que incorporó al personal de ventas que ya no era necesario a territorios que le resultaban poco familiares y con una situación confusa en cuentas por cobrar, lo cual generó una confusión masiva y errores de facturación.
- La Comisión de Bolsa y Valores (SEC, por sus siglas en inglés) multó a la compañía con la exorbitante cantidad de $10 millones por presentar irregularidades en la contabilidad y por un presunto fraude contable.

¿Cuál fue el error en Xerox? El deterioro de la compañía es una historia clásica de declive organizacional. Si bien, en apariencia, la caída de Xerox se suscitó casi de la noche a la mañana, los problemas recientes de la organización están relacionados con una serie de desatinos organizacionales a través de un periodo de muchos años.

Antecedentes

Xerox se fundó en 1906 con el nombre de Haloid Company, una empresa de suministros fotográficos que desarrolló la primera copiadora xerográfica del mundo, presentada en 1959. Sin lugar a dudas, la copiadora "914" era una máquina para hacer dinero. En el momento en que fue retirada del mercado, a principios de la década de 1970, la 914 era el producto industrial mejor vendido de todos los tiempos y el nuevo nombre de la compañía, Xerox, se incluyó en el diccionario como sinónimo de fotocopiadora.

Joseph C. Wilson, quien durante un largo tiempo fuera el presidente y director de Haloid, creó una cultura positiva y orientada hacia las personas misma que continuaría su sucesor, David Kearns, quien estuvo el mando de Xerox hasta 1990. La cultura de Xerox y la dedicación de sus empleados (algunas veces llamados "xeroides") fueron la envidia del mundo corporativo. Además de los valores de justicia y respeto, la cultura de Xerox hizo énfasis en la toma de riesgos y en la participación de los empleados. Wilson escribió lo siguiente en la propaganda de reclutamiento de personal: "Buscamos gente que esté dispuesta a asumir riesgos, deseosa de poner a prueba nuevas ideas y de formular las propias... que no tenga miedo a cambiar lo que hace de un día al otro, y de un año al siguiente... que acoja con beneplácito a nuevas personas y nuevos cargos". Xerox continúa utilizando estas palabras en sus actuales esfuerzos de reclutamiento, pero la cultura que sintetizaron aquellas palabras comenzó a derrumbarse desde hace muchos años.

"Burox" toma el control

Al igual que muchas organizaciones rentables, Xerox se convirtió en víctima de su propio éxito. Sin duda alguna los líderes sabían que la compañía necesitaba pensar en otra cosa además de las copiadoras para poder sostener su crecimiento, pero fue difícil para ellos tener una perspectiva que les permitiera ver más allá del 70% de los márgenes de utilidad bruta válidos para la 914.

El Centro de Investigación de Xerox de Palo Alto (PARC, por sus siglas en inglés), establecido en 1970, se volvió famoso en todo el mundo gracias a sus innovaciones; gran parte de las tecnologías más revolucionarias en la industria computacional, como la computadora personal, la interfase gráfica de usuario, la Ethernet y la impresora láser, todas se inventaron en este centro. Pero la burocracia de las copiadoras, o *Burox*, como se le llegó a conocer, hizo que los líderes de Xerox no se percataran del enorme potencial de estas innovaciones. Mientras las ventas de copiadoras de Xerox marchaban con dificultad, las pequeñas compañías más jóvenes y hambrientas transformaban las tecnologías del PARC en grandiosos productos y servicios altamente redituables. "A menos que haya una crisis organizacional, y siempre que los precios de las acciones sean aceptables, Xerox no se mueve muy rápido", afirma un antiguo gerente de esta compañía.

Los peligros del Burox se volvieron bastante evidentes a principios de la década de 1970, cuando las patentes xerográficas de la compañía comenzaron a expirar. De pronto, sus rivales japoneses como Canon y Ricoh estaban vendiendo copiadoras al costo en el que Xerox las producía. Su participación de mercado declinó de 95 a 13% en 1982. Y sin nuevos productos que la distinguieran, la compañía tuvo que luchar por reducir los costos y reclamar participación de mercado mediante la adopción de técnicas japonesas y de administración de la calidad total. Gracias al fuerte liderazgo del director general, Kearns, para 1990 fue posible consolidar al grupo y rejuvenecer a la compañía; sin embargo, este director también fue el responsable de poner a Xerox en marcha hacia un desastre futuro. Una vez que Kearns se dio cuenta de la necesidad de diversificación, implicó a la compañía en el negocio de servicios financieros y de seguros a gran escala. En el momento en que transfirió la dirección a Paul Allaire en 1990, el balance de Xerox presentaba daños por miles de millones de dólares en obligaciones de seguros.

El ingreso a la era digital

Allaire inició con gran sensatez un metódico plan de fases para liberar a Xerox del negocio de los servicios financieros y de seguros. Al mismo tiempo, comenzó una estrategia mixta de reducción de costos y de generación de nuevos productos para lograr activar una vez más a la aquejada compañía. Xerox tuvo éxito con una línea de imprentas y copiadoras digitales de alta velocidad, pero nuevamente su camino se vio obstaculizado por haber subestimado la amenaza de la impresora de inyección de tinta. Para cuando Xerox introdujo su propia línea de impresoras de escritorio, ya otros habían ganado el juego.

Las impresoras de escritorio, en combinación con el uso creciente de Internet y del correo electrónico, hicieron una gran mella en las ventas de copiadoras de Xerox. La gente ya no necesitaba tantas fotocopias, pero hubo un enorme incremento en el número de documentos que se estaban creando o compartiendo. Allaire impulsó a Xerox a la era digital al cambiar su nombre a "The Document Company", con la esperanza de reconstruir a la compañía al estilo de la rejuvenecida IBM, mediante la oferta no sólo de "cajas (máquinas)" sino de soluciones integrales para la administración de documentos.

Como parte de su estrategia, Allaire eligió como sucesor a Richard Thoman, quien en ese entonces se desempeñaba como el brazo derecho de Louis Gerstner en IBM. Thoman llegó a Xerox primero como presidente, luego como director de operaciones y, finalmente, como director general, en medio de grandes esperanzas de que la compañía pudiera recuperar la categoría de sus años gloriosos. Sólo trece meses después, mientras los ingresos y el precio de las acciones continuaban a la baja, Thoman fue despedido por Allaire, quien sigue fungiendo como presidente de Xerox.

El ejercicio de la política

Allaire y Thoman se culparon entre sí por el fracaso de la implementación exitosa de la estrategia digital. No obstante, para terceras personas, este fracaso tuvo mucho más que ver con la cultura disfuncional de Xerox. La cultura ya era lenta para adaptarse y algunos afirman que bajo la batuta de Allaire ésta casi se paralizó debido a la política. Se recurrió a Thoman para que pusiera orden en esta situación, pero cuando lo intentó, la vieja guardia se rebeló. Se suscitó una lucha entre los gerentes, en donde el intruso Thoman y algunos pocos aliados se enfrentaron a Allaire y a su grupo de personas de confianza acostumbradas a hacer las cosas a la manera xeroide. A Thoman se le consideraba como una persona engreída e inalcanzable dado su conocimiento, experiencia en los negocios y su personalidad intensa. Nunca pudo ejercer una influencia sustancial en los gerentes ni en los empleados clave, tampoco obtuvo el apoyo de los miembros del consejo, que continuaron respaldando a Allaire.

El fracaso de la sucesión del director general ilustra el reto masivo de reinventar una compañía de cerca de 100 años de antigüedad. En la época en que llegó Thoman, Xerox había estado atravesando varios procesos de casi dos décadas de reestructura, reducción de costos, rejuvenecimiento y reinvención, pero en realidad muy poco había cambiado. Muchos creen que Thoman intentó hacer demasiado en muy poco tiempo. Se dio cuenta de la urgencia del cambio pero no fue capaz de transmitir esa urgencia a otros en el interior de la compañía, ni de inspirarlos a sobrellevar el difícil camino que la transformación real requiere.

Otros pusieron en tela de juicio el hecho de que cualquiera pudiera encajar en Xerox, debido a que la cultura se había vuelto demasiado disfuncional y politizada. "Siempre había una muchedumbre interna y una muchedumbre externa", afirma un antiguo ejecutivo. "Cambian las ramas, pero si uno se fija bien, son los mismos monos viejos quienes están sentados en los árboles."

La persona de confianza de la persona de confianza

Ingresa Anne Mulcahy, la persona de confianza consumada. En agosto de 2001, Allaire entregó la rienda de la dirección general a la popular veterana con 24 años de antigüedad, que había comenzado en Xerox como vendedora de copiadoras y trabajado por ascender en la jerarquía corporativa. A pesar de su estatus de persona de confianza, Mulcahy afirma que está más que dispuesta a desafiar el *statu quo* de Xerox.

Mulcahy es una enérgica tomadora de decisiones. Lanzó un plan de transformación integral con una inversión multimillonaria en dólares que incluía la reducción masiva de costos y el cierre de varias operaciones que reflejaban números rojos, como el tardío lanzamiento de la línea de impresoras de inyección de tinta. Ella personalmente negoció la cancelación de una larga investigación a las prácticas contables fraudulentas, e insistió en que su implicación personal era necesaria para establecer un nuevo compromiso con las prácticas corporativas éticas. Introdujo muchos nuevos productos y servicios en áreas de alto crecimiento como la tecnología digital, los servicios de documentos, los productos a color y la consultoría. Tan sólo en 2004, la compañía lanzó 40 nuevos productos, y las ventas e ingresos están creciendo a medida que la deuda continúa disminuyendo. Además, el enfoque renovado en la innovación indica que Mulcahy y su equipo de administración están concentrados en áreas que proporcionarán una base sólida para el crecimiento futuro. Aunque el precio de las acciones de ninguna manera se acerca a los índices de finales de la década de 1990, sí es posible observar una sólida mejoría.

Al lograr que Xerox saliera de la lista crítica, Mulcahy se ha ganado el respeto y admiración de los empleados, los líderes laborales, los clientes, los acreedores y los representantes de la prensa. Mulcahy ha sido reconocida por la revista *Business Week* como una de las mejores gerentes del año en 2004; sin embargo, aún no puede sentirse confiada. Xerox enfrenta una fuerte competencia por parte de Hewlett-Packard, Canon y otras compañías tecnológicas. Mulcahy ha tenido que mantener enfocado a su equipo administrativo en el crecimiento, a la vez que conserva vigentes los controles de costos que estabilizaron a la compañía. A medida que Xerox lucha por recuperar el prestigio que alguna vez tuvo, el mundo corporativo está observando con reservado optimismo. En el mundo corporativo en rápida transformación, nada es definitivo.[1]

Bienvenido al mundo real de la teoría organizacional. La cambiante suerte de Xerox ilustra la teoría organizacional en acción. Durante cada día de su vida laboral, los gerentes de Xerox estuvieron muy involucrados en la teoría organizacional, aunque nunca se dieron cuenta de ello. Los gerentes corporativos nunca terminaron de entender cómo se relacionaba la organización con el entorno o cómo debía funcionar desde adentro. La familiarización con la teoría organizacional puede ayudar a Anne Mulcahy y a su equipo gerencial a analizar y diagnosticar lo que está sucediendo y los cambios necesarios para lograr que la compañía siga siendo competitiva. La teoría organizacional proporciona las herramientas para explicar el declive de Xerox y entender el cambio de 180 grados que aplicó Mulcahy. Ayuda a entender lo que ocurrió en el pasado, así como lo que puede suceder en el futuro, de manera que sea posible aplicar una administración organizacional más efectiva.

La teoría organizacional en acción

Temas

Cada uno de los temas que se cubrirán en este libro estará ejemplificado por el caso de Xerox. Por ejemplo, el fracaso de Xerox para responder o controlar elementos como los competidores, clientes y acreedores en el vertiginoso ambiente externo; su incapacidad para implementar cambios estratégicos y estructurales que ayudaran a la organización a alcanzar la efectividad; los errores éticos en el interior de la organización; las dificultades para hacer frente a los problemas relacionados con el gran tamaño y la burocracia; la falta de un control de costos adecuado; el uso negativo del poder y la política entre directivos que redundó en conflictos y permitió que la organización caminara sin rumbo hacia el caos; y una cultura corporativa anacrónica que anulaba la innovación y el cambio. Estos son los temas que ocupan a la teoría organizacional.

Portafolios

Como gerente de una organización, tenga en mente estos lineamientos:

No ignore el ambiente externo o quiera proteger de él a la organización. Dado que el ambiente es impredecible, no espere lograr orden o racionalidad totales dentro de la organización. Esfuércese por conseguir un balance entre el orden y la flexibilidad.

Resulta bastante evidente que los conceptos de la teoría organizacional no son exclusivos de Xerox. Los gerentes de AirTran Airways aplicaron los conocimientos de la teoría organizacional para expandir su negocio durante los tiempos difíciles. Aun en una época en la que muchos transportistas estaban reduciendo costos y buscando préstamos federales para abatir sus enormes pérdidas, AirTran mantuvo un curso de crecimiento estable mediante el desarrollo de sociedades interorganizacionales sólidas.[2] IBM, Hewlett-Packard y Ford Motor Company habían experimentado transformaciones estructurales importantes gracias a la utilización de conceptos basados en la teoría organizacional. La teoría organizacional se puede aplicar también a organizaciones no lucrativas como las Girl Scouts, American Human Association, organizaciones de arte locales, colegios y universidades, y la fundación Make-a-Wish, la cual hace realidad los deseos de niños con enfermedades terminales. Incluso los grupos de rock como The Rolling Stones se han beneficiado del conocimiento que ofrece la teoría organizacional, como lo describe el recuadro Liderazgo por diseño, de este capítulo.

La teoría organizacional aprende de las organizaciones como The Rolling Stones, IBM y Xerox y pone estas lecciones a la disposición de estudiantes y gerentes. La historia del declive de Xerox es importante debido a que demuestra que incluso las grandes organizaciones exitosas son vulnerables, que las lecciones no se aprenden de manera automática y que las organizaciones sólo son tan fuertes como quienes toman las decisiones. Las organizaciones no son estáticas; con frecuencia se adaptan a los cambios en el ambiente externo. En la actualidad, muchas compañías están enfrentando la necesidad de transformarse a sí mismas en organizaciones radicalmente diferentes debido a los nuevos retos que presenta el entorno.

Retos actuales

La investigación basada en cientos de organizaciones proporciona el conocimiento fundamental para convertir a Xerox y a otras empresas en organizaciones más efectivas. Por ejemplo, los retos que hoy en día enfrentan las organizaciones son muy diferentes de los del pasado, y por lo tanto el concepto de organizaciones y de la teoría organizacional está en constante evolución. Por una razón, el mundo está cambiando con más rapidez que nunca. Las encuestas hechas a los altos ejecutivos indican que hacer frente a los vertiginosos cambios es el problema más común que enfrentan los gerentes y las organizaciones.[3] Hay algunos desafíos específicos que están relacionados con cuestiones diversas como la globalización, la conservación de altos estándares éticos y la responsabilidad social, la rápida respuesta ante los cambios en el entorno mundial, las necesidades de los clientes, la administración del ámbito digital de trabajo y el respeto a la diversidad.

Globalización. La trillada expresión de que el mundo se está volviendo cada vez más pequeño es muy cierta para las organizaciones contemporáneas. Con los rápidos avances en la tecnología y en las comunicaciones, el tiempo que toma influir en el mundo, aun desde los lugares más remotos se ha reducido de años a sólo segundos. Los merca-

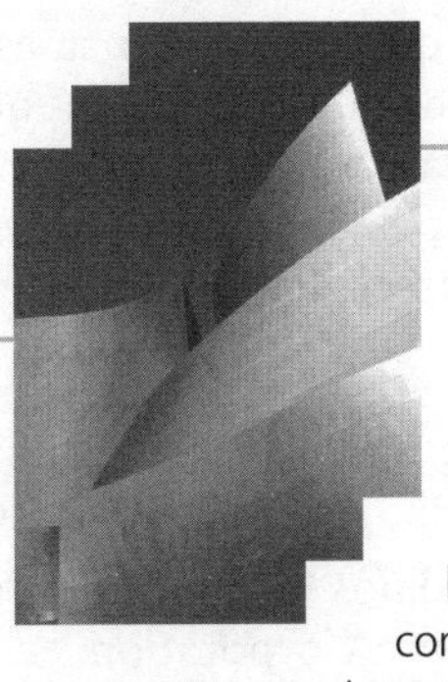

Liderazgo por diseño

The Rolling Stones

Tal vez sean viejos, pero se han mantenido bailando y girando después de más de 40 años en el negocio de la música. El grupo The Rolling Stones ha disfrutado de un fenomenal éxito comercial en décadas recientes, gracias a los miles de millones de dólares en ingresos generados por las ventas de discos, derechos de canciones, boletos de conciertos, patrocinios y comercialización.

Recientemente, el grupo The Rolling Stones fue citado como una de las 10 organizaciones más perdurables del mundo, de acuerdo con un estudio realizado por Booz Allen Hamilton. Una de las razones del éxito de los Stones es que la banda opera igual que una organización corporativa global eficaz. Han construido una sólida estructura organizacional, con diferentes divisiones para manejar diversos aspectos del negocio, como las giras y la comercialización. Al frente de la organización se encuentra un equipo gerencial de alto nivel conformado por los cuatro miembros de la banda: Mick Jagger, quien funge como una especie de director general, Keith Richards, Charlie Watts y Ronnie Wood. Este equipo central administra un grupo de una especie de compañías independientes aunque interrelacionadas que incluyen Promotour, Promopub, Promotone y Musidor, cada una dedicada a una parte especial del negocio general. En ocasiones, según lo que esté sucediendo en la organización, cada compañía puede emplear sólo a una docena de personas. Cuando la banda está de gira el número de personas se eleva y la organización semeja a una floreciente compañía en marcha. Jagger en persona vigila estrechamente el nivel de precios del mercado de los boletos de concierto con el fin de que la banda pueda mantener precios competitivos. Esto algunas veces implica la reducción de costos y una efectividad cada vez mayor para asegurar que la organización sea redituable.

Los Stones también reconocen la importancia de las sociedades interorganizacionales, como las negociaciones de patrocinios cruciales con grandes compañías como Sprint, Anheuser-Busch y Microsoft, de los cuales, se supone que la última pagó $4 millones por los derechos de "Start Me Up" para el lanzamiento de Windows 95. Contratan abogados, contadores, gerentes y consultores para mantenerse al tanto de los cambios en el entorno y administrar las relaciones con los clientes (fanáticos), socios, empleados, compañías disqueras, promotores y lugares de giras. Desde los primeros días, Jagger aprendió que la creatividad y el talento no son suficientes para asegurar el éxito: a mediados de la década de 1960, la banda vendía millones de discos pero seguía viviendo al día. En la actualidad, los sistemas efectivos de control y la participación de la información ampliamente difundida han asegurado que esto no vuelva a suceder.

"Uno no comienza a tocar la guitarra pensando en poner en marcha una organización que tal vez genere millones", afirma Jagger. Hasta ahora, gracias a la comprensión y la aplicación de la teoría organizacional, The Rolling Stones se han convertido en una de las organizaciones más exitosas de la historia en la industria musical, y la banda de rock más próspera del planeta.

Fuente: Andy Serwer, "Inside the Rolling Stones Inc.", *Fortune* (septiembre 30, 2002), 58-72; y William J. Holstein, "Innovation, Leadership, and Still No Satisfaction", *The New York Times* (diciembre 19, 2004), sección 3, 11.

dos, tecnologías y organizaciones cada vez se interconectan más.[4] Es necesario que las organizaciones modernas se sientan como en casa en cualquier lugar del mundo. Las compañías pueden situar diferentes partes de la organización en el lugar más adecuado para el negocio: la alta dirección en una ciudad, la producción técnica e intelectual en otra. Una tendencia relacionada es contratar la realización de algunas funciones a organizaciones en otros países o a socios con organizaciones en el exterior para obtener una ventaja global. Wipro Ltd. de la India vendía aceite de cocina; en la actualidad, sus 15 000 empleados desarrollan sofisticadas aplicaciones de software, diseñan semiconductores y administran funciones de oficina para compañías gigantes alrededor de todo el mundo, como: CNA Life, Home Depot y Sony. La empresa coreana, Samsung Electronics, que cuenta con fábricas en 14 países, durante mucho tiempo ha suministrado componentes a las compañías computacionales estadounidenses y recientemente diseñó una nueva computadora portátil que fabricará para Dell Computer Corp., con sede en Texas. Las compañías indias y chinas diseñan muchos de los nuevos circuitos integrados de Intel. Estas organizaciones pueden hacer el trabajo por un 50 a 60% menos que las organizaciones con sede en Estados Unidos, lo que crea nuevas ventajas así como una competencia mayor para las empresas estadounidenses.[5]

Esta creciente interdependencia implica para las compañías que el entorno se esté volviendo extremada y complejamente competitivo. Las organizaciones tienen que aprender a cruzar las fronteras del tiempo, la cultura y la geografía con el fin de sobrevivir. Compañías grandes y pequeñas están en busca de las estructuras y procesos idóneos que les puedan ayudar a cosechar los frutos de las ventajas que ofrece la interdependencia global y a minimizar las desventajas.

Ética y responsabilidad social. La ética y la responsabilidad social se han convertido en algunos de los temas más apasionantes en el mundo corporativo estadounidense. La lista de ejecutivos y de importantes empresas implicadas en escándalos financieros y éticos continúa creciendo. La sórdida historia de la extravagante Enron Corporation, en la que los gerentes admitieron haber inflado las ganancias y encubierto las deudas a través de una serie de sociedades complejas, fue tan sólo el principio. Los altos ejecutivos se enriquecieron con elegancia del fraude en Enron, pero cuando la compañía se colapsó, los empleados e inversionistas promedio perdieron miles de millones de dólares. Arthur Andersen LLP, el despacho de auditoría de la empresa, fue encontrado culpable de obstrucción a la justicia por destruir indebidamente documentos relacionados con la investigación de Enron. Martha Stewart, quien construyó un imperio de miles de millones de dólares en el negocio del estilo, pasó un tiempo en la cárcel por haber sido encontrada culpable de falsedad en sus declaraciones cuando se le pidió que explicara por qué había retirado sus acciones de ImClone Systems justo antes de que su precio se desplomara. Por su parte, la Escuela de Administración de la Universidad de Yale está obligando al director de su instituto de gestión corporativa a dimitir por una supuesta malversación de fondos de gastos corporativos.[6] Tome un periódico de cualquier fecha, y verá que la primera plana contendrá noticias acerca de organizaciones implicadas en escándalos éticos. Esta corrupción corporativa a una escala nunca antes vista y sus efectos dentro de las organizaciones y la sociedad, se harán sentir en los años por venir.

A pesar de que algunos ejecutivos y funcionarios continúan insistiendo en que sólo son unos pocos los implicados en estas transgresiones, la gente común y corriente rápidamente se está formando la opinión de que todos los ejecutivos corporativos son unos ladrones.[7] El público está disgustado por todo este enredo, y los líderes enfrentarán una tremenda presión por parte del gobierno y de la opinión pública para conservar altos estándares éticos y profesionales dentro de las organizaciones y entre sus empleados.

Velocidad de la capacidad de respuesta. Un tercer desafío trascendental para las organizaciones es responder con rapidez y decisión ante los cambios que presenta el entorno, ante las crisis organizacionales, o ante el cambio en las expectativas de los consumidores. Durante gran parte del siglo XX, las organizaciones operaban en un entorno relativamente estable, de manera que los directivos podían enfocarse en diseñar estructuras y sistemas que mantuvieran la organización en marcha con eficiencia y sin problemas. Había poca necesidad de buscar nuevas formas de hacer frente a la creciente competencia, a los volátiles cambios en el entorno, o a los cambios en las demandas del consumidor. En la actualidad, la globalización y la tecnología en continuo avance han acelerado el ritmo al que las organizaciones en todas las industrias deben lanzar nuevos productos y servicios para seguir siendo competitivas.

Los clientes actuales también desean productos y servicios elaborados a la medida exacta de sus necesidades. Las compañías que dependen de la producción en masa y de las técnicas de distribución deben estar preparadas con sistemas asistidos por computadora que puedan producir variaciones únicas en su clase y sistemas de distribución agilizada que generen productos directos del fabricante al cliente. Otro cambio que ha tenido la tecnología es que la base financiera en la economía actual es la *información*, no las máquinas ni las fábricas. Por ejemplo, a mediados de la década de 1900 los activos tangibles representaban 73% de los activos de las corporaciones financieras en Estados Unidos. Para 2002, el porcentaje se ha contraído a cerca de 53%, y continúa en descenso.[8] Un resultado que preocupa a los líderes organizacionales es que el conocimiento se ha convertido en el factor primario de producción, ante lo cual los directivos deben responder con acciones como el incremento del *empowerment* a los empleados. Ya no se trata de la maquinaria de producción, sino de los empleados, quienes tienen el poder y el conocimiento necesarios para mantener la competitividad de las compañías.

Si se consideran la agitación y el flujo inherente del mundo actual, es necesario que los líderes organizacionales asuman una actitud mental que les permita esperar lo inesperado y estar preparados para los cambios rápidos y las crisis potenciales. La administración de las crisis se ha convertido en uno de los temas principales en vista de los ataques terroristas en todo el mundo; de una economía difícil, de un escabroso mercado de valores y de una debilitada confianza del consumidor; de escándalos éticos ampliamente difundidos y, en general, de un ambiente que puede cambiar radicalmente de un momento a otro.

El ámbito digital de trabajo. Muchos directivos tradicionales se sienten fuera de lugar en el ámbito de trabajo actual basado en la tecnología. Las organizaciones han estado absortas en la tecnología de la información que afecta la forma en que están administradas y diseñadas. En el ámbito de trabajo de la actualidad, muchos empleados desempeñan gran parte de su trabajo en las computadoras y pueden trabajar en equipos virtuales, conectados electrónicamente con sus colegas alrededor del mundo. Además, las organizaciones se están enlazando en las redes electrónicas. El mundo de los negocios electrónicos está en auge a medida que cada vez más empresas se están llevando a cabo en una red de cómputo mediante procesos digitales y no en un espacio físico. Algunas compañías han llevado los negocios electrónicos a niveles muy altos para alcanzar un desempeño increíble. Dell Computer Corp., fue pionera en el uso de redes de extremo a extremo de la cadena de suministro digital para mantenerse en contacto con sus clientes, tomar pedidos, comprar componentes a los proveedores, coordinar a los socios fabricantes y enviar productos hechos a la medida directamente a sus clientes. Esta tendencia hacia la *desintermediarización* (eliminar al intermediario) está afectando a todas las industrias, y ha llevado a un grupo de consultores en una conferencia en la universidad de Harvard a concluir que los negocios actuales deben ser "Dell o Dellizarse".[9] Estos avances significan que los líderes organizacionales no sólo necesitan ser eruditos tecnológicos, sino que también son responsables de administrar una red de relaciones que sobrepase las fronteras de la organización física, que construya vínculos flexibles entre la compañía y sus empleados, proveedores, socios contractuales y clientes.[10]

Diversidad. La diversidad es un hecho de la vida que ninguna organización puede darse el lujo de ignorar. A medida que las organizaciones operan de manera creciente en un campo de juego global, la fuerza de trabajo, así como la base de clientes, está cambiando de manera radical. Muchas de las organizaciones líderes de nuestros días tienen una cara internacional. Observemos la configuración de la empresa consultora McKinsey & Co. En la década de 1970, la mayoría de los consultores eran estadounidenses, pero a la vuelta del siglo, el socio mayoritario de McKinsey era un extranjero (Rajat Gupta de la India), sólo 40% de los consultores eran estadounidenses, y los consultores de nacionalidad extranjera provenían de 40 países distintos.[11]

La demografía de la población estadounidense y la fuerza de trabajo también han cambiado. Hoy por hoy, el trabajador promedio tiene una edad mayor, y hay muchas más mujeres, gente de color e inmigrantes que están buscando trabajo y oportunidades de crecimiento. Durante la década de 1990, la población estadounidense de procedencia extranjera casi se duplicó, y los inmigrantes ahora componen más del 12% de la fuerza laboral de Estados Unidos. Para 2050, se estima que 85% de quienes ingresan a la fuerza laboral serán mujeres y gente de color. Ahora, los hombres blancos, los cuales constituían la mayoría laboral en el pasado, representan menos de la mitad de la fuerza de trabajo.[12] Esta creciente diversidad entraña múltiples retos, como la conservación de una cultura corporativa sólida mientras se apoya la diversidad, el balance entre la familia y el trabajo, y se enfrenta el conflicto compuesto por los estilos culturales diferentes.

Las personas provenientes de diferentes entornos étnicos y culturales presentan estilos variados, y administrar la diversidad puede ser uno de los desafíos más satisfactorios para las organizaciones que compiten a nivel global. Por ejemplo, algunas investigaciones han indicado que el estilo de las mujeres para hacer negocios puede brindar lecciones importantes de éxito en el mundo global emergente del siglo XXI. Sin embargo, el techo de vidrio que impide a las mujeres alcanzar altas posiciones directivas,[13] subsiste.

Objetivo de este capítulo

El propósito de este capítulo es explorar la naturaleza de las organizaciones y la teoría organizacional de la actualidad. La teoría organizacional se ha desarrollado a partir del estudio sistemático que los académicos han llevado a cabo acerca de las organizaciones. Los conceptos provienen de las organizaciones vivas y que se encuentran en funcionamiento. La teoría organizacional puede ser práctica, como lo ilustra el caso de Xerox. Ayuda a las personas a entender, diagnosticar y responder a las necesidades y los problemas organizacionales emergentes.

La siguiente sección inicia con una definición formal de organización y después examina los conceptos básicos para describir y analizar a las organizaciones. Luego, se estudiará con mayor profundidad el alcance de la naturaleza de la teoría organizacional. Las secciones sucesivas examinarán la historia y el diseño de la teoría organizacional, el desarrollo de nuevas formas organizacionales que surgen en respuesta ante los cambios en el entorno, y la forma en que la teoría organizacional puede ayudar a la gente a administrar organizaciones complejas en un mundo que cambia con rapidez. El capítulo termina con un breve repaso de los temas que se analizarán en este libro.

¿Qué es una organización?

Las organizaciones son difíciles de observar. Sus manifestaciones, como altos edificios, estaciones de trabajo de cómputo, un empleado admirable, son evidentes, pero la organización global es vaga y abstracta y puede estar dispersa en diversos lugares, incluso alrededor del mundo. Se sabe que las organizaciones están ahí porque están en contacto con nosotros todos los días. De hecho, son tan comunes que no les damos importancia. Difícilmente nos damos cuenta de que nacimos en un hospital, de que nuestras actas de nacimiento están registradas en una dependencia gubernamental, de que nos educamos en escuelas y universidades, y que nos alimentamos con comida producida en corporaciones agrícolas, que nos curan doctores involucrados en una práctica conjunta, que compramos casas construidas por una compañía constructora y que las vendemos mediante agencias de bienes raíces, pedimos prestado dinero a un banco, que cuando surgen problemas acudimos a la policía o al departamento de bomberos, que empleamos agencias de mudanzas para cambiar nuestra residencia, que recibimos una serie de prestaciones de las agencias gubernamentales, que pasamos 40 horas a la semana trabajando en una empresa, y que incluso una agencia funeraria nos velará.[14]

Definición

Las organizaciones tan diversas como una iglesia, un hospital y Xerox tienen características en común. La definición que utiliza este libro para describir las organizaciones es la siguiente: las **organizaciones** son 1) entidades sociales que 2) están dirigidas por metas, 3) están diseñadas como sistemas de actividad deliberadamente coordinada y estructurada y 4) están vinculadas con el entorno.

El elemento clave de una organización no es un edificio o un conjunto de políticas y procedimientos; las organizaciones están compuestas por personas y por sus relaciones interpersonales. Una organización existe cuando las personas interactúan entre sí para realizar funciones esenciales que ayuden a lograr las metas. Las tendencias administrativas recientes reconocen la importancia de los recursos humanos, y la mayoría de los nuevos enfoques están diseñados para el *empowerment* a los empleados y proporcionarles mayores oportunidades para aprender y contribuir por medio del trabajo conjunto hacia metas comunes.

Los directivos estructuran y coordinan de manera intencionada los recursos organizacionales para alcanzar el propósito de la organización. No obstante, aunque el trabajo puede estar estructurado en departamentos separados o conjuntos de actividades, la mayor parte de las organizaciones modernas se están esforzando por lograr una mejor coordinación horizontal de las actividades laborales, mediante el uso frecuente de equipos de empleados provenientes de diferentes áreas funcionales para trabajar en proyectos conjuntos. Las fronteras entre departamentos, así como las que existen entre las organizaciones, se están volviendo más flexibles y difusas a medida que las compañías afrontan la necesidad de responder a los cambios en el entorno con mayor rapidez. Una organización no puede existir sin interactuar con los clientes, los proveedores, los competidores y los otros elementos del entorno. En la actualidad, incluso algunas compañías están cooperando con sus competidores, comparten información y tecnologías para obtener beneficios mutuos.

Tipos de organizaciones

Algunas organizaciones son grandes corporaciones multinacionales. Otras, son pequeños negocios familiares. Algunas fabrican productos como automóviles o computadoras mientras otras proporcionan servicios como representación legal, servicios de banca o médicos. Más adelante, en el capítulo 7, se analizarán las diferencias entre tecnologías de servicio y de manufactura. El capítulo 9 analizará el tamaño y el ciclo de vida y explicará algunas de las diferencias entre organizaciones pequeñas y grandes.

Otra distinción importante se presenta entre los negocios comerciales y las *organizaciones sin fines de lucro*. Todos los temas de este texto aplican a organizaciones no lucrativas como el Salvation Army, el World Wildlife Fund, Save the Children Foundation y Chicago's La Rabida Hospital, el cual está dedicado a atender a la gente sin recursos económicos, así como lo hacen algunos negocios como Starbucks Coffee, eBay, y Holiday Inn. No obstante, hay algunas diferencias importantes que deben considerarse. La principal diferencia es que los gerentes de los negocios dirigen sus actividades hacia la obtención de dinero para la compañía, mientras los gerentes de las organizaciones no lucrativas encaminan sus esfuerzos hacia la generación de un impacto social de alguna clase. Las características y necesidades singulares de las organizaciones no lucrativas que señala esta distinción entrañan retos únicos para sus líderes organizacionales.[15]

Por lo general, los recursos financieros para las organizaciones no lucrativas provienen de aportaciones gubernamentales, subvenciones y donaciones, y no de la venta de productos o servicios a clientes. En los negocios, los gerentes se enfocan en mejorar los productos y los servicios de la organización para incrementar los ingresos por ventas. No obstante, en las organizaciones no lucrativas, los servicios comúnmente son proporcionados a clientes que no pagan. Por lo tanto, un problema importante de muchas organizaciones es asegurar un flujo de recursos estable para continuar sus operaciones. Los directivos de las organizaciones no lucrativas están comprometidos en atender a los clientes con recursos limitados, y deben estar enfocados en mantener los costos organizacionales tan bajos como sea posible y demostrar un uso altamente eficiente de los recursos.[16] Otro problema corresponde al hecho de que las organizaciones no lucrativas no cuentan con un saldo final de pérdidas y ganancias, y con frecuencia los gerentes enfrentan la cuestión de cómo medir la efectividad organizacional. Es fácil medir mediante el conteo de dólares y centavos, pero las organizaciones sin fines de lucro tienen que medir metas intangibles como "mejorar la salud pública" o "hacer una diferencia en la vida de quienes no tienen derechos".

Los gerentes de las organizaciones sin fines de lucro también tratan con diversos participantes y deben promocionar sus servicios para atraer no sólo clientes (consumidores) sino también voluntarios y donadores. Esto algunas veces crea conflicto y luchas de poder entre las organizaciones, como lo ilustra el caso de Make-a-Wish Foundation, cuya relación con pequeños grupos locales que patrocinan deseos se está tornando problemática, conforme se difunde a ciudades a través de todo el territorio de Estados Unidos. Cuantos más niños tenga un grupo que ayudar, más fácil será recabar dinero. Como las donaciones caritativas en general han disminuido con la economía, el problema se ha vuelto más serio. Los grupos pequeños han culpado a Make-a-Wish de abusar del poder de su presencia nacional para doblegar o absorber a los grupos más pequeños. "No debemos competir por niños ni por dinero", dice el director del Children's Wish Fund de Indiana. "Ellos utilizan su poder y dinero para obtener lo que desean."[17]

Por lo tanto, los conceptos de diseño organizacional analizados en este libro, como el establecimiento de metas y la medición de la efectividad, el manejo de la incertidumbre del entorno, la implementación de mecanismos efectivos de control, la satisfacción de participantes múltiples, y el manejo de cuestiones de poder y conflicto, son aplicables a las organizaciones sin fines de lucro como la Make-a-Wish Foundation así como a Microsoft Corp., UPS o Xerox, como se narró en el caso de apertura del capítulo, estos conceptos y teorías están adaptados y revisados conforme ha sido necesario para adecuarse a necesidades y problemas únicos.

La importancia de las organizaciones

Puede parecer difícil de creer en la actualidad, pero las organizaciones tal y como se conocen hoy en día son relativamente recientes en la historia de la humanidad. Incluso a finales del siglo XIX había pocas organizaciones de cualquier tamaño o importancia,

Marcador de libros 1.0 (¿YA LEYÓ ESTE LIBRO?)

La compañía: una breve historia de una idea revolucionaria
De John Micklethwait y Adrian Wooldridge

"La sociedad de responsabilidad limitada es el descubrimiento individual más grande de los últimos tiempos", es una conclusión del libro conciso y de fácil lectura, *The Company: A Short History of a Revolutionary Idea* escrito por John Micklethwait y Adrian Wooldridge. En la actualidad, las compañías son omnipresentes a tal grado que no se les concede la debida importancia, así que resulta sorprendente el hecho de que la compañía como la conocemos sea un invento relativamente reciente. Aunque la gente se ha unido en grupos con fines comerciales desde la era de las antiguas Grecia y Roma, la compañía moderna tiene su origen al final del siglo XIX. La idea de una *sociedad con responsabilidad limitada*, que desde el punto de vista jurídico era "una persona ficticia", comenzó con la Ley de las sociedades de participación conjunta, promulgada por el Consejo londinense de comercio en 1856. En la actualidad, la compañía es vista como "la organización más importante en el mundo". He aquí algunas razones de esto:

- La corporación fue la primera institución autónoma desde el punto de vista legal y social, dentro de la sociedad aunque independiente del gobierno central.
- El concepto de una sociedad de responsabilidad limitada dio libertad a los empresarios para recaudar dinero debido a que los inversionistas sólo podían perder lo que habían invertido. Al aumentar el cúmulo de capital empresarial se fomentó la innovación y generalmente, las sociedades en las cuales operaban las compañías se enriquecieron.
- La compañía es el creador más eficiente de bienes y servicios que el mundo nunca antes había visto. Sin una compañía que explote los recursos y organice las actividades, el costo que los consumidores tendrían que sufragar para casi cualquier producto conocido en la actualidad sería altísimo.
- Históricamente, la corporación ha sido una fuerza motivadora para el comportamiento civilizado y proporciona a la gente actividades valiosas, identidad y sentido comunitario, además de un salario.
- Virginia Company, pionera en las sociedades de responsabilidad limitada, ayudó a introducir el concepto revolucionario de la democracia en las colonias estadounidenses.
- La corporación multinacional moderna inició en Inglaterra a finales de la década de 1800 con las empresas ferrocarrileras, las cuales construyeron redes ferroviarias a través de Europa mediante el envío a cada país de gerentes, materiales, equipo y mano de obra necesarios.

Durante los últimos años, tal parece que las grandes corporaciones han entrado en un conflicto creciente con los intereses de las sociedades. Si bien, las grandes compañías han sido denigradas a través de la historia contemporánea (considere los barones ladrones de principios del siglo XX), los autores sugieren que los recientes abusos son relativamente leves en comparación con algunos incidentes de la historia. Todo el mundo sabe que las corporaciones pueden no tener escrúpulos pero sobre todo, señalan Micklethwait y Wooldridge, su fuerza ha sido contundente para el bien acumulativo social y económico.

The Company: A Short History of a Revolutionary Idea, por John Micklethwait y Adrian Wooldridge, publicado por The Modern Library.

no había sindicatos, ni asociaciones y sólo algunos grandes negocios, organizaciones sin fines de lucro o departamentos gubernamentales. ¡Cómo han cambiado las cosas desde entonces! El desarrollo de las grandes organizaciones transformó a la sociedad entera, y, de hecho, la corporación moderna puede ser la innovación más importante de los pasados 100 años.[18] El Marcador de libros de este capítulo analiza el surgimiento de la corporación y su importancia en nuestra sociedad. Las organizaciones son centrales para la vida de las personas y ejercen una influencia predominante.

Estamos rodeados de organizaciones, las cuales moldean nuestras vidas de múltiples maneras. Pero, ¿cuál es la contribución de las organizaciones? ¿Por qué son tan importantes? El cuadro 1.1 presenta siete razones por las que las organizaciones son importantes para usted y la sociedad. En primer lugar, las organizaciones conjuntan recursos para lograr metas específicas. Considere a Northrup Grumman Newport News (anteriormente Newport News Shipbuilding), una constructora de barcos transportadores de aeronaves clase Nimitz alimentados por energía nuclear. Ensamblar un transportador de aeronaves es un trabajo increíblemente complejo que implica 47 000 toneladas de acero de precisión soldado, más de un millón de partes distintas, 900 millas de cables y alambre, aproximadamente 40 millones de horas hombre especializado y más de siete años del arduo trabajo de 17 800 empleados de la organización.[19]

Las organizaciones también producen los bienes y servicios que los consumidores desean a precios competitivos. Bill Gates, quien hizo de Microsoft un poderoso transformador global, afirma que la organización moderna "es uno de los medios más efectivos nunca antes vistos para distribuir los recursos. Transforma grandes ideas en beneficios para los clientes a una gran escala difícil de imaginar".[20]

Las compañías buscan formas innovadoras de producir y distribuir con mayor eficiencia los bienes y servicios deseables. Dos de estas formas son mediante los negocios electrónicos y mediante el uso de tecnologías de manufactura asistidas por computadora. El rediseño de las estructuras organizacionales y de las prácticas gerenciales también puede contribuir a incrementar la eficiencia. Las organizaciones crean un motor para la innovación y no una dependencia en productos estandarizados y formas anacrónicas de hacer las cosas.

Las organizaciones se adaptan e influyen un entorno que cambia con rapidez. Considere el ejemplo de Google, proveedor del buscador de Internet más popular, el cual

CUADRO 1.1
Importancia de las organizaciones

Las organizaciones existen para:

1. *Reunir recursos para alcanzar las metas y los resultados deseados.*
2. *Producir bienes y servicios de manera eficiente.*
3. *Facilitar la innovación.*
4. *Utilizar tecnologías modernas de información y de manufactura.*
5. *Adaptarse e influir en un entorno dinámico o de cambio.*
6. *Crear valor para dueños, clientes y empleados.*
7. *Adecuarse a los retos existentes que suponen la diversidad, la ética, y la motivación y coordinación de los empleados.*

continúa adaptándose y evolucionando conforme lo hace Internet. En lugar de ser un servicio rígido, Google está añadiendo continuamente servicios tecnológicos y creando un servicio mejor gracias a la acumulación. A cualquier hora, el sitio presenta varias tecnologías en desarrollo de manera que los ingenieros pueden obtener ideas y retroalimentarse de los usuarios.[21] Algunos grandes negocios tienen departamentos equipados para monitorear el entorno y encontrar formas de adaptarse o influir en el mismo. Uno de los cambios más importantes en el entorno moderno es la globalización. Organizaciones como Coca-Cola, AES Corporation, Heineken Breweries e IBM están implicadas en alianzas y sociedades estratégicas con compañías alrededor del mundo en un esfuerzo por influir en el entorno y competir a escala global.

A través de todas estas actividades, las organizaciones crean valor para sus dueños, clientes y empleados. Los gerentes analizan qué partes de la operación crean valor y cuáles no; una compañía puede ser rentable sólo cuando el valor que crea es mayor que el costo de los recursos. JetBlue, por ejemplo, una aerolínea en rápido crecimiento que cobra tarifas bajas, crea valor al mantener los costos laborales bajos y ofrecer beneficios adicionales como asientos de piel y 24 canales de televisión satelital.[22] Por último, las organizaciones tienen que hacer frente y adaptarse a los cambios que plantea la diversidad del mundo laboral de la actualidad y a los problemas crecientes que competen a la ética y la responsabilidad social, así como encontrar formas efectivas de motivar a los empleados para que trabajen en conjunto para alcanzar las metas organizacionales.

Las organizaciones dan forma a nuestras vidas, y los gerentes bien informados pueden, a su vez, moldear a las organizaciones. La comprensión de la teoría organizacional permite a los gerentes diseñar las organizaciones para un funcionamiento más efectivo.

Perspectivas sobre las organizaciones

Existen diferentes formas de ver y concebir a las organizaciones y la forma en que funcionan. Dos importantes perspectivas son el enfoque de sistemas abiertos y el modelo de configuración organizacional.

Sistemas abiertos

Un adelanto importante en el estudio de las organizaciones fue la diferencia entre los sistemas abiertos y los cerrados.[23] Un **sistema cerrado** sería aquel que no depende de su entorno; que es autónomo, cerrado y aislado en relación con el mundo externo. Si bien, un sistema cerrado auténtico no puede existir, los primeros estudios organizacionales se enfocaron en los sistemas internos. Los primeros conceptos administrativos, como la administración científica, el estilo de liderazgo y la ingeniería industrial, se basaban en enfoques de sistema cerrado debido a que no daban importancia al entorno y suponían que la organización podía ser más efectiva gracias al diseño interno. La administración de un sistema cerrado sería muy fácil. El entorno sería estable y predecible, y no intervendría para ocasionar problemas. El principal problema administrativo sería lograr que todos los asuntos funcionaran de manera efectiva.

Un **sistema abierto** debe interactuar con el entorno para sobrevivir; éste consume recursos de la misma manera que los exporta al entorno. No puede aislarse y continuamente debe adaptarse a su entorno. Los sistemas abiertos pueden tener una enorme complejidad. La eficiencia interna es tan sólo un problema, y en ocasiones uno pequeño. La organización tiene que buscar y obtener los recursos necesarios, interpretar y actuar conforme los cambios de su entorno, deshacerse de los productos, y controlar y coordinar las actividades internas para hacer frente a los trastornos e incertidumbre del entorno. Todo sistema que debe interactuar con el entorno para sobrevivir es un sistema abierto. El ser humano es un sistema abierto. Así lo son el planeta Tierra, la ciudad de

Nueva York y Xerox Corp. De hecho, uno de los problemas de Xerox fue que los altos directivos parecieron olvidar que formaban parte de un sistema abierto. Se aislaron a sí mismos dentro de una cultura burocrática y no pudieron centrar su atención en lo que estaban experimentando sus clientes, sus proveedores y su competencia. Los vertiginosos cambios de las pasadas décadas, como la globalización y la creciente competencia, el auge de Internet y de los negocios electrónicos, así como la creciente diversidad de la población y la fuerza de trabajo, han obligado a muchos gerentes a reorientar sus paradigmas hacia el de los sistemas abiertos y reconocer que su negocio forma parte de un complejo todo interconectado.

Para entender a la organización global, es necesario concebirla como un sistema. Un **sistema** es un conjunto de elementos que interactúan entre sí, que recibe entradas del entorno, las transforma y descarga en él el producto de este proceso. La necesidad de entradas y salidas refleja la dependencia del entorno. La interacción de los elementos representa la dependencia entre la gente y los departamentos, por lo que es necesario que trabajen en conjunto.

El cuadro 1.2 ilustra un sistema abierto. Las entradas en un sistema organizacional abarcan a los empleados, la materia prima y otros recursos físicos, información y recursos financieros. El proceso de transformación cambia estas entradas en algo de valor que se regresa al entorno. Las salidas incluyen productos y servicios específicos para consumidores y clientes. Las salidas también comprenden la satisfacción del empleado, la contaminación y otros subproductos del proceso de transformación.

Un sistema está compuesto de varios **subsistemas**, como lo ilustra la parte inferior del cuadro 1.2. Estos subsistemas desarrollan funciones específicas que requiere la supervivencia organizacional, como la producción, la interconexión de fronteras, el mantenimiento, la adaptación y la dirección. El subsistema de producción genera productos y servicios de la organización. Los subsistemas de fronteras son responsables de los intercambios con el entorno. Incluyen actividades como la compra de provisiones o la comercialización de productos. El subsistema de mantenimiento mantiene libre de problemas a la operación y conserva los elementos organizacionales humanos y físicos. Los subsistemas de adaptación son responsables del cambio y la adaptación organizacionales. La dirección es un subsistema distinto, responsable de coordinar y dirigir a los demás subsistemas de la organización.

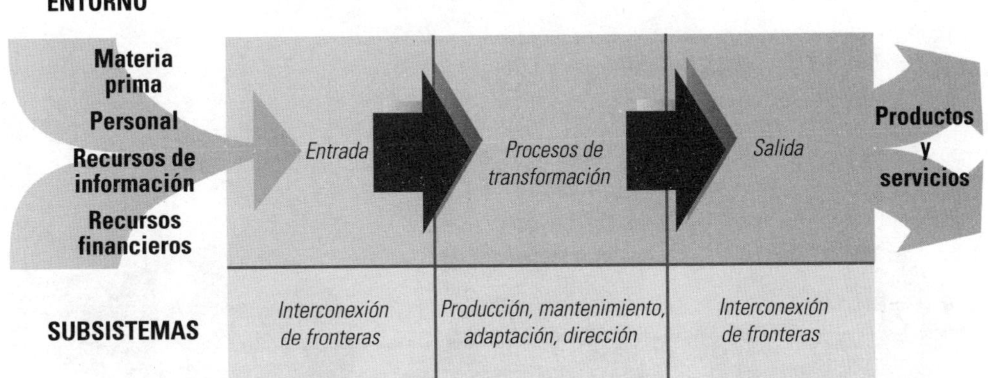

CUADRO 1.2
Sistema abierto y sus subsistemas

Configuración organizacional

Las diferentes partes de la organización están diseñadas para llevar a cabo las funciones clave del subsistema que se ilustran en el cuadro 1.2. Henry Mintzberg propuso un modelo que afirma que toda organización consta de cinco partes.[24] Estas partes pueden variar en cuanto al tamaño e importancia según el entorno organizacional, la tecnología y otros factores.

Portafolios

Como gerente de una organización, tenga en mente estos lineamientos:

Diseñe la organización de manera que las cinco partes básicas: centro técnico, soporte técnico, soporte administrativo, alta dirección y mandos medios desempeñen de manera adecuada las funciones del subsistema de producción, mantenimiento, adaptación, dirección e interconexión de fronteras. Intente mantener un balance entre las cinco partes a fin de que trabajen conjuntamente para la efectividad organizacional.

Centro técnico. El centro técnico está compuesto por las personas quienes realizan el trabajo básico de la organización. Desempeña la función de producción del subsistema y en realidad genera la salida de productos y servicios de la organización. Aquí es donde tiene lugar la transformación primaria de entradas a salidas. El centro técnico es el departamento de producción en una empresa de manufactura, los maestros y las clases en una universidad y las actividades médicas en un hospital. En Xerox, el centro técnico produce copiadoras, impresoras digitales y servicios de administración de documentos para los clientes.

Soporte técnico. La función de soporte técnico ayuda a la organización a adaptarse al entorno. Los empleados encargados del soporte técnico, como los ingenieros e investigadores, buscan en el entorno problemas, oportunidades y desarrollos tecnológicos. El soporte técnico es responsable de la creación de innovaciones en el centro técnico, al tiempo en que ayuda a la organización a cambiar y a adaptarse. El soporte técnico en Xerox lo proporcionan departamentos como el tecnológico, de investigación y desarrollo (I&D) y el de investigación de mercados. Por ejemplo, la inversión en investigación y desarrollo, permitió a Xerox producir más de 500 patentes en 2004, lo que enriqueció los productos existentes, fomentó el desarrollo de productos de última generación, y la exploración de las tecnologías con potencial de cambio de tal manera que se pudo adaptar a un entorno cambiante.[25]

Soporte administrativo. La función de soporte administrativo es responsable de que la operación marche sin dificultades y del mantenimiento de la organización, incluyendo el de sus elementos humanos y físicos. Comprende las actividades de recursos humanos como el reclutamiento y la contratación de personal, el establecimiento de compensaciones y prestaciones, y la capacitación y desarrollo de los empleados, así como actividades de mantenimiento como la limpieza de los edificios y servicios de reparación de las máquinas. Las funciones de soporte administrativo en una corporación como Xerox

CUADRO 1.3
Las cinco partes básicas de una organización
Fuente: Basado en la obra de Henry Mintzberg, *The Structuring of Organizations* (Englewood Cliffs, N.J.: Prentice-Hall, 1979), 215-297; también de Henry Mintzberg, "Organization Design: Fashion or Fit?" en *Harvard Business Review* 59 (enero-febrero 1981); 103-116.

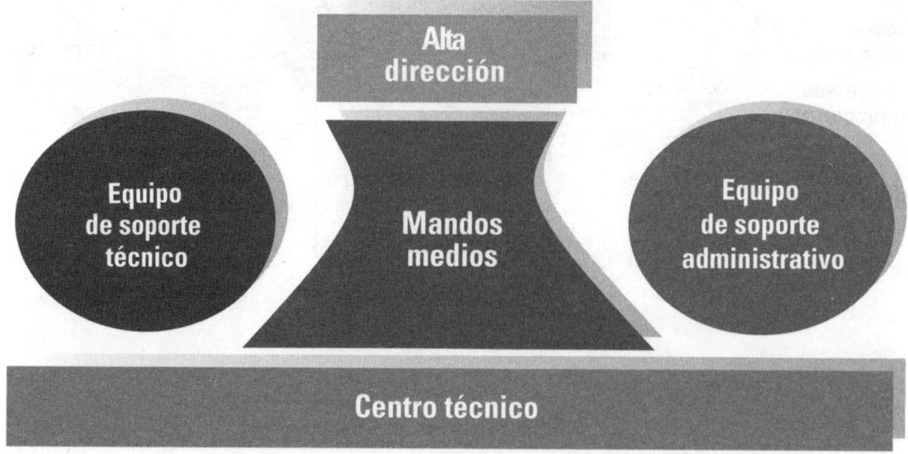

pueden abarcar al departamento de recursos humanos, el desarrollo organizacional, la cafetería de los empleados y el personal de mantenimiento.

Dirección. La dirección es un subsistema distinto, responsable de dirigir y coordinar las diferentes partes de la organización. La dirección proporciona guía, estrategia, metas y políticas para la organización total o divisiones importantes. Los mandos medios gerenciales son responsables de la implementación y coordinación en el nivel departamental. En las organizaciones tradicionales, los gerentes de rango medio son responsables de intervenir entre la alta dirección y el centro técnico, con acciones como la implementación de reglas y la transmisión de información en toda la jerarquía organizacional.

En las organizaciones reales, las cinco partes están interrelacionadas y muchas veces desempeñan más de una función de otros subsistemas. Por ejemplo, los directores coordinan y dirigen las demás partes del sistema, pero quizá también están implicados en el soporte técnico y administrativo. Además, muchas partes tienen la función de *interconectar fronteras*, mencionada en la sección previa. Por ejemplo, en el ámbito del soporte administrativo, el departamento de recursos humanos es responsable de trabajar con el entorno externo para encontrar empleados de calidad. Los departamentos de compras adquieren los materiales y los suministros necesarios. En el área de soporte técnico, los departamentos de investigación y desarrollo trabajan directamente con el entorno para conocer más acerca de los nuevos desarrollos tecnológicos. Los directores, por su parte, llevan a cabo también la interconexión de fronteras, como cuando Anne Mulcahy de Xerox negoció directamente con la Comisión de la Bolsa de Valores lo concerniente a las irregularidades contables. El importante subsistema de interconexión de fronteras está relacionado con diferentes áreas, en lugar de estar confinado a una sola parte de la organización.

Dimensiones del diseño organizacional

La visión de los sistemas pertenece a las actividades dinámicas y existentes en el interior de las organizaciones. El siguiente paso para entender a las organizaciones es observar las dimensiones y describir las características específicas del diseño organizacional. Estas dimensiones describen a las organizaciones de la misma forma en que los rasgos físicos y de la personalidad describen a la gente.

Las dimensiones organizacionales se pueden dividir en dos tipos: estructural y contextual, los cuales están ilustrados en el cuadro 1.4. Las **dimensiones estructurales** proporcionan las etiquetas para describir las características internas de una organización. Crean una base para medir y comparar organizaciones. Las **dimensiones contextuales** describen las características de la organización global, como su tamaño, tecnología, entorno y metas. Estas dimensiones detallan el escenario organizacional que influye y moldea a las dimensiones estructurales. Las dimensiones contextuales pueden confundirse debido a que representan tanto a la organización como al entorno. Las dimensiones contextuales pueden concebirse como un conjunto de elementos interrelacionados que son la base de la estructura de una organización y de los procesos de trabajo. Para entender y evaluar a las organizaciones, es necesario examinar las dimensiones contextuales y las estructurales.[26] Estas dimensiones del diseño organizacional interactúan entre sí y pueden ajustarse para alcanzar los propósitos enunciados en el cuadro 1.1.

Dimensiones estructurales

1. La *formalización* pertenece a la cantidad de documentación escrita en la organización. La documentación incluye procedimientos, descripciones de puestos, regulaciones y manuales de políticas. Estos documentos escritos describen el comportamiento y las actividades.

CUADRO 1.4
Interacción de las dimensiones contextuales y estructurales del diseño organizacional

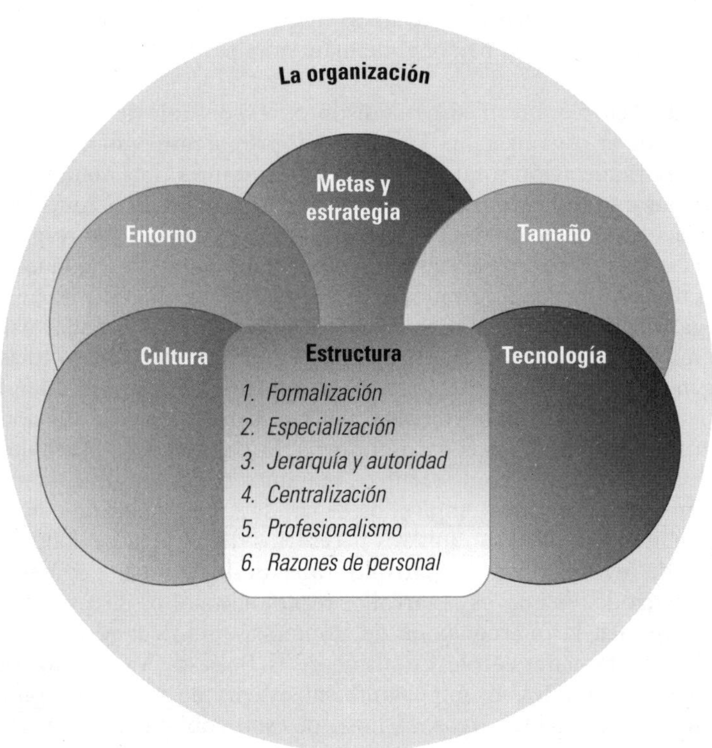

Como gerente de una organización, tenga en mente estos lineamientos:

Pensar acerca de la organización como una entidad distinta de las personas que trabajan en ella. Describir a la organización con base en su tamaño, formalización, descentralización, especialización, profesionalismo, índices de personal, etcétera. Utilice estas características para analizar a la organización y compararla con otras organizaciones.

La formalización muchas veces se mide mediante el simple conteo del número de páginas de documentación que existe dentro de una organización. Las grandes universidades estatales, por ejemplo, tienden a tener una formalización alta debido a que cuentan con varios volúmenes de reglas escritas con cuestiones tales como el registro, las bajas y las altas de clases, las asociaciones estudiantiles, el control de dormitorios y la asistencia financiera. En contraste, un pequeño negocio familiar puede casi no tener reglas escritas y considerarse informal.

2. La *especialización* es el grado al cual las tareas organizacionales están subdivididas en trabajos separados. Si la especialización es alta, cada empleado desempeñará sólo una pequeña variedad de tareas. Si la especialización es baja, los empleados desempeñarán una gama amplia de tareas en sus trabajos. La especialización algunas veces se conoce como división laboral.
3. La *jerarquía de autoridad* se refiere a quién reporta a quién y el tramo de control de cada gerente o directivo. La jerarquía está representada por las líneas verticales en el organigrama, como lo ilustra el cuadro 1.5. La jerarquía está relacionada con el tramo de control (número de empleados que le reportan a un supervisor). Cuando *el tramo de control* es pequeño, la jerarquía tiende a ser alta. Cuando el tramo de control es amplio, la jerarquía de autoridad será menor.
4. La *centralización* se refiere al nivel jerárquico que la autoridad tiene para tomar una decisión. Cuando la toma de decisiones se mantiene en niveles altos, la organización es centralizada. Cuando las decisiones se delegan a los niveles organizacionales más bajos, es descentralizada. Las decisiones organizacionales, que pueden ser centralizadas o descentralizadas, incluyen la compra de equipo, el establecimiento de metas, la elección de proveedores, la fijación de precios, la contratación de empleados y la decisión de territorios para la comercialización.

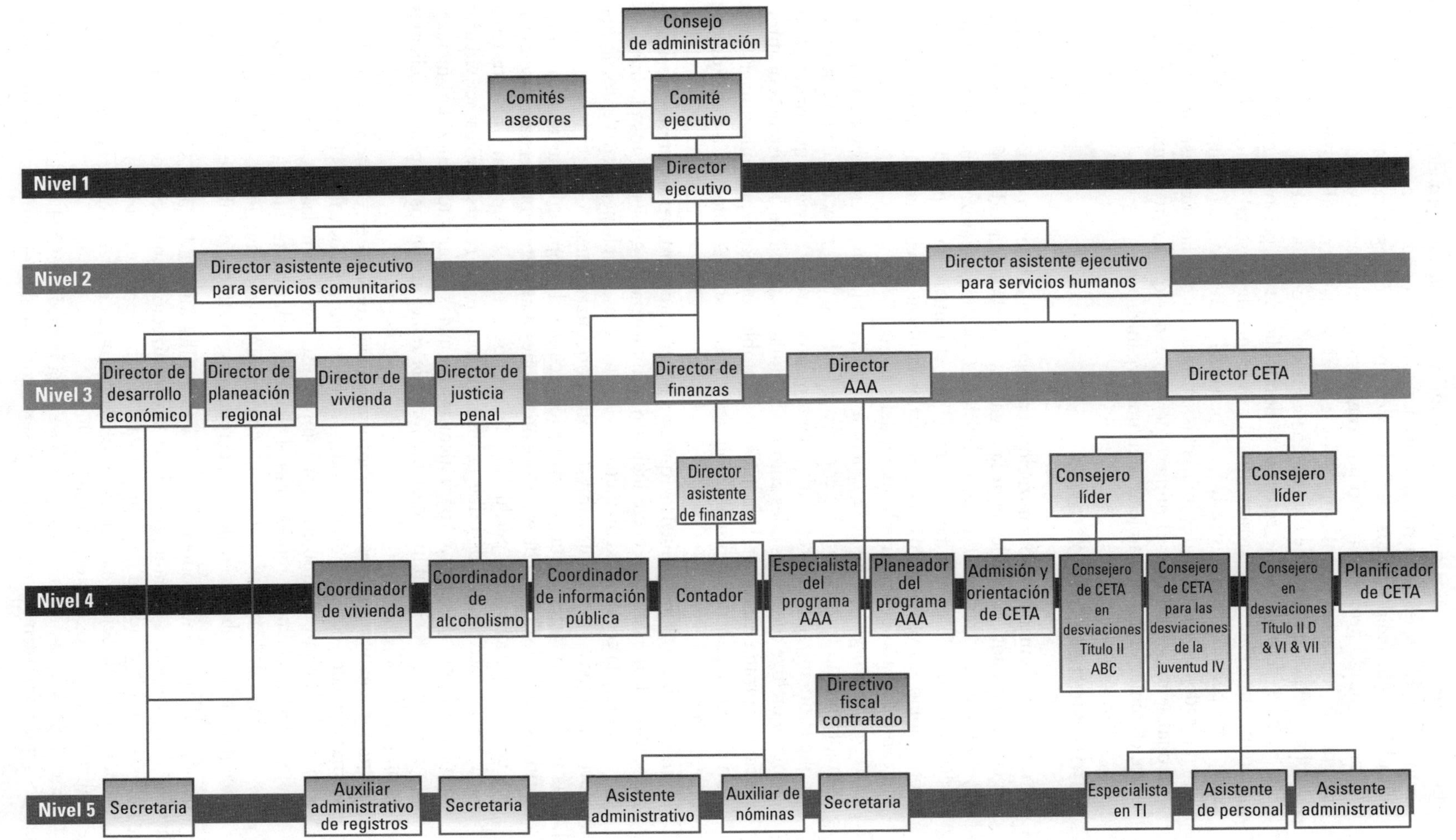

CUADRO 1.5
Organigrama que ilustra la jerarquía de autoridad para un programa comunitario de capacitación laboral

5. El *profesionalismo* es el nivel de educación y capacitación formales que tienen los empleados. El profesionalismo es considerado alto cuando se requiere que los empleados hayan tenido largos periodos de capacitación para ocupar puestos en la organización. El profesionalismo por lo general se mide como el número promedio de años de educación de los empleados, el cual puede ser tan alto como de 20 en la práctica médica y menos de diez en una compañía constructora.
6. Las *razones de personal* se refieren al desarrollo de las personas en relación con diferentes funciones y departamentos. Las razones de personal incluyen las proporciones de personal administrativo, de personal secretarial, de equipo profesional, de empleados con actividades indirectas en relación con las directas. Una razón de personal se mide al dividir el número de empleados que existe en una clasificación entre el número total de empleados en una organización.

Dimensiones contextuales

1. El *tamaño* es la magnitud organizacional reflejada en el número de personas que hay en la organización. Se puede medir la organización como un todo o para componentes específicos, como una fábrica o división, como las organizaciones son sistemas sociales, el tamaño generalmente se mide por el número de empleados. Otras mediciones como las ventas o los activos totales también reflejan la magnitud, pero no indican el tamaño de la parte humana del sistema.
2. La *tecnología organizacional* se refiere a las herramientas, técnicas y acciones que se emplean para transformar las entradas en salidas. Está relacionada con la forma en que la organización en realidad genera los productos y servicios que provee a los clientes e incluye cuestiones tales como la manufactura flexible, los sistemas de información avanzada e Internet. Una línea de ensamble automotriz, un aula universitaria y un sistema nocturno de distribución de paquetes, son tecnologías, a pesar de que difieren entre sí.
3. El *entorno* incluye los elementos que se encuentran fuera de los límites de la organización. Los elementos clave incluyen la industria, el gobierno, los clientes, los proveedores y la comunidad financiera. Muchas veces, los elementos del entorno que afectan aún más a la organización que otras organizaciones.
4. Las *metas y estrategia* de una organización definen el propósito y las técnicas competitivas que la distinguen de otras organizaciones. Las metas con frecuencia se escriben como una declaración perdurable del propósito de la compañía. Una estrategia es el plan de acción que describe la distribución de los recursos y las actividades para hacer frente al entorno y para alcanzar las metas organizacionales. Las metas y estrategias definen el ámbito de operación y la relación con los empleados, clientes y competidores.
5. La *cultura* organizacional es el conjunto subyacente de valores, creencias, acuerdos y normas cruciales, compartido por todos los empleados. Estos valores básicos pueden referirse al comportamiento ético, al compromiso con los empleados, a la efectividad o al servicio al cliente, y representan el elemento aglutinante que mantiene unidos a los miembros de la organización. Una cultura organizacional no está escrita pero se hace patente en su historia, slogans, ceremonias, vestido y diseño de las oficinas.

Las once dimensiones contextuales y estructurales analizadas aquí son interdependientes. Por ejemplo, el tamaño grande de la organización, una tecnología de rutina, y un entorno estable tienden a crear una organización que tiene una formalización, especialización y centralización mayores. Las relaciones más detalladas entre las dimensiones se analizan en capítulos posteriores de este libro.

Estas dimensiones proporcionan una base para la medición y el análisis de las características que no pueden ser vistas por el observador casual y revelan información importante acerca de una organización. Considere el ejemplo de las dimensiones de W. L. Gore & Associates en comparación con las de Wal-Mart y una agencia gubernamental.

En la práctica

W. L. Gore & Associates

Cuando Jack Dougherty comenzó a trabajar en W. L. Gore & Associates, Inc., su jefe era Bill Gore, el fundador de la compañía y quien le encargó su primer tarea. Gore le dijo, "¿por qué no encuentras algo que quieras hacer?" A Dougherty le impactó tal informalidad pero rápidamente se recuperó y comenzó a interrogar a diferentes gerentes acerca de las actividades. Le atrajo un nuevo producto llamado Gore-Tex, una membrana a prueba de agua que podía respirar cuando estaba unida a algún tipo de tejido. A la mañana siguiente, llegó al trabajo vestido de jeans y comenzó a ayudar a meter tela en la boca de una gran máquina laminadora. Cinco años después, Dougherty era el responsable del marketing y la publicidad del grupo textil.

En 1986 falleció Bill Gore, pero la organización que diseñó sigue funcionando sin títulos oficiales, órdenes o jefes. Uno de sus preceptos clave es que los empleados (llamados asociados) descifren qué es lo que desean hacer y dónde piensan que pueden hacer una contribución. La compañía tiene casi 6 000 asociados en 45 sedes alrededor del mundo. El tamaño de las fábricas se ha mantenido pequeño: de hasta 200 personas, para mantener una atmósfera familiar. "Es mucho mejor utilizar la amistad y el afecto que la esclavitud y el castigo", decía Bill Gore. Se ha asignado a varios asociados profesionales para actuar como "patrocinadores" en el desarrollo de un nuevo producto, pero la estructura administrativa es esbelta. Las buenas relaciones humanas son un valor más importante que su eficacia interna, y funciona. La compañía ha sido nombrada siete veces por la revista *Fortune* como una de las "100 mejores compañías para trabajar en Estados Unidos", y Gore continúa creciendo y prosperando.

Un caso opuesto es el de Wal-Mart, donde la eficacia es la meta. Wal-Mart logra su ventaja competitiva gracias al compromiso de los empleados y a la eficiencia de costos interna. Utiliza una fórmula estandarizada para construir cada tienda, con exhibiciones y mercancías uniformes. Wal-Mart opera aproximadamente 1 600 tiendas de descuento, así como 1 100 supercentros, 500 Sam's Clubs, y más de 1000 tiendas internacionales. Sus gastos administrativos son los más bajos de cualquier cadena. El sistema de distribución es una maravilla de eficiencia. Las mercancías pueden ser entregadas a cualquier tienda en menos de dos días después de que se coloca un pedido. Las tiendas son controladas desde los niveles superiores, pero también se les ha dado a los gerentes de tiendas un poco de libertad para adaptarse a las condiciones locales. El desempeño es alto, y los empleados están satisfechos porque lo que reciben como pago es justo y más de la mitad de ellos tienen participación en las utilidades corporativas.

Un contraste aún más grande se puede ver en muchas agencias gubernamentales o en organizaciones sin fines de lucro que dependen en gran medida del financiamiento público. Por ejemplo, en la mayor parte de las organizaciones artísticas y humanitarias trabaja sólo un pequeño grupo de empleados altamente capacitados, pero los trabajadores se sienten abrumados por las reglas y regulaciones por el exceso de trabajo de oficina. Los empleados que tienen que implementar cambios en las reglas muchas veces no tienen tiempo de leer el flujo continuo de memorandos y siguen teniendo el deber de atender su trabajo cotidiano con las agencias artísticas de la comunidad. Los empleados deben pedir informes a sus clientes con el fin de elaborar habitualmente reportes a varias fuentes de financiamiento federal y estatal. Los trabajadores de las agencias están frustrados y también los de las organizaciones comunitarias que buscan atender. Estas organizaciones más pequeñas a veces rechazan la asistencia debido al cuantioso papeleo que implica.[27]

El cuadro 1.6 ilustra varias dimensiones estructurales y contextuales de Gore & Associates, Wal-Mart y de las agencias artísticas estatales. Gore & Associates es una organización mediana de manufactura cuya calificación es muy baja en lo referente a la formalización, especialización y centralización. Varios miembros del equipo profesional están asignados a actividades donde no hay flujo de trabajo para realizar la investigación y el desarrollo necesarios a fin de mantenerse al corriente sobre los cambios en la industria de las fibras. La formalidad, especialización y centralización de Wal-Mart es mucho mayor. La eficiencia es más importante que los nuevos productos, es por eso que

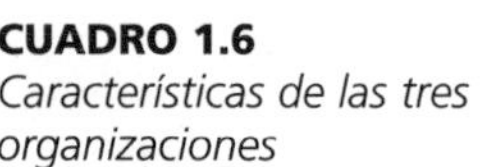

CUADRO 1.6
Características de las tres organizaciones

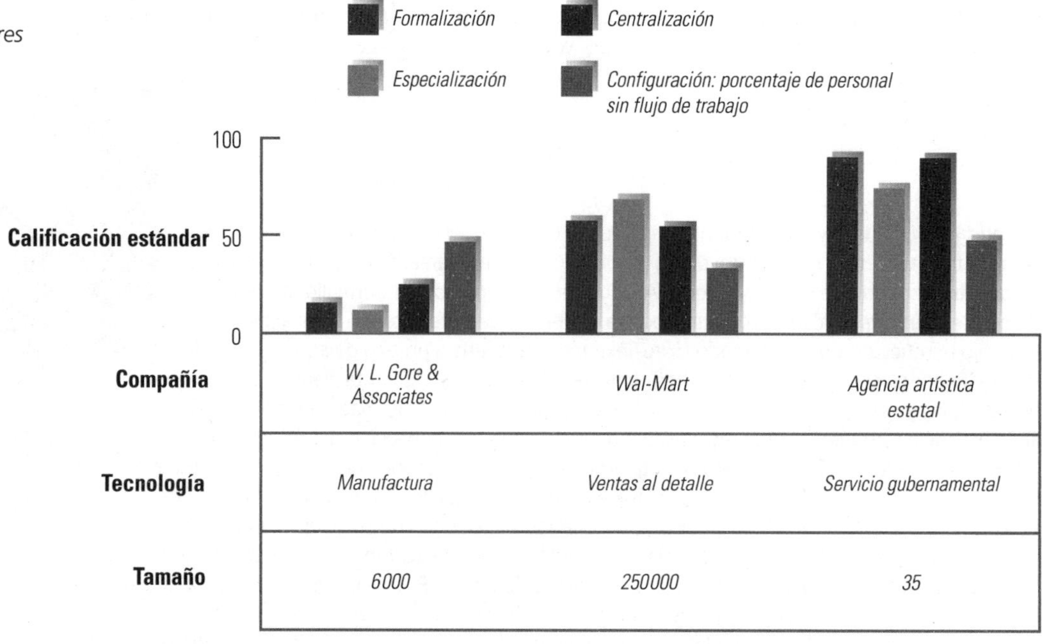

las actividades están guiadas por regulaciones estandarizadas. El porcentaje de personas sin flujo de trabajo se mantiene al mínimo. Las agencias artísticas, en contraste con otras organizaciones, reflejan estatus como una parte pequeña de una gran burocracia gubernamental. La agencia se encuentra abrumada con reglas y procedimientos estándar. Las reglas son dictadas desde arriba. La mayoría de los empleados están asignados a actividades con flujo de trabajo, a pesar de que en temporadas normales un número sustancial de personas está dedicado a actividades secretariales y administrativas.

Las dimensiones contextuales y estructurales pueden aportar mucha información acerca de la organización y de las diferencias entre las organizaciones. Las dimensiones de diseño organizacional se examinarán con mayor detalle en los capítulos posteriores para determinar el nivel apropiado de cada dimensión necesario para un desempeño efectivo en cada escenario organizacional.

Desempeño y resultados de efectividad

Como gerente de una organización, tenga en mente estos lineamientos:

Al establecer las metas y el diseño organizacional, considere las necesidades e intereses de todos los participantes para lograr la efectividad.

El punto medular para la comprensión de diferentes perspectivas y las dimensiones contextuales y estructurales de las organizaciones está en diseñar la organización de tal forma que alcance un desempeño y efectividad altos. Los directivos ajustan las dimensiones estructurales y contextuales, y los sistemas organizacionales para transformar de forma eficiente y eficaz las entradas en salidas y proporcionar valor. La **eficiencia** se refiere a la cantidad de recursos utilizados para alcanzar las metas de la organización. Está basada en la cantidad de materias primas, dinero y empleados necesarios para producir un nivel de salidas determinado. La **efectividad** es un término amplio, que significa el grado al cual una organización alcanza sus metas.

Para ser efectiva, la organización necesita metas claras y enfocadas, así como estrategias adecuadas para alcanzarlas. La estrategia, metas y enfoques para medir la efectividad se analizan con mayor detalle en el capítulo 2. Muchas organizaciones están utilizando nuevas tecnologías para mejorar la eficiencia y la efectividad. Por ejemplo, el estado de Illinois está aplicando tecnologías para alcanzar las metas de desarrollo de negocios y servicio al cliente, como proporcionar a empresas transportistas un acceso único para permisos estatales y federales vía Internet. Illinois también fue uno de los primeros estados en introducir un sistema sin papeleo para las reuniones del consejo escolar y en permitir al público consultar las agendas e informes en línea. En el mundo de los negocios, UPS está utilizando equipo tecnológicamente sofisticado para el manejo de paquetes y sistemas de logística computarizados a fin de reducir un día el tiempo de entrega promedio de los paquetes terrestres hacia las principales áreas metropolitanas.[28]

No obstante, alcanzar la efectividad no siempre es una cuestión sencilla debido a que diferentes personas desean cosas diferentes de la organización. Para los clientes, el principal interés está en los productos y servicios de alta calidad a precio razonable, por su parte, los empleados están más interesados en un salario adecuado, buenas condiciones de trabajo y satisfacción laboral. Los directores deben balancear cuidadosamente las necesidades e intereses de los diferentes participantes al establecer metas y esforzarse por alcanzar la efectividad. Esto se denomina el **enfoque del participante**, el cual integra diversas actividades organizacionales mediante la observación de diferentes participantes organizacionales y lo que desean de la organización. Un **participante** es cualquier grupo dentro o fuera de la organización que tenga un interés en el desempeño organizacional. El nivel de satisfacción de cada grupo puede evaluarse como un índice del desempeño y efectividad organizacionales.[29]

El cuadro 1.7 ilustra a los diferentes participantes y lo que cada grupo desea de la organización. Las organizaciones muchas veces encuentran difícil satisfacer simultáneamente las demandas de todos los grupos. Un negocio puede gozar de una alta satisfacción del cliente, pero la organización puede experimentar dificultades con los acreedores o las relaciones con los proveedores pueden ser deficientes. Considere el caso de Wal-Mart. Los clientes aman su eficiencia y sus precios bajos, pero el énfasis en los costos reducidos que la compañía emplea con sus proveedores ha sido causa de fricciones entre ellos. Algunos grupos activistas han argumentado que las prácticas de Wal-Mart no son éticas debido a que obligan a sus proveedores a despedir a sus trabajadores, cerrar fábricas y subcontratar fabricantes en países con salarios bajos. Por ejemplo, un proveedor de ropa vende a Wal-Mart a precios tan bajos, que muchas compañías estadounidenses no pueden competir aun si dejaran de pagar a sus trabajadores. Los retos para la dirección de una organización tan grande también generan fricciones en las relaciones con los empleados y otros grupos participantes; las recientes demandas por discriminación de género y las quejas por salarios bajos, lo evidencian.[30]

CUADRO 1.7
Principales grupos participantes y lo que esperan

Algunas veces, los intereses de los participantes entran en conflicto, como cuando los sindicatos demandan incrementos salariales que pueden dañar los rendimientos financieros de los participantes o requieren un cambio de proveedores a otros que ofrezcan costos más bajos. En las organizaciones sin fines de lucro, las necesidades e intereses de los clientes en ocasiones entran en conflicto con las restricciones en el uso de fondos gubernamentales o contribuciones de los donadores. En realidad, sería ilógico suponer que todos los participantes deben estar igualmente satisfechos. No obstante, si la organización fracasa en cumplir las necesidades de varios grupos participantes, es probable que no logre sus metas de efectividad. Recuerde lo sucedido en el caso de Xerox cuando no se pudieron satisfacer los deseos de los empleados, los clientes, los acreedores, los participantes y las regulaciones gubernamentales.

La investigación ha demostrado que la evaluación de múltiples grupos participantes es un reflejo preciso de la efectividad organizacional, en especial con respecto a la adaptación organizacional.[31] Además, tanto a las organizaciones comerciales como a las que carecen de fines de lucro, les interesa su reputación e intentarán moldear las percepciones de los participantes acerca de su desempeño.[32]

Los directores luchan por satisfacer al menos al mínimo grado posible los intereses de todos los participantes. Cuando cualquier grupo se encuentra seriamente insatisfecho, puede retirar su apoyo y dañar el futuro desempeño organizacional. Satisfacer a múltiples participantes puede ser desafiante, en particular a medida que las prioridades y las metas cambian, como lo ilustra el siguiente ejemplo.

En la práctica

Buró Federal de Investigación

Pocos negarían que la seguridad del territorio nacional y el combate al terrorismo deban ser una de las prioridades más altas para Estados Unidos, y desde los ataques del 11 de septiembre de 2001, el FBI (por sus siglas en inglés) ha canalizado cada vez más recursos al combate nacional contra el terrorismo.

Esto suena muy bien, ¿verdad? El único problema es que el nuevo enfoque implica sacar de sus labores habituales a cientos de agentes, en las que investigaban todo, desde narcotráfico o secuestro, hasta delitos de cuello blanco. "De una forma o de otra, casi todo mundo aquí está implicado en casos de terrorismo", afirma el agente Ron Buckley. "Todo lo demás se ha colocado en una posición de baja prioridad." Esta situación está delegando una carga muy pesada a los departamentos de policía y otras agencias de vigilancia de la ley alrededor de todo el país. Estas organizaciones no cuentan con el personal, los recursos de investigación o la experiencia práctica para combatir el tipo de delitos que alguna vez eran responsabilidad de los agentes del FBI. Por ejemplo, incluso cuando los departamentos locales tenían el personal adecuado, los delitos muchas veces quedaban sin resolverse debido a la falta de acceso a los laboratorios forenses de alta tecnología del FBI. La policía estatal local no está satisfecha con la desviación de recursos federales, aunque entienda la necesidad. Muchos de estos departamentos ya se encuentran en condiciones deplorables en cuanto a fondos y a personal, y algunos han recurrido a voluntarios para que se ocupen de reportes delincuenciales de delitos no violentos. Por su parte, las comunidades locales también se han visto afectadas ya que temen un aumento de las drogas en sus vecindarios y de delitos más violentos en sus calles. Si bien, el público estadounidense está preocupado por el terrorismo, también desea que su pequeño espacio en el mundo sea protegido contra la actividad criminal.

Algunos agentes del FBI no están muy conformes con el cambio. Por ejemplo, un agente que ha pasado la mayor parte de su carrera de 25 años que estudió con cuidado estados financieros para la investigación de fraudes, tiene que hacer un enorme cambio mental para sentirse cómodo y viajar alrededor de la ciudad en un automóvil camuflado con armas automáticas, granadas de desorientación, trajes blindados —y un cepillo de dientes— preparado para la siguiente larga emboscada policial.[33]

Este ejemplo proporciona una idea de la dificultad que puede representar para los directivos satisfacer los deseos de múltiples participantes. En todas las organizaciones, los directivos tienen que evaluar los intereses de los participantes y establecer metas que puedan lograrse con la mínima satisfacción para el mayor número de grupos de participantes.

Evolución de la teoría y el diseño organizacional

La teoría organizacional no es un conjunto de datos; es una forma de concebir a las organizaciones. La teoría organizacional es una forma de ver y analizar las organizaciones con más precisión y mayor profundidad de lo que cualquier otra persona podría hacerlo. La forma de ver y pensar en las organizaciones está basada en patrones y regularidades en el diseño y comportamiento organizacional. Los académicos organizacionales buscan estas regularidades, las definen, las miden y las ponen a la disposición del resto de nosotros. Los datos provenientes de la investigación no son tan importantes como los patrones generales y la comprensión del funcionamiento organizacional.

Perspectivas históricas

El diseño organizacional y las prácticas gerenciales se han ido transformando a través del tiempo, como respuesta a los cambios en una sociedad más amplia.

Quizá recuerde lo que aprendió en sus primeros cursos de administración acerca de que la era moderna de la teoría administrativa empezó con la perspectiva clásica de la administración al final del siglo XIX y principios del siglo XX. El surgimiento del sistema fabril durante la Revolución Industrial planteó problemas que las primeras organizaciones no habían enfrentado. A medida que el trabajo se iba realizando en una escala mucho mayor y lo realizaba un número mayor de trabajadores, la gente empezó a pensar en cómo diseñar y administrar el trabajo con el fin de incrementar la productividad y ayudar a las organizaciones a lograr una eficacia máxima. La perspectiva clásica, la cual buscaba que las organizaciones funcionaran igual que eficientes máquinas bien aceitadas, está relacionada con el desarrollo de las organizaciones jerárquicas y burocráticas, y sigue siendo la base de gran parte de la teoría y práctica administrativas modernas. En esta sección, se examinará la perspectiva clásica, con su énfasis en la eficiencia y la organización, así como otras perspectivas que han surgido para resolver nuevas inquietudes, como las necesidades de los empleados y la función que ejerce el entorno. Los elementos de cada perspectiva se siguen utilizando en el diseño organizacional, aunque se han adaptado y revisado para satisfacer las necesidades cambiantes.

La eficiencia lo es todo. Su creador fue Frederick Winslow Taylor. La **administración científica** postula que las decisiones organizacionales y el diseño del trabajo debe basarse en el estudio preciso y científico de las situaciones individuales.[34] A fin de implementar este enfoque, los directores desarrollaron procedimientos estandarizados y precisos para llevar a cabo cada tarea, para la selección de los trabajadores con las habilidades adecuadas, para la capacitación de los empleados en los procedimientos estandarizados, para la planeación cuidadosa del trabajo y para proporcionar incentivos salariales orientados a incrementar la producción. El enfoque de Taylor está ejemplificado con la descarga del hierro de los vagones del ferrocarril y la recarga del acero terminado dirigido a la fábrica Bethlehem Steel en 1898. Taylor calculó que con los movimientos, las herramientas y las secuencias correctas cada hombre era capaz de cargar 47.5 toneladas por día en lugar de las 12.5 toneladas acostumbradas. También diseñó un sistema de incentivos que le pagaba a cada hombre que cumpliera con esta carga de trabajo $1.85, un incremento de $1.15 en relación con el salario anterior. La productividad en Bethlehem Steel se disparó de la noche a la mañana. Este entendimiento ayudó a establecer los supuestos organizacionales de que la función de la dirección era mantener la estabilidad y la eficiencia, con los gerentes pensando y los trabajadores haciendo lo que se les ordenaba.

Cómo organizarse. Otra subdivisión de la perspectiva clásica observó con mayor minuciosidad a la organización. Mientras los administradores científicos se enfocaron principalmente en el centro técnico, es decir, en el trabajo desempeñado en el piso de producción, los **principios de administración** consideraron el diseño del funcionamiento organizacional como un todo. Por ejemplo, Henri Fayol propuso catorce principios para la administración, como "cada subordinado recibe órdenes sólo de un superior" (unidad de mando) y "las actividades similares en una organización deben agruparse bajo un solo administrador" (unidad de dirección). Estos principios constituyeron la base para la práctica administrativa y el diseño organizacional modernos.

Los enfoques de la administración científica y de los principios de administración fueron poderosos y dieron a las organizaciones nuevas ideas fundamentales para el establecimiento de una producción alta y una creciente prosperidad. Los principios administrativos en particular contribuyeron al desarrollo de las **organizaciones burocráticas**, las cuales pusieron énfasis en el diseño y administración de las organizaciones sobre una base impersonal y racional a través de elementos tales como una autoridad y responsabilidad claramente definidas, un registro formal de la documentación administrativa, una aplicación de los estándares. Aunque el término *burocracia* ha tomado connotaciones negativas en las organizaciones contemporáneas, las características burocráticas funcionaron muy bien para satisfacer las necesidades en la era industrial. Uno de los problemas de la perspectiva clásica fue que no supo considerar el contexto social y las necesidades humanas.

¿Y qué hay de la gente? Los primeros trabajos en psicología industrial y relaciones humanas recibieron poca atención debido a la preponderancia de la administración científica, no obstante, gracias a una serie de experimentos, se presentó un progreso importante en una compañía eléctrica de Chicago, la cual se llegó a conocer como **Estudios Hawthorne.** Las interpretaciones de estos estudios concluyeron que el tratamiento positivo a los empleados mejoraba su motivación y productividad. La publicación de estos hallazgos generó una revolución en el trato a los empleados, el liderazgo, motivación y administración de los recursos humanos. Estas relaciones humanas y los enfoques conductistas añadieron nuevas e importantes contribuciones al estudio de la administración y de las organizaciones.

Sin embargo, el sistema jerárquico y los enfoques burocráticos que se desarrollaron durante la Revolución Industrial siguieron constituyendo el enfoque principal para el diseño y el funcionamiento organizacional, aun ya avanzada la década de 1970 y la de 1980. En general, este enfoque funcionó bien para la mayoría de las organizaciones hasta hace pocas décadas. No obstante, durante la década de 1980, comenzó a presentar problemas. La competencia creciente, en especial a escala global, cambió las condiciones del juego.[35] Las compañías tuvieron que encontrar una mejor salida.

Portafolios

Como gerente de una organización, tenga en mente estos lineamientos:

Sea cauteloso cuando aplique algo que funcionó en una situación a otra. No hay dos sistemas organizacionales iguales. Utilice la teoría organizacional para identificar la estructura, las metas, la estrategia y los sistemas directivos correctos para cada organización.

La década de 1980 produjo nuevas culturas corporativas que valoraban la reducción de personal, la flexibilidad, la rápida respuesta al cliente, los empleados motivados, el interés por los clientes y los productos de calidad. En las dos décadas pasadas, el mundo de las organizaciones ha experimentado cambios aún más profundos y de largo alcance. Internet y otros avances en la tecnología de la información, la globalización, los rápidos cambios sociales y económicos y otros retos que plantea el entorno demandan nuevas perspectivas administrativas y enfoques más flexibles para el diseño organizacional.

No hay que olvidarse del entorno. Muchos problemas se presentan cuando las organizaciones son manejadas como si fueran similares, como en el caso del enfoque de los principios de administración y de la administración científica que intentaron diseñar de manera similar a todas las organizaciones. Las estructuras y los sistemas que tuvieron efectos positivos en la división de ventas al detalle de un conglomerado no son las adecuadas para la división de manufactura. Los organigramas y los procedimientos financieros idóneos para una compañía con iniciativa empresarial en Internet, como eBay o Google, no funcionarán bien para una gran planta procesadora de alimentos.

La palabra **contingencia** significa que una cosa depende de otras, y para que las organizaciones sean efectivas, debe haber un "buen grado de ajuste" entre su estructura y las condiciones en el entorno.[36] Lo que funciona en un escenario quizá no podrá funcionar en otro. No existe una manera que sea la mejor. La teoría de la contingencia significa "depende". Por ejemplo, algunas organizaciones experimentan un entorno determinado, utilizan una tecnología de rutina, y desean ser eficaces. En esta situación, un enfoque administrativo que utiliza procedimientos de control burocrático, una estructura jerárquica, y comunicación formal sería el apropiado. Asimismo, los procesos administrativos de libre flujo funcionan mejor en un ambiente incierto con tecnología no rutinaria. El enfoque administrativo correcto es contingente según la situación de la organización.

En la actualidad, casi todas las organizaciones funcionan en entornos con alta incertidumbre. Así, estamos inmersos en un periodo de transición importante, en el cual los conceptos de la teoría y diseño organizacional están cambiando tan radicalmente como sucedió en el ocaso de la Revolución Industrial.

Diseño organizacional contemporáneo

Los directivos y las organizaciones siguen estando marcados en alto grado por el enfoque jerárquico y burocrático que surgió hace más de un siglo. No obstante, los retos que presenta el entorno actual, como la globalización, la diversidad, los problemas éticos, los rápidos avances en la tecnología, el surgimiento de los negocios electrónicos, un cambio al conocimiento y la información como la forma de capital más importante de las organizaciones, y las crecientes expectativas de los trabajadores por tareas significativas y oportunidades de crecimiento personal y profesional; demandan respuestas radicalmente diferentes de la gente y de las organizaciones. Las perspectivas del pasado no proporcionan una carta de navegación para la dirección de las organizaciones contemporáneas. Los directivos pueden diseñar y orquestar nuevas respuestas para un mundo sustancialmente diferente.

Se puede decir que las organizaciones y los directivos actuales están experimentando un cambio en su perspectiva basada en los sistemas mecánicos, en los sistemas biológicos y naturales. Este cambio de creencias y percepciones afecta la forma en que se concibe a las organizaciones y los patrones de comportamiento dentro de ellas.

Para la mayor parte del siglo XX, la ciencia newtoniana del siglo XVIII, que sugería que el mundo funciona como una maquinaria bien comportada, continúa dictando la forma de pensar de los directivos en relación con las organizaciones.[37] Se percibía al entorno como ordenado y predecible y la función de los directivos era mantener la estabilidad. Este paradigma funcionó muy bien durante la era industrial.[38] El crecimiento era el criterio principal para medir el éxito organizacional.

Las organizaciones se tornaron grandes y complejas, y las fronteras entre los departamentos funcionales y las organizaciones eran distintas. Las estructuras internas crecieron con mayor complejidad, de manera vertical y burocrática. El liderazgo estaba basado en principios de administración sólidos y tendía a volverse autocrático; la comunicación principalmente se llevaba a cabo a través de los memorandos, las cartas y los reportes formales. Los directores eran responsables de toda la planeación y del "trabajo mental" mientras que los trabajadores hacían labores manuales a cambio de sus salarios y otras compensaciones.

No obstante, el entorno de las compañías contemporáneas es todo, menos estable. Con la turbulencia de los años recientes, los directivos ya no pueden mantener la ilusión de orden ni la posibilidad de previsión. La ciencia de la **teoría del caos** sugiere que las relaciones en los sistemas complejos y adaptables, incluyendo las organizaciones, no son lineales y están compuestas de numerosas interconexiones y de elecciones divergentes que crean efectos accidentales lo que hace que el universo se vuelva impredecible.[39] El mundo está lleno de incertidumbre, está caracterizado por la sorpresa, los cambios rápidos y la confusión. Si bien, los administradores no pueden medir, predecir o controlar mediante las formas tradicionales el drama oculto dentro o fuera de la organización, la teoría del caos también reconoce que esta aleatoriedad y desorden ocurren dentro de ciertos patrones más amplios de orden. Las ideas de la teoría del caos sugieren que las organizaciones deben ser consideradas más como sistemas naturales que como máquinas bien aceitadas y predecibles.

Muchas organizaciones están transformando las jerarquías verticales estrictas en estructuras descentralizadas flexibles que enfatizan la colaboración horizontal, la información ampliamente difundida y la adaptabilidad. Este cambio puede observarse con claridad en la armada de Estados Unidos, alguna vez considerada el ejemplo clásico de una organización jerárquica rígida. En la actualidad la armada está implicada en una nueva clase de guerra que demanda un nuevo enfoque en la forma en que entrena, equipa y utiliza a los soldados. Luchar en contra de una red terrorista fluida, de movimientos y cambios rápidos, implica que los oficiales de rango menor en el campo, quienes son expertos en la situación local, sean quienes tengan que tomar decisiones rápidas, aprender mediante prueba y error, y algunas veces, apartarse a los procedimientos estándares de la armada. Por ejemplo, cuando el capitán Nicholas Ayers estaba al frente de una unidad en Irak, afirma que muchas veces tuvo que idear nuevas soluciones a situaciones a las que la armada nunca antes había enfrentado. Ayers y otros oficiales menores comparten lo que aprendieron por medio del correo electrónico y sitios Web. Una lección que se aprendió en una unidad muchas veces se aplica con éxito en cualquier parte. "Ésta es completamente una guerra donde las decisiones se toman de abajo hacia arriba", afirma el mayor John Nagl, tercer comandante del batallón cerca de Fallujah, Irak. "Los líderes del pelotón y los comandantes de compañía son quienes están librando esta batalla."[40]

Aunque quizá los riesgos no sean tan altos, las organizaciones de negocios y las organizaciones sin fines de lucro contemporáneas también necesitan una mayor fluidez y adaptabilidad. Muchos administradores están rediseñando sus compañías para convertirlas en algo que se llama la **organización que aprende**. La organización que aprende promueve la comunicación y colaboración de manera que todo el mundo esté involucrado en la identificación y resolución de problemas, lo que permite a la organización experimentar continuamente, mejorar e incrementar su capacidad. Las organizaciones que aprenden están basadas en la igualdad, la información abierta, la jerarquía pequeña y en una cultura que fomenta la adaptabilidad y la participación, que permite que surjan de cualquier lado ideas que puedan ayudar a que la organización aproveche las oportunidades y pueda manejar las crisis. En la organización que aprende, el valor esencial es la solución de problemas, contrario a la organización tradicional diseñada para el desempeño eficiente.

Como gerente de una organización, tenga en mente estos lineamientos:

Cuando diseñe una organización que aprende y que se pueda adaptar al entorno turbulento, incluya elementos como la estructura horizontal, la información compartida, los roles con *empowerment*, la estrategia de colaboración y una cultura de adaptación. En entornos estables, las organizaciones pueden lograr un desempeño eficiente con una estructura vertical, información y sistemas de control formales, tareas rutinarias, estrategia competitiva y una cultura estable.

Comparación entre el desempeño eficiente y la organización que aprende

A medida que los directivos se esfuerzan en lograr una organización que aprende, se están dando cuenta de que son las dimensiones específicas de la organización las que deben cambiar. El cuadro 1.8 compara las organizaciones diseñadas para el desempeño eficiente con aquellas diseñadas para el aprendizaje continuo con base en cinco elementos del diseño organizacional: la estructura, las tareas, los sistemas, la cultura y las estrategias. Como se muestra en el cuadro, todos estos elementos están interconectados y se influencian entre sí.

De la estructura vertical a la horizontal. Tradicionalmente, la estructura organizacional más común ha sido aquella en la que las actividades están agrupadas con base en un trabajo común de los niveles inferiores hacia los superiores de la organización. Por lo general, la colaboración a través de los departamentos funcionales es mínima y la organización global está coordinada y controlada a través de una jerarquía vertical. La autoridad encargada de tomar las decisiones está ubicada en los altos niveles directivos. Esta estructura puede ser muy efectiva. Promueve la producción eficiente y el desarrollo a profundidad de las habilidades, y la jerarquía de autoridad proporciona un mecanismo sensible para la supervisión y el control en organizaciones grandes. No obstante, en un ambiente en constante cambio, la jerarquía se vuelve una carga. Los altos ejecutivos no son capaces de responder lo suficientemente rápido a problemas u oportunidades.

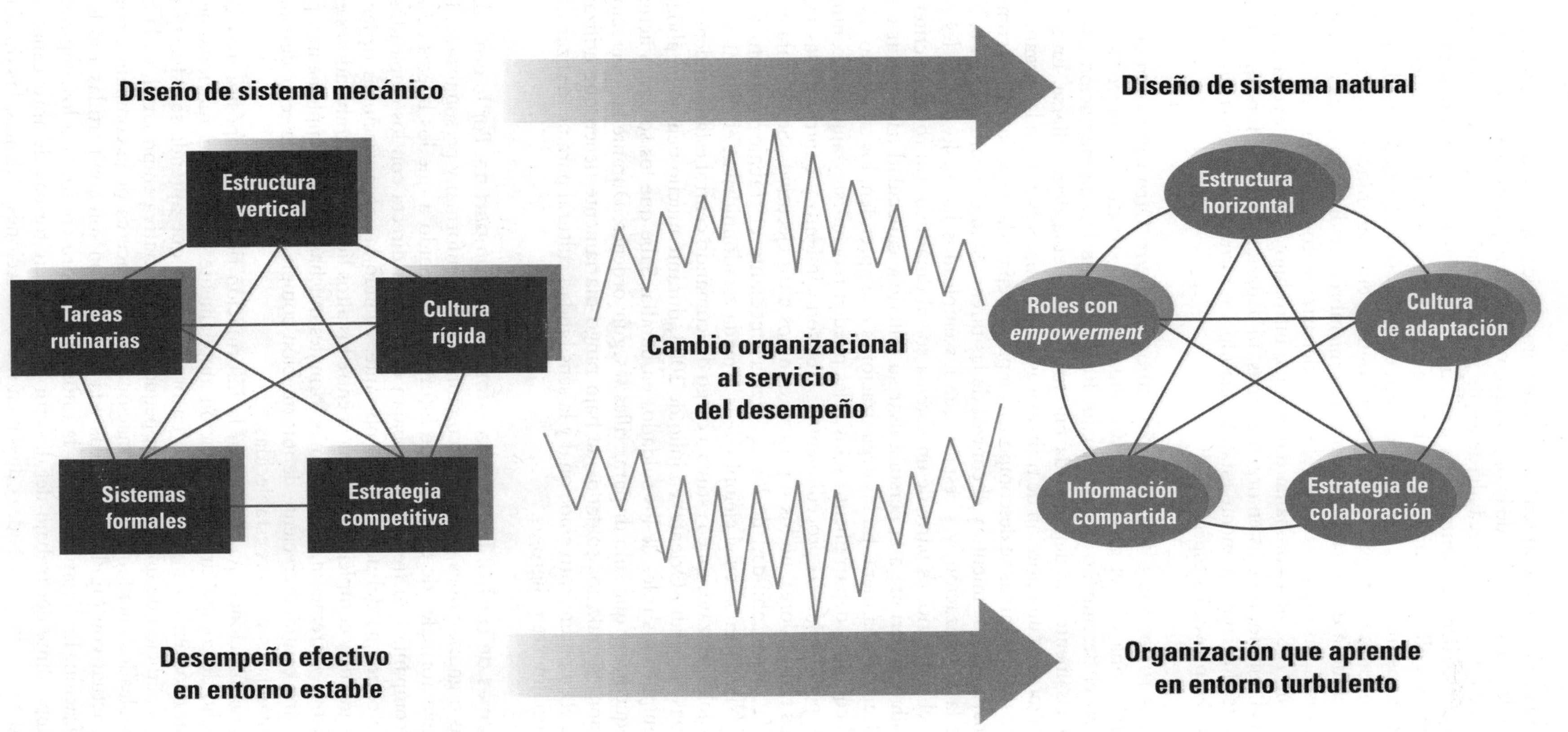

CUADRO 1.8

Dos enfoques de diseño organizacional

Fuente: Adaptación de la obra *Crisis and Renewal: Meeting the Challenge of Organizational Change* de David K. Hurst (Boston, Mass.: Harvard Business School Press, 1995).

En la organización que aprende, la estructura vertical que crea distancia entre los directores en la parte superior de la organización y los trabajadores en el centro técnico, se dispersa. La estructura se crea alrededor de flujos de trabajo o procesos horizontales y no de funciones departamentales. La jerarquía vertical es esencialmente plana, quizá con sólo algunos altos ejecutivos para las funciones de soporte tradicionales como finanzas o recursos humanos. Los equipos autodirigidos son la unidad fundamental de trabajo en la organización que aprende. Las fronteras entre las funciones prácticamente se eliminan debido a que los equipos incluyen miembros de diversas áreas funcionales. En algunos casos, las organizaciones eliminan departamentos del todo. Por ejemplo, en Oticon Holding A/S, una compañía danesa que introdujo la primera ayuda digital de audición en el mundo, no existen organigramas, ni departamentos, ni funciones ni títulos. Los empleados continuamente están formando y reformando equipos autodirigidos que trabajan en proyectos específicos.[41]

De las tareas rutinarias a los roles con *empowerment*. Otro cambio en el pensamiento se relaciona con el grado de formalidad en la estructura y control sobre los empleados en el desempeño de su trabajo. Recuerde que la administración científica abogaba precisamente por definir cada puesto y cómo debía desarrollarse. En sentido estricto, una **tarea** es una porción de trabajo asignada a una persona. En las organizaciones tradicionales, las tareas se descomponen en partes separadas especializadas, como en una máquina. El conocimiento y el control de las tareas están centralizados en la parte superior de la organización, y se espera que los empleados hagan lo que se les pide. Un rol, por el contrario, es parte de un sistema social dinámico. Un rol tiene criterio y responsabilidad, y permite a la persona usar su criterio y capacidad para lograr un resultado o alcanzar una meta. En las organizaciones que aprenden, los empleados tienen un rol en el equipo o departamento y los roles pueden redefinirse y ajustarse continuamente. Hay pocas reglas o procedimientos, y el conocimiento y control de las tareas lo poseen los trabajadores, no los supervisores ni los altos ejecutivos. Se fomenta en los empleados la responsabilidad de los problemas mediante el trabajo conjunto y con los clientes. Nuevamente, en el ejemplo de la armada estadounidense, el general de cuatro estrellas John Abizaid, quien estuvo a cargo del comando central estadounidense (todas las fuerzas en Medio Oriente) en julio de 2003, durante mucho tiempo ha abogado porque se amplíen los roles de los soldados en batalla. Sabe que los soldados actuales tienen más que hacer que sólo disparar rifles y seguir órdenes. Durante las operaciones de pacificación en Irak, los soldados de bajo rango diariamente tienen que utilizar la inteligencia, el entendimiento emocional y la sensibilidad cultural para neutralizar situaciones potencialmente peligrosas.[42]

De los sistemas de control formal a la información compartida. Por lo general, en las pequeñas organizaciones jóvenes, la comunicación es informal y personalizada. Hay pocos sistemas formales de control y de información debido a que los líderes de alto nivel de la compañía con frecuencia trabajan de manera directa con los empleados en la operación cotidiana del negocio. No obstante, cuando las organizaciones tienen un crecimiento grande y complejo, la distancia entre los altos líderes y los trabajadores en el centro técnico se incrementa. Los sistemas formales muchas veces se implementan para administrar una cantidad creciente de información compleja y para detectar desviaciones de los estándares y metas establecidas.[43]

En las organizaciones que aprenden, la información tiene un propósito muy diferente. El hecho de compartir la información ampliamente mantiene el funcionamiento de la organización en un nivel óptimo. La organización que aprende se esfuerza por regresar a la condición de una compañía pequeña con iniciativa empresarial, en la cual todos los empleados cuentan con información completa acerca de la compañía, por lo que pueden actuar con rapidez. Las ideas y la información son compartidas a lo largo de la organización. En lugar de utilizar la información para controlar a los empleados, una parte importante del trabajo del director es encontrar formas de abrir canales de comunicación a fin de que las ideas fluyan en todas direcciones. Además, las organizaciones que aprenden mantienen líneas abiertas de comunicación con los clientes, los proveedores e incluso con los competidores para mejorar la capacidad de aprendizaje. Por ejemplo, en JetBlue Airways, el director general y fundador David Neeleman promueve el hecho de que la información se comparta ampliamente cuando aborda los vuelos para hablar personalmente con los empleados y los clientes. Neeleman cree que es aquí donde él obtiene las mejores ideas para mejorar a JetBlue.[44] La tecnología de la información también tiene un papel fundamental para mantener conectadas a las personas a través de la organización.

De una estrategia competitiva a una estrategia de colaboración. En las organizaciones tradicionales diseñadas para un desempeño efectivo, los altos directivos formulan las estrategias para después imponerlas a la organización. Los altos ejecutivos piensan cómo puede la organización responder de una manera mejor ante la competencia, cómo usar los recursos con eficiencia, y cómo puede enfrentar los cambios del entorno. En contraste, en la organización que aprende, las acciones acumuladas de una fuerza laboral informada y con *empowerment* contribuyen al desarrollo de la estrategia. Como todos los empleados están en contacto con los clientes, los proveedores y la nueva tecnología, ayudan a identificar las necesidades y soluciones, y participan en la elaboración de estrategias. Además, la estrategia surge de las asociaciones con los proveedores, los clientes e incluso los competidores. Las organizaciones se convierten en colaboradores así como en competidores y experimentan al tratar de encontrar la mejor forma de aprender y adaptarse. Las fronteras entre las organizaciones se están tornando difusas; las compañías muchas veces forman sociedades para competir a nivel global y otras, se unen mediante redes a organizaciones modulares o virtuales conectadas electrónicamente.

De una cultura rígida a una cultura adaptable. Para que una organización se mantenga saludable, su cultura debe fomentar la adaptación al entorno. El que la cultura se torne rígida, como si estuviera erigida en concreto, representa un peligro para muchas organizaciones. Las organizaciones que fueron altamente exitosas en entornos estables, a menudo se convierten en víctimas de su propio éxito debido a los cambios radicales en su entorno. Esto es lo que le sucedió a Xerox Corp., como lo refirió el caso de apertura, cuando los directivos se estancaron en la cultura Burox y fueron incapaces de responder a los vertiginosos cambios en el entorno tecnológico. En un entorno altamente cambiante, los valores culturales, las ideas y las prácticas que fueron útiles para el logro del éxito, resultaron ser dañinos para el desempeño efectivo.

En una organización que aprende, la cultura fomenta la apertura, la igualdad, la mejora continua y el cambio. La gente en la organización está consciente del sistema global, de la manera en que todo encaja, y de la forma en que las diferentes partes de la organización interactúan entre sí y con el entorno. Esta conciencia de sistema global minimiza las fronteras dentro de la organización y entre otras compañías. Además, las actividades y símbolos que crean diferencias de nivel, como los comedores de ejecutivos o espacios de estacionamiento reservados, están descartados. Cada persona es valorada como quien tiene contribuciones valiosas y la organización se considera como un lugar para crear una red de relaciones que permite a la gente desarrollar y aplicar su potencial total. Considere el caso de QuikTrip, una cadena de tiendas de conveniencia, en donde la mayor parte de los altos directivos comenzaron como dependientes en las tiendas. Ahí, todo el mundo es considerado como una parte vital del éxito de la cadena. "El propósito de QuikTrip es dar a los empleados la oportunidad de crecer y triunfar", afirma el director general Chester Cadieux II.[45] El énfasis en tratar a todos con delicadeza y respeto, crea un clima en el cual las personas se sienten seguras para experimentar, asumir riesgos, cometer errores y todo lo que fomente el aprendizaje.

Ninguna compañía representa un ejemplo perfecto de una organización que aprende, aunque muchas de las organizaciones más competitivas de la actualidad han cambiado su paradigma hacia las ideas y los métodos basados en el concepto de un sistema viviente y dinámico. Algunas de estás organizaciones se analizarán a través de este libro en los recuadros de Liderazgo por diseño.

Como se ilustra en el cuadro 1.8, los directivos contemporáneos se involucran en una batalla cuando intentan cambiar sus compañías a organizaciones que aprenden. El reto para los directivos es mantener la estabilidad en cierto grado a medida que promueven activamente el cambio hacia una nueva forma de pensar que les permita navegar entre el orden y el caos. Una organización mexicana que se está transformando en una organización que aprende es Cementos Mexicanos (Cemex).

En la práctica

Cementos mexicanos

Cementos mexicanos (Cemex), con sede en Monterrey, México, ha fabricado y suministrado concreto durante casi un siglo. Pero la organización se encuentra en la etapa crucial del diseño organizacional, un modelo de lo que se tiene que hacer para triunfar en el complejo entorno del siglo XXI.

Cemex se especializa en producir concreto para las áreas en vías de desarrollo de todo el mundo, lugares en donde, por lo general, todo marcha mal. Incluso en Monterrey, Cemex se enfrenta a condiciones climáticas impredecibles y tráfico, desórdenes laborales espontáneos, permisos de construcción caóticos e inspecciones gubernamentales arbitrarias a los sitios de construcción. Además, los clientes cambian o cancelan más de la mitad de sus pedidos, por lo general a último momento. Si se considera que una carga de concreto tiene que utilizarse en menos de 90 minutos, de lo contrario se echa a perder, las cancelaciones y otras situaciones implican altos costos, cronogramas complejos y frustración para los empleados, los directivos y los clientes.

Para ayudar a la organización a competir en este entorno, los directivos buscaron innovaciones tanto organizacionales como tecnológicas. Los líderes llamaron a este nuevo enfoque "viviendo con el caos". En lugar de tratar de cambiar a los clientes, Cemex decidió hacer negocios con base en los propios términos de los clientes y diseñar un sistema en el cual los cambios de último minuto y problemas inesperados fueran habituales.

Un elemento central de este enfoque es un complejo sistema de tecnología de información, que incluye un sistema satelital de posicionamiento global, y computadoras a bordo de todos los camiones repartidores, las cuales se alimentan con flujos de datos diarios referentes a los pedidos de los clientes, a programas de producción, problemas de tráfico, condiciones atmosféricas, entre otras cosas. Ahora los camiones de Cemex comienzan su jornada cada mañana para enfrentar las situaciones de las calles. Cuando un pedido de un cliente entra, un empleado verifica el estatus crediticio de ese cliente, localiza el camión más cercano y transmite las instrucciones para la entrega. Si el pedido se cancela, automáticamente las computadoras mandan esta información a la planta para reprogramar la producción.

Cemex también realizó cambios administrativos y organizacionales para apoyar el nuevo enfoque. La compañía inscribió a todos sus conductores, que tenían en promedio seis años de educación escolar formal, en clases semanales de educación secundaria y comenzó a capacitarlos para repartir no sólo cemento, sino servicio de calidad. Además, muchas reglas laborales estrictas y demandantes fueron abolidas, de manera que los trabajadores tuvieran más libertad y responsabilidad para identificar y responder con rapidez a los problemas y necesidades de los clientes. Como resultado, ahora los camiones de Cemex operan como unidades de negocio auto-organizadas, son manejadas por empleados bien entrenados quienes piensan como gente de negocios. De acuerdo con Francisco Pérez, director de operaciones en Cemex Guadalajara, "Ellos acostumbraban a considerarse a sí mismos como conductores. Pero cualquiera puede repartir concreto. Ahora nuestra gente sabe que están entregando un servicio que la competencia no puede".

Cemex ha transformando la industria al combinar una amplia tecnología de redes con un enfoque directivo totalmente nuevo que se ha infiltrado en la mente de todos en la compañía. La gente en Cemex está en constante aprendizaje: en el trabajo, en las clases de capacitación y en las visitas a otras organizaciones. Como resultado, la compañía tiene una capacidad sorprendente para anticipar las necesidades del cliente, resolver problemas e innovar rápidamente. Además, Cemex comparte libremente lo que sabe con otras organizaciones, incluso con la competencia, porque cree que compartir ampliamente el conocimiento y la información es la mejor forma de mantener a la organización vigente en un mundo de complejidad. Esta filosofía ha ayudado a transformar una compañía cementera que antes estaba dormida en un poderoso transformador global, con 2 200 unidades de operación en 22 países.[46]

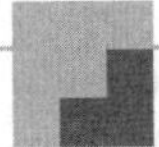

Modelo del libro

¿Cuáles son las áreas temáticas relevantes para la teoría y diseño organizacionales? ¿En qué difiere un curso de administración o comportamiento organizacional de un curso de teoría organizacional? La respuesta está relacionada con el concepto denominado nivel de análisis.

Niveles de análisis

En la teoría de sistemas, cada sistema está compuesto por subsistemas. Los sistemas se generan dentro de los sistemas, y se debe elegir un **nivel de análisis** como el enfoque primario. Por lo general, hay cuatro niveles de análisis que caracterizan a las organizaciones, como lo ilustra el cuadro 1.9. El ser humano individual es la pieza básica de construcción de las organizaciones. El ser humano es a la organización lo que una célula es a un sistema biológico. El siguiente nivel más alto del sistema es el grupo o departamento. Estos son conjuntos de individuos que trabajan de manera conjunta para desempeñar tareas de grupo. El siguiente nivel de análisis es la organización misma. Una organización es un conjunto de grupos o departamentos que se combinan para formar la organización global.

Las organizaciones por sí mismas pueden agruparse en el siguiente nivel de análisis, el cual es el conjunto interorganizacional y la comunidad. El conjunto interorganizacional es el grupo de organizaciones con el cual interactúa una organización individual. Otras organizaciones en la comunidad también conforman una parte importante de un entorno organizacional.

La teoría organizacional se enfoca en el nivel de análisis organizacional, pero está interesada en grupos y el entorno. Para comprender a la organización, es necesario observar no sólo sus características, sino también las características del entorno y de los departamentos y los grupos que la componen. El enfoque de este libro es ayudar a entender a las organizaciones mediante el examen de sus características específicas, la naturaleza y las relaciones entre los grupos y los departamentos que configuran la organización, y el conjunto de organizaciones que componen el entorno.

¿Están incluidos los individuos en la teoría organizacional? La teoría organizacional considera el comportamiento de los individuos, pero en el agregado. La gente es importante, pero no es el principal punto de análisis. La teoría organizacional es distinta del comportamiento organizacional.

Portafolios

Como gerente de una organización, tenga en mente estos lineamientos:

Conviértase en un director competente e influyente mediante el uso de los modelos que proporciona la teoría organizacional para interpretar y entender la organización que lo rodea.

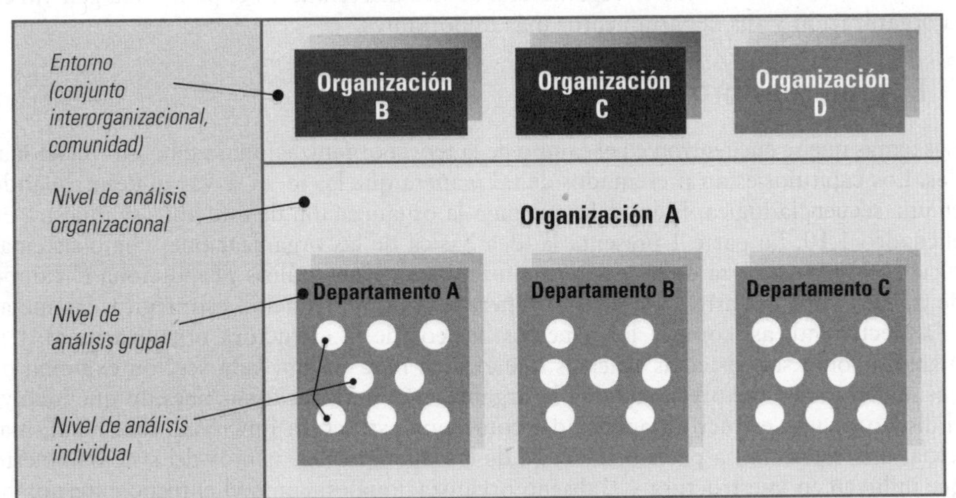

CUADRO 1.9
Niveles de análisis en las organizaciones
Fuente: Basado en la obra de Andrew H. Van De Ven y Diane L. Ferry, *Measuring and Assessing Performance* (Nueva York: Wiley, 1980), 8; y de Richard L. Daft y Richard M. Steers, *Organizations: A Micro/Macro Approach* (Glenview, Ill.: Scott, Foresman, 1986), 8.

El comportamiento organizacional es el microenfoque hacia las organizaciones debido a que considera a los individuos en el interior de las organizaciones como las unidades relevantes de análisis. El comportamiento organizacional examina conceptos como la motivación, el estilo de liderazgo y la personalidad. También se ocupa de las diferencias cognitivas emocionales entre las personas en el interior de las organizaciones.

La teoría organizacional es un macroexamen de las organizaciones debido a que analiza la organización global como una unidad. A la teoría organizacional le interesa el agregado de personas en los desplazamientos y organizaciones y las diferencias en estructura y el comportamiento en el nivel de análisis organizacional. La teoría organizacional es la sociología de las organizaciones, mientras el comportamiento organizacional es la psicología de las organizaciones.

La *teoría meso* es un nuevo enfoque hacia los estudios organizacionales. La mayor parte de la investigación organizacional y muchos cursos de administración se especializan o en el comportamiento organizacional o en la teoría organizacional. La **teoría meso** (*meso* significa "entre") estudia la integración de los niveles de análisis macro y micro. Los individuos y los grupos afectan a la organización y la organización a su vez influye en los individuos y los grupos. Para prosperar en las organizaciones, los directivos y los empleados necesitan entender los múltiples niveles de manera simultánea. Por ejemplo, la investigación puede mostrar que las diferencias entre los empleados promueven la innovación. Para facilitar la innovación, los directivos necesitan entender cómo están relacionados la estructura y el contexto (teoría organizacional) con las interacciones entre empleados diversos (comportamiento organizacional) para fomentar la innovación, debido a que las variables micro y macro son responsables de las innovaciones.[47]

Por su parte, la teoría organizacional está directamente relacionada con el estudio de la alta dirección y de los mandos medios y, en menor grado, con la gerencia de niveles más bajos. La alta dirección es responsable de la organización global y debe fijar las metas, desarrollar la estrategia, interpretar el ambiente externo y decidir la estructura y diseño organizacionales. Los mandos medios están implicados en los departamentos más importantes, como el de marketing o investigación y deben decidir cómo se relacionan los departamentos con el resto de la organización. Los gerentes de mandos medios deben diseñar sus departamentos para que encajen con la tecnología de la unidad de trabajo y para manejar cuestiones que plantean el poder y la política, los conflictos intergrupales y los sistemas de control e información, cada uno de los cuales forma parte de la teoría organizacional. La teoría organizacional está relacionada sólo en parte con los niveles gerenciales más bajos debido a que este nivel de supervisión está vinculado con los empleados que operan máquinas, la entrada de datos, la presentación de clases y la venta de bienes. La teoría organizacional está interesada en el panorama general de la organización y sus departamentos más importantes.

El plan de libro

Los temas que se encuentran en el campo de la teoría organizacional están interrelacionados. Los capítulos están presentados de tal manera que las ideas se vayan desarrollando en una secuencia lógica. El modelo que guía la organización de este libro se muestra en el cuadro 1.10. La parte 1 presenta la idea básica de las organizaciones como sistemas sociales y la naturaleza de la teoría organizacional. Este análisis proporciona el campo de trabajo para la parte 2, la cual se refiere a la administración estratégica, las metas y la efectividad, así como a los aspectos básicos de la estructura organizacional. Las organizaciones son sistemas abiertos que existen para un fin. Esta sección examina de qué manera los directores ayudan a la organización a alcanzar sus fines, lo que incluye el diseño de una estructura apropiada, como una estructura funcional, divisional, matricial u horizontal. La parte 3 se ocupa de los diferentes elementos del sistema abierto que influyen en la estructura y el diseño organizacionales, como el entorno externo, las relaciones interorganizacionales y el entorno global.

Las partes 4 y 5 se refieren al proceso, al interior de la organización. La parte 4 describe cómo está relacionado el diseño organizacional con factores como la tecnología

CUADRO 1.10
Modelo del libro

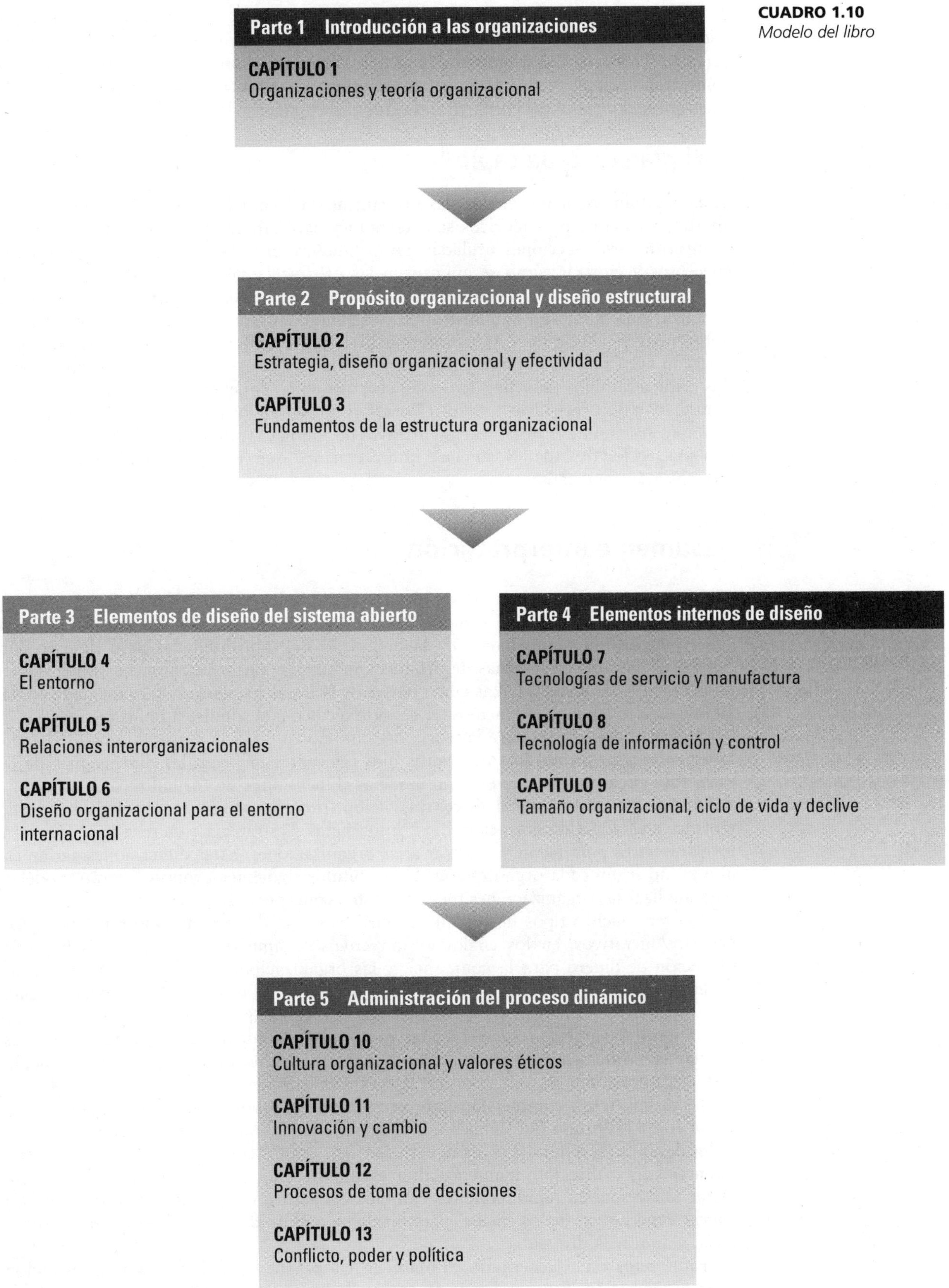

Parte 1 Introducción a las organizaciones

CAPÍTULO 1
Organizaciones y teoría organizacional

Parte 2 Propósito organizacional y diseño estructural

CAPÍTULO 2
Estrategia, diseño organizacional y efectividad

CAPÍTULO 3
Fundamentos de la estructura organizacional

Parte 3 Elementos de diseño del sistema abierto

CAPÍTULO 4
El entorno

CAPÍTULO 5
Relaciones interorganizacionales

CAPÍTULO 6
Diseño organizacional para el entorno internacional

Parte 4 Elementos internos de diseño

CAPÍTULO 7
Tecnologías de servicio y manufactura

CAPÍTULO 8
Tecnología de información y control

CAPÍTULO 9
Tamaño organizacional, ciclo de vida y declive

Parte 5 Administración del proceso dinámico

CAPÍTULO 10
Cultura organizacional y valores éticos

CAPÍTULO 11
Innovación y cambio

CAPÍTULO 12
Procesos de toma de decisiones

CAPÍTULO 13
Conflicto, poder y política

de servicio y la manufactura, el tamaño organizacional y el ciclo de vida, así como los sistemas de control e información. La parte 5 se ocupa del proceso dinámico que existe dentro y entre los departamentos organizacionales más importantes e incluye temas como la innovación y el cambio, la cultura y los valores éticos, los procesos de toma de decisiones, el manejo del conflicto intergrupal y el poder, y la política.

El plan de cada capítulo

Cada capítulo comienza con un caso organizacional para ilustrar el tema que se va a abordar. Los conceptos teóricos se presentan y explican en el cuerpo del capítulo. Se incluyeron varias secciones tituladas *En la práctica* en cada capítulo para ilustrar los conceptos y mostrar cómo se aplican en las organizaciones reales. En la mayoría de los capítulos se incluyen secciones tituladas *Marcador de libros* para presentar temas organizacionales que los administradores enfrentan en este momento. Estas reseñas de libros analizan conceptos y aplicaciones actuales para profundizar y enriquecer su comprensión acerca de las organizaciones. Los ejemplos de la sección *Liderazgo por diseño* ilustran los cambios radicales que están sucediendo en el pensamiento y la práctica administrativa. Los recuadros titulados *Portafolios* resaltan los puntos clave para el diseño y administración de la organización a través de todo el capítulo. Cada capítulo finaliza con una sección titulada "Resumen e interpretación" que repasa y explica los conceptos teóricos más importantes.

Resumen e interpretación

Una idea importante que se presentó en este capítulo es que las organizaciones son sistemas. En particular, son sistemas abiertos que se deben adaptar al entorno para sobrevivir. Las diferentes partes de la organización están diseñadas para desempeñar funciones clave de subsistemas de producción, adaptación, mantenimiento, dirección e interconexión de fronteras. Las cinco partes de la organización son el centro técnico, la alta dirección, los mandos medios, el soporte técnico y el soporte administrativo.

El centro del análisis para la teoría organizacional no es la persona individual, sino la organización misma. Los conceptos más relevantes incluyen las dimensiones de la estructura organizacional y el contexto. Las dimensiones de formalización, especialización, jerarquía de autoridad, centralización, profesionalismo, razones de personal, tamaño, tecnología organizacional, entorno, metas y estrategia y cultura proporcionan los parámetros para medir y analizar a las organizaciones. Estas dimensiones varían en alto grado según cada organización. Los capítulos siguientes proporcionarán modelos para analizar las organizaciones mediante estos conceptos.

Existen muchos tipos de organizaciones. Hay una diferencia importante entre los negocios lucrativos, en los cuales los directivos encaminan sus actividades hacia la obtención de dinero para la compañía, y las organizaciones sin fines de lucro, en las cuales los directivos orientan sus esfuerzos para generar una clase de impacto social. Los directivos se esfuerzan en diseñar las organizaciones para alcanzar altos niveles de rendimiento y efectividad. La efectividad es compleja debido a la existencia de diferentes participantes que tienen diversos intereses y necesidades que desean satisfacer por medio de la organización.

La turbulencia y complejidad han reemplazado la estabilidad y posibilidad de previsión como los rasgos que definen a las organizaciones contemporáneas. Entre algunos de los desafíos específicos que los directivos y las organizaciones enfrentan se encuentra: afrontar la globalización; mantener altos estándares éticos y de responsabilidad social; lograr una respuesta rápida ante los cambios del entorno, las crisis organizacionales o nuevas expectativas de los clientes; cambiar a un ámbito de trabajo basado en la tecnología, y apoyar la diversidad.

Estos retos están generando cambios en las prácticas de diseño y administración de la organización. Esta tendencia se aparta de los sistemas muy estructurados que se basan en el modelo mecánico y se acerca hacia los sistemas más flexibles con base en un modelo biológico y natural. Muchos directivos están rediseñando las compañías para transformarlas en organizaciones que aprenden, las cuales se caracterizan por su estructura horizontal, por sus empleados con *empowerment*, su información compartida, su estrategia de colaboración y una cultura adaptable. Por último, la mayor parte de los conceptos en la teoría organizacional están relacionados con los niveles directivos altos y medios de la organización. Este libro estudia más los temas de esos niveles que los temas de niveles operativos de supervisión y motivación de empleados, los cuales se analizan en cursos sobre comportamiento organizacional.

Conceptos clave

administración científica
comportamiento organizacional
contingencias
dimensiones contextuales
dimensiones estructurales
efectividad
eficiencia
enfoque del participante
Estudios Hawthorne
nivel de análisis
organizaciones
organizaciones burocráticas
organización que aprende
participantes
principios administrativos
roles
sistema
sistema abierto
sistemas cerrados
subsistemas
tarea
teoría del caos
teoría meso
teoría organizacional

Preguntas para análisis

1. ¿Cuál es la definición de *organización*? Explique brevemente cada parte de la definición.
2. ¿Cuál es la diferencia entre un sistema abierto y uno cerrado? ¿Puede dar un ejemplo de un sistema cerrado? ¿Cómo está relacionado el enfoque del participante con este concepto?
3. Explique de qué manera las cinco partes básicas de la organización de Mintzberg desempeñan las funciones del subsistema que se muestran en la parte inferior del cuadro 1.2. ¿Si una organización tuviera que renunciar a una de estas cinco partes, sin cuál podría sobrevivir durante más tiempo? Explique su razonamiento.
4. Unas cuantas compañías de la lista de las 500 de *Fortune* tienen más de 100 años de antigüedad, lo cual es extraño. ¿Cuáles son las características organizacionales que piensa usted que pudieran explicar dicha longevidad?
5. ¿Cuál es la diferencia entre formalización y especialización? ¿Piensa usted que una organización con una evaluación alta en una dimensión también pueda tener una alta en otra? Explique su razonamiento.
6. ¿Cuál es el significado de la palabra *contingencia*? ¿Cuáles son las implicaciones de las teorías de la contingencia para los directivos?
7. ¿Cuáles son las principales diferencias entre una organización diseñada para el desempeño efectivo y una diseñada para el aprendizaje y el cambio? ¿Cuál de estos tipos de organización piensa usted que sea más fácil de administrar? Explique su razonamiento.
8. ¿Por qué compartir la información es tan importante en una organización que aprende en comparación con una organización de desempeño eficiente? Analice la forma en que el enfoque organizacional referente a compartir la información puede estar relacionado con otros elementos del diseño organizacional, como la estructura, las tareas, la estrategia y la cultura.
9. ¿Cuáles son algunas diferencias que uno podría esperar encontrar entre las expectativas del participante en una organización sin fines de lucro en comparación con las de un participante en un negocio lucrativo? ¿Piensa usted que los directivos sin fines de lucro deban poner más atención a los participantes que los directivos de compañías lucrativas? Explique su razonamiento.
10. Los primeros teóricos administrativos creyeron que las organizaciones debían esforzarse en ser lógicas y racionales, con un lugar para todo y todo en su lugar. Analice las ventajas y las desventajas de este enfoque en las organizaciones contemporáneas.

Capítulo 1 Cuaderno de trabajo: Medición de las dimensiones organizacionales*

Analice dos organizaciones con base en las dimensiones mostradas abajo. Indique en qué escala piensa que caería cada organización. Utilice una X para señalar la primera organización y un * para señalar la segunda.

Puede elegir dos organizaciones cualesquiera con las cuales usted esté familiarizado, como su lugar de trabajo, la universidad, una organización estudiantil, su iglesia o sinagoga, o su familia.

					Formalización						
Muchas reglas escritas	1	2	3	4	5	6	7	8	9	10	Pocas reglas
					Especialización						
Tareas y funciones separadas	1	2	3	4	5	6	7	8	9	10	Tareas sobrepuestas
					Jerarquía						
Alta jerarquía de autoridad	1	2	3	4	5	6	7	8	9	10	Jerarquía plana de autoridad
					Tecnología						
Producto	1	2	3	4	5	6	7	8	9	10	Servicio
					Entorno externo						
Estable	1	2	3	4	5	6	7	8	9	10	Inestable
					Cultura						
Normas y valores claros	1	2	3	4	5	6	7	8	9	10	Normas y valores ambiguos
					Profesionalismo						
Capacitación profesional alta	1	2	3	4	5	6	7	8	9	10	Capacitación profesional baja
					Metas						
Metas bien definidas	1	2	3	4	5	6	7	8	9	10	Metas no definidas
					Tamaño						
Pequeño	1	2	3	4	5	6	7	8	9	10	Grande
					Mentalidad organizacional						
Sistema mecánico	1	2	3	4	5	6	7	8	9	10	Sistema biológico

Preguntas

1. ¿Cuáles son las principales diferencias entre las dos organizaciones que evaluó?
2. ¿Recomendaría que una o ambas organizaciones tuvieran calificaciones diferentes en todas las escalas? ¿Por qué?

Caso para el análisis: Perdue Farms Inc.: la respuesta a los desafíos del siglo XXI*

Antecedentes e historia de la compañía

"Tengo la teoría de que se puede distinguir entre aquellos que han heredado una fortuna de aquellos que han tenido que hacerla. Aquellos que han hecho su propia fortuna no olvidan de dónde provienen y es menos probable que pierdan el contacto con el hombre común". (Bill Sterling, columna 'Just Browsin' publicada en Eastern Shore News, *el 2 de marzo de 1988)*

En la historia de Perdue Farms Inc., dominan siete temas: calidad, crecimiento, expansión geográfica, integración vertical, innovación, creación de marca y servicio. Arthur W. Perdue, un agente de una línea ferroviaria y descendiente de una familia de hugonotes franceses apellidados Perdeaux, fundó la compañía en 1920 cuando dejó su trabajo de ferrocarrilero e ingresó de tiempo completo al negocio de los huevos cerca del pequeño pueblo de Salisbury, Maryland. Salisbury está localizada en una región inmortalizada en la novela titulada *Chesapeake* de James Michener que también se conoce como la "Costa Este" o "Península Delmarva". Abarca partes de *Delaware, Maryland* y *Virginia.* Franklin Parsons Perdue, hijo único de Arthur Perdue, nació en 1920.

Una mirada rápida a la declaración de misión de Perdue Farms (cuadro 1.11) revela el énfasis que la compañía ha puesto siempre en la calidad. En la década de 1920, "Mr. Arthur", como se le conocía, compró en Texas aves liornas de cría para mejorar la calidad de su camada de aves. Pronto expandió su mercado de huevos y comenzó a hacer entregas a Nueva York. Al poner en práctica medidas económicas simples como formular su propio alimento para pollos y utilizar la piel de sus viejos zapatos para las bisagras de sus gallineros, pudo mantenerse sin deudas y prosperar, e intentó agregar un nuevo gallinero cada año.

Para 1940, Perdue Farms ya era famosa por sus productos de calidad y por su trato justo en un mercado difícil y altamente competitivo. La compañía comenzó a vender pollos Cuando Mr. Arthur se dio cuenta de que el futuro estaba en vender pollos, no huevos, la compañía comenzó a venderlos. En 1944, Mr. Arthur convirtió a su hijo Frank en socio totalitario de A. W. Perdue and Son, Inc.

En 1950, Frank se hizo cargo del liderazgo de la compañía, que empleaba a 40 personas. Para 1952, las ganancias eran de 6 millones provenientes de la venta de 2 600 millones de pollos. Durante este periodo, la compañía comenzó a integrarse de manera vertical; se encargaba de la operación de su propio criadero, de la mezcla de sus propias fórmulas para alimentos y del funcionamiento de su propio molino de alimentos. Por otro lado, en la década de 1950, Perdue Farms comenzó a contratar a otras personas para la cría de los pollos. Como ellos abastecían a los criadores con crías recién nacidas y alimento, la compañía pudo controlar mejor la calidad.

En la década de 1960, Perdue Farms continuó integrándose verticalmente con la construcción de sus primeras instalaciones receptoras de granos y de almacenamiento y la primera planta de procesamiento de frijol de soya de Maryland. Para 1967, las ventas anuales se habían incrementado a casi $35 millones. Pero, Frank se dio cuenta que podía obtener más ganancias con el pollo procesado. Frank se acordó de una entrevista en *Business Week* (septiembre 15 de 1972) "los procesadores nos estaban pagando 10 centavos por una libra viva de pollo a cambio de lo que nos costaba a nosotros 14 centavos producir. De pronto, los procesadores estaban ganando 7 centavos por libra".

Arthur Perdue, un estratega cauteloso y conservador, no estaba ansioso por expandirse, y Frank Perdue estaba reacio a entrar al negocio de procesamiento de pollos. Pero, la economía lo obligó y, en 1968, la compañía compró su primera planta procesadora, con sede en Salisbury.

Desde el primer lote de pollos procesados, los estándares de Perdue fueron más altos que los que establecía el gobierno federal. El evaluador estatal del primer lote muchas veces ha contado la historia de qué preocupado estaba por haber tenido que rechazar tantos pollos que no eran grado A. Cuando terminó su inspección del primer día, observó a Frank Perdue seguir su camino y podría haber dicho que Frank no estaba feliz. Frank comenzó a inspeccionar las aves y nunca protestó por ninguno de los rechazos. Después, vio que Frank comenzó a observar los pollos que el evaluador estatal había aprobado y empezó a separar algunos de ellos y los unió a las aves que habían sido rechazadas. Por último, una vez que se dio cuenta de que pocas aves cumplían con sus estándares, Frank puso a todas las aves en el grupo de las rechazadas. No obstante, pronto la fábrica fue capaz de procesar 14 000 pollos de grado A por hora.

En un principio, Frank Perdue se rehusó a permitir que sus aves fueran congeladas para su embarque, argumentaba que el congelamiento producía huesos negros poco apetecibles y la pérdida de sabor y humedad cuando los pollos se cocinaban. En lugar de este procedimiento, los pollos Perdue se enviaban al mercado en hielo, lo que justificaba la publicidad de la compañía de aquel tiempo que afirmaba vender sólo "pollos jóvenes y frescos". No obstante, esta política también limitó el mercado de la compañía a aquellos

*Adaptado de George C. Rubenson y Frank M. Shipper, Departamento de Administración y Marketing, Franklin P. Perdue School of Business, Salisbury University. Derechos reservados 2001 por los autores.

Agradecimientos: los autores están en deuda con Frank Perdue, Jim Perdue, y los numerosos asociados en Perdue Farms, Inc., quienes generosamente compartieron su tiempo e información acerca de la compañía. Además los autores desean agradecer a los encargados anónimos de la Blackwell Library, de Salisbury State University, quienes habitualmente revisan los periódicos locales y archivan artículos relacionados con la industria avícola: la industria más importante en la península DelMarVa. Sin su ayuda, la realización de este caso no hubiera sido posible.

CUADRO 1.11
Misión 2000 de Perdue

Basarnos en la tradición

Perdue se construyó sobre la base de la calidad, una tradición descrita en nuestra Política de Calidad...

Nuestra política de calidad

"Debemos generar productos y proporcionar servicios que en todo momento satisfagan o excedan las expectativas de nuestros clientes."
"No debemos conformarnos con tener la misma calidad de nuestros competidores."
"Nuestro compromiso es ser cada vez mejores."
"La contribución a la calidad es una responsabilidad compartida por todos en la organización Perdue."

Enfoque en el ahora

Nuestra misión nos recuerda el propósito que perseguimos...

Nuestra misión

"Mejorar la calidad de vida con alimentos y productos agrícolas extraordinarios."

Mientras nos esforzamos en cumplir con nuestra misión, utilizamos nuestros valores para guiar nuestras decisiones...

Nuestros valores

- **Calidad:** Valoramos las necesidades de nuestros clientes. Nuestros altos estándares nos obligan a trabajar de manera segura, a elaborar alimentos seguros y a respaldar el nombre Perdue.
- **Integridad:** Hacemos lo correcto y estamos a la altura de nuestros compromisos. No optamos por el camino fácil ni hacemos falsas promesas.
- **Confianza:** Confiamos en el otro y nos tratamos con respeto mutuo. Apreciamos cada habilidad y talento individual.
- **Trabajo en equipo:** Valoramos la ética del trabajo duro y la capacidad de ayudar al otro a ser exitoso. Nos interesa lo que los demás piensan y fomentamos su participación, con lo que creamos un sentido de orgullo, lealtad, propiedad y familia.

Visión del futuro

Nuestra visión describe lo que llegaremos a ser y las cualidades que nos permitirán triunfar...

Nuestra visión

"Ser la compañía líder en alimentos de calidad con $20 mil millones en ventas para 2020."

Perdue en el año 2020

- **A nuestros clientes:** Proporcionaremos soluciones alimenticias y servicios indispensables para satisfacer las necesidades anticipadas de nuestros clientes.
- **A nuestros consumidores:** Una gama de alimentos confiables y productos agrícolas será respaldada por múltiples marcas en todo el mundo.
- **A nuestros asociados:** A nivel mundial, nuestra gente y nuestro lugar de trabajo reflejará nuestra reputación de calidad, lo que colocará a Perdue como uno de los mejores lugares para trabajar.
- **A nuestros accionistas:** Motivado por la innovación, nuestro liderazgo en el mercado y espíritu creativo generará las ganancias líderes en la industria.

lugares que pudieran ser atendidos de la noche a la mañana desde la costa Este de Maryland. Así, Perdue eligió como sus mercados principales las ciudades con mayor densidad de población de la costa Este de Estados Unidos, en particular la ciudad de Nueva York, la cual consume más pollo Perdue que todas las demás marcas combinadas.

La prioridad que Frank Perdue daba a la calidad se volvió una leyenda tanto en el interior como fuera de la industria avícola. En 1985, la historia de Frank y Perdue Farm Inc., fue narrada en el libro, *A Passion for Excellence,* escrito por Tom Peters y Nancy Austin.

En 1970, Perdue estableció su primer programa de investigación genética y reproductiva. A través de la reproducción selectiva, Frank Perdue desarrolló un pollo con una pechuga de carne más blanca que el pollo tradicional. La reproducción selectiva ha sido tan exitosa que otros procesadores desean tener los pollos de esta granja, incluso ha habido rumores que sugieren que los pollos de Perdue han sido robados con el fin de intentar mejorar el ganado avícola de la competencia.

En 1971, Perdue Farms inició una amplia campaña de mercadotecnia en la que se presentaba a Frank Perdue. En sus primeros comerciales se volvió famoso por decir cosas como "si usted desea comer tan bien como mis pollos, tendrá que comérselos a ellos". A menudo se le ha concedido el crédito de haber sido el primero en crear una marca para algo que antes había sido un producto de consumo. Durante la década de 1970, Perdue Farms también se expandió geográficamente hacia áreas del norte de la ciudad de Nueva York, como Massachusetts, Rhode Island y Connecticut.

En 1977, "Mr. Arthur" murió a la edad de 91 años al dejar tras de sí una compañía con ventas anuales por casi $200 millones, una tasa de crecimiento anual promedio de 17% en comparación con el promedio industrial anual de 1% , el potencial para producir 78 000 pollos por hora y una producción de cerca de 350 millones de libras de pollo al año. Frank Perdue simplemente dijo al referirse a su padre, "aprendí todo de él".

En 1981, Frank Perdue se encontraba en Boston para su inducción al Babson College Academy of Distinguished Entrepreneurs, un premio establecido en 1978 para reconocer el espíritu de libre empresa y liderazgo empresarial. El presidente de Babson College, Ralph Z. Sorenson introdujo a Perdue a la academia, la cual, en ese tiempo, contaba con 18 hombres y mujeres de cuatro continentes. Perdue les dirigió el siguiente discurso a sus colegas estudiantes:

"No hay, ni habrá pasos fáciles para el emprendedor. Nada, absolutamente nada, puede reemplazar la voluntad de trabajar seria e inteligentemente hacia una meta. Uno tiene que estar dispuesto a pagar el precio. Uno tiene que tener un apetito insaciable por el detalle, estar preparado para aceptar la crítica constructiva, para hacer preguntas, para ser fiscalmente responsable, para estar rodeado de gente buena y, sobre todo, a escuchar". (Frank Perdue, discurso en el Babson College, abril 28 de 1981)

Los primeros años de la década de 1980 vieron a Perdue Farms expandirse hacia el sur al interior de Virginia, Carolina del Norte y Georgia. También comenzó a comprar a otros productores como Carrolls's Foods, Purvis Farms, Shenandoah Valley Poultry Company y Shenandoah Farms. Las últimas dos adquisiciones diversificaron el mercado de la compañía para incluir el pavo. Los nuevos productos comprendían artículos de valor agregado como "¡Perdue lo hace!" una línea de productos de pollo fresco completamente cocinados.

El hijo único de Frank, James A. (Jim) Perdue, se unió a la compañía como aprendiz de director en 1983 y se convirtió en director de planta. Los últimos años de la década de 1980 pusieron a prueba el temple de la compañía. Después de un considerable periodo de expansión y de diversificación de productos, una compañía consultora recomendó que la empresa formara varias unidades estratégicas de negocio y que cada una se responsabilizara de sus propias operaciones. En otras palabras, la compañía debía descentralizarse. Pronto, el mercado de los pollos repuntó y después declinó durante un periodo. En 1988, la empresa experimentó su primer año en números rojos. Por desgracia, la descentralización había generado duplicación y enormes costos administrativos. El rápido desplome de la compañía en el negocio de los pavos y otros alimentos procesados, donde tenía poca experiencia, contribuyó a las pérdidas. Como era característico de ella, la compañía se volvió a enfocar, y se centró en la eficiencia de las operaciones, mejoró las comunicaciones en toda la compañía, y puso atención especial en el detalle.

El 2 de junio de 1989, Frank celebró sus 50 años en Perdue Farms, Inc., con una recepción matinal en el centro de Salisbury, el gobernador de Maryland proclamó esa fecha "el día de Frank Perdue". Los gobernadores de Delaware y Virginia hicieron lo mismo. En 1991, Frank fue nombrado presidente del comité ejecutivo y Jim Perdue se convirtió en presidente del consejo. Sereno, gentil y con una educación más formal, Jim Perdue se enfocó en las operaciones e infundió en la compañía una devoción incluso más fuerte al control de calidad y un compromiso mayor con la planeación estratégica. Frank Perdue continuó realizando actividades publicitarias y fomentando las relaciones públicas. Cuando Jim Perdue maduró como líder de la compañía, ocupó la función de vocero de la compañía y comenzó a aparecer en los anuncios publicitarios.

Bajo el liderazgo de Jim Perdue, la década de 1990 estuvo dominada por una expansión de mercado hacia el sur al interior de Florida y hacia el oeste a Michigan y Missouri. En 1992, el segmento de negocios internacionales se formalizó, y fue posible atender a clientes en Puerto Rico, Sudamérica, Europa, Japón y China. Para el año fiscal de 1998, las ventas internacionales eran de 180 millones anuales. Los mercados internacionales son benéficos para la empresa debido a que los clientes estadounidenses prefieren la carne blanca, mientras los clientes en la mayoría de los demás países prefieren la carne roja.

Las ventas de servicio de alimentos a clientes comerciales también se convirtieron en un mercado importante. Las nuevas líneas de producto de venta al detalle se enfocaron en artículos de valor agregado, como artículos de congelado rápido individual, artículos de reemplazo de meriendas y productos gourmet. El lema "Quepa fácil" continúa siendo parte de una campaña nutricional, que usa pollos sin piel ni hueso y productos de pavo.

La década de 1990 también fue testigo del creciente uso de la tecnología y de la construcción de centros de distribución para servir mejor al cliente. Por ejemplo, todos los camiones repartidores fueron equipados con comunicaciones satelitales de dos vías y posicionamiento geográfico, lo que permitió un rastreo en tiempo real, el reestablecimiento de ruta en caso de ser necesario, y un informe preciso a los clientes de cuándo se espera la llegada del producto.

En la actualidad, casi 20 000 asociados han incrementado a los ingresos a más de $2500 millones.

ADMINISTRACIÓN Y ORGANIZACIÓN

De 1950 a 1991, Frank Perdue fue la primer fuerza detrás del crecimiento y éxito de Perdue Farms. Durante los años en que Frank se desempeñó como líder de la compañía, la industria ingresó a su periodo de alto crecimiento. En general, los ejecutivos industriales se habían desarrollado durante la infancia de la industria. Muchos tenían una educación formal reducida y comenzaron sus carreras al construir gallineros y limpiarlos. Con frecuencia pasaron su carrera completa en una sola compañía, al progresar de supervisor de instalaciones de crecimiento, a la dirección de plantas de procesamiento, a posiciones ejecutivas corporativas. En ese aspecto, Perdue Farms no era poco común. Como un emprendedor en todos los sentidos, Frank vivió de acuerdo con su imagen de mercadotecnia según la cual "se requiere un hombre rudo para producir un pollo tierno". Utilizó un estilo de gerencia centralizada que conservó la autoridad de la toma de decisiones en sus propias manos y en las de algunos pocos en los que confiaba, ejecutivos de alto nivel a quienes conocía de toda la vida, mientras, por otro lado, esperaba que los trabajadores hicieran su trabajo.

En los últimos años, Frank hizo énfasis en la participación del empleado (o asociados como generalmente los llamaba) en las cuestiones de calidad y decisiones operativas. Este énfasis en la participación de los empleados facilitó sin lugar a dudas la sucesión del poder en 1991 a su hijo, Jim el cual aparentaba ser extraordinariamente blando. Aunque Jim creció en el negocio de la familia, pasó casi 15 años para obtener su título universitario en biología por la Wake Forest University, un grado de maestría en biología marina por la University of Massachusetts, en Dartmouth y un doctorado en pesca por la University of Washington, en Seattle. Una vez que regresó a Perdue Farms en 1983, obtuvo el grado en maestro ejecutivo en administración de negocios por la Salisbury State University y se le asignaron puestos como director de planta, director de control de calidad divisional y vicepresidente del proceso de mejora de calidad antes de convertirse en presidente.

El estilo directivo de Jim se basa en que la gente es primero. Las metas de la compañía se centran en las tres Pes: gente (People), producto (Product) y rentabilidad (Profitability). Piensa que el éxito del negocio depende de la satisfacción de las necesidades del cliente con productos de calidad. Es importante poner a los asociados en primer lugar, afirma, debido a que "si (los asociados) están primero, se esforzarán por asegurar una calidad superior del producto y por consiguiente habrá clientes satisfechos". Esta visión ha tenido un profundo impacto en la cultura de la compañía, la cual está basada en la visión de Tom Peters según la cual "nadie conoce mejor los 20 pies cuadrados de una persona que la persona que trabaja ahí". La idea es conjuntar ideas e información de todo el mundo en la organización y maximizar la productividad mediante la transmisión de estas ideas a lo largo de toda la organización.

Un factor clave para alcanzar esta política de "los empleados primero" es la estabilidad de la fuerza laboral, una tarea difícil en una industria que emplea a un número creciente de asociados que trabajan en condiciones físicamente demandantes y algunas veces estresantes. Un número importante de asociados son inmigrantes hispanos, quienes tienen a un manejo deficiente del idioma inglés y algunas veces carecen de educación, y a la vez de los cuidados básicos de salud. Con el fin de incrementar la oportunidad de los asociados para mejorar, Perdue Farms se enfoca en ayudarlos a superar estas desventajas.

Por ejemplo, la empresa proporciona clases del idioma inglés para ayudar a los asociados que no lo hablan a asimilarlo. Por último, los asociados pueden obtener el equivalente a un diploma de educación secundaria. Para abordar el problema del estrés físico, la compañía tiene un comité de ergonomía en cada planta que estudia los requerimientos laborales y busca formas de rediseñar aquellas labores que ponen en mayor riesgo a los trabajadores. La compañía también tiene un impresionante programa de salud que actualmente incluye clínicas en 10 plantas. Las clínicas cuentan con personal profesional médico que trabaja para grupos de práctica médica contratados por Perdue Farms. Los asociados tienen acceso universal a todas las clínicas operadas por Perdue y pueden visitar a un doctor por cualquier problema, desde una tensión muscular hasta cuidados prenatales, a fin de someterse a pruebas de diagnóstico de una gran variedad de enfermedades. También las personas que dependen del trabajador tienen acceso a estos servicios. Si bien los beneficios para los empleados son obvios, la compañía también se beneficia mediante una reducción en la pérdida de tiempo por las visitas al médico, una rotación de personal más baja y una fuerza laboral estable más feliz, más sana y más productiva.

COMERCIALIZACIÓN

En el pasado, el pollo se vendía a las carnicerías y a las tiendas de abarrotes del vecindario como una mercancía de consumo, es decir, los productores lo vendían a granel y los carniceros lo cortaban y empacaban. El consumidor no tenía idea de cuál compañía lo criaba o lo procesaba. Frank Perdue estaba convencido de que se podrían obtener ganancias más altas si los productos de la compañía se pudieran vender a un precio de producto de alta calidad. Pero, la única razón por la que un producto pudiera soportar un precio de este tipo sería si los clientes lo pidieran por su nombre, lo que implicaba que el producto debía diferenciarse y contar con una marca. De ahí el énfasis a través de los años en una calidad superior, pollos con una pechuga más grande y un saludable color dorado (en realidad el resultado de agregar pétalos de caléndula a la comida para resaltar el color amarillo natural que el maíz imparte).

En la actualidad, el pollo con marca se ha popularizado. La nueva tarea para Perdue Farms es crear un tema unificado para comercializar una amplia variedad de productos (por ejemplo, tanto carne fresca como productos congelados y completamente preparados) a una amplia variedad de clientes (como ventas al detalle, servicios de alimentos y consumidores internacionales). Los expertos de la industria creen que el mercado del pollo fresco ha alcanzado su nivel más alto mientras las ventas de los productos congelados y de valores agregados continúan creciendo a una tasa saludable. A pesar de que las ventas al por menor nacionales representaron aproximadamente el 60% de los ingresos de Perdue Farms en el año fiscal de 2000, las ventas del servicio de comida ahora representan 20%, las ventas internacionales representan el 5%, y los granos y la semilla de aceite contribuyen al 15% restante. La compañía espera que las ventas por el servicio de comida, las ventas internacionales y las ventas de granos y semillas de aceite continúen creciendo como un porcentaje de los ingresos totales.

VENTAS NACIONALES AL DETALLE

El cliente de las tiendas de abarrotes con ventas al detalle está buscando con mayor frecuencia una preparación fácil y rápida, es decir, productos de valor agregado. El desplazamiento hacia los productos de valor agregado ha implicado la transformación del departamento de carnes en una moderna tienda de abarrotes. Ahora hay cinco distintos mercados de distribución para el pollo:

1. El mostrador de carne fresca: carne fresca tradicional, y comprende al pollo entero y sus partes
2. El gourmet: pavo procesado, y pollos asados
3. El mostrador de los congelados: artículos de congelamiento rápido individual como los pollos enteros congelados, pavos y gallinas Cornish
4. El reemplazo de merienda para el hogar que consiste en entradas completamente preparadas como los "cortes pequeños" de la marca Perdue y los platillos de entrada de la marca Deluca (la marca Deluca fue adquirida y vendida con este mismo nombre) que se venden junto con ensaladas y postres que se pueden integrar a la merienda
5. Productos de anaquel: productos enlatados.

Como Perdue Farms siempre ha utilizado la frase "pollos frescos jóvenes" como la pieza central de su mercadotecnia, los productos de valor agregado y el mostrador de congelados al menudeo crean un posible conflicto con los temas de mercadotecnia del pasado. ¿Estos productos son compatibles con la imagen de mercadotecnia de la compañía y, si es así, cómo tendrá que expresar la compañía la noción de calidad en este entorno más amplio de productos? Para contestar esta pregunta, Perdue Farms ha estado estudiando lo que significa el término "jóvenes pollos frescos" para los clientes que continuamente demandan una preparación más rápida y más fácil, y para quienes admiten que congelan la mayor parte de su carne fresca una vez que llegan al hogar. Un punto de vista es que la importancia del término "jóvenes pollos frescos" proviene de la percepción del cliente de que "calidad" y "frescura" están estrechamente asociadas. Por lo tanto, la cuestión principal real debe ser la confianza, es decir, el cliente debe creer que el producto, ya sea fresco o congelado, es el más fresco y el de la más alta calidad posible. Así, los temas de mercadotecnia futuros deben desarrollar ese concepto.

OPERACIONES

Dos palabras resumen el enfoque de Perdue hacia la operación: calidad y eficiencia (con un énfasis mayor en el primero sobre el segundo). Perdue Farms, más que la mayor parte de las compañías, representa el lema de la Administración de Calidad Total (TQM, por siglas en inglés), "la calidad, un viaje sin fin". Algunos de los eventos clave en el proceso de mejora de la calidad de Perdue se enuncian en el cuadro 1.12.

Tanto la calidad como la eficiencia se mejoran a través de la administración de los detalles. El cuadro 1.13 representa la estructura y el flujo de producto de una compañía agrícola genérica integrada verticalmente. Una compañía agrícola puede elegir qué pasos en el proceso desea lograr en casa y cuáles desea que proporcionen los proveedores. Por ejemplo, la compañía agrícola puede comprar todo el grano, la semilla de aceite, la comida y otros productos alimenticios. O podría contratar criaderos para abastecer a los criadores primarios y criaderos que suministren bandadas.

Perdue Farms eligió una integración con una verticalidad máxima para controlar cada detalle. Incuba y cultiva sus propios huevos (19 criaderos), selecciona a sus criadores contratados, construye casas para pollos con su propia ingeniería, formula y fabrica su propio alimento (12 molinos de alimento para pollo, un molino de alimento de especialidad, dos operaciones para la mezcla de ingredientes, supervisa el cuidado y alimentación de los pollos, opera sus propias plantas de procesamiento (21 plantas de procesamiento y de procesamiento adicional), distribuye vía su propia flota de camiones y comercializa sus productos (vea cuadro 1.13). El control total del proceso constituyó la base en la cual se fundamentó Frank Perdue para afirmar que el pollo de Perdue Farms es, en realidad, de mejor calidad que cualquier otro pollo. Cuando afirmaba en sus primeros anuncios que "Un pollo es lo que come... almaceno mi propio grano y mezclo mi propio alimento... y doy a mis pollos Perdue sólo agua de calidad...", sabía que estas afirmaciones eran honestas y que las podía respaldar.

El control total del proceso también permite a Perdue Farms asegurar que nada se desperdicie. Rutinariamente se vigilan ocho elementos de medición: capacidad de cría, rotación, conversión de alimentos, habitabilidad, rendimiento, aves por hora-hombre, utilización y calificación.

Perdue Farms continúa asegurando que nada artificial se les dé a los pollos como alimento o por medio de inyecciones. No se opta por las soluciones fáciles. Se proporciona a las aves una dieta libre de químicos y esteroides. Se vacuna a los pollos jóvenes en contra de enfermedades. Se utiliza la reproducción selectiva para mejorar la calidad de la parvada de aves. Las aves se cruzan para producir una carne más blanca, que es lo que el consumidor desea.

Para asegurar que el pollo de Perdue Farms continúe encabezando la industria en cuanto a la calidad, la compañía compra y analiza los productos de la competencia de manera habitual. Los asociados de inspección evalúan estos productos y comparten la información con los niveles más altos de la dirección. Además, la política de calidad de la empresa está exhibida en todos los lugares y se enseña a todos los asociados en la capacitación sobre calidad (cuadro 1.14).

CUADRO 1.12
Acontecimientos importantes en el proceso de mejora de la calidad de Perdue Farms

1924 — Arthur Perdue compra aves liornas por $25.
1950 — Adoptó como logotipo de la compañía a un pollo detrás de un vidrio de aumento.
1984 — Frank Perdue ingresa al Philip Crosby's Quality College.
1985 — Perdue es reconocido por su dedicación a la calidad en el libro *A Passion for Excellence.*
— 200 directivos de Perdue ingresan al Quality College.
— Se adoptó el proceso de mejora de calidad (QIP, por sus siglas en inglés).
1986 — Estableció equipos de acción correctiva (CAT's, por sus siglas en inglés).
1987 — Estableció la capacitación sobre calidad para todos los asociados.
— Implementó el proceso de eliminación de la causa de error (ECR, por sus siglas en inglés).
1988 — Se formó el comité directivo.
1989 — Se llevó a cabo la primer conferencia anual sobre calidad.
— Implementó la dirección de equipos.
1990 — Se llevó a cabo la segunda conferencia anual sobre calidad.
— Misión corporativa y valores codificados.
1991 — Se llevó a cabo la tercera conferencia anual sobre calidad.
— Se definió la satisfacción del cliente.
1992 — Se realizó la cuarta conferencia anual sobre calidad.
— Se explicó a los líderes de equipos y a equipos de mejora de calidad cómo implementar la satisfacción del cliente.
— Se creó un índice de calidad.
— Se creó un índice de satisfacción del cliente.
— Se creó un programa de calidad denominado "De la granja al tenedor".
1999 — Se lanzó el índice de calidad de las materias primas.
2000 — Se inició el proceso por equipos de alto desempeño.

INVESTIGACIÓN Y DESARROLLO

Perdue Farms es una industria reconocida, líder en el uso de la investigación y tecnología para proporcionar productos y servicio de calidad a sus clientes. La compañía gasta más en investigación como un porcentaje de los ingresos que cualquier otro procesador de pollos. Esta práctica se remonta al interés de Frank Perdue para encontrar formas de diferenciar sus productos con base en la calidad y el valor. Fue la investigación en reproducción selectiva lo que generó una pechuga más grande, un atributo de pollos de las Perdue Farms que fue la base de su primera publicidad. A pesar de que otros procesadores han mejorado su ganado avícola, Perdue Farms piensa que sigue ocupando la posición de líder en la industria. En el cuadro 1.15 se muestra una lista de los logros tecnológicos de Perdue Farms.

Como con cualquier otro aspecto del negocio, Perdue Farms intenta no dejar nada al azar en la investigación y el desarrollo. La compañía emplea especialistas en ciencias agrícolas, en microbiología, genética, nutrición y veterinaria. Debido a su capacidad de investigación y desarrollo, Perdue Farms a menudo está implicada en las pruebas de campo del departamento de administración de medicamentos de Estados Unidos con proveedores farmacéuticos. El conocimiento y experiencia obtenidos de estas pruebas puede producir una ventaja competitiva. Por ejemplo, Perdue tiene el programa de vacunación más costoso y extenso en la industria. En la actualidad, la compañía está trabajando y estudiando las prácticas de varios productores europeos, quienes utilizan métodos completamente diferentes. La compañía ha utilizado la investigación para incrementar de manera importante la productividad. Por ejemplo, en la década de 1950, criar un pollo de tres libras tomaba 14 semanas. En la actualidad, lleva sólo siete semanas criar a un pollo de cinco libras. Este aumento de la eficacia se debe principalmente a mejoras en la tasa de conversión de alimentos para los pollos. La alimentación representa aproximadamente 65% de los costos de la crianza de un pollo. Así, si la investigación adicional puede mejorar aún más la tasa de conversión de alimentación a los pollos en sólo 1%, representaría un ingreso adicional estimado de $2.5 a $3 millones a la semana o $130 a $156 millones al año.

ENTORNO

Las problemas del entorno representan un reto constante para todos los procesadores de pollo. La crianza, sacrificio y procesamiento del pollo es un proceso difícil y tedioso que demanda una eficiencia absoluta para mantener los costos de operación a un nivel aceptable. Inevitablemente, los detractores argumentan que el proceso es peligroso para los trabajadores, inhumano para los pollos y dañino para el medio ambiente, y produce alimento que puede no ser seguro. Así, los encabezados de algunos medios de comunicación como "El costo humano del negocio avícola al descubierto", "Defensores de los derechos animales protestan por las condiciones de los

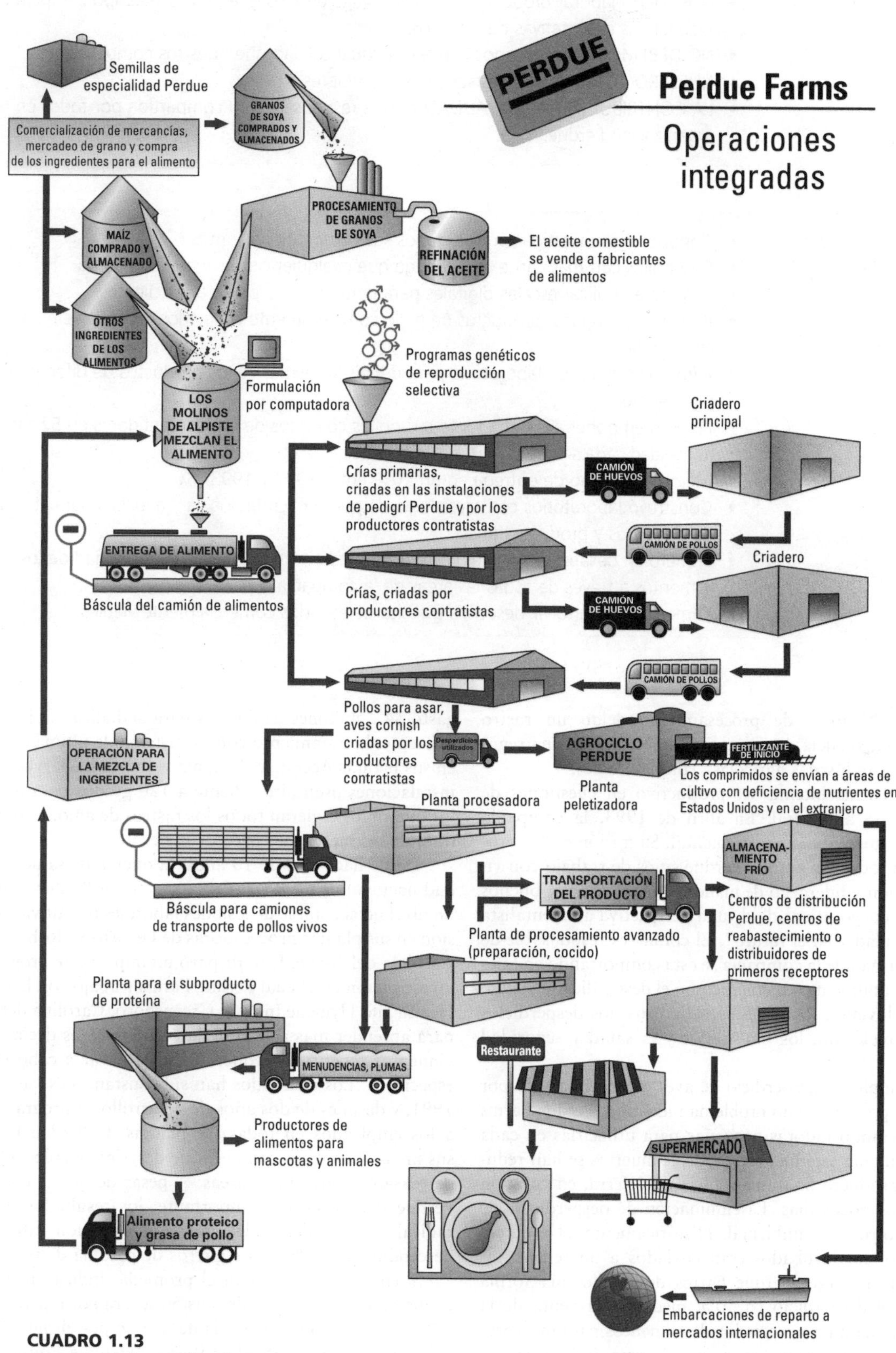

CUADRO 1.13
Operaciones integradas de Perdue Farms

CUADRO 1.14
Política de calidad

- DEBEMOS elaborar productos y proporcionar servicios que en todo tiempo cumplan o excedan las expectativas de nuestros clientes.
- NO DEBEMOS conformarnos con ser de igual calidad que nuestros competidores.
- NUESTRO COMPROMISO es ser cada vez mejores.
- LA CONTRIBUCIÓN A LA CALIDAD es una responsabilidad compartida por todos en la organización Perdue.

CUADRO 1.15
Logros tecnológicos de Perdue Farms Inc.

- Conduce más investigación que todos sus competidores juntos.
- Cría pollos con más carne de pechuga que cualquier otra ave en la industria.
- Primero en utilizar escalas digitales para garantizar los pesos a los clientes.
- Primero en empacar productos de pollo completamente cocinados en envases para microondas.
- Primero en tener un laboratorio para definir la calidad de los productos de diferentes proveedores.
- Primero en poner a prueba tanto sus pollos como los de sus competidores en 52 fábricas de calidad cada semana.
- Mejoró el tiempo de entrega en un 20% entre 1987 y 1993.
- Construyó laboratorios con tecnología de punta microbiológica y analítica para el análisis de alimentos y productos finales.
- Primero en desarrollar las mejores prácticas administrativas para la seguridad de los alimentos a través de todas las áreas de la compañía.
- Primero en desarrollar desechos avícolas peletizados comercialmente viables.

gallineros", "Plantas de procesamiento dejan un rastro tóxico" o "La agencia de protección ambiental ordena regulaciones a las industrias agrícolas" son habituales.

Perdue Farms intenta ser productivo en cuestiones de administración ambiental. En abril de 1993, la compañía creó un comité de dirección ambiental. Su misión es "... proporcionar a todas las granjas Perdue sitios de trabajo con visión, dirección y liderazgo de manera que puedan ser buenos ciudadanos corporativos desde una perspectiva ambientalista en la actualidad y en el futuro". El comité es responsable de vigilar la forma que la compañía se está comportando en tales áreas ambientalmente sensibles, como el desperdicio de agua, las aguas pluviales, los residuos peligrosos, los desperdicios sólidos, el reciclado, los bio-sólidos y la salud y seguridad humanas.

Por ejemplo, el desperdicio de aves muertas ha sido por mucho tiempo visto como problema industrial. Perdue Farms desarrolló compostadoras pequeñas para utilizarlas en cada granja. Mediante este método, las aves muertas se han reducido a un producto final que semeja a la tierra, en cuestión de sólo unos pocos días. La eliminación de desperdicios de crianza es otro reto ambiental. Históricamente, el estiércol y los huevos no incubados eran enviados a un relleno sanitario. Sin embargo, Perdue Farms desarrolló una forma de reducir el desperdicio en 50% mediante la venta de la fracción líquida a un procesador de alimentos para mascotas que lo cocina para obtener proteínas. El otro 50% se recicla a través de un proceso de secado. En 1990, Perdue Farms gastó $4.2 millones de dólares para actualizar su instalación existente de tratamiento con un sistema de última tecnología en sus plantas Accomac, Virginia y Showell, Maryland. Estas instalaciones usan aire caliente a 120 grados para hacer que los microbios digieran todos los rastros de amoniaco, incluso durante los meses más fríos de invierno.

Desde hace más de 10 años, la oficina de salud y seguridad nacional de Carolina del Norte citó a Perdue Farms por un nivel no aceptable de lesiones laborales repetitivas por tensión en sus plantas procesadoras de Lewiston y Robersonville, Carolina del Norte. Esto disparó un importante programa de investigación en el cual Perdue Farms trabajó con la empresa Health and Hygiene Inc., de Greensboro, Carolina del Norte, para aprender más acerca de la ergonomía, es decir, los movimientos repetitivos requeridos para llevar a cabo trabajos específicos. Los resultados han sido sustanciales. Se lanzó en 1991, y después de dos años de desarrollo, el programa filma a los empleados en todas las plantas de Perdue Farms en sus áreas de trabajo con el fin de describir y colocar valores de tensión a diferentes tareas. A pesar de que el costo para Perdue Farms ha sido importante, los resultados han sido radicales y las demandas por compensación laboral han descendido un 44%, los registros de pérdida de tiempo sólo 7.7% en comparación con el promedio industrial, un 80% de disminución en casos de tensión severa por repetición y un 50% de reducción en pérdida de tiempo por cirugía debida a daños en la espalda (Shelley Reese, "Helping Employees get a Grip", *Business and Health*, agosto de 1998).

A pesar de estos avances, se continúan desarrollando serios problemas. Algunos expertos han requerido medidas de conservación que puedan limitar la densidad de los gallineros en una determinada área o incluso han requerido que un porcentaje de los gallineros existentes se saque periódicamente de la producción. Obviamente esto sería muy duro para las granjas familiares que poseen gallineros o podría dar como resultado la reducción de acres dedicados a la agricultura. Al trabajar con AgriRecycle Inc. de Springfield, Missouri, Perdue Farms, ha desarrollado una posible solución. El plan ha ideado un procedimiento en el que las compañías avícolas procesen el exceso de estiércol en pequeños comprimidos que se puedan utilizar como fertilizante. Esto permitiría que las ventas fuera de la región de crianza de pollos, balancearan mejor la entrada de granos. El vocero estima que 120 000 toneladas, casi una tercera parte del excedente de nutrientes de estiércol producido cada año en la península Delmarva, podría venderse a los agricultores de maíz en otras partes del país. Los precios serían establecidos por el mercado, pero podrían fluctuar entre $25 y $30 por tonelada, lo que sugiere una pequeña ganancia potencial. A pesar de esto, casi cualquier intento por controlar el problema eleva potencialmente el costo de la crianza de pollos, lo que obliga a los procesadores de pollo a buscar en otra parte lugares donde la población de pollos sea menos densa.

En general, la resolución de problemas ambientales de la industria presenta al menos cinco desafíos importantes para el procesador de pollos:

- Cómo mantener la confianza del consumidor de pollos.
- Cómo asegurar que el pollo se conserve saludable.
- Cómo proteger la seguridad de los empleados y del proceso.
- Cómo satisfacer a los legisladores que necesitan mostrar a su electorado que están tomando acciones firmes cuando se suscitan problemas ambientales.
- Cómo mantener los costos a un nivel aceptable.

Jim Perdue resume la posición de Perdue Farms de la siguiente manera: "... tenemos no sólo que cumplir con las leyes ambientales presentes, sino ver hacia el futuro para asegurarnos que no tendremos sorpresas. Debemos estar seguros de que nuestra declaración de política ambiental (ver cuadro 1.16) es real, que hay algo que la respalda y que hacemos lo que decimos que vamos hacer".

LOGÍSTICA Y SISTEMAS DE INFORMACIÓN

El auge de los productos de pollo y el creciente número de clientes en los años recientes han colocado una tensión importante en el sistema de logística existente, el cual fue desarrollado en una época en la que había menos productos, menos puntos de reparto y un menor volumen. Por lo tanto, la compañía tiene una capacidad limitada para mejorar los niveles de servicio, no podrá soportar un crecimiento adicional, ni introducir servicios innovadores que puedan proporcionar una ventaja competitiva.

En la industria avícola, las compañías están enfrentando dos problemas importantes: el tiempo y los pronósticos. El pollo fresco tiene una vida limitada en el mostrador; medida en días. Así, el pronóstico debe ser extremadamente preciso y las entregas, puntuales. Por un lado, la estimación conservadora de requerimientos genera escasez de producto. Los megaclientes como Wal-Mart no tolerarán la escasez de productos que resulten en mostradores vacíos o pérdida de ventas. Por otro lado, si las estimaciones son excesivas, redundarían en productos caducos que no se pueden vender y pérdidas para Perdue Farms. Una expresión común en la industria agrícola es "lo vendes o lo hueles".

El pronóstico ha sido siempre extremadamente difícil en la industria avícola debido a que el procesador necesita saber aproximadamente con 18 meses de antelación cuántos pollos necesitará con el fin de calcular las parvadas para crianza y contratar los criadores que le proporcionen pollos vivos. La mayoría de los clientes (por ejemplo, las tiendas de abarrotes y compradores de servicios de alimentos) tienen una ventana de planeación mucho menor. Adicionalmente, no hay manera de que Perdue Farms sepa cuándo pondrán los procesadores de pollo rivales un producto particular a precios especiales, lo que reduce las ventas de Perdue Farms, o cuándo se presentarán condiciones climáticas malas u otros problemas incontrolables que pudieran reducir la demanda.

En el corto plazo, la tecnología de información ha ayudado a acortar la distancia entre el cliente y Perdue Farms. En 1987, las computadoras personales eran colocadas directamente en el escritorio de los asociados encargados del servicio al cliente, lo que le permitía al asociado ingresar pedidos del cliente directamente. Después, se desarrolló un sistema para poner a los consumidores en contacto directo con cada camión en el sistema de manera que tuvieran en todo momento información exacta acerca del inventario de productos y de la ubicación exacta del camión. Ahora, la tecnología de la información se está moviendo para acortar aún más la distancia entre el cliente y el representante del servicio de Perdue Farms al poner una computadora personal en el escritorio del cliente. Todos estos pasos mejoran la comunicación y acortan el tiempo del pedido a la entrega.

Para controlar la administración global de la cadena de abasto, Perdue Farms adquirió un sistema de tecnología de información de muchos millones de dólares que representa el activo intangible más costoso de la historia de la compañía. Este sistema de información de tecnología de punta y totalmente integrado requirió la reingeniería total del proceso, un proceso que llevó 18 meses y precisó la capacitación en 1200 asociados. Las principales metas del sistema fueron 1) facilitar y hacer más atractivo para el cliente hacer negocios con Perdue Farms, 2) facilitar el trabajo para los asociados de Perdue Farms y 3) suprimir los costos del proceso tanto como fuera posible.

TENDENCIAS EN LA INDUSTRIA

La industria agrícola está afectada por tendencias reglamentarias gubernamentales, por el cliente y por la industria. En la actualidad, el pollo es la carne de mayor consumo en Estados Unidos, con un 40% de participación de mercado. El estadounidense típico consume alrededor de 81 libras de pollo, 69 libras de res y 52 libras de puerco anualmente (datos de la USDA). Además, el pollo se está convirtiendo en la carne más

CUADRO 1.16
Declaración de política ambiental de Perdue Farms

Perdue Farms está comprometida con la responsabilidad ambiental y comparte ese compromiso con sus socios de granjas familiares. Estamos orgullosos del liderazgo que estamos ejerciendo en nuestra industria al abordar la completa variedad de desafíos ambientales relacionados con el procesamiento de alimentos y agricultura animal. Hemos invertido —y lo continuaremos haciendo— millones de dólares en investigación, nuevas tecnologías, actualización de equipo, y en crear conciencia y educar como parte de nuestro compromiso existente para proteger el ambiente.

- Perdue Farms está entre las primeras compañías avícolas con un departamento dedicado al servicio ambiental. Nuestro equipo de gerentes ambientales es responsable de asegurar que cada fábrica Perdue opere dentro del *100% de observancia de todas las regulaciones ambientales y permisos aplicables*.
- A través de nuestra empresa conjunta, Perdue AgriRecycle, Perdue Farms está invirtiendo $12 millones para construir en Delaware una planta peletizadora, primera en su clase, que convertirá a los excedentes de estiércol avícola en un fertilizante de inicio que se comercializará internacionalmente en regiones con deficiencia de nutrientes. La fábrica, que atenderá a la región completa de DelMarVA, está programada para iniciar su funcionamiento en abril de 2001.
- Continuamos explorando nuevas tecnologías que reduzcan el uso de agua en nuestras plantas procesadoras sin comprometer la seguridad o calidad de los alimentos.
- Invertimos miles de horas-hombre en la educación de los productores para ayudar a nuestros socios de las granjas familiares a administrar sus operaciones independientes avícolas de la manera más ambientalmente responsable posible. Además, se les exige a todos los productores de pollo que tengan planes de nutrición y de compostadoras de aves muertas.
- Perdue Farms fue una de las cuatro compañías avícolas con operaciones en Delaware que firmó un acuerdo con los funcionarios en el que se destacaba nuestro compromiso voluntario para ayudar a los productores de pollo independientes a eliminar los excedentes de estiércol de los pollos.
- Nuestro departamento de servicios técnicos está llevando a cabo una investigación relacionada con la tecnología alimenticia como medio de reducir los nutrientes en el estiércol del pollo. Ya hemos alcanzado reducciones de fósforo que exceden por mucho el promedio de la industria.
- Reconocemos que el impacto ambiental de la agricultura animal es más pronunciado en áreas donde el desarrollo está disminuyendo la cantidad de tierra cultivable disponible para producir granos para alimentos y de aceptar nutrientes. Es por eso que vemos en los productores de pollo y de grano independientes, socios vitales del negocio y nos esforzamos en preservar la viabilidad económica de la granja familiar.

En Perdue Farms, pensamos que es posible preservar la granja familiar; proporcionar un suministro de alimentos seguro, abundante y accesible, y proteger el ambiente. Sin embargo, creemos que esto tendría más posibilidades de cumplirse cuando exista la cooperación y la confianza entre la industria avícola, los grupos ambientalistas y agrícolas y los funcionarios estatales. Esperamos que el esfuerzo de Delaware se convierta en un modelo que otros puedan seguir.

popular en el mundo. En 1997, el pollo obtuvo un récord de exportación de $2500 millones. Aunque las exportaciones cayeron 6% en 1998, el decremento fue atribuido a la crisis financiera en Rusia y Asía, los expertos en la industria alimenticia esperan que esto sea sólo pasajero. De ahí que el mercado mundial sea claramente una oportunidad de crecimiento para el futuro.

Las agencias gubernamentales cuyas regulaciones impactan a la industria incluyen a la Oficina de Seguridad y Salud Ocupacional (OSHA, por sus siglas en inglés) para la seguridad de los empleados y al Servicio de Inmigración y Naturalización (INS) para los trabajadores indocumentados. La OSHA hace cumplir sus reglamentaciones mediante inscripciones periódicas o mediante la imposición de multas cuando se presenta algún incumplimiento. Por ejemplo, una planta agrícola, Hudson Foods, fue multada con más de $1 millón por supuestas violaciones deliberadas que ocasionaron lesiones ergonómicas a los trabajadores. El INS también lleva a cabo inspecciones periódicas en busca de trabajadores indocumentados. Se estima que el porcentaje de extranjeros indocumentados que trabajan en la industria varía de 3 a 78% en las plantas individuales. Cuando se encuentra una planta que está utilizando trabajadores indocumentados, especialmente las reincidentes, pueden ser multadas con montos monetarios importantes.

EL FUTURO

El mercado del pollo en el siglo XXI será muy diferente del pasado. Entender las necesidades y deseos de la generación X y de los eco-boomers será la clave para responder con éxito a estas diferencias.

La cantidad continuará siendo esencial. En la década de 1970 la calidad fue la piedra angular del éxito de Frank Perdue para construir una marca para sus pollos. Sin embargo, en el siglo XXI, la calidad no será suficiente. Los clientes de la actualidad esperan, incluso demandan, que todos los productos tengan una alta calidad. Así, los planes de Perdue Farms consisten en utilizar el servicio al cliente para diferenciar aún más a su compañía. El enfoque se basará en aprender cómo volverse indispensable para el cliente al eliminar costos del producto y entregarlo exactamente en la forma que el cliente lo desea, cómo y cuándo lo desea. En resumen, como lo afirma Jim Perdue, "Perdue Farms desea que los negocios se vuelvan tan fáciles con el cliente que éste no tenga razón alguna para hacer negocios con nadie más".

Notas

1. Este caso está basado en: Anthony Bianco y Pamela L. Moore, "Downfall: The Inside Story of the Management Fiasco at Xerox", *Business Week* (marzo 5, 2001), 82-92; Robert J. Grossman, "HR Woes at Xerox", *HR Magazine* (mayo 2001), 34-45; Jeremy Kahn, "The Paper Jam from Hell", *Fortune* (noviembre 13, 2000), 141-146; Pamela L. Moore, "She's Here to Fix the Xerox", *Business Week* (agosto 6, 2001), 47-48; Claudia H. Deutsch, "At Xerox, the Chief Earns (Grudging) Respect", *The New York Times* (junio 2, 2002), sección 3, 1, 12; Olga Kharif, "Anne Mulcahy Has Xerox by the Horns", *Business Week Online* (mayo 29, 2003); "Focus on Innovation at Xerox Produces More Than 500 Patents in 2004, Provides Sound Foundation for Future Growth", *Business Wire* (enero 13, 2005), 1; Amy Yee, "Xerox Comeback Continues to Thrive", *Financial Times* (enero 26, 2005), 30; y "The Best and Worst Managers of the Year: Anne Mulcahy", *Business Week* (enero 10, 2005), 55, 62. Todas las citas son de Grossman, "HR Woes at Xerox".
2. Martha Brannigan, "Air Pressure: Discount Carrier Lands Partners in Ill-Served Cities", *The Wall Street Journal* (julio 16, 2002), A1, A10.
3. Harry G. Barkema, Joel A. C. Baum, y Elizabeth A. Mannix, "Management Challenges in a New Time", *Academy of Management Journal* 45, no. 5 (2002), 916-930. Eileen Davis, "What's on American Managers' Minds?" *Management Review* (abril 1995), 14-20.
4. Barkema *et al.*, "Management Challenges".
5. Keith H. Hammonds, "Smart, Determined, Ambitious, Cheap: The New Face of Global Competition", *Fast Company* (febrero 2003), 91-97; William J. Holstein, "Samsung's Golden Touch", *Fortune* (abril 1, 2002), 89-94; Pete Engardio, Aaron Bernstein, y Manjeet Kripalani, "Is Your Job Next?" *Business Week* (febrero 3, 2003), 50-60.
6. Rebecca Smith y Jonathan Weil, "Ex-Enron Directors Reach Settlement", *The Wall Street Journal* (enero 10, 2005), C3; Kara Scannell y Jonathan Weil, "Supreme Court to Hear Andersen's Appeal of Conviction", *The Wall–Street Journal* (enero 10, 2005), C1; "ImClone to Pay $75 Million to Settle 2002 Suit", *The New York Times* (enero 25, 2005), C3; Joann S. Lublin, "Travel Expenses Prompt Yale to Force Out Institute Chief", *The Wall Street Journal* (enero 10, 2005), B1.
7. David Wessel, "Venal Sins: Why the Bad Guys of the Boardroom Emerged en Masse", *The Wall Street Journal* (junio 20, 2002), AI, A6.
8. Greg Ip, "Mind Over Matter-Disappearing Acts: The Rapid Rise and Fall of the Intangible Asset", *The Wall Street Journal* (abril 4, 2002), AI, A6.
9. Bernard Wysocki Jr., "Corporate Caveat: Dell or Be Delled", *The Wall Street Journal* (mayo 10, 1999), A1.
10. Andy Reinhardt, "From Gearhead ro Grand High Pooh-Bah", *Business Week* (agosto 28, 2000), 129-130.
11. G. Pascal Zachary, "Mighty is the Mongrel", *Fast Company* (julio 2000), 270-284.
12. Steven Greenhouse, N. Y. Times News Service, "Influx of Immigrants Having Profound Impact on Economy", *Johnson City Press* (septiembre 4, 2000), 9; Richard W. Judy y Carol D'Amico, *Workforce 2020: Work and Workers in the 21st Century* (Indianapolis, Ind.: Hudson Institute, 1997); estadísticas reportadas en Jason Forsythe, "Diversity Works", special advertising supplement to *The New York Times Magazine* (septiembre 14, 2003), 75-100.
13. Debra E. Meyerson y Joyce K. Fletcher, "A Modest Manifesto for Shattering the Glass Ceiling", *Harvard Business Review* (enero-febrero 2000), 127-136; Annie Finnigan, "Different Strokes", *Working Woman* (abril 2001), 42-48; Joline Godfrey, "Been There, Doing That", *Inc.* (marzo 1996), 21-22; Paula Dwyer, Marsha Johnston, y Karen Lowry Miller, "Out of the Typing Pool, into Career Limbo", *Business Week* (abril 15, 1996), 92-94.
14. Howard Aldrich, *Organizations and Environments* (Englewood Cliffs, N.J.: Prentice-Hall, 1979), 3.
15 Esta sección está basada en su mayor parte en Peter F. Drucker, *Managing the Non-Profit Organization: Principles and Practices* (Nueva York: HarperBusiness, 1992); y Thomas Wolf, *Managing a Nonprofit Organization* (Nueva York: Fireside/Simon & Schuster, 1990).

16. Christine W. Letts, William P. Ryan, y Allen Grossman, *High Performance Nonprofit Organizations* (Nueva York: John Wiley & Sons, Inc., 1999), 30-35.
17. Lisa Bannon, "Dream Works: As Make-a-Wish Expands Its Turf, Local Groups Fume", *The Wall Street Journal* (julio 8, 2002), A1, A8.
18 Robert N. Stern y Stephen R. Barley, "Organizations and Social Systems: Organization Theory's Neglected Mandate", *Administrative Science Quarterly* 41 (1996): 146-162.
19. Philip Siekman, "Build to Order: One Aircraft Carrier", *Fortune* (julio 22, 2002), 180[B]-180[J].
20. Brent Schlender, "The New Soul of a Wealth Machine", *Fortune* (abril 5, 2004), 102-110.
21. Schlender, "The New Soul of a Wealth Machine", y Keith H. Hammonds, "Growth Search", *Fast Company* (abril 2003), 75-80.
22. Arlyn Tobias Gajilan, "The Amazing JetBlue", *FSB* (mayo 2003), 51-60.
23. James D. Thompson, *Organizations in Action* (Nueva York: McGraw-Hill, 1967), 4-13.
24. Henry Mintzberg, *The Structuring of Organizations* (Englewood Cliffs, N.J.: Prentice-Hall, 1979), 215-297; y Henry Mintzberg, "Organization Design: Fashion or Fit?" *Harvard Business Review* 59 (enero-febrero 1981), 103-116.
25. "Focus on Innovation at Xerox Produces More Than 500 Patents in 2004".
26. Este análisis estuvo muy influido por la obra de Richard H. Hall, *Organizations: Structures, Processes, and Outcomes* (Englewood Cliffs, N.J.: Prentice-Hall, 1991); D. S. Pugh, "The Measurement of Organization Structures: Does Context Determine Form?" *Organizational Dynamics* 1 (primavera 1973), 19-34; y D. S. Pugh, D. J. Hickson, C. R. Hinings, y C. Turner, "Dimensions of Organization Structure", *Administrative Science Quarterly* 13 (1968), 65-91.
27. Ann Harrington, "Who's Afraid of a New Product?" *Fortune* (noviembre 10, 2003), 189-192; *http://www.gore.com*, consultado en agosto 28, 2002; "The 100 Best Companies to Work For", *Fortune* (enero 20, 2003),127-152; John Huey, "The New Post-Heroic Leadership", *Fortune* (febrero 21, 1994), 42-50; John Huey, "Wal-Mart: Will it Take Over the World?" *Fortune* (enero 30, 1989), 52-61; *http://www.walmartstores.com*, consultado en agosto 28, 2002.
28. Paul Merrion, "Profile: Georgia Marsh-Using the Web to Untangle State Government Bureaucracy", *Crain's Chicago Business* (septiembre 9, 2002), 11; Carolyn Bower, "School Boards Are Going Paperless", *St. Louis Post-Dispatch* (junio 28, 2004), B1; Rick Brooks, "Leading the News: UPS Cuts Ground Delivery Time; One-Day Reduction Aims to Repel FedEx Assault on Company's Dominance", *The* Wall *Street Journal* (octubre 6, 2003), A3.
29. T. Donaldson y L. E. Preston, "The Stakeholder Theory of the Corporation: Concepts, Evidence, and Implications", *Academy of Management Review* 20 (1995), 65-91; Anne S. Tusi, "A Multiple-Constituency Model of Effectiveness: An Empirical Examination at the Human Resource Subunit Level", *Administrative Science Quarterly* 35 (1990), 458-483; Charles Fombrun y Mark Shanley, "What's in a Name? Reputation Building and Corporate Strategy", *Academy of Management Journal* 33 (1990), 233-258; Terry Connolly, Edward J. Conlon y Stuart Jay Deutsch, "Organizational Effectiveness: A Multiple-Constituency Approach", *Academy of Management Review* 5 (1980), 211-217.
30. Charles Fishman, "The Wal-Mart You Don't Know-Why Low Prices Have a High Cost", *Fast Company* (diciembre 2003), 68-80.
31. Tusi, "A Multiple-Constituency Model of Effectiveness".
32. Fombrun y Shanley, "What's in a Name?"
33. Gary Fields y John R. Wilke, "The Ex-Files: FBI's New Focus Places Big Burden on Local Police", *The Wall Street Journal* (junio 30, 2003), A1, A12.
34. Ann Harrington, "The Big Ideas", *Fortune* (noviembre 22, 1999), 152-154; Robert Kanigel, *The One Best Way: Frederick Winslow Taylor and the Enigma of Efficiency,* (Nueva York: Viking, 1997); y Alan Farnham, "The Man Who Changed Work Forever", *Fortune* (julio 21, 1997), 114. Para un análisis del impacto de la administración científica sobre la industria estadounidense, gobierno y organizaciones no lucrativas, también vea Mauro F. Guillén, "Scientific Management's Lost Aesthetic: Architecture, Organization, and the Taylorized Beauty of the Mechanical", *Administrative Science Quarterly* 42 (1997), 682-715.
35. Amanda Bennett, *The Death of the Organization Man* (Nueva York: William Morrow, 1990).
36. Johannes M. Pennings, "Structural Contingency Theory: A Reappraisal", *Research in Organizational Behavior* 14 (1992), 267-309.
37. Este análisis está en parte basado en Toby J. Tetenbaum, "Shifting Paradigms: From Newton to Chaos", *Organizational Dynamics* (primavera 1998), 21-32.
38. William Bergquist, *The Postmodern Organization* (San Francisco: Jossey-Bass, 1993).
39. Basado en Tetenbaum, "Shifting Paradigms: From Newton to Chaos", y Richard T. Pascale, "Surfing the Edge of Chaos", *Sloan Management Review* (primavera 1999), 83-94.
40. Greg Jaffe, "Trial by Fire: On Ground in Iraq, Capt. Ayers Writes His Own Playbook", *The Wall Street Journal* (septiembre 22, 2004), A1.
41. Polly LaBarre, "This Organization Is Disorganization", *Fast Company* (junio-julio 1996), 77-81.
42. Sydney J. Freedberg, Jr., "Abizaid of Arabia", *The Atlantic Monthly* (diciembre 2003), 32-36.
43. David K. Hurst, *Crisis and Renewal: Meeting the Challenge of Organizational Change* (Boston, Mass.: Harvard Business School Press, 1995), 32-52.
44. Norm Brodsky, "Learning from JetBlue", *Inc.* (marzo 2004), 59-60

45. Ann Harrington, nota sobre QuikTrip, en Robert Levering y Milron Moskowitz, "100 Best Companies to Work For", *Fortune* (enero 20, 2003), 127-152.
46. Thomas Petzinger, *The New Pioneers: The Men and Women Who Are Transforming the Workplace and Marketplace* (Nueva York: Simon & Schuster, 1999), 91-93; y "In Search of the New World of Work", *Fast Company* (abril 1999),214-220; Peter Katel, "Bordering on Chaos", *Wired* (julio 1997), 98-107; Oren Harari, "The Concrete Intangibles", *Management Review* (mayo 1999), 30-33; y "Mexican Cement Maker on Verge of a Deal", *The New York Times* (septiembre 27, 2004), A8.
47. Robert House, Denise M. Rousseau y Melissa Thomas-Hunt, "The Meso Paradigm: A Framework for the Integration of Micro and Macro Organizational Behavior", *Research in Organizational Behavior* 17 (1995): 71-114.

PARTE 2
Propósito organizacional y diseño estructural

2 Estrategia, diseño organizacional y efectividad

La función de la dirección estratégica en el diseño organizacional

Propósito organizacional

Misión • Metas operativas • La importancia de las metas

Un modelo para elegir la estrategia y el diseño

Estrategias competitivas de Porter • Tipología de estrategias de Miles y Snow • Cómo afectan las estrategias el diseño organizacional • Otros factores que afectan el diseño organizacional

Evaluación de la efectividad organizacional

Enfoques de contingencia para la efectividad

Enfoque basado en las metas • Enfoque basado en recursos • Enfoque basado en el proceso interno

Un modelo de efectividad integrado

Resumen e interpretación

Una mirada al interior de

Starbucks Corporation

¿Cuál es la compañía estadounidense que ha tenido la influencia más grande en la década pasada en cuanto a la forma en que vivimos nuestra vida diaria? Muchos podrían afirmar que se trata de Starbucks, la cual ha ejercido su influencia en todo, desde las rutas que tomamos para ir al trabajo, hasta nuestro vocabulario, o los colores que preferimos (sí, de hecho, los diseñadores se refieren al color café, o más bien a las tonalidades del late, expresso y capuchino, como el nuevo negro).

El fenómeno Starbucks comenzó en Seattle como un pequeño minorista de café de especialidad con 11 tiendas y 100 empleados en 1987. Para comienzos de 2005, la compañía tenía 9000 tiendas en 39 países, con planes para continuar extendiéndose. Starbucks siempre ha perseguido una estrategia de crecimiento con base en la promoción de sus cualidades únicas. En la actualidad, más que nunca antes, la compañía no sólo vende café, sino "la experiencia Starbucks", una frase que se utiliza de manera rutinaria en los materiales publicitarios de la compañía. El director Howard Schultz y el director general retirado Orin Smith han dirigido a Starbucks a través de un tremendo periodo de crecimiento, pero Schultz enfatiza que la compañía tiene la meta de explotar toda clase de nuevos mercados, nuevos clientes y nuevos productos y servicios. El fomento de un mayor crecimiento mediante una transformación más profunda de Starbucks en una cadena minorista en lugar de tan sólo una cafetería, es la meta global que Schultz y el director general entrante Jim Donald han declarado. He aquí algunas de las metas y planes para alcanzar esa meta global:

- Ampliar el servicio de comida de la compañía. En 2005, la compañía inició su venta de almuerzos en cinco nuevos mercados, hasta alcanzar el número total de 2500 tiendas que ofrecían este servicio. Starbucks también está probando con las ventas de desayunos calientes en sus tiendas de Seattle, e indica que la compañía pronto los lanzará a nivel nacional.
- Convertirse en el primer minorista nacional en ofrecer estaciones de grabación de discos compactos. Los bares de medios HearMusic ofrecen a sus clientes 200 000 canciones para grabarlas en discos compactos en la tienda. Los planes actuales exigen el establecimiento de estaciones HearMusic en la mitad de las tiendas con sede en Estados Unidos.
- La asociación con compañías de producción musical para la producción conjunta, la comercialización y la distribución de selecciones musicales innovadoras y de calidad exclusivamente para los clientes de Starbucks, lo cual ofrecerá a la gente una forma única de descubrir nueva música. Un proyecto en desarrollo tiene como protagonistas a Herbie Hancock, John Mayer, Carlos Santana, Annie Lennox y Sting.
- Abrir 1500 tiendas adicionales en 2005, muchas de ellas en mercados internacionales y añadir más tiendas a las que ofrecen el servicio en el automóvil. Con el tiempo, la compañía desea contar con 25000 tiendas en todo el mundo.

Las nuevas metas y planes constituyen un audaz estímulo que sobrepasa los orígenes cafetaleros de Starbucks. Algunos observadores piensan que la incursión de la compañía en el ámbito musical es temeraria, pero Schultz y Donald creen que se ajusta bien a la estrategia de Starbucks. "Proporcionar a nuestros clientes formas innovadoras y únicas de descubrir y adquirir todo género de música extraordinaria, es otra forma de intensificar la experiencia Starbucks", afirma Schultz.[1]

Los altos directivos como Howard Schultz y Jim Donald son responsables de posicionar a sus organizaciones para la consecución del éxito mediante el establecimiento de metas y estrategias que puedan ayudar a la compañía a ser competitiva. Una **meta organizacional** es el estado deseado de los propósitos que la organización intenta alcanzar.[2] Una meta representa un resultado o un punto final hacia el cual se dirigen los esfuerzos organizacionales. Las metas para Starbucks en 2005 incluyen la adición de 1500 nuevas sucursales, la producción conjunta de una nueva compilación musical exclusiva y ampliar las ofertas de alimentos de la compañía. Las metas son adecuadas a la estrategia global de la compañía de diferenciar a Starbucks del resto de la competencia al crear una "experiencia" total. La elección de metas y estrategias afectan el diseño organizacional, como se analiza en este capítulo.

Objetivo de este capítulo

Los altos directivos dan rumbo a las organizaciones. Establecen las metas y desarrollan los planes organizacionales para alcanzarlas. El objetivo de este capítulo es ayudarle a comprender los tipos de metas que las organizaciones persiguen y algunas de las estrategias competitivas que los directivos utilizan para alcanzar esas metas. Se examinarán los diferentes modelos para determinar los planes de acción y se observará la forma en que las estrategias afectan el diseño organizacional. Este capítulo también explica los enfoques más conocidos para medir la efectividad y los esfuerzos organizacionales. Para administrar bien las organizaciones, los directivos necesitan un claro sentido de cómo medir la efectividad.

La función de la dirección estratégica en el diseño organizacional

Una organización se crea para alcanzar algún objetivo, el cual es decisión del director general de la compañía y del equipo de la alta dirección. Los altos ejecutivos que deciden el propósito final de la organización se esforzarán y determinarán la dirección que se tomará para alcanzarlo. En este objetivo la dirección es lo que moldea y da forma al diseño y administración de la organización. De hecho, *la responsabilidad principal de la alta dirección es determinar las metas, estrategia y diseño de la organización, y en ese sentido adaptar a la organización a un entorno en constante cambio.*[3] Los mandos medios realizan una tarea muy semejante en cuanto a los departamentos principales dentro de los criterios proporcionados por la alta dirección. En el cuadro 2.1 se presentan las relaciones a través de las cuales los altos directivos proporcionan dirección y después diseñan.

Por lo general, el proceso directivo de formulación comienza con una evaluación de las oportunidades y amenazas que presenta el entorno, como la cantidad de cambios, incertidumbre y disponibilidad de recursos, que se analizarán con mayor detalle en el capítulo 4. Los altos directivos también evalúan las fortalezas y debilidades internas para definir las capacidades de la compañía que la distinguen en relación con otras empresas dentro de la industria.[4] La evaluación del ambiente interno a menudo incluye una evaluación de cada departamento y está moldeada por el desempeño pasado y el estilo de liderazgo del director general y del equipo de la alta dirección. El siguiente paso es definir la misión global y las metas oficiales con base en la combinación correcta de las oportunidades externas y las fortalezas internas. Para definir la forma en que la organización va a lograr su misión global, es necesario formular después las metas y estrategias operativas específicas.

En el cuadro 2.1, el diseño organizacional refleja la forma en que se implementan las metas y estrategias. Este diseño implica la administración y ejecución del plan estratégico. La dirección organizacional se implementa mediante decisiones acerca de la estructura, si la organización será diseñada como una organización que aprende o tendrá una orientación hacia la eficiencia, como se analizó en el capítulo 1, así como las elecciones acerca de los sistemas de control de información, el tipo de tecnología de producción, las políticas de recursos humanos, la cultura y los vínculos con otras organizaciones. En los capítulos siguientes se analizarán los cambios en la estructura, la tecnología, las políticas de recursos humanos, la cultura, y los vínculos interorganizacionales. Observe la flecha en el cuadro 2.1 que va del diseño organizacional hacia la dirección estratégica. Esto significa que las estrategias se formulan con frecuencia dentro de la estructura

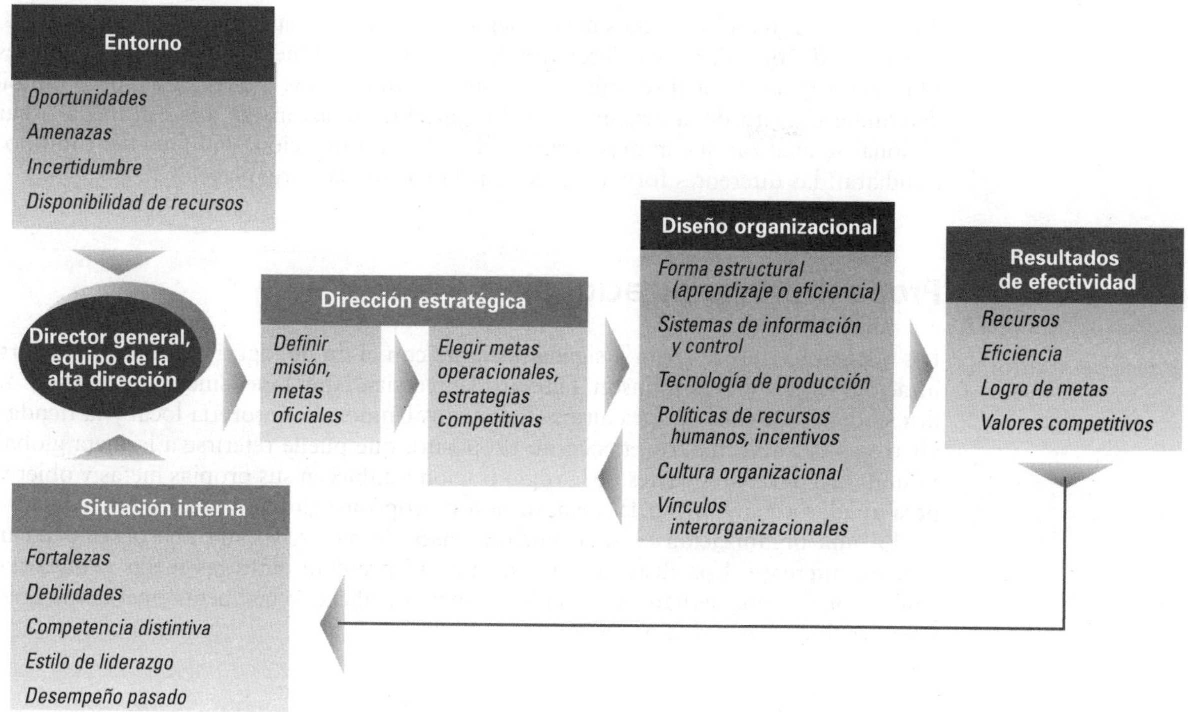

CUADRO 2.1
Función de la alta dirección en la dirección, el diseño y la efectividad de la organización
Fuente: Adaptado de Arie Y. Lewin y Carroll U. Stephens, "Individual Properties of the CEO as Determinants of Organization Design", manuscrito sin publicar, Duke University, 1990; y Arie Y. Lewin y Carroll U. Stephens, "CEO Attributes as Determinants of Organization Design: An Integrated Model", *Organization Studies 15*, núm. 2 (1994), 183-212.

actual de la organización, de manera que el diseño existente limita o coloca restricciones a las metas y la estrategia. Sin embargo, en general, las nuevas metas y estrategias se eligen con base en las necesidades ambientales, y después, la alta dirección intenta rediseñar la organización para alcanzar esos fines.

Por último, el cuadro 2.1 ilustra la forma en que los directivos evalúan la efectividad de los esfuerzos organizacionales, es decir, el grado al cual la organización alcanza sus metas. Este cuadro refleja las formas más conocidas de medir el desempeño, cada una de las cuales se analizará más adelante en este capítulo. Es importante observar aquí que las medidas de desempeño constituyen una retroalimentación para el ambiente organizacional interno, por ende la alta administración evalúa el desempeño anterior de la organización cuando establece nuevas metas y una dirección estratégica para el futuro.

La función de la alta dirección es importante ya que los directivos pueden interpretar el entorno de manera diferente y desarrollar diversas metas. Por ejemplo, cuando William Weldon asumió la dirección de Johnson & Johnson, percibió la necesidad de una mayor colaboración y participación de información entre las divisiones independientes de la empresa, la cual es una organización extremadamente compleja, compuesta además de 200 diferentes compañías organizadas en tres divisiones: fármacos, dispositivos médicos y diagnóstico. Si bien, la compañía ha prosperado gracias a que ha proporcionado a sus diferentes negocios una autonomía casi completa, Weldon piensa que el sistema tiene que cambiar y florecer en el entorno actual en constante cambio. Weldon ha establecido nuevas metas que requieren que los administradores construyan alianzas a través de las tres divisiones principales.[5]

Las elecciones de la alta administración referentes a las metas, estrategias y diseño organizacional tienen un impacto extraordinario en la efectividad organizacional. Recuerde que las metas y la estrategia no son fijas y no son sobreentendidas. La alta dirección y los mandos medios deben elegir las metas para sus respectivas unidades, y la capacidad de formular estas elecciones determina en gran medida el éxito de la empresa. El diseño organizacional se utiliza para implementar metas y estrategias, pero también determina el éxito de la organización. El concepto de las metas y la estrategia organizacional se analizarán con mayor profundidad a continuación, y al final del capítulo se estudiarán las diferentes formas de evaluar la efectividad organizacional.

Propósito organizacional

Las organizaciones se crean y siguen adelante con el fin de lograr algo. Todas las organizaciones, Johnson & Johnson, Harvard University, New Line Cinema, la iglesia Católica, el departamento de agricultura de Estados Unidos, la tintorería local y la tienda de abarrotes de su vecindario, tienen un propósito, que puede referirse a la meta global o misión. Las diferentes partes de la organización establecen sus propias metas y objetivos para ayudar a materializar la meta, misión o propósito globales organizacionales.

En una organización existen muchas clases de metas, y cada una desempeña una función diferente. Una distinción importante se presenta entre las metas o misión organizacionales que se han establecido de manera oficial y las metas operativas que la organización en realidad persigue.

Misión

Como gerente de una organización, tenga en mente estos lineamientos:

Establezca y comunique la misión y las metas organizacionales. Comunique las metas oficiales para ofrecer una declaración de la misión organizacional a los elementos externos. Comunique las metas operativas para proporcionar dirección interna, lineamientos y estándares de desempeño a los empleados.

La meta general de una organización con frecuencia se conoce como **misión,** la razón de existir de la organización. La misión describe la visión de la organización, sus valores y creencias compartidas y su razón de ser, y puede tener un impacto poderoso en una organización.[6] Algunas veces la misión se designa con el término de **metas oficiales,** las cuales se refieren a la definición de manera formal declarada acerca del ámbito de negocios y resultados que la organización está tratando de alcanzar. Por lo general, las declaraciones oficiales de metas definen las operaciones del negocio y pueden enfocarse en los valores, los mercados y los clientes que distinguen a la organización. Ya sea que se denominen declaraciones de misión o metas oficiales, la declaración general de la organización es un propósito y filosofía que comúnmente se hace por escrito en un manual de políticas o en el reporte anual. Las declaraciones de misión para la State Farm se muestran el cuadro 2.2. Observe cómo se definen la misión, los valores y las metas globales.

Uno de los propósitos principales de una declaración de misión es servir como una herramienta de comunicación.[7] Las *declaraciones de misión* comunican a los empleados, clientes, inversionistas, proveedores y competidores actuales y potenciales lo que la organización simboliza y está tratando de alcanzar. Una declaración de misión legitima a los participantes internos y externos, que pueden unirse y comprometerse con la organización debido a que se identifican con este propósito declarado. La mayoría de los principales líderes desean que sus empleados, clientes, competidores, proveedores, inversionistas y que la comunidad local los perciban desde una óptica favorable, y el concepto de autenticidad juega un papel crítico.[8] La inquietud corporativa en la legitimidad es real y pertinente. Considere el caso de la empresa contable Arthur Andersen, acusada de obstruir la justicia por destruir documentos contables relacionados con la investigación de Enron. Una compañía global que en alguna época fue respetada perdió su credibilidad ante sus clientes, inversionistas y el público, lo perdió todo. En el entorno posterior al caso Enron, en el cual ha privado una confianza debilitada y crecientes regulaciones, muchas organizaciones se enfrentan a la necesidad de redefinir su propósito y misión para enfatizar un propósito corporativo que vaya más allá de los términos financieros.[9] Las compañías donde los directivos están sinceramente guiados por las declaraciones de misión que enfocan su propósito social, como la de Medtronic "Restituir a la gente una vida y salud plenas" o el de Liberty Mutual "Ayudar a la gente a vivir con mayor segu-

STATE FARM INSURANCE
Nuestra misión, nuestra visión y nuestros valores compartidos

La misión de State Farm es ayudar a la gente a administrar los riesgos cotidianos, a recuperarse de lo inesperado y cumplir sus sueños.

Somos personas que hacemos que nuestro negocio sea como un buen vecino; que construye una compañía de primera clase mediante la venta y el cumplimiento de las promesas a través de nuestras sociedades comerciales, las cuales aportan diversos talentos y experiencia al trabajo que realizamos para servir al cliente de State Farm.

Nuestro éxito es construir sobre la base de valores compartidos: servicio de calidad y relaciones, confianza mutua, integridad y fortaleza financiera.

Nuestra visión para el futuro es ser la primera y mejor elección del cliente en los productos y servicios que proporcionamos. Continuaremos siendo el líder en la industria de los seguros y nos convertiremos en el líder del área de servicios financieros. Las necesidades de nuestros clientes determinarán nuestra ruta. Nuestros valores nos guiarán.

CUADRO 2.2
Misión de State Farm
Fuente: "News and Notes from State Farm", Public Affairs Department, Memorial Boulevard No. 2500, Murfreesboro, Tennesee, C.P. 37131.

ridad ", por lo general atraen empleados más capaces, tienen relaciones más afables con los elementos externos y poseen un mejor desarrollo de mercado en el largo plazo.[10]

Metas operativas

Las **metas operativas** diseñan los fines a alcanzar mediante los procedimientos operativos organizacionales existentes y explican lo que la organización en realidad está tratando de hacer.[11] Las metas operativas describen resultados específicos cuantificables y a menudo están relacionadas con el corto plazo. Las metas operativas en comparación con las oficiales representan las metas reales en contraste con las declaradas. Por lo general, las metas operativas atañen a las tareas primordiales que una organización debe desempeñar y son similares a las funciones del subsistema identificadas en el capítulo 1.[12] Estas metas están relacionadas con el desempeño global, la interconexión de metas, el mantenimiento, la adaptación y las actividades de producción. Las metas específicas para cada tarea primordial proporcionan cuál es el camino a seguir para las decisiones y las actividades diarias dentro de los departamentos.

Desempeño global. La rentabilidad refleja el desempeño global de las organizaciones con fines de lucro. La rentabilidad puede expresarse en términos de ingresos netos, utilidades por acción, o rendimiento sobre la inversión. Las metas de desempeño global se refieren al crecimiento y volumen de producción. El crecimiento se refiere al incremento en las ventas o utilidades a través del tiempo. El volumen está relacionado con las ventas totales o con la cantidad entregada de productos o servicios. Por ejemplo, la división de Chevrolet de General Motors Corp., tiene una meta de crecimiento de aumento en las ventas de un 15%, es decir, 3 millones de vehículos al año.[13]

Las organizaciones gubernamentales y sin fines de lucro como las agencias de servicio social o los sindicatos no tienen metas de rentabilidad, sino metas que intentan especificar la oferta de servicios a clientes o miembros dentro de los niveles específicos de gasto.

El servicio de recaudación fiscal estadounidense tiene la meta de proporcionar respuestas exactas al 85% de las preguntas de los contribuyentes acerca de las nuevas regulaciones fiscales. Las metas de crecimiento y volumen también pueden constituir indicadores del desempeño global en las organizaciones sin fines de lucro. Ampliar sus servicios a nuevos clientes es una meta primordial para muchas agencias de servicio social, como Contact USA, la cual ofrece servicios de ayuda telefónica a personas en crisis.

Recursos. Las metas de recursos competen a la adquisición del material y fondos financieros necesarios procedentes del entorno. Pueden implicar la obtención de financiamiento para la construcción de nuevas fábricas, encontrar fuentes menos costosas de materia prima o contratar a graduados de alta calidad en tecnología. Las metas relacionadas con los recursos para la universidad de Harvard comprenden atraer profesores y estudiantes de primera categoría. Las metas relacionadas con los recursos para Honda Motor Company consisten en conseguir autopartes de alta calidad a bajo costo. Para Contact USA, las metas de recursos incluyen el reclutamiento de voluntarios telefónicos dedicados y ampliar la base de financiamiento de la organización.

Mercado. Las metas de mercado están relacionadas con la participación de mercado o el estatus en el mercado que la organización desea. Las metas de mercado son responsabilidad de los departamentos de marketing y publicidad. Un ejemplo de una meta de mercado es el deseo que tiene Honda de dar alcance a Toyota Motor Company, el vendedor número uno de automóviles en Japón. Hasta hace poco, Honda sobrepasó a Nissan para convertirse en el número dos en Japón, y últimamente introdujo el subcompacto Fit que ha eclipsado al Toyota Corolla como el auto mejor vendido en ese mercado. En la industria de los juguetes, Mega Blocks Inc., de Canadá alcanzó su meta de duplicar la participación de mercado de los bloques de construcción a 30%. El gigante de la industria, la danesa Lego, está evaluando estrategias para intentar recuperar la participación de mercado que ha perdido.[14]

Desarrollo de los empleados. El desarrollo laboral de los empleados atañe a la capacitación, la promoción, la seguridad y el crecimiento de los empleados. Comprende tanto a directivos como a trabajadores. Las metas enérgicas de desarrollo de los empleados constituyen una de las características más comunes de las organizaciones que de manera habitual aparecen en la lista de las "100 mejores empresas para trabajar" de la revista *Fortune*. Por ejemplo, la compañía familiar Wegmans Food Markets, la cual ha aparecido en la lista casi todos los años desde el comienzo y en 2005 subió vertiginosamente hasta el primer lugar, tiene la consigna de "los empleados en primer lugar, los clientes en segundo", la cual refleja el énfasis de la empresa en las metas de desarrollo de los empleados.[15] El enfoque único de Wegmans hacia el desarrollo de los empleados se analizará con mayor profundidad en el recuadro de Liderazgo por diseño de este capítulo.

Innovación y cambio. Las metas de innovación se refieren a la flexibilidad interna y a la celeridad para adaptarse a los cambios inesperados en el entorno. Las metas de innovación muchas veces se definen con respecto al desarrollo de nuevos servicios, productos o procesos de producción. 3M Co., ha establecido la meta de que el 30% de sus ventas provengan de productos de menos de cuatro años de edad.[16]

Productividad. Las metas de productividad comprenden la cantidad de producción alcanzada a partir de los recursos disponibles. Por lo general, se refieren a la cantidad de entradas de recursos requeridos para lograr la producción deseada y, por lo tanto, están expresadas en términos de "costo por unidad de producción", "unidades producidas por empleado", o "costo de recurso por empleado". Los directivos de Akamai Technologies, la cual vende servicios de comunicación de contenido Web, mantiene una estrecha vigilancia en las ventas por empleado para constatar que la compañía está cumpliendo con sus metas de productividad. El director de finanzas de Akamai, Timothy Weller, considera esta estadística como "la medición individual más sencilla de la productividad laboral". Boeing Company instaló una línea de ensamble móvil para la

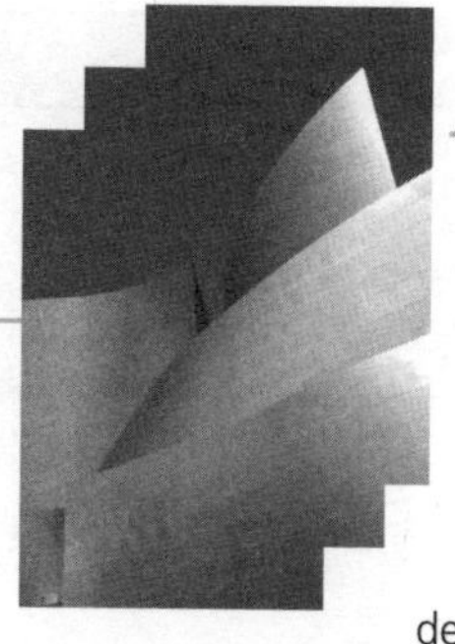

Liderazgo por diseño

Wegmans

Por lo general, los supermercados no se consideran lugares maravillosos para trabajar. La paga es baja, las horas son agotadoras y no se obtiene mucho aprecio de nadie. La mayoría de los supermercados tienen una tasa de rotación de personal anual de 19 a 20% y hasta el 100% de los trabajadores son de medio tiempo. Pero la situación es diferente en Wegmans, una cadena de 67 tiendas en Nueva York, Pennsylvania, Nueva Jersey y Virginia. La rotación de personal anual es tan sólo de 6% en los empleados de tiempo completo. Aproximadamente 6000 trabajadores de Wegmans tienen al menos diez años de servicio, y más de 800 han trabajado en las tiendas Wegmans durante un cuarto de siglo.

Wegmans es una de las cadenas de supermercados más exitosas en la industria; sus márgenes de operatividad son casi el doble de los de las cuatro grandes cadenas (Albertson's, Kroger, Safeway y Ahold USA). Las ventas por pie cuadrado son 50% más altas que los del promedio de la industria. Una encuesta anual realizada por Cannondale Associates encontró que Wegmans vence a todos los demás minoristas, incluso a Wal-Mart en cuanto a conocimientos de comercialización.

El compromiso y satisfacción de los empleados es un factor importante para el éxito de Wegmans y los directivos consideran que cumplir las metas para el desarrollo de los empleados es un factor tan importante como cumplir los objetivos de ventas, rentabilidad y productividad. "Uno no puede separar su estrategia como minorista de la estrategia que debe tener como patrón", afirma el consultor Darrel Rigby, director de ventas globales al detalle de Bain & Company. Los salarios por hora y anuales en Wegmans son los más altos de la industria, pero esto sólo es una pequeña parte de la historia. Lo que en verdad distingue a Wegmans es que crea un ambiente y provee los recursos necesarios para permitir a los empleados desarrollar su más pleno potencial. La compañía ha invertido $54 millones en becas estudiantiles para más de 17 500 empleados de tiempo completo y parcial durante los pasados 20 años. No piensa en cuestiones tales como en mandar a los empleados de viaje a visitar los viñedos de California o a los fabricantes de quesos en Italia. "Es nuestro conocimiento el que puede ayudar al cliente", afirma el presidente Danny Wegman. "De manera que la primera bomba que tenemos que preparar es nuestra propia gente." Los empleados están facultados para hacer casi cualquier cosa para satisfacer al cliente, sin consultarlo con un superior. El director de operaciones Jack DePeters dice casi de broma que Wegmans es "una compañía de $3000 millones dirigida por cajeros de 16 años de edad".

La preparación de la bomba está ejemplificada por la apertura de una nueva tienda Wegmans en Dulles, Virginia, donde la compañía invirtió $5 millones tan sólo en capacitación. La compañía se rehúsa a abrir una nueva tienda sino hasta que toda la gente esté completamente preparada. Wegmans habría podido abrir sin problema alguno en noviembre de 2003, la época crítica de ventas por la temporada decembrina, pero eligió esperar hasta febrero. El énfasis en el desarrollo por encima de los dólares, reditúa. Wegmans atrae empleados de alta calidad, tanto para la dirección como para puestos en las tiendas. El director de la compañía de 86 años de edad, Robert Wegman, explica por qué siempre ha enfatizado las metas de desarrollo de los empleados a pesar de los altos costos: "Nunca he dado más de lo que recibo a cambio".

Fuente: Matthew Boyle, "The Wegmans Way", *Fortune* (enero 24, 2005), 62-68.

aeronave 737 a fin de incrementar la productividad. Una vez que las alas y el tren de aterrizaje se han fijado, cada avión es arrastrado hacia la puerta a una velocidad de dos pulgadas por minuto, mientras los trabajadores se mueven a lo largo de la línea sobre un aparato que parece flotar. La meta de productividad de Boeing es sacar un 737 en cinco días, de los 11 que toma en la actualidad.[17]

Las organizaciones exitosas utilizan en forma cuidadosa un conjunto balanceado de metas operativas. A pesar de que las metas de rentabilidad son importantes, algunas de las mejores compañías existentes reconocen que una mentalidad enfocada sólo hacia las utilidades netas puede no ser la mejor forma de alcanzar un alto desempeño. Las metas de innovación y cambio son cada vez más importantes, aunque de entrada en apariencia provoquen una disminución en la rentabilidad. Las metas de desarrollo de los empleados son cruciales para ayudar a mantener a la fuerza laboral motivada y comprometida.

CUADRO 2.3
Tipo de meta y objetivo

Tipo de metas	Propósito de las metas
Metas oficiales, misión:	Legitimidad
metas operativas:	Dirección y motivación de los empleados
	Lineamientos para la toma de decisiones
	Estándar de desempeño

La importancia de las metas

Tanto las metas oficiales como las operativas son importantes para la organización, pero persiguen diferentes propósitos. Las metas oficiales y las declaraciones de misión describen un sistema de valores para la organización, por su parte, las metas operativas representan las tareas fundamentales de la organización. Las metas oficiales legitiman a la organización; las metas operativas son más explícitas y bien definidas.

Las metas operativas tienen varios propósitos específicos, como se presenta en el cuadro 2.3, por una razón: las metas pueden proporcionar a los empleados un sentido de orientación, de manera que ellos sepan hacia dónde se dirigen con su trabajo. Esto puede ayudar a motivar a los empleados para que logren las metas, en especial si están implicados en la formulación de los objetivos. Los famosos eventos en la prisión de Abu Ghraib en Irak muestran un ejemplo negativo del poder motivador de las metas. Los analistas afirman que los soldados estadounidenses que custodiaban prisioneros en Abu Ghraib estaban bajo tanta presión para cumplir con las cuotas de número de interrogatorios y reportes de inteligencia que generaban, que recurrieron a métodos no éticos e incluso al abuso.[18] Los directivos necesitan entender el poder de las metas y poner todo el cuidado al formularlas e implementarlas. Otro propósito importante de las metas es actuar como una pauta de comportamiento para el empleado y la toma de decisiones. Las metas adecuadas pueden actuar como un conjunto de restricciones al comportamiento y acciones individuales a fin de que los empleados procedan dentro de los límites aceptables para la organización y la sociedad en su conjunto.[19] Ayudan a definir las decisiones apropiadas que atañen a la estructura organizacional, la innovación, el bienestar laboral o el crecimiento. Por último, las metas ofrecen un estándar para la evaluación. El nivel de desempeño organizacional, ya sea en términos de rentabilidad, unidades producidas, grado de satisfacción del empleado, nivel de innovación o número de quejas de clientes, necesita una base para la evaluación. Las metas operativas proporcionan este estándar para la medición.

Un modelo para elegir la estrategia y el diseño

Para lograr y apoyar el rumbo establecido por la misión organizacional y las metas operativas, los directivos tienen que elegir opciones específicas de estrategia y diseño que ayuden a la organización a alcanzar su propósito y metas dentro de este entorno competitivo. En esta sección se examinará un par de métodos prácticos para elegir la estrategia y el diseño.

Una **estrategia** es un plan para interactuar con el entorno competitivo a fin de alcanzar las metas organizacionales. Algunos directivos consideran que las metas y estrategias son sinónimos, pero para los propósitos de este libro, las *metas* definen hacia dónde desea ir la compañía y las *estrategias* definen cómo lo logrará. Por ejemplo, una meta puede consistir en alcanzar el 15% de crecimiento en las ventas anuales; las estrategias para alcanzar esa meta pueden incluir una publicidad agresiva para atraer a nuevos clientes, la motivación de la fuerza de ventas para incrementar el tamaño promedio

CUADRO 2.4
Estrategias competitivas de Porter
Fuente: Adaptado con la autorización de The Free Press, una división de Simon & Schuster Adult Publishing Group, de *Competitive Advantage: Creating and Sustaining Superior Performance* por Michael E. Porter. Derechos reservados © 1985, 1988 por Michael E. Porter.

de las compras de los clientes y adquirir otros negocios que generen productos similares. Las estrategias pueden comprender cualquier número de técnicas para alcanzar la meta. La esencia para formular estrategias es elegir si la organización se desempeñará en actividades más diversas que sus competidores o ejecutar actividades similares con mayor eficiencia que sus competidores.[20]

Hay dos modelos para la formulación de estrategias: el modelo de estrategias competitivas de Porter y la tipología de estrategias de Miles y Snow. Cada una provee un modelo de la acción competitiva, Luego de describir los dos modelos se analizará cómo la selección de estrategias afecta el diseño organizacional.

Estrategias competitivas de Porter

Michael E. Porter basado en el estudio de varios negocios, ideó un modelo para describir tres estrategias competitivas: La de liderazgo en el bajo costo, la de diferenciación y la de enfoque.[21] La estrategia de enfoque, en la cual la organización se concentra en un mercado específico o grupo de compradores, se subdivide en *bajo costo enfocado* y *diferenciación enfocada*. Esto produce cuatro operaciones básicas, como lo muestra el cuadro 2.4. Para utilizar este modelo, los directivos evaluaron dos factores: Ventaja competitiva y ámbito competitivo. Con respecto a la ventaja, los directivos determinan si deben competir por el costo más bajo o por la capacidad de ofrecer productos y servicios únicos o distintivos que puedan soportar un precio de producto de primera clase. Después, los directivos determinan si la organización competirá en un ámbito amplio (al concursar en muchos segmentos de clientes) o en uno estrecho (al competir en un segmento seleccionado de clientes o grupo de segmentos). Estas elecciones determinan la selección de la estrategia, como lo ilustra el cuadro 2.4.

Como gerente de una organización, tenga en mente estos lineamientos:

Después de haber definido las metas, elija las estrategias para alcanzarlas. Defina tácticas específicas basadas en las estrategias competitivas de Porter o Miles y en la tipología de operaciones de Snow.

Diferenciación. En una estrategia de *diferenciación*, las organizaciones intentan distinguir sus productos o servicios de los demás en la industria. Una organización puede utilizar la publicidad, las características distintivas de su producto, un servicio excepcional o una nueva tecnología para lograr que el producto se perciba como único. Por lo general, estas estrategias están orientadas a clientes que no están en lo particular interesados en el precio, así que pueden llegar a ser muy rentables. Las motocicletas Harley-Davidson, la ropa Tommy Hilfiger y los automóviles Jaguar son ejemplos de productos de compañías que utilizan una estrategia de diferenciación. Las empresas de servicios como Aflac Insurance, Four Seasons Hotels y Starbucks Coffee, cuyo caso se describió al inicio del capítulo, también pueden utilizar una estrategia de diferenciación, la que puede reducir la rivalidad entre los competidores y constituir una defensa contra la amenaza de productos sustitutos debido a que los clientes son leales a la marca de la compañía. Sin embargo, las compañías deben recordar que las estrategias de diferenciación exitosas requieren varias actividades costosas, como la investigación y el diseño de productos y una amplia campaña publicitaria. Las compañías que persiguen una estrategia de diferenciación necesitan capacidades fuertes de marketing y empleados creativos que estén dispuestos a aportar el tiempo y los recursos necesarios para buscar innovaciones.

Liderazgo en el bajo costo. La estrategia de **liderazgo en el bajo costo** intenta incrementar la participación de mercado al enfatizar sus bajos costos en relación con los de la competencia. Con una estrategia de liderazgo basado en el bajo costo, la organización busca decisivamente instalaciones eficientes, persigue reducciones en los costos y utiliza estrictos controles para generar productos o servicios con más efectividad que sus competidores. Un buen ejemplo de una estrategia de liderazgo en el bajo costo es la aerolínea irlandesa Ryanair.

En la práctica

Ryanair

Hace alrededor de 15 años, Michael O'Leary tomó el viaje que cambiaría su vida, y con ello transformó a la línea aérea irlandesa Ryanair en la aerolínea más exitosa y rentable de Europa. O'Leary, quien fue traído como director ejecutivo de Ryanair para salvar a la aerolínea, voló a Estados Unidos por Southwest Airlines y aprendió los trucos de operar una línea aérea de bajo costo.

O'Leary se refiere a su estrategia corporativa de esta manera: "Se trata de la fórmula más vieja y sencilla: Junte muchos y venda barato... queríamos ser como el Wal-Mart del negocio de las aerolíneas. Nadie nos vencerá en el precio. Jamás". Y vendió barato. Un experto de la industria asegura que los precios de los boletos de Ryanair son tan económicos que es "casi una aerolínea sin tarifas". Por ejemplo, un trabajador en una oficina de Minneapolis, gastó menos de $150 por volar de Londres a Bolonia, Italia; y después de Venecia, Italia, a Dublín, Irlanda; y de Dublín de regreso a Londres, en un avión de Ryanair.

Ryanair puede ofrecer tarifas tan bajas debido a que mantiene los costos en el punto más bajo que nadie más en Europa. El mantra de la compañía es vender boletos baratos, no servicio al cliente. La aerolínea no ofrece clase preferente, maximiza el uso del espacio entre los asientos, vira una aeronave en 25 minutos en lugar de 45 o más requeridos por los aviones tradicionales, y no ofrece comisiones a los agentes viajeros. La mayor parte de los boletos se venden por Internet, y el sitio Web de Ryanair es el más visitado en Irlanda. En vez de repartir botanas y alimentos, Ryanair los vende. Los costos del personal también son mantenidos a raya. En un año reciente, la aerolínea empleó menos de 2 000 personas y transportó 24 millones de pasajeros, mientras que la aerolínea alemana Lufthansa empleó alrededor de 30 000 personas y transportó 37 millones.

El número de pasajeros de Ryanair continúa creciendo, el cual se elevó de 3.9 millones en 1998 a más de 24 millones en 2005. La industria aeronáutica es cada vez más competitiva y otras líneas aéreas de bajo costo se están entrometiendo en territorio de Ryanair. Pero O'Leary sabe que Ryanair puede vencer a cualquiera en el precio y en el control de costos. Mientras la aerolínea mantenga su enfoque disciplinado, Ryanair continuará volando muy alto.[22]

Si bien, Ryanair se está expandiendo y continúa agregando nuevas rutas, la estrategia de liderazgo en el bajo costo concierne principalmente a la estabilidad más que a la toma de riesgos o la búsqueda de oportunidades para la innovación y el crecimiento. Una posición de bajo costo significa que una compañía puede menoscabar los precios de los competidores y seguir ofreciendo una calidad comparable y obtener una rentabilidad razonable.

Una estrategia que se basa en los costos reducidos puede ayudar a una compañía a defenderse contra los competidores existentes, ya que los clientes no pueden encontrar precios más bajos en otra parte. Además, en caso de que productos sustitutos o nuevos competidores potenciales entraran a escena, el productor de bajo costo se encontrará en una mejor posición para impedir la pérdida de su participación en el mercado.

Enfoque. Según la tercera estrategia de Porter, la **estrategia de enfoque**, la organización se concentra en un mercado regional específico o en un grupo de compradores. La compañía intentará alcanzar ya sea una ventaja de bajo costo o una ventaja de diferenciación dentro de un mercado estrictamente definido. Un buen ejemplo de una estrategia de bajo costo enfocado es Edward Jones, una casa de correduría con sede en St. Louis. La empresa ha triunfado por medio del establecimiento de su negocio en un pequeño pueblo rural estadounidense y por ofrecer a sus clientes inversiones conservadoras a largo plazo.[23] Un ejemplo de estrategia de diferenciación enfocada es el fabricante de ropa deportiva, Puma; y pensar que hace diez años estaba a punto de la quiebra. El director general Jochen Zeitz, entonces de 30 años de edad, revivió a la marca al orientar su estrategia a grupos selectos de clientes, en especial a los atletas de sillón, con zapatos y vestimenta sofisticada que ya está marcando tendencias en el diseño. Puma "está realizando esfuerzos extra por conseguir ser diferente", afirma el analista Ronald Könen, y sus ventas y ganancias reflejan el cambio. Puma ha sido rentable en todos los años desde 1994, y sus ventas están creciendo con mayor rapidez que las de sus competidores.[24]

Cuando los directivos no son capaces de adoptar una estrategia competitiva, se deja a la organización desprovista de una ventaja estratégica, lo cual redunda en un desempeño deficiente. Porter se dio cuenta de que las compañías que no adoptaron de manera consciente una estrategia de bajos costos, de diferenciación, o de enfoque, por ejemplo, obtuvieron ganancias por debajo del promedio en comparación con aquellas que utilizaron una de las tres estrategias. Muchas compañías en Internet han fracasado debido a que no desarrollaron estrategias competitivas que las distinguieran en el mercado.[25] Por otro lado, eBay y Google han tenido un gran éxito gracias a estrategias coherentes de diferenciación. La capacidad de los directivos para diseñar y mantener una clara estrategia competitiva constituye uno de los factores determinantes en el éxito de una organización, como se analizará con mayor profundidad en el Marcador de libros de este capítulo.

Tipología de estrategias de Miles y Snow

Otra tipología de estrategias corporativas se desarrolló a partir del estudio de las estrategias de negocios de Raymond Miles y Charles Snow.[26] La tipología de Miles y Snow está basada en la idea de que los directores buscan formular estrategias que sean congruentes con el entorno externo. Las organizaciones se esfuerzan por encontrar un ajuste entre las características de la organización internacional, la estrategia y el entorno. Para lograrlo las organizaciones adoptan una de las cuatro estrategias que se pueden desarrollar: La prospectiva, la defensiva, la analítica y la reactiva.

Prospectiva. La estrategia **prospectiva** es innovadora, asume riesgos, busca nuevas oportunidades y crecimiento. Esta estrategia es compatible con un entorno dinámico y creciente, donde la creatividad sea más importante que la eficiencia. FedEx Corporation, la cual innova tanto en la tecnología de servicios como de producción en el negocio en constante transformación de la mensajería, la administración de documentos y los servicios de información, constituye un ejemplo de la estrategia prospectiva, al igual que una de las compañías contemporáneas líderes en el desarrollo de tecnología de punta, como Microsoft.

Defensiva. La estrategia defensiva es casi lo opuesto de la prospectiva. En lugar de asumir riesgos y buscar nuevas oportunidades, la estrategia defensiva se refiere a la estabilidad, incluso a la reducción de gastos. Esta estrategia busca conservar los clientes actuales, pero no innovar ni crecer. La estrategia defensiva se relaciona principalmente con la eficiencia y control internos para generar productos confiables y de alta calidad para clientes estables. Esta estrategia puede ser exitosa cuando las organizaciones y la industria se encuentran en declive o en un momento estable.

Marcador de libros 2.0 (¿YA LEYÓ ESTE LIBRO?)

Lo que realmente funciona: la fórmula 4 + 2 para el éxito perdurable de los negocios

Por William F. Joyce, Nitin Nohria y Bruce Roberson

En la obra *What Really Works: The 4 + 2 Formula for Sustained Business Success*, William Joyce, Nitin Nohria y Bruce Roberson aseveran que existen ciertos indicadores confiables del éxito organizacional perdurable. El libro está basado en un proyecto riguroso de investigación a gran escala, que implicó cinco años de análisis de datos recabados durante una década de 160 compañías que representaban a 40 diferentes industrias. Los hallazgos indicaron que existe una relación directa entre el alto desempeño financiero y la excelencia sostenida. Esta relación se puede resumir en seis prácticas de gran importancia.

¿EN QUÉ CONSISTE LA FÓRMULA 4 + 2?

- *Conserve clara su estrategia.* La primera y principal es la capacidad de diseñar y mantener una estrategia enfocada y expresada con claridad. Compare las empresas Target y Kmart. Durante los años del estudio, Target creció para convertirse en la tienda de descuentos más grande del país, detrás de Wal-Mart, mediante un enfoque dirigido a proporcionar mercancías únicas y de productos prestigiosos a precios justos. En la misma época, Kmart daba tumbos una y otra vez a medida que sus directivos cambiaban de una estrategia a otra; por ejemplo, primero se orientaron a clientes adinerados y más conscientes de la moda, para después regresar a la competencia en precios contra Wal-Mart.
- *Mantenga impecable la ejecución operativa.* Las compañías ganadoras implementan y mantienen los cambios de operación que incrementan su productividad casi al doble del promedio de la industria. No intentan superar a los competidores en cada faceta de las operaciones, sino que enfocan sus fuerzas en las competencias centrales, como el uso que da Wal-Mart a la sofisticada tecnología de información para administrar en forma escrupulosa su inventario.
- *Erija una cultura basada en el desempeño.* Las compañías extraordinarias fomentan las contribuciones individuales o por equipo, mientras todos son responsables de los resultados. Un ejemplo es Home Depot, el cual proporciona a todos, desde el conserje hasta al alto ejecutivo un sentido de propiedad sobre las tiendas.
- *Conserve una estructura rápida y flexible.* Las compañías más exitosas mantienen la burocracia a un punto mínimo, mediante la eliminación de niveles innecesarios de administración, supresión de reglas y regulaciones excesivas y de fronteras que inhiben la comunicación y colaboración. Nucor una compañía fabricante de acero, confina su estructura administrativa a cuatro niveles: El capataz, el jefe de departamento, el gerente de planta y el director general.

Además de estas cuatro prácticas básicas, los autores encontraron que las compañías ganadoras adoptan dos de cuatro prácticas secundarias: *El talento de los empleados, el liderazgo y gestión, la innovación o fusiones y las asociaciones.*

¿EN VERDAD FUNCIONA?

Durante un periodo de diez años, los inversionistas en las compañías 4 + 2 multiplicaron su dinero aproximadamente por 10, con un rendimiento total para los accionistas de 945%. Las compañías perdedoras produjeron sólo 62% en rendimientos totales durante la misma década. Las anécdotas de las compañías son interesantes e instructivas, tanto para el público en general como para los administradores.

What Really Works: The 4 + 2 Formula for Sustained Business Success por William Joyce, Nitin Nohria y Bruce Roberson, publicada por Harper Business.

Paramount Pictures ha utilizado la estrategia defensiva durante años.[27] Genera un flujo continuo de producciones confiables pero pocos éxitos taquilleros. Los directivos evitan el riesgo y a veces rechazan la producción de películas de alto perfil para mantener un tope en los costos. Estas medidas han permitido a la compañía seguir siendo altamente rentable mientras otros estudios tienen bajos rendimientos o, de hecho, pierden dinero.

Analítica. La estrategia **analítica** intenta mantener un negocio estable mientras innova en la periferia. Parece ser el punto medio entre la estrategia prospectiva y la defensiva. Algunos productos serán orientados hacia entornos estables en los cuales se utilice una estrategia de eficiencia diseñada para mantener a los actuales clientes y otros serán orientados hacia nuevos entornos más dinámicos, donde el crecimiento sea posible. La estrategia analítica intenta equilibrar la producción eficiente de líneas de productos existentes y el desarrollo creativo de nuevas líneas de producto. Sony Corp., ejemplifica una estrategia analítica, la cual consiste en defender su posición en el mercado de los aparatos electrónicos de consumo tradicionales, pero también establecer un negocio en el mercado "del entretenimiento integrado en el hogar", como su innovadora computadora Vaio.[28]

Reactiva. La estrategia **reactiva** en realidad no es del todo una estrategia. Más bien, consiste en responder a amenazas y oportunidades ambientales de acuerdo con fines específicos. En una estrategia reactiva, la alta dirección no cuenta con un plan definido y de largo alcance o no ha provisto a la organización de una misión o metas explícitas, de manera que ésta emprende cualquier acción que parezca resolver las necesidades inmediatas. A pesar de que en ocasiones la estrategia reactiva pueda ser exitosa, también puede llevar al fracaso a las compañías. Algunas compañías grandes y que con anterioridad fueron muy exitosas, como Xerox y Kodak, están avanzando con grandes dificultades debido a que sus directivos no adoptaron una estrategia congruente con las tendencias del consumidor. En años recientes, los directivos de McDonald's, durante mucho tiempo una de las franquicias más exitosas de comida rápida en el mundo, han estado actuando con torpeza para encontrar una estrategia apropiada. McDonald's sufrió una serie de utilidades trimestrales deficientes a medida que sus competidores continuaban usurpándole participación de mercado. Las franquicias crecieron desalentadas y agravadas por la incertidumbre y la falta de dirección estratégica clara en el futuro. Las innovaciones recientes como las opciones de comida más saludable han revivido las ventas y los ingresos, pero los directivos siguen luchando por implementar una estrategia coherente.[29]

La tipología de Miles y Snow se ha utilizado ampliamente, y los investigadores han probado su validez en una variedad de organizaciones, como los hospitales, los colegios, las instituciones bancarias, las compañías de productos industriales y las compañías de seguros de vida. En general, los investigadores han demostrado un fuerte respaldo a la efectividad de esta tipología para los directivos organizacionales en situaciones reales.[30]

Como gerente de una organización, tenga en mente estos lineamientos:

Realice el diseño organizacional para apoyar la estrategia competitiva de la empresa. Con un liderazgo enfocado hacia el bajo costo o hacia la estrategia defensiva, elija las características del diseño que estén asociadas con una orientación eficiente. Por otro lado, para una estrategia de diferenciación o de tipo prospectivo, elija las características que fomentan el aprendizaje, la innovación y la adaptación.
Utilice una mezcla balanceada de las características para una estrategia analítica.

Cómo afectan las estrategias el diseño organizacional

La elección de la estrategia afecta las características organizacionales internas. Las características de diseño organizacional necesitan apoyar el enfoque competitivo de las empresas. Por ejemplo, una compañía que desea crecer e inventar nuevos productos tiene una perspectiva y una forma de "sentir" diferentes a las de una compañía que está enfocada en mantener la participación de mercado para productos establecidos durante mucho tiempo en una industria estable. El cuadro 2.5 resume el diseño de las características organizacionales referentes a las estrategias de Porter, y de Miles y Snow.

Con una estrategia de liderazgo en costos bajos, los directores adoptan un enfoque de eficiencia para el diseño organizacional, mientras una estrategia de diferenciación exige un enfoque en el aprendizaje. En el capítulo 1 se estudió que las organizaciones

CUADRO 2.5
Resultados de la estrategia de diseño organizacional

Estrategias competitivas de Porter	Tipología de estrategias de Miles y Snow
Estrategia: diferenciación **Diseño organizacional:** • La orientación hacia el aprendizaje; actuar de forma flexible e independiente, con una sólida coordinación horizontal. • Fuerte capacidad en la investigación. • Valora y considera parte integral los mecanismos para lograr la familiaridad con el cliente. • Recompensa la creatividad, la toma de riesgos y la innovación del empleado. **Estrategia:** liderazgo en costos bajos **Diseño organizacional** • Orientación hacia la eficiencia; fuerte autoridad centralizada y estricto control de los costos, y con frecuencia, informes de control detallados. • Procedimientos operativos estandarizados • Sistemas de distribución y compras altamente eficientes. • Supervisión estrecha; tareas de rutina; limitado *empowerment* al empleado.	**Estrategia:** prospectiva. **Diseño organizacional:** • Orientación hacia el aprendizaje; estructura flexible, fluida y descentralizada. • Fuerte capacidad en investigación. **Estrategia:** defensiva **Diseño organizacional** • Orientación hacia la eficiencia; autoridad centralizada y control estricto sobre los costos. • Énfasis sobre la eficiencia productiva; gastos generales bajos. • Supervisión estricta; poco *empowerment* al empleado. **Estrategia:** analítica **Diseño organizacional:** • Equilibra la eficiencia y el aprendizaje; estricto control de los costos con flexibilidad y adaptabilidad. • Producción eficiente para líneas de productos estables; énfasis en la creatividad, la investigación, la toma de riesgos por innovación. **Estrategia:** reactiva **Diseño organizacional:** • No tiene un método organizacional claro; las características de diseño pueden cambiar abruptamente, según las necesidades existentes.

Fuente: Basado en Michael E. Porter, *Competitive Strategy: Techniques for Analyzing Industries and Competitors* (Nueva York: The Free Press, 1980); Michael Treacy y Fred Wiersema, "How Market Leaders Keep Their Edge", *Fortune* (febrero 6, 1995), 88-98; Michael Hitt, R. Duane Ireland, y Robert E. Hoskisson, *Strategic Management* (St. Paul, Minn.: West, 1995), 100-113; y Raymond E. Miles, Charles C. Snow, Alan D. Meyer y Henry J. Coleman, Jr., "Organizational Strategy, Structure, and Process", *Academy of Management Review 3* (1978), 546-562.

diseñadas para la eficiencia tienen diferentes características que las diseñadas para el aprendizaje. La estrategia de liderazgo basada en costos bajos (eficiencia) está relacionada con una autoridad centralizada fuerte y un control estricto, procedimientos operativos estandarizados y énfasis en sistemas eficientes de distribución y compras. Por lo general, los empleados desempeñan tareas rutinarias bajo una estrecha supervisión y control y no están facultados para tomar decisiones o emprender acciones por su propia cuenta. Por otro lado, una estrategia de diferenciación, requiere que los empleados de manera continua experimenten y aprendan. Las estructuras son fluidas y flexibles, con una sólida coordinación horizontal. Los empleados están facultados para trabajar en forma directa con los clientes y la creatividad y la adopción de riesgos son recompensados. La organización valora la investigación, la creatividad y la innovación antes que la eficiencia de los procedimientos estandarizados.

La estrategia prospectiva precisa características similares a la estrategia de diferenciación y la estrategia defensiva asume un enfoque de eficiencia similar al del liderazgo en bajo costo. Como la estrategia analizadora intenta equilibrar la eficiencia para líneas estables de producto con la flexibilidad de aprendizaje para nuevos productos, está asociada con una mezcla de características, como se exhibe en el cuadro 2.5. Con una estrategia reactiva, los directores dejan a la organización sin rumbo y sin un enfoque claro que diseñar.

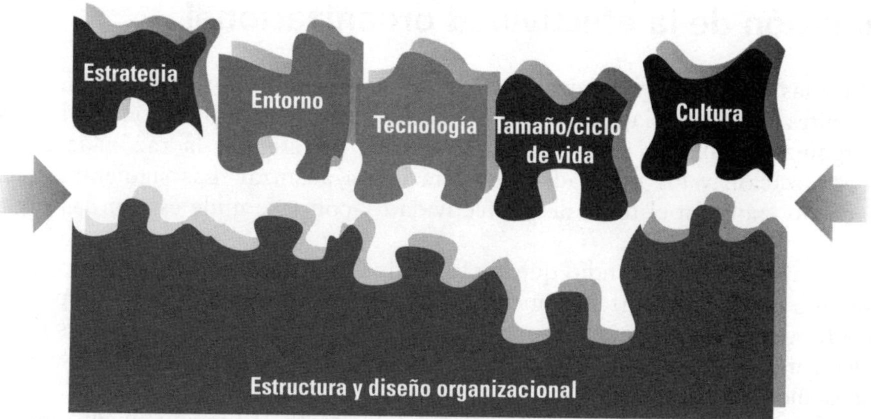

CUADRO 2.6
Factores de contingencia que afectan el diseño organizacional

Otros factores que afectan el diseño organizacional

La estrategia es un factor importante que afecta el diseño organizacional. Sin embargo, en última instancia, el diseño organizacional es el resultado de numerosas contingencias, que se analizarán a través de este texto. El énfasis que se le da a la eficiencia y al control en comparación con la flexibilidad y el aprendizaje está determinado por las circunstancias de la estrategia, el entorno, el tamaño y ciclo de vida, la tecnología y la cultura organizacional. La organización está diseñada para adecuarse a los factores de contingencia, como se ilustra en el cuadro 2.6.

Por ejemplo, en un entorno estable, la organización puede tener una estructura tradicional que enfatiza el control vertical, la eficiencia, la especialización, los procedimientos estandarizados y la toma de decisiones centralizada. Sin embargo, un entorno que cambia con rapidez puede demandar una estructura más flexible, con una sólida coordinación horizontal y colaboración a través de equipos y otros mecanismos. El entorno será analizado con mayor detalle en los capítulos 4 y 5. En términos de la extensión del ciclo de vida, las pequeñas organizaciones jóvenes por lo general son informales y tienen poca división de funciones, pocas reglas y regulaciones, y una presupuestación acorde a propósitos específicos y sistemas de desempeño. Por otro lado, las grandes organizaciones como Coca-Cola, Sony o General Electric, tienen una amplia división de funciones, numerosas reglas y regulaciones, y procedimientos y sistemas estandarizados para la presupuestación, el control, las recompensas y la innovación. En el capítulo 9 se analizarán el tamaño y las etapas del ciclo de vida.

El diseño también debe encajar en la tecnología de flujo de trabajo de la organización. Por ejemplo, con los procesos de producción en masa, como la línea de ensamble automotriz tradicional, la organización funciona mejor mediante el énfasis en la eficiencia, la formalización, la especialización, la toma de decisiones centralizada y el control estricto. Por otro lado, un negocio electrónico quizá necesite ser informal y flexible. El impacto de la tecnología sobre el diseño se analizará con mayor detalle en los capítulos 7 y 8. La cultura corporativa es la última contingencia que afecta el diseño organizacional. Una cultura organizacional que valora el trabajo en equipo, la colaboración, la creatividad y la comunicación abierta entre todos los empleados y los directivos, por ejemplo, no funcionaría bien dentro de una estructura vertical y estrecha, ni con reglas y regulaciones estrictas. La función que ejerce la cultura se estudiará en el capítulo 10.

Es responsabilidad de los directores diseñar organizaciones que se ajusten a los factores de contingencia, de estrategia, ambiente, tamaño y ciclo de vida, tecnología y cultura. Encontrar el ajuste adecuado redunda en la efectividad organizacional, mientras que un ajuste deficiente puede llevarla a su declive o incluso a la muerte.

Evaluación de la efectividad organizacional

Entender las estrategias organizacionales, así como el concepto de adaptar el diseño a diferentes contingencias, es el primer paso hacia la comprensión de la efectividad organizacional. Las metas organizacionales representan la razón de existir de una organización y los resultados que ésta busca alcanzar. Las siguientes secciones del capítulo exploran el tema de la efectividad y cómo se mide ésta en las organizaciones.

En el capítulo 1 se aprendió que la efectividad organizacional es el grado en el cual una organización materializa sus metas.[31] La *efectividad* es un concepto amplio. Implícitamente toma en consideración una gama de variables tanto en los niveles organizacionales como departamentales. La efectividad evalúa el grado en el cual se alcanzan múltiples metas, ya sean éstas oficiales u operativas.

La *eficiencia* es un concepto más limitado que atañe al funcionamiento interno de la organización. La eficiencia organizacional es la cantidad de recursos que se utilizan para generar una unidad de producto.[32] Se puede medir como la razón de entradas con respecto a las salidas. Si una organización puede alcanzar un determinado nivel de producción con menos recursos que otra, se describirá como más eficiente. [33]

En ocasiones, la eficiencia induce la creatividad. En otras organizaciones, la eficiencia y la eficacia están relacionadas. Una organización puede ser altamente eficiente pero fracasar en alcanzar sus metas debido a que fabrica un producto para el cual no existe demanda. De igual manera, una organización puede alcanzar sus metas de rentabilidad y al mismo tiempo ser ineficiente.

Es difícil medir la efectividad global en las organizaciones. Las organizaciones son grandes, diversas y fragmentadas; llevan a cabo muchas actividades de manera simultánea, persiguen metas múltiples y generan muchos resultados, algunos planeados y otros no intencionados.[34] Los directores determinan qué indicadores medir con el fin de estimar la efectividad de sus organizaciones. En un estudio se encontró que para muchos directores es difícil el concepto de evaluar la efectividad con base en las características que no son susceptibles de medir de una manera cuantitativa rigurosa.[35] No obstante, los altos ejecutivos y algunas de las compañías líderes de la actualidad están encontrando nuevas formas de medir la efectividad, al incluir el uso de índices "suaves" como "el deleite del consumidor" y la satisfacción del empleado. Varios enfoques para medir la efectividad atañen a qué mediciones optan por registrar los directivos. Estos *enfoques de contingencias para la efectividad*, se analizarán en la siguiente sección, están basados en buscar cuál es la parte de la organización que los administradores consideran prioritario medir. Después, se examinará un enfoque que integra el estudio de diferentes partes de la organización.

Enfoques de contingencia para la efectividad

Los enfoques de contingencia para medir la efectividad se centran en diferentes partes de la organización. Las organizaciones aportan distintas opciones provenientes del ambiente que las rodea, y esos recursos a su vez se transforman en productos que son devueltos de nuevo al entorno, como muestra el cuadro 2.7. El **enfoque basado en las metas** para la efectividad organizacional se refiere a la producción y si la organización alcanza sus metas en términos de los niveles de producción deseados.[36] El **enfoque basado en recursos** evalúa la efectividad al observar el comienzo del proceso y determinar si la organización en realidad cuenta con los recursos necesarios para un alto desempeño. El **enfoque basado en el proceso interno** observa las actividades internas y evalúa la efectividad mediante indicadores de la salud y eficiencia internas.

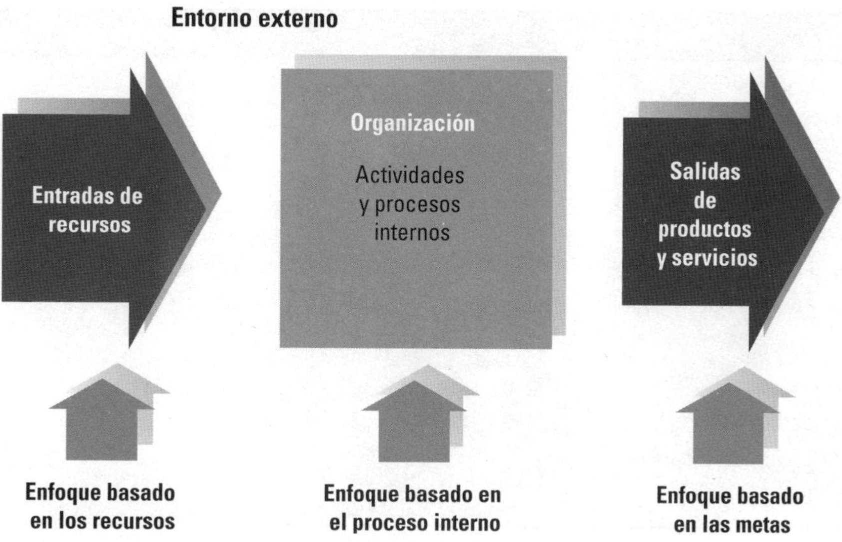

CUADRO 2.7
Enfoques de contingencia para la medición de la efectividad organizacional

Enfoque basado en las metas

El enfoque basado en las metas para la efectividad consiste en identificar las metas de producción de una organización y evalúa qué tan bien las está logrando.[37] Este es un enfoque lógico debido a que las organizaciones intentan lograr ciertos niveles de producción, ingresos o satisfacción del cliente. El enfoque basado en metas mide el progreso hacia el logro de las mismas. Por ejemplo, una importante medición para la Women's National Basketball Association es el número de boletos de entrada que se venden por juego. Durante la primera temporada de la liga, el presidente Val Ackerman estableció una meta de 4000 a 5000 boletos por juego, lo que indicaba que la WNBA era muy efectiva en el cumplimiento de su meta de asistencia.[38]

Indicadores. Las metas importantes a considerar son las metas operativas. Las metas operativas han probado ser más útiles que las metas oficiales para medir la efectividad.[39] Las metas oficiales tienden a ser abstractas y difíciles de medir. Las metas operativas reflejan las actividades que la organización en verdad está desempeñando.

Un ejemplo de metas múltiples proviene de una encuesta de las corporaciones de negocios estadounidenses.[40] Las metas que reportaron se muestran en el cuadro 2.8. Las 12 metas fueron dictadas como importantes para estas compañías. Aunque la encuesta se realizó hace más de dos décadas, las 12 metas continúan siendo objetivos críticos para la mayoría de los negocios. Estas metas representan resultados que no pueden alcanzarse en forma simultánea. Ilustran la diversidad de resultados que las organizaciones intentan alcanzar.

Utilidad. El enfoque basado en metas se emplea en las organizaciones de negocios debido a que las metas de producción se pueden medir con facilidad. Por lo general, las empresas de negocios evalúan el desempeño en términos de rentabilidad, crecimiento, participación de mercado y rendimiento sobre la inversión. Sin embargo, identificar las metas operativas y medir el desempeño de una organización no siempre es fácil. Los dos problemas que se deben resolver son los temas de metas múltiples y el de los indicadores subjetivos del logro de una meta.

Como las organizaciones tienen múltiples metas en conflicto, muchas veces la efectividad no se puede evaluar mediante un solo indicador. Un logro alto en una meta puede significar un logro bajo en otras. Además están las metas departamentales así como me-

CUADRO 2.8
Metas reportadas de corporaciones estadounidenses

Meta	% de corporaciones
Rentabilidad	89
Crecimiento	82
Participación de mercado	66
Responsabilidad social	65
Bienestar de los empleados	62
Calidad y servicio	60
Investigación y desarrollo	54
Diversificación	51
Eficiencia	50
Estabilidad financiera	49
Conservación de recursos	39
Desarrollo directivo	35

Fuente: Adaptado de Y. K. Shetty, "New Look at Corporate Goals", *California Management Review,* 22, núm. 2 (1979), 71-79.

tas de desempeño. La evaluación integral de la efectividad debe considerar varias metas de manera simultánea. La mayoría de las organizaciones utilizan un enfoque equilibrado para medir metas.

La otra cuestión a resolver con el enfoque basado en metas es cómo identificar las metas operativas para una organización y cómo medir el logro de las mismas. Para las organizaciones corporativas, con frecuencia hay indicadores objetivos para ciertas metas, como la rentabilidad o el crecimiento. Sin embargo, la evaluación subjetiva es necesaria para otro tipo de metas, como el bienestar de los empleados y la responsabilidad social. Alguien tiene que entrar a la organización y conocer cuáles son sus metas al hablar con el equipo de la alta dirección. Cuando no se cuenta con indicadores cuantitativos, deben utilizarse las percepciones subjetivas de la materialización de las metas, una vez que éstas se han identificado. Cuando consideran estas metas, los directivos dependen de la información de los clientes, los competidores, los proveedores y los empleados, así como de su propia intuición. Piense en el caso de la división Chevrolet de General Motors.

En la práctica
Chevrolet

En las décadas de 1960 y 1970 el Chevy estaba al mando del camino, pero la marca ha estado perdiendo participación de mercado de manera continua desde la década de 1980. Hace poco, General Motors delineó una nueva serie de metas ambiciosas para la división Chevrolet.

Las metas comprendían la introducción de 10 modelos de autos y camiones nuevos en un periodo de 20 meses, lo que prometía elevar el nivel de ventas de un 15% a 3 millones de vehículos anuales, y eliminar a Ford para recuperar su posición de primer lugar en la venta de automóviles y camiones. Los directivos están concentrados en medir la efectividad de la división Chevrolet con base en las cifras de ventas y participación de mercado.

Aunque la situación parece haber tenido un arranque lento debido a que los nuevos vehículos no causaron gran sensación en el mercado, mediante el uso de fuertes incentivos, para el otoño de 2004, Chevrolet estaba ganándole rápidamente a Ford. Durante los primeros seis meses de este año, Ford estaba a la cabeza con 107 157 vehículos a mitad de año. Sin embargo, para finales de septiembre, Chevy había reducido la brecha a sólo 8303 vehículos. Mientras las ventas de autos Ford caían 14.6% en 2004, las de Chevrolet subían 13.5%. Si bien, Chevrolet no ha alcanzado aún su meta de intensificar sus ventas a un 15%, está realizando un progreso estable hacia su consecución.

Los directivos de General Motors y Chevrolet también deben tomar en consideración que alcanzar las metas de ventas puede implicar que otras metas no se hayan satisfecho. El nivel de incentivos de Chevrolet en 2004 fue el más alto de cualquier fabricante estadounidense importante, lo cual disminuye la rentabilidad de la división. Además, el fuerte impulso a las ventas es posible que pudiera debilitar la satisfacción del empleado o la moral del concesionario. Para medir en forma íntegra la efectividad, los directivos tienen que observar un conjunto equilibrado de metas para la división de Chevrolet y utilizar la evaluación subjetiva y la objetiva del logro de metas.[41]

El enfoque basado en las metas funciona bien para Chevrolet en cuanto a la medición de las ventas y participación de mercado. Aunque el enfoque basado en las metas parece ser la forma más lógica de evaluar efectividad organizacional, los directivos deben tener en mente que la medición real de la efectividad es un proceso complejo.

Enfoque basado en recursos

El enfoque basado en los recursos se ocupa del lado de las entradas en el proceso de transformación mostrado en el cuadro 2.7. Supone que las organizaciones deben tener éxito en la obtención y administración de sus medios con el fin de ser efectivas. Desde una perspectiva basada en recursos, la efectividad organizacional está definida como la capacidad de la organización, en términos relativos o absolutos, para obtener recursos escasos y valiosos e integrarlos y administrarlos exitosamente.[42]

Indicadores. La obtención y administración exitosa de los recursos es el criterio mediante el cual se evalúa la efectividad organizacional. En un sentido amplio, los indicadores de la efectividad de acuerdo con el enfoque basado en recursos comprenden las siguientes dimensiones:

- Posición de negociación: La capacidad de la organización para obtener de su ambiente los medios escasos y valiosos, como los recursos financieros, las materias primas, el personal, el conocimiento y tecnología.
- Las capacidades de quienes toman las decisiones organizacionales para percibir e interpretar de manera correcta las características reales del entorno.
- Las capacidades gerenciales para utilizar recursos tangibles (por ejemplo: suministros, personas) e intangibles (conocimiento, cultura corporativa) en las actividades cotidianas organizacionales para alcanzar un desempeño superior.
- La capacidad organizacional de responder a los cambios en el entorno.

Utilidad. El enfoque basado en recursos es valioso cuando otros indicadores del desempeño son difíciles de obtener. En muchas organizaciones para el bienestar social y sin fines de lucro, es difícil medir las metas de producción o la eficiencia interna. Algunas organizaciones sin fines de lucro también utilizan un enfoque basado en recursos. Por ejemplo, Mathsoft Inc., la cual ofrece una amplia variedad de cálculos técnicos y software analítico para los negocios y la academia, evalúa su efectividad en parte cuando observa a cuántos doctorados de alto nivel puede reclutar. El director general, Charles Digate, piensa que Mathsoft tiene una alta tasa de doctorados en relación con los empleados totales que cualquier otra compañía de software, lo cual afecta en forma directa la calidad del producto y la imagen corporativa.[43]

Si bien en el enfoque basado en recursos es valioso cuando otras mediciones de la efectividad no se pueden implementar, tiene sus desventajas. Por una razón, el enfoque sólo considera vagamente la relación organizacional con las necesidades de los clientes en el entorno externo. Una capacidad superior para adquirir y utilizar recursos es importante sólo si los medios y capacidades se utilizan para alcanzar algo que cumpla una necesidad del entorno. Los críticos que han puesto en tela de juicio este enfoque suponen la inestabilidad en el mercado y no consideran en forma adecuada el valor cambiante de los diferentes recursos a medida que el entorno competitivo y las necesidades del cliente se transforman.[44] Cuando las mediciones para la materialización de las metas no son fáciles de obtener, el enfoque basado en recursos es más recomendable.

Enfoque basado en el proceso interno

En el enfoque basado en el proceso interno, la efectividad se mide en función de la salud y eficiencia internas organizacionales. Una organización efectiva tiene un proceso interno sin problemas y bien lubricado. Los empleados están felices y satisfechos. Las actividades departamentales se mezclan unas con otras para asegurar una alta productividad. Este enfoque no considera el entorno. El factor importante en la efectividad constituye lo que la organización hace con los recursos que tiene, tal como está reflejado en la salud interna y eficiencia.

Indicadores. Un indicador de la efectividad del proceso interno es la eficiencia económica organizacional. No obstante, las propuestas mejor conocidas del modelo de proceso se basan en el enfoque de las relaciones humanas hacia las organizaciones. Escritores como Chris Argyris, Warren G. Bennis, Rensis Likert y Richard Beckhard han trabajado ampliamente con recursos humanos en organizaciones y enfatizan la conexión entre el personal contratado y la efectividad.[45] Los escritores sobre cultura corporativa y excelencia organizacional han resaltado la importancia de los procesos internos. Los resultados de un estudio de casi 200 escuelas secundarias mostraron que tanto los recursos humanos como los procesos orientados a los empleados fueron importantes para la explicación y promoción de la efectividad en esas organizaciones.[46]

Hay siete indicadores de una organización efectiva vistos desde el enfoque basado en el proceso interno:

1. Sólida cultura corporativa y clima laboral positivo.
2. Espíritu de equipo, lealtad del grupo y trabajo en equipo.
3. Compañerismo, confianza y comunicación entre los trabajadores y los directivos.
4. Toma de decisiones cercana a las fuentes de información, sin importar la ubicación de esas fuentes en el organigrama.
5. Comunicación vertical y horizontal sin distorsiones; participación de los hechos y sentimientos relevantes.
6. Recompensas a directivos por su desempeño, crecimiento y desarrollo de los subordinados y por crear grupos de trabajo efectivo.
7. Interacción entre la organización y sus partes, con la resolución de conflictos que ocurren sobre los proyectos resueltos al anteponer los intereses organizacionales.[47]

Como gerente de una organización, tenga en mente estos lineamientos:

Utilice el enfoque basado en metas, el enfoque basado en el proceso interno, y el enfoque basado en recursos para obtener un panorama específico, más amplio y equilibrado de la efectividad.

Utilidad. El enfoque basado en el proceso interno es importante debido a que el uso eficiente de recursos y el funcionamiento interno armónico son formas de evaluar la efectividad organizacional. En la actualidad, la mayoría de los directivos piensan que los empleados felices, comprometidos y activamente participativos, y una cultura corporativa positiva son indicadores importantes de la efectividad. Por ejemplo, la gigante compañía aeroespacial Boeing está teniendo dificultades en parte debido a que los procesos internos no están funcionando de una manera sencilla. A pesar de que se han mejorado los procesos técnicos para la construcción de aeronaves, como se describió con anteriorioridad, las relaciones humanas y la cultura corporativa son un desastre. Las prácticas de contratación, promoción y compensación están bajo fuego. Ha habido demandas presentadas por 28 000 empleados del sexo femenino en las que se acusa a la compañía de pagar a las mujeres menos que a los hombres. Las declaraciones describen un entorno de trabajo hostil, en el que se exhibe acoso sexual y lenguaje ofensivo de parte de los colegas y jefes del sexo masculino. El director general, Harry Stonecipher, fue hace poco despedido debido a una conducta inapropiada referente a un amorío con una ejecutiva. Estas cuestiones internas que atañen a los recursos humanos han dañado en forma seria a la compañía. Por el contrario, los hoteles Four Seasons, una lujosa cadena de hoteles con oficinas generales en Toronto, refleja procesos internos fluidos. Una clave para el éxito organizacional es brindar un buen trato a los empleados. Los trabajadores de cada uno de los hoteles eligen a un compañero para que reciba el premio al empleado del año, el cual comprende vacaciones todo pagado y $1000 para compras.[48]

El enfoque del proceso interno también tiene sus desventajas. En él no se considera la producción total de la relación organizacional con el entorno. Otro problema es que las evaluaciones de la salud y funcionamiento internos a menudo son subjetivas, debido a que muchos aspectos de las entradas del proceso interno no son cuantificables. Los directores deben estar conscientes de que este enfoque por sí solo representa una visión limitada de la efectividad organizacional.

Un modelo de efectividad integrado

Los tres enfoques: Basados en las metas, en los recursos, y en el proceso interno, referentes a la efectividad organizacional descritos antes tienen algo que ofrecer, pero cada uno de los cuales tan sólo cuenta una parte de la historia.

El **modelo de valores en competencia** intenta equilibrar el interés en diferentes partes de la organización en lugar de enfocarse sólo en una. Este enfoque hacia la efectividad reconoce que las organizaciones realizan muchas cosas y generan numerosos resultados.[49] Combina varios indicadores de efectividad en un solo modelo.

El modelo está basado en la suposición de que hay desacuerdos y puntos de vista opuestos acerca de lo que constituye la efectividad. Los directores algunas veces no están de acuerdo acerca de lo que constituyen las metas más importantes que perseguir y medir. Además, los diferentes participantes tienen demandas que entran en conflicto acerca de lo que desean de la organización, como se describen el capítulo 1. Un ejemplo trágico de puntos de vista en competencia y de intereses en conflicto constituye la historia de la NASA. Después de que siete astronautas murieron en la explosión del trasbordador espacial Columbia en febrero de 2003, un comité investigador encontró graves errores organizacionales en la NASA, lo que incluye mecanismos poco efectivos para incorporar las opiniones discrepantes entre los directivos de planificación y los jefes de seguridad. Las presiones externas para lanzar a tiempo pasaron por alto las especificaciones de seguridad relativas al lanzamiento del Columbia. Wayne Hale, ejecutivo de la NASA y encargado de dar bandera roja para el siguiente lanzamiento de trasbordador, declara "Prendimos fuego a nuestra propia complacencia, arrogancia, egolatría, simple estupidez y a los continuos intentos de complacer a todos", NASA es una organización a lo sumo compleja que opera de manera interna no sólo con diferentes puntos de vista sino también con la opinión del Congreso estadounidense, del presidente y con las expectativas del público nacional.[50]

El modelo de valores en competencia toma en cuenta estas complejidades. Este modelo en un principio se desarrolló por Robert Quinn y John Rohrbaugh para combinar los diferentes indicadores de desempeño utilizados por los administradores e investigadores.[51] Mediante una lista exhaustiva de indicadores de desempeño, un panel de expertos en efectividad organizacional calificó los indicadores para encontrar similitudes. El análisis produjo dimensiones subyacentes de los criterios de efectividad que representaban valores directivos en competencia en las organizaciones.

CUADRO 2.9
Cuatro enfoques hacia los valores de la efectividad
Fuente: Adaptado de la obra de Robert E. Quinn y John Rohrbaugh, "A Spatial Model of Effectiveness Criteria: Toward a Competing Values Approach to Organizational Analysis", *Management Science* 29 (1983), 363-377; y Robert E. Quinn y Kim Cameron "Organizational Life Cycles and Shifting Criteria of Effectiveness: Some Preliminary Evidence", *Management Science* 29 (1983), 33-51.

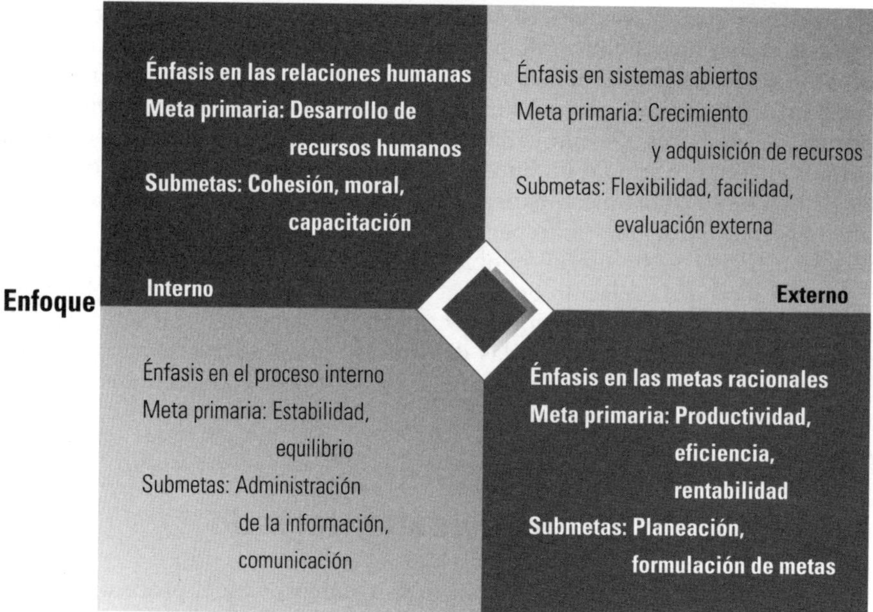

Indicadores. La primera dimensión del valor pertenece al **enfoque** organizacional, que es si las cuestiones concernientes a valores dominantes son *internas* o *externas* a la empresa. El enfoque interno refleja el interés de la dirección por el bienestar y eficiencia de los empleados, y el enfoque externo representa un énfasis en el bienestar de la misma organización con respecto a su entorno. La segunda dimensión del valor pertenece a la **estructura** organizacional, y si la *estabilidad* o la *flexibilidad* es la consideración estructural dominante. La estabilidad refleja una valoración directiva de la eficiencia y un control descendente, mientras la flexibilidad representa un valor para el aprendizaje y el cambio.

Las dimensiones del valor de la estructura y el enfoque se ilustran en el cuadro 2.9. La combinación de las dimensiones proporciona cuatro enfoques hacia la efectividad organizacional, los cuales, aunque en apariencia diferentes, están muy relacionados. En las organizaciones reales, estos valores en competencia pueden coexistir, lo que sucede a menudo. Cada enfoque refleja un énfasis gerencial diferente con respecto a la estructura y el enfoque.[52]

Una combinación del enfoque externo y la estructura flexible redunda en **el énfasis en los sistemas abiertos.** Las metas primarias de la dirección son el crecimiento y la adquisición de recursos. La organización logra estas metas a través de las submetas de flexibilidad, facilidad y de una evaluación externa positiva. El valor dominante es establecer una buena relación con el entorno para adquirir recursos y crecer. Este énfasis es similar en cierta forma al enfoque basado en los recursos descritos antes.

El **enfoque en las metas razonables** representa los valores directivos de control estructural y enfoque externo. Las metas primarias son la productividad, la eficiencia y la rentabilidad. La organización desea alcanzar las metas de producción en una forma controlada. Las submetas que facilitan estos resultados son la formulación de metas y la planeación, las cuales son herramientas administrativas racionales. El enfoque en metas razonables es similar al enfoque basado en metas descrito con anteriorioridad.

El **énfasis de proceso interno** se encuentra representado en la sección inferior izquierda del cuadro 2.9; refleja los valores del enfoque interno y del control estructural.

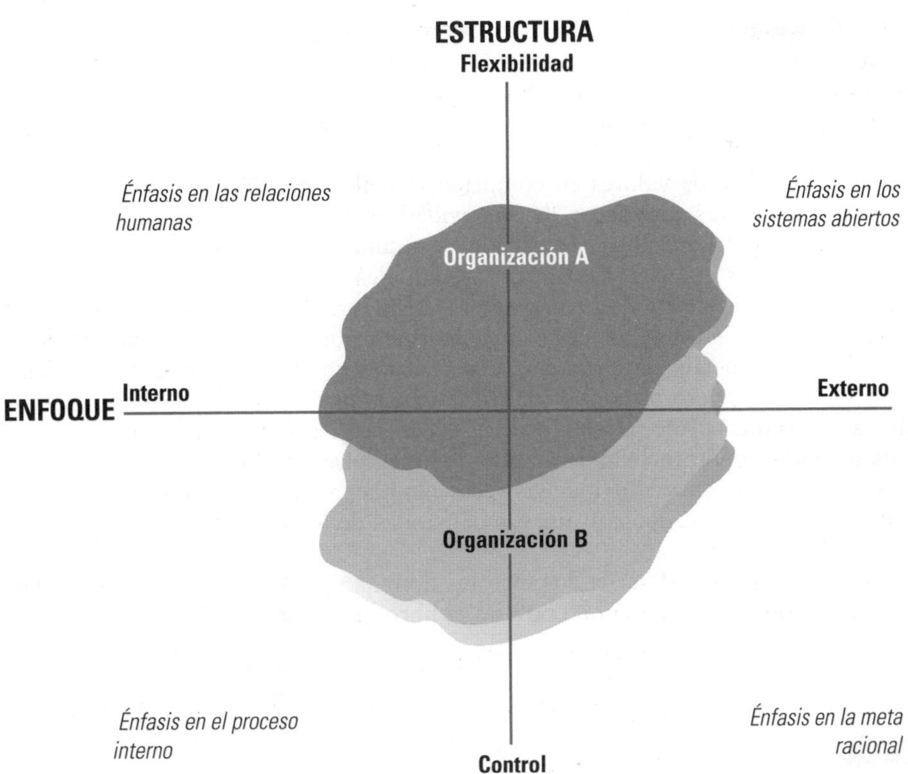

CUADRO 2.10
Valores de efectividad para dos organizaciones

El resultado primario es un escenario organizacional estable que se mantiene a sí mismo de una forma ordenada. Las organizaciones que están bien establecidas en el entorno y que sólo desean sostener su posición actual reflejarían este énfasis. Las submetas incluyen los mecanismos para la comunicación eficiente, la administración de la información y la toma de decisiones. Aunque esta parte del modelo de valores en competencia es similar de alguna forma al enfoque basado en el proceso interno descrito antes, está menos relacionado con los recursos humanos que otros procesos internos que conducen a la eficiencia.

El **énfasis de relaciones humanas** incorpora los valores de un enfoque interno y una estructura flexible. Aquí, el interés de la dirección radica en el desarrollo de los recursos humanos. Se ofrecen a los empleados oportunidades de autonomía y desarrollo. La dirección trabaja para la consecución de las metas de cohesión, moral y oportunidades de capacitación. Las organizaciones que adoptan este énfasis están más interesadas en los empleados que en el entorno.

Las cuatro celdas en el cuadro 2.9 representan los valores organizacionales en oposición. Los directivos deciden qué valores de las metas serán prioritarios en su organización. La forma en que las dos organizaciones se plasman en los cuatro enfoques se muestra en el cuadro 2.10.[53] La organización A es una organización joven que está interesada en encontrar un nicho y establecerse en el entorno. El énfasis primario se concede a la flexibilidad, la innovación, la adquisición de recursos del entorno y la satisfacción de las partes integrantes externas. Esta organización da un énfasis moderado a las relaciones humanas e incluso un énfasis menor a la productividad e ingresos existentes. La satisfacción y adaptación al ambiente son más importantes. La atención que se les da a los valores de los sistemas abiertos significa que el énfasis en el proceso interno es casi inexistente. La estabilidad y el equilibrio son de poco interés.

La organización B en contraste, es un negocio establecido en el cual el valor dominante es la productividad y los ingresos. Esta organización está caracterizada por la planeación y el establecimiento de metas. La organización B es una compañía grande, bien establecida en el entorno y que está interesada principalmente en la producción exitosa y la rentabilidad. Los recursos humanos y la flexibilidad no son temas que le interesen en gran medida. Esta organización prefiere la estabilidad y el equilibrio que el aprendizaje y la innovación debido a que desea aprovechar a sus clientes establecidos.

Utilidad. El modelo de valores en competencia realiza dos contribuciones. En primer lugar, integra diversos conceptos de efectividad en una perspectiva única. Incorpora ideas de metas de producción, adquisición de recursos y desarrollo de recursos humanos como las metas que la organización intenta alcanzar. En segundo lugar, el modelo estudia el criterio de efectividad como valores de la dirección y muestra cómo coexisten los valores en posición. Los directivos deben decidir qué valores desean perseguir y qué valores recibirán menor importancia. Los cuatro valores en competencia existen de manera simultánea, pero no todos reciben la misma prioridad. Por ejemplo, una nueva organización pequeña que se concentra en establecerse dentro de un entorno competitivo dará menos importancia al desarrollo de los empleados que al entorno. Los valores dominantes en la organización muchas veces cambian a través del tiempo a medida que las organizaciones experimentan nuevas demandas del entorno o un liderazgo de alto nivel.

El siguiente ejemplo describe los factores dominantes de la efectividad para Thomson Corporation, la compañía que publica el libro que ahora está leyendo.

En la práctica

Thomson Corporation

Cuando Richard Harrington asumió la dirección general de Thomson Corporation en 1997, comenzó un proceso que ha transformado a la compañía de ser una editorial que publicaba diarios regionales a una floreciente empresa de servicios de información. En la actualidad, Thomson es líder en publicaciones electrónicas y proporciona soluciones integrales de información a clientes corporativos en una gran variedad de industrias. La línea de diarios fue vendida y los directivos reconstruyeron a Thomson Corporation para convertirla en una organización que proporciona una amplia variedad de productos y servicios de información para cuatro grupos del mercado estratégico: legal y normativo, de aprendizaje, financiero y de ciencias y salud.

Las nuevas metas y estrategias sacaron a Thomson Corporation del negocio en el que él confiaba y conocía mejor para introducirlo en un entorno altamente competitivo. Con seguridad sus resultados financieros sufrieron en el corto plazo ya que la compañía tuvo que adquirir nuevos negocios, nuevo conocimiento, nuevas habilidades y recursos para combinar la nueva estrategia y sus metas. Thomson pasó varios años para adquirir más de 200 diferentes negocios y combinarlos en un todo coherente. El crecimiento se convirtió en algo más importante que la productividad, la eficiencia o incluso la rentabilidad.

Conseguir el éxito de la renovada compañía requirió un fuerte enfoque en la comprensión de las necesidades del cliente y la construcción de buenas relaciones con el entorno externo. Se esperaba que los gerentes de las unidades de negocios entendieran a conciencia a sus clientes potenciales, mercados y competidores. No obstante, al mismo tiempo, tuvieron que hacer cambios internos de personal que eran necesarios. Como una organización basada en el conocimiento, Thomson considera el desarrollo de los empleados y una cultura corporativa unificada, fundamental para el éxito de la compañía.[54]

El diagrama del modelo de los valores en competencia de Thomson se parecería mucho a la organización del cuadro 2.10. La transformación de la compañía requirió un fuerte énfasis en los sistemas abiertos y en los recursos humanos también. El énfasis en las metas racionales y en el proceso interno es más débil. Adaptarse al entorno y comprender, y satisfacer las necesidades de los clientes, son factores mucho más importantes ahora que el control interno y la eficiencia de costos, pero esto podría cambiar en el futuro.

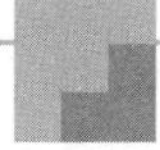

Resumen e interpretación

Este capítulo analizó las metas organizacionales y las estrategias que los altos directivos utilizan para ayudar a las organizaciones a alcanzar esas metas. Las metas especifican la misión o propósito de una organización y el estado que desean en el futuro; las estrategias definen cómo alcanzará la organización sus metas. El capítulo también analizó el impacto de la estrategia sobre el diseño organizacional y la manera de diseñar una organización para que se ajuste a la estrategia y a las demás contingencias que pueden redundar en la efectividad organizacional. El capítulo cierra con un examen de los enfoques más populares para medir la efectividad, es decir, qué tan bien está alcanzando una organización su propósito y su estado futuro deseado.

Las organizaciones existen con un propósito; los altos directivos definen una misión o tarea específica que tiene que ser cumplida. La declaración de misión o documentos oficiales, hacen explícitos el propósito y dirección de una organización. Las metas operativas oficiales son un elemento clave en las organizaciones debido a que satisfacen esas necesidades, al establecer la legitimidad con grupos externos y estándares de desempeño para los participantes.

Los directivos deben desarrollar estrategias que describan las acciones requeridas para alcanzar las metas. Las estrategias pueden incluir cualquier cantidad de técnicas para alcanzar las metas declaradas. Los dos modelos para formular estrategias son las estrategias competitivas de Porter y la tipología de estrategias de Miles y Snow. El diseño organizacional necesita adaptarse al enfoque competitivo de la empresa para contribuir con la efectividad organizacional.

La evaluación de la efectividad organizacional refleja la complejidad de las organizaciones como tema de estudio. Ninguna medición fácil, simple y garantizada proporcionará una evaluación inequívoca del desempeño. Las organizaciones deben realizar diversas actividades bien: Desde la obtención de entradas de recursos hasta la entrega de producción, para lograr el éxito. Los enfoques de contingencia utilizan metas de producción, adquisición de recursos, o la salud y eficiencia como criterio de efectividad. El modelo de valores en competencia es un enfoque equilibrado que considera múltiples criterios de manera simultánea. Las organizaciones se pueden evaluar mediante la calificación de los valores en competencia para el logro de la efectividad. Ningún enfoque es idóneo para todas las organizaciones, pero cada uno ofrece algunas ventajas de las que otros carecen.

Desde el punto de vista de los directivos, el enfoque basado en las metas para la efectividad y las mediciones de eficiencia interna son útiles cuando las mediciones se pueden implementar. El logro de las metas de producción y rentabilidad refleja el propósito de la organización, y la eficiencia muestra el costo de lograr esas metas. Otros factores como las preferencias de la dirección, el grado al cual las metas son susceptibles de medición y la escasez de recursos en el entorno, pueden influir el uso del criterio de efectividad. En las organizaciones sin fines de lucro, donde los procesos internos y los criterios de producción muchas veces no son cuantificables, la adquisición de recursos puede ser el mejor indicador de la efectividad.

Desde el punto de vista de la gente externa a la organización, como los investigadores académicos o los investigadores gubernamentales, el modelo de valores en competencia de la efectividad organizacional puede ser el más adecuado. Este modelo reconoce diferentes áreas de enfoque (interna, externa) y estructura (flexibilidad, estabilidad) y permite a los directivos elegir entre varios enfoques: Relaciones humanas, sistemas abiertos, meta racional o proceso interno, con el fin de enfatizar los valores que desean perseguir.

Conceptos clave

analítica
defensiva
diferenciación
énfasis en el proceso interno
énfasis en la meta racional
énfasis en la relaciones humanas
énfasis en los sistemas abiertos
enfoque
enfoque basado en el proceso interno
enfoque basado en metas
enfoque basado en recursos
estrategia
estrategia de enfoque
estructura
liderazgo en bajos costos
meta organizacional
metas oficiales
metas operativas
misión
modelo de valores en competencia
prospectiva
reactiva

Preguntas para análisis

1. Analice la función de la alta dirección en la formulación del rumbo organizacional.
2. ¿De qué forma las metas de la compañía para el desarrollo de los empleados pueden estar relacionadas con sus metas de innovación y cambio? ¿Con las metas de productividad? Analice la forma en que estos tipos de meta pueden estar en conflicto con una organización.
3. ¿Cuál es la meta de la clase para la cual está usted leyendo este texto? ¿Quién establece estas metas? Analice la forma en que las metas afectan su dirección y motivación.
4. ¿Cuál es la diferencia entre una meta y una estrategia como lo define el texto? Identifique una meta y una estrategia para una universidad o una organización comunitaria con la cual usted esté involucrado.
5. Analice las similitudes y diferencias en las estrategias descritas en las estrategias competitivas de Porter y en la tipología de Miles y Snow.
6. ¿Cree que las declaraciones de misión y de metas oficiales proporcionan a una organización legitimidad genuina en el entorno? Analice.
7. Suponga que se le ha pedido evaluar la efectividad del departamento de policía en una comunidad de tamaño medio. ¿Por dónde empezaría, y cómo lo haría? ¿Cuál enfoque preferiría para la efectividad?
8. ¿Cuáles son las ventajas y desventajas del enfoque basado en recursos en comparación con el enfoque basado en metas para medir la efectividad organizacional?
9. ¿Cuáles son las similitudes y diferencias entre evaluar la efectividad sobre la base de valores en competencia en comparación con el enfoque basado en los participantes descrito en el capítulo 1? Explique.
10. Un connotado teórico de la organización afirmó una vez, "la efectividad organizacional puede ser cualquier cosa que la alta dirección decida que es". Analice.

Libro de trabajo del capítulo 2: Identificar las metas y estrategias de la compañía*

Elija tres compañías, ya sea en la misma o en diferentes industrias. Busque en Internet información acerca de esas compañías, como los informes anuales. En cada compañía observe de manera particular las metas expresadas. Observe las metas del cuadro 2.8 y también las estrategias competitivas de Porter en el cuadro 2.4

	Metas articuladas del cuadro 2.8	Estrategias de Porter utilizadas
Compañía #1		
Compañía #2		
Compañía #3		

Preguntas

1. ¿Cuáles metas parecen las más importantes?
2. Encuentre las diferencias en las metas y estrategias de las tres compañías y explíquelas.
3. ¿Qué metas y qué estrategias deben cambiar? ¿Por qué?
4. Opcional: compare su tabla con la de otros estudiantes y encuentre temas comunes. ¿Qué compañías parecen articular y comunicar sus metas y estrategias de la mejor manera?

Caso para el análisis: El Museo Universitario de Arte*

A los visitantes del campus siempre se les mostraba el Museo Universitario de Arte, del cual estaba muy orgullosa la prestigiada y amplia universidad. Desde hace mucho tiempo la universidad utilizaba una fotografía de la atractiva construcción neoclásica que albergaba al museo en la portada de sus folletos y catálogos.

La construcción, junto con una importante donación fue cedida a la universidad alrededor de 1912 por un antiguo alumno, el hijo del primer presidente de la universidad, quien se había vuelto rico como banquero de inversión. También otorgó a la universidad sus reducidas colecciones, aunque de una gran calidad: Una colección de estatuillas etruscas, y una de pinturas inglesas prerrafaelista (única en América). Posteriormente esta persona se desempeñó como el director no remunerado del museo hasta su muerte. Durante su titularidad consiguió algunas colecciones adicionales para el museo, en forma especial de parte de otros exalumnos de la universidad. Sólo en raras ocasiones el museo compró algo. Como resultado de esto, el museo albergaba varias colecciones pequeñas de calidad poco uniforme. Mientras que el fundador manejó el museo, ninguna de las colecciones se mostraba nunca a nadie, con excepción de algunos miembros de la facultad de historia del arte de la universidad, quienes eran admitidos como invitados privados del fundador.

Después de la muerte del fundador, a finales de los años veinte, la universidad tenía la intención de incluir a un director de museo profesional. De hecho, esto formaba parte del acuerdo bajo el cual el fundador había donado el museo. Debía designarse un comité de búsqueda, pero mientras esto se hacía, un estudiante graduado de la licenciatura de historia del arte, quien había demostrado interés en el museo y había pasado varias horas en él, se encargó de manera temporal. Al principio, la señorita Kirkoff ni siquiera contaba con un nombramiento y mucho menos con un salario; sin embargo; ella permaneció en el museo, y actuaba como su director y durante los siguientes 30 años fue promovida de manera gradual hacia dicho título. Pero desde el primer día, sin importar su nombramiento, ella estuvo al frente. De inmediato emprendió el cambio en el museo. Catalogó las colecciones; recabó nuevas donaciones, consistentes en pequeñas colecciones en su mayoría de parte de antiguos alumnos y otros amigos de la universidad; organizó colectas de fondos para el museo, pero sobre todo, inició la integración del museo a la labor de la universidad.

Cuando surgió un problema de espacio durante los años que siguieron a la Segunda Guerra Mundial, la señorita Kirkoff ofreció el tercer piso del museo al claustro de profesores de historia del arte, quienes desplazaron sus oficinas ahí.

* Caso # 3, "El Museo de Arte Universitario: Definición del propósito y misión" (pp. 28-35), de *Management Cases* de Peter F. Drucker. Derechos reservados © 1977 por Peter F. Drucker. Reimpreso con permiso del autor.

Remodeló la construcción para incluir salones y un moderno auditorio bien equipado; recaudó fondos para construir una de las mejores bibliotecas de referencia e investigación en historia del arte del país. Además, comenzó a organizar una serie de exposiciones especiales conformadas alrededor de una de las colecciones propias del museo, complementadas con préstamos de colecciones externas. Para cada una de estas exposiciones hacía que un miembro distinguido del claustro de profesores de arte de la universidad redactara un catálogo. Estos catálogos pronto se convirtieron en importantes textos académicos en sus campos.

La señorita Kirkoff dirigió el Museo de Arte Universitario durante casi medio siglo. Sin embargo, a la edad de 68 años, después de haber sufrido un fuerte ataque cardiaco, tuvo que retirarse. En su carta de dimisión con orgullo mencionó el crecimiento así como los logros del museo durante su administración. "Nuestras donaciones", escribió, "actualmente se comparan con museos varias veces más grandes que el nuestro. Nunca tuvimos que solicitar fondos a la universidad además de nuestra parte en las pólizas de seguros de la universidad. Nuestras colecciones en nuestras principales áreas, aunque pequeñas, son de una gran calidad e importancia. Sobre todo, recurre a nosotros más gente que en ningún otro museo de nuestro tamaño. Nuestra serie de conferencias, en la que miembros de la facultad de historia del arte de la universidad presentan un tema principal a una audiencia universitaria de estudiantes y profesores, atraen por lo general de trescientas a quinientas personas; y si tuviéramos suficiente capacidad, con facilidad podríamos contar con una mayor audiencia. Nuestras exposiciones son presenciadas y analizadas por más visitantes, muchos de ellos miembros de la comunidad universitaria, que la mayoría de las exposiciones tan publicitadas de los museos más grandes. Sobre todo, los cursos y seminarios ofrecidos en el museo se han convertido en una de las ventajas más populares y de mayor crecimiento de la universidad. Ningún otro museo en el país, o en algún otro lugar", concluyó la señorita Kirkoff, "ha integrado de forma tan exitosa el arte con la vida de una importante universidad, y a una importante universidad con el trabajo de un museo".

La señorita Kirkoff con firmeza recomendó que la universidad contratara a un director de museos profesional como su sucesor. "El museo es bastante grande e importante como para ser confiado a otro aficionado, como yo lo fui hace cuarenta y cinco años", escribió. "Además necesita un cuidadoso análisis respecto a su dirección, su fuente de apoyo y su relación futura con la universidad."

La universidad siguió el consejo de la señorita Kirkoff. Se nombró a un comité de búsqueda, y después de un año de trabajo, se obtuvo un candidato que todos aprobaron. El candidato era un graduado de la misma universidad, quien había obtenido su doctorado en historia del arte y en trabajo de museo de la universidad. Tanto su historial académico como administrativo eran sólidos, en la dirección actual de un museo en una ciudad mediana, donde convirtió un antiguo museo reconocido, aunque aletargado, en un activo museo orientado a la comunidad, cuyas exposiciones eran muy anunciadas y atraían grandes multitudes.

El nuevo director del museo asumió su responsabilidad con una gran algarabía en septiembre de 1981. Menos de tres años después lo abandonaba, con una menor algarabía, sin embargo con un considerable alboroto. No quedaba claro si había renunciado o había sido despedido, pero era demasiado obvio que existía un resentimiento de ambos lados.

El nuevo director a su llegada anunció que consideraba al museo como un "recurso comunitario importante" y pretendía "poner a completa disposición de la comunidad académica y del público, los grandiosos recursos artísticos y académicos del museo". Cuando él comentó esto en una entrevista con el periódico universitario, todo el mundo asintió con aprobación. Pronto fue evidente que lo que él entendía por "recurso comunitario" no era lo mismo que entendía el claustro y los estudiantes. El museo siempre había estado "abierto al público", pero en la práctica, eran los miembros de la comunidad universitaria quienes utilizaban el museo y acudían a sus frecuentes conferencias, exhibiciones y seminarios.

Sin embargo, lo primero que hizo el nuevo director fue promover visitas de escuelas públicas en el área. Pronto empezó por modificar la política de exposiciones; en lugar de organizar presentaciones pequeñas, dirigidas a una colección principal del museo y conformadas alrededor de un catálogo académico, comenzó a organizar "exhibiciones populares" en torno de "temas de interés general" tal como "Las mujeres artistas a través del tiempo". Promovió estas exposiciones con fuerza en periódicos, radio y entrevistas de televisión, y sobre todo en las escuelas locales. Como resultado de esto, lo que había sido un ocupado pero tranquilo lugar pronto se cubrió de colegiales llevados al museo en autobuses especiales que saturaban las vías de acceso alrededor del mismo y por todo el campus. La facultad de profesores, quienes no se encontraban muy contentos con el ruido y la confusión resultante, pronto se irritó fuertemente cuando el veterano director académico del departamento de historia del arte fue acosado por un grupo de estudiantes de cuarto grado, quienes lo rociaron con sus pistolas de agua cuando intentaba llegar a su oficina desde el pasillo principal.

Con mayor frecuencia, el nuevo director no diseñaba sus propias exhibiciones, traía exposiciones itinerantes de museos importantes, al tomar en cuenta su catálogo en lugar de hacer que la facultad produjera uno.

También los estudiantes al parecer se encontraban poco entusiastas después de los primeros 6 u 8 meses, durante los cuales el nuevo director había sido una especie de héroe del campus. La participación en las clases y seminarios que se llevaban a cabo en el museo de arte descendió rápido, del mismo modo que la participación en las conferencias vespertinas. Cuando el editor del periódico del campus entrevistó a los estudiantes para hacer un reportaje sobre el museo, una y otra vez le dijeron que el museo se había vuelto demasiado ruidoso así como demasiado "sensacional" lo que impedía que los estudiantes disfrutaran las clases y tuvieran oportunidad de aprender.

Lo que sacó todo esto a relucir fue una exposición de arte islámico a finales de 1983. Dado que el museo contaba con poco arte islámico, nadie criticó la exhibición de una exposición itinerante ofrecida en términos muy favorables con un generoso apoyo financiero de algunos de los gobiernos árabes. Sin embargo, en lugar de invitar a un miembro de la facultad de profesores de la propia universidad a dar la conferencia acostumbrada en la inauguración de la exposición, el director llevó a un agregado cultural de una de las embajadas árabes en Washington. El orador, como se informó, utilizó la ocasión para presentar un violento ataque sobre Israel y la política norteamericana de apoyo al mismo contra los árabes. Una semana después el senado de la universidad decidió nombrar un comité consultivo, formado principalmente por miembros de la facultad de historia del arte, el cual, en el futuro debería aprobar todos los planes de exposiciones y conferencias. El director en una entrevista al periódico del campus, en seguida atacó de manera tajante a la facultad de profesores como "elitistas" y "arrogantes" por considerar que el "arte pertenece a los ricos". Seis meses después, en junio de 1984, se anunció su renuncia.

Bajo los estatutos de la universidad, el senado académico nombra un comité de búsqueda. De manera normal, esto es una simple formalidad. El director del departamento adecuado envía los candidatos de departamento al comité quien aprueba y nombra, por lo general sin un debate. Pero cuando se le solicitó al senado académico al principio del siguiente semestre que nombrara un comité de búsqueda, las cosas fueron menos que "normales". El decano que presidió, al sentir los ánimos en la habitación, intentó suavizar el ambiente al decir, "Es claro, escogimos a la persona incorrecta la última vez. Tendremos que trabajar fuerte para encontrar a la persona correcta esta vez".

De inmediato fue interrumpido por un economista, reconocido por su populismo, quien expresó, "admito que el último director es probable no haya sido la persona adecuada. Pero creo con firmeza que su personalidad no representó la raíz del problema. Él intentó llevar a cabo lo que se requería hacer, y esto le provocó problemas con la facultad. Trató de convertir nuestro museo en un recurso comunitario, para atraer a la comunidad y poner el arte a disposición de un amplio grupo de personas, a la gente de color de Puerto Rico, a los niños de las escuelas marginadas y a un público secular. Esto es en realidad lo que nosotros resentimos. Quizá sus métodos no fueron los más prudentes, admito que podrían haberse llevado a cabo sin aquellas entrevistas que ofreció. Pero lo que intentó hacer fue lo correcto. Será mejor que nos comprometamos con la política que trató de implementar, de otro modo nos mereceremos sus ataques hacia nosotros de "elitistas" y "arrogantes".

"Eso es absurdo", interrumpió un miembro del senado, que por lo general es silencioso y cortés, proveniente de la facultad de historia del arte. "No tiene ningún sentido para nuestro museo convertirse en el tipo de recurso comunitario que nuestro anterior director y mi distinguido colega desean. En primer lugar, porque no es necesario. La ciudad cuenta con uno de los mejores y más grandes museos del mundo, y se encarga en forma precisa de ello y lo hace bastante bien. En segundo lugar, no contamos con los recursos artísticos ni financieros para atender a la comunidad de forma general. Nosotros podemos hacer algo diferente pero de igual importancia y con certeza único. El nuestro es el único museo en el país, y quizá en el mundo, que se encuentra por completo integrado con una comunidad académica y en realidad con una institución de enseñanza. Lo hemos utilizado, o al menos lo utilizábamos hasta los últimos y desafortunados años, como un importante recurso educativo para todos nuestros estudiantes. Ningún otro museo en el país y hasta donde sé, en el mundo, introduce a estudiantes universitarios en el arte de la forma como nosotros lo hacemos. Todos nosotros, además de nuestro trabajo académico y superior, impartimos cursos universitarios a personas que no serán profesionistas de arte o historia. Trabajamos con estudiantes de ingeniería y les mostramos lo que realizamos con nuestras actividades de conservación y restauración. Laboramos con estudiantes de arquitectura y les mostramos el desarrollo de la misma a través de la historia. Y sobre todo, actuamos con estudiantes de las artes liberales, quienes con frecuencia no han tenido un contacto con el arte antes de llegar aquí y disfrutan nuestros cursos porque en forma primordial son académicos y no son sólo de 'apreciación del arte'. Esto es único y es lo que nuestro museo puede y debe hacer."

"Dudo que esto sea lo que en realidad debamos hacer", comentó el director del departamento de matemáticas. "El museo, hasta donde sé, es parte de la facultad de graduados. Debe concentrarse en capacitar a profesionistas de historia del arte en su programa doctoral, en su trabajo académico y en su investigación. Hago una recomendación con firmeza que el museo sea considerado un complemento del trabajo de graduados y de manera especial de la educación doctoral; se circunscriba a este trabajo y se aleje de cualquier intento de ser 'popular' ya sea con estudiantes o con el público."

"Estos son comentarios interesantes e importantes", comentó el decano, aún con la idea de conciliar. "Pero considero que esto pueda esperar hasta que sepamos quién será el nuevo director. Más adelante podríamos comentar estas cuestiones con él."

"No estoy de acuerdo, Sr. Decano", comentó uno de los estadistas más antiguos de la facultad. "Durante los meses de verano, analicé esta cuestión con un viejo amigo y vecino mío, el director de uno de los principales museos del país, quien me comentó: 'Ustedes no tienen un problema de personalidad, tienen un problema de administración. No han tomado, como universidad, la responsabilidad de la misión, la dirección y los objetivos del museo. Hasta que no hagan esto, ningún director tendrá éxito. Y ésta es su decisión. De hecho, no pueden esperar conseguir un buen director hasta que puedan indicarle cuáles serán sus objetivos básicos. Si su anterior director debe culparse (lo conozco y sé que es brusco), es por haber aceptado el puesto cuando ustedes, la universidad, no habían resuelto las decisiones básicas de administración.

No tiene sentido hablar de quién debe dirigir, hasta que esté claro qué es lo que deberá dirigirse y para qué'."

En este punto el decano entendió que debía aplazar la discusión a menos que deseara que la junta degenerara en un alboroto. Pero también cayó en cuenta que tenía que identificar los problemas y posibles decisiones antes de la siguiente junta del senado un mes después.

Caso para el análisis: Airstar, Inc.*

Airstar, Inc., fabrica, repara y renueva pistones y motores de reacción para aviones más pequeños y seminuevos. La empresa contaba con un nicho sólido y la mayoría de los directivos habían estado con el fundador por más de 20 años. Con la muerte del fundador hace cinco años, Roy Morgan asumió la presidencia de Airstar. El señor Morgan le ha llamado a usted como consultor.

Su investigación indica que su industria está cambiando de forma rápida. Airstar sufre la injerencia de grandes conglomerados como General Electric y Pratt & Whitney, y su cartera de pedidos es la más baja en varios años. La empresa siempre ha sido reconocida por su mayor calidad, seguridad y servicio al cliente. Sin embargo, nunca antes se había encontrado amenazada, y la dirección general no está segura acerca de la dirección estratégica que debe seguir. Han considerado adquisiciones potenciales, importaciones y exportaciones, una mayor investigación y líneas de reparación adicionales. La organización se está volviendo más caótica lo cual decepciona a Morgan y a sus vicepresidentes.

Antes de una reunión con su equipo, él le comenta a usted, "se supone que la organización debe ser fácil. Para una máxima eficiencia, el trabajo debe dividirse en tareas simples, lógicas y rutinarias. Estas tareas de negocio pueden ser agrupadas por tipos similares de características de trabajo y asignadas dentro de una organización debajo de un ejecutivo en lo particular adecuado. De modo que ¿por qué estamos teniendo tantos problemas con nuestros ejecutivos?".

Morgan se reunió con varios de sus funcionarios corporativos de confianza en el comedor ejecutivo para analizar lo que sucedía con el liderazgo corporativo en Airstar. Morgan procedió a explicar que él realmente se sentía preocupado por la situación. Se habían presentado conflictos directos entre el vicepresidente de marketing y el contralor acerca de las oportunidades de fusiones y adquisiciones. Existían muchos casos de duplicidad del trabajo, con directivos corporativos con el intento de engañarse entre sí.

"La comunicación es terrible", comentó Morgan a los demás. "Por qué ni siquiera tuve una copia del reporte financiero de exportaciones hasta que mi secretaria logró obtener uno para mí. Mi base de evaluación y valoración del desempeño ejecutivo corporativo y cumplimiento de metas, con rapidez se vuelve obsoleta. La gente está ocupada con sus propias descripciones de puestos y todas ellas incluyen responsabilidades que se sobreponen. Se están llevando a cabo cambios y se toman decisiones con base en la conveniencia y se están perpetuando demasiados errores. Debemos revisar con detenimiento estas realidades organizacionales y corregir la situación de forma inmediata."

Jim Robinson, vicepresidente de manufactura, señaló a Morgan que Airstar en la realidad no estaba siguiendo los "principios de una adecuada organización". "Por ejemplo", explicó Robinson, "revisemos lo que deberíamos realizar como administradores". Algunos de los principios que Robinson creía que debían seguirse eran:

1. Determinar los objetivos, las políticas, los programas, los planes y las estrategias que alcanzarán de la mejor forma los resultados deseados para la empresa.
2. Establecer las distintas tareas de negocio a realizar.
3. Segmentar las tareas de negocio en una estructura organizacional lógica y clara.
4. Determinar el personal adecuado para ocupar los puestos dentro de la estructura organizacional.
5. Definir la responsabilidad y autoridad de cada supervisor de forma clara y por escrito.
6. Mantener el número y los tipos de niveles de autoridad al mínimo.

Robinson propuso que el grupo estudiara el organigrama corporativo, así como las diversas tareas de negocio. Después de analizar el organigrama, Robinson, Morgan y los demás acordaron que el número y los tipos de autoridad corporativa formal eran lógicos y no diferían mucho de otras empresas. El grupo más adelante enumeró las diversas tareas de negocio que se presentaban en Airstar.

Robinson continuaba, "¿Cómo fue que decidimos quién debía manejar las fusiones y adquisiciones?". Morgan respondió, "Supongo que simplemente sucedió con el tiempo que el vicepresidente de marketing debía tener la responsabilidad". "Pero", Robinson preguntó "¿Dónde está establecido? ¿Cómo lo sabría el contralor?"; "Aja", Morgan exclamó. "Parece que soy parte del problema. No está nada por escrito. Las tareas se asignaron de forma superficial a medida que surgieron los problemas. Esto más bien ha sido informal. Estableceré un grupo para decidir quién deberá tener la responsabilidad de qué, de modo que las cosas vuelvan a nuestro nivel de eficiencia previo".

* Adaptado de Bernard A. Deitzer y Karl A. Shilliff, *Contemporary Management Incidents* (Columbus, Ohio: Grid, Inc., 1997), 43-46.

Taller del capítulo 2: Valores en competencia y efectividad organizacional*

1. Divida en equipos de cuatro a seis miembros.
2. Seleccione una organización de "estudio" para este ejercicio. Deberá ser una organización para la que alguno de ustedes haya trabajado, o puede ser la misma universidad.
3. Utilice el cuadro "Cuatro enfoques para los valores de efectividad" (cuadro 2.9), su grupo deberá enumerar ocho medidas potenciales que muestren una visión balanceada del desempeño. Éstas deberán relacionarse no sólo con las actividades de trabajo, sino también con los valores meta para la compañía. Utilice la tabla de abajo.
4. ¿De qué forma el logro de estos valores meta ayudarán a la organización a volverse más efectiva? ¿Cuáles factores deberán recibir más peso? ¿Por qué?
5. Presente su tabla de valores alternativos al resto de la clase. Cada grupo deberá explicar el motivo por el que seleccionó estos valores particulares y por el que los considera más importantes. Prepárese para defender su postura ante los demás equipo, a quienes se les alienta a cuestionar sus elecciones.

*Adaptado por Dorothy Marcic de las ideas generales de Jennifer Howard y Larry Miller, *Team Management*, The Miller Consulting Group, 1994, p. 92.

Meta o submeta		Indicador de desempeño	Forma de medición	Fuente de la información	¿Qué se considera efectivo?
(Ejemplo) Equilibrio		Índice de rotación	Comparar porcentajes de trabajadores que se fueron	Archivos de ARH	Reducción del 25% en el primer año
Sistema abierto	1.				
	2.				
Relaciones humanas	3.				
	4.				
Proceso interno	5.				
	6.				
Meta racional	7.				
	8.				

Notas

1. Steven Gray, "Starbucks Brews Broader Menu; Coffee Chain's Cup Runneth Over with Breakfasr, Lunch, Music", *The Wall Street Journal* (febrero 9, 2005), B9; Andy Serwer, "Hot Starbucks to Go", *Fortune* (enero 26, 2004), 60-74; Jean Patteson, "Warm Hues Hot for Fall; Call It the Starbucks Influence, as Designers Serve Colors from Lane to Espresso Spiked with Vibrant Blues", *Orlando Sentinel* (febrero 10, 2005), E1; "Starbucks Continues Successful Expansion of Music Experience", *Business Wire* (febrero 9, 2005), 1; y Monica Soto Ouchi, "No Roast, Just Thanks to Can-Do Coffee Man", *Seattle Times* (febrero 10, 2005), A1.
2. Amitai Etzioni, *Modern Organizations* (Englewood Cliffs, N.J.: Prentice-Hall, 1964), 6.
3. John P. Kotter, "What Effective General Managers Really Do", *Harvard Business Review* (noviembre-diciembre 1982), 156-167; Henry Mintzberg, *The Nature of Managerial Work* (Nueva York: Harper & Row, 1973).
4. Charles C. Snow y Lawrence G. Hrebiniak, "Strategy, Distinctive Competence, and Organizational Performance", *Administrative Science Quarterly* 25 (1980), 317-335.
5. Amy Barrett, "Staying On Top", *Business Week* (mayo 5, 2003), 60-68.

6. Forest R. David y Fred R. David, "It's Time to Redraft Your Mission Statement", *Journal of Business Strategy* (enero-febrero 2003), 11-14; John Pearce y Fred David, "Corporate Mission Statements: The Bottom Line", *Academy of Management Executive* 1, núm. 2 (mayo 1987), 109-116; y Christopher Bart y Mark Baetz, "The Relationship Between Mission Statements and Firm Performance: An Exploratory Study", *Journal of Management Studies* 35 (1998).
7. Barbara Bartkus, Myron Glassman y R. Bruce McAfee "Mission Statements: Are They Smoke and Mirrors?" *Business Horizons* (noviembre-diciembre 2000), 23-28.
8. Mark C. Suchman, "Managing Legitimacy: Strategic and Institutional Approaches", *Academy of Management Review* 20, núm. 3 (1995), 571-610.
9. Kurt Eichenwald, "Miscues, Missteps, and the Fall of Andersen", *The New York Times* (mayo 8, 2002), C1, C4; Ian Wilson, "The Agenda for Redefining Corporate Purpose: Five Key Executive Actions", *Strategy & Leadership 32,* núm. 1 (2004), 21-26.
10. Bill George, "The Company's Mission is the Message", *Strategy & Business,* número 33 (invierno 2003), 13-14; Jim Collins y Jerry Porras, *Built to Last: Successful Habits of Visionary Companies* (Nueva York: HarperBusiness, 1994).
11. Charles Perrow, "The Analysis of Goals in Complex Organizations", *American Sociological Review* 26 (1961), 854-866.
12. Johannes U. Stoelwinder y Martin P. Charns, "The Task Field Model of Organization Analysis and Design", *Human Relations* 34 (1981), 743-762; Anthony Raia, *Managing by Objectives* (Glenview, Ill.: Scott, Foresman, 1974).
13. Lee Hawkins Jr. "GM Seeks Chenolet Revival", *The Wall Street Journal* (diciembre 19, 2003), B4.
14. Alex Taylor III, "Honda Goes Its Own Way", *Fortune* (julio 22, 2002), 148-152; Joseph Pereira y Christopher J. Chipello, "Battle of the Block Makers", *The Wall Street Journal* (febrero 4, 2004), B1.
15. Kevin E. Joyce, "Lessons for Employers from *Fortune's '100* Best," *Business Horizons* (marzo-abril 2003), 77-84; Ann Harrington, "The 100 Best Companies to Work For Hall of Fame", *Fortune* (enero 24, 2005), 94.
16. Michael Arndt, "3M: A Lab for Growth?" *Business Week* (enero 21, 2002), 50-51.
17. Kim Cross, "Does Your Team Measure Up?" *Business2.com* (junio 12, 2001), 22-28; J. Lynn Lunsford, "Lean Times: With Airbus on Its Tail, Boeing is Rethinking How It Builds Planes", *The Wall Street Journal* (septiembre 5, 2001), A11.
18. Christopher Cooper y Greg Jaffe, "Under Fire: At Abu Ghraib, Soldiers Faced Intense Pressure to Produce Data", *The Wall Street Journal* (junio 1, 2004), AI, A6.
19. James D. Thompson, *Organizations in Action* (Nueva York: McGraw-Hill, 1967), 83-98.
20. Michael E. Porter, "What Is Strategy?" *Harvard Business Review* (noviembre-diciembre 1996), 61-78.
21. Michael E. Porter, *Competitive Strategy: Techniques for Analyzing Industries and Competitors* (Nueva York: Free Press, 1980).
22. Alan Ruddock, "Keeping Up With O'Learv", *Management Today* (septiembre 2003), 48-55; Jane Engle, "Flying High for Pocket Change; Regional Carriers Offer Inexpensive Travel Alternative", *South Florida Sun Sentinel* (febrero 13, 2005), 5; "Ryanair is Top on Net", *The Daily Mirror* (febrero 3, 2005), 10; y "Ryanair Tops 2m Passengers", *Daily Post* (febrero 4, 2005), 21.
23. Richard Teitelbaum, "The Wal-Mart of Wall Street", *Fortune* (octubre 13, 1997), 128-130.
24. Kevin J. O'Brien, "Focusing on Armchair Athletes, Puma Becomes a Leader", *The New York Times* (marzo 12, 2004), WI.
25. Michael E. Porter, "Strategy and the Internet", *Harvard Business Review* (marzo 2001), 63-78; y John Magretta, "Why Business Models Matter", *Harvard Business Review* (mayo 2002), 86.
26. Raymond E. Miles y Charles C. Snow, *Organizational Strategy, Structure, and Process* (Nueva York: McGraw-Hill, 1978).
27. Geraldine Fabrikant, "The Paramount Team Puts Profit Over Splash", *The New York Times* (junio 30, 2002), sección 3, 1, 15.
28. "Miles and Snow: Enduring Insights for Managers: Academic Commentary by Sumantra Ghoshal", *Academy of Management Executive* 17, núm. 4 (2003), 109-114.
29. Pallavi Gogoi y Michael Arndt, "Hamburger Hell", *Business Week* (marzo 3, 2003), 104-108; y Michael Arndt, "McDonald's: Fries with That Salad?" *Business Week* (julio 5, 2004), 82-84.
30. "On the Staying Power *of* Defenders, Analyzers, and Prospectors: Academic Commentary by Donald C. Hambrick", *Academy of Management Executive* 17, núm. 4 (2003), 115-118.
31. Etzioni, *Modern Organizations, 8.*
32. Etzioni, *Modern Organizations,* 8 y Gary D. Sandefur, "Efficiency in Social Service Organizations", *Administration and Society* 14 (1983), 449-468.
33. Richard M. Steers, *Organizational Effectiveness: A Behavioral View* (Santa Mónica, Calif.: Goodyear, 1977), 51.
34. Karl E. Weick y Richard L. Daft, "The Effectiveness of Interpretation Systems", en Kim S. Cameron y David A. Whetten, eds., *Organizational Effectiveness: A Comparison of Multiple Models* (Nueva York: Academic Press, 1982).
35. David L. Blenkhorn y Brian Gaber, "The Use of 'Warm Fuzzies' to Assess Organizational Effectiveness", *Journal of General Management,* 21, núm. 2 (invierno 1995), 40-51.
36. Steven Strasser, J. D. Eveland, Gaylord Cummins, O. Lynn Deniston, y John H. Romani, "Conceptualizing the Goal and Systems Models of Organizational Effectiveness Implications for Comparative Evaluation Research", *Journal of Management Studies* 18 (1981), 321-340.
37. James L. Price, "The Study of Organizational Effectiveness", *Sociological Quarterly* 13 (1972), 3-15.
38. Lucy McCauley, ed., "Unit of One: Measure What Matters", *Fast Company* (mayo 1999), 97.
39. Richard H. Hall y John P. Clark, "An Ineffective Effectiveness Study and Some Suggestions for Future Research", *Sociological Quarterly* 21 (1980), 119-134; Price, "The Study of Organizational Effectiveness"; y Perrow, "Analysis of Goals."
40. Y. K. Shetty, "New Look at Corporate Goals", *California Management Review* 22, núm. 2 (1979), 71-79.
41. Lee Hawkins, Jr., "GM Seeks Chevrolet Revival"; Lee Hawkins, Jr., "Chevy's Small-Car Gambit; Two New Models Aim to Match Rivals in Cost, Ride, Features, and Boost GM Unit's Market", *The Wall Street Journal* (julio 15, 2004), B1; y John K. Teahen, Jr., "We've Got a Race! Chevy Closes In on Ford", *Automotive News* (octubre 11, 2004), 1.
42. El análisis del enfoque basado en recursos está basado en parte en Michael V. Russo y Paul A. Fouts, "A Resource Based Perspective on Corporate Environmental Performance and Profitability", *Academy of Management Journal* 40, núm. 3 (junio 1997), 534-559; y Jay B. Barney, J. L. "Larry" Stempert, Loren T. Gustafson, y Yolanda Sarason, "Organizational Identity within the Strategic Management Conversation: Con-

tributions and Assumptions", en *Identity in Organizations: Building Theory through Conversations,* David A. Whetten y Paul C. Godfrey, eds. (Thousand Oaks, Calif.: Sage Publications, 1998), 83-98.

43. Lucy McCauley, "Measure What Matters".
44. Richard I. Priem, "Is the Resource-Based 'View' a Useful Perspective for Strategic Management Research?" *Academy of Management Review* 26, número 1 (2001), 22-40.
45. Chris Argyris, *Integrating the Individual and the Organization* (Nueva York: Wiley, 1964); Warren G. Bennis, *Changing Organizations* (Nueva York: McGraw-Hill, 1966); Rensis Likert, *The Human Organization* (Nueva York: McGraw-Hill, 1967); y Richard Beckhard, *Organization Development Strategies and Models* (Reading, Mass.: Addison-Wesley, 1969).
46. Cheri Ostroff y Neal Schmitt, "Configurations of Organizational Effectiveness and Efficiency", *Academy of Management Journal* 36 (1993), 1345-1361; Peter J. Frost, Larry F. Moore, Meryl Reise Louis, Craig C. Lundburg, y Joanne Martin, *Organizational Culture* (Beverly Hills, Calif.: Sage, 1985).
47. J. Barton Cunningham, "Approaches to the Evaluation of Organizational Effectiveness", *Academy of Management Review* 2 (1977), 463-474; Beckhard, *Organization Development.*
48. Stanley Holmes, "A New Black Eye for Boeing?" *Business Week* (abril 26, 2004), 90-92; Robert Levering y Milton Moskowitz, "The 100 Best Companies to Work For", *Fortune* (enero 24, 2005), 72-90.
49. Eric J. Walton y Sarah Dawson, "Managers' Perceptions of Criteria of Organizational Effectiveness", *Journal of Management Studies* 38, número 2 (2001), 173-199.
50. Beth Dickey, "NASA's Next Step", *Government Executive* (abril 15, 2004), 34+.
51. Robert E. Quinn y John Rohrbaugh, "A Spatial Model of Effectiveness Criteria: Toward a Competing Values Approach to Organizational Analysis", *Management Science* 29 (1983), 363-377
52 Regina M. O'Neill y Robert E. Quinn, "Editor's Note: Applications of the Competing Values Framework", *Human Resource Management* 32 (primavera 1993), 1-7.
53. Robert E. Quinn y Kim Cameron, "Organizational Life Cycles and Shifting Criteria of Effectiveness: Some Preliminary Evidence", *Management Science* 29 (1983), 33-51.
54. Larry Bossidy y Ram Charan, *Confronting Reality: Doing What Matters to Get Things Right* (Nueva York: Crown Business, 2004), capítulo 9, 153-168.

3 Fundamentos de la estructura organizacional

Una mirada al interior de

Ford Motor Company

La demanda de vehículos híbridos está creciendo a un ritmo acelerado, pero muchas personas desean algo más que los automóviles "de bolsillo" de Toyota y Honda que ocupan el primer lugar en el mercado. Ford Motor Company se prometió ser el primer fabricante de automóviles en lanzar un SUV híbrido. Durante años, el director general Bill Ford habló con entusiasmo acerca de sus planes para un nuevo modelo que podría comportarse como un potente V6, pero que consumiría muy pequeñas cantidades de gasolina y produciría emisiones minúsculas. Quizá el SUV Escape Hybrid sea el vehículo con tecnología más avanzada nunca antes fabricado por Ford, y muy probable el más importante desde el Modelo T.

El problema fue, que el Escape Hybrid fue un producto muy diferente para Ford que implicó el uso de nueve importantes nuevas tecnologías, las cuales deseaba Ford desarrollar por sí mismo y no adquirir licencias de patentes del sistema híbrido de Toyota. La introducción de un avance tecnológico aun más trascendental, constituyó un reto para el diseño tradicional y el proceso de ingeniería de Ford. Por lo general, los investigadores y los ingenieros de producto no habían trabajado en forma tan estrecha en Ford; de hecho, estaban ubicados en diferentes edificios a media milla de distancia. A fin de cumplir con las demandantes agendas para lanzar el Escape Hybrid al mercado, Ford creó una suerte de equipo híbrido, compuesto por científicos e ingenieros de producto provenientes de departamentos lejanos, que ahora tenían que trabajar lado a lado, crear y construir juntos software y hardware, y después trabajar con el personal de producción para dar vida a su creación. El líder mismo del equipo, Prabhaker Patil, fue un científico con doctorado que había comenzado a trabajar en el laboratorio de Ford y después se había trasladado al área práctica de desarrollo de productos. Patil seleccionó con mucho cuidado a los miembros de su equipo, que sabía que podrían estar abiertos a la colaboración. Mientras en el pasado los problemas se atribuían a otros departamentos, ahora se pueden solucionar gracias a la colaboración. El enfoque fue revolucionario para Ford y lo llevó a generar avances tecnológicos sorprendentes.

Se dotó al equipo del Escape Hybrid de una autonomía casi completa, otra rareza para Ford. Como se le permitió al equipo adoptar un espíritu emprendedor, de pronto su productividad se acrecentó. Las decisiones que alguna vez habrían tomado días, ahora se tomaban en el acto. Como resultado, el equipo cumplió con el demandante programa, y el Ford Escape Hybrid se pudo lanzar al mercado justo a tiempo; y con un éxito asombroso. Fue designado como la mejor camioneta del año en el North American International Auto Show de 2005, y durante los próximos tres años, Ford utilizará las tecnologías desarrolladas por su equipo para lanzar cuatro vehículos híbridos más durante los siguientes tres años.[1]

Tal como Ford Motor Company fabricó el primer automóvil accesible para el consumidor común y corriente, tomó medidas enérgicas para introducir una estructura basada en el trabajo en equipo para llevar al híbrido al mercado masivo. Booz Allen Hamilton Inc., estima que los híbridos podrían constituir el 20% del mercado estadounidense para el año 2010. La miopía de la mayor parte de los fabricantes de automóviles japoneses ha sido patente al no haber invertido en tecnología híbrida.[2] Ford tiene una ventaja anticipada, gracias en gran medida a la comunicación y colaboración que hicieron posible su enfoque de equipo. Muchas organizaciones de la actualidad están empleando el trabajo en equipo como una forma de incrementar la colaboración horizontal, fomentar la innovación y acelerar la velocidad de nuevos productos y servicios al mercado.

Las organizaciones utilizan varias alternativas estructurales para ayudarse a alcanzar sus metas y objetivos. Casi todas las empresas necesitan, en algún punto, someterse a una reorganización que las ayuden a enfrentar nuevos desafíos. Las modificaciones estructurales son necesarias para reflejar nuevas estrategias o responder a cambios en otros factores de contingencia como los que se presentaron en el capítulo 2: El entorno, la tecnología, el tamaño y el ciclo de vida y la cultura. Por ejemplo, la Iglesia católica está reorganizándose para hacer frente a los desafíos que plantea la disminución y la avanzada edad del cuerpo de sacerdotes, las presiones financieras, la demografía cambiante y los escándalos éticos. El estilo de administración por tradición jerárquico y autoritario, está siendo evaluado en un esfuerzo por mejorar la toma de decisiones y asignar los recursos a los lugares donde son más necesarios.[3]

Propósito de este capítulo

Este capítulo presenta los conceptos básicos de la estructura organizacional y muestra cómo diseñarla tal como aparece en el organigrama. En primer lugar, se define la organización y se proporciona una visión general del diseño estructural. Luego, una perspectiva de procesamiento de la información explica cómo diseñar vínculos verticales y horizontales que ofrezcan el flujo de información necesario. El capítulo después presenta opciones básicas de diseño, seguidas por estrategias para agrupar las actividades organizacionales en estructuras funcionales, divisionales, matriciales, horizontales, de red virtual o híbridas. La última sección examina cómo depende la aplicación de las estructuras básicas de la situación organizacional y perfila los síntomas de la desalineación estructural.

Estructura de la organización

He aquí tres componentes clave en la definición de **estructura de la organizacion:**

1. La estructura de la organización diseña relaciones formales de subordinación, como el número de niveles en la jerarquía y el tramo de control de los directivos y supervisores.
2. La estructura de la organización muestra el agrupamiento de los individuos en los departamentos y de los departamentos en la organización total.
3. La estructura de la organización incluye el diseño de sistemas para asegurar la comunicación efectiva, la coordinación y la integración de esfuerzos entre los departamentos.[4]

Como gerente de una organización, tenga en mente estos lineamientos:

Elabore organigramas que describan las responsabilidades, las relaciones de subordinación y el agrupamiento de individuos en departamentos. Ofrezca documentación suficiente de manera que toda la gente dentro de la organización conozca a quién le está reportando y cómo encaja en el panorama global de la organización.

Estos tres elementos estructurales pertenecen tanto a los aspectos verticales y horizontales de la organización. Por ejemplo, los primeros dos elementos constituyen el marco estructural, el cual conforma la jerarquía vertical.[5] El tercer elemento pertenece al patrón de interacciones entre los empleados organizacionales. Una estructura ideal alienta a los empleados a proporcionar información y coordinación horizontal dónde y cuándo es necesaria.

La estructura de la organización está reflejada en el organigrama. No es posible ver la estructura interna de una organización en la forma en que se podrían ver sus herramientas de manufactura, oficinas o productos. También se puede observar a los empleados ocuparse de sus deberes, realizar diferentes tareas y trabajar en distintos lugares, pero la única forma de conocer en realidad la configuración básica de toda esta actividad es a través del organigrama. El organigrama es la representación visual de un conjunto completo de actividades y procesos subyacentes a una organización. El cuadro 3.1 presenta una muestra de organigrama. Este instrumento puede ser de gran utilidad para entender la forma en que una compañía trabaja. Muestra las diferentes partes de una organización, cómo están interrelacionadas y cómo cada posición y departamento encaja en un todo.

El concepto de organigrama, en el que se muestra qué puestos existen, cómo están agrupados, y quién le reporta a quién, tiene siglos de antigüedad.[6] Por ejemplo, en las iglesias medievales de España se pueden encontrar diagramas que trazaban la jerarquía eclesiástica. No obstante, el uso del organigrama para negocios tiene sus orígenes principalmente en la Revolución Industrial. Como se analizó en el capítulo 1, a medida que el trabajo crecía con mayor complejidad y se ejecutaba por un número cada vez mayor de

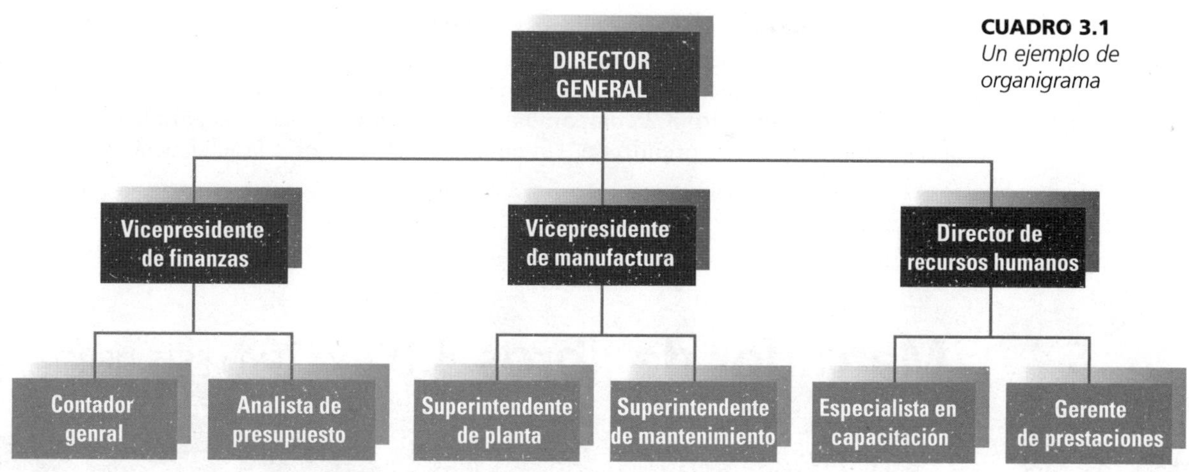

CUADRO 3.1
Un ejemplo de organigrama

trabajadores, se presentó la necesidad apremiante de desarrollar formas de administrar y controlar las organizaciones. El crecimiento de las líneas ferroviarias ofrece un ejemplo. Después de la colisión de dos trenes en Massachusetts en 1841, el público exigió un mejor control de la operación. Como resultado, el consejo de administración de la Western Railroad tomó medidas para delinear "las responsabilidades definidas de cada fase del negocio de la compañía, para lo cual estableció líneas sólidas de autoridad y de mando para la administración, el mantenimiento y la operación de los ferrocarriles".[7]

El tipo de estructura de la organización que se generó de estos esfuerzos en la última parte del siglo XIX y la primera del XX fue una en la que el director general se colocaba a la cabeza y todos los demás se distribuían en los niveles de forma descendente. La toma de decisiones y las tareas estratégicas se realizaban en los niveles más altos, mientras los trabajadores desempeñaban el trabajo físico. Éstos estaban organizados en distintos departamentos funcionales. Esta estructura resultó ser muy efectiva y, durante la mayor parte del siglo XX, se estableció con firmeza en los negocios, las organizaciones sin fines de lucro y las militares. Sin embargo, este tipo de estructura vertical no siempre fue efectiva, en particular en entornos con constantes cambios. A través de los años, las organizaciones han desarrollado otros diseños estructurales, muchos de los cuales apuntan a una creciente coordinación y comunicación horizontal, donde se fomenta la adaptación a entorno. El Marcador de libros de este capítulo afirma que los negocios se encuentran al borde de una tremenda transformación histórica, en la cual las formas jerárquicas centralizadas de organización darán paso a las estructuras descentralizadas basadas en procesos horizontales. En este capítulo, se examinarán cinco diseños estructurales básicos y se mostrará de qué manera están reflejados en el organigrama.

Perspectiva de procesamiento de la información referente a la estructura

La organización debe diseñarse para ofrecer un flujo de información tanto vertical como horizontal en la medida que sea necesario para alcanzar las metas organizacionales globales. Si la estructura no se adecua a los requerimientos organizacionales de información, la gente tendrá muy poca información o gastará tiempo al procesar información que no es vital para el desempeño de sus tareas, lo que redunda en una efectividad mermada.[8] No obstante, en una organización, existe una tensión inherente entre los mecanismos verticales y horizontales. Mientras los vínculos verticales están diseñados de manera principal para el control, los vínculos horizontales están diseñados para la coordinación y la colaboración, lo cual por lo general implica un control reducido.

Las organizaciones pueden elegir si orientarse hacia una organización tradicional diseñada para la eficiencia, lo que enfatiza la comunicación vertical y el control, o hacia una organización que aprende, en la que se enfatiza la comunicación horizontal y la coordinación. El cuadro 3.2 compara las organizaciones diseñadas para la eficiencia con las diseñadas para el aprendizaje. Un énfasis en el control y la eficiencia está asociado

Marcador de libros 3.0 (¿YA LEYÓ ESTE LIBRO?)

El futuro del trabajo: ¿Cómo transformará el nuevo orden corporativo su organización, su estilo de administración y su vida?

Por Thomas W. Malone

Las organizaciones están experimentando un tremendo cambio, y Thomas W. Malone sugiere en su libro *The Future of Work* que se encuentran al borde de un cambio fundamental que podría ser "tan importante para los negocios como lo fue el cambio hacia la democracia para los gobiernos". Afirma que las jerarquías dirigidas y altamente centralizadas, en esencia serán cosa del pasado a medida que las organizaciones adoptan formas flexibles y descentralizadas de organización apoyadas en procesos horizontales de trabajo. La administración comando-y-control y la toma de decisiones jerárquica darán paso a equipos con *empowerment* conformados por empleados enfocados en procesos y flujos de actividades específicas, que trabajen y crucen las fronteras organizacionales y tomen sus propias decisiones basadas en la información de último minuto.

EL AUDAZ NUEVO MUNDO DEL TRABAJO

Malone describe varias estructuras administrativas descentralizadas y proporciona diversos ejemplos de empresas que están experimentando con nuevas formas de organización e innovadoras técnicas de administración. He aquí algunos de los conceptos clave que Malone propone acerca del futuro laboral:

- *La tecnología de la información es el motor clave de la transformación*. El costo decreciente de las comunicaciones ha provocado que la distribución del poder se escape de las manos del grupo corporativo, lo cual es tanto inevitable como deseable. Por ejemplo, el *outsourcing* de trabajo relacionado con la información en India ha sido posible debido a los bajos costos que representa la comunicación digital con ese país. De la misma forma, la información accesible hace posible que cualquier empleado de menor nivel planee su trabajo con mayor efectividad, establezca redes y obtenga consejo de personas de cualquier parte, y tome buenas decisiones con base en información precisa.
- *Los directivos cambiarán su perspectiva basada en comando y control hacia una que sea coordinada y cultivada*. Coordinar es organizar el trabajo a fin de obtener resultados positivos, ya sea que los administradores tengan el control o no. Cultivar implica aprovechar lo mejor en los empleados con la combinación adecuada de control y libertad. W. L. Gore, fabricante del tejido Gore-Tex, permite a la gente decidir qué es lo que desea hacer. Los líderes son aquellos quienes tienen una buena idea y pueden reclutar gente para trabajar en ella. AES, uno de los productores de energía eléctrica más grandes del mundo, coordina y cultiva tan bien que permite a los trabajadores de menor nivel tomar decisiones críticas multimillonarias acerca de cuestiones como adquirir nuevas subsidiarias.
- *Todas las organizaciones necesitan estándares*. Muchas personas piensan que los estándares bien definidos son incompatibles con la flexibilidad y la descentralización. Sin embargo, Malone señala que cuando los empleados tienen lineamientos y estándares dentro de los cuales ellos pueden tomar decisiones y poner manos a la obra, pueden realizar sus trabajos con una mayor libertad y autoridad. Considere el caso de eBay el cual cuenta con más de 43 0000 personas que se ganan la vida principalmente como vendedores en el sitio. Los directivos de eBay no tienen un control directo sobre esos 43 0000 empleados, sin embargo, han establecido estándares y lineamientos claros para las negociaciones, gracias a los cuales se conserva el orden y la rendición de cuentas.

LOS AÑOS DE TRANSICIÓN

Malone, profesor en MIT's Sloan School of Management, reconoce que la jerarquía y la centralización continúan proporcionando enormes ventajas para las compañías en la economía contemporánea. Además, en la mayor parte de las organizaciones, las estructuras centralizadas y descentralizadas, así como los sistemas de administración coexistirán bien en el futuro. Sin embargo, está convencido de que, al final, las estructuras jerárquicas y centralizadas que son rígidas serán desechadas en el cesto de la basura de la historia.

The Future of Work: How the New Order of Business Will Shape Your Organization, Your Management Style, and Your Life, por Thomas W. Malone, publicado por Harvard Business School Press.

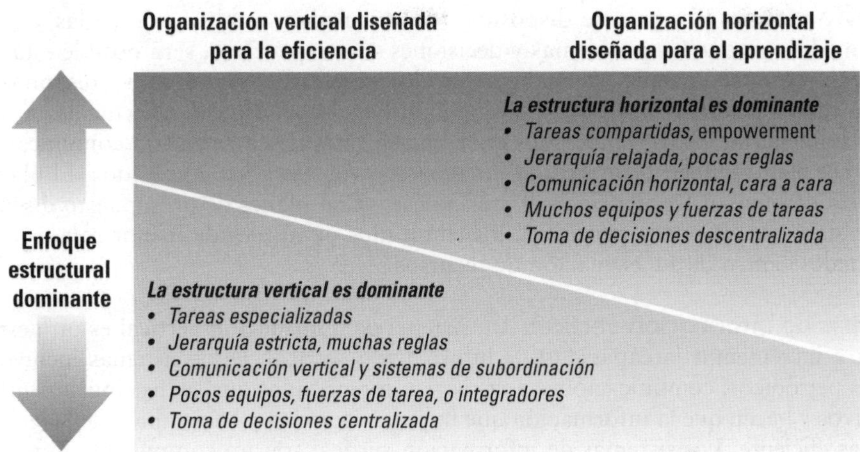

CUADRO 3.2
Relación entre el diseño organizacional para la eficiencia en comparación con los resultados del aprendizaje

con tareas especializadas, una jerarquía de autoridad, reglas y regulaciones, sistemas de subordinación formales, pocos equipos o fuerzas de tarea, y una toma de decisiones **centralizada**, lo cual implica que los problemas y las decisiones se canalizan hacia los altos niveles de la jerarquía para su resolución. El énfasis en el aprendizaje está asociado con tareas compartidas, una jerarquía relajada, pocas reglas, comunicación frente a frente, muchos equipos y fuerzas de tarea y una toma de decisiones informal y **descentralizada**. La toma de decisiones descentralizada implica que la autoridad encargada de esta función se transfiere hacia los niveles organizacionales de menor jerarquía. Las organizaciones quizá tengan que experimentar para encontrar el grado correcto de descentralización o centralización que satisfaga sus necesidades. Por ejemplo, un estudio reciente encontró que tres grandes distritos escolares que adoptaron una estructura más flexible y descentralizada tuvieron un mejor y más eficiente desempeño que los grandes distritos altamente centralizados.[9] Por el contrario, las compañías descentralizadas como Dow Chemical y Procter & Gamble han tenido la necesidad en años recientes de establecer una comunicación y sistemas de control más centralizados para mantener el funcionamiento eficiente de estas gigantes compañías globales. Así, los directivos siempre están en busca de la mejor combinación de control vertical y colaboración horizontal, centralización y descentralización, que sea idónea para sus circunstancias particulares.[10]

Vínculos verticales de información

El diseño organizacional debe facilitar la comunicación necesaria entre los empleados y los departamentos para lograr la tarea global de la organización. Un *vínculo* se define como el grado de comunicación y coordinación entre los elementos organizacionales. Los **vínculos verticales** se utilizan para coordinar las actividades entre la parte superior e inferior de una organización y están diseñados de manera fundamental para el control de la misma. Los empleados de menor jerarquía deben desempeñar actividades que sean congruentes con las metas fijadas por los jefes, y por su parte, los altos ejecutivos deben informar de sus actividades y logros a los niveles menores. Las organizaciones pueden utilizar cualquier variedad de mecanismos estructurales para lograr un vínculo vertical, lo que incluye la referencia jerárquica, reglas, planes y sistemas de administración formales.[11]

Referencia jerárquica. El primer mecanismo vertical es la jerarquía, o cadena de mando, el cual está representado por las líneas verticales del cuadro 3.1. Si surge un problema que los trabajadores no pueden resolver, éste se puede remitir al siguiente nivel superior en la jerarquía. Cuando se resuelve un problema, éste se canaliza hacia los niveles menores. Las líneas del diagrama actúan como canales de comunicación.

Reglas y planes. El siguiente dispositivo de vinculación es el uso de reglas y planes. En la medida en que los problemas y decisiones sean repetitivos, será posible establecer una regla o procedimiento de manera que los empleados sepan cómo responder sin comunicarse en forma directa con su gerente. Las reglas ofrecen una fuente de información que permite a los empleados coordinarse sin que sea necesario comunicar cada tarea. Un plan también proporciona información vigente a los empleados. El plan que se utiliza con mayor frecuencia es el presupuesto. Con planes de presupuesto diseñados con cuidado, se les puede permitir a los empleados de niveles de menor rango realizar actividades dentro de su asignación de recursos.

Sistemas de información vertical. Un **sistema de información vertical** es otra estrategia para incrementar la capacidad de información vertical. Estos sistemas incluyen informes periódicos, comunicaciones escritas y automatizadas que se distribuyen entre los directivos y hacen que la información que fluye hacia arriba y hacia abajo de la jerarquía sea más eficiente. Los sistemas de información vertical son un componente importante del control vertical en el fabricante de software Oracle.

En la práctica

Oracle Corporation

En una época de descentralización y *empowerment*, el director general de Oracle, Larry Ellison, nunca ha dudado en proclamar su convicción en un control vertical más enérgico. Hace algunos años, Oracle pasó por tiempos difíciles debido a que los gerentes de ventas en todo el mundo estaban suprimiendo las negociaciones informales o establecían acuerdos individualizados y privados de compensaciones con los vendedores de diferentes países. En la actualidad, todos los términos, incluidos los contratos de ventas y comisiones, son establecidos desde los niveles más altos de la dirección y difundidos en una base de datos global. Además, Ellison requiere que todas las negociaciones sean ingresadas a la base de datos de manera que la alta dirección pueda darles un fácil seguimiento.

Internet juega un papel central en la información vertical y los sistemas de control de Ellison, ya que ofrecen la energía para centralizar las operaciones complejas mientras difunden la información a través de todo el mundo. Oracle utiliza su propio paquete integrado de aplicaciones de software para Internet que trabaja sobre una base global. Todos los empleados realizan sus tareas vía Internet, lo que permite a Ellison dar un cuidadoso seguimiento, analizar y controlar el comportamiento de cada unidad, de los gerentes y los empleados. A pesar de que muchos directivos no están muy contentos con el estricto control jerarquizado, Ellison cree que era necesario administrar de manera efectiva una corporación global que había crecido sin control y que se comenzaba a comportar de una manera muy parecida a un conjunto de compañías separadas. Además, los sistemas ayudan a hacer circular y asegurar la implementación de reglas y procedimientos estandarizados a través de todas las divisiones. De acuerdo con el director ejecutivo de marketing, Mark Jarvis, esto, en última instancia, ofrece una mayor libertad para los niveles más bajos e impide que la jerarquía se sobrecargue. "Una vez que contemos con un conjunto estandarizado de prácticas corporativas globales", observa Jarvis, "los directivos tendrán una mayor capacidad para la toma de decisiones dentro de un marco más amplio".

La adquisición reciente de PeopleSoft por parte de Oracle ha incrementado la complejidad de la organización, pero Ellison y otros altos directivos están enfocados en una integración más sencilla a través del uso de los sistemas de información vertical. La compañía está trabajando en el desarrollo de un superpaquete de aplicaciones de software que combine las mejores características de productos de Oracle, PeopleSoft y J. D. Edwards y que a la vez permitirá una estandarización y centralización a través de la empresa. El nuevo superpaquete de software, apodado Project Fusion, permitirá a Oracle, así como a sus clientes, automatizar una infraestructura global completa de manera que todo esté vinculado y sea compatible, gracias a lo cual los directivos podrán obtener la información necesaria para controlar en forma efectiva su organización.[12]

Dados los escándalos corporativos financieros y los dilemas éticos que se han suscitado en el mundo contemporáneo, muchos altos directivos, como Larry Ellison, están considerando fortalecer los vínculos organizacionales para implementar un control vertical de la información. El otro tema importante en la organización es proporcionar vínculos horizontales adecuados para la coordinación y la colaboración.

Portafolios

Como gerente de una organización, tenga en mente estos lineamientos:

Proporcione vínculos horizontales y verticales de información para integrar diversos departamentos en un todo coherente. Logre la vinculación vertical a través de la referencia jerárquica, reglas y planes, y sistemas de información vertical. Logre la vinculación horizontal a través de los sistemas de información transfuncionales, contacto directo, fuerza de tareas, integradores de tiempo completo y equipos.

Vínculos horizontales de información

La comunicación horizontal supera las barreras entre los departamentos y ofrece oportunidades para la coordinación entre los empleados a fin de alcanzar una unidad de esfuerzo y lograr los objetivos organizacionales. Los **vínculos horizontales** se refieren a la cantidad de comunicación y coordinación que cruza en forma horizontal los departamentos organizacionales. Su importancia está plasmada en los comentarios de Lee Iacocca cuando asumió el control de Chrysler Corporation en la década de 1980:

Lo que encontré en Chrysler fueron 35 vicepresidentes, cada uno con su propio territorio... No podía creer que, por ejemplo, el equipo al mando de los departamentos de ingeniería no estuviera en constante contacto con su contraparte en el departamento de manufactura. Pero así era como estaban las cosas. Todo mundo trabajaba de una manera independiente. Le di un vistazo al sistema y casi vomito. Fue cuando me di cuenta de que estaba en un verdadero problema... Nadie en Chrysler parecía entender que la interacción entre las diferentes funciones dentro de una compañía es absolutamente crucial. Las personas en los departamentos de ingeniería y manufactura casi tienen que dormir juntas. ¡Estos tipos ni siquiera se coqueteaban![13]

Durante su ejercicio en Chrysler (ahora DaimlerChrysler), Iacocca impulsó la coordinación horizontal hasta un alto nivel. Todos trabajaban en un proyecto específico de vehículo: Diseñadores, ingenieros y fabricantes, así como representantes de marketing, finanzas, compras e incluso proveedores externos; todos trabajaban unidos en un solo piso de manera que pudieran comunicarse con frecuencia.

Los mecanismos de vinculación horizontal muchas veces no están representados en el organigrama, pero son parte de la estructura organizacional. Los siguientes mecanismos son alternativas estructurales que pueden mejorar la coordinación horizontal y el flujo de información.[14] Cada uno permite a la gente intercambiar información.

Sistemas de información. Un método importante para establecer una vinculación en las organizaciones contemporáneas es el uso de sistemas de información transfuncionales. Los sistemas computarizados de información permiten a los directivos o a los trabajadores en la línea frontal de toda la organización intercambiar información en forma rutinaria acerca de los problemas, las oportunidades, las actividades o las decisiones. Por ejemplo, Siemens utiliza un sistema de información en toda la organización que permite a los 450 000 empleados a través del mundo compartir el conocimiento y colaborar en proyectos para ofrecer mejores soluciones a los clientes. Hace poco, la división de información y comunicaciones colaboró con el área médica para el desarrollo de nuevos productos dirigidos al mercado de la salud.[15]

Algunas organizaciones también alientan a los empleados a utilizar los sistemas de información de la compañía para construir relaciones a través de la organización, con la intención de apoyar y mejorar la coordinación horizontal existente entre proyectos y a través de fronteras geográficas. CARE International, una de las organizaciones privadas de auxilio más grandes del mundo, mejoró su base de datos del personal para facilitar que la gente encuentre a otras personas con intereses, preocupaciones o necesidades afines. Cada persona en la base de datos ha manifestado sus responsabilidades anteriores y actuales, experiencia, idiomas, conocimiento de países extranjeros, experiencia en emergencias, habilidades y competencias e intereses externos. La base de datos facilita a los empleados a trabajar a través de las fronteras para buscarse entre sí, al compartir ideas e información y construir conexiones horizontales perdurables.[16]

Contacto directo. Un nivel superior de vinculación horizontal es el contacto directo entre los directivos o empleados que son afectados por un problema. Una forma de promover el contacto directo es crear una **función de enlace** especial. Un coordinador está ubicado en un departamento pero tiene la responsabilidad de comunicar y lograr la coordinación con otro departamento. Con frecuencia, las funciones de coordinación se presentan entre los departamentos de ingeniería y manufactura debido a que los ingenieros tienen que desarrollar y probar productos que se adecuen a las limitaciones de las instalaciones de manufactura. En Johnson & Johnson, el director general, William C. Weldon ha conformado un comité compuesto de directivos de los departamentos de investigación y desarrollo (I&D), y de ventas y marketing. El contacto directo entre los directivos de estos departamentos permite a la compañía establecer prioridades acerca de cuáles son los nuevos medicamentos que se van a comercializar y en los que se va a concentrar. Weldon también creó un nuevo puesto para supervisar el departamento de investigación y desarrollo, con el cometido expreso de incrementar la coordinación entre los ejecutivos de ventas y marketing.[17] Otro método es lograr la proximidad física de la gente de manera que establezcan un contacto directo habitual.

Fuerzas de tarea. Las funciones de coordinación por lo general vinculan sólo a los departamentos. Cuando la vinculación implica a varios departamentos, se requerirá un mecanismo más complejo como una fuerza de tarea. Una **fuerza de tarea** es un comité temporal compuesto por representantes de cada unidad organizacional afectada por un problema.[18] Cada miembro representa el interés de un departamento o división y puede transmitir la información de las juntas a su departamento.

Las fuerzas de tarea son un mecanismo de vinculación horizontal efectivo con fines temporales. Resuelven problemas mediante la coordinación horizontal directa y reducen la carga de información en la jerarquía vertical. Por lo general, estos grupos se disuelven después de que sus tareas se han cumplido.

Las organizaciones han utilizado las fuerzas de tarea para todo tipo de asuntos desde la organización de la comida anual al aire libre de la compañía, hasta la solución de problemas de manufactura costosos y complejos. Un ejemplo es el comité ejecutivo automotriz del director de DaimlerChrysler, Jürgen Schrempp. Esta fuerza de tarea se conformó sólo con el fin de identificar ideas para incrementar la cooperación y el uso común de componentes entre Chrysler, Mercedes y Mitsubishi (en la cual DaimlerChrysler posee un 37% de acciones). La fuerza de tarea comenzó con un plan de acción para el producto, en el que se mostraban los vehículos de Mercedes, Chrysler, Dodge, Jeep y Mitsubishi que serían lanzados durante un periodo de diez años, junto con un análisis de los componentes que se utilizarían, de manera que los miembros de la fuerza de tareas pudieran identificar las coincidencias y encontrar formas de compartir partes y reducir tiempos y costos.[19]

Integradores de tiempo completo. Un mecanismo más poderoso de vinculación horizontal es la creación de un puesto o departamento de tiempo completo con el único propósito de coordinar. Un integrador de tiempo completo con frecuencia tiene título, como gerente de producto, gerente de proyecto, gerente de programa o gerente de marca. A diferencia del coordinador que se describió anteriormente, el integrador no le reporta a uno de los departamentos funcionales que está coordinando. Él o ella se ubican fuera de los departamentos y tienen la responsabilidad de coordinar varios de ellos.

El gerente de marca de Planters Peanuts, por ejemplo, coordina las ventas, la distribución, y la publicidad de ese producto. General Motors designó gerentes de marca responsables de las estrategias de marketing y ventas para cada uno de los nuevos modelos de GM.[20]

El integrador también puede ser responsable de un proyecto de innovación o de cambio, como la coordinación del diseño, financiamiento y marketing de un nuevo producto. En el cuadro 3.3 se muestra un organigrama que ilustra la ubicación de los gerentes de proyecto para el desarrollo de un nuevo producto. Los gerentes de proyecto están

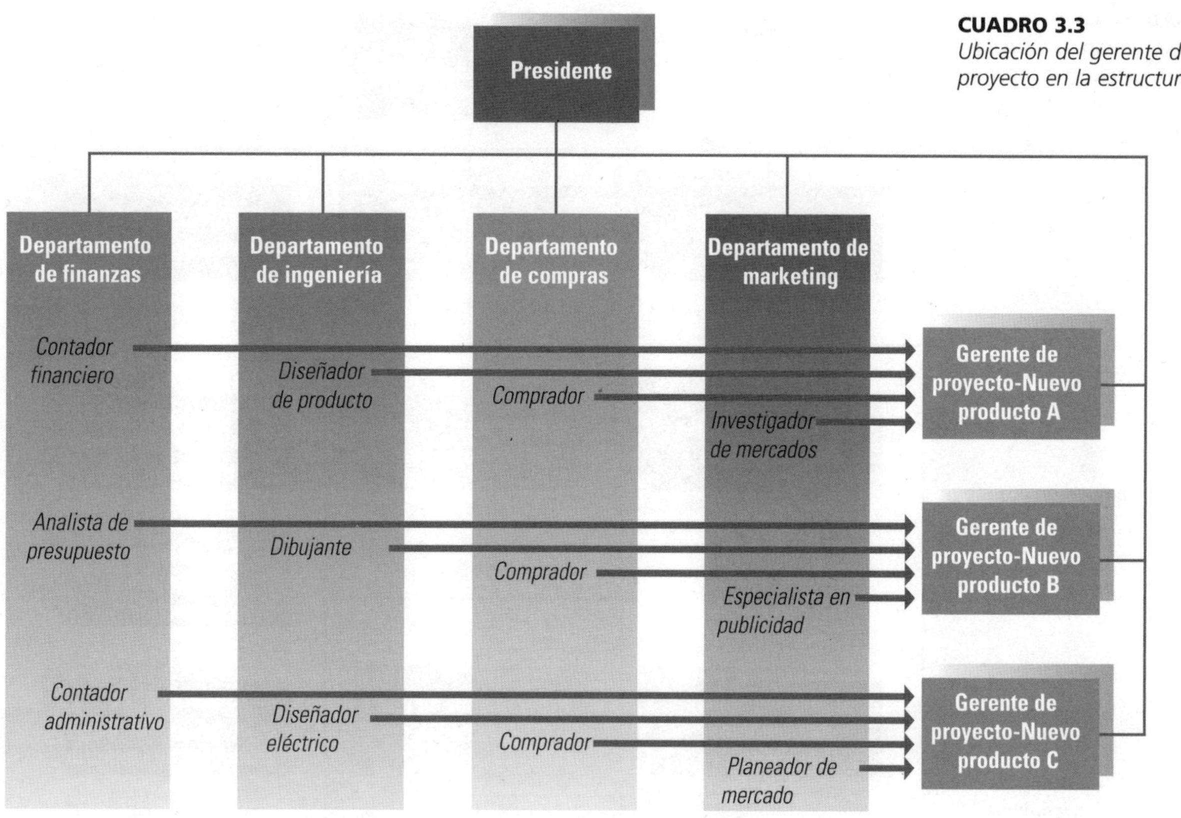

CUADRO 3.3
Ubicación del gerente de proyecto en la estructura

representados en un extremo para indicar su separación de los demás departamentos. Las flechas muestran a los miembros del proyecto asignados al desarrollo de un nuevo producto. El nuevo producto A, por ejemplo, tiene asignado un contador financiero para dar seguimiento a los costos y presupuestos. El miembro del departamento de ingeniería ofrece consejos de diseño, y los miembros de compras y manufactura representan sus áreas. El gerente de proyectos es responsable del proyecto global. Él o ella verifican que el nuevo proyecto se termine a tiempo, se lance al mercado y logre otras metas de proyecto. Las líneas horizontales en el cuadro 3.3 indican que los gerentes de proyecto no tienen una autoridad formal sobre los miembros del equipo con respecto a los aumentos salariales, contratación y despido. La autoridad formal la sustentan los directores de los departamentos funcionales, quienes tienen autoridad formal sobre los subordinados.

Los integradores necesitan que el personal cuente con habilidades excelentes. En la mayoría de las compañías los integradores tienen una gran responsabilidad pero poca autoridad. El integrador tiene que hacer acopio de experiencia y persuasión para lograr la coordinación. Él o ella tendrán que cruzar las fronteras entre los departamentos y deberán ser capaces de mantener unida a la gente, conservar su confianza, confrontar los problemas y resolver los conflictos y disputas en bien de la organización.[21]

Equipos. Los equipos de proyecto tienden a ser el mecanismo de vinculación horizontal más sólido. Los equipos son fuerzas de tarea permanentes y a menudo se utilizan junto con un integrador de tiempo completo. Las actividades entre los departamentos requieren una coordinación firme durante un periodo largo, un equipo transfuncional muchas veces es la solución. Los equipos especiales de proyecto pueden utilizarse cuando las organizaciones tengan un plan a gran escala, una innovación importante o una línea nueva de producto.

CUADRO 3.4
Equipos empleados para la coordinación horizontal en Wizard Software Company

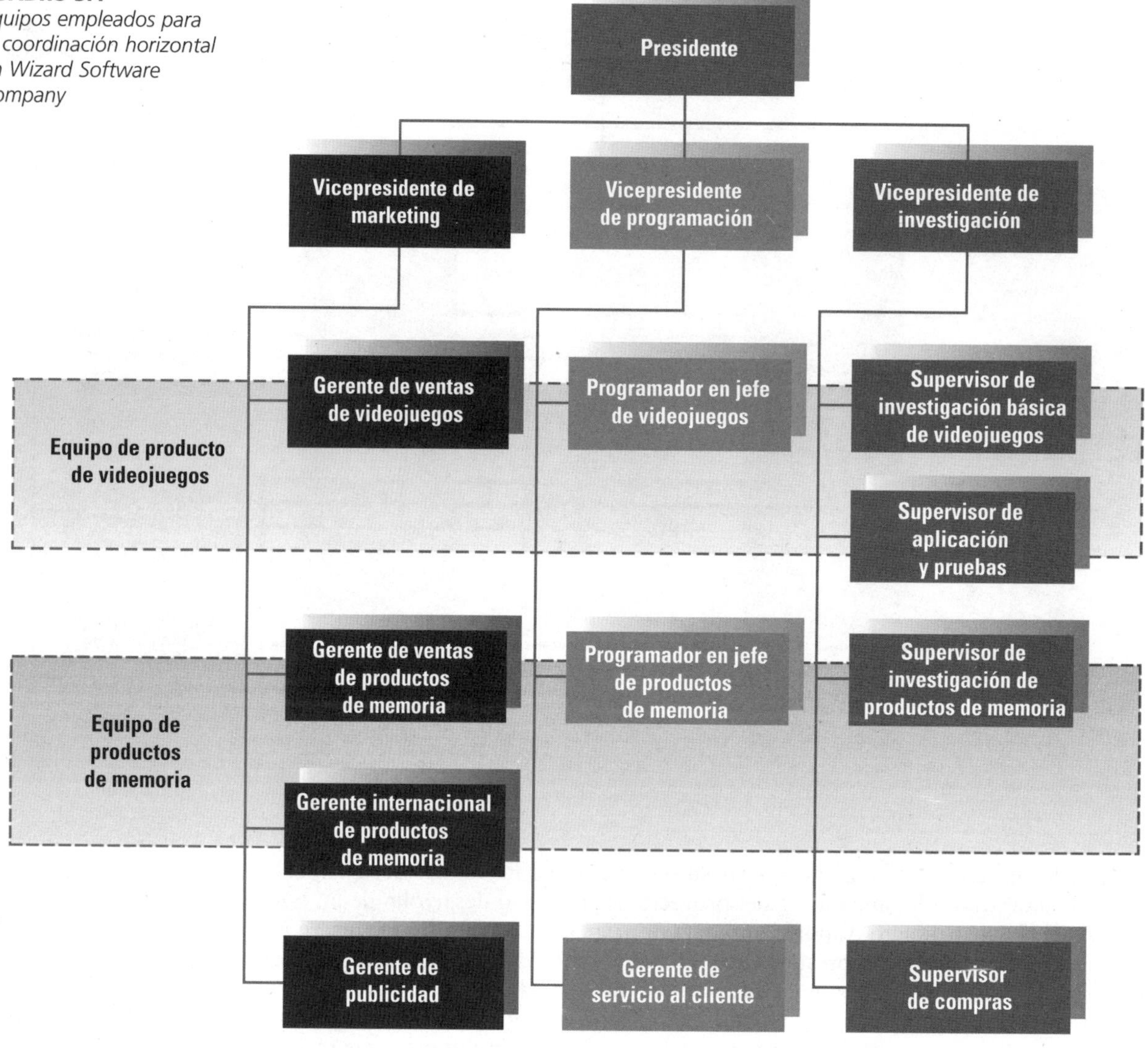

Portafolios

Como gerente de una organización, tenga en mente estos lineamientos:

Reconozca que los mecanismos de vinculación horizontal más poderosos son más costosos en términos de tiempo y recursos humanos pero son necesarios cuando la organización necesita un alto grado de coordinación horizontal para materializar sus metas.

La empresa diseñadora más grande de Inglaterra, Imagination Ltd., está basada por completo en el trabajo en equipo. Al principio de cada proyecto, Imagination reúne a un equipo de diseñadores, escritores, artistas, expertos en marketing, especialistas en información y representantes de otras áreas funcionales para llevar a cabo el proyecto íntegro desde el principio hasta el final. El grupo de productos médicos de Hewlett-Packard utiliza equipos virtuales transfuncionales, compuestos por miembros de varios países, para desarrollar y comercializar productos y servicios médicos, como sistemas de electrocardiografía, tecnologías de creación de imágenes por ultrasonido y sistemas de monitoreo de pacientes.[22] Un **equipo virtual** está compuesto por miembros dispersos organizacional o geográficamente, vinculados de manera principal a través de las tecnologías avanzadas de comunicación e información. Con frecuencia los miembros utilizan Internet y software para trabajar en conjunto, en lugar de encontrarse en forma personal.[23]

Una ilustración de la forma en que un equipo provee una sólida coordinación horizontal se muestra en el cuadro 3.4. Wizard Software Company desarrolla y comercializa

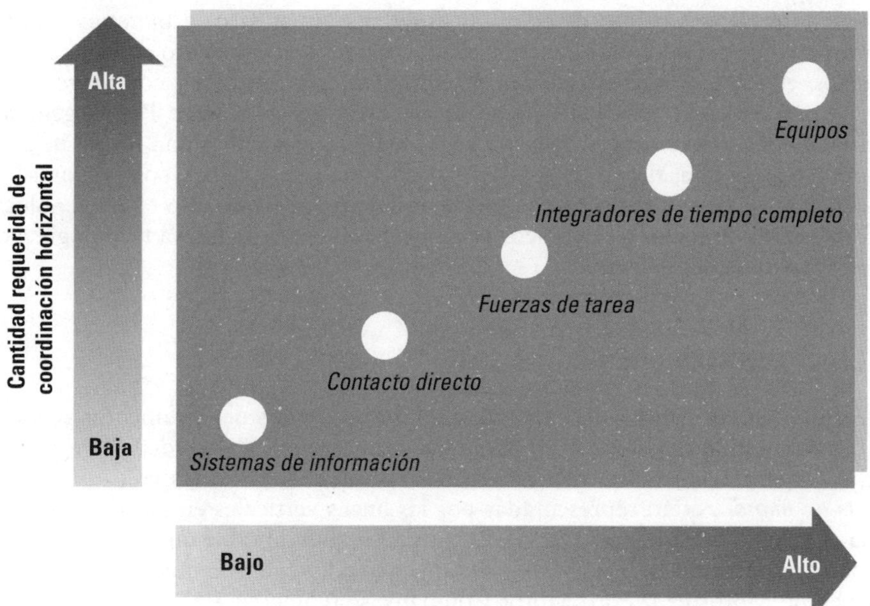

CUADRO 3.5
Escala de mecanismos para la vinculación y coordinación horizontal

software para diferentes aplicaciones, desde videojuegos hasta servicios financieros. Wizard utiliza equipos para coordinar cada línea de producto entre los departamentos de investigación, programación y marketing, como lo muestran las líneas punteadas y sombreadas en el cuadro. Los miembros de cada equipo se reúnen a primera hora diariamente, según sea necesario, para resolver problemas concernientes a las necesidades del cliente, trabajos pendientes, cambios en la programación, conflictos de planificación, y cualquier otro problema con la línea de producto. El ejemplo al inicio de este capítulo sobre Ford Motor Company ofrece otra muestra del uso de equipos para la coordinación horizontal.

El cuadro 3.5 resume los mecanismos para lograr la vinculación horizontal. Éstos representan alternativas que los directivos pueden elegir para incrementar la coordinación horizontal en cualquier organización. Los mecanismos de más alto nivel ofrecen capacidad de información horizontal, aunque el costo para la organización en términos de tiempo y recursos humanos sea mayor. Si la comunicación horizontal resulta insuficiente, los departamentos se encontrarán fuera de sincronía y no podrán contribuir a las metas globales organizacionales. Cuando la cantidad requerida de coordinación horizontal es alta, los directivos deben elegir mecanismos de más alto nivel.

Alternativas de diseño organizacional

El diseño global de la estructura organizacional indica tres cosas: Actividades laborales requeridas, relaciones de subordinación y agrupamiento departamental.

Actividades laborales requeridas

Los departamentos se crean para realizar tareas que se consideran por estrategia importantes para la compañía. Por ejemplo, en una compañía tradicional de manufactura, las actividades laborales caen dentro el rango de funciones que ayudan a la organización a alcanzar sus metas, como un departamento de recursos humanos a reclutar y capacitar empleados, un departamento de compras a obtener suministros y materias primas, un departamento de producción a fabricar productos, un departamento de ventas a vender productos, etcétera. A medida que las organizaciones crecen más y con mayor complejidad, se presenta una necesidad creciente de funciones a realizar. Por lo general, las organizaciones definen nuevos departamentos o divisiones como una forma de cumplir las tareas que se consideran valiosas. En la actualidad, muchas compañías se están dando cuenta de que es importante establecer departamentos como el de tecnología de la información y negocios electrónicos para sacar ventaja de la nueva tecnología y de las nuevas oportunidades de negocio.

Relaciones de subordinación

Una vez que se han definido las actividades laborales y los departamentos requeridos, la siguiente cuestión es cómo deben acoplarse las actividades y los departamentos en la jerarquía organizacional. Las relaciones de subordinación, muchas veces denominadas *cadenas de mando*, están representadas por las líneas verticales en un organigrama. La cadena de mando debe ser una línea de autoridad inquebrantable que vincule a todas las personas dentro de una organización e indique quién le reporta a quién. En una empresa grande como Motorola o Ford Motor Company, se requieren 100 o más organigramas para identificar las relaciones de subordinación entre miles de empleados. La definición de los departamentos y el dibujo de las relaciones de subordinación definen la forma en que los empleados han de ser agrupados en departamentos.

Opciones de agrupamiento departamental

Las opciones para el agrupamiento departamental, como el agrupamiento funcional, el agrupamiento divisional, el agrupamiento multienfoque, el agrupamiento horizontal y el agrupamiento en red virtual, se muestran en el cuadro 3.6. El **agrupamiento departamental** tiene repercusiones sobre los empleados debido a que comparten a un supervisor y tienen recursos comunes, son responsables de manera conjunta del desempeño y tienden a identificarse y a colaborar entre sí.[24] Por ejemplo, en Albany Ladder Company, el gerente de crédito fue transferido del departamento de finanzas al departamento de marketing. Como miembro del departamento, este gerente comenzó a trabajar con personal de ventas para incrementar las ventas, y por lo tanto se volvió más liberal con respecto a los créditos que cuando estaba en el departamento de finanzas.

El **agrupamiento funcional** concentra a los empleados que desempeñan funciones o procesos de trabajo similares o a quienes aportan conocimientos y habilidades similares. Por ejemplo, todo el personal de marketing trabaja en conjunto bajo las órdenes de un mismo supervisor, como el personal de ingeniería y manufactura. Todas las personas asociadas con el proceso de ensamble de generadores están agrupadas en un departamento. Todos los químicos pueden estar agrupados en un departamento diferente al de los biólogos ya que representan disciplinas diferentes.

El **agrupamiento divisional** indica que la gente está organizada de acuerdo con lo que la organización produce. Toda la gente requerida, para producir pasta dental, incluye al personal de marketing, manufactura y ventas, está agrupada bajo las órdenes de un ejecutivo. En las corporaciones inmensas como EDS, algunas líneas de servicio o producto pueden representar negocios independientes, como A. T. Kearney (consultora de negocios) y Wendover Financial Services.

El **agrupamiento multienfoque** implica que una organización adopte dos alternativas de agrupamiento simultáneo. Estas formas estructurales a menudo se denominan *matriciales* o *híbridas*, éstas se analizarán con mayor detalle más adelante en este capítulo. Una organización puede necesitar, por ejemplo, un agrupamiento basado en las funciones y en la división de producto de manera simultánea o quizá en la división de producto y la geografía.

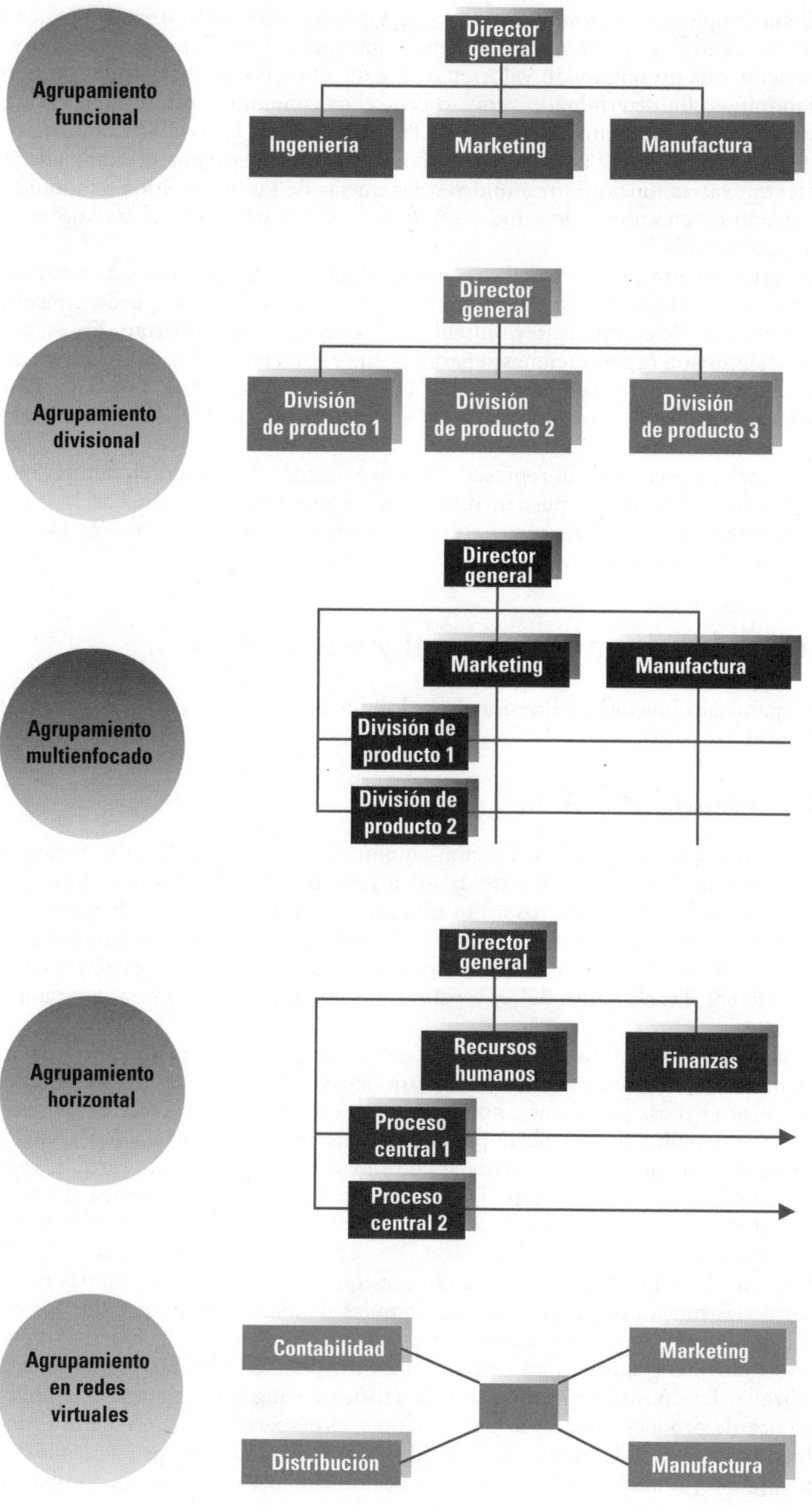

CUADRO 3.6
Opciones de diseño estructural para el agrupamiento de empleados en departamentos
Fuente: Adaptado de David Nadler y Michael Tushman, *Strategic Organization Design* (Glenview, Ill.: Scott Foresman, 1988), 68.

El **agrupamiento horizontal** significa que los empleados están organizados en torno a procesos centrales de actividad, al trabajo integral y a los flujos de material y de la información que proporcionan valor en forma directa a los clientes. Todas las personas que laboran en un determinado proceso central se conjuntan en un grupo en lugar de separarse en departamentos funcionales. Por ejemplo, en las oficinas de campo de la U.S. Occupational Safety and Health Administration, los equipos de trabajadores que representan varias funciones responden a las quejas de los asalariados estadounidenses concernientes a cuestiones de salud y seguridad, en vez de dividir el trabajo entre personal especializado.[25]

El **agrupamiento en red virtual** es el enfoque más reciente en cuanto al agrupamiento departamental. Mediante este agrupamiento, la organización se puede constituir en una agrupación de componentes individuales conectados con libertad. En esencia, los departamentos son organizaciones separadas que están conectadas en forma electrónica para compartir la información y llevar a buen término las tareas. Los departamentos pueden estar dispersos en todo el mundo en lugar de estar ubicados en una sola área geográfica.

Los tipos de organización representados en el cuadro 3.6 proporcionan las opciones generales según las que se pueden dibujar en el organigrama y diseñar la estructura pormenorizada. Cada alternativa de diseño estructural tiene importantes fortalezas y debilidades, las cuales se analizarán a continuación.

Diseños funcional, divisional y geográfico

El agrupamiento funcional y divisional son los dos métodos más comunes para el diseño estructural.

Estructura funcional

En una **estructura funcional**, la función común es el factor que dicta la forma en que deben agruparse las actividades, desde los niveles más bajos a los más altos de la organización. Todos los ingenieros están ubicados en el departamento de ingeniería, y el vicepresidente de ingeniería es responsable de todas las actividades referentes a la ingeniería. Esto mismo aplica en el departamento de marketing, investigación y desarrollo y manufactura. En el cuadro 3.1 se mostró un ejemplo de la estructura de organización funcional.

Gracias a la estructura funcional, se consolidan todo el conocimiento y las habilidades humanas referentes a actividades específicas, lo que ofrece una profundidad de conocimiento valiosa para la organización. Esta estructura es más efectiva cuando la experiencia especializada es crucial para lograr las metas organizacionales, cuando la organización necesita ser controlada y coordinada a través de la jerarquía vertical y cuando la eficiencia es importante. Esta estructura puede ser muy efectiva si existe poca necesidad de coordinación horizontal. El cuadro 3.7 resume las fortalezas y debilidades de la estructura funcional.

Una fortaleza de este tipo de estructura es que promueve las economías de alcance dentro de las funciones. Se presentan economías de alcance cuando todos los empleados están ubicados en un mismo lugar y pueden compartir instalaciones. Por ejemplo, generar todos los productos en una sola fábrica, permite adquirir la maquinaria más actualizada. La construcción de una sola fábrica en lugar de plantas separadas para cada línea de producto reduce la duplicación y el desperdicio. La estructura funcional también promueve el desarrollo de habilidades especializadas en los empleados, ya que están expuestos a una variedad de actividades funcionales dentro de sus propios departamentos.[26]

La principal debilidad de la estructura funcional es que puede repercutir en una lenta respuesta ante los cambios del entorno que requieren que los departamentos estén coordinados. La jerarquía vertical se sobrecarga, las decisiones se acumulan, y los altos

CUADRO 3.7
Fortalezas y debilidades de la estructura funcional

Fortalezas	Debilidades
1. Permite economías de alcance dentro de los departamentos funcionales. 2. Posibilita el conocimiento especializado y el desarrollo de habilidades. 3. Permite a la organización lograr sus metas funcionales. 4. Es más adecuada con un solo o algunos cuantos productos.	1. Lenta respuesta ante los cambios del entorno. 2. Puede provocar que las decisiones se acumulen en los altos niveles y que éstos se sobrecarguen. 3. Redunda en una coordinación horizontal deficiente entre los departamentos. 4. Genera menos innovaciones. 5. Implica una visión restringida de las metas organizacionales.

Fuente: Adaptado de Robert Duncan, "What Is the Right Organization Structure? Decision Tree Analysis Provides the Answer", *Organizational Dynamics* (invierno, 1979), 429.

directivos no responden con la suficiente velocidad. Otras desventajas de la estructura funcional son que la innovación es lenta debido a la coordinación deficiente, y que cada empleado tiene una visión restringida de las metas globales.

Algunas organizaciones se desempeñan con mucha efectividad dentro de una estructura funcional. Considere el caso de Blue Bell Creameries.

En la práctica

Blue Bell Creameries, Inc.

Es la tercera marca de helado mejor vendida en Estados Unidos y, por lo general, se sirve a los dignatarios extranjeros que visitan al presidente George W. Bush. Cada dos semanas se entrega un pedido permanente a Camp David. Sin embargo, muchos estadounidenses nunca han oído de Bell. Esto debido a que Blue Bell Creameries, con sede en Brenham, Texas, vende sus helados sólo en 14 estados, la mayoría sureños. "Esto nos ha permitido enfocarnos en la elaboración y venta de helado", afirma el director general Paul Kruse, la cuarta generación de Kruses a la cabeza de Blue Bell.

"La pequeña lechería de Brenham", como la compañía se promueve a sí misma, no permite que nadie ajeno a la compañía toque su producto de la fábrica al congelador. Todo, desde la investigación y desarrollo hasta la distribución, se maneja en casa. La compañía no puede satisfacer la demanda de sus helados, y ni siquiera lo ha intentado. Blue Bell ostenta el 60% del mercado de los helados en Texas y Luciana y 47% en Alabama, donde abrió una planta en 1997. La gente fuera de la región con frecuencia paga $85 para que les sean enviados cuatro medios galones empacados en hielo seco. A pesar de la demanda, la dirección se rehúsa a comprometer la calidad al expandirse a regiones que no podrá atender en forma satisfactoria o a crecer con tanta rapidez que no pueda capacitar de manera adecuada a los empleados en el arte de elaborar helado. Los departamentos más importantes de Blue Bell son el de ventas, control de calidad, producción, mantenimiento y distribución. También cuenta con un departamento de contabilidad y un pequeño grupo de investigación y desarrollo. La mayoría de los empleados han estado en la compañía durante años y poseen una vasta experiencia en la fabricación de helado de calidad. El entorno es estable. La base de clientes está bien establecida. El único cambio ha sido el incremento en la demanda del helado de Blue Bell.

El departamento de control de calidad de Blue Bell prueba todos los ingredientes que ingresan y se asegura que sólo los mejores productos formen parte de su helado. También está encargado de probar los productos de helado salientes. Después de años de experiencia, los inspectores de calidad pueden detectar la desviación más ligera con respecto a la clase de helado esperada. Blue Bell Creameries posee sus propios camiones para asegurarse de que el producto se maneje de manera correcta una vez que abandona la fábrica. "Si uno no vigila estrictamente la temperatura", explica el presidente Howard Kruse, "el sabor puede deteriorarse". No es de sorprender que Blue Bell Creameries haya conservado con éxito la imagen de una lechería de un pequeño pueblo que elabora helado casero.[27]

La estructura funcional ha resultado muy adecuada para Blue Bell Creameries. La organización ha optado por conservar su tamaño medio y enfocarse en elaborar un producto único: helado de calidad. Sin embargo, a medida que Blue Bell Creameries crezca, puede llegar a tener problemas con la coordinación entre departamentos y requerir mecanismos de vinculación horizontal más sólidos.

Estructura funcional con vínculos horizontales

En la actualidad, se están adoptando estructuras más planas y horizontales debido a los retos que se presentaron en el capítulo 1. Hoy en día, muy pocas compañías exitosas pueden mantener una estructura que de manera estricta sea funcional. Las organizaciones compensan la jerarquía funcional vertical mediante la implementación de vínculos horizontales, como se explicó con anterioridad en este capítulo. Los directivos mejoran la coordinación horizontal mediante el uso de sistemas de información, contacto directo entre departamentos, integradores de tiempo completo o gerentes de proyecto (mostrados en el cuadro 3.3), fuerzas de tarea o equipos (ilustrados en el cuadro 3.4). Un caso interesante referente a los vínculos horizontales ocurrió en el Karolinska Hospital, en Estocolmo, Suecia, el cual contaba con 47 departamentos funcionales. Incluso después de que los altos ejecutivos recortaron este número a 11, la coordinación seguía siendo deplorable. El equipo comenzó a reorganizar el flujo de trabajo en el hospital en torno al cuidado del paciente. En lugar de hacer ir a un paciente de un departamento a otro, Karolinska ahora conceptualiza el transcurso de la enfermedad al periodo de recuperación como un proceso con "paradas" en admisiones, rayos X, cirugía, etcétera. El aspecto más interesante del enfoque es la creación del nuevo puesto de coordinador de enfermeras. Los coordinadores de enfermeras fungen como integradores de tiempo completo, un mediador para solucionar problemas entre o dentro de los departamentos. La coordinación horizontal corregida mejoró por completo la productividad y el cuidado al paciente en Karolinska.[28] Ahí se están utilizando vínculos horizontales de manera efectiva para superar algunas de las desventajas de la estructura funcional.

Como gerente de una organización, tenga en mente estos lineamientos:

Cuando se diseñe la estructura general de la organización, elija una estructura funcional cuando la eficiencia sea importante, cuando el conocimiento y la experiencia especializados sean cruciales para alcanzar las metas organizacionales y cuando la organización necesite ser controlada y coordinada a través de la jerarquía vertical. Utilice una estructura divisional en una organización grande con múltiples líneas de producto y cuando desee darle prioridad a las metas de producto y a la coordinación entre funciones.

Estructura divisional

El término **estructura divisional** se utiliza aquí como el término genérico para lo que algunas veces se denomina *estructura de producto* o *unidades estratégicas de negocio*. Mediante esta estructura, las divisiones se pueden organizar en función de sus productos individuales, servicios, grupos de producto, proyectos o programas principales, divisiones, negocios o centros de utilidades. La característica distintiva de una estructura divisional es que el agrupamiento está basado en los resultados organizacionales.

La diferencia entre una estructura divisional y una estructura funcional se ejemplifica en el cuadro 3.8. La estructura funcional puede rediseñarse en grupos de productos separados. Cada grupo comprende los departamentos funcionales de investigación y desarrollo, manufactura, contabilidad y marketing. La coordinación entre los departamentos comprendidos dentro de cada grupo de producto se maximiza. La estructura divisional promueve la flexibilidad y el cambio debido a que cada unidad es más pequeña y puede adaptarse a las necesidades de su entorno. Además, la estructura divisional *descentraliza* la toma de decisiones, debido a que las líneas de autoridad convergen a un nivel más bajo de la jerarquía. La estructura funcional, por el contrario, es *centralizada*, debido a que obliga a que las decisiones se encaucen hacia los niveles superiores antes de que un problema que repercute en varias funciones pueda ser resuelto.

Las fortalezas y debilidades de la estructura divisional se resumen en el cuadro 3.9. La estructura divisional es excelente para lograr la coordinación entre departamentos funcionales. Funciona bien cuando las organizaciones ya no pueden ser controladas con oportunidad a través de la jerarquía vertical tradicional, y cuando las metas están orientadas hacia la adaptación y el cambio. Las gigantes organizaciones complejas como General Electric, Nestlé y Johnson & Johnson se subdividen en una serie de organizaciones más

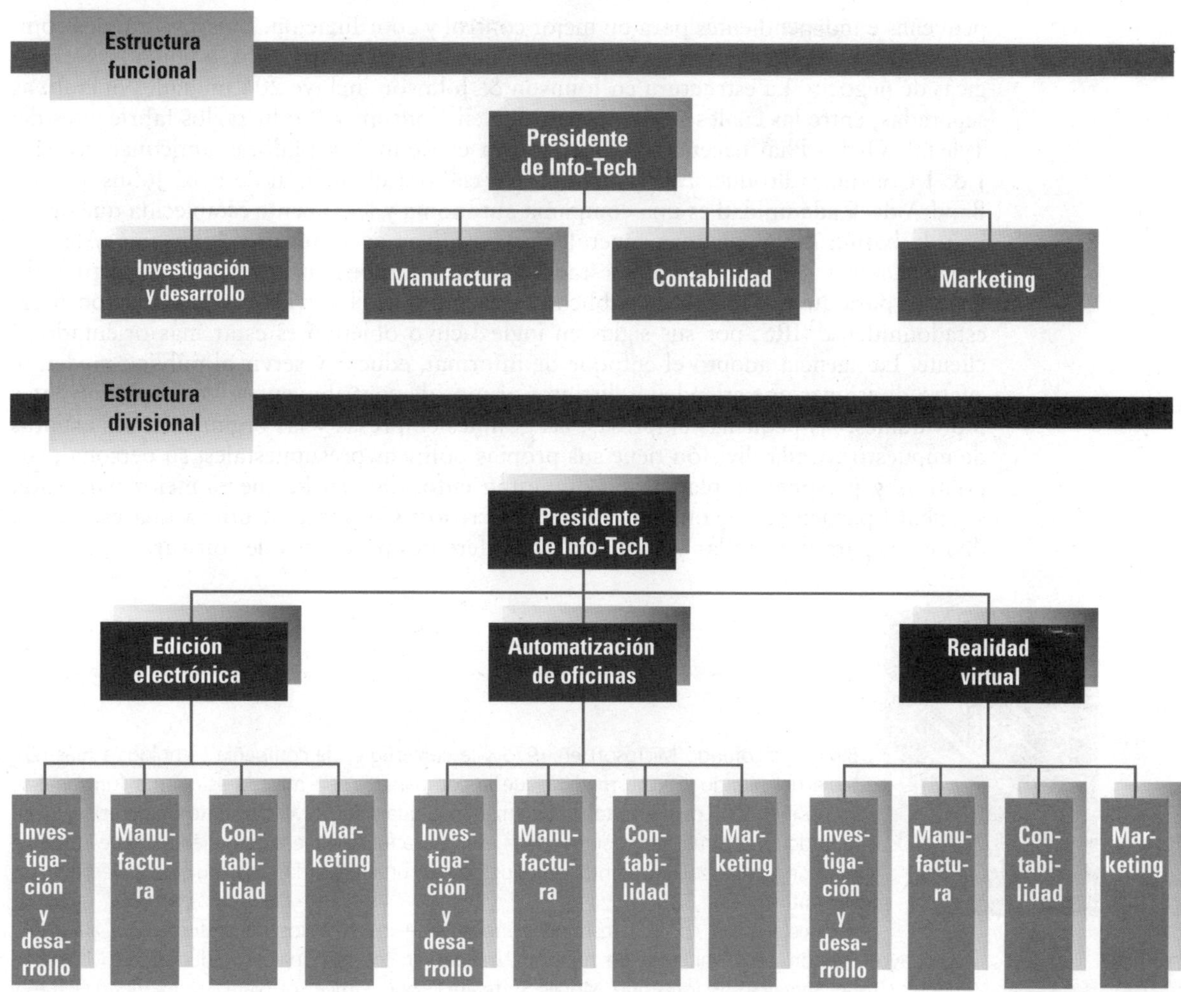

CUADRO 3.8
Reorganización de una estructura funcional a una estructura divisional en Info-Tech

CUADRO 3.9
Fortalezas y debilidades de la estructura divisional

Fortalezas	Debilidades
1. Adecuada para cambiar rápido en un entorno inestable. 2. Redunda en la satisfacción del cliente debido a que la responsabilidad del producto y los puntos de contacto están bien definidos. 3. Implica un grado alto de coordinación entre las funciones. 4. Permite que las unidades se adapten a diferencias en los productos, las regiones, los clientes. 5. Es mejor en organizaciones grandes con varios productos. 6. Descentraliza la toma de decisiones.	1. Elimina las economías de escala en los departamentos funcionales. 2. Repercute en una coordinación deficiente entre las líneas de productos. 3. Elimina la competencia especializada y la especialización técnica. 4. Dificulta la integración y estandarización entre las líneas de productos.

Fuente: Adaptado de Robert Duncan, "What Is the Right Organization Structure? Decision Tree Analysis Provides the Answer", *Organization Dynamics* (invierno, 1979), 431.

pequeñas e independientes para un mejor control y coordinación. En estas grandes compañías, las unidades algunas veces se denominan divisiones, negocios, o unidades estratégicas de negocio. La estructura en Johnson & Johnson incluye 204 unidades operativas separadas, entre las cuales se encuentra McNeil Consumer Products, los fabricantes del Tylenol; Ortho Pharmaceuticals, que fabrica el Retin-A y píldoras anticonceptivas: y J & J Consumer Products, la compañía que elabora el champú de bebé Johnson y las Band-Aids. Cada unidad es una compañía autónoma y legalmente establecida que opera bajo la batuta de las oficinas generales corporativas de Johnson y Johnson.[29] Algunas organizaciones gubernamentales estadounidenses también utilizan una estructura divisional para atender mejor al público. Un ejemplo es el servicio de recaudación fiscal estadounidense (IRS, por sus siglas en inglés) cuyo objetivo es estar más orientado al cliente. La agencia adoptó el enfoque de informar, educar y servir al público mediante cuatro divisiones que atienden a distintos grupos de contribuyentes: Los contribuyentes individuales, las pequeñas empresas, las grandes empresas y las organizaciones exentas de impuestos. Cada división tiene sus propias políticas presupuestales, su personal, sus políticas y personal de planeación que están enfocados en lo que es mejor para cada segmento particular de contribuyentes.[30] Microsoft Corporation utiliza una estructura divisional para desarrollar y comercializar diferentes productos de software.

En la práctica
Microsoft

Bill Gates cofundó Microsoft en 1975 y la convirtió en la compañía tecnológica más rentable del mundo. Pero a medida que la compañía crecía más, la estructura funcional se volvió ineficaz. Los empleados comenzaron a quejarse por la creciente burocracia y de la lentitud en la toma de decisiones. Una estructura funcional era demasiado lenta e inflexible para una organización grande que operaba en una industria tecnológica con vertiginosos movimientos.

Para acelerar las cosas y responder mejor ante los cambios del entorno, los altos ejecutivos crearon siete unidades de negocio basadas en los principales productos de Microsoft: Windows Group; Server Software Group; Mobile Software Group; Office Software Group; Video Games y XBox Group; Business Software Group y MSN-Internet Group. Cada división está dirigida por un gerente general y contiene la mayoría de las funciones de una compañía independiente, incluido el desarrollo de producto, ventas, marketing y finanzas.

Lo que en realidad hace que la nueva estructura sea revolucionaria para Microsoft es que a los directores de las siete divisiones se les ha dado libertad de autoridad para manejar el negocio y gastar sus presupuestos como consideren conveniente para alcanzar sus metas. Los directores generales y los directores de finanzas de cada división dictan sus propios presupuestos y administran sus propios estados de resultados. Antes, los dos altos ejecutivos, Bill Gates y Steven Ballmer, estaban implicados en casi todas las decisiones, pequeñas y grandes. Ahora, los directores de las divisiones están dotados de nueva autoridad y responsabilidad. Un directivo afirma sentirse "como estar administrando mi propia pequeña empresa".[31]

La estructura divisional tiene varias fortalezas que son benéficas para Microsoft.[32] Esta estructura es adecuada para afrontar los rápidos cambios en un entorno inestable y proporciona una alta visibilidad para el producto o servicio. Dado que cada línea de producto tiene su propia división, es posible que se logre la satisfacción del cliente ya que éste puede identificar con facilidad a la división correcta. La coordinación entre las funciones es excelente. Cada producto puede adaptarse a los requerimientos de los clientes o regiones. La estructura divisional por lo general funciona mejor en organizaciones que tienen múltiples productos o servicios y suficiente personal para las unidades funcionales independientes. En corporaciones como Johnson & Johnson, PepsiCo y Microsoft, la toma de decisiones es canalizada hacia los niveles menores. Cada división es a lo sumo pequeña para prepararse, y responder con rapidez a los cambios del mercado.

Una desventaja del empleo de la estructuración divisional es que la organización desaprovecha las economías de escala. En lugar de que 50 ingenieros de investigación compartan una instalación común en una estructura funcional, se pueden asignar 10 ingenieros a cada una de las cinco divisiones de producto. La masa crítica requerida para la investigación especializada se pierde, y las instalaciones físicas se tienen que duplicar para cada línea de producto. Otro problema es que las líneas de productos se separan unas de otras y la coordinación entre ellas puede ser difícil. Como lo afirmó un ejecutivo de Johnson & Johnson, "Tenemos que seguir recordándonos a nosotros mismos que trabajamos para la misma corporación".[33] En Microsoft existe la preocupación acerca de que las divisiones, ahora independientes, puedan comenzar a ofrecer productos y servicios que entren en conflicto entre sí.

Compañías como Xerox, Hewlett-Packard y Sony tienen un gran número de divisiones y han tenido problemas reales con la coordinación horizontal. Sony se ha quedado rezagado en el negocio de los productos de medios de comunicación digital, debido en parte a la deficiente coordinación. iPod de Apple capturó con rapidez el 60% del mercado estadounidense en comparación con el 10% de Sony. El negocio de la música digital depende de una coordinación homogénea. En la actualidad, el Walkman de Sony ni siquiera reconoce algunos de los equipos musicales que se pueden configurar mediante el software SonicStage de la compañía, y por lo tanto no se adapta bien a la división que vende descargas musicales. Sony ha establecido una nueva compañía, llamada Connect Co., en concreto para coordinar sus diferentes unidades hacia el desarrollo del negocio de los medios de comunicación digital.[34] A menos que se implementen mecanismos horizontales efectivos, una estructura divisional puede ocasionar problemas severos. Una división puede generar productos o programas que sean incompatibles con los productos vendidos por otra. Los clientes se frustran cuando un representante de ventas de una división no está enterado de los desarrollos en otras. La fuerza de tareas y otros mecanismos de vinculación son necesarios para coordinar las divisiones. La falta de especialización técnica también representa un problema en una estructura divisional. Los empleados se identifican con la línea del producto y no con una especialidad funcional. Por ejemplo, el personal de investigación y desarrollo tiende a realizar la búqueda aplicada al beneficio de la línea del producto, en lugar de hacer un examen básico que beneficie a la organización global.

Estructura geográfica

Otra base para el agrupamiento estructural son los usuarios o clientes de la organización. La estructura más común en esta categoría es la geografía. Cada región del país puede tener distintos gustos y necesidades. Cada unidad geográfica incluye todas las funciones requeridas para producir y comercializar productos o servicios en esa región. Las grandes organizaciones sin fines de lucro como Girl Scouts of the USA, Habitat for Humanity, Make-a-Wish Foundation y United Way of America con frecuencia utilizan un tipo de estructura geográfica, con oficinas centrales y unidades locales semiautónomas. La organización nacional proporciona un reconocimiento de marca, coordina los servicios de recaudación de fondos y maneja algunas funciones administrativas compartidas, mientras el control cotidiano y la toma de decisiones están descentralizados en unidades locales regionales.[35]

Para las corporaciones nacionales, se crean unidades independientes en diferentes países y partes del mundo. Hace algunos años, Apple Computer reorganizó su estructura de una funcional a una geográfica para facilitar la fabricación y reparto de computadoras Apple a clientes de todo el mundo. El cuadro 3.10 presenta una estructura que ilustra el enfoque geográfico. Apple utilizó esta estructura para enfocar a los directores y empleados en clientes geográficos específicos y objetivos de ventas. McDonald's dividió sus operaciones estadounidenses en cinco divisiones geográficas, cada una con su propio presidente y funciones de personal, como recursos humanos y departamento jurídico.[36] La estructura regional permite a Apple y McDonald's enfocarse en las necesidades de los clientes en un área geográfica.

CUADRO 3.10
Estructura geográfica de Apple Computer
Fuente: Apple Computer, Inc., regiones del mundo, *http://www.apple.com/find/areas.htm*, abril 18, 2000.

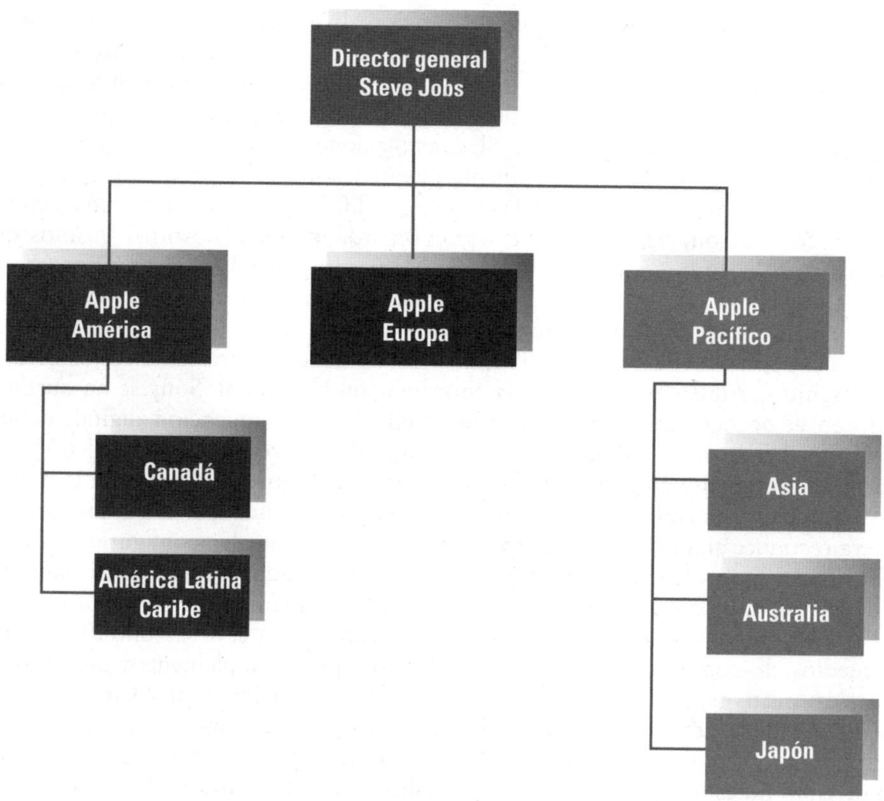

Las fortalezas y debilidades de una estructura divisional geográfica son similares a las características de la organización divisional presentadas en el cuadro 3.9. La organización puede adaptarse a las necesidades específicas de su propia región y los empleados identificarse con las ventas regionales y no con las ventas nacionales. La coordinación horizontal dentro de una región tiene mayor importancia que los vínculos entre las regiones o con la oficina nacional.

Estructura matricial

En ocasiones, la estructura organizacional necesita estar multienfocada tanto en el producto como en la función o precisa que el producto y la geografía tengan el mismo grado de importancia a la vez. Una forma de alcanzar esto es a través de la **estructura matricial.** La matriz se puede utilizar cuando la experiencia técnica, la innovación de productos y el cambio son importantes para alcanzar las metas organizacionales. La estructura matricial muchas veces es la respuesta cuando la organización se da cuenta de que las estructuras funcionales, divisionales y geográficas combinadas con mecanismos de vinculación horizontal no funcionarán.

La matriz es un sólido método de vinculación horizontal. La característica peculiar de la organización matricial es que tanto la división de productos como la estructura funcional (horizontal y vertical) se implementan de manera simultánea, como se muestran en el cuadro 3.11. Los gerentes de producto y los gerentes funcionales tienen una autoridad equivalente dentro de la organización, y los empleados les reportan a ambos. La estructura matricial es similar a la utilizada por los integradores de tiempo completo o por los gerentes de producto que se analizaron con anterioridad en este capítulo (cuadro 3.3), salvo que en la estructura matricial se ha dotado a los gerentes de producto (horizontal) de una autoridad formal equivalente a la de los directores funcionales (vertical).

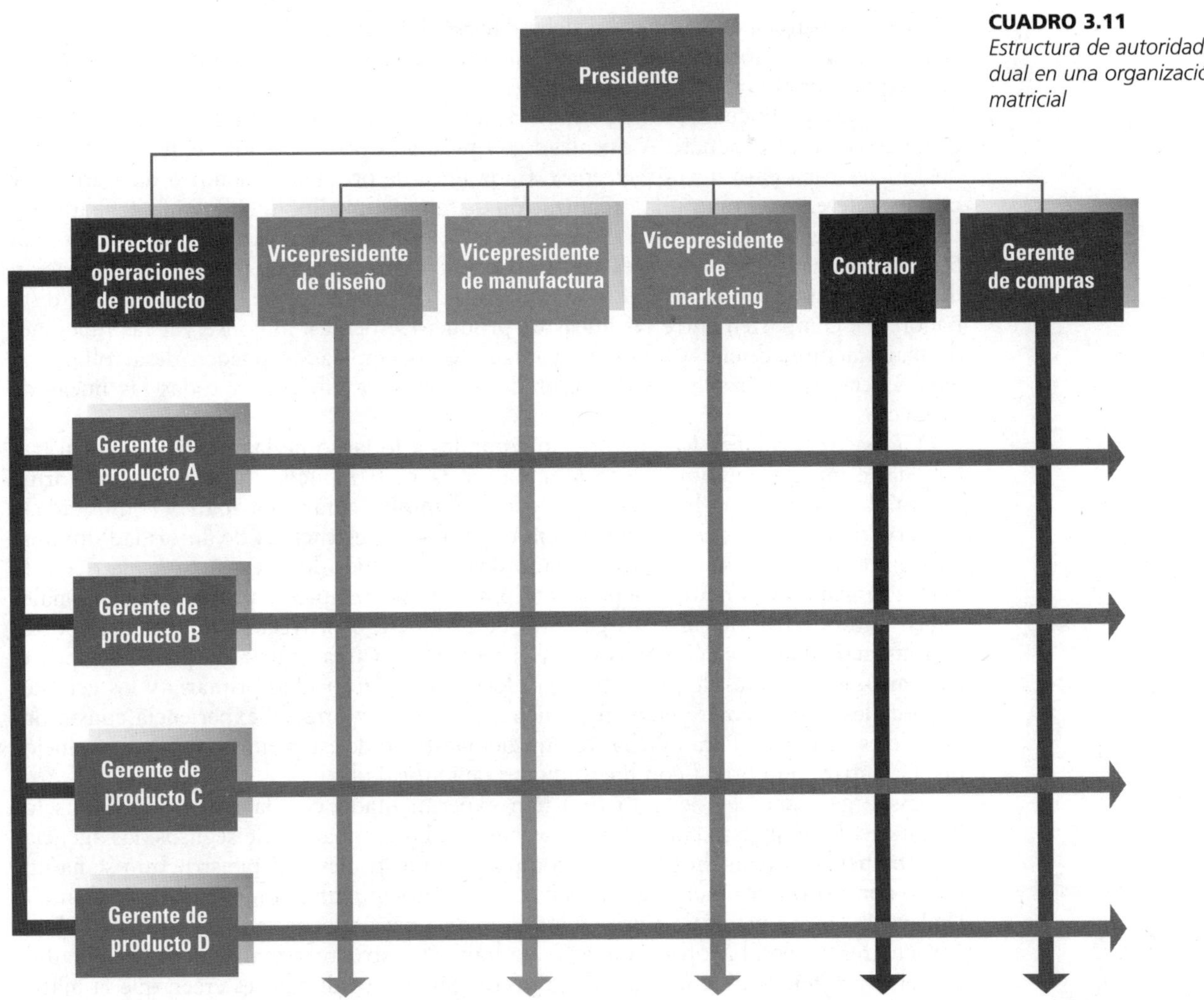

CUADRO 3.11
Estructura de autoridad dual en una organización matricial

Condiciones para la matriz

Una jerarquía dual puede parecer una forma poco usual de diseñar una organización, pero la matriz es la estructura correcta cuando se cumplen las siguientes condiciones:[37]

- *Condición 1.* Existe una presión para compartir recursos escasos entre las líneas de producto. Por lo general, la organización es mediana y tiene una cantidad moderada de líneas de producto. Se siente la presión de que el uso de la gente y el equipo sea flexible y compartido entre esos productos. Por ejemplo, la organización no es lo suficiente grande para asignar ingenieros de tiempo completo a cada línea de producto, de manera que los ingenieros se asignan de medio tiempo a varios productos o proyectos.
- *Condición 2.* Existe la presión del entorno para dos o más productos críticos, como conocimiento técnico especializado (estructura funcional) y nuevos productos frecuentes (estructura divisional). Esta presión dual significa que es necesario un equilibrio de poder entre los lados funcional y de producto de la organización, y se requiere una estructura de autoridad dual para mantener ese balance.
- *Condición 3.* El ámbito del entorno organizacional es tanto complejo como incierto. Los cambios externos frecuentes y la alta interdependencia entre los departamentos requieren una gran cantidad de coordinación y procesamiento de la información tanto en las direcciones verticales como en las horizontales.

Bajo estas tres condiciones, se debe dar igual reconocimiento a las líneas de autoridad verticales y horizontales. Por esa razón, se crea una estructura de autoridad dual para equilibrar el poder entre ambas vertientes.

Con base en el cuadro 3.11, suponga que la estructura matricial es para un fabricante de ropa. El producto A es calzado, el producto B son prendas exteriores, el producto C es ropa para dormir, etcétera. Cada línea de producto atiende a un mercado y clientes diferentes. Como una organización de tamaño medio, la compañía debe utilizar de manera efectiva al personal de manufactura, diseño y marketing para trabajar cada línea de producto. No se cuenta con suficientes diseñadores que garanticen la creación de un departamento de diseño para cada línea de producto, de manera que los diseñadores se comparten entre las líneas de producto. Además, al conservar las funciones de manufactura, diseño y marketing intactas, los empleados pueden desarrollar una experiencia especializada para atender de una manera eficiente a todas las líneas de producto.

La matriz formaliza los equipos horizontales a lo largo de la jerarquía vertical tradicional e intenta equilibrarlos. Sin embargo, la matriz puede cambiar de una forma u otra. Las compañías han encontrado difícil implementar una matriz equilibrada y conservarla debido a que con frecuencia un lado de la estructura de autoridad domina. Como consecuencia, se han desarrollado dos variaciones de la estructura matricial: la **matriz funcional** y la **matriz de producto**. En una matriz funcional, los jefes funcionales tienen autoridad primaria y los gerentes de producto o proyecto simplemente coordinan las actividades relacionadas con el producto. En una matriz de producto, por el contrario, los gerentes de proyecto o producto tienen autoridad primaria y los gerentes funcionales sólo asignan personal técnico a proyectos y ofrecen experiencia consultora cuando es necesario. Para muchas organizaciones, uno de estos enfoques funciona mejor que la matriz equilibrada con líneas duales de autoridad.[38]

Las organizaciones de todo tipo han experimentado con la matriz, incluidos los hospitales, las empresas consultoras, los bancos, las compañías de seguros, las agencias gubernamentales y muchos tipos de compañías industriales.[39] Esta estructura se ha utilizado con éxito por muchas grandes organizaciones globales como Procter & Gamble, Unilever y Dow Chemical, quien ajustó la matriz para adecuarla a sus metas y cultura particulares. General Motors comenzó a adoptar la estructura matricial en la unidad de servicios y sistemas de información de la compañía. Los directores creen que la matriz puede generar una mejor toma de decisiones y más creativa debido a que requiere la integración de diferentes puntos de vista.[40]

Como gerente de una organización, tenga en mente estos lineamientos:

Considere la estructura matricial cuando la organización necesite dar una prioridad equilibrada tanto a los productos como a las funciones debido a las presiones duales por parte de los clientes en el entorno. Utilice una matriz funcional o una matriz de producto si la matriz equilibrada con líneas duales de autoridad no es adecuada para su organización.

Fortalezas y debilidades

La estructura matricial es más efectiva cuando los cambios en el entorno son frecuentes y las ventas reflejan una necesidad dual, como son las metas tanto para productos como funcionales. La estructura de autoridad dual facilita la comunicación y coordinación para hacer frente a los rápidos cambios del entorno y permite un equilibrio entre los gerentes de producto y los funcionales. La matriz facilita el análisis de y la adaptación a problemas inesperados. Tiende a funcionar mejor en organizaciones de tamaño medio con pocas líneas de producto. La matriz no es necesaria para una sola línea de producto, y demasiadas líneas de productos pueden dificultar la coordinación en ambas direcciones a la vez. El cuadro 3.12 resume las fortalezas y debilidades de la estructura matricial basada en lo que se sabe de las organizaciones que la utilizan.[41]

La fortaleza de la matriz es que permite a la organización cumplir las demandas duales de los clientes en el entorno. Los recursos (personas, equipo) se pueden distribuir de manera flexible entre diferentes productos y la organización puede adaptarse a los requerimientos cambiantes externos.[42] Esta estructura también proporciona una oportunidad para los empleados de adquirir habilidades directivas generales o funcionales, según sus propios intereses.

Una desventaja de la matriz es que algunos empleados experimentan una autoridad dual, es decir, le reportan a dos jefes, y algunas veces hacen malabares para satisfacer

CUADRO 3.12
Fortalezas y debilidades de una estructura matricial

Fortalezas	Debilidades
1. Logra la coordinación necesaria para satisfacer las demandas duales de los clientes. 2. Los recursos humanos se comparten de manera flexible entre los productos. 3. Adecuada para decisiones complejas y cambios frecuentes en un ambiente inestable. 4. Ofrece la oportunidad para el desarrollo de habilidades funcionales y de producto. 5. Es más aplicable a organizaciones de tamaño medio con múltiples productos.	1. Ocasiona que los participantes experimenten una autoridad dual, lo cual puede ser frustrante y confuso. 2. Implica que los participantes necesiten buenas habilidades interpersonales y capacitación amplia. 3. Consume tiempo; requiere juntas frecuentes y sesiones para la resolución de conflictos. 4. No funciona a menos que los participantes la entiendan y adopten relaciones colegiadas y no de tipo vertical. 5. Requiere un gran esfuerzo para mantener el equilibrio de poder.

Fuente: Adaptado de Robert Duncan, "What Is the Right Organization Structure? Decision Tree Analysis Provides the Answer", *Organizational Dynamics* (invierno, 1979), 429.

demandas en conflicto. Esto puede ser frustrante y confuso, en especial si las funciones y responsabilidades no están claramente definidas por los altos directivos.[43] Los empleados que trabajan en una matriz necesitan excelentes habilidades interpersonales y de resolución de conflictos, lo cual puede requerir una capacitación especial en relaciones humanas. La matriz también obliga a los directivos a pasar una gran cantidad de tiempo en juntas.[44] Si los directivos no se adaptan al hecho de compartir la información y el poder que requiere la matriz, el sistema no funcionará. Los directivos deben colaborar entre sí, y no depender de la autoridad vertical en la toma de decisiones. Una implementación exitosa de la estructura matricial ocurrió en una compañía fabricante de acero en Gran Bretaña.

En la práctica

Englander Steel

En una época tan lejana que ya nadie recuerda, la industria del acero en Inglaterra era estable y segura. Entonces, en la décadas de 1989 y/o 1990, el exceso de la capacidad acerera europea, una depresión económica, la invención del horno eléctrico de arco para la industria del acero y la competencia por parte de los fabricantes de acero en Alemania y Japón cambiaron para siempre la industria inglesa del acero. Para la vuelta de siglo, las fábricas tradicionales de acero en Estados Unidos, como Bethlehem Steel Corp. y LTV Corp., estaban enfrentándose a la quiebra. Mittal Steel en Asia y el líder en la producción de acero, Arcelor, comenzaron a adquirir compañías acereras para convertirse en los gigantes del acero del mundo. La esperanza de supervivencia de los pequeños fabricantes tradicionales de acero era vender productos especializados. Una pequeña compañía podía comercializar productos especializados de manera agresiva y rápida para adaptarse a las necesidades del cliente. Las configuraciones complejas de los procesos y las condiciones de operación tuvieron que cambiar rápidamente con cada pedido de los clientes; una hazaña difícil para los gigantes.

Englander Steel empleó 2900 personas, fabricó 400 000 toneladas de acero anuales (aproximadamente 1% de la producción de Arcelor), y tenía 180 años de edad. Durante 160 de esos años, su estructura funcional marchó bien. A medida que el entorno se volvía más turbulento y competitivo, los directivos de Englander Steel se percataron de que no se daban abasto. cincuenta por ciento de los pedidos de Englander estaban atrasados. Las utilidades habían sido mermadas por los costos crecientes de mano de obra, material y energía. La participación de mercado disminuyó.

CUADRO 3.13
Estructura matricial de Englander Steel

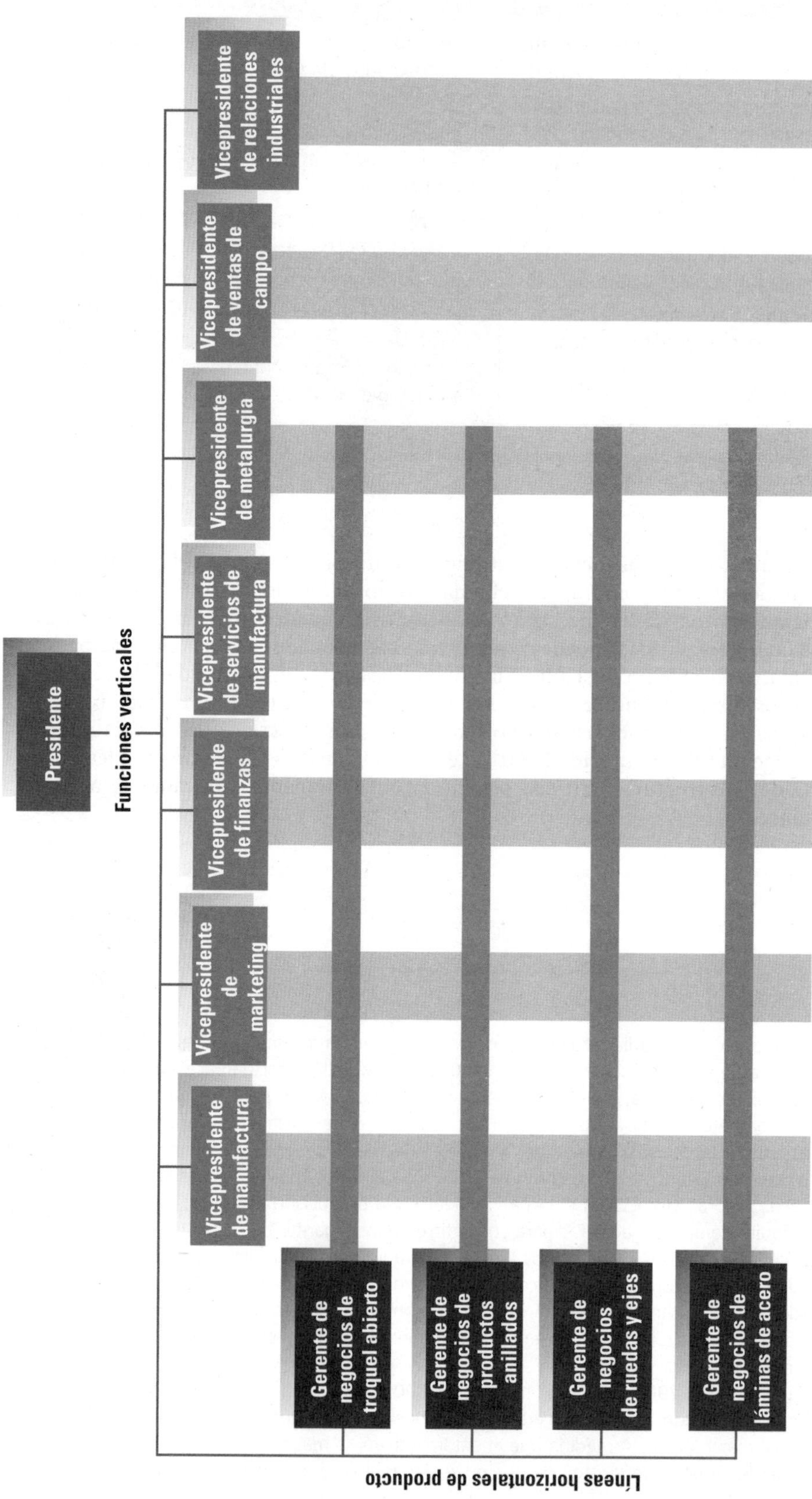

Con la ayuda del consejo de expertos externos, el presidente de Englander Steel se dio cuenta de que la compañía tenía que caminar por la cuerda floja. Se tenía que especializar en algunos productos de valor agregado hechos a la medida para mercados individuales, mientras mantenían las economías de escala y una tecnología sofisticada dentro de departamentos funcionales. Esta presión dual dio como resultado una solución inusual para la compañía productora de acero: Una estructura matricial.

Englander Steel tenía cuatro líneas de producto: Forjaduras de troquel abierto, productos anillados por fresadora, ruedas y ejes y acero laminado. La responsabilidad y autoridad sobre cada línea fue dada a un gerente de negocios, cada línea incluía la preparación de un plan de negocios y el desarrollo de objetivos para costos de producción, inventario de producto, fechas de entrega y utilidad bruta. A los gerentes se les dotó de autoridad para cumplir con esos objetivos y hacer de sus líneas negocios rentables. Los vicepresidentes funcionales eran responsables de las decisiones técnicas. Se esperaba que gerentes funcionales estuvieran al tanto de los avances en las últimas técnicas de sus respectivas áreas y que mantuvieran capacitado al personal en lo referente a las nuevas tecnologías que se pudieran aplicar a las líneas de producto. Con 20000 recetas para acero de especialidad y varios cientos de nuevas fórmulas que se requerían cada mes, el personal funcional tenía que estar al día. Dos departamentos funcionales: ventas de campo y relaciones industriales, no estaban incluidos en la matriz debido a que trabajaban de manera independiente. El diseño final resultó ser una estructura matricial híbrida, tanto con relaciones funcionales como matriciales, como se ilustran en el cuadro 3.13.

La implementación de la matriz fue lenta. Los gerentes de rango medio estaban confundidos. Las juntas para coordinar pedidos entre los departamentos funcionales se convocaban a diario. Después de casi un año de capacitación por parte de consultores externos, Englander Steel iba por buen camino. Ahora, el 90% de los pedidos se entregan a tiempo y la participación de mercado se ha recuperado. Tanto la productividad como la rentabilidad han aumentado de manera continua. Los directivos avanzan en la implementación de la matriz. Las juntas para coordinar las decisiones funcionales y de producto ofrecen una experiencia enriquecedora. Los gerentes de rangos medios están comenzando a involucrar a gerentes más jóvenes en las discusiones matriciales como una forma de capacitación para su futura responsabilidad gerencial.[45]

Este ejemplo ilustra el uso correcto de una estructura matricial. La presión dual para mantener las economías de escala y comercializar cuatro líneas de productos dio un énfasis equilibrado a las jerarquías funcionales y de producto. A través de juntas continuas para la coordinación, Englander Steel hizo posible tanto las economías de escala como la flexibilidad.

Estructura horizontal

Un reciente enfoque para la organización es la **estructura horizontal,** la cual organiza al empleado alrededor de los procesos centrales. Por lo general, las organizaciones adoptan una estructura horizontal durante un procedimiento denominado **reingeniería.** La reingeniería, o **reingeniería de procesos de negocios,** básicamente implica el rediseño de una organización vertical. Con sus flujos de trabajo y procesos horizontales. Un **proceso** se refiere a un grupo organizado de tareas relacionadas y actividades que trabajan de manera conjunta para transformar las entradas en salidas que creen valor para los clientes.[46] La reingeniería cambia la forma en que los directivos piensan acerca de cómo se realiza el trabajo. En lugar de enfocarse en tareas estrechas estructuradas en distintos departamentos funcionales, se enfatizan los procesos centrales que inciden en forma horizontal en la organización y se involucran equipos de trabajo que trabajan en conjunto para servir a los clientes. Algunos ejemplos de procesos son el despacho de pedidos, el desarrollo de nuevos productos y el servicio al cliente.

Las reclamaciones de seguros en Progressive Casualty Insurance Company constituyen un buen ejemplo de proceso. En el pasado, un cliente reportaba un accidente a un agente, quien transmitía la información al representante de servicio del cliente, quien a su vez, pasaría esto al gerente de reclamaciones. El gerente de reclamaciones clasificaría la queja por lotes con otras según el territorio y la asignaría un ajustador, quien programaría una fecha para inspeccionar el vehículo dañado. En la actualidad, los ajustadores están organizados en equipos que manejan el proceso completo de reclamaciones desde el principio hasta el final. Un miembro maneja a las llamadas del quejoso mientras otros están estacionados en el campo. Cuando un ajustador toma una llamada, hace todo lo posible a través del teléfono. Si se necesita una inspección, el ajustador contacta a un miembro del equipo en el campo y programa de inmediato una cita. El tiempo que transcurre de una llamada a la inspección se mide ahora en horas y no en días; anteriormente de 7 a 10 días.[47]

Cuando una compañía está aplicando la reingeniería a una estructura horizontal, todas las personas en la organización que trabajan en un proceso particular (como manejo de reclamaciones o despacho de pedidos) tienen un acceso fácil entre ellas, de manera que puedan comunicarse y coordinar sus esfuerzos. La estructura horizontal de manera virtual elimina tanto la jerarquía vertical como las antiguas fronteras departamentales. En gran medida, este enfoque estructural es una respuesta a los cambios profundos que han ocurrido en el lugar de trabajo y en el entorno de negocios durante los pasados 15 a 20 años. El progreso tecnológico enfatiza la integración entre la automatización e Internet y la coordinación. Los clientes esperan un servicio más rápido y mejor, y los empleados oportunidades para utilizar sus mentes, aprender nuevas habilidades y asumir responsabilidades más importantes. Las organizaciones atoradas en un paradigma vertical han tenido grandes dificultades para hacer frente a estos retos. Así, varias organizaciones han experimentado con los mecanismos horizontales como los equipos transfuncionales para lograr la coordinación entre los departamentos o fuerza de tareas para llevar a cabo proyectos temporales. Cada vez más, las organizaciones se están alejando de las estructuras basadas en funciones y jerarquías, y están adoptando estructuras basadas en procesos horizontales.

Características

Como gerente de una organización, tenga en mente estos lineamientos:

Considere una estructura horizontal cuando las necesidades y demandas del cliente cambian con rapidez y cuando el aprendizaje y la innovación son vitales para el éxito de la organización. Con cuidado determine los procesos centrales y capacite a gerentes y empleados para trabajar dentro de la estructura horizontal.

En el cuadro 3.14 se muestra un ejemplo de una compañía en la que se aplicó la reingeniería para plasmarla en una estructura horizontal. Una organización de este tipo tiene las siguientes características:[48]

- La estructura está creada alrededor de procesos centrales transfuncionales y no de tareas, funciones o geografía. Así, se eliminan las fronteras entre departamentos. La división de servicio al cliente de Ford Motor Company, por ejemplo, tiene grupos de procesos centrales para el desarrollo de negocios, suministro de partes y logística, servicios y programas a vehículos y soporte técnico.
- Los equipos independientes, no individuales son la base del diseño y desarrollo organizacionales.
- Los dueños de los procesos tienen la responsabilidad de cada proceso central en toda su magnitud. Por ejemplo, para los procesos de suministro y logística de las partes Ford, varios equipos pueden trabajar en tareas como análisis de partes, compras, flujo de material y distribución, pero el dueño de un proceso es responsable de coordinar el proceso global.
- La gente en el equipo está dotada de las capacidades, herramientas, motivación y autoridad para hacer que las decisiones se centren en el desempeño del equipo. Los miembros del equipo están capacitados en varias disciplinas, para poder desempeñar el trabajo de otro, y las habilidades combinadas son suficientes para realizar una tarea organizacional importante.
- Los equipos tienen la libertad de pensar con creatividad y responder con flexibilidad ante los nuevos retos que surjan.
- Los clientes son el motor de la corporación horizontal. La efectividad se mide mediante los objetivos de desempeño de final de proceso (basados en la meta de brindar valor al cliente), así como en la satisfacción del cliente, satisfacción del empleado y contribución financiera.
- La cultura es de apertura, confianza y colaboración, y está enfocada en la mejora continua. La cultura valora el *empowerment* para el empleado, responsabilidad y bienestar.

La planta de General Electric en Salisbury, Carolina del Norte, adoptó una estructura horizontal para mejorar la flexibilidad y el servicio al cliente.

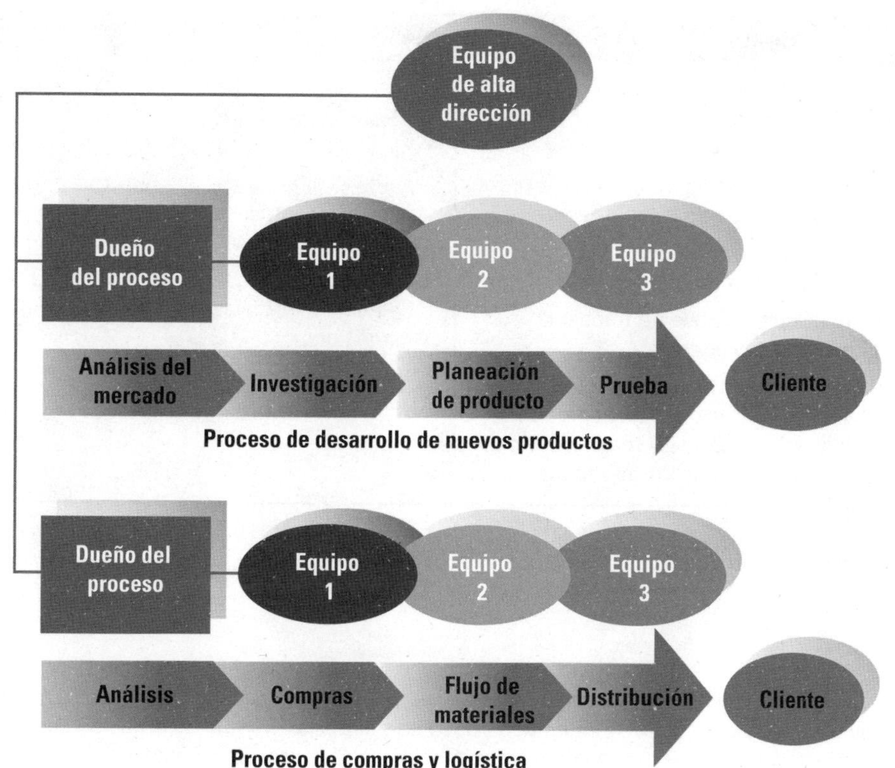

CUADRO 3.14
Una estructura horizontal
Fuente: Basado en *The Horizontal Organization* de Frank Ostroff (Nueva York: Oxford University Press, 1999). "The Horizontal Corporation" de John A. Byrne, *BusinessWeek* (20 de diciembre de 1993), 76-81; y "The Search of the Organization of Tomorrow", de Thomas A. Stewart, *Fortune* (18 de mayo de 1992), 92-98.

En la práctica
GE Salisbury

La planta de General Electric en Salisbury, Carolina del Norte, que fabrica tableros de iluminación para propósitos industriales y comerciales, solía organizarse de manera funcional y vertical. Debido a que no hay dos clientes de GE que tengan necesidades idénticas, cada tablero tenía que configurarse y construirse según los pedidos, los cuales con frecuencia creaban cuellos de botella en el proceso de producción estandarizado. A mediados de la década de 1980, GE se enfrentó a altos costos en la línea de producto, servicio inconstante al cliente y una disminución en la participación de mercado. En consecuencia, los gerentes comenzaron a explorar nuevas formas de organizarse que pudieran enfatizar el trabajo en equipo, la responsabilidad, la mejora continua, el *empowerment* y el compromiso con el cliente.

Para principios de la década de 1990, GE Salisbury había puesto en marcha la transición hacia una estructura horizontal que vinculara conjuntos de equipos con múltiples capacidades que fueran responsables del proceso global de fabricar de acuerdo con las estipulaciones del pedido. La nueva estructura está basada en la meta de producir tableros luminosos "de la mejor calidad posible, en el ciclo de tiempo más corto posible, a un precio competitivo, y con el mejor servicio posible". El proceso está compuesto por cuatro equipos vinculados, cada uno conformado por 10 a 15 miembros que representan un ámbito de capacidad y función. El equipo de control de producción sirve como propietario del proceso (como se indicó en el cuadro 3.14) y su responsabilidad es la recepción del pedido, la planeación, la coordinación de producción, las compras, el trato con proveedores y clientes, el seguimiento del inventario y el mantener a todos los equipos enfocados en el cumpliento de los objetivos. El equipo de fabricación corta, construye, suelda y pinta diferentes partes que constituyen la caja de acero en la que se situarán los componentes eléctricos del panel, el cual se ensambla y se pone a prueba por el equipo del personal de componentes eléctricos. El equipo de componentes eléctricos también maneja el envío. Un equipo de mantenimiento se encarga de la reparación del equipo pesado, el cual no puede realizarse como parte del proceso de producción habitual. Los gerentes se han convertido en consejeros asociados que fungen como guías y entrenadores para brindar su experiencia a los equipos según sea necesario.

CUADRO 3.15
Fortalezas y debilidades de la estructura horizontal

Fortalezas	Debilidades
1. Promueve la flexibilidad y la respuesta rápida ante los cambios en las necesidades del cliente. 2. Dirige la atención de todos hacia la producción y entrega de valor al cliente. 3. Cada empleado tiene una visión más amplia de las metas organizacionales. 4. Promueve un enfoque de trabajo en equipo y colaboración. 5. Mejora la calidad de vida de los empleados al ofrecerles la oportunidad de compartir la responsabilidad, tomar decisiones y ser responsables de los resultados.	1. Determinar los procesos centrales es difícil y consume tiempo. 2. Requiere cambios en la cultura, diseño de puestos, filosofía de administración, sistemas de recompensas e información. 3. Los directivos tradicionales pueden poner obstáculos para que los empleados trabajen de manera efectiva en un entorno horizontal de equipo. 4. Puede limitar el desarrollo de habilidades especializadas.

Fuentes: Basado en Frank Ostroff, *The Horizontal Organization: What the Organization of the Future Looks Like and How It Delivers Value to Customers* (Nueva York: Oxford University Press, 1999); y Richard L. Daft, *Organization Theory and Design*, 6a. Ed. (Cincinnati, Ohio, South-Western, 1998), 253.

La clave para el éxito de la estructura horizontal es que todos los equipos en la operación trabajen en conjunto y tengan acceso a la información que necesitan para alcanzar las metas de equipo y de proceso. A los equipos se les ofrece información acerca de ventas, pedidos retrasados, inventario, necesidades de personal, productividad, costos, calidad y otros datos y por lo general, cada equipo comparte información acerca de su parte en el proceso de construcción basada en el pedido con otros equipos. Las juntas de producción, la rotación de puestos y la capacitación multidisciplinaria de los empleados son algunos de los mecanismos que ayudan a una integración sin dificultades. Los equipos vinculados asumen la responsabilidad de establecer sus propios objetivos de producción, determinan sus agendas de producción, asignan deberes e identifican y resuelven problemas. La productividad y el desempeño han mejorado en forma radical gracias a la estructura horizontal. Los cuellos de botella en el flujo de trabajo, que alguna vez causaran estragos en los programas de producción, se han eliminado virtualmente. Los plazos de entrega de seis semanas se han recortado a dos días y medio. Factores más sutiles, pero igual de importantes, son los incrementos en la satisfacción del empleado y del cliente, que GE, Salisbury, ha logrado desde que implementó esta nueva estructura.[49]

Fortalezas y debilidades

Al igual que todas las estructuras, la estructura horizontal tiene fortalezas así como debilidades. Las fortalezas y debilidades de la estructura horizontal se muestran en el cuadro 3.15.

La fortaleza más importante de la estructura horizontal es que puede incrementar en forma radical la flexibilidad en la compañía y en su respuesta ante los cambios en las necesidades del cliente, debido a su coordinación mejorada. La estructura dirige la atención de todos hacia el cliente, lo cual genera una mayor satisfacción en el mismo, así como mejoras en la productividad, velocidad y eficiencia. Además, como no hay fronteras entre los departamentos funcionales, los empleados tienen una visión más amplia de las metas organizacionales en lugar de estar enfocados en las metas de un solo departamento. La estructura horizontal promueve un énfasis en el trabajo en equipo y en la cooperación, así, los miembros del equipo comparten el compromiso de lograr objetivos comunes. Por último, la estructura horizontal puede mejorar la calidad de vida de los empleados al brindarles la oportunidad de compartir la responsabilidad, tomar decisiones y contribuir de manera significativa a la organización.

Una debilidad de la estructura horizontal es que puede dañar en vez de ayudar al desempeño organizacional, a menos que los directivos determinen con cuidado cuáles son los procesos centrales críticos para ofrecer valor a los clientes. Definir sólo el proceso alrededor del cual organizarse puede ser difícil. Además, adoptar una estructura horizontal es complicado y consume tiempo debido a que requiere cambios importantes en la cultura, diseño de puestos, filosofía de administración y en los sistemas de recompensas e información. Los directivos tradicionales pueden poner obstáculos al momento de ceder poder y autoridad, para, en su lugar, servir como coaches y moderadores de los equipos. Los empleados tienen que capacitarse para trabajar de una manera efectiva en un entorno de equipo. Por último, debido a la naturaleza transfuncional del trabajo, una estructura horizontal puede limitar el conocimiento especializado y el desarrollo de habilidades a menos que se tomen medidas para ofrecer a los empleados la oportunidad de conservar y forjar un expertise técnico.

Estructura de red virtual

La estructura de red virtual extiende el concepto de coordinación y colaboración horizontal más allá de las fronteras de la organización tradicional. Muchas organizaciones contemporáneas encargan algunas de sus actividades a otras compañías que pueden realizarlas con mayor eficiencia. El **outsourcing** implica contratar ciertas funciones corporativas, como manufactura, tecnología de la información y procesamiento de crédito a otras compañías. Esta es una tendencia importante en todas las industrias que está afectando a la estructura organizacional.[50] Por ejemplo, Accenture maneja todos los aspectos de tecnología de la información del minorista de alimentos británico, J. Sainsbury's. Compañías en India, Malasia y Escocia administran centros de atención telefónica y soporte técnico para compañías estadounidenses de cómputo y de telefonía celular. Piezas completas de automóviles de GM y aviones Bombardier se diseñan y fabrican por contratistas externos. Fiat Auto está implicado en múltiples relaciones complejas de *outsourcing* con otras compañías que manejan su logística, mantenimiento y manufactura de algunas partes.[51]

Estas relaciones entre las organizaciones reflejan el cambio significativo en el diseño organizacional. Algunas organizaciones llevan el *outsourcing* al extremo y crean una **estructura de red virtual**, algunas veces llamada *estructura modular*, mediante la cual la empresa subcontrata muchos o la mayoría de sus procesos principales a compañías independientes y coordina sus actividades desde una pequeña base de operaciones.[52]

Cómo funciona la estructura

La organización de red virtual puede ser vista como un centro rodeado por una red de especialistas externos. En lugar de hospedarse bajo un mismo techo o situarse dentro de una organización, los servicios como contabilidad, diseño, manufactura, marketing y distribución son subcontratados a compañías separadas que están conectadas en forma electrónica a una oficina central. Los socios organizacionales ubicados en diferentes partes del mundo pueden utilizar computadoras en red o Internet para intercambiar datos e información de manera tan rápida y sin dificultad, que una red libremente conectada de proveedores, fabricantes y distribuidores pueden verse y actuar como una compañía bien integrada. La forma de red virtual incorpora el estilo de libre mercado para reemplazar la jerarquía vertical tradicional. Los subcontratistas pueden fluir dentro y fuera del sistema según sea necesario para cubrir las necesidades cambiantes.

Con una estructura en red, el centro conserva el control sobre el proceso, en el cual tiene capacidades de clase mundial o difíciles de imitar y después transfiere a otros las actividades, junto con la toma de decisiones y control sobre ellas, a otras organizaciones. Estas organizaciones asociadas organizan y cumplen su trabajo mediante sus propias

Como gerente de una organización, tenga en mente estos lineamientos:

Utilice una estructura de red virtual para extremar la flexibilidad y la rápida respuesta ante condiciones cambiantes del mercado. Enfóquese en actividades clave que den a la organización su ventaja competitiva y subcontrate otras actividades a socios que seleccione con cuidado.

ideas, activos y herramientas.[53] La idea es que una empresa pueda concentrarse en lo que hace mejor y subcontratar fuera todo lo demás a compañías con capacidades distintivas en esas áreas específicas, lo que permite a la organización hacer más con menos.[54] La estructura en red muchas veces es ventajosa para compañías principiantes, como TiVo Inc., la compañía que introdujo la videograbadora personal.

En la Práctica

TiVo Inc.

"Amo a mi TiVo más que a mi esposa", afirma Craig Volpe, un gerente de ventas de 36 años de edad en Chicago. Lo dice y al mismo tiempo se ríe, pero mucha gente siente una pasión similar. El mercado de los sistemas de videograbadoras personales es apasionante, y las principales compañías en electrónica, cable y satelitales están poniendo manos a la obra en este negocio. La compañía que lo comenzó todo fue TiVo Inc., una pequeña organización con sede en el área de la bahía de San Francisco.

Los fundadores de TiVo desarrollaron una tecnología que permitía a los usuarios grabar hasta 80 horas de televisión y repetirlas a su conveniencia, sin cortes comerciales y sin las molestias de los medios digitales de almacenamiento o videocasetes. El sistema incluso puede localizar y grabar los programas favoritos a pesar de los cambios en la programación.

Los líderes de las compañías sabían que la velocidad era esencial si querían tomar este nuevo mercado por asalto. La única forma de hacerlo era mediante la subcontratación prácticamente de todo. TiVo desarrolló en primer lugar sus sociedades de manufactura y marketing con grandes compañías como Sony, Hughes Electronics y Royal Philips Electronics. Además, la compañía subcontrató la distribución, las relaciones públicas, la publicidad y el soporte al cliente. Los directivos de TiVo consideraron la función de soporte al cliente particularmente crítica. Debido a que TiVo era un nuevo concepto, los enfoques ordinarios de centros de atención telefónica no funcionarían. Los líderes de la compañía trabajan muy unidos con ClientLogic para desarrollar procesos y materiales de capacitación que puedan ayudar a los agentes de servicio al cliente "a pensar igual que un cliente Tivo".

Gracias a la estructura de red virtual se permite a las pequeñas, pero crecientes compañías como TiVo obtener capacidades avanzadas necesarias sin tener que gastar tiempo y recursos financieros limitados en la construcción de una organización desde cero. Los líderes de TiVo concentraron su atención en la innovación tecnológica y en el desarrollo y administración de las múltiples sociedades necesarias para que TiVo triunfara. En la actualidad, la funcionalidad de TiVo está incorporada en los sistemas de videograbación digital de Sony, Toshiba y Direct TV, así como de Comcast, el operador de cable número 1 del país. La asociación reciente con Comcast es crucial. Sin un socio de cable, para TiVo sería difícil seguir siendo un jugador importante en el creciente mercado de las videograbadoras digitales.[55]

TiVo enfrenta una fuerte competencia, pero gracias a la estructura en red lleva ya una gran delantera. El cuadro 3.16 ilustra la estructura de red simplificada de Tivo, en la que se muestran algunas funciones que son subcontratadas a otras compañías.

Fortalezas y debilidades

El cuadro 3.17 resume las fortalezas y debilidades de la estructura de red virtual. Una de las mayores fortalezas es que la organización, sin importar qué tan pequeña sea, puede ser en verdad global, y obtener recursos de todo el mundo para lograr una mejor calidad y precio, y después vender con facilidad productos o servicios en todo el mundo mediante subcontratistas. La estructura de red también permite a una nueva pequeña compañía, como TiVo, desarrollar productos o servicios y lanzarse al mercado rápido sin enormes inversiones en fábricas, equipo, bodegas o instalaciones de distribución. La capacidad de ordenar y reordenar recursos para satisfacer las necesidades cambiantes y atender mejor a los clientes proporciona a la estructura de red flexibilidad y la habilita

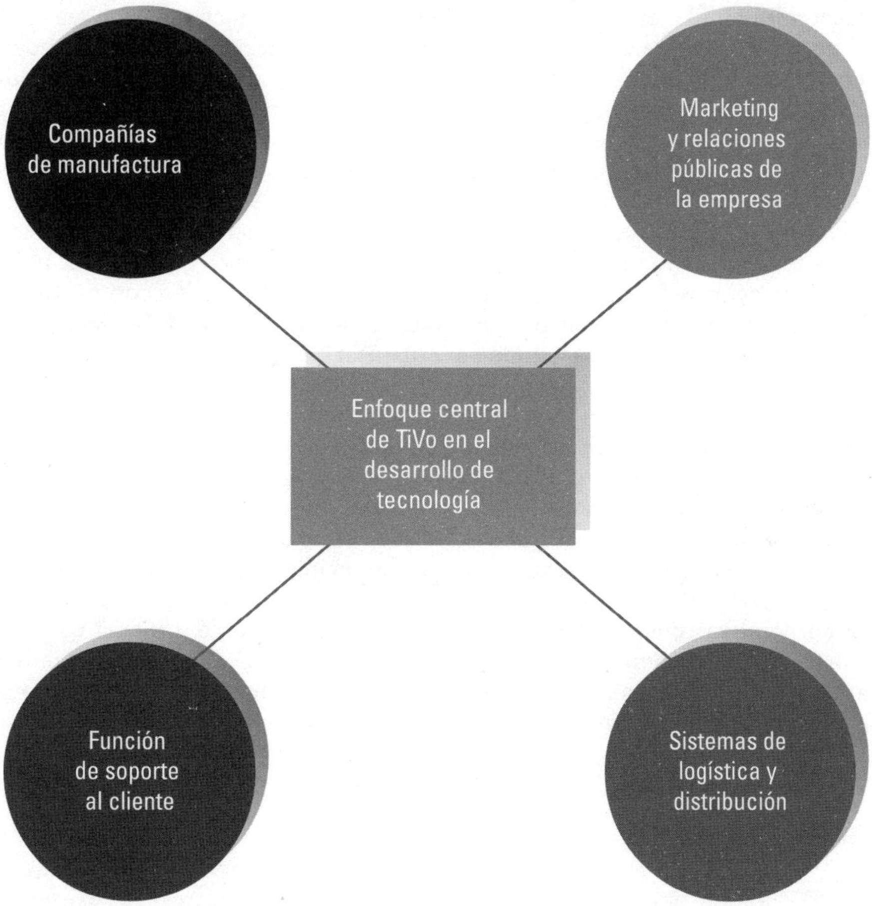

CUADRO 3.16
Estructura parcial de red virtual en TiVo

CUADRO 3.17
Fortalezas y debilidades de la estructura de red virtual

Fortalezas	Debilidades
1. Permite incluso a las pequeñas organizaciones obtener talentos y recursos de todo el mundo. 2. Da a una compañía una escala y alcance inmediatos sin grandes inversiones en fábricas, equipos o instalaciones de distribución. 3. Permite a la organización ser más flexible y sensible a las necesidades cambiantes. 4. Reduce los costos generales de administración.	1. Los directores no tienen el control total sobre muchas actividades y empleados. 2. Requiere una gran cantidad de tiempo para manejar las relaciones y conflictos potenciales con socios contratistas. 3. Existe el riesgo de fracaso organizacional si un socio no cumple con las entregas o se sale del negocio. 4. La lealtad del empleado y la cultura corporativa pueden ser débiles debido a que los trabajadores sienten que pueden ser reemplazados mediante la subcontratación de sus servicios.

Fuentes: Basado en Linda S. Ackerman, "Transition Management: An In-Depth Look at Managing Complex Change", *Organizational Dynamics* (verano 1982), 46-66; y Frank Ostroff, *The Horizontal Organization* (Nueva York: Oxford University Press, 1999), figura 2.1, 34.

para responder rápido. Se puedan desarrollar con urgencia nuevas tecnologías al hacer uso de su red mundial de expertos. La organización con frecuencia se puede redefinir a sí misma para adecuarse al producto o a las oportunidades cambiantes de mercado. La reducción de costos generales administrativos representa una fortaleza final. Los grandes equipos de especialistas y gerentes no son necesarios. El talento gerencial y técnico puede estar enfocado en actividades clave que proporcionan una ventaja competitiva mientras otras ocupaciones se subcontratan.[56]

La red virtual también tiene varias debilidades.[57] La principal es la falta de control. La estructura de red lleva la descentralización hasta el extremo. Los gerentes no tienen todas las operaciones bajo su jurisdicción y debe depender de los contratos, coordinación y negociación para mantener las cosas en orden. Esto también significa que se requiere una cantidad mayor de tiempo para manejar las relaciones con socios y resolver conflictos.

Un problema de igual importancia es el riesgo del fracaso si un socio organizacional no cumple con las entregas, se incendia su fábrica o sale del negocio. Los directivos en las oficinas generales de la organización tienen que actuar con prontitud para ubicar los problemas y encontrar nuevas soluciones. Al final, desde la perspectiva de recursos humanos, la lealtad del trabajador puede ser débil en una organización en red debido a preocupaciones acerca de su seguridad laboral. Los empleados pueden sentir que pueden ser reemplazados por otros servicios contratados. Además, es más difícil desarrollar una cultura corporativa cohesiva. La rotación puede ser alta debido a que el compromiso emocional entre la organización y sus empleados es bajo. Con productos cambiantes, mercados y socios, la organización puede necesitar realizar una reorganización de los empleados para obtener la mezcla correcta de habilidades y capacidades.

Estructura híbrida

Como una cuestión práctica, muchas estructuras en el mundo real no existen en las formas puras que se han delineado en este capítulo. Las organizaciones muchas veces utilizan una **estructura híbrida** que combina características de varios enfoques adaptados a la medida de sus necesidades estratégicas específicas. La mayoría de las compañías combina características de estructuras funcionales, divisionales, geográficas, horizontales o de red para sacar ventaja de las fortalezas de estas diferentes modalidades y evitar algunas de sus debilidades. Las estructuras híbridas tienden a utilizarse en entornos cambiantes debido a que ofrecen a la organización una mayor flexibilidad.

Como gerente de una organización, tenga en mente estos lineamientos:

Implemente estructuras híbridas, cuando sea necesario, para combinar las características de estructuras funcionales, divisionales y horizontales. Utilice la estructura híbrida en entornos complejos para aprovechar las fortalezas de diferentes características estructurales y evitar algunas de sus debilidades.

Un tipo de híbrido que muchas veces se utiliza es la combinación de características de las estructuras funcionales y divisionales. Cuando una corporación crece y tiene varios productos o mercados, por lo general está organizada en divisiones independientes de algún tipo. Las funciones que son importantes para cada producto o mercado se descentralizan en unidades independientes. Sun Petroleum Products Corporation (SPPC) se reorganizó según una estructura híbrida para volverse más sensible a los mercados cambiantes. La estructura de organización híbrida adoptada por SPPC está ilustrada en la parte 1 del cuadro 3.18. Se crearon tres principales divisiones de producto: combustibles, lubricantes y químicos, cada una con un diferente mercado y con la necesidad de una estrategia y un estilo de administración diferentes. Cada vicepresidente de línea de producto está ahora a cargo de todas las funciones de ese producto, como de marketing, abasto y distribución y manufactura. No obstante, las actividades como recursos humanos, jurídicas, tecnológicas y financieras se centralizaron como departamentos funcionales y oficinas generales con el fin de lograr economías de escala. Cada uno de estos departamentos provee servicios a la organización entera.[58]

Un segundo enfoque híbrido cada vez más utilizado en la actualidad consiste en combinar las características de las estructuras funcionales y horizontales. La división de servicios cliente de Ford, una operación global que está constituida por 12 000 empleados que atienden casi 15 000 concesionarias, ofrecen un ejemplo de este tipo de híbrido.

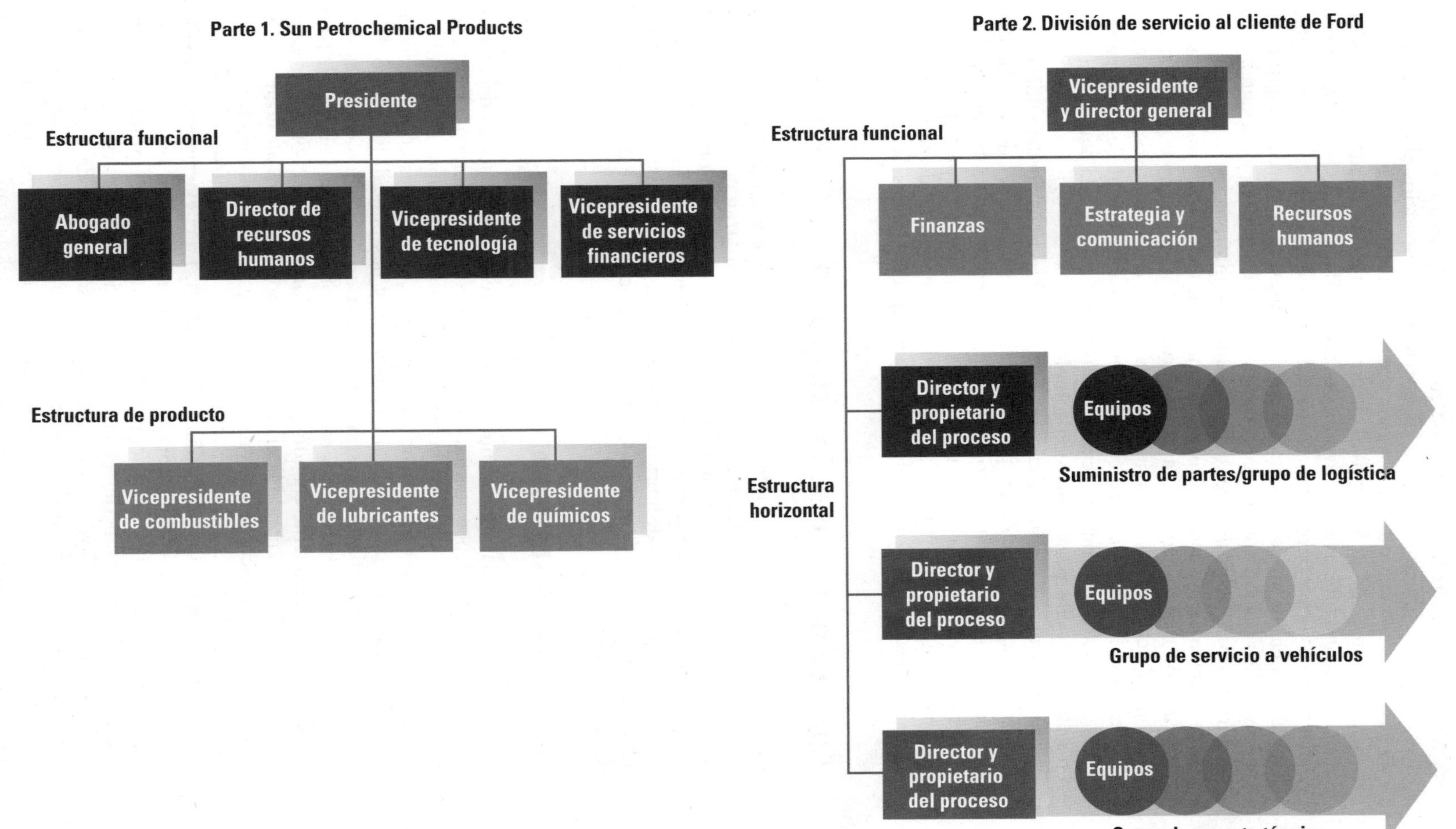

CUADRO 3.18
Dos estructuras híbridas

Al principio de 1995, cuando Ford lanzó su iniciativa "Ford 2000" de convertirse en la empresa automotriz líder del mundo en el siglo XXI, los altos ejecutivos se encontraban cada vez más inquietos debido a las quejas por los servicios al cliente. Decidieron que el modelo horizontal ofrecía la mejor oportunidad de obtener un enfoque rápido, más eficiente e integrado de servicios al cliente. La parte 2 del cuadro 3.18 ilustra una parte de la estructura híbrida en la división de servicio al cliente de Ford. Hay muchos grupos alineados en forma horizontal, constituidos por equipos de múltiples habilidades, que se enfocan en los procesos centrales como suministro de partes y logística (compra de partes y distribución a los concesionarios de manera rápida y eficiente), los servicios y programas para vehículos (recabar y difundir la información acerca de los problemas de reparación), y el soporte técnico (asegurar que todo departamento de servicio reciba información técnica actualizada). Cada grupo tiene un dueño o propietario de proceso responsable de supervisar que los equipos cumplan los objetivos generales. La división de servicio al cliente de Ford retuvo la estructura funcional de los departamentos de finanzas, estrategia y comunicación y recursos humanos. Cada uno de estos departamentos ofrece servicios para la división completa.[59]

En una empresa tan inmensa como Ford, los directivos pueden utilizar una variedad de características estructurales para satisfacer las necesidades de la organización total. Al igual que muchas grandes compañías, por ejemplo, Ford subcontrata algunas actividades no centrales. Una estructura híbrida muchas veces es preferible a una estructura puramente funcional, divisional, horizontal o en red virtual debido a que puede proporcionar algunas de las ventajas de cada una y superar algunas de sus desventajas.

Aplicaciones de diseño estructural

Cada tipo de estructura se aplica en diferentes situaciones y satisface diferentes necesidades. Al describir las diferentes estructuras, se abordarán en forma breve condiciones como la estabilidad o el cambio en el entorno y el tamaño organizacional, que están relacionadas con la estructura. Cada forma de estructura: Funcional, divisional, matricial, horizontal, de red, híbrida, representa una herramienta que puede ayudar a los administradores a que su organización sea más efectiva, lo que depende de las demandas de su situación.

Alineación estructural

Como gerente de una organización, tenga en mente estos lineamientos:

Encuentre el balance correcto entre control vertical y coordinación horizontal para cubrir las necesidades de la organización. Cuando se observen síntomas de deficiencia estructural considere la implementación de una reorganización estructural.

Al final, la decisión más importante que los directivos toman acerca del diseño estructural es encontrar el balance adecuado entre la coordinación horizontal y el control vertical, misma que está sujeta a las necesidades de la organización. El control vertical está asociado con las metas de eficiencia y estabilidad, mientras la coordinación horizontal está relacionada con el aprendizaje, innovación y flexibilidad. El cuadro 3.19 muestra una escala simplificada que ilustra cómo están asociados los enfoques estructurales con el control vertical en comparación con la coordinación horizontal. La estructura funcional es recomendable cuando la organización necesita coordinarse por medio de la jerarquía vertical y cuando la eficiencia es importante para alcanzar sus metas organizacionales. La estructura funcional utiliza una especialización en tareas y una estricta cadena de mando para conseguir un uso eficiente de los recursos escasos, pero no permite que la organización sea flexible o innovadora. En el extremo opuesto de la escala, la estructura horizontal es apropiada cuando la organización tiene una gran necesidad de coordinación entre las funciones para lograr la innovación y promover el aprendizaje. La estructura horizontal permite a las organizaciones diferenciarse a sí mismas y responder rápido a los cambios, pero a expensas del uso eficiente de recursos. La estructura de red virtual ofrece una flexibilidad mayor y un potencial para una pronta respuesta al permitir a la organización agregar o restar piezas según sea necesario para adaptarse y satisfacer las demandas cambiantes del entorno y del mercado. El cuadro 3.19 también

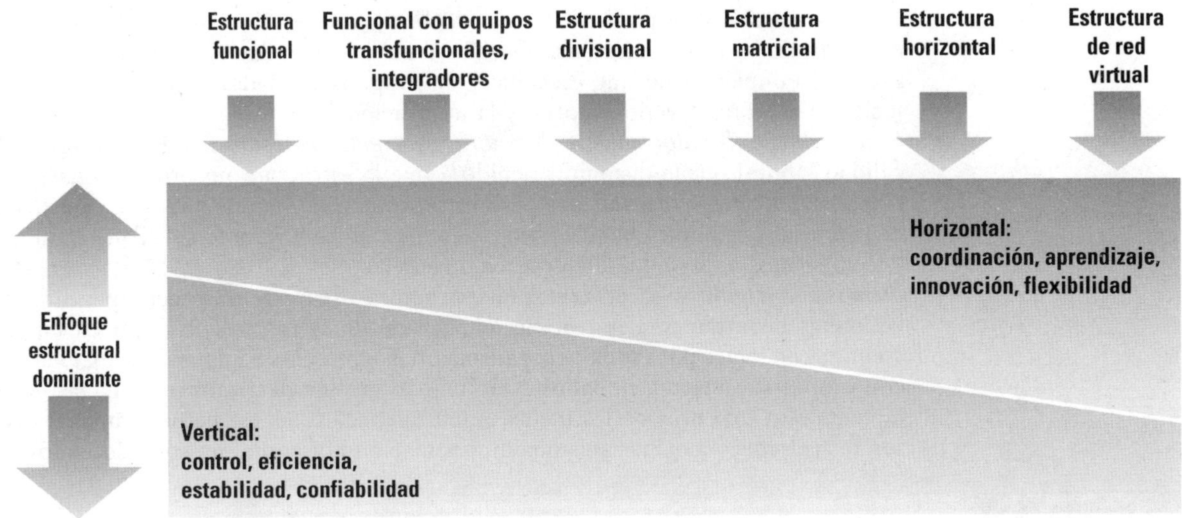

CUADRO 3.19
Relación de la estructura con respecto a la necesidad organizacional de eficiencia en comparación con la necesidad de aprendizaje

muestra de qué manera otros tipos de estructura definidos en este capítulo —funcional con vínculos horizontales, divisional y matricial— representan los pasos intermedios en el camino de la organización hacia la eficiencia o innovación y aprendizaje. El cuadro no incluye todas las estructuras posibles, pero ilustra la forma en que las organizaciones intentan equilibrar las necesidades de eficiencia y control vertical con la innovación y la coordinación horizontal. Además, como se describió en este capítulo, muchas organizaciones utilizan una estructura híbrida para combinar las características de estos tipos estructurales.

Síntomas de deficiencia estructural

Los altos ejecutivos evalúan con frecuencia la estructura organizacional para determinar si ésta es apropiada para las necesidades organizacionales cambiantes. Muchas organizaciones intentan una estructura organizacional y después se reorganizan según otra en un esfuerzo para encontrar el ajuste adecuado entre relaciones de subordinación internas y las necesidades del entorno.

Como regla general, cuando la estructura organizacional no se adecua a las necesidades de la organización, aparecen uno o más de los siguientes **síntomas de deficiencia estructural.**[60]

- *La toma de decisiones se retrasa o carece de calidad.* Los encargados de tomar los acuerdos pueden sufrir una sobrecarga debido a que la jerarquía canaliza demasiados problemas y resoluciones hacia ellos. La delegación hacia los niveles inferiores puede ser insuficiente. Otra causa de las decisiones de mala calidad es que la información puede no llegar a la gente correcta. Los vínculos de información en dirección vertical u horizontal pueden ser inconvenientes para asegurar la calidad de las conclusiones a que se llegue.
- *La organización no responde de manera innovadora ante un entorno cambiante.* Una razón de la falta de renovación es que los departamentos no están coordinados en forma horizontal. El reconocimiento de las necesidades del cliente por parte

del departamento de marketing y la identificación de desarrollos tecnológicos en el departamento de investigación deben estar coordinadas. La estructura organizacional también tiene que especificar las responsabilidades departamentales que incluyan el monitoreo del entorno y la innovación
- *El desempeño de empleados se deteriora y las metas no están siendo alcanzadas.* La calidad laboral puede disminuir debido a que la estructura no proporciona metas, responsabilidades y mecanismos para la coordinación bien definidos. La estructura debe reflejar la complejidad del entorno en los mercados y ser lo suficiente clara para los empleados a fin de lograr un trabajo efectivo.
- *Demasiado conflicto es evidente.* La estructura organizacional debe permitir que las metas departamentales con cierto nivel de dificultad se combinen en un solo conjunto de metas para toda la organización. Cuando los equipos de trabajo actúan con propósitos interrelacionados están bajo la presión de alcanzar las metas departamentales a expensas de las metas organizacionales, las estructuras muchas veces son las culpables. Los mecanismos de vinculación horizontal no son adecuados.

Resumen e interpretación

La estructura organizacional debe lograr dos cosas para la organización: Debe proporcionar un marco de responsabilidades, relaciones de subordinación y agrupamientos; y debe ofrecer mecanismos de vinculación y coordinación de elementos organizacionales en un todo coherente. La estructura se refleja en el organigrama. Vincular a una organización en un todo coherente requiere el uso de sistemas de información y mecanismos de unión, además del organigrama.

Es importante entender la perspectiva del procesamiento de información con respecto a la estructura. La estructura organizacional se puede diseñar para ofrecer vínculos horizontales y verticales de información basados en el procesamiento de información requerido para alcanzar las metas globales de la organización. Los directivos pueden elegir si orientarse hacia una organización diseñada para la eficiencia, la que enfatiza los vínculos verticales como la jerarquía, reglas y planes, y los sistemas de información formales, o hacia una organización que aprende, la cual destaca la comunicación horizontal y la coordinación. Las vinculaciones verticales no son suficientes para la mayoría de las organizaciones actuales. Las organizaciones proporcionan vínculos horizontales a través de sistemas de información transfuncionales, contacto directo entre directores y entre líneas departamentales, fuerza de tarea temporales, integradores de tiempo completo y equipos.

Las alternativas para concentrar empleados y departamentos en un diseño estructural global incluyen el agrupamiento funcional, los agrupamientos divisionales, el agrupamiento multienfoque, el agrupamiento horizontal y el agrupamiento en red. La elección entre las estructuras funcionales, divisionales y horizontales determina dónde será mayor la coordinación e integración. Con las estructuras funcionales y divisionales, los administradores también utilizan mecanismos de unión horizontal para complementar la dimensión vertical y lograr una integración de departamentos y niveles en un todo organizacional. Con una estructura horizontal, las actividades están organizadas de manera horizontal alrededor de un proceso de trabajo central. Una estructura en red virtual extiende el concepto de coordinación horizontal y colaboración más allá de las fronteras de la organización. Las actividades centrales se realizan en una sede mientras otras funciones y actividades son mediante el *outsourcing* con socios contratistas. La estructura matricial intenta lograr un balance entre las dimensiones verticales y horizontales de la estructura. La mayoría de las organizaciones no existen en su forma pura, y por lo tanto, utilizan una estructura híbrida que incorpora características de dos o más tipos de estructura.

Finalmente, los directivos intentan encontrar el equilibrio correcto entre control vertical y coordinación horizontal. Por último, un organigrama no es más que muchas líneas y cuadros en un trozo de papel. El propósito del organigrama es alentar y dirigir a los empleados para que realicen actividades y comunicaciones que permitan a la organización alcanzar sus metas. El organigrama ofrece la estructura, pero los trabajadores el comportamiento. Se trata de una directriz para alentar a la gente a trabajar en conjunto, pero la administración debe implementar la estructura y cristalizarla.

Conceptos clave

agrupamiento departamental
agrupamiento divisional
agrupamiento en red virtual
agrupamiento funcional
agrupamiento horizontal
agrupamiento multienfoque
centralizada
descentralizada
equipos
equipos virtuales
estructura de red virtual
estructura divisional
estructura funcional
estructura híbrida
estructura horizontal
estructura matricial
estructura organizacional
fuerza de tarea
función de coordinador
integradores
matriz de producto
matriz funcional
outsourcing
proceso
reingeniería
síntomas de deficiencia estructural
sistemas de información vertical
vínculos horizontales
vínculo vertical

Preguntas para análisis

1. ¿Cuál es la definición de estructura organizacional? ¿Una estructura organizacional aparece en el organigrama? Explique.
2. ¿De qué manera las reglas y planes ayudan a una organización a alcanzar la integración vertical?
3. ¿Cuándo es preferible una estructura funcional a una estructura divisional?
4. Las grandes corporaciones tienden a utilizar sistemas híbridos. ¿Por qué?
5. ¿Cuáles son las principales diferencias entre una organización tradicional diseñada para la eficiencia y una organización contemporánea diseñada para el aprendizaje?
6. ¿Cuál es la diferencia entre una fuerza de tarea y un equipo? ¿Entre un coordinador y un integrador? ¿Cuál de ellos proporcionaría el más alto grado de coordinación horizontal?
7. ¿Cuáles condiciones por lo general tienen que presentarse antes que una organización adopte una estructura matricial?
8. El director de una empresa de productos de consumo dijo, "utilizamos el puesto de gerente de marca para entrenar a los futuros ejecutivos". ¿Piensa que este puesto es un área recomendable para la capacitación? Analice.
9. ¿Por qué las compañías que utilizan una estructura horizontal tienen culturas que enfatizan la apertura, el *empowerment* al empleado y la responsabilidad? ¿Cómo piensa que sería el trabajo de un directivo en una compañía organizada en forma horizontal?
10. ¿Cómo está relacionada una estructura con la necesidad organizacional de eficiencia en comparación con su necesidad de aprendizaje e innovación? ¿De qué manera los gerentes pueden decirnos si la estructura es adecuada a las necesidades de la organización?
11. Describa la estructura de red virtual. ¿Por qué piensa usted que se está volviendo una buena alternativa estructural para algunas personas en las organizaciones de hoy?

Capítulo 3 Libro de trabajo: Usted y la estructura organizacional*

Para entender mejor la importancia de la estructura organizacional en su vida, realice la siguiente actividad.

Elija una de las siguientes situaciones para organizar:

- Una tienda de copias e impresiones.
- Una agencia de viajes.
- Una agencia de alquiler de vehículos deportivos (como jet skis o autos de nieve) en un área de descanso.
- Una pastelería.

Antecedentes

La organización es una forma de obtener un poco de poder en contra de un entorno poco confiable. El entorno proporciona a la organización entradas, las cuales incluyen materias primas, recursos humanos y recursos financieros. Hay un servicio o bien que producir que implica tecnología. La producción va a los clientes, un grupo que debe cultivarse. Las complejidades del entorno y de la tecnología determinan el grado de dificultad de la organización.

Planeación de la organización

1. Escriba la misión o propósito de la organización en algunas cuantos enunciados.
2. ¿Cuáles son las tareas específicas que se deben realizar para lograr la misión?
3. Con base en los detalles específicos del número 2, desarrolle un organigrama. Cada puesto en él desempeñará una tarea específica o será responsable de un resultado determinado.
4. Se encuentra en su tercer año de operaciones, y su negocio ha sido muy exitoso. Desea agregar un segundo local a unas pocas millas de distancia. ¿Qué cuestiones enfrentará al poner en funcionamiento un negocio en dos lugares? Dibuje un organigrama que incluya dos ubicaciones de negocios.
5. Han transcurrido cinco años más y el negocio se ha multiplicado y ya cuenta con cinco locales en dos ciudades. ¿Cómo se mantiene en contacto con todos? ¿Cuáles son las cuestiones de control y coordinación que han surgido? Dibuje un organigrama actualizado y explique su base lógica.
6. Después de veinte años, usted cuenta con setenta y cinco locales en cinco estados. ¿Cuáles son los problemas que tiene que enfrentar relacionados con la estructura organizacional? Dibuje un organigrama para esta organización, en el que indique factores como quién es el responsable de la satisfacción del cliente, cómo sabrá si las necesidades del cliente están cubiertas y cómo fluirá la información dentro de la organización.

*Adaptado de Dorothy Marcic de "Organizing", en Donald D. White y H. William Vroman, *Action in Organizations*, 2a. ed. (Boston: Allyn y Bacon, 1982), 154, y Cheryl Harvey y Kim Morouney, "Organization Structure and Design: The Club Ed Exercise", *Journal of Management Education* (junio 1985), 425-429.

Caso para el análisis: Tiendas de abarrotes C & C, Inc.*

Doug Cummins abrió la primera tienda de abarrotes C & C en 1947 con su hermano Bob, ambos veteranos que deseaban mantener su propio negocio; de modo que utilizaron sus ahorros para iniciar la pequeña tienda de abarrotes en Charlotte, Carolina del Norte. La tienda tuvo éxito de forma inmediata. La ubicación era buena, y Doug Cummins contaba con una personalidad atractiva. Los empleados de la tienda adoptaron el estilo informal de Doug y una actitud de "servicio al cliente". El creciente círculo de clientes de C & C disfrutaban de una abundancia de carnes, frutas y verduras de buena calidad.

En 1997, C & C contaba con 200 tiendas y se empleaba una distribución física estándar para los establecimientos nuevos. Las oficinas sede se desplazaron de Charlotte a Atlanta en 1985. El organigrama de C & C se muestra en el cuadro 3.20. Las oficinas centrales en Atlanta administraban el personal, la comercialización, los aspectos financieros, las compras, los bienes inmuebles así como los asuntos legales para toda la cadena. Para la administración de las tiendas individuales, la organización se encontraba dividida en regiones: Sur, sureste y noreste que contaban cada una con un aproximado de setenta tiendas. Cada región se encontraba dividida en cinco distritos cada uno contaba con diez a quince tiendas. Existía un director de distrito responsable de la supervisión y la coordinación de las actividades.

Cada distrito se dividía en cuatro líneas de autoridad con base en una especialidad funcional, tres de las cuales llegaban al interior de las tiendas. El gerente de departamento de frutas y verduras de cada tienda reportaba de manera directa al especialista de frutas y verduras para la división y lo mismo sucedía con el gerente del departamento de carnes quien reportaba directo al especialista de carnes del distrito. Los gerentes de frutas y verduras y carnes eran responsables de las actividades asociadas con la adquisición y venta de los productos perecederos. La responsabilidad del gerente de tienda incluía la línea de abarrotes, los departamentos de mostrador y las operaciones de la tienda. El gerente de la tienda era responsable de la presentación de los empleados, la limpieza, el adecuado servicio de mostrador y la precisión de los precios. Un gerente de abarrotes reportaba al gerente de la tienda, mantenía los

* Preparado por Richard L. Daft a partir de Richard L. Daft y Richard Steers, *Organizations: A Micro/Marco Approach* (Glenview, Ill.; Scott Foresman, 1986). Reimpreso con autorización.

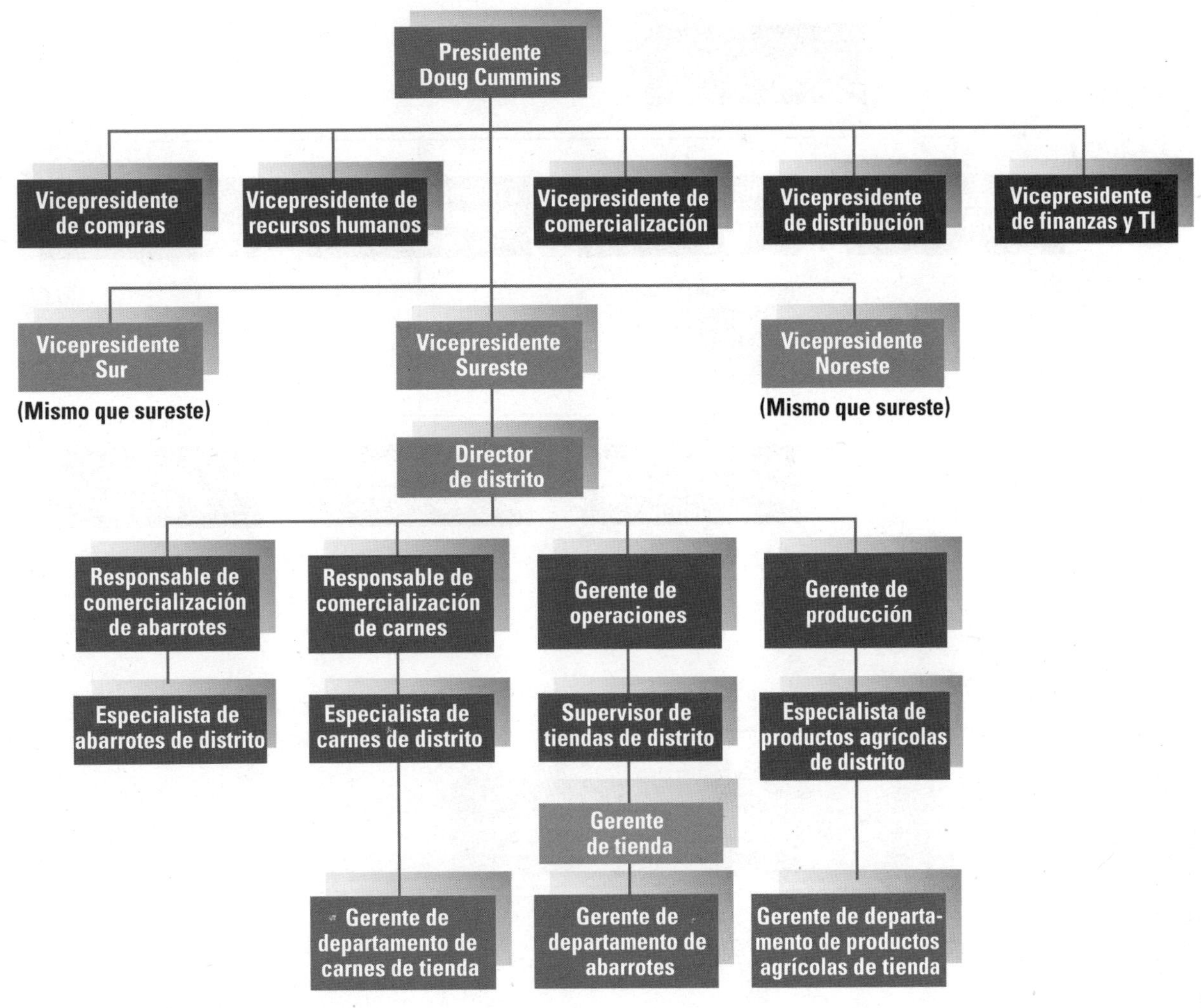

CUADRO 3.20
Estructura organizacional de C & C Grocery Stores, Inc.

inventarios y reabastecía los anaqueles con artículos de abarrotes. La oficina de comercialización del distrito era responsable de las campañas promocionales, de las circulares de publicidad y de atraer clientes a las tiendas. Se esperaba que los responsables de la comercialización de abarrotes coordinaran sus actividades entre sí dentro del distrito.

Las ventas de la cadena C & C habían descendido en todas las regiones en años recientes, debido a una economía en deterioro, pero en su mayor parte por causa de una mayor competencia de parte de grandes minoristas de descuento como Wal-Mart, Target y Costco. Cuando estos grandes minoristas ingresaron al negocio de abarrotes introdujeron un nivel de competencia que nunca antes se había presenciado C & C, quien antes había tenido que arreglárselas para hacer frente a grandes cadenas de supermercados, pero ahora incluso estas grandes cadenas se encontraban amenazadas por Wal-Mart, quien se convirtió en el número 1 en ventas de abarrotes en el año 2001. Los directivos de C & C sabían que no podrían competir por precio, sin embargo analizaban formas de utilizar tecnologías de información avanzadas para mejorar el servicio y la satisfacción de los clientes, y poder diferenciar la tienda de los grandes establecimientos de descuento.

No obstante, el problema más apremiante era encontrar la forma de mejorar las ventas con los recursos y tiendas que contaban. Contrataron a un grupo de consultoría de una importante universidad para investigar la estructura y operaciones de la cadena.

Los consultores visitaron varias tiendas en cada región, entrevistaron a cerca de cincuenta gerentes y empleados; redactaron un informe que señalaba cuatro áreas problemáticas que debían ser atendidas por los ejecutivos de la tienda:

1. *La cadena era lenta para adaptarse al cambio.* La distribución y estructura de las tiendas era la misma que había sido diseñada hace quince años. Todas las tiendas operaban de la misma manera, incluso cuando algunas tiendas se encontraban en áreas de bajos ingresos y otras en áreas suburbanas. Se había desarrollado un nuevo sistema automatizado de administración de la cadena de suministro para pedidos e inventarios, pero después de dos años sólo

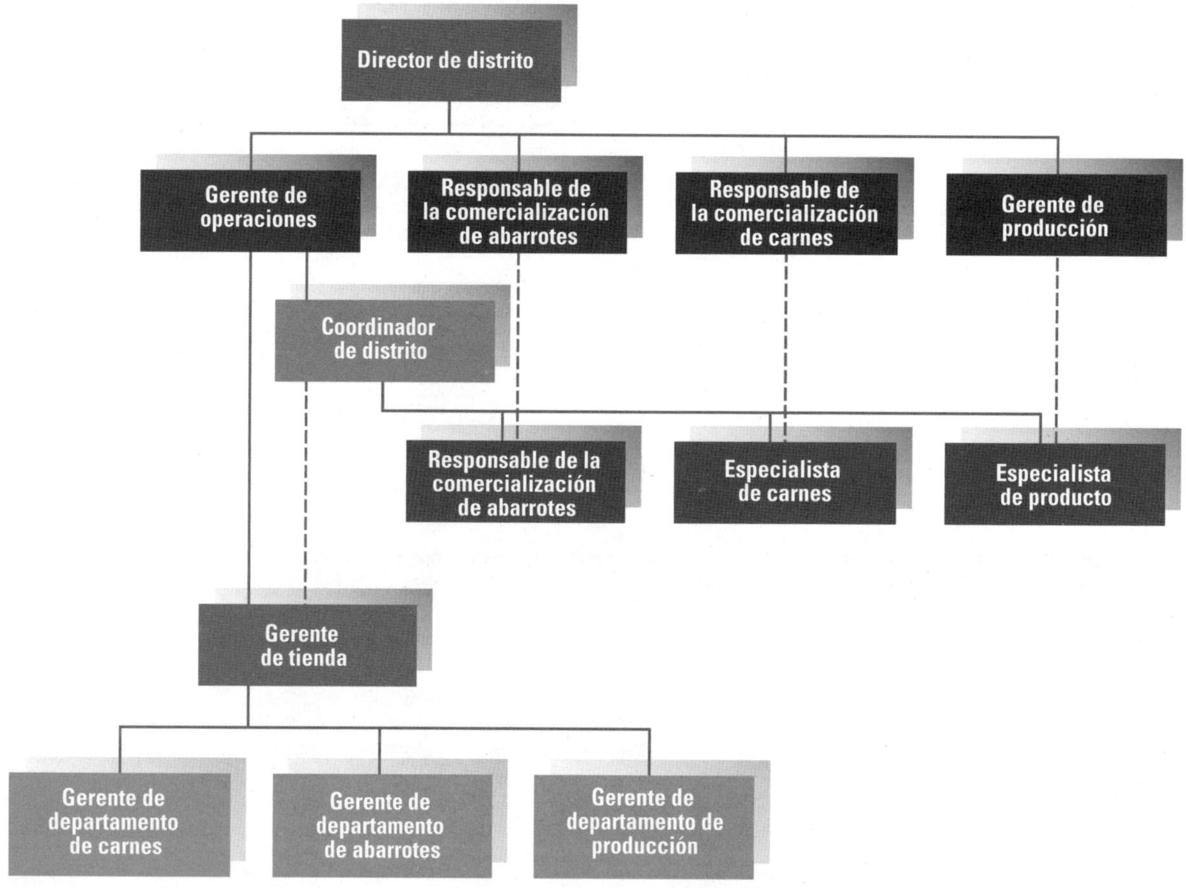

CUADRO 3.21
Propuesta de reorganización de C & C Grocery Stores, Inc.

se encontraba parcialmente implementado en las tiendas. Otras iniciativas propuestas de tecnología de información (TI) todavía "se encontraban en la hornilla", ni siquiera en etapa de desarrollo.

2. *Las funciones del supervisor de tienda de distrito y del gerente de tienda ocasionaban problemas.* Los gerentes de tienda deseaban aprender habilidades generales de directivos para una potencial promoción a los puestos directivos regionales o de distrito, sin embargo, sus puestos los limitaban a actividades operativas y aprendían poco acerca de la comercialización, carnes, frutas y verduras. Además, los supervisores de tiendas de distrito empleaban visitas a tiendas para inspeccionar la limpieza y la conformidad con los estándares de operación en lugar de capacitar a los gerentes de tienda y ayudarles a coordinar las operaciones con los departamentos de perecederos. La estrecha supervisión de detalles operativos se había convertido en el foco del gerente de operaciones en lugar del desarrollo, capacitación y coordinación.
3. *La cooperación dentro de las tiendas era baja y el estado de ánimo era deficiente. La atmósfera informal y amigable creada al principio por Doug Cummins había desaparecido.* Un ejemplo de este problema se presentó cuando el responsable de la comercialización de abarrotes y el gerente de una tienda de Lousiana decidieron promover los productos Coke y Diet Coke al utilizar el enfoque de líder de pérdidas. Se adquirieron miles de cajas de Coke para su venta pero el almacén no estaba preparado y no tenía espacio. El gerente de tienda deseaba utilizar área de piso en las secciones de carnes, frutas y verduras para exhibir las cajas de Coke, pero los gerentes correspondientes se rehusaron. El gerente del departamento de frutas y verduras comentaba que el producto Diet Coke no le apoyaba en sus ventas y que por él estaba bien si no se realizaba promoción alguna.
4. *El crecimiento y desarrollo de largo plazo de la cadena de tiendas probablemente necesitará una reevaluación de la estrategia.* El porcentaje de participación de mercado de las tiendas de abarrotes tradicionales disminuye a nivel nacional debido a la competencia de las grandes supertiendas y minoristas de descuento. En el futuro cercano, C & C podría necesitar introducir artículos no comestibles a las tiendas para ofrecer una oportunidad de compra única, añadir secciones de especialidades y comida gourmet en las tiendas, así como analizar la forma cómo las nuevas tecnologías podrían ayudarle a diferenciar la empresa mediante la comercialización y la promoción dirigidas, ofrecer un servicio y conveniencia superiores, y

proporcionar a sus clientes un surtido y disponibilidad de los mejores productos.

Para resolver los primeros tres problemas, los consultores recomendaron reorganizar la estructura de distritos y tiendas como se ilustra en el cuadro 3.21. Bajo esta reorganización, los gerentes de los departamentos de carnes, frutas y verduras y abarrotes reportarían al gerente de tienda, quien tendría un control completo de la tienda y sería responsable de la coordinación de todas las actividades de la misma. La función del supervisor de distrito sería modificada de supervisión a capacitación y desarrollo. El supervisor de distrito dirigiría un grupo en el que además de él, se encontrarían varios especialistas de carnes, frutas y verduras, y comercialización quienes visitarían tiendas del área como un equipo para ofrecer recomendaciones y apoyo a los gerentes de tienda y a otros empleados. El equipo actuaría como un enlace entre los especialistas de distrito y las tiendas.

Los consultores se encontraban entusiastas respecto a la estructura propuesta. Con la eliminación de un nivel de supervisión operativa de distrito, los gerentes de tienda tendrían una mayor libertad y responsabilidad. El equipo de enlace de distrito establecería un enfoque de cooperación de equipos para la administración que podría adoptarse en las tiendas. Al concentrar la responsabilidad de las tiendas en un solo gerente se fomentaría la coordinación entre tiendas así como la adaptación a las condiciones locales, de manera adicional también proporcionaría una unificación de responsabilidad de los cambios administrativos para todas las tiendas.

Los consultores también creían que la estructura propuesta podría ampliarse para dar cabida a líneas que no fueran de abarrotes y a unidades gourmet si éstas llegaran a incluirse en los planes futuros de C & C. Dentro de cada tienda, podría añadirse un gerente del nuevo departamento para artículos gourmet/especialidad, farmacéuticos u otros departamentos relevantes. El equipo de distrito podría ampliarse para incluir especialistas en estas líneas, así como un coordinador de tecnología de la información para actuar como enlace con las tiendas en el distrito.

Caso para el análisis: Agencia de publicidad Aquarius*

La agencia de publicidad Aquarius es una empresa de tamaño medio que ofrece dos servicios básicos a sus clientes: 1) planes a la medida para el contenido de una campaña de publicidad (por ejemplo, lemas publicitarios y distribución) y 2) planes completos de medios (como radio, televisión, periódicos, vallas publicitarias e Internet). Los servicios adicionales que ofrecen incluyen apoyo para la comercialización y distribución de productos e investigación de mercados para validar la efectividad de la publicidad.

Sus actividades se organizan de una forma tradicional. El organigrama se muestra en el cuadro 3.22. Cada departamento incluye funciones similares.

Todas las cuentas de los clientes eran coordinadas por un ejecutivo de cuenta que actuaba como un enlace entre el cliente y los distintos especialistas del personal profesional de las divisiones de operaciones y marketing. En el cuadro 3.23 se muestra la cantidad de eventos de comunicación directa y contactos de los clientes con los especialistas de Aquarius, así como de estos últimos con los ejecutivos de cuenta. Esta información sociométrica fue recopilada por un consultor quien realizó un estudio de los patrones de comunicación formal e informal. Cada celda de intersección del personal de Aquarius y los clientes contiene un índice que señala los contactos directos entre ellos.

A pesar de que se nombró un ejecutivo de cuenta como enlace entre el cliente y los especialistas en la agencia, con frecuencia la comunicación se presentaba de forma directa entre los clientes y los especialistas, y se pasaba por alto al ejecutivo de cuenta. Estos contactos directos involucran una amplia gama de interacciones tales como juntas, llamadas telefónicas, mensajes de correo electrónico, etcétera. En la organización del cliente se llevaban a cabo un gran número de contactos directos entre los especialistas de la agencia y sus contrapartes. Por ejemplo, un especialista de arte que trabaja como miembro de un equipo con un cliente particular, con frecuencia es contactado de forma directa por el especialista de arte interno, y un empleado de investigación de la agencia tendrá comunicación directa con el personal de investigación de la empresa cliente. Además, algunos de los contactos no estructurados con frecuencia llevaban a reuniones más formales con los clientes, en las que el personal de la agencia llevaba a cabo presentaciones, interpretaban y defendían las políticas de la agencia y comprometían a la misma a ciertos cursos de acción.

Dentro de los departamentos de las divisiones de operaciones y mercadotecnia, operan sistemas tanto jerárquicos como profesionales. Cada departamento se organiza de forma jerárquica por medio de un director, un director asistente y varios niveles de autoridad. La comunicación profesional es muy difundida y en forma principal tiene que ver con compartir el conocimiento y las técnicas, la evaluación técnica del trabajo, así como el desarrollo de intereses profesionales. El control en cada departamento se ejerce mediante el control de las promociones y la supervisión del trabajo realizado por los subordinados. Sin embargo, muchos ejecutivos de cuenta sienten la necesidad de una mayor influencia, y uno de ellos comentó:

Creatividad y arte, es todo lo que escucho por aquí. Resulta extremadamente difícil administrar de forma efectiva a seis o siete estrellas que demandan hacer lo que ellos desean. Cada uno de ellos intenta vender sus ideas al cliente, y la

* Adaptado de "Aquarius Advertising Agency", *The Dynamics of Organization Theory* de John F. Veiga y John N. Yanouzas (St. Paul, Minn.: West, 1984), 212-217, con autorización.

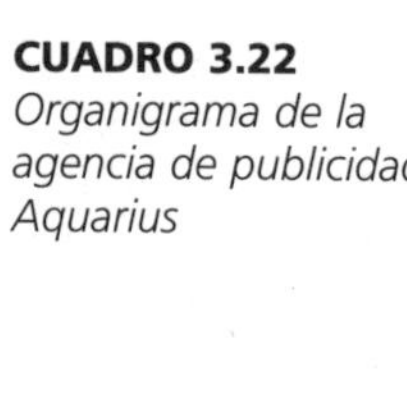

CUADRO 3.22
Organigrama de la agencia de publicidad Aquarius

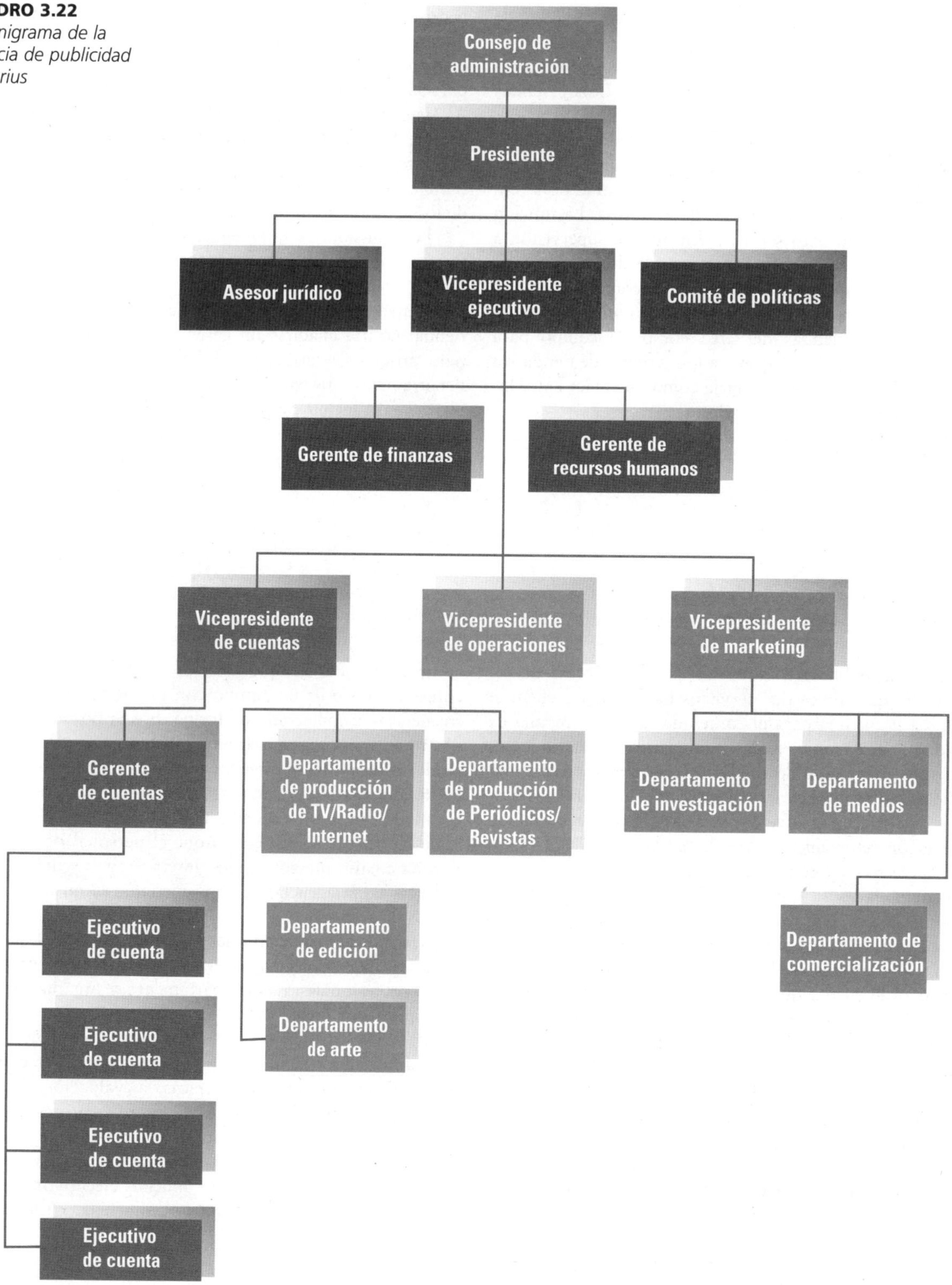

	Clientes	Gerente de cuenta	Ejecutivos de cuenta	Especialistas de TV/Radio	Especialistas de Periódicos/Revistas	Especialistas de edición	Especialistas de arte	Especialistas de comercialización	Especialistas de medios	Especialistas de investigación
Clientes	X	F	F	N	N	O	O	O	O	O
Gerente de cuenta		X	F	N	N	N	N	N	N	N
Ejecutivos de cuenta			X	F	F	F	F	F	F	F
Especialistas de TV/Radio				X	N	O	O	N	N	O
Especialistas de Periódicos/Revistas					X	O	O	N	O	O
Especialistas de edición						X	N	O	O	O
Especialistas de arte							X	O	O	O
Especialistas de comercialización								X	F	F
Especialistas de medios									X	F
Especialistas de investigación										X

CUADRO 3.23
Índice sociométrico del personal y cliente de Aquarius
F *= Frecuente (diario)*
O *= Ocasional (una o dos veces por proyecto)*
N *= Nada*

mayor parte del tiempo no me entero de lo que sucedió sino hasta una semana después. Si yo fuera un opresor, haría que todos ellos validaran conmigo primero para obtener autorización. Sin duda alguna, las cosas cambiarían por aquí.

La necesidad de una reorganización se hizo más intensa debido a cambios en el entorno. Dentro de un periodo breve se presentó una acelerada rotación en las principales cuentas que llevaba la agencia. Es común que las agencias de publicidad ganen o pierdan clientes de forma rápida, con frecuencia sin un aviso anticipado, a medida que surgen comportamientos y estilos de vida de los clientes y se presentan innovaciones de productos.

La alta dirección propuso una reorganización de la agencia para incrementar la flexibilidad en este entorno poco predecible. La organización estaría dirigida a reducir el tiempo de respuesta de la agencia a los cambios del entorno y a incrementar la cooperación y comunicación entre los especialistas de los distintos departamentos. Los principales directivos no estaban seguros acerca del tipo de reorganización que sería adecuada y desean que usted les ayude a analizar su contexto y estructura actual, y agradecerán su recomendación para proponer una nueva estructura.

Notas

1. Chuck Salter, "Ford's Escape Route", *Fast Company* (octubre 2004), 106-110; "Ford Escape Hybrid Named Best Truck in Detroit", *The Jakarta Post* (enero 27, 2005), 18; y Bernard Simon, "Ford Aims to Build on Escape Hybrid's Success", *National Post* (enero 26, 2005), FP-10.
2. "The Stalling of Motor City", *Business Week* (noviembre 1, 2004), 128.
3. Daniel J. Wakin, "With Shifting Needs and Ebbing Resources, Church is Reorganizing", *The New York Times* (enero 4, 2004).
4. John Child, *Organization* (Nueva York: Harper & Row, 1984).
5. Stuart Ranson, Bob Hinings y Royston Greenwood, "The Structuring of Organizational Structures", *Administrative Science Quarterly* 25 (1980), 1-17; y Hugh Willmott, "The Structuring of Organizational Structure: A Note", *Administrative Science Quarterly* 26 (1981), 470-474.
6. Esta sección está basada en Frank Ostroff, *The Horizontal Organization: What the Organization of the Future Looks Like and How It Delivers Value to Customers* (Nueva York: Oxford University Press, 1999).
7. Stephen Salsbury, *The State, the Investor; and the Railroad: The Boston & Albany,* 1825-1867 (Cambridge: Harvard University Press, 1967), 186-187.
8. David Nadler y Michael Tushman, *Strategic Organization Design* (Glenview, Ill.: Scott Foresman, 1988).
9. William C. Ouchi, "The Implementation of a Decentralized Organization Design in Three Large Public School Districts: Edmonton, Seattle, and Houston" (manuscrito sin publicar, Anderson School of Management, University of California, Los Ángeles, 2004).
10. "Country Managers: From Baron to Hotelier", *The Economist* (mayo 11, 2002), 55-56.
11. Basado en Jay R. Galbraith, *Designing Complex Organizations* (Reading, Mass.: Addison-Wesley, 1973), y *Organization Design* (Reading, Mass.: Addison-Wesley, 1977), 81-127.
12. G. Christian Hill, "Dog Eats Dog Food. And Damn If It Ain't Tasty", *Ecompany Now* (noviembre 2000), 169-178; "Country Managers: From Baron to Hotelier"; Rochelle Garner y Barbara Darrow, "Oracle Plots Course", *CRN* (enero 24, 2005), 3; y Anthony Hilton, "Dangers behind Oracle's Dream", *Evening Standard* (febrero 11, 2005), 45.
13. Lee Iacocca con William Novak, *Iacocca: An Autobiography* (Nueva York: Phantom Books, 1984), 152-153.
14. Basado en Galbraith, *Designing Complex Organizations.*
15. "Mandate 2003: Be Agile and Efficient", *Microsoft Executive Circle* (primavera 2003), 46-48.
16. Jay Galbraith, Diane Downey y Amy Kates, "How Networks Undergird the Lateral Capability of an Organization Where the Work Gets Done", *Journal of Organizational Excellence* (primavera 2002), 67-78.
17. Amy Barrett, "Staying on Top", *Business Week* (mayo 5, 2003), 60-68.
18. Walter Kiechel III, "The Art of the Corporate Task Force", *Fortune* (enero 28, 1991), 104-105; y William J. Altier, "Task Forces: An Effective Management Tool", *Management Review* (febrero 1987), 52-57.
19. Neal E. Boudette, "Marriage Counseling; At DaimlerChrysler, A New Push to Make Its Units Work Together", *The Wall Street Journal* (marzo 12, 2003), A1, A15.
20. Keith Naughton y Kathleen Kerwin, "At GM, Two Heads May Be Worse Than One", *Business Week* (agosto 14, 1995), 46.
21. Paul R. Lawrence y Jay W. Lorsch, "New Managerial Job: The Integrator", *Harvard Business Review* (noviembre-diciembre, 1967), 142-151.
22. Charles Fishman, "Total Teamwork: Imagination Ltd.", *Fast Company* (abril 2000), 156-168; Thomas L. Legare, "How Hewlett-Packard Used Virtual Cross-Functional Teams to Deliver Healthcare Industry Solutions", *Journal of Organizational Excellence* (otoño 2001), 29-37.
23. Anthony M. Townsend, Samuel M. DeMarie y Anthony R. Hendrickson, "Virtual Teams: Technology and the Workplace of the Future", *Academy of Management Executive* 12, núm. 3 (agosto 1998), 17-29.
24. Henry Mintzberg, *The Structuring of Organizations* (Englewood Cliffs, N.J.: Prentice-Hall, 1979).
25. Frank Ostroff, "Stovepipe Stomper", *Government Executive* (abril 1999), 70.
26. Basado en Robert Duncan, "What Is the Right Organization Structure?" *Organizational Dynamics* (invierno 1979), 59-80; y W. Alan Randolph y Gregory G. Dess, "The Congruence Perspective of Organization Design: A Conceptual Model and Multivariate Research Approach", *Academy of Management Review* 9 (1984), 114-127.
27. Lynn Cook, "How Sweet It Is", *Forbes* (marzo 1, 2004), 90ff; David Kaplan, "Cool Commander; Brenham's Little Creamery Gets New Leader in Low-Key Switch", *Houston Chronicle* (mayo 1, 2004), 1; Kristin Hays, "First Family Favorite", *Cincinnati Post* (junio 26, 2004), B.8.0; Toni Mack, "The Ice Cream Man Cometh", *Forbes* (enero 22, 1990), 52-56; David Abdalla, J. Doehring y Ann Windhager, "Blue Bell Creameries, Inc.: Case and Analysis" (manuscrito sin publicar, Texas A&M University, 1981); Jorjanna Price, "Creamery Churns Its Ice Cream into Cool Millions", *Parade* (febrero 21, 1982), 18-22; y Art Chapman, "Lone Star Scoop-Blue Bell Ice Cream Is a Part of State's Culture", *http://www.bluebell.com/press/FtWorth-Star-july2002.htm*
28. Rahul Jacob, "The Struggle to Create an Organization for the 21st Century", *Fortune* (abril 3, 1995), 90-99.
29. Amy Barrett, "Staying On Top"; Joseph Weber, "A Big Company That Works", *Business Week* (mayo 4, 1992), 124-132; y Elyse Tanouye, "Johnson & Johnson Stays Fit by Shuffling Its Mix of Businesses", *The Wall Street Journal* (diciembre 22, 1992), A1, A4.
30. Eliza Newlin Carney, "Calm in the Storm", *Government Executive* (octubre 2003), 57-63; y Brian Friel, "Hierarchies and Nerworks", *Government Executive* (abril 2002), 31-39.
31. Robert A. Guth, "Midlife Correction; Inside Microsoft, Financial Managers Winning New Clout", *The Wall Street Journal* (julio 23, 2003), A1, A6; y Michael Moeller, con Steve Hamm y Timothy J. Mullaney, "Remaking Microsoft", *BusinessWeek* (mayo 17, 1999), 106-114.
32. Basado en Duncan, "What Is the Right Organization Structure?"
33. Weber, "A Big Company Thar Works."
34. Phred Dvorak y Merissa Marr, "Stung by iPod, Sony Addresses a Digital Lag", *The Wall Street Journal* (diciembre 30, 2004), B1.
35. Maisie O'Flanagan y Lynn K. Taliento, "Nonprofits: Ensuring That Bigger Is Better", *McKinsey Quarterly,* número 2 (2004), 112ff.
36. John Markoff, "John Sculley's Biggesr Tesr", *The New York Times* (febrero 26, 1989), sec. 3, 1, 26; y Shelly Branch,

"What's Eating McDonald's?" *Fortune* (octubre 13, 1997), 122-125.
37. Stanley M. Davis y Paul R. Lawrence, *Matrix* (Reading, Mass.: Addison-Wesley, 1977), 11-24.
38. Erik W. Larson y David H. Gobeli, "Matrix Management: Contradictions and Insight", *California Management Review* 29 (verano 1987), 126-138.
39. Davis y Lawrence, *Matrix,* 155-180.
40. Edward Prewitt, "GM's Matrix Reloads", *CIO* (septiembre 1, 2003), 90-96.
41. Robert C. Ford y W. Alan Randolph, "Cross-Functional Structures: A Review and Integration of Matrix Organizations and Project Management", *Journal of Management 18* (junio 1992), 267-294; y Duncan, "What Is the Right Organization Structure?"
42. Lawton R. Burns, "Matrix Management in Hospitals: Testing Theories of Matrix Structure and Development", *Administrative Science Quarterly* 34 (1989), 349-368.
43. Carol Hymowitz, "Managers Suddenly Have to Answer to a Crowd of Bosses" (en la columna principal), *The Wall Street Journal* (agosto 12, 2003), B1; y Michael Goold y Andrew Campbell, "Making Matrix Structures Work: Creating Clarity on Unit Roles and Responsibilities", *European Management Journal* 21, núm. 3 (junio 2003), 351-363.
44. Christopher A. Bartlett y Sumantra Ghoshal, "Matrix Management: Not a Structure, a Frame of Mind", *Harvard Business Review* (julio-agosto 1990), 138-145.
45. Este caso fue inspirado por John E. Fogerty, "Integrative Management at Standard Steel" (manuscrito sin publicar, Latrobe, Pennsylvania, 1980); Stanley Reed con Adam Aston, "Steel: The Mergers Aren't Over Yet", *Business Week* (febrero 21, 2005), 6; Michael Amdt, "Melting Away Steel's Costs", *Business Week* (noviembre 8, 2004), 48; y "Steeling for a Fight", *The Economist* (junio 4, 1994), 63.
46. Michael Hammer, "Process Management and the Future of Six Sigma", *Sloan Management Review* (invierno 2002), 26-32; y Michael Hammer y Steve Stanton, "How Process Enterprises *Really* Work", *Harvard Business Review* 77 (noviembre-diciembre, 1999), 108-118.
47. Hammer, "Process Management and the Future of Six Sigma."
48. Basado en Ostroff, *The Horizontal Organization* y Richard L. Daft, *Organization Theory and Design,* 6a. ed. (Cincinnati, Ohio: South-Western, 1998), 250-253.
49. Frank Ostroff, *The Horizontal Organization,* 102-114
50. Melissa A. Schilling y H. Kevin Steensma, "The Use of Modular Organizational Forms: An Industry-Level Analysis", *Academy of Management Journal* 44, número 6 (2001), 1149-1168; Jane C. Linder, "Transformational Outsourcing", *MIT Sloan Management Review* (invierno 2004), 52-58; y Denis Chamberland, "Is It Core or Straregic? Outsourcing as a Strategic Management Tool", *Ivey Business Journal* (julio-agosto 2003), 1-5.
51. Denis Chamberland, "Is It Core or Strategic?"; Philip Siekman, "The Snap-Together Business Jet", *Fortune* (enero 21, 2002), 104[A]-104[H]; Keith H. Hammonds, "Smart, Determined, Ambitious, Cheap: The New Face of Global Competition", *Fast Company* (febrero 2003), 91-97; Kathleen Kerwin, "GM: Modular Plants Won't Be a Snap", *Business Week* (noviembre 9, 1998), 168-172; y Giuseppe Bonazzi y Cristiano Antonelli, "To Make or To Sell? The Case of In-House Outsourcing at Fiat Auto", *Organization Studies* 24, núm. 4 (2003), 575-594.
52. Schilling y Steensma, "The Use of Modular Organizational Forms"; Raymond E. Miles y Charles C. Snow, "The New Network Firm: A Spherical Structure Built on a Human Investment Philosophy", *Organizational Dynamics* (primavera 1995), 5-18; y R. E. Miles, C. C. Snow, J. A. Matthews, G. Miles, y H. J. Coleman Jr., "Organizing in the Knowledge Age: Anticipating the Cellular Form", *Academy of Management Executive* 11, núm. 4 (1997), 7-24.
53. Paul Engle, "You *Can* Outsource Strategic Processes", *Industrial Management* (enero-febrero, 2002), 13-18.
54. Don Tapscott, "Rethinking Strategy in a Networked World", *Strategy & Business* 24 (tercer trimestre, 2001), 34-4l.
55. La historia de TiVo está narrada en Jane C. Linder, "Transformational Outsourcing", *MIT Sloan Management Review* (invierno 2004), 52-58; Alison Neumer, "I Want My TiVo; Subscriptions Hike as Nation Gets Hooked", *Chicago Tribune* (febrero 22, 2005), 8; y David Lieberman, "Deal Will Put TiVo System on Comcast DVRs", *USA Today* (marzo 14, *2005), http://www.usatoday.com/money/industries/technology/2005-03-14-tivo-usat_x.htm?POE'click-refer.*
56. Miles y Snow, "The New Network Firm"; Gregory G. Dess, Abdul M. A. Rasheed, Kevin J. McLaughlin, y Richard L. Priem, "The New Corporate Architecture", *Academy of Management Executive* 9, núm. 2 (1995), 7-20; y Engle, "You *Can* Outsource Strategic Processes."
57. El análisis sobre las debilidades está basado en Engle, "You *Can* Outsource Strategic Processes"; Henry W. Chesbrough y David J. Teece, "Organizing for Innovation: When Is Virtual Virtuous?" *Harvard Business Review* (agosto 2002), 127-134; Dess *et al.*, "The New Corporate Architecture"; y N. Anand, "Modular, Virtual, and Hollow Forms of Organizarion Design", borrador, London Business School, 2000.
58. Linda S. Ackerman, "Transition Management: An In-depth Look at Managing Complex Change", *Organizational Dynamics* (verano 1982), 46-66.
59. Basado en Ostroff, *The Horizontal Organization,* 29-44.
60. Basado en Child, *Organization,* Ch. 1; y Jonathan D. Day, Emily Lawson y Keirh Leslie, "When Reorganization Works", *The McKinsey Quarterly,* 2003 Edición especial: The Value in Organization, 21-29.

PARTE 3

Elementos de diseño del sistema abierto

4 El entorno

Una mirada al interior de

Nokia

Nokia se convirtió en el líder mundial de la microtelefonía celular en 1998, la gigantesca compañía finlandesa estaba lista para sacar del negocio a sus rivales para siempre. Pero para 2004, los productos que no se adaptaban a las necesidades de los consumidores y las tensas relaciones con sus principales clientes habían costado a Nokia casi 15 de su 35% de participación del mercado global, con lo que el crecimiento de sus ingresos se revirtió y las acciones cayeron en picada.

¿Qué salió mal? Una cosa, Nokia se olvidó del sector en alto crecimiento de los teléfonos celulares; el mercado de modelos de mediano alcance con cámaras y pantallas a color de alta resolución. Los líderes de Nokia optaron por inyectar cientos de millones de dólares al desarrollo de los "teléfonos inteligentes" que permitían a los clientes acceso a Internet, juegos de video, música y ver películas o programas de televisión. El problema fue que, los nuevos teléfonos eran demasiado voluminosos y costosos para muchos clientes, que comenzaron a cambiar a los modelos más económicos y a la moda de Motorola, Samsung y Siemens. En particular, el modelo de concha de almeja, que permitía a los clientes doblar el teléfono a la mitad cuando no estaba en uso, desencadenó un nuevo auge de los celulares en Europa y Estados Unidos. Nokia se había quedado estancado en el modelo de "barra de caramelo" en un mercado que a nadie interesaba. Tampoco se preocupó de algunos de sus clientes más importantes. Los operadores de telefonía móvil como Orange SA y la unidad de inalámbricos de France Telecom SA, demandaban teléfonos hechos a la medida con las características especiales que sus consumidores deseaban, pero la respuesta de Nokia fue lenta. "Su actitud era que, dado su tamaño, no necesitaban escucharnos", afirmó un ejecutivo en una compañía europea de telefonía móvil.

Estos traspiés permitieron a los rivales apoderarse de la participación de mercado. Para poner a Nokia otra vez en la batalla, los líderes han aumentado la introducción de nuevos teléfonos de rango medio, han reducido en gran manera los costos en los modelos con poca tecnología para países en vías de desarrollo, y han prometido a los operadores de telefonía móvil fabricar teléfonos a la medida de sus especificaciones. Nokia también continúa su inversión con fuerza en dispositivos que presentan software avanzado y ejecutan programas tal como lo hace una computadora. La pregunta clave es: ¿Los dispositivos que Nokia está desarrollando son los que el cliente desea?[1]

Muchas compañías, como Nokia, enfrentan una tremenda incertidumbre en lo concerniente al entorno. La única forma en que una compañía de tecnología de punta como Nokia puede continuar su crecimiento es a través de la innovación, a pesar de esto, a menos que las compañías fabriquen productos que la gente desee comprar, las grandes inversiones en investigación y desarrollo no rendirán frutos. En el momento en que este texto se está escribiendo, Nokia está obteniendo sus ventas más fuertes en China debido a la creciente demanda de teléfonos menos costosos en áreas rurales. Está por verse si los nuevos productos con tecnología de punta se impondrán en el mercado. Nokia tiene la participación más grande en el mercado de telefonía celular móvil, pero sus ventas e ingresos seguirán estancados mientras persista el crecimiento de rivales como Samsung Electronics.[2]

Algunas compañías han sido sorprendidas por los cambios en el entorno y no son capaces de adaptarse con rapidez a la nueva competencia, a los intereses cambiantes del consumidor, o a las tecnologías innovadoras. Tower Records y Wherehouse se declararon en quiebra, y algunas pequeñas cadenas de música con ventas al detalle han desaparecido, debido al nacimiento del iPod de Apple y otros nuevos canales que permiten a los amantes de la música descargar justo lo que desean. Los vendedores de música tradicional al detalle están sobreviviendo sólo mediante la diversificación en nuevas áreas o gracias a la creación de asociaciones para ofrecer sus propios servicios de descarga. En la industria aérea, los principales transportistas están utilizando un sistema de centro y periferia. Compañías como United Air Lines, Swissair y US Airways, han sido golpeadas con dureza por sus competidores más pequeños y ágiles como JetBlue, Ryanair y Southwest, los cuales pueden prosperar en el difícil entorno actual gracias a que mantienen los costos de sus operaciones en el nivel más bajo.[3]

Existen numerosos factores en el entorno que provocan turbulencia e incertidumbre para las organizaciones. El entorno externo, incluyendo la competencia y los eventos internacionales, es la fuente de las principales amenazas que confrontan las organizaciones en la actualidad. Con frecuencia, el entorno impone restricciones importantes en las elecciones que los directivos realizan para una organización.

Propósito de este capítulo

El propósito de este capítulo es desarrollar un modelo para la evaluación de los entornos y la forma en que las organizaciones responden ante ellos. En primer lugar, se identificará el dominio organizacional y los sectores ejercen una influencia sobre éste. Después, se explorarán las dos fuerzas más importantes del entorno para la organización: La necesidad de información y la necesidad de recursos. Las organizaciones responden ante estas fuerzas a través de diseño estructural, los sistemas de planeación e intentan cambiar y controlar los elementos del entorno.

El dominio del entorno o ambiente externo

En un sentido amplio, el entorno es infinito e incluye todo lo que se encuentra fuera de la organización. Sin embargo, para los fines del análisis que aquí se presenta sólo se considerarán los aspectos del entorno con respecto a los cuales la organización es sensible y debe responder para sobrevivir. Así, el **entorno organizacional** se refiere a todos los elementos que existen fuera de las fronteras de la organización y que tienen el potencial de afectarla total o parcial.

El entorno de una organización puede entenderse mediante el análisis de su dominio dentro de los sectores externos. El **dominio** organizacional es el área de acción en el entorno que la organización elige. Se trata del territorio que una organización protege para sí, con respecto a los productos, servicios y mercados que atiende. El dominio define al nicho organizacional y aquellos sectores externos con los cuales la organización interactuará para alcanzar sus metas.

El entorno comprende varios **sectores** o divisiones externos a la organización que contienen elementos similares. En cada organización se pueden analizar diez sectores: Industrial, materias primas, recursos humanos, recursos financieros, mercado, tecnológico, económico, gubernamental, sociocultural e internacional. En el cuadro 4.1 están ilustrados los sectores de un dominio organizacional hipotético. En la mayoría de las compañías, los sectores que se muestran en el cuadro 4.1 se pueden subdividir además en el entorno de tarea y en el entorno general.

Como gerente de una organización, tenga en mente estos lineamientos:

Para analizar los elementos del entorno, organícelos en 10 sectores: Industrial, materias primas, recursos humanos, recursos financieros, mercado, tecnológico, económico, gubernamental, sociocultural e internacional. Concéntrese en los sectores que pueden experimentar un cambio importante en cualquier momento.

Entorno de tarea

El **entorno de tarea** incluye sectores con los cuales la organización interactúa en forma directa y que tienen un impacto directo en la capacidad organizacional para alcanzar las metas. Por lo general, el entorno de tarea comprende el sector industrial, el de materia prima y de mercado, y quizá el de recursos humanos e internacional.

Los siguientes ejemplos muestran cómo cada uno de estos sectores puede afectar a una organización:

- En el *sector industrial*, Wal-Mart se ha convertido en el minorista de alimentos más grande del país y las nuevas tiendas como los clubes de precios o de descuento ahora representan más de 30% del mercado de abarrotes. Este cambio obliga a los mercados tradicionales a encontrar nuevas formas de competir. Recuerde el análisis del recuadro Liderazgo por diseño del capítulo 2, sobre Wegmans. Wegmans ha con-

CUADRO 4.1
Un entorno organizacional

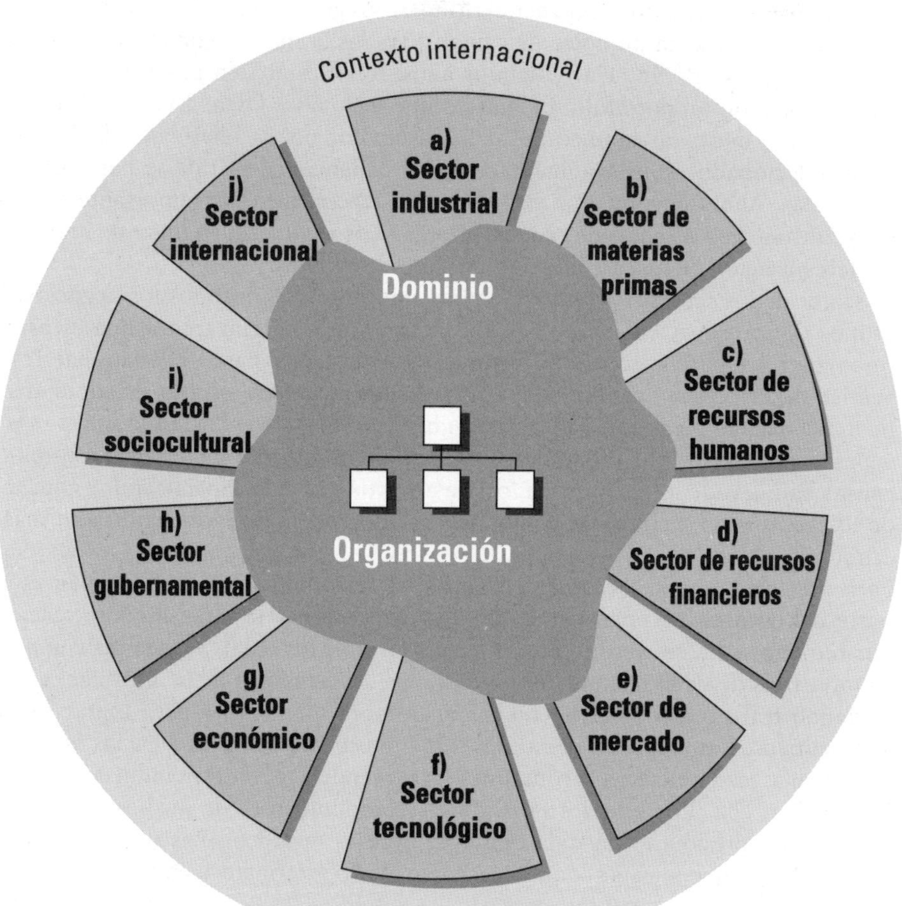

a) Competidores, tamaño de la industria y competitividad, industrias relacionadas.
b) Servicios de proveedores, fabricantes y bienes raíces.
c) Mercado laboral, agencias de empleo, universidades, escuelas de capacitación, empleados en otras compañías, sindicalización.
d) Mercados de valores, bancos, ahorros y préstamos, inversionistas privados.
e) Consumidores, clientes, usuarios potenciales de productos y servicios.
f) Técnicas de producción, computadoras científicas, tecnología de información, comercio electrónico.
g) Recesión, tasa de desempleo, tasa de inflación, tasa de inversión, economía, crecimiento.
h) Ciudad, estado, leyes y regulaciones federales, impuestos, servicios, sistemas judicial, procesos políticos.
i) Edad, valores, creencias, educación, religión, ética laboral, movimientos ecológicos y de consumidores.
j) Competencia y adquisición por parte de empresas extranjeras, ingreso a mercados internacionales, costumbres extranjeras, regulaciones, tasa de cambio.

servado su competitividad gracias a que ha construido tiendas más grandes, y a que ofrece alimentos gourmet, comidas listas para preparar, y servicios como tintorería, áreas de juegos infantiles y tienda de vinos.[4]

- Un ejemplo interesante del *sector de materias primas* está relacionado con la industria embotelladora de bebidas. Los fabricantes de acero estuvieron a la cabeza del mercado de latas de bebidas hasta mediados en la década de 1960, cuando Reynolds Aluminum Company lanzó un gigantesco programa de reciclaje de aluminio para obtener una fuente más económica de materias primas y elaborar latas de aluminio a un precio que pudiera competir con el acero.[5]

- En el *sector del mercado*, mantener el ritmo de los gustos rápidamente cambiantes de los clientes representa un dolor de cabeza para las grandes compañías de alimentos como Kraf y Nestlé SA. Hace algunos años, Kraft estaba en la cima de la cadena alimenticia, con un portafolio de marcas que incluían a Oscar Mayer, Jell-O, Oreo y Ritz. Pero dadas las inquietudes del consumidor por la obesidad y los temas de salud relacionados con la alimentación, las ganancias de Kraft se han visto muy mermadas. Ahora la compañía está buscando crecer en forma importante mediante la expansión de sus ventas de productos orgánicos y gourmet en lugar de impulsar la comercialización de macarrones con queso o de galletas.[6]
- El sector de los *recursos humanos* es muy importante para todos los negocios. Los grupos de investigación como U.S. Business pronto se centrarán a una escasez de trabajadores especializados. Por ejemplo, el New Jersey-based Educational Testing Service de Princeton encontró que el nivel cultural de los adultos estadounidenses ocupó el décimo lugar entre 17 países industrializados. Además, los adultos más jóvenes rinden menos que los adultos estadounidenses de más de 40. Éstas entre otras causas han llevado a los investigadores a advertir que si la capacitación y educación de los adultos no mejora, las compañías estadounidenses se rezagarán aún más en economía global.[7]
- Para muchas compañías contemporáneas, el *sector internacional* también es una parte del entorno de tarea debido a la globalización y la intensa competencia. El *outsourcing* se ha convertido en un tema muy controversial, ya que las compañías en industrias desde la manufacturera hasta las de tecnología de la información están enviando trabajo a los países con mano de obra más barata para lograr ser más competitivos. Las empresas dedicadas a la biotecnología y a las ciencias biológicas, que alguna vez parecieron ser inmunes a esta tendencia, ahora también están involucradas en ella. Los grandes fabricantes estadounidenses de medicamentos están enfrentando presiones a medida que las empresas más pequeñas obtienen ventajas de costos por subcontratar compañías como WuXi Pharmatech en Shangai o Biocon en India.[8]

Entorno general

El **entorno general** involucra a sectores que quizá no tengan un impacto directo en las operaciones diarias de una empresa pero que en forma indirecta la influyen. El entorno general muchas veces incluye a los sectores gubernamental, sociocultural, económico, tecnológico y de recursos financieros. Estos sectores afectan de manera eventual a todas las organizaciones. Considere los siguientes ejemplos:

- En el *sector gubernamental*, la legislación de protección al consumidor y ambiental de la Unión Europea podría ocasionar problemas a muchas empresas estadounidenses. Por ejemplo, un nuevo reglamento requiere que los fabricantes químicos que hagan negocios en los países de la Unión Europea realicen pruebas de seguridad y de impacto ambiental en más de 30 000 químicos, un proceso que podría costar a estas compañías más de $7 mil millones. Otros nuevos reglamentos demandan que las compañías se encarguen de los gastos del reciclaje de los productos que venden en la Unión Europea.[9]
- La demografía cambiante es un elemento importante del *sector sociocultural*. En Estados Unidos, los hispanos han sobrepasado en mayoría a los afroestadounidenses, y se han convertido en el grupo minoritario más grande, ya que su número está creciendo con tanta rapidez que los hispanos (o latinos, como muchos prefieren llamarse) se están convirtiendo en una fuerza impulsora de la política, economía y cultura estadounidense. Kroger ya ha convertido una de sus tiendas en Houston en un *supermercado* por completo hispano para poder competir con los comerciantes latinos. Esta creciente población está obligando a realizar cambios graduales en las organizaciones desde el Departamento del Trabajo de Estados Unidos hasta la tienda local de autopartes.[10]

- Con frecuencia, las *condiciones económicas* generales afectan la forma en que una compañía hace negocios. Los dos periódicos más famosos de Alemania, el *Frankfurter Allgemeine Zeitung* y el *Süddeutsche Zeitung*, se expandieron en forma desordenada durante el auge económico de finales de 1990. Cuando la economía se colapsó, ambos periódicos se encontraban en circunstancias financieras deplorables y tuvieron que realizar recortes laborales, cerrar oficinas regionales, eliminar secciones especiales y las inserciones personalizadas.[11]
- El *sector tecnológico* es un área en la cual han ocurrido cambios masivos en años recientes, desde la aparición de la música digital y videograbadoras hasta avances en la tecnología de clonación e investigación de células madre. Una tecnología que está teniendo un tremendo impacto en las organizaciones es el software en línea que permite a la gente crear y mantener con facilidad *Web logs*, o boletines electrónicos. Se estima que, a principios de 2005, se crearán 23 000 Web logs a diario, en los que la gente común y corriente podrá publicar información acerca de todo, desde el mal servicio al cliente hasta la mala calidad de los productos.[12]
- Todos los negocios están interesados en los *recursos financieros*, pero este sector muchas veces es el primero y más importante en las mentes de los empresarios que emprenden un nuevo negocio. Ken Vaughan comenzó en el negocio de las máscaras de gas para aprovechar el auge de la eliminación de asbestos. Cuando este suceso llegó a su fin, parecía que Neoterik Health Technologies Inc., también tendría su final. Pero después de los ataques terroristas del 11 de septiembre de 2001, Vaughan atrajo la atención de los capitalistas de riesgo, que estaban ansiosos de invertir recursos financieros en una compañía que podría beneficiarse de la seguridad nacional.[13]

Contexto internacional

El sector internacional puede afectar en forma directa a muchas organizaciones y ha cobrado una gran importancia en los últimos años. Además, todos los sectores nacionales pueden verse afectados por los acontecimientos internacionales. A pesar de la importancia de los eventos internacionales para las organizaciones actuales, muchos estudiantes no valoran la importancia de este tipo de sucesos y piensan localmente. Piénselo una vez más. Aun cuando esté en su propio país, su compañía puede ser comprada por los ingleses, canadienses, japoneses o alemanes. Por ejemplo, General Shale Brick, con sede en un pequeño pueblo al este de Tennessee, fue comprada por Wienerberger Baustoffindustrie AG, de Viena, Austria, el más importante fabricante de ladrillos en el mundo. Tan sólo Japón posee miles de compañías estadounidenses, como fábricas de acero, fabricas de caucho y llantas, plantas de ensamble automotriz y proveedores de autopartes.[14]

La distinción entre operaciones extranjeras y nacionales cada vez es más irrelevante. Por ejemplo, en la industria automotriz, Ford es propietaria de la sueca Volvo, mientras Chrysler que es considerada como uno de los tres fabricantes más grandes de automóviles en Estados Unidos, es propiedad de la alemana DaimlerChrysler y construye su PT Cruiser en México. Toyota, quien hace poco desbancó a Ford como el segundo fabricante de automóviles en el mundo, es una compañía japonesa, pero ha construido más de 10 millones de vehículos en fábricas norteamericanas. Además, las compañías con sede en Estados Unidos están implicadas en cientos de sociedades y alianzas con empresas de todo el mundo. Estas interconexiones crecientemente globales tienen implicaciones positivas y negativas para las organizaciones. Dada la importancia del sector internacional y su tremendo impacto en el diseño organizacional, este tema se estudiará a detalle en el capítulo 6.

El aumento de importancia del sector internacional significa que el entorno de las organizaciones se está volviendo muy complejo y competitivo. No obstante, todas las organizaciones enfrentan incertidumbre tanto interna como global. Considere cómo los elementos cambiantes en diferentes sectores del entorno han creado incertidumbre para las agencias publicitarias como Ogilvy & Mather.

En la práctica
Ogilvy & Mather

Fue un día triste en la industria de la publicidad cuando Ogilvy & Mather, una de las agencias de publicidad más respetadas en Madison Avenue, fue reducida a competir por negocios en una subasta en línea. La agencia ganó la cuenta, pero eso sólo aminoró en poco la pena.

El mundo ha tenido un cambio drástico desde que los fundadores de Ogilvy & Mather hacían negocios con los directores generales corporativos mientras jugaban golf y podían llegar al 90% del público estadounidense con un comercial en red nacional en las horas de máxima audiencia televisiva. Ahora, los ejecutivos de la agencia muchas veces tienen que regatear con el personal de los departamentos de ventas, quienes están acostumbrados a conseguir de los proveedores el precio más bajo de las cajas de cartón o bolsas de papel. Desean obtener el mejor trato, y desean ver mucho más que un par de anuncios televisivos.

El declive económico que siguió al colapso de las punto com y los ataques terroristas de 2001 en Estados Unidos, llevaron a la peor recesión publicitaria en más de medio siglo. Los presupuestos de marketing casi siempre fueron los primeros en ser recortados y el gasto en publicidad a nivel mundial disminuyó 7% en 2001. Las agencias despidieron a 40 000 empleados, casi 20% de su fuerza laboral. El débil clima económico también redundó en un cambio importante en la forma en que las compañías pagaban la publicidad. Hasta ese momento, la mayoría de los clientes pagaban a sus agencias 15% de comisión en las compras de medios de comunicación en lugar de pagarles en forma directa por su trabajo. En la actualidad, sin embargo, muchas compañías han recortado sus comisiones totales. Los departamentos de compras corporativas están exigiendo que las agencias expliquen con claridad sus costos laborales y la forma en que facturan al cliente. Las agencias publicitarias han pasado tiempos difíciles con estos cambios.

Y eso no es ni siquiera el problema más grande que las agencias están enfrentando. Por tradición, las agencias han dependido de los medios de televisión e impresos, pero éstos no están teniendo el mismo efecto que antes. En Estados Unidos, el número de televidentes de las horas de máxima audiencia, en particular el de las redes televisivas, continúa en declive. Y aquellos televidentes frecuentes, ahora lo hacen mediante nuevos dispositivos como TiVo que les permite saltarse por completo los comerciales. Las nuevas formas de medios como Internet, video a la carta, teléfonos celulares y videojuegos están apoderándose de un porcentaje cada vez más grande del tiempo de la gente. Las corporaciones están optando por enfoques de más bajo perfil, como las apariciones de productos en videojuegos o productos integrados en espectáculos de televisión o eventos musicales, así como opciones de más bajo costo como el uso del correo electrónico directo y la publicidad por Internet. Aunque las agencias han sido lentas para adaptarse, se aferran a la idea de que pagar medio millón de dólares por un comercial de televisión de 30 segundos les redituará.

La combinación entre condiciones económicas débiles, fragmentación de medios de comunicación, nuevas tecnologías y hábitos cambiantes ha tambaleado a la industria de la publicidad. A pesar de que muchos de estos procesos se habían pronosticado desde hace algún tiempo, las grandes agencias fueron tomadas desprevenidas, cuando se suscitaron estos eventos. Como se refiere el director general de Ogilvy & Mather a los eventos recientes, "Éstos no han sido los mejores años".[15]

Las agencias de publicidad no son las únicas organizaciones que han experimentado estos difíciles momentos para adaptarse a los cambios masivos en el entorno. En las siguientes secciones se analizará con mayor detalle la forma en la que las compañías pueden luchar para responder a la incertidumbre e inestabilidad del entorno

Incertidumbre del entorno

¿De qué forma afecta el entorno a las organizaciones? Los patrones y eventos que ocurren en el entorno se pueden explicar a partir de diferentes dimensiones, como si el entorno es estable o inestable, homogéneo o heterogéneo, simple o complejo, la *munificencia*, o cantidad de recursos disponibles para sustentar el crecimiento de la organización; si esos recursos están concentrados o dispersos; y el grado de consenso en el entorno concerniente al dominio intentado por la organización.[16] Estas dimensiones se resumen en dos formas esenciales en que el entorno influye en las organizaciones: 1) La necesidad de información acerca del entorno y 2) la necesidad de recursos del entorno. Las condiciones de complejidad y cambio del entorno crean una mayor necesidad de conjuntar información y responder de acuerdo con ella. La organización también está interesada en los recursos materiales y financieros y en la necesidad de asegurar la disponibilidad de los recursos.

La incertidumbre del entorno pertenece en principio a esos sectores con los que la organización trata de manera habitual y cotidiana. Recuerde el análisis anterior acerca del entorno general y del entorno de tarea. A pesar de que los sectores del entorno general (como las condiciones económicas, tendencias sociales, cambios tecnológicos) pueden crear incertidumbre para las organizaciones, por lo general, determinar la incertidumbre del entorno organizacional implica centrarse en los sectores del *entorno de tarea*, tales como con cuántos elementos trata con regularidad la organización, cuán rápido cambian, y así en lo sucesivo. Para evaluar la inseguridad, cada sector del entorno de tarea organizacional puede analizarse con base en dimensiones como la estabilidad o inestabilidad y el grado de complejidad.[17] El grado total de duda que siente una organización es la incertidumbre acumulada a través de todos los sectores del entorno.

Las organizaciones deben enfrentar y administrar la incertidumbre para ser efectivas. La **incertidumbre** significa que las personas encargadas de tomar las decisiones no cuentan con la información suficiente de los factores del entorno, y la predicción de los cambios externos es difícil. La incertidumbre incrementa el riesgo de fracaso de las respuestas organizacionales y dificulta el cálculo de los costos y de las probabilidades asociado con las alternativas de decisión.[18] La parte restante de esta sección se centrará en la perspectiva de la información, la cual está relacionada con el grado en que el entorno es simple o complejo y el nivel de estabilidad o inestabilidad de los eventos. Más adelante en este capítulo, se analizará la forma en que las organizaciones controlan el entorno para adquirir los recursos necesarios.

Dimensión simple-compleja

La **dimensión simple-compleja** está relacionada con la complejidad en el entorno, la cual se refiere a la heterogeneidad, el número y las diferencias de los elementos externos relevantes para las operaciones de la organización. Cuantos más factores externos influyan en la organización y mayor sea el número de empresas en el dominio organizacional, mayor será la complejidad. Un entorno complejo es aquel en el cual la organización interactúa y es influenciada por varios y diversos elementos externos. En un entorno simple, la organización interactúa con él y es influenciada por sólo unos pocos elementos externos similares.

Las empresas aeronáuticas como Boeing Co., y Europe's Airbus operan en un entorno complejo, como también las universidades. Éstas entrañan una gran cantidad de tecnologías y con frecuencia son azotadas por los cambios sociales, culturales y en los valores. Las universidades también deben soportar la influencia de las diferentes regulaciones gubernamentales en constante cambio, la competencia por los estudiantes de calidad y empleados muy educados, y recursos financieros escasos para diversos programas. Tratan con agencias de becas, asociaciones profesionales y científicas, de exalumnos, de padres, fundaciones, legisladores, residentes comunitarios, agencias internacionales, donadores, corporaciones y equipos atléticos. Este gran número de elementos externos conforman el dominio de la organización, y en conjunto generan un entorno complejo. Por otro lado, una tienda de herramientas familiar en una comunidad suburbana se encuentra en un entorno simple. La tienda no tiene que enfrentar la aparición de complejas tecnologías o variadas regulaciones gubernamentales, así que los cambios culturales y sociales tienen poco impacto. Los recursos humanos no representan un problema debido a que la tienda es manejada por miembros de la familia y ayudantes de tiempo parcial.

Los únicos elementos externos de gran importancia son sólo unos pocos competidores, proveedores y clientes.

Dimensión estable-inestable

La **dimensión estable-inestable** se refiere al dinamismo en los elementos del entorno. Un dominio del entorno es estable si es el mismo durante un periodo de meses o años. Las condiciones inestables representan elementos del entorno que cambian con brusquedad. Los dominios del entorno parecen ser cada vez más inestables para la mayoría de las organizaciones. La sección Marcador de libros de este capítulo examina la naturaleza volátil del mundo de los negocios contemporáneos y ofrece algunos consejos para administrar en un entorno en continuo cambio.

Marcador de libros 4.0 (¿YA LEYÓ ESTE LIBRO?)

Confrontación de la realidad: Tomar las medidas necesarias para lograr que las cosas se hagan bien

Por Lawrence A. Bossidy y Ram Charan

En años recientes, el mundo de los negocios ha cambiado y continuará en lo mismo a un ritmo cada vez más vertiginoso. Esta es la realidad que incitó a Larry Bossidy, expresidente y director general de Honeywell International y a Ram Charan, connotado autor, conferencista y consultor de negocios, a escribir *Confronting Reality: Doing What Matters to Get Things Right.* Ellos piensan que demasiados directivos están tentados a esconder sus cabezas debajo de la arena de las cuestiones financieras en lugar de enfrentar la confusión y complejidad del entorno organizacional.

LECCIONES PARA ENFRENTAR LA REALIDAD

Para muchas compañías, el entorno actual está caracterizado por una hipercompetencia, descenso en los precios y crecimiento del poder de los clientes. Bossidy y Charan ofrecen algunas lecciones para que los líderes naveguen por un mundo en constante cambio.

- *Entender el entorno como es y como es probable que sea en el futuro, en lugar de cómo fue en el pasado.* Depender del pasado y de la sabiduría convencional puede conducir al desastre. Por ejemplo, Kmart se quedó atrapada en su vieja fórmula mientras Wal-Mart se apoderaba de sus clientes y construía un nuevo modelo de negocios. Pocos pudieron pronosticar en 1990, por ejemplo, que Wal-Mart ahora se convirtiera en el vendedor de abarrotes más grande del país.
- *Busque y dé la bienvenida a ideas diferentes y poco ortodoxas.* Los directores necesitan ser, tener iniciativa y una mentalidad abierta para platicar con empleados, proveedores, clientes, colegas y todo aquel con el que tengan contacto. ¿Qué es lo que la gente está pensando? ¿Cuáles son los cambios y oportunidades que ellos ven? ¿Qué les preocupa del futuro?
- *Evite las causas comunes que provocan que el director no confronte su realidad: información filtrada, audiencia selectiva, pensamiento deseoso, miedo, inversión emocional excesiva en una estrategia de acción defectuosa y expectativas poco realistas.* Por ejemplo, cuando a principios de 2001, las ventas y utilidades del gigante de almacenamiento de datos EMC se derrumbaron, los directivos mostraron una visión sesgada ya que deseaban escuchar sólo buenas noticias y creer que la compañía sólo estaba experimentando un tropiezo en su curva de crecimiento. Sin embargo, cuando Joe Tucci fue nombrado director general, estaba determinado a descubrir si este tropiezo era temporal. Pero cuando habló directo con los líderes más altos de su organización de clientes, Tucci pudo enfrentar la realidad: El modelo de negocios existente de EMC basado en la tecnología de altos costos estaba muerto. Tucci implementó un nuevo modelo de negocios adecuado para esta realidad.
- *Evalúe sin piedad a su organización.* Entender el entorno interno es muy importante. Los directivos necesitan evaluar si su compañía tiene el talento, compromiso y actitud necesarios para enfrentar los cambios importantes. En EMC, Tucci se dio cuenta de que su fuerza de ventas necesitaba un cambio de actitud para transformar la venta de hardware costoso en la venta de software, servicios y soluciones de negocios. Las tácticas arrogantes de ventas exigentes del pasado tenían que ser reemplazadas por un enfoque más orientado al cliente y más suave.

MANTENERSE VIVO

Mantenerse con vida en el entorno de negocios actual requiere que los directivos estén alerta. Los directivos siempre deben observar a sus competidores, las tendencias de largo alcance en la industria, los cambios tecnológicos, las políticas gubernamentales cambiantes, las fuerzas de mercado y los desarrollos económicos en constante cambio. Al mismo tiempo, deben trabajar duro para mantener la comunicación con sus clientes, a fin de descubrir qué es lo que en realidad piensan y desean. Al hacerlo, los líderes pueden confrontar la realidad y estar preparados para el cambio.

Confronting Reality: Doing What Matters to Get Things Right, en Lawrence A. Bossidy y Charan, está publicado por Crown Business Publishing.

La inestabilidad puede ocurrir cuando los competidores reaccionan con movimientos agresivos y contraataques relacionados con la publicidad y los nuevos productos, como le sucedió a Nokia, en el caso que se narró en el inicio de este capítulo. Algunas veces los eventos impredecibles y específicos, como "el desperfecto en el vestuario" de Janet Jackson en el medio tiempo del Super Bowl de 2004, las cartas infectadas con ántrax enviadas a través del servicio postal de Estados Unidos, o el descubrimiento de problemas cardiacos relacionados con medicamentos contra el dolor como Vioxx y Celebrex, crean condiciones inestables. En la actualidad, "los sitios de odio" en la www, como *Ihatemcdonalds.com* y *Walmartsucks.com*, constituyen una fuente muy importante de inestabilidad para la credibilidad de las compañías. Además, los boletines electrónicos abiertos e incontrolados en Internet pueden destruir la reputación de una compañía, virtualmente de la noche a la mañana. La credibilidad en los candados de bicicletas de Kryptonite cayó muy rápido después que se anunciara en un boletín Web que los candados podían abrirse con un bolígrafo Bic. A 10 días de la publicación, Kryptonite anunció el cambio gratuito del producto que le costaría alrededor de $10 millones.[19]

Aunque los entornos son más inestables para la mayoría de las organizaciones en la actualidad, un ejemplo de entorno por tradición estable son los servicios públicos.[20] En el medio oeste rural, los factores de la oferta y demanda de los servicios públicos son estables. Quizá pudiera llegar a ocurrir un incremento gradual en la demanda, el cual se podría pronosticar fácil con el transcurso del tiempo. Las compañías de juguetes, por el contrario, tienen un entorno inestable. Los nuevos juguetes populares son difíciles de predecir, un problema compuesto por el hecho de que los niños están perdiendo interés en los juguetes a una edad más temprana, su interés ha sido capturado por los videojuegos, la televisión por cable e Internet. Además de la inestabilidad para los fabricantes de juguetes como Mattel y Hasbro se encuentra la contracción del mercado minorista, con grandes mayoristas de juguetes que se encuentran por salir del negocio por tratar de competir con tiendas de descuento como Wal-Mart. Los fabricantes de juguetes con frecuencia descubren que sus productos más grandes languidecen en los estantes a medida que los compradores prefieren imitaciones menos costosas producidas para Wal-Mart por fabricantes chinos de bajo costo.[21]

Modelo

Las dimensiones simplicidad-complejidad y estabilidad-inestabilidad están combinadas en un modelo para evaluar la duda que se presenta en el cuadro 4.2. En el entorno *simple y estable* la incertidumbre es baja. Existen sólo algunos elementos externos con lo que se debe luchar, y éstos tienden a permanecer estables. El entorno *complejo y estable* representa un poco más de inseguridad. Para que la organización tenga un buen funcionamiento se deben observar, analizar y enfrentar una cantidad mayor de elementos. Los elementos externos no cambian de forma rápida o inesperada en este entorno.

Una incertidumbre aun mayor se percibe en el entorno *simple e inestable*.[22] Los rápidos cambios crean indecisión para los directivos. Aunque la organización tenga pocos elementos externos, estos son difíciles de pronosticar, y reaccionan de manera inesperada a las iniciativas organizacionales. La mayor incertidumbre para una organización se presenta en el entorno *complejo e inestable*. Una cantidad mayor de elementos chocan contra la organización, cambian con frecuencia o reaccionan con fuerza ante las iniciativas organizacionales. Cuando varios factores cambian al mismo tiempo, el entorno se vuelve turbulento.[23]

Un distribuidor de cerveza funciona en un entorno simple y estable. La demanda de cerveza cambia sólo en forma progresiva. El distribuidor tiene una ruta de reparto establecida, y los proveedores de cerveza llegan según un programa de reparto. Las universidades estatales, los fabricantes de aparatos domésticos y las compañías de seguros se encuentran en entornos un poco más estables y complejos. Se presenta un número más grande de elementos externos, pero aunque cambian, estos cambios son graduales y predecibles.

Los fabricantes de juguetes se encuentran en entornos simples e inestables. Las organizaciones que diseñan, fabrican y venden los juguetes, así como las implicadas en la

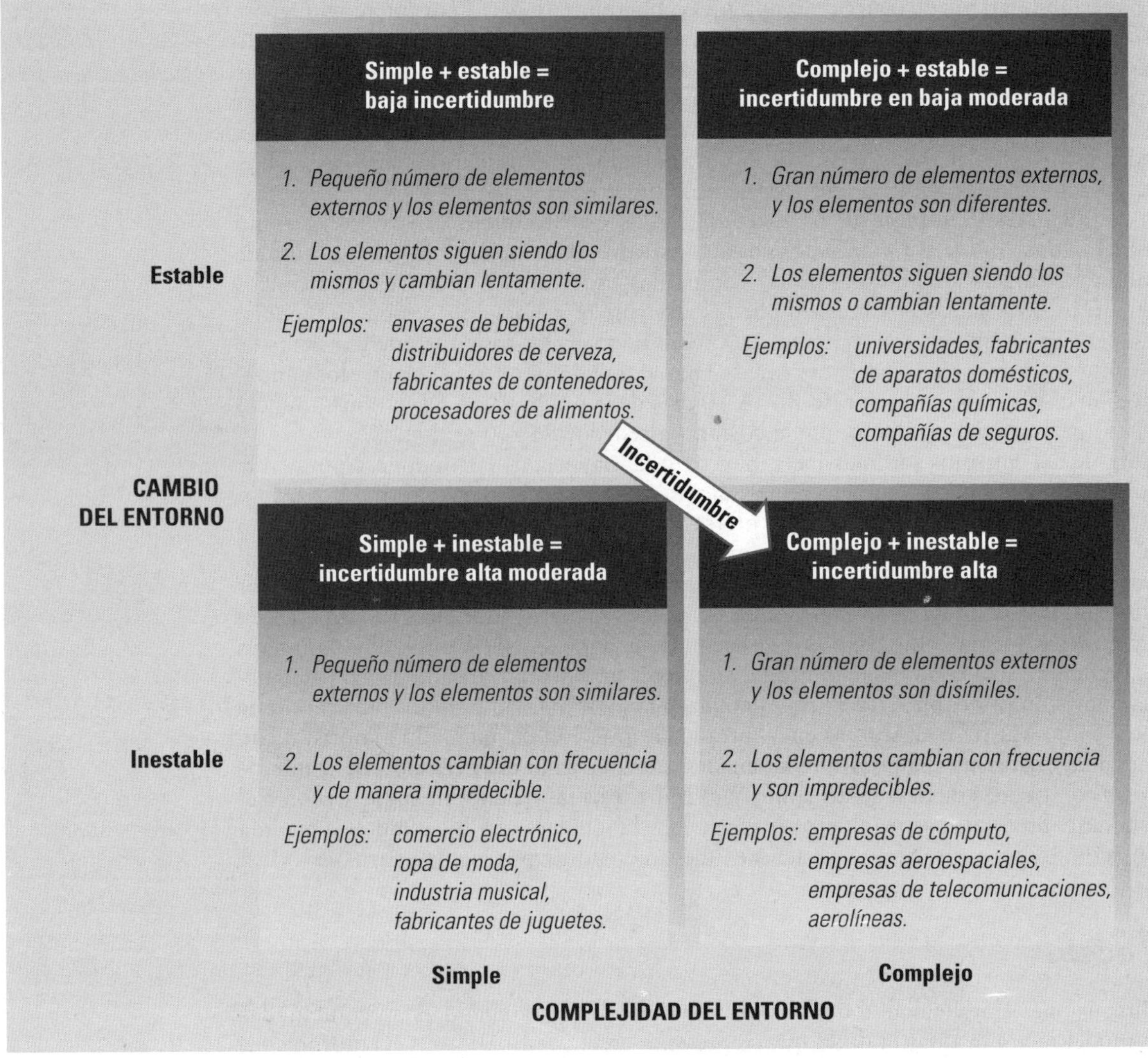

CUADRO 4.2
Modelo para evaluar la incertidumbre del entorno
Fuente: Adaptado y reimpreso de "Characteristics of Perceived Environments and Perceived Environmental Uncertainty", por Robert B. Duncan, publicado en *Administrative Science Quarterly* 17 (1972), 313-327, con autorización de *The Administrative Science Quarterly*. Derechos reservados © 1972 por Cornell University.

industria del vestido y de la música, enfrentan una demanda y oferta cambiantes. La mayor parte de las compañías de comercio electrónico se enfocan en un nicho específico de competencia y, por lo tanto, operan también en entornos simples pero inestables. A pesar de que existen algunos elementos que enfrentar, por ejemplo, tecnología y competidores; es difícil predecir y cambiar de manera abrupta e inesperada.

La industria de las telecomunicaciones y la de las aerolíneas tienen que afrontar entornos complejos e inestables. Muchos sectores están cambiando al mismo tiempo. En el caso de las aerolíneas, en sólo unos pocos años tuvieron que hacer frente a la escasez de controladores de tráfico aéreo, recortes de precios por parte de transportistas de bajo costo como Southwest Airlines, el alza en el precio de los combustibles, el ingreso de nuevos competidores como JetBlue y AirTran, una serie de desastres de tráfico aéreo y una drástica disminución en la demanda del cliente después de los ataques terroristas de 2001.

Adaptación a la incertidumbre del entorno

Una vez que se ha observado cómo difieren los entornos con respecto al cambio y la complejidad, la siguiente pregunta es "¿cómo se adaptan las organizaciones a cada nivel de incertidumbre del entorno?" La incertidumbre del entorno representa una contingencia importante para la estructura organizacional y comportamientos internos. Recuerde que en el capítulo 3 se estudió que las organizaciones que enfrentan la incertidumbre por lo general tienen una estructura más horizontal que fomenta la comunicación transfuncional y la colaboración para ayudar a la compañía a adaptarse a los cambios en el entorno. En esta sección se analizará con mayor detalle cómo afecta el entorno a las organizaciones. Una organización en un entorno determinado puede ser administrada y controlada de manera diferente que una organización en uno incierto en lo referente a sus puestos y departamentos, a su diferenciación organizacional, integración, sus procesos de control y la planeación y pronósticos para el futuro. Las organizaciones necesitan un ajuste correcto entre estructura interna y entorno.

Puestos y departamentos

A medida que se incrementan la complejidad y la incertidumbre en el entorno externo, también lo hace la cantidad de puestos y departamentos dentro de la organización, la cual a su vez incrementa su complejidad interna. Esta relación es una consecuencia de ser un sistema abierto. Cada sector en el entorno requiere un empleado o departamento que se responsabilice de él. Al departamento de recursos humanos le corresponde el manejo de la gente desempleada que desea trabajar para la compañía. El departamento de marketing encuentra clientes. El personal de compras obtiene materias primas de cientos de proveedores. El grupo de finanzas trata con banqueros. El equipo del jurídico trabaja con los tribunales y las agencias gubernamentales. Muchas compañías han agregado departamentos de comercio electrónico para manejar operaciones de ventas por medio de Internet y los departamentos de tecnología de la información para hacer frente a la creciente complejidad de la información computarizada y los sistemas de administración del conocimiento.

El gobierno estadounidense también ha respondido a la incertidumbre del entorno al crear nuevos puestos y departamentos. Poco tiempo después de los ataques terroristas de 2001 en Estados Unidos, el congreso creó un departamento de seguridad territorial para combinar todas las áreas de las diferentes agencias y crear una estrategia nacional coordinada para la protección, preparación y respuesta nacionales.[24]

Amortiguamiento e interconexión de fronteras

El método tradicional para hacer frente a la incertidumbre del entorno ha sido el establecimiento de departamentos de amortiguamiento. El propósito de las funciones de éstos es absorber la incertidumbre del entorno.[25] El centro técnico desarrolla la actividad de producción primaria de una organización. Los departamentos de amortiguamiento rodean el centro técnico e intercambian materiales, recursos y dinero en el entorno de la organización y ayudan a que el centro técnico funcione de manera eficiente. El departamento de compras amortigua al centro técnico al abastecerlo de suministros y materias primas. El departamento de recursos humanos amortigua al centro técnico al manejar la incertidumbre asociada con la búsqueda, contratación y capacitación de empleados de producción.

Un método más innovador que están implementando algunas organizaciones es el derrumbe de los amortiguadores y la exposición del centro técnico al entorno incierto. Estas organizaciones ya no crean amortiguadores debido a que creen que tener una buena conexión con los clientes y proveedores es más importante que la eficiencia interna. Por ejemplo, John Deere tiene trabajadores de línea de montaje que visitan las granjas locales para determinar y responder a las preocupaciones de los clientes. Whirlpool paga a cientos de clientes para que prueben productos y características simuladas por computadora.[26] Abrir a la organización al entorno la hace más fluida y adaptable.

Las **funciones de interrelación de fronteras** vinculan y coordinan una organización con los elementos clave del entorno. La interconexión de fronteras está relacionada de manera principal con el intercambio de información para 1) detectar y llevar a la organización información acerca de los cambios en el entorno y 2) enviar información al entorno que presente de una manera favorable a la organización.[27]

Portafolios

Como gerente de una organización, tenga en mente estos lineamientos:

Observe el entorno para detectar los cambios, amenazas y oportunidades. Utilice las funciones de interconexión de fronteras, en departamentos como investigación de mercado e inteligencia competitiva para aportar a la organización información acerca de los cambios que se están suscitando en el entorno. Mejore las capacidades de interconexión de fronteras cuando el entorno sea incierto.

Las organizaciones tienen que mantenerse en contacto con lo que está sucediendo en el entorno de manera que los directores puedan responder a los cambios en el mercado y a otros desarrollos. Un estudio de las empresas de tecnología de punta encontró que el 97% de las fallas competitivas eran resultado de la falta de atención a las modificaciones del mercado o por no haber actuado de acuerdo con información importante y vital.[28] Para detectar y aportar información importante a la organización, el personal de fronteras realiza un monitoreo del entorno. Por ejemplo, el departamento de investigación de mercados observa y monitorea las tendencias en los gustos del consumidor. El personal de fronteras en los departamentos de investigación y desarrollo y de ingeniería detecta nuevos desarrollos tecnológicos, innovaciones y materias primas. El personal de fronteras impide que la organización se estanque ya que mantiene informados a los altos directivos acerca de los cambios que hay en el entorno. Por lo general, a mayor incertidumbre en el entorno, mayor la importancia de la función de interrelación de fronteras.[29]

Un nuevo enfoque para la interrelación de fronteras es la **inteligencia de negocios**, la cual se refiere al análisis de tecnología de punta de grandes cantidades de datos internos y externos para detectar patrones y relaciones que pueden ser significativos. Por ejemplo, Verizon utiliza la inteligencia de negocios para monitorear en forma activa las interacciones entre los clientes de manera que pueda encontrar los problemas y solucionarlos al momento.[30] Las herramientas para automatizar los procesos han sido un área importante del desarrollo de software en años recientes. Hace poco las compañías registraron un gasto anual de más de 4000 millones de dólares en software de inteligencia de negocios y esta cantidad se espera que se duplique para 2006.[31]

La inteligencia de negocios está relacionada con otra área importante de la interrelación de fronteras, conocida como *inteligencia competitiva* (IC). La afiliación a la Sociedad de Profesionales e Inteligencia Competitiva se ha duplicado desde 1997, y los colegas están estableciendo programas de maestría e inteligencia competitiva para responder a la creciente demanda de profesionales de este tipo en las organizaciones.[32] La inteligencia competitiva proporciona a los altos ejecutivos una forma sistemática de recabar y analizar información pública acerca de sus rivales y utilizarla para tomar mejores decisiones.[33] El uso de técnicas que van desde la navegación en Internet hasta la búsqueda en basureros, permite a los profesionales en inteligencia desentrañar información acerca de los nuevos productos de los competidores, costos de fabricación o métodos de capacitación y compartirlos con los niveles altos de la dirección.

En el turbulento entorno contemporáneo, muchas compañías exitosas involucran a todos en las actividades de interrelación de fronteras. Muchas veces la gente que se encuentra en los niveles más bajos de la jerarquía es capaz de darse cuenta de los cambios e interpretarlos antes que los directivos, quienes por lo general están más alejados del trabajo cotidiano.[34] En Cognos, vendedor de programas de planeación y presupuesto para grandes compañías, cualquiera de los 3000 empleados en la compañía puede enviar información exclusiva acerca de los competidores a través del sitio interno corporativo llamado Street Fighter. Cada día, el departamento de investigación y desarrollo y los gerentes de ventas leen con detenimiento las docenas de mensajes. Los buenos consejos se recompensan con estímulos.[35]

La tarea de frontera de enviar información al entorno para representar a la organización, se utiliza para influir la percepción de otras personas con respecto a ella. En el departamento de marketing, la gente de ventas y publicidad representa a la organización ante los clientes. Los compradores pueden visitar a los proveedores y describir sus necesidades. El departamento jurídico informa a los cabilderos y funcionarios electos acerca de las necesidades de la organización o sus puntos de vista acerca de asuntos políticos.

Muchas compañías establecen sus propias páginas Web para presentar a la organización de una manera favorable. Por ejemplo, para contraatacar los sitios negativos que critican sus prácticas de mano de obra en los países del tercer mundo, Nike y Unocal crearon sitios Web sólo para contar su propia versión de la historia.[36]

Todas las organizaciones tienen que mantenerse en contacto con el entorno. He aquí la forma en que Genesco, un minorista con sede en Nashville, fabricante de zapatos y ropa para adolescentes que saben de moda, interconecta fronteras en el entorno cambiante de la industria de la moda.

En la práctica
Genesco

James Estepa, director de grupo Genesco Retail, vive con el lema, "Nunca actuarás con la suficiente rapidez para satisfacer al caprichoso consumidor adolescente". Con las preferencias de los adolescentes que cambian cada semana, ¿cómo pueden las compañías como Genesco mantenerse al tanto de lo que sucede? Estepa dice que su compañía lo hace entrando en la mente del adolescente.

Durante años, Genesco fue mejor conocido por su marca Johnston & Murphy, los zapatos formales color café que calzaban los hombres de negocios de edad mediana y presidentes estadounidenses. Pero en fechas recientes la compañía se ha transformado en una fuerza impulsora de la moda con tiendas de zapatos orientadas a los adolescentes como Journeys y Underground Station, la segunda cadena de ropa más grande de la nación inspirada en la moda urbana. Una forma en que Genesco se ha mantenido al tanto de las tendencias es contratando gente cercana a la edad del mercado hacia el que está orientado. Los asociados de ventas en las tiendas Journeys y Underground Station visten con el mismo tipo de ropa, escuchan el mismo tipo de música, y ven la misma clase de películas que sus clientes. Los compradores y comerciantes de la compañía también son jóvenes. Pasan horas viendo videos musicales, navegan en Internet y juegan con los videojuegos más novedosos. Mantenerse al tanto de los cambios momento a momento en la cultura popular es una de las prioridades más altas del departamento de compras de Genesco. Son ellos, y no los directores, quienes realizan los pedidos iniciales de zapatos y ropa, tienen restricciones mínimas de compra. "Si un artículo sale en los videos musicales, al día siguiente los muchachos estarán en las tiendas para comprarlo", explica Estepa. Los procedimientos flexibles internos y las sólidas asociaciones con los proveedores permiten a Genesco lograr que los productos lleguen con rapidez a sus tiendas.

Otra clave para mantenerse al día en lo más actual es analizar con frecuencia los datos de ventas. Los directivos y los compradores monitorean diario la tienda y las ventas de zapatos individuales. En muchos casos, esto permite a los directivos determinar qué tanto éxito tendrá un producto a partir de la información del primer día en que llega a la tienda, lo que ayuda a Genesco seguir, y no tratar de conducir, a sus clientes.

"Hay un gran riesgo de moda en este negocio", afirma Chris Svezia, analista que sigue de cerca el desarrollo de Genesco. "Lo importante es mantenerse al tanto. Justo ahora se encuentran en las mejores condiciones por estar haciendo lo correcto."[37]

Diferenciación e integración

Otra respuesta a la incertidumbre del entorno es la cantidad de diferenciación e integración entre departamentos. La **diferenciación** organizacional implica a "las diferencias en las orientaciones cognitivas y emocionales entre los directivos en distintos departamentos funcionales y la diferencia en la estructura formal entre departamentos".[38] Cuando el entorno es complejo y cambia rápido, las divisiones organizacionales se especializan a un nivel alto para manejar la incertidumbre en su sector externo. El éxito en cada área requiere experiencia y comportamientos especiales. Los empleados en un departamento de I&D tienen actitudes, valores, metas y educación únicas que los distinguen del personal que trabaja en las áreas de manufactura o ventas.

CUADRO 4.3
Los departamentos organizacionales se diferencian para cubrir las necesidades de los subentornos

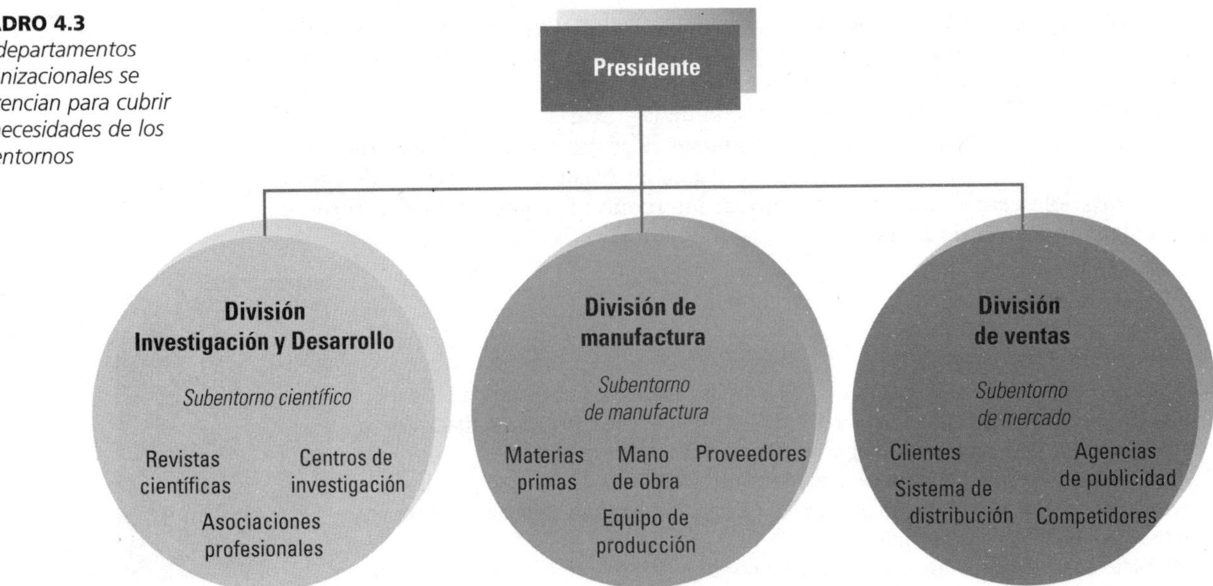

Un estudio realizado por Paul Lawrence y Jay Lorsch examinó tres departamentos organizacionales: manufactura, investigación y ventas, en 10 empresas.[39] En este estudio se encontró que cada departamento había tenido una evolución diferente de su orientación y estructura para manejar las partes especializadas del entorno. Los subentornos de mercado, científico y de manufactura que Lawrence y Lorsch identificaron se ilustran en el cuadro 4.3. Cada departamento interactuó con diferentes grupos externos. Las diferencias que evolucionaron entre los departamentos dentro de las organizaciones se muestran en el cuadro 4.4. Para trabajar en forma efectiva con el subentorno científico, I&D tenía la meta de lograr un trabajo de calidad, con un horizonte de tiempo de hasta 5 años, una estructura informal y empleados orientados a tareas. El departamento de ventas tomó el extremo opuesto. Tuvo la meta de satisfacción al cliente, con un corto plazo (2 semanas, más o menos), mediante una estructura muy formal y una orientación social.

Uno de los resultados de la alta diferenciación es que la coordinación entre departamentos se dificulta. Cuando las actitudes, metas y orientación laboral difieren a tan alto grado se deben dedicar más tiempo y recursos para lograr la coordinación. La integración es el grado de calidad de la colaboración entre departamentos.[40] A menudo se requieren integradores formales para coordinar los departamentos. Cuando el entorno es muy incierto, los cambios frecuentes requieren más procesamiento de información

CUADRO 4.4
Diferencias en metas y orientaciones entre departamentos organizacionales

Característica	Departamento de I & D	Departamento de manufactura	Departamento de ventas
Metas	Nuevos desarrollos, calidad	Producción eficiente	Satisfacción del cliente
Horizonte de tiempo	Largo	Corto	Corto
Orientación interpersonal	Principalmente de tarea	Tarea	Social
Formalidad de la estructura	Baja	Alta	Alta

Fuente: Basado en Paul R. Lawrence y Jay W. Lorsch, *Organization and Environment* (Homewood, Ill.: Irwin, 1969), 23-29.

CUADRO 4.5
Incertidumbre del entorno e integradores organizacionales

Industria	Plásticos	Alimentos	Contenedores
Incertidumbre ambiental	Alta	Moderada	Baja
Diferenciación departamental	Alta	Moderada	Baja
Porcentaje de administración en funciones integradoras	22%	17%	0%

Fuente: Basado en Jay W. Lorsh y Paul R. Lawrence, "Environmental Factors and Organizational Integration", *Organizational Planning: Cases and Concepts,* (Homewood, Ill.: Irwin y Dorsey, 1972), 45.

para lograr la coordinación horizontal, de manera que los integradores se convierten en un agregado necesario a la estructura organizacional. A veces los integradores se denominan personal de enlace, gerentes de proyecto, gerentes de marca o coordinadores. Como se ilustran en el cuadro 4.5, las organizaciones con entornos bastante inciertos y una estructura muy diferenciada asignan alrededor del 22% del personal administrativo a las actividades de integración, para que presten servicios en comités, en fuerza de tarea o en funciones de vinculación.[41] En organizaciones caracterizadas por entornos muy simples y muy estables, casi no se asignan gerentes a las funciones integradoras. El cuadro 4.5 muestra que, a medida que la incertidumbre del entorno aumenta, también lo hace la diferenciación entre los departamentos; de ahí que la organización deba asignar un porcentaje mayor de gerentes a funciones de coordinación.

La investigación de Lawrence y Lorsch concluyó que las organizaciones se desempeñan mejor cuando los niveles de diferenciación e integración coinciden con el nivel de incertidumbre del entorno. Las organizaciones que se desempeñan bien en entornos de indecisión tienen altos niveles tanto de diferenciación como de integración, mientras los que se desempeñan bien en entornos menos inciertos tienen niveles más bajos de diferenciación e integración.

Análisis comparativo de los procesos orgánico y mecanicista

Otra respuesta a la incertidumbre del entorno es la cantidad de estructura formal y control impuesto sobre los empleados. Tom Burns y G.M. Stalker observaron 20 compañías industriales inglesas y descubrieron que el entorno está relacionado con una estructura administrativa interna.[42] Cuando el entorno era estable, la organización estaba caracterizada por reglas, procedimientos y una jerarquía clara de autoridad. Las organizaciones formales y centralizadas, con la mayor parte de sus decisiones tomadas en la parte superior de la jerarquía. Burns y Stalker llamaron a este sistema de organización **mecanicista.**

En entornos muy cambiantes, la organización interna era mucho más espontánea, con flujos más libres y adaptables. Con frecuencia, las reglas y las regulaciones no estaban escritas o si lo estaban, eran ignoradas. Las personas tenían que encontrar su propia forma de manejarse a través del sistema para saber qué hacer. La jerarquía de autoridad no estaba clara. La autoridad encargada de la toma de decisiones estaba descentralizada. Burns y Stalker utilizaron al término **orgánico** para caracterizar este tipo de estructura administrativa.

El cuadro 4.6 resume las diferencias entre los sistemas orgánicos y mecanicistas. A medida que la incertidumbre del entorno aumenta, las organizaciones tienden a ser más orgánicas, lo cual significa que la autoridad y la responsabilidad se descentralizan hacia los niveles más bajos. De esta forma se logra el fomento a la participación de los empleados en los problemas y el trabajo directo entre ellos; y la promoción del trabajo en equipo y del enfoque informal para la asignación de tareas y responsabilidades. Así, las organizaciones se vuelven más fluidas y capaces de adaptarse de manera continua a los cambios que se presentan en el entorno.[43]

Portafolios

Como gerente de una organización, tenga en mente estos lineamientos:

Equilibre la estructura de la organización interna con el entorno. Si el entorno es complejo, haga que la estructura organizacional sea compleja. Asocie un entorno estable con una estructura mecanicista y un entorno inestable con una estructura orgánica. Si el entorno es tanto complejo como cambiante, haga que la organización sea bastante diferenciada y orgánica, y utilice mecanismos para alcanzar la coordinación a través de los departamentos.

CUADRO 4. 6
Formas mecanicistas y orgánicas

Mecanicista	Orgánica
1. Las tareas se descomponen en partes especializadas y separadas. 2. Las tareas están rígidamente definidas. 3. Hay una jerarquía estricta de autoridad y control, y existen muchas reglas. 4. El conocimiento y el control de las tareas están centralizados en la parte superior de la organización. 5. La comunicación es vertical.	1. Los empleados contribuyen a las tareas comunes de los departamentos. 2. Las tareas se ajustan y definen a través del equipo de trabajo del empleado. 3. Hay una jerarquía de autoridad y control menor y menos reglas. 4. El conocimiento y el control de las tareas están localizados en cualquier parte dentro de la organización. 5. La comunicación es horizontal.

Fuente: Adaptado de Gerald Zaltman, Robert Duncan y Jonny Holbek, *Innovations and Organizations* (Nueva York: Wiley, 1973), 131.

La organización que aprende lo que se analizó en el capítulo 1, y las estructuras de red horizontales y virtuales, explicadas en el capítulo 3, son formas organizacionales orgánicas que las compañías utilizan para competir en entornos muy cambiantes. Guiltless Gourmet, fabricante de frituras de tortillas y otros bocadillos de alta calidad, adoptó una estructura en red flexible para conservar su competitividad cuando las grandes compañías como Frito Lay ingresaron al mercado de bocadillos bajos en grasa. La compañía se rediseñó a sí misma para convertirse en forma básica en una organización de markenting de tiempo completo, mientras la producción y otras actividades eran subcontratadas. Cerró una planta de 18 000 pies cuadrados en Austin y se realizó un recorte de personal de 125 a un aproximado de 10 personas centrales que llevan a cabo las actividades de marketing y las promociones de ventas. La estructura flexible permite a Guiltless Gourmet adaptarse rápido a las condiciones cambiantes del mercado.[44] Otro excelente ejemplo de una compañía que cambió a un sistema más orgánico para enfrentar el cambio y la incertidumbre es Rowe Furniture Company, cuyo caso se narra en el recuadro de Liderazgo por diseño.

Planeación, pronósticos y capacidad de respuesta

El propósito fundamental de incrementar la integración interna y adoptar procesos más orgánicos es mejorar la capacidad organizacional de responder con rapidez a cambios repentinos en un entorno incierto. Puede parecer que en un entorno donde todo está cambiando todo el tiempo, la planeación es inútil. Sin embargo, en entornos inciertos, cuestiones como el pronóstico del entorno y la planeación cobran *más* importancia ya que son una forma de mantener a la organización lista para responder de forma rápida y coordinada. Los gigantes japoneses de la electrónica como Toshiba y Fujitsu, por ejemplo, fueron tomados desprevenidos por una combinación de nuevos competidores, rápidos cambios tecnológicos, desregulación y disminución de la estabilidad en el sistema bancario japonés, y el final repentino del auge tecnológico de la década de los noventas. Adormecidas por la complacencia de los años de éxito, las compañías industriales de aparatos electrónicos no estaban preparadas para responder ante estos drásticos cambios y perdieron miles de millones.[45]

Cuando el entorno es estable, la organización puede concentrarse en los problemas operativos actuales y en la eficiencia cotidiana. La planeación de largo plazo y el pronóstico no son necesarios debido a que las demandas del entorno en el futuro serán las mismas que las que se tienen en la actualidad.

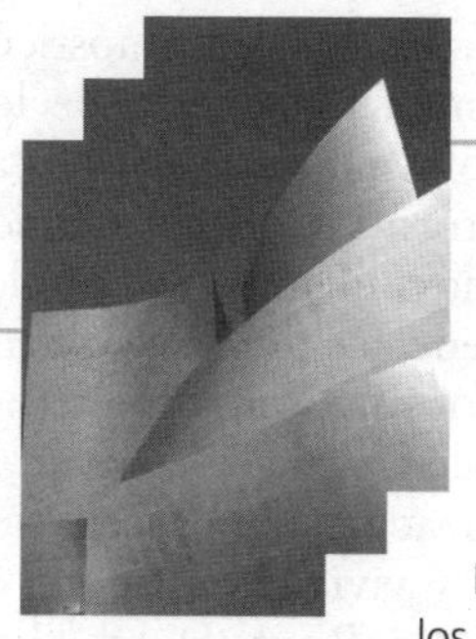

Liderazgo por diseño

Rowe Furniture Company

Anidada en las faldas de los Montes Apalaches, la Rowe Furniture Company, ha estado produciendo sillones, sofás y poltronas durante casi 60 años. Durante la mayor parte de ese tiempo, los trabajadores de Rowe registraban sus tarjetas de asistencia, apagaban sus cerebros, y hacían de manera exacta lo que su jefe les decía que debían hacer. Las fábricas de Rowe acostumbraban a ser una cadena de montaje tradicional, con gente que llevaba a cabo los mismos trabajos aburridos una y otra vez, una persona cortaba, otra cosía, otra pegaba, etcétera. Rowe había tenido éxito con este enfoque hasta ese momento, sin embargo; el mercado estaba cambiando y los altos ejecutivos sabían que Rowe necesitaba modificarse para mantener el ritmo de los acontecimientos.

Las importaciones poco costosas habían captado aproximadamente el 16% del mercado de muebles tapizados para principios de 2005, y Rowe estaba determinado a impedir que esa cifra creciera mucho más. La única forma de hacerlo era ofrecer más estilos y telas, mejor calidad y una rápida rotación de las piezas hechas al gusto del cliente. Los compradores de muebles se conformaban con comprar lo que estaba en el piso de exhibición o incluso esperar varios meses para obtener un producto hecho a la medida. Los clientes actuales desean piezas hechas a la medida "ahora". Bruce Birnback, presidente y director de operaciones de Rowe, pensó que el mercado de pedidos a la medida es el talón de Aquiles de los competidores chinos que venden a bajo costo. De ahí surgió la audaz meta de lograr fabricar sofás hechos a la medida para los minoristas en sólo diez días. Para lograr ese difícil reto, Birnback sabía que Rowe necesitaba un proceso de ensamble demasiado eficiente. Los directivos investigaron los procesos de manufactura esbelta y se dieron cuenta de que los factores culturales operativos que convirtieron a Toyota en un fabricante de automóviles tan exitoso podrían aplicarse también a una fábrica de muebles. La cadena de ensamble fue desechada para adoptar un diseño celular que contaba con pequeños equipos de trabajadores que fabricaban un mueble desde el principio hasta el final. Se instaló un sistema de cómputo sofisticado de manera que los minoristas de muebles podrían enviar pedidos a la fábrica por medios electrónicos en el minuto en que éstos se registraban. El sistema podía comenzar de inmediato el proceso de producción mediante la orden del tapiz y la asignación del pedido a un equipo específico.

Sin embargo, la clave del éxito fue la participación de los trabajadores y el compromiso del equipo. Los directores establecieron lineamientos básicos, pero los equipos de empleados trabajaron muy ligados con los ingenieros para diseñar el nuevo sistema de producción.

La mayoría de los puestos de supervisión fueron eliminados, y la gente fue capacitada en múltiples disciplinas para llevar a cabo diferentes tareas requeridas para fabricar un mueble. Los miembros del equipo firmaron una promesa de unidad en la que acordaban ponerse a trabajar con energía y ayudar a sus colegas, lo que convirtió las metas en una prioridad. Cada grupo eligió a sus propios miembros de diferentes áreas funcionales y después creó el proceso, los programas y las rutinas para una línea de producto en particular. Aunque se presentó un poco de resistencia entre los empleados en un principio, cuando las piezas comenzaron a salir, la productividad y la calidad se dispararon. Rowe está cerca de su meta de diez días por sofá. Pero una cuestión tan importante como ésta, es que los empleados están disfrutando del nuevo sentido de participación y del desafío y la responsabilidad que proviene de mejorar con frecuencia el proceso. "Los directivos te hacen sentir importante para esta compañía", afirma Rhonda Melton, costurera y despachadora en jefe. "Desean escuchar nuestras opiniones".

La información abierta es una parte importante de la nueva cultura en Rowe. Todo está al corriente y todos los miembros del equipo tienen un acceso instantáneo a la información actualizada acerca de flujos de pedido, producción, productividad y calidad. Los datos que alguna vez eran guardados con celo por los directivos ahora son propiedad común del taller. El sentido de control personal y responsabilidad ha producido cambios radicales en los trabajadores, quienes a menudo sostienen juntas de improviso para analizar los problemas, verificar el progreso de todos, o hablar acerca de ideas y mejores formas de hacer las cosas. Por ejemplo, un grupo se reunió como "una fuerza de tarea de rellenos" para inventar un mejor proceso de relleno de muebles.

La adopción de un sistema orgánico en Rowe no sucedió de la noche a la mañana, pero los directivos creen que los esfuerzos para crear un entorno en el cual los trabajadores estén en constante aprendizaje, participen en la solución de problemas y en la creación de nuevos y mejores procesos operativos, han valido la pena.

Fuentes: Chuck Salter, "When Couches Fly", *Fast Company* (julio 2004), 80-81, Thomas Petzinger, Jr,. *The New Pioneers: The Men and Women Who Are Transforming the Workplace and Marketplace* (Nueva York: Simon & Schuster, 1999), 27-32; y Cheryl Lu-Lien Tan, "U.S. Response: Speedier Delivery", *The Wall Street Journal* (noviembre 18, 2004), D1.

Con una creciente incertidumbre en el entorno, la planeación y los pronósticos se vuelven una necesidad.[46] La planeación puede suavizar el impacto adverso de los cambios externos. Las organizaciones que tienen entornos estables muchas veces establecen un departamento de planeación por separado. En un entorno impredecible, los planeadores observan los elementos del entorno y analizan los movimientos potenciales y los contraataques de otras organizaciones. La planeación puede ser amplia y puede pronosticar diferentes *escenarios* para las contingencias del entorno. Con la construcción de escenarios, los directivos ensayan en mente diferentes escenarios con base en la anticipación de varios cambios que podrían afectar a la organización. Los escenarios son parecidos a las historias que ofrecen imágenes alternativas y vívidas de lo que es probable que suceda en el futuro y cómo responderán los directores. Royal Dutch/Shell Oil ha utilizado durante mucho tiempo la construcción de escenarios y ha sido líder en responder con rapidez a los cambios masivos que otras organizaciones no han podido percibir hasta que ha sido demasiado tarde.[47]

Sin embargo, la planeación no puede sustituir a otras acciones como la interrelación efectiva de fronteras y la integración y coordinación internas adecuadas. Las organizaciones que son más exitosas en entornos inciertos son las que hacen que todo el mundo esté en contacto con el entorno de manera que puedan identificar las amenazas y oportunidades, lo cual permite a la organización responder en forma inmediata.

Modelo para las respuestas organizacionales a la incertidumbre

El cuadro 4. 7 presenta las formas que asume la incertidumbre del entorno y su influencia en las características organizacionales. El cambio y las dimensiones de complejidad se combinan e ilustran cuatro niveles de incertidumbre. El entorno de inseguridad baja es simple y estable. Las organizaciones en este entorno tienen pocos departamentos y una estructura mecanicista. En un entorno con un grado bajo-moderado de incertidumbre, son necesarios más departamentos, junto con más funciones integradoras para coordinar los departamentos. Se puede dar un poco de planeación. Los entornos que tienen una incertidumbre alta-moderada son inestables pero simples. La estructura organizacional es orgánica y descentralizada. Se hace énfasis en la planeación y los directivos realizan con rapidez los cambios internos necesarios. El entorno de incertidumbre alta es tanto complejo como inestable y es el entorno más difícil desde una perspectiva directiva. Las organizaciones son grandes y tienen muchos departamentos, pero también son orgánicas. Se asigna un gran número de personal administrativo a la coordinación y a la integración, y la organización utiliza la interrelación de fronteras, la planeación y el pronóstico para permitir una rápida respuesta ante los cambios del entorno.

Dependencia de recursos

Hasta aquí, se han explicado las diferentes formas en las cuales las organizaciones se adaptan a la falta de información y a la incertidumbre ocasionada por el cambio y la complejidad del entorno. Ahora se analizará la tercera característica de la relación organización-entorno que afecta a las organizaciones: La necesidad de recursos materiales y financieros. El entorno es la fuente de recursos escasos y valiosos esenciales para la supervivencia organizacional. La investigación necesaria se denomina *perspectiva dependencia-recursos*. La **dependencia de recursos** significa que la organización depende del entorno tanto para luchar por adquirir el control sobre los recursos como para minimizar su dependencia.[48] Las organizaciones son vulnerables si los recursos vitales están controlados por otras organizaciones, de manera que intentan ser tan independientes como sea posible. Las organizaciones no desean volverse demasiado sensibles ante otras organizaciones debido a los efectos negativos en el desempeño.

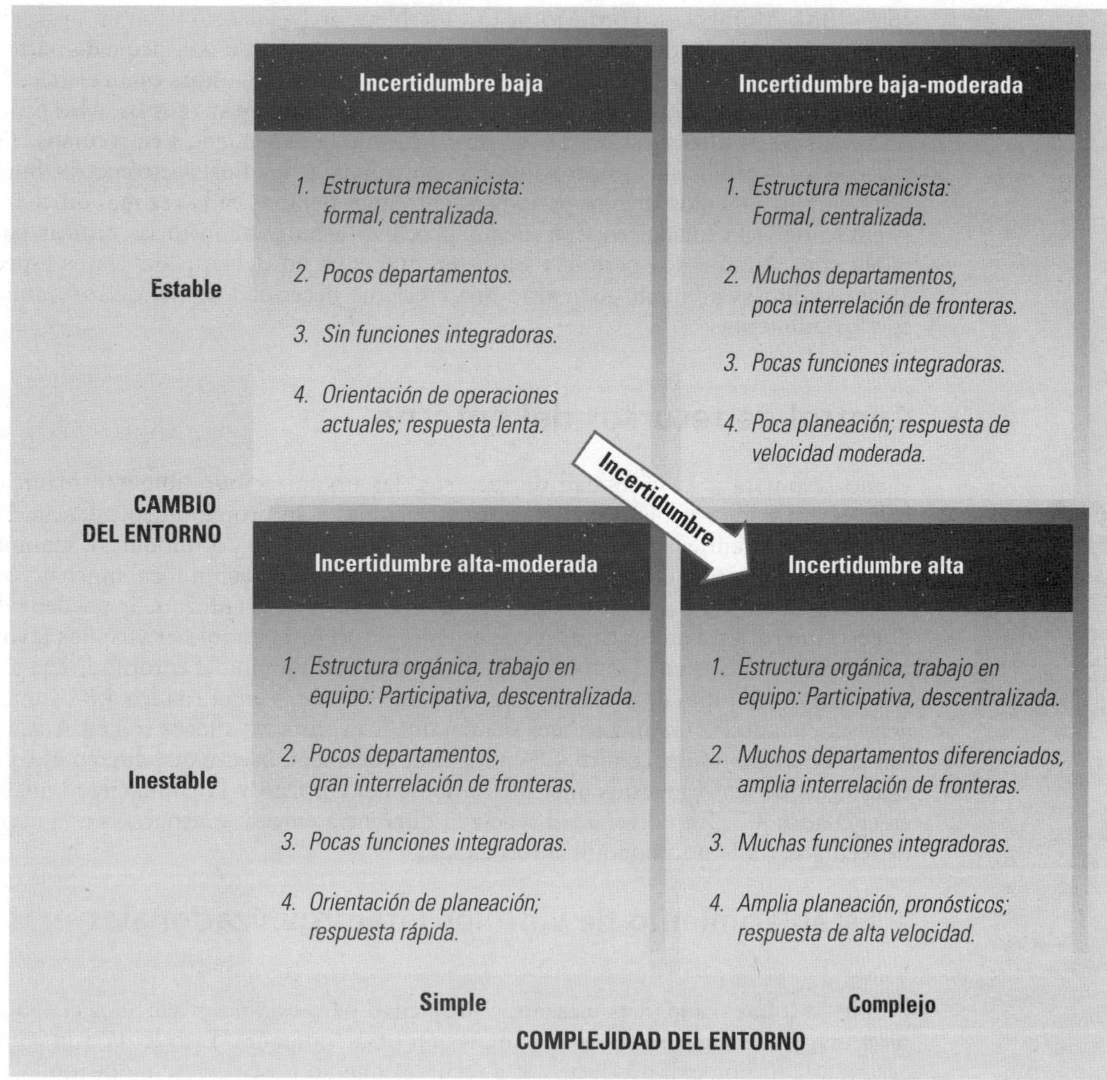

CUADRO 4.7
Modelo de contingencias para la incertidumbre del entorno y respuestas organizacionales

Aunque las compañías quisieran minimizar su dependencia, cuando los costos y los riesgos son altos también deben trabajar en grupo para compartir los recursos escasos y ser más competitivos desde el punto de vista global. Las relaciones formales con otras organizaciones presentan un dilema para los directores, ya que buscan reducir la vulnerabilidad con respecto a los recursos mediante el desarrollo de vínculos con otras organizaciones, pero también desean maximizar su propia autonomía e independencia. Las uniones organizacionales requieren coordinación,[49] y reducen la libertad de cada organización para tomar decisiones sin interesarse en las necesidades y las metas de las otras. Por lo tanto, las relaciones interorganizacionales implican un equilibrio entre recursos y autonomía. Para mantener la autonomía, las organizaciones que ya cuentan con recursos abundantes tenderán a no establecer nuevos vínculos. Las organizaciones que necesitan recursos cederán independencia para adquirir esos recursos.

La dependencia de recursos compartidos da poder a otras organizaciones. Una vez que una organización se sujeta a otras para la obtención de recursos valiosos, éstas pueden influir en la toma de decisiones gerenciales. Cuando una compañía grande como IBM, Motorola o Ford Motor Co, establece una asociación con un proveedor de autopartes, ambos lados se benefician, pero cada uno pierde una pequeña parte de su autonomía. Por ejemplo, algunas de estas grandes compañías ahora están ejerciendo una presión más fuerte sobre los vendedores para que disminuyan sus costos, y los proveedores tienen pocas alternativas.[50] De la misma forma, la dependencia en recursos compartidos da a los publicistas poder sobre las compañías de medios electrónicos e impresos. Por ejemplo, a medida que los periódicos enfrentan tiempos cada vez más difíciles desde el punto de vista financiero, son menos proclives a publicar historias críticas para los publicistas. Aunque los periódicos insisten que ellos no deben pedir tratos especiales, algunos editores admiten que existe una creciente necesidad de periódicos "amigables con los publicistas".[51]

Control de recursos del entorno

Como gerente de una organización, tenga en mente estos lineamientos:

Relacione y controle los sectores externos que amenacen los recursos necesarios. Influya en el dominio mediante su participación en actividades políticas y en asociaciones comerciales. Establezca vínculos favorables a través de propiedades, alianzas estratégicas, cooptación, interconexiones con directivos y reclutamiento ejecutivo. Reduzca la cantidad de cambio o amenazas provenientes del entorno de manera que la organización no tenga que cambiar en forma interna.

Como respuesta a la necesidad de recursos, las organizaciones intentan mantener un balance entre los vínculos con otras organizaciones y su propia independencia. Las organizaciones mantienen este equilibrio a través de intentos por modificar, manipular o controlar otras organizaciones.[52] Para sobrevivir, la organización focal muchas veces intenta relacionarse y cambiar o controlar los elementos en el entorno. Se pueden adoptar dos estrategias para administrar recursos en el entorno: 1) establecer vínculos favorables con elementos clave en el entorno y 2) dar forma al dominio del entorno.[53] Las técnicas para lograr cada una de estas estrategias están resumidas en el cuadro 4.8. Como regla general, cuando las organizaciones sienten que los recursos valiosos son escasos, utilizarán las operaciones del cuadro 4.8 en lugar de aislarse. Observe qué diferentes son estas estrategias de las respuestas ante los cambios del entorno y la complejidad analizadas en el cuadro 4.7. Esta diversidad refleja la diferencia entre las respuestas a la necesidad de recursos y a la necesidad de información.

Establecimiento de vínculos interorganizacionales

Propiedad. Las compañías utilizan la propiedad para establecer vínculos cuando compran una parte o el control de un interés en otra compañía. Esto le da a la compañía acceso a la tecnología, productos, o a recursos que no posee en ese momento.

Un mayor grado de propiedad y control se obtiene a través de las fusiones y adquisiciones. Una *adquisición* implica la compra de una organización por otra a fin de que el comprador asuma el control. Una *fusión* es la unificación de dos o más organizaciones en una sola unidad.[54] En la industria bancaria, Wells Fargo se fusionó con Norwest y Chase se fusionó con Banc One. La adquisición ocurrió cuando IBM compró al desarrollador de software Lotus Development Corp y cuando Wal-Mart compró al grupo inglés ASDA Group. Estos tipos de propiedad reducen la incertidumbre en un área importante para la compañía adquirente. Hace algunos años, se ha presentado una enorme ola de

CUADRO 4.8
Estrategias organizacionales para controlar el entorno

Establecimiento de vínculos interorganizacionales	Control del dominio en el entorno
1. Propiedades	1. Cambio de dominio
2. Contratos, sociedades de riesgo	2. Actividad política, regulación
3. Cooptación, interconexión de directores	3. Asociaciones comerciales
4. Reclutamiento ejecutivo	4. Actividades ilegítimas
5. Publicidad, relaciones públicas	

actividad de fusiones y adquisiciones en la industria de las telecomunicaciones, la cual refleja la tremenda incertidumbre que estas organizaciones enfrentan.

En la práctica

Verizon y SBC Communications Inc.

Cingular y AT&T Wireless. Sprint y Nextel. SBC Communications y AT&T. Verizon y MCI. Western Wireless y Alltel. Entre febrero de 2004 y febrero de 2005, parecía que cada mes se tenía la noticia de otra adquisición o fusión en la industria de las telecomunicaciones. Después de $100 mil millones en negociaciones durante el año, dos gigantes se están preparando para gobernar la industria si consiguen la aprobación reglamentaria de las fusiones recientes. Verizon y SBC Communications Inc., fueron creadas a partir de la desintegración de AT&T a mediados de la década de los ochentas. Durante las pasadas dos décadas, estas compañías han estado adquiriendo el tamaño y los recursos necesarios para conservar su competitividad en la industria compleja y muy cambiante de las telecomunicaciones.

Las fusiones le han dado a los dos "Papa Bells", como han sido llamados por un funcionario de la Comisión Federal de Comunicaciones, un alcance a nivel nacional y un papel activo en todos los aspectos de las comunicaciones modernas: local, larga distancia, inalámbrica, Internet y televisión. Las compañías telefónicas han tenido tiempos difíciles, ya que cada vez más personas están abandonando las líneas terrestres a favor de la tecnología inalámbrica y se ha presentado una nueva competencia por parte de los operadores de cable que ofrecen servicios telefónicos por Internet. Por ejemplo, MCI fue una fuerza impulsora de la larga distancia a finales de la década de 1980, pero en estos días la larga distancia es una batalla perdida. Sin embargo, la influencia a nivel nacional que MCI había construido, en especial con los clientes corporativos, era justo lo que Verizon necesitaba para tener un trampolín a fin de competir en una arena tan cambiante. El principal competidor de Verizon, SBC, tenía razones similares para comprar a AT&T Corp. La erosión del negocio central de SBC (desde 2002, perdió 4 millones de líneas terrestres), implicaba que la compañía tenía que obtener el tamaño y recursos necesarios para expandirse a nuevas áreas. Tanto SBC como Verizon están actuando con rapidez para proporcionar una gran variedad de servicios que incluyen telefonía, servicios inalámbricos, Internet, televisión por cable y televisión bajo demanda.

Las compañías de cable no se están durmiendo en sus laureles, y la lucha sólo está por comenzar. Sin embargo, las fusiones recientes han puesto a Verizon y SBC en una mejor posición para surcar las olas del cambio y la incertidumbre.[55]

Alianzas estratégicas formales. Cuando existe un alto nivel de complementariedad entre las líneas de negocios, las posiciones geográficas, o las habilidades de dos compañías, muchas veces las empresas siguen la ruta de una alianza estratégica en lugar de la propiedad a través de una fusión o adquisición.[56] Tales alianzas se forman mediante contratos y empresas conjuntas o *joint ventures*.

Los contratos y las empresas conjuntas reducen la incertidumbre a través de relaciones legales y contractuales con otra empresa. Los contratos asumen la forma de *convenios de licenciamiento* que implican la compra del derecho a utilizar un activo (como una nueva tecnología) durante un lapso de tiempo específico y *contratos con proveedores* que contratan la venta de la producción de una empresa a otra. Los contratos pueden proporcionar una seguridad de largo plazo al obligar a los clientes de los proveedores a respetar cantidades y precios específicos. Por ejemplo, la casa de moda italiana, Versace, ha establecido una negociación para diferenciar su activo primario: Su nombre, para una línea de anteojos de diseñador. McDonald's contrata un cultivo completo de papas marrones para tener la certeza de su abasto de papas fritas. McDonald's también obtuvo influencia sobre los proveedores a través de estos contratos y cambió la forma en que los granjeros cultivan papas y los márgenes de utilidad que ganan, lo cual es coherente con la perspectiva de la dependencia de recursos.[57] Los grandes minoristas como Wal-Mart, Target y Home Depot están obteniendo tanta influencia que casi pueden dictar los contratos, decir a los fabricantes qué fabricar, cómo y cuándo hacerlo y cuánto deben cobrar por ello. Muchas compañías de música editan las canciones y las portadas de sus CD para suprimir el "material ofensivo" con el fin de que sus productos ocupen los estantes de Wal-Mart, que vende más de 50 millones de CD al año.[58]

La *empresa conjunta* o *joint venture* resulta de la creación de una nueva organización formal independiente de las que la originaron, aunque las sociedades originarias tendrán algún grado de control sobre ella.[59] En una empresa conjunta, las organizaciones comparten el riesgo y los costos asociados con grandes proyectos o innovaciones. AOL creó una empresa conjunta con el Grupo Cisneros de Venezuela para suavizar su entrada al mercado latinoamericano en línea. IBM formó una empresa conjunta con USA Technologies Inc., para poner a prueba las lavadoras y secadoras conectadas a la red en colegios y universidades. La tecnología tradicional operada por monedas será reemplazada por un sistema IBM de micropago que permitirá a los estudiantes pagar mediante una tarjeta magnética o un código en un teléfono celular. Los alumnos podrán conectarse al sitio Web para ver si las lavadoras están disponibles y recibirán un correo electrónico cuando su ropa esté lista.[60]

Cooptación, interconexión de directores. La **cooptación** ocurre cuando los líderes de sectores importantes en el entorno forman parte de una organización. Tiene lugar, por ejemplo, cuando clientes influyentes como proveedores son designados como miembros del consejo de administración, como cuando un alto ejecutivo de un banco se sienta en el consejo de una compañía de manufactura. Como miembro del consejo, el banquero puede ser cooptado psicológicamente hacia los intereses de la empresa de manufactura. Los líderes comunitarios también pueden designarse como miembros del consejo de administración de una compañía u otros comités organizacionales o fuerza de tarea. De esta forma, estas personas influyentes llegan a conocer las necesidades de la compañía y es más probable que incluyan los intereses de la empresa en su toma de decisiones.

La **interconexión de directores** es una clase de vinculación formal que ocurre cuando un miembro del consejo de administración de una compañía se sienta en el consejo de otra. Esta persona se convierte en un tipo de enlace de comunicación entre las compañías y puede influir en las políticas y decisiones. Cuando un individuo es el enlace entre dos compañías, esto se denomina **interconexión directa**. Una **interconexión indirecta** ocurre cuando un director de la compañía A y un director de la compañía B son directores de la compañía C. Tienen un acceso mutuo pero no ejercen una influencia directa sobre sus respectivas compañías.[61] Investigaciones recientes muestran que, a medida que las fortunas financieras de la compañía disminuyen, las interconexiones directas con las instituciones financieras aumentan. La incertidumbre financiera que enfrenta una industria también ha sido asociada con interconexiones indirectas mayores entre compañías en competencia.[62]

Reclutamiento ejecutivo. La transferencia o intercambio de ejecutivos también ofrece un método para establecer vínculos favorables con las organizaciones externas. Por ejemplo, cada año, la industria aeroespacial contrata a generales y ejecutivos jubilados del Departamento de Defensa. Estas personas tienen amigos personales en el departamento, así que las compañías aeronáuticas obtienen una mejor información acerca de las especificaciones técnicas, precios y fechas de nuevos sistemas armamentistas. Pueden atender las necesidades del Departamento de Defensa y presentar solicitudes para contratos de defensa de una forma más efectiva. Las compañías y contactos personales encuentran que es casi imposible obtener un contrato con la defensa. Tener canales de influencia y comunicación entre las organizaciones sirve para reducir la incertidumbre financiera y la dependencia de una organización.

Publicidad y relaciones públicas. Una forma tradicional para establecer relaciones favorables es mediante la publicidad. Las organizaciones gastan grandes sumas de dinero para influir en los gustos de los clientes. La publicidad es en especial importante en las industrias de consumo muy competitivas y en las industrias que experimentan una demanda variable. La publicidad forma parte importante de la estrategia de Chevrolet para recuperar su posición de liderazgo en el mercado de autos y camiones. Junto con la introducción de varios nuevos modelos, la compañía lanzó una nueva campaña de publicidad con el lema "An American Revolution", la cual utiliza imágenes vanguardistas y música de rock para provocar un sentimiento de libertad y "ostentación" que alguna vez hizo famosa a la marca Chevrolet.[63]

Las relaciones públicas son similares a la publicidad, salvo que muchas veces éstas son gratuitas y están orientadas a la opinión pública. Las personas encargadas de las relaciones públicas tratan de que el público tenga una buena impresión de una organización mediante la televisión, reportes de prensa o discursos. Por medio de ellas intentan moldear la imagen de la compañía en las mentes de los clientes, proveedores y funcionarios gubernamentales. Por ejemplo, en un esfuerzo por sobrevivir a la era contra el tabaquismo, las compañías tabacaleras han lanzado una campaña agresiva que enarbola los derechos de los fumadores y la libertad de elección.

Control del dominio del entorno

Además de establecer vínculos favorables para obtener recursos, las organizaciones muchas veces intentan cambiar el entorno. Hay cuatro técnicas para influir o cambiar el dominio del entorno de una empresa.

Cambio de dominio. Los 10 sectores descritos antes en este capítulo no son fijos. Las organizaciones deciden en qué negocio estar, en qué mercado entrar y qué proveedores, bancos, empleados o sitios utilizar, y su dominio puede cambiar.[64] La organización puede buscar nuevas relaciones en el entorno y desechar las antiguas. Una organización puede tratar de encontrar un dominio donde haya poca competencia, pocas regulaciones gubernamentales, proveedores abundantes, clientes adinerados y barreras para mantener fuera a la competencia.

La adquisición y desinversión son dos técnicas para alterar el dominio. Bombardier de Canadá, fabricante de los autos de nieve, Ski-Doo, comenzó una serie de adquisiciones para alterar su dominio cuando la industria de los autos de nieve comenzó a declinar. El director general Laurent Beaudoin introdujo en forma gradual la compañía a la industria aeroespacial mediante la negociación de contratos para adquirir la unidad deHaviland de Boeing, Canadair, el pionero en el negocio de los aviones a reacción, Learjet y Short Brothers de Irlanda del Norte.[65] Un ejemplo de desinversión se presentó cuando JC Penney vendió su cadena de farmacias Eckerd para enfocarse en su tienda departamental.

Actividad política, regulación. La actividad política comprende las técnicas para influir en la legislación y regulaciones gubernamentales. La estrategia política puede utilizarse para dirigir barreras reglamentarias en contra de los nuevos competidores o para coartar la legislación desfavorable. Las corporaciones también intentan influir la designación de agencias con personal que simpatiza con sus necesidades.

Microsoft se ha convertido en una de las organizaciones más grandes y más sofisticadas de cabildeo en el país, con un gasto de $11.1 millones en cabildeo a nivel federal, tan sólo en 2003. Una cuestión clave en la que Microsoft ha cabildeado en contra es cualquier legislación que pueda crear un ambiente favorable para el software de fuente abierta. Los esfuerzos de cabildeo muy difundidos de Microsoft y su fuerte poder político han hecho difícil al gobierno federal aprobar cualquier tipo de legislación relacionada con tecnología a la que la compañía se oponga. Las grandes compañías farmacéuticas como Schering-Plough y Wyeth están involucradas con frecuencia en actividades políticas para influir en las decisiones de la FDA concernientes a medicamentos genéricos y otros cambios que puedan debilitar el poder y control de la organización.[66] Wal-Mart se había alejado de la política por mucho tiempo pero en fechas recientes ha agregado cabilderos a su nómina y se ha involucrado en gran medida en la actividad política.

En la práctica
Wal-Mart

A finales de la década de 1990, Wal-Mart descubrió un problema que pudo entorpecer sus planes de expansión internacional: Los negociadores estadounidenses para el ingreso de China a la Organización Mundial de Comercio habían accedido a limitar a 30 el número de tiendas de los minoristas extranjeros para hacer negocios allí. Peor aún que eso, los ejecutivos del gigante minorista se dieron cuenta de que no conocían a la gente correcta en Washington para hablar acerca de la situación.

Hasta 1998, Wal-Mart ni siquiera tenía a un cabildero en la nómina y sus gastos en actividad política eran casi nulos. La cuestión de la entrada de China a la Organización Mundial de Comercio fue una llamada de alerta, Wal-Mart comenzó a transformarse a sí misma de una compañía que esquivaba los asuntos públicos a una que trabajaba duro para influir en la política y adecuarla a sus necesidades de negocio. Contrató a cabilderos internos y trabajó con organizaciones de cabildeo favorables a sus metas, lo que ha permitido a Wal-Mart lograr victorias importantes en cuestiones de comercio mundial.

Además de los asuntos sobre comercio global, Wal-Mart ha encontrado otras relaciones que necesitan el apoyo gubernamental. En años recientes, la compañía ha estado enfrentando desafíos legales provenientes de los grupos sindicales, abogados de empleados e investigadores federales. Por ejemplo, United Food y Commercial Workers International Union ayudó a los empleados de Wal-Mart a interponer una serie de demandas por las horas de trabajo extra de la compañía, atención médica y otras políticas con el National Labor Relations Board, lo que ha desencadenado docenas de demandas laborales. Wal-Mart a su vez ha vertido millones de dólares en una campaña que presiona por limitar las indemnizaciones por demandas de acción popular y ha comenzado a cabildear por legislación que obstruya la acción de los sindicatos fuera de las tiendas. A pesar de que la legislación no se ha logrado, los altos ejecutivos están satisfechos con los progresos de este tipo de intermediaciones. Aunque admiten que todavía tienen mucho más que aprender acerca de la mejor forma de influir la legislación gubernamental a favor de Wal-Mart.[67]

Además de contratar cabilderos y trabajar con otras organizaciones, muchos directores generales creen que deben realizar su propio cabildeo. Los directores generales tienen un acceso más fácil que los cabilderos y pueden ser más efectivos cuando se trata de politiqueo. La actividad política es tan importante que "el cabildeo informal" es una parte no escrita y constituye casi toda la descripción de la labor que deben realizar los directores generales.[68]

Asociaciones comerciales. Gran parte del trabajo para influir en el entorno se logra junto con otras organizaciones que tienen intereses similares. Por ejemplo, la mayoría de las grandes compañías farmacéuticas pertenecen a la Pharmaceutical Research and Manufacturers of America. Las empresas de manufactura son parte de la National Association of Manufacturers. Microsoft y otras compañías de software están unidas a la Initiative for Software Choice (ISC). Al conjuntar recursos, estas organizaciones pueden pagar a personas que desempeñen actividades como el cabildeo legislativo, influir en nuevas regulaciones, desarrollar campañas de relaciones públicas y realizar contribuciones de campaña. La National Tooling and Machining Association (NTMA) dedica al cabildeo un cuarto de millón de dólares anuales, de manera principal para asuntos que afectan a los pequeños negocios, como impuestos, seguros médicos o decretos gubernamentales. NTMA también proporciona a sus miembros estadísticas e información que les ayuda a poder ser más competitivos en el mercado global.[69]

Actividades ilegítimas. Las actividades ilegítimas representan la última técnica que algunas veces utilizan las compañías para controlar su dominio del entorno. Ciertas condiciones, como bajas utilidades, presión por parte de los altos directivos o recursos escasos en el entorno, pueden llevar a los directivos a adoptar comportamientos que no se consideran legítimos.[70] Muchas compañías bien conocidas han sido encontradas culpables de actividades ilegales o no éticas. Ejemplos de ello son los sobornos a gobiernos extranjeros, contribuciones políticas ilegales, regalos de promoción e intervención de líneas telefónicas. Las compañías antes prestigiadas como Enron y WorldCom y la presión por un buen desempeño financiero incitaron a los directivos a disfrazar los problemas financieros a través de sociedades complejas o tácticas contables cuestionables. En la industria de la defensa, la intensa competencia por contratos gubernamentales de importantes sistemas armamentistas ha llevado a algunas compañías a hacer casi lo imposible para obtener una ventaja, incluidos esquemas para comprometer información interna y sobornar a funcionarios. Dos antiguos funcionarios de Boeing hace poco fueron inculpados de haber robado miles de páginas de los documentos de Lockheed Martin para obtener un contrato de lanzamiento de cohete. En otro incidente, mientras Boeing estaba negociando un contrato de 17 mil millones de dólares para reemplazar los tanques aéreos con 767s, se hicieron públicos los correos electrónicos entre el director de operaciones de Boeing, Michael Sears, y el funcionario de compras de la fuerza aérea, Darleen Druyan, que indicaban que el ejecutivo de Boeing había ofrecido a Druyan un puesto.[71]

Un estudio encontró que compañías en industrias con baja demanda, escasez y paros laborales eran más proclives a involucrarse en actividades ilegales, lo que significa que los actos ilegales son intentos de enfrentar la escasez de recursos. Algunas organizaciones sin fines de lucro han sido encontradas culpables de acciones ilegales realizadas con el fin de reforzar su visibilidad y reputación dado a que compiten con otras organizaciones por las donaciones y dádivas escasas.[72]

Modelo integrado organización-entorno

La relación ilustrada en el cuadro 4.9 resume los temas importantes acerca de las relaciones organización-entorno analizadas en este capítulo. Un tema se refiere a la cantidad de complejidad y cambios en el dominio de la organización que ejercen su influencia en la necesidad de información y, por lo tanto, en la incertidumbre que se percibe dentro de una organización. La incertidumbre mayor se resuelve a través de una mayor flexibilidad estructural y la asignación de departamentos y funciones adicionales de frontera. Cuando la incertidumbre es baja, las estructuras directivas pueden ser más mecanicistas y el número de departamentos y funciones de frontera es mínimo. El segundo tema se refiere a la escasez de recursos financieros y materiales. A mayor dependencia de una organización con respecto a otras por recursos, más importante será establecer vínculos favorables con esas organizaciones o controlar su ingreso al dominio. Si la dependencia de los recursos externos es baja, la organización puede mantener su autonomía y no necesita establecer vínculos o controlar su dominio externo.

Resumen e interpretación

El entorno tiene un impacto extraordinario en la incertidumbre administrativa y el funcionamiento de una organización. Las organizaciones son sistemas sociales abiertos, y la mayoría de ellas está implicada con cientos de elementos externos. El cambio y la complejidad en el dominio del entorno tienen implicaciones importantes para el diseño y acción organizacionales. La mayoría de las decisiones organizacionales, actividades y resultados pueden ser rastreados hasta encontrar su causa en el entorno.

Los entornos organizacionales difieren en términos de incertidumbre y dependencia de recursos. La incertidumbre organizacional es el resultado de las dimensiones simples-

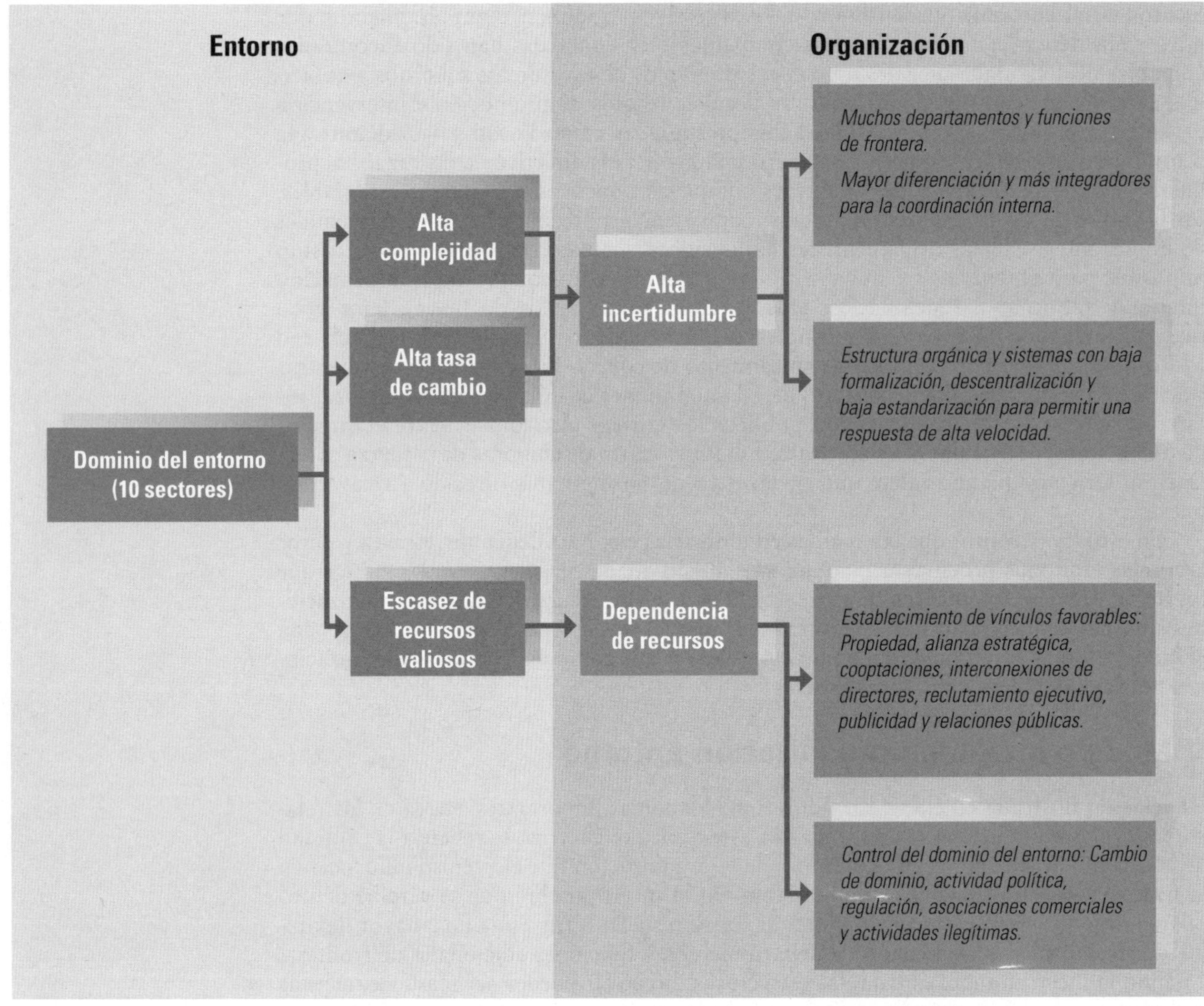

CUADRO 4.9
Relación entre características del entorno y acciones organizacionales

complejas del entorno. La dependencia de los recursos es resultado de la escasez de los recursos materiales y financieros necesarios para la organización.

El diseño organizacional emplea una perspectiva lógica cuando el entorno se considera. Las organizaciones intentan sobrevivir y logran eficiencias en un mundo caracterizado por la incertidumbre y la escasez. Para manejar la incertidumbre, se crean departamentos y funciones específicos. La organización puede conceptualizarse como un centro técnico y departamentos que amortigüen la incertidumbre del entorno. Las funciones de interrelación de fronteras proporcionan información acerca del entorno.

Los conceptos en este capítulo ofrecen modelos específicos para entender cómo influye el entorno en la estructura y funcionamiento de una organización. La complejidad del entorno y el cambio, por ejemplo, tienen un impacto específico en la complejidad y adaptabilidad interna. En condiciones mayores de incertidumbre, se distribuyen más recursos a los departamentos que planearán y manejarán elementos específicos del entorno e integrarán diversas actividades internas. Además, cuando el riesgo es mayor o los recursos son escasos, la organización puede establecer vínculos a través de la adquisición de propiedades mediante alianzas estratégicas, interconexión de directores, reclutamiento ejecutivo, relaciones públicas y publicidad que minimizarán los riesgos y conservarán un suministro constante de recursos escasos. Otras tácticas para controlar el entorno incluyen un cambio del dominio en el cual opera la organización, la actividad política, la participación en asociaciones comerciales y quizá algunas actividades ilegítimas.

Dos temas importantes que se analizaron en este capítulo son las organizaciones que aprenden y se adaptan al entorno y las organizaciones que pueden cambiar y también controlar el entorno. Estas estrategias son de manera especial aplicables para las grandes organizaciones que manejan muchos recursos. Tales organizaciones pueden adaptarse cuando sea necesario pero pueden también neutralizar o cambiar áreas problemáticas en el entorno.

Conceptos clave

cooptación
dependencia de recursos
diferenciación
dimensión estable-inestable
dimensión simple-compleja
dominio
entorno de tarea
entorno general
entorno organizacional
funciones de amortiguamiento
funciones de interrelación de fronteras
incertidumbre
inteligencia de negocios
interconexión de directores
interrelación
interrelación directa
interrelación indirecta
mecanicista
orgánico
sectores

Preguntas para análisis

1. Dé la definición de entorno organizacional. ¿El entorno de tarea de una nueva empresa basada en Internet será el mismo que el de una agencia gubernamental de asistencia social? Analice.
2. ¿Cuáles son algunas fuerzas que ejercen su influencia en la incertidumbre del entorno? ¿Por lo general cuál tiene el mayor impacto sobre la incertidumbre: El cambio del entorno o la complejidad ambiental? ¿Por qué?
3. ¿Por qué la complejidad ambiental provoca la complejidad del entorno? Explique.
4. Analice la importancia del sector internacional para las organizaciones actuales, en comparación con los sectores nacionales. ¿Cuáles son algunas formas en las cuales el sector internacional afecta las organizaciones de su ciudad o comunidad?
5. Describa la diferenciación y la integración. ¿En qué tipo de incertidumbre del entorno serían mayores la diferenciación y la integración? ¿Menores?
6. ¿En qué condiciones del entorno se enfatiza la incertidumbre del entorno? ¿La planeación es una respuesta apropiada a un entorno turbulento?
7. ¿Qué es una organización orgánica? ¿Una organización mecanicista? ¿Qué influencia ejercen las estructuras orgánicas y mecanicistas?
8. ¿Por qué las organizaciones se involucran en relaciones interorganizacionales? ¿Estas relaciones afectan la dependencia de una organización? ¿Su desempeño?
9. Suponga que se le ha pedido que calcule la proporción del personal administrativo con respecto a los empleados en producción de dos organizaciones: Una en entorno simple y estable y otra en un entorno complejo y cambiante. ¿Cómo esperaría que estas proporciones cambiaran? ¿Por qué?
10. ¿El cambio del dominio organizacional es una estrategia factible para enfrentar un entorno amenazante? Explique.

Libro de trabajo del capítulo 4: Organizaciones de las que usted depende*

Abajo se listan ocho organizaciones de las cuales usted depende en su vida cotidiana. Algunos ejemplos pueden ser restaurantes, tiendas de ropa o de discos compactos, universidades, su familia, la oficina postal, la compañía telefónica, una aerolínea, la pizzería que reparte en su oficina, etcétera. En la primera columna, enuncie ocho de tales organizaciones, después, en la columna 2 elija otra organización que podría utilizar en caso de que las de la columna 1 no tuvieran servicios disponibles. En la columna 3 evalúe su nivel de dependencia de las organizaciones listadas en la columna 1 como fuerte, medio o débil. Por último, en la columna 4 califique la certidumbre de que esa organización pueda cubrir sus necesidades como alta (segura), media o baja.

Organización	**Respaldo de la organización**	**Nivel de dependencia**	**Nivel de certidumbre**
1.			
2.			
3.			
4.			
5.			
6.			
7.			
8.			

*Adaptado de Dorothy Marcic de "Organizational Dependencies", en Ricky W. Griffin y Thomas C. Head, *Practicing Management*, 2a. ed. (Dallas: Houghton Mifflin), 2-3.

Preguntas

1. ¿Tiene usted un respaldo adecuado de las organizaciones de las que más depende? ¿Cómo crearía aún más respaldos?
2. ¿Qué haría si una organización que calificó como de dependencia alta y de certidumbre alta de pronto se convirtiera en alta dependencia y baja certidumbre? ¿Cómo se relaciona su comportamiento con el concepto de dependencia de recursos?
3. ¿Ha utilizado alguna vez un tipo de comportamiento similar a los del cuadro 4.8 para administrar sus relaciones con las organizaciones listadas en la columna 1?

Caso para el análisis: Los gemelos contradictorios: Acme y Omega Electronics*

Parte 1

En 1986, Technological Products de Erie, Pennsylvania fue adquirido por un fabricante de Cleveland, quien no tenía interés en la división electrónica de Technological Products y por tanto vendió a diversos inversionistas dos plantas que fabricaban circuitos integrados y tarjetas de circuitos impresos. Los circuitos integrados o chips, representaban la primera etapa en la microminiaturización de la industria electrónica, y las dos plantas habían desarrollado cierta experiencia en esta tecnología junto con capacidades avanzadas para la manufactura de tarjetas electrónicas impresas. Una de las plantas, ubicada en las cercanías de Waterford, se renombró como Acme Electronics; la otra planta, ubicada en los límites de Erie, se renombró como Omega Electronics, Inc.

Acme conservó su administración original y ascendió a su director general a presidente. Omega contrató a un nuevo presidente, quien había sido director de un laboratorio grande de investigación en electrónica y promovió a varios trabajadores de su personal actual de la planta. Acme y Omega con frecuencia competían por los mismos contratos y como subcontratistas, ambas empresas se beneficiaban del auge electrónico y buscaban un crecimiento y expansión futuros. El mundo ingresaba a la era digital, y ambas empresas iniciaron la producción de microprocesadores digitales junto con la producción de tarjetas electrónicas impresas. Acme tenía ventas anuales de $100 millones de dólares y daba empleo a 550 personas. Omega contaba con ventas anuales de $80 millones de dólares y daba empleo a 480 personas. Acme con frecuencia obtenía mayores utilidades netas, para disgusto de la dirección de Omega.

En el interior de Acme

El presidente de Acme, John Tyler estaba convencido de que si la demanda no hubiera sido tan alta, el competidor de Acme no hubiera sobrevivido. "De hecho", comentó, "hemos sido capaces de vencer a Omega de forma regular en los contratos más rentables, e incrementar de este modo nuestras utilidades". Tyler atribuía la mayor efectividad de su empresa a las capacidades de sus directivos para navegar un "bote ajustado". Explicó que había conservado la estructura básica desarrollada por Technological Products debido a que era más eficiente para la fabricación de alto volumen. Acme contaba con organigramas y descripciones de puestos detallados. Tyler consideraba que todo mundo debía tener responsabilidades claras y puestos bien definidos, lo que llevaría a un desempeño eficiente y altas utilidades para la empresa. El personal por lo general se encontraba satisfecho con su trabajo en Acme; sin embargo, algunos de los gerentes expresaban el deseo de contar con una mayor flexibilidad en sus actividades.

En el interior de Omega

El presidente de Omega, Jim Rawls, no creía en los organigramas, consideraba que su organización contaba con departamentos similares a Acme, pero pensaba que la planta de Omega era tan pequeña que aspectos tales como los organigramas sólo levantaban barreras artificiales entre los especialistas, quienes deben trabajar en conjunto. No se permitían los informes escritos dado que, como lo expresa Rawls, "la planta es muy pequeña como para que si la gente desea comunicarse, sólo vaya y discuta el asunto".

El responsable del departamento de ingeniería mecánica comentó, "Jim pasa mucho de su tiempo y del mío para asegurarse que todo mundo comprenda lo que hacemos y acepta sugerencias". Rawls se interesaba en la satisfacción de los empleados y deseaba que todos ellos se sintieran parte de la organización. El equipo de alta dirección reflejaba la postura de Rawls, también consideraba que los empleados debían familiarizarse con las actividades de toda la organización, de modo que se incrementara la cooperación entre los departamentos. Un miembro nuevo del departamento de ingeniería industrial comentó, "Cuando recién llegué aquí, no estaba seguro de lo que se suponía que debía hacer. Un día trabajé con unos ingenieros mecánicos y al siguiente día apoyé al departamento de embarque en el diseño de unas cajas de empaque. Los primeros meses en el trabajo fueron agitados, pero al menos obtuve una idea real de lo que hace funcionar a Omega".

Parte II

En la década de los noventa, los dispositivos analógicos y digitales mixtos amenazaban la demanda de las complejas tarjetas de circuitos que fabricaban Acme y Omega. La tecnología de "un sistema en un circuito" combinaba funciones analógicas, como sonidos, gráficos y gestión de energía, con circuitos digitales, tales como circuitos lógicos y memoria, los hacía bastante útiles para los productos nuevos tales como teléfonos celulares y computadoras inalámbricas. Tanto Acme como Omega fueron conscientes de la amenaza para su futuro e iniciaron una búsqueda agresiva de nuevos clientes.

* Adaptado de John F. Veiga, "The Paradoxical Twins: Acme and Omega Electronics", en John F. Veiga y John N. Yanouzas, *The Dynamics of Organizational Theory* (St. Paul: West, 1984), 132-138.

En julio de 1992, un gran fabricante de fotocopiadoras buscaba un subcontratista que ensamblara las unidades de memoria digital de su nueva copiadora experimental. El contrato estimado para el trabajo era de 7 a 9 millones de dólares en ventas anuales.

Tanto Acme como Omega se encontraban geográficamente cerca del fabricante, y ambas enviaron propuestas muy competitivas para la producción de 100 prototipos. La propuesta de Acme era algo menor que la de Omega, sin embargo, se les solicitó a ambas empresas que produjeran 100 unidades. El fabricante de fotocopiadoras les informó a las dos empresas que la velocidad era crítica debido a que su presidente había anticipado a otros fabricantes que la empresa contaría con una copiadora terminada disponible para navidad. Este compromiso, para consternación del diseñador, exigía una presión para que todos los subcontratistas iniciaran la producción del prototipo antes que el diseño final de la copiadora estuviera terminado. Esto significaba que Acme y Omega tendrían a lo más dos semanas para fabricar los prototipos o retrasarían la producción de la copiadora final.

Parte III

En el interior de Acme

Tan pronto como le entregaron el anteproyecto a John Tyler (lunes 13 de julio de 1992), éste envió una circular al departamento de compras donde solicitaba iniciar la compra de todos los materiales necesarios. Al mismo tiempo, envió el anteproyecto al departamento de delineación y les solicitó que prepararan impresiones de fabricación. Se le indicó al departamento de ingeniería industrial que iniciara el trabajo de diseño de los métodos que serían utilizados por los supervisores del departamento de producción. Tyler también envió una circular a todos los responsables y ejecutivos de departamento donde les señalaba las restricciones críticas de tiempo para esta tarea y les comentó que esperaba que todos los empleados se desempeñaran de la forma tan eficiente como lo habían hecho en el pasado.

Durante varios días, los departamentos tuvieron poco contacto entre sí, y cada uno de estos parecía trabajar a su propio ritmo. De manera adicional cada departamento enfrentó problemas. Compras no pudo adquirir todas las partes a tiempo. Ingeniería industrial tuvo dificultad para obtener una secuencia de ensamble eficiente. Ingeniería mecánica no tomó en serio la fecha límite y distribuyó su trabajo a proveedores de modo que los ingenieros pudieran trabajar en otros trabajos programados antes. Tyler se mantuvo en contacto con el fabricante de fotocopiadoras para informarle que las cosas avanzaban y conocer de algún nuevo desarrollo. Por lo general, él se encargaba de mantener contentos a los clientes importantes: Llamaba por teléfono a alguien de la compañía fotocopiadora por lo menos dos veces a la semana y llegó a conocer bastante bien al diseñador en jefe.

El 17 de julio, Tyler se enteró que ingeniería mecánica se encontraba atrasada en su trabajo de desarrollo, y se molestó bastante. Para empeorar las cosas, compras no había obtenido todas las partes, de modo que los ingenieros industriales decidieron ensamblar el producto sin una parte, la cual se insertaría en el último minuto. El jueves 23 de julio, se ensamblaban las unidades finales, aunque el proceso había sido retrasado en varias ocasiones. El viernes 24 de julio, se terminaron las últimas unidades mientras Tyler andaba de un lado a otro de la planta. Después, esa tarde Tyler recibió una llamada del diseñador en jefe del fabricante de fotocopiadoras, quien informó a Tyler que había recibido una llamada el miércoles de parte de Jim Rawls de Omega. Explicó que los empleados de Rawls habían encontrado un error en el diseño del cable conector y lo habían corregido en sus prototipos. Comentó a Tyler que había revisado el error de diseño y Omega estaba en lo correcto. Tyler, un tanto abrumado por esta información, dijo al diseñador que tenía todas las unidades de memoria listas para envío y que tan pronto como recibieran el componente faltante el lunes o martes, estarían en posibilidad de enviar las unidades finales. El diseñador explicó que el error de diseño sería corregido en un nuevo anteproyecto que le enviaría por mensajería y que esperaría a Acme para la fecha de entrega del martes.

Cuando llegó el anteproyecto, Tyler llamó al supervisor de producción para evaluar el daño. Las alteraciones en el diseño necesitarían un desmontaje completo y el desoldado de varias conexiones. Tyler indicó al supervisor que asignara personal adicional a las modificaciones a primera hora del lunes e intentara terminar el trabajo para el martes. Por la tarde del martes, las modificaciones estaban concluidas y los componentes faltantes habían sido enviados. La mañana del miércoles, el supervisor de producción descubrió que las unidades debían ser de nuevo desensambladas para instalar el componente faltante. Cuando se le informó esto a John, otra vez estalló su molestia. Llamó a ingeniería industrial para ver si podían ayudarle. El supervisor de producción y el ingeniero de métodos no podían ponerse de acuerdo acerca de cómo instalar el componente. John Tyler resolvió la discusión ordenó que todas las unidades fueran desensambladas de nuevo y se instalara el componente faltante. Indicó al departamento de envío que preparara cajas para su envío por la tarde del viernes.

El viernes 31 de julio, se enviaron cincuenta prototipos de Acme sin una inspección final. A John Tyler le preocupaba la reputación de la empresa, de modo que pasó por alto la inspección final después de que él en forma personal revisó una unidad y la encontró funcional. El jueves 4 de agosto, Acme envió las siguientes cincuenta unidades.

Dentro de Omega

El viernes 10 de julio, Jim Rawls convocó a una reunión en la que participaron los responsables de departamento, para informarles acerca del potencial contrato que se recibiría. Les indicó que tan pronto como obtuviera el anteproyecto, el trabajo iniciaría. El lunes 13 de julio llegó el anteproyecto y de nuevo se reunieron los directores de departamento para analizar el proyecto. Al final de la reunión, el departamento de delineación había acordado preparar los planos de fabricación, mientras que ingeniería industrial y producción iniciarían el diseño de métodos.

Surgieron dos problemas en Omega similares a los de Acme. Ciertas partes ordenadas no podían entregarse a tiempo y la secuencia de ensamblado era difícil de diseñar, sin embargo, los departamentos propusieron ideas para ayudarse entre sí y los directores de departamento sostuvieron reuniones diarias para analizar el progreso. El director de ingeniería eléctrica sabía de un proveedor japonés para los componentes que no podían adquirirse de los proveedores normales. La mayor parte de los problemas habían sido resueltos para el sábado 18 de julio.

El lunes 20 de julio, un ingeniero de métodos y el supervisor de producción elaboraron los planes de ensamblado y se estableció que la producción iniciaría la mañana del martes. La tarde del lunes, personal de ingeniería mecánica, ingeniería eléctrica, producción e ingeniería industrial se reunió para generar un prototipo sólo para asegurarse que no habría inconvenientes en la producción. Al construir la unidad identificaron un error en el diseño del cable conector. Todos los ingenieros estuvieron de acuerdo después de verificar y volver a revisar el anteproyecto que el cable estaba mal diseñado. Personal de ingeniería mecánica e ingeniería eléctrica pasaron la noche del lunes en el rediseño del cable, y por la mañana del martes, el departamento de delineado finalizó los cambios en los planos de manufactura. La mañana del martes, Rawls se encontraba un tanto inquieto por los cambios de diseño y decidió obtener una aprobación formal. Rawls recibió el miércoles respuesta del diseñador en jefe de la empresa fotocopiadora para que procedieran con los cambios de diseño según se comentó por teléfono. El viernes 24 de julio, control de calidad inspeccionó las unidades finales y fueron enviadas.

Parte IV

Diez de las unidades finales de memoria de Acme tuvieron defectos, mientras que todas las unidades de Omega pasaron las pruebas de la empresa fotocopiadora. La empresa fotocopiadora se decepcionó del retraso en la entrega de Acme e incurrió en mayores retrasos para corregir las unidades defectuosas de Acme. Sin embargo, en lugar de otorgar el contrato completo a una empresa, se dividió el contrato final entre Acme y Omega con dos directrices añadidas: 1) Mantener cero defectos y 2) reducir el costo final. En 1993 y mediante grandes esfuerzos de reducción de costos, Acme redujo su costo unitario en 20 por ciento y a fin de cuentas se le otorgó el contrato total.

Notas

1. David Pringle, "Wrong Number; How Nokia Chased Top End of Market, Got Hit in Middle", *The Wall Street Journal* (junio 1, 2004), A1; y Andy Reinhardt con Moon Ihlwan, "Will Rewiring Nokia Spark Growth?" *Business Week* (febrero 14, 2005), 46ff.
2. Andrew Yeh, "China Set To Be Nokia's Top Market", *Financial Times* (febrero 24, 2005), 24; y Reinhardt y Ihlwan, "Will Rewiring Nokia Spark Growth?"
3. Paul Keegan, "Is the Music Store Over?" *Business 2.0* (marzo 2004), 115-118; Tom Hansson, Jurgen Ringbeck y Markus Franke, "Fight for Survival: A New Business Model for the Airline Industry", *Strategy + Business,* número 31 (verano 2003), 78-85.
4. Matthew Boyle, "The Wegmans Way", *Fortune* (enero 24, 2005), 62-68.
5. Dana Milbank, "Aluminum Producers, Aggressive and Agile, Outfight Steelmakers", *The Wall Street Journal* (julio 1, 1992), A1.
6. Sarah Ellison, "Eating Up; As Shoppers Grow Finicky, Big Food Has Big Problems", *The Wall Street Journal* (mayo 21, 2004), A1.
7. Aaron Bernstein, "The Time Bomb in the Workforce: Illiteracy", *BusinessWeek* (febrero 25, 2002), 122.
8. Andrew Pollack, "Yet Another Sector Embraces Outsourcing to Asia: Life Sciences", *International Herald Tribune* (febrero 25, 2005), 17.
9. Samuel Loewenberg, "Europe Gets Tougher on U.S. Companies", *The New York Times* (abril 20, 2003), sección 3, 6.
10. Brian Grow, "Hispanic Nation", *Business Week* (marzo 15, 2004), 58-70.
11. Mark Landler, "Woes at Two Pillars of German Journalism", *The New York Times* (enero 19, 2004), C8.
12. David Kirkpatrick y Daniel Roth, "Why There's No Escaping the Blog", *Fortune* (enero 10, 2005), 44-50.
13. Robert Frank, "Silver Lining; How Terror Fears Brought Tiny Firm to Brink of Success", *The Wall Street Journal* (mayo 8, 2003), A1, A14.
14. Andrew Kupfer, "How American Industry Stacks Up", *Fortune* (marzo 9, 1992), 36-46.
15. Devin Leonard, "Nightmare on Madison Avenue", *Fortune* (junio 28, 2004), 93-108; y Brian Steinberg, "Agency Cost-Accounting Is under Trial", *The Wall Street Journal* (enero 28, 2005), B2.
16. Randall D. Harris, "Organizational Task Environments: An Evaluation of Convergent and Discriminate Validity", *Journal of Management Studies* 41, núm. 5 (julio 2004), 857-882; Allen C. Bluedorn, "Pilgrim's Progress: Trends and Convergence in Research on Organizational Size and Environment", *Journal of Management* 19 (1993), 163-191; Howard E. Aldrich, *Organizations and Environments* (Englewood Cliffs, N.J.: Prentice-Hall, 1979); y Fred E. Emery y Eric L. Trist, "The Casual Texture of Organizational Environments", *Human Relations* 18 (1965), 21-32.
17. Gregory G. Dess y Donald W. Beard, "Dimensions of Organizational Task Environments", *Administrative Science Quarterly* 29 (1984), 52-73; Ray Jurkovich, "A Core Typology of Organizational Environments", *Administrative Science Quarterly* 19 (1974), 380-394; Robert B. Duncan, "Characteristics of Organizational Environment and Perceived Environmental Uncertainty", *Administrative Science Quarterly* 17 (1972), 313-327.

18. Christine S. Koberg y Gerardo R. Ungson, "The Effects of Environmental Uncertainty and Dependence on Organizational Structure and Performance: A Comparative Study", *Journal of Management* 13 (1987), 725-737; y Frances J. Milliken, "Three Types of Perceived Uncertainty about the Environment: State, Effect, and Response Uncertainty", *Academy of Management Review* 12 (1987), 133-143.
19. Mike France con Joann Muller, "A Site for Soreheads", *Business Week* (abril 12, 1999), 86-90; Kirkpatrick y Roth, "Why There's No Escaping the Blog."
20. J. A. Litterer, *The Analysis of Organizations,* 2a. ed. (Nueva York: Wiley, 1973), 335.
21. Constance L. Hays, "Mote Gloom on the Island of Lost Toy Makers", *The New York Times* (febrero 23, 2005), *http://www.nytimes.com.*
22. Rosalie L. Tung, "Dimensions of Organizational Environments: An Exploratory Study of Their Impact on Organizational Structure", *Academy of Management Journal 22* (1979), 672-693.
23. Joseph E. McCann y John Selsky, "Hyper-turbulence and the Emergence of Type 5 Environments", *Academy of Management Review* 9 (1984), 460-470.
24. Seth M. M. Stodder, "Fixing Homeland Security; New Leadership and Consolidation Key", *The Washington Times* (febrero 28, 2005), A21.
25. James D. Thompson, *Organizations in Action* (Nueva York: McGraw-Hill, 1967), 20-21.
26. Sally Solo, "Whirlpool: How to Listen to Consumers", *Fortune* (enero 11, 1993), 77-79.
27. David B. Jemison, "The Importance of Boundary Spanning Roles in Strategic Decision-Making", *Journal of Management Studies* 21 (1984), 131-152; y Mohamed Ibrahim Ahmad At-Twaijri y John R. Montanari, "The Impact of Context and Choice on the Boundary-Spanning Process: An Empirical Extension", *Human Relations* 40 (1987), 783-798.
28. Michelle Cook, "The Intelligentsia", *Business 2.0* (julio 1999), 135-136.
29. Robert C. Schwab, Gerardo R. Ungson, y Warren B. Brown, "Redefining the Boundary-Spanning Environment Relationship", *Journal of Management* 11 (1985), 75-86.
30. Tom Duffy, "Spying the Holy Grail", *Microsoft Executive Circle* (invierno 2004), 38-39.
31. Julie Schlosser, "Looking for Intelligence in Ice Cream", *Fortune* (marzo 17, 2003), 114-120.
32. Pia Nordlinger, "Know Your Enemy", *Working Woman* (mayo 2001), 16.
33. Ken Western, "Ethical Spying", *Business Ethics* (septiembre/octubre 1995), 22-23; Stan Crock, Geoffrey Smith, Joseph Weber, Richard A. Melcher, y Linda Himelstein, "They Snoop to Conquer", *Business Week* (octubre 28, 1996), 172-176; y Kenneth A. Sawka, "Demystifying Business Intelligence", *Management Review* (octubre 1996), 47-51.
34. Edwin M. Epstein, "How to Learn from the Environment about the Environment-A Prerequisite for Organizational Well-Being", *Journal of General Management* 29, núm. 1 (otoño 2003), 68-80.
35. "Snooping on a Shoestring", *Business 2.0* (mayo 2003), 64-66.
36. Mike France con Joann Muller, "A Site for Soreheads", *Business Week* (abril 12, 1999), 86-90.
37. Naomi Snyder, "Close on the Heels of the Followers", *The Tennessean* (febrero 6, 2005), 1E, 4E; "Stepping into the Teenage Mind" (entrevista con Jim Estepa de Genesco), *Footwear News* (julio 28, 2003), 22; Katie Abel, "Smart Journeys", *Footwear News* (noviembre 3, 2003), 14; y "The WWD List: Street Smarts; The Top 10 Streetwear Chains", WWD (noviembre 18, 2004), 14.
38. Jay W. Lorsch, "Introduction to the Structural Design of Organizations", en Gene W. Dalton, Paul R. Lawrence, y Jay W. Lorsch, eds., *Organizational Structure and Design* (Homewood, Ill.: Irwin and Dorsey, 1970), 5.
39. Paul R. Lawrence y Jay W. Lorsch, *Organization and Environment* (Homewood, Ill.: Irwin, 1969).
40. Lorsch, "Introduction to the Structural Design of Organizations", 7.
41. Jay W. Lorsch y Paul R. Lawrence, "Environmental Factors and Organizational Integration", en J. W. Lorsch y Paul R. Lawrence, eds., *Organizational Planning: Cases and Concepts* (Homewood, III.: Irwin and Dorsey, 1972), 45.
42. Tom Burns y G. M. Stalker, *The Management of Innovation* (Londres: Tavistock, 1961).
43. John A. Courtright, Gail T. Fairhurst, y L. Edna Rogers, "Interaction Patterns in Organic and Mechanistic Systems", *Academy of Management Journal* 32 (1989), 773-802.
44. Dennis K. Berman, "Crunch Time", *BusinessWeek Frontier* (abril 24, 2000), F28-F38.
45. Robert A. Guth, "Eroding Empires: Electronics Giants of Japan Undergo Wrenching Change", *The Wall Street Journal* (junio 20, 2002), A1, A9.
46. Thomas C. Powell, "Organizational Alignment as Competitive Advantage", *Strategic Management Journal* 13 (1992), 119-134; Mansour Javidan, "The Impact of Environmental Uncertainty on Long-Range Planning Practices of the U.S. Savings and Loan Industry", *Strategic Management Journal 5* (1984), 381-392; Tung, "Dimensions of Organizational Environments", 672-693; y Thompson, *Organizations in Action.*
47. Ian Wylie, "There Is No Alternative To . . . ", *Fast Company* (julio 2002), 106-110.
48. David Ulrich y Jay B. Barney, "Perspectives in Organizations: Resource Dependence, Efficiency, and Population", *Academy of Management Review* 9 (1984), 471-481; y Jeffrey Pfeffer y Gerald Salancik, *The External Control of Organizations: A Resource Dependent Perspective* (Nueva York: Harper & Row, 1978).
49. Andrew H. Van de Ven y Gordon Walker, "The Dynamics of Interorganizational Coordination", *Administrative Science Quarterly* (1984), 598-621; y Huseyin Leblebici y Gerald R. Salancik, "Stability in Interorganizational Exchanges: Rulemaking Processes of the Chicago Board of Trade", *Administrative Science Quarterly* 27 (1982), 227-242.
50. Kevin Kelly y Zachary Schiller con James B. Treece, "Cut Costs or Else: Companies Lay Down the Law to Suppliers", *BusinessWeek* (marzo 22, 1993), 28-29.
51. G. Pascal Zachary, "Many Journalists See a Growing Reluctance to Criticize Advertisers", *The Wall Street Journal* (febrero 6, 1992), A1, A9.
52. Judith A. Babcock, *Organizational Responses to Resource Scarcity and Munificence: Adaptation and Modification in Colleges within a University* (tesis doctoral Pennsylvania State University, 1981).
53. Peter Smith Ring y Andrew H. Van de Ven, "Developmental Processes of Corporative Interorganizational Relationships", *Academy of Management Review* 19 (1994), 90-118; Jeffrey Pfeffer, "Beyond Management and the Worker: The Institutional Function of Management", *Academy of Management Review* 1 (abril 1976), 36-46; y John P. Kotter, "Managing External Dependence", *Academy of Management Review* 4 (1979), 87-92.

54. Bryan Borys y David B. Jemison, "Hybrid Arrangements as Strategic Alliances: Theoretical Issues in Organizational Combinations", *Academy of Management Review 14* (1989), 234-249.
55. Almar Latour, "Closing Bell; After a Year of Frenzied Deals,Two Telecom Giants Emerge", *The Wall Street Journal* (febrero 15, 2005), A1, A11; Almar Latour, "New Kid on the Box; To Meet the Threat from Cable, SBC Rushes to Offer TV Service", *The Wall Street Journal* (febrero 16, 2005), A1, A10; y Murray Sabrin, "No Reason to Fear Telecom Mergers", *The Record* (agosto 17, 2005), L-09.
56. Julie Cohen Mason, "Strategic Alliances: Partnering for Success", *Management Review* (mayo 1993), 10-15.
57. Teri Agins y Alessandra Galloni, "After Gianni; Facing a Squeeze, Versace Struggles to Trim the Fat", *The Wall Street Journal* (septiembre 30, 2003), A1, A10; John F. Love, *McDonald's: Behind the Arches* (Nueva York: Bantam Books, 1986).
58. Zachary Schiller y Wendy Zellner con Ron Stodghill II y Mark Maremont, "Clout! More and More, Retail Giants Rule the Marketplace", *BusinessWeek* (diciembre 21, 1992), 66-73.
59. Borys y Jemison, "Hybrid Arrangements as Strategic Alliances".
60. Ian Katz y Elisabeth Malkin, "Battle for the Latin American Net", *BusinessWeek* (noviembre 1, 1999), 194-200; "IBM Joint Venture to Put Laundry on Web", *The Wall Street Journal* (agosto 30, 2002), B4.
61. Donald Palmer, "Broken Ties: Interlocking Directorates and Intercorporate Coordination", *Administrative Science Quarterly* 28 (1983), 40-55; F. David Shoorman, Max H. Bazerman, y Robert S. Atkin, "Interlocking Directorates: A Strategy for Reducing Environmental Uncertainty", *Academy of Management Review* 6 (1981), 243-251; y Ronald S. Burt, *Toward a Structural Theory of Action* (Nueva York: Academic Press, 1982).
62. James R. Lang y Daniel E. Lockhart, "Increased Environmental Uncertainty and Changes in Board Linkage Patterns", *Academy of Management Journal* 33 (1990), 106-128; y Mark S. Mizruchi y Linda Brewster Stearns, "A Longitudinal Study of the Formation of Interlocking Directorates", *Administrative Science Quarterly 33* (1988), 194-210.
63. Lee Hawkins Jr. "GM Seeks Chevrolet Revival", *The Wall Street Journal* (diciembre 19, 2003), B4.
64. Kotter, "Managing External Dependence".
65. William C. Symonds, con Farah Nayeri, Geri Smith, y Ted Plafker, "Bombardier's Blitz", *Business Week* (febrero 6, 1995), 62-66; y Joseph Weber, con Wendy Zellner y Geri Smith, "Loud Noises at Bombardier", *Business Week* (enero 26, 1998), 94-95.
66. Ben Worthen, "Mr. Gates Goes to Washington", *CIO* (septiembre 2004), 63-72; Gardiner Harris y Chris Adams, "Delayed Reaction: Drug Manufacturers Step Up Legal Attacks That Slow Generics", *The Wall Street Journal* (julio 12, 2001), A1, A10; Leila Abboud, "Raging Hormones: How Drug Giant Keeps a Monopoly on 60-Year-Old Pill", *The Wall Street Journal* (septiembre 9, 2004), A1.
67. Jeanne Cummings, "Joining the PAC; Wal-Mart Opens for Business in a Tough Market: Washington", *The Wall Street Journal* (marzo 24, 2004), A1.
68. David B. Yoffie, "How an Industry Builds Political Advantage", *Harvard Business Review* (mayo-junio 1988), 82-89; y Jeffrey H. Birnbaum, "Chief Executives Head to Washington to Ply the Lobbyist's Trade", *The Wall Street Journal* (marzo 19, 1990), A1, A16.
69. David Whitford, "Built by Association", *Inc.* (julio 1994), 71-75.
70. Anthony J. Daboub, Abdul M. A. Rasheed, Richard L. Priem, y David A. Gray, "Top Management Team Characteristics and Corporate Illegal Activity", *Academy of Management Review* 20, núm. 1 (1995), 138-170.
71. Stewart Toy, "The Defense Scandal", *Business Week* (julio 4, 1988), 28-30; y Julie Creswell, "Boeing Plays Defense", *Fortune* (abril 19, 2004), 90-98.
72. Barry M. Staw y Eugene Szwajkowski, "The Scarcity Munificence Component of Organizational Environments and the Commission of Illegal Acts", *Administrative Science Quarterly* 20 (1975), 345-354; y Kimberly D. Elsbach y Robert I. Sutton, "Acquiring Organizational Legitimacy through Illegitimate Actions: A Marriage of Institutional and Impression Management Theories", *Academy of Management Journal* 35 (1992), 699-738.

5 Relaciones interorganizacionales

Una mirada al interior de

International Truck and Engine Corporation

La planta de fabricación de International Truck and Engine Corporation semeja a una colmena por su actividad. Como el productor más grande del país que combina camiones comerciales, autobuses escolares y motores diesel de mediano alcance, el bullicio es la norma. Pero algunas de las personas que corren a toda prisa alrededor del taller ni siquiera trabajan para International; están en la nómina de Rockwell Automation, uno de los proveedores clave de la compañía.

Hace algunos años, International negoció contratos de largo plazo con proveedores para que llevaran a cabo cada vez más actividades no centrales para la compañía. La administración de las partes del equipo y del servicio está a cargo de Rockwell, quien es capaz de administrar el inventario, reparar partes, actualizar componentes y dar seguimiento a las garantías con costos más bajos de lo que International podría conseguir si él mismo realizara estas tareas. Los costos de inventario de International han disminuido debido a que el proveedor es el responsable de asegurar la disponibilidad de los repuestos más comunes y evitar el inventario obsoleto. Además, los expertos de partes en la planta permiten al fabricante mejorar la eficiencia de las máquinas. Rockwell también se ha beneficiado de este acuerdo de colaboración. Con su gente en la planta, Rockwell consigue tener una mayor proximidad con el cliente y la oportunidad de actualizar o vender otros productos. Tan importante como esto es la experiencia que se adquiere en la planta acerca de cómo se utilizan las partes, lo que permite al proveedor mejorar sus productos e innovar las partes antes que el cliente siquiera las pida.

El interés de International en la colaboración no está limitado a la administración de partes. La compañía tiene una empresa de riesgo compartido con Ford Motor Company para construir camiones comerciales de tamaño mediano y vender partes de motores diesel y de camiones. Una nueva alianza estratégica con MAN Nutzfahrzeuge AG de Munich, Alemania, llevan la colaboración un paso más adelante. International y MAN colaborarán en el diseño, el desarrollo, la contratación externa y la fabricación de nuevos componentes y sistemas para camiones y motores comerciales. Ambas compañías esperan beneficiarse en forma recíproca desde el punto de vista tecnológico y lograr economías de escalas mayores, lo que les permitirá ser más competitivas a nivel global.[1]

Las organizaciones de todos los tamaños en todas las industrias están reformulando su manera de hacer negocios como respuesta al entorno caótico de la actualidad. Una de las tendencias más difundidas es la reducción de las fronteras y el incremento en la colaboración entre las compañías, a veces hasta entre los competidores. Las compañías aeroespaciales contemporáneas, por ejemplo, dependen de las sociedades estratégicas con otras organizaciones. La europea Airbus Industrie y Boeing, la compañía aeroespacial estadounidense más grande, están involucradas en múltiples relaciones con proveedores, competidores y otras organizaciones. Aunque durante años han estado compitiendo, los fabricantes globales de semiconductores están colaborando debido a los altos costos y riesgos asociados a la creación y comercialización de una nueva generación de semiconductores.

La competencia global y los vertiginosos avances en la tecnología, las comunicaciones y la transportación han creado asombrosas nuevas oportunidades para las organizaciones, pero también han elevado el costo de hacer negocios y han hecho cada vez más difícil para cualquier compañía sacar ventaja de esas oportunidades por su propia cuenta. En esta nueva economía, están surgiendo las redes organizacionales. Por ejemplo, una compañía de las dimensiones de General Electric desarrolla una relación especial con un proveedor, mediante la cual se elimina al intermediario porque se comparte información completa y se suprimen los costos correspondientes a la contratación de personal de ventas y de distribuidores. Muchas compañías pequeñas pueden unirse para producir y comercializar productos que no compiten entre sí. Usted puede observar los resultados de la colaboración internacional cuando se lanzan películas como la *Guerra de los Mundos*, *Los Duques de Hazzard*, o la *Guerra de las Galaxias: Episodio 3 La Venganza de los Sith*. Antes de ver la película, quizá leyó su reseña en *People* o *Entertainment Weekly*, vio avances o conversó en vivo con las estrellas en un sitio en línea como E online, encontró juguetes de acción que se estaban repartiendo en la franquicia de comida rápida, y observó cómo los almacenes se inundaban de mercancía relacionada con la película. En el caso de algunas películas de gran éxito, la acción coordinada entre las compañías puede producir millones sin mencionar las ganancias por venta de boletos y DVD. En la nueva economía, las organizaciones se conciben a sí mismas como equipos que crean de manera conjunta valor y no como compañías autónomas en competencia.

Propósito de este capítulo

Este capítulo analiza la tendencia más reciente en las organizaciones, la cual es la red cada vez más densa de relaciones entre organizaciones. Las compañías siempre han dependido de otras organizaciones para obtener suministros, materiales e información. La pregunta es, ¿cómo se administran estas relaciones? En una época era sólo cuestión de que una compañía grande y poderosa como General Electric o Johnson & Johnson presionara un poco a los pequeños proveedores. Ahora una compañía puede optar por desarrollar relaciones positivas y confiables. O quizá para una compañía tan grande como General Motors fue difícil adaptarse al entorno y, por lo tanto, creó una nueva forma organizacional, como Saturn, para operar mediante una estructura y cultura diferentes. La noción de relaciones horizontales que se analizó en el capítulo 3 y la incertidumbre del entorno, que se estudió en el capítulo 4, ahora conducen a la siguiente etapa en la evolución organizacional: Las relaciones horizontales *a través* de las organizaciones. Las organizaciones pueden adoptar la construcción de vínculos de muchas formas, como designar a los proveedores preferidos, establecer acuerdos, sociedades de negocios, empresas conjuntas, o hasta fusiones y adquisiciones.

La investigación organizacional ha producido perspectivas como la dependencia de recursos, las redes de colaboración, la ecología poblacional y el institucionalismo. El conjunto total de estas ideas puede ser desalentador, debido a que implica que los administradores ya no podrán confiar en la seguridad que supone administrar una sola organización. Deben averiguar cómo administrar un conjunto completo de relaciones interorganizacionales, lo cual representa una cuestión mucho más desafiante y compleja.

Ecosistemas organizacionales

Las **relaciones interorganizacionales** son transacciones de recursos, flujos y vinculaciones algo perdurables que ocurren entre dos o más organizaciones.[2] Por tradición, estas transacciones y relaciones han sido consideradas como un mal necesario para obtener lo que la organización necesita. Se ha creído que el mundo está compuesto de diferentes negocios que se nutren de su autonomía y compiten por la supremacía. Una compañía puede verse obligada a establecer relaciones interorganizacionales según sus necesidades y la estabilidad y complejidad del entorno.

Una nueva perspectiva descrita por James Moore afirma que hoy en día las organizaciones están evolucionando para convertirse en ecosistemas empresariales. Un **ecosistema organizacional** es un sistema formado por la interacción entre una comunidad de organizaciones y su entorno. Un ecosistema trasciende las líneas tradicionales de la industria y una compañía puede crear el suyo. Microsoft ejerce su influencia en cuatro principales industrias: Electrónica de consumo, información, comunicaciones y computadoras personales. Su ecosistema también incluye a cientos de proveedores, como Hewlett-Packard e Intel, y millones de clientes a través de múltiples mercados. Las compañías de cable como Comcast están ofreciendo nuevas formas de servicio telefónico, y las compañías telefónicas como SBC Communications están ingresando al negocio de la televisión. Apple Computer de manera dudosa tuvo el extraordinario éxito que ha tenido como compañía de entretenimiento con su iPod y iTunes Music Store del que jamás tuvo como fabricante de computadoras. El éxito de Apple es resultado de estrechas asociaciones con otras organizaciones, como compañías musicales, empresas de electrónicos de consumo, fabricantes de teléfonos celulares, otras empresas de computadoras, e incluso fabricantes de automóviles.[3] Apple y Microsoft, igual que otros ecosistemas de negocios, desarrollaron relaciones con 200 organizaciones, las cuales trascienden las fronteras de los negocios tradicionales.

Como gerente de una organización, tenga en mente estos lineamientos:

Busque y desarrolle relaciones con otras organizaciones. No límite su pensamiento a una sola industria o tipo de negocio. Construya un ecosistema del cual su organización sea parte.

¿La competencia ha muerto?

Ninguna compañía puede estar sola bajo el constante ataque de los competidores internacionales, la tecnología cambiante y las nuevas regulaciones. Las organizaciones en todo el mundo están insertas dentro de redes complejas y confusas de relaciones: En algunos mercados al colaborar, en otros, al competir en forma feroz. De hecho, la investigación indica que un gran porcentaje de las nuevas alianzas de años recientes se ha establecido entre competidores. Estas alianzas influencian el comportamiento organizacional competitivo de diferentes formas.[4]

La competencia tradicional, que supone una competencia distinta para la supervivencia y supremacía de la compañía sobre los negocios aislados, ya no existe debido a que cada organización ayuda y depende de los demás para su éxito, y quizá para su supervivencia. Sin embargo, la mayoría de los directores reconocen que las apuestas en esta competencia son más altas que nunca, en un mundo donde la participación de mercado se puede desmoronar de la noche a la mañana y donde ninguna industria es inmune a la obsolescencia casi instantánea.[5] De hecho, en el mundo actual se está intensificando una nueva forma de competir.[6]

Por una razón, las compañías ahora necesitan evolucionar en conjunto con otras en el ecosistema de manera que todos se fortalezcan. Considere al lobo y al caribú. Los lobos eligen al caribú más débil, lo cual fortalece a la manada de caribúes. Como consecuencia, una manada fuerte también fortalecerá a los lobos. Con la evolución conjunta, el sistema entero se fortalece. De la misma forma, las diferentes compañías evolucionan de manera simultánea gracias a las discusiones, visiones compartidas, alianzas y administración de relaciones complejas. Amazon.com Inc. y sus socios minoristas ilustran este enfoque.

En la práctica

Amazon.com.Inc.

Amazon.com fue uno de los pioneros en el mundo de la venta minorista en línea, en 1995 abrió su tienda virtual de libros, antes que mucha gente siquiera hubiera oído hablar de Internet. Desde entonces, Amazon ha continuado su evolución, de ser un vendedor de libros en línea hasta convertirse en un minorista en línea con sus propios extensos almacenes de libros, DVD, aparatos de cocina y electrónicos, y ahora, en un proveedor de tecnología para otros comerciantes. En la actualidad, Amazon vende todo desde muebles para bebés hasta palos de golf, pero sus socios poseen y almacenan la mayor parte del inventario. El sitio Web de Amazon sirve como una clase de centro comercial en línea donde los minoristas montan el negocio para vender su mercancía a un vasto mercado global. Amazon tiene sociedades con cientos de pequeños y grandes minoristas, como Target, Lands End y Goldsmith International.

Amazon procesa los pedidos y obtiene un porcentaje de la venta, pero los minoristas despachan los pedidos desde sus propios almacenes. Este acuerdo proporciona a Amazon una forma de expandirse a nuevos negocios sin tener que realizar grandes inversiones en inventario ni desarrollar la experiencia para predecir cuáles serán los productos exitosos en múltiples categorías. En lo que toca a los minoristas, ellos obtienen acceso al tráfico global de clientes de Amazon, una inversión de mil millones de dólares en tecnología, y la experiencia en Internet, que les ha permitido centrarse en sus negocios tradicionales.

Este enfoque de asociación no carece de desafíos. Toys "R" Us, uno de los socios más recientes de Amazon, hace poco interpuso una demanda contra Amazon.com por violar el contrato cuando comenzó a permitir que otros minoristas vendieran productos que competían con los de él. Algunas grandes compañías como Nike y Callaway Golf, se oponen a la venta de sus productos en Amazon, porque temen que pudiera empañar la reputación de sus marcas de primera clase. Sin embargo, Amazon insiste que, en el largo plazo, la red de asociaciones beneficiará a todos. Un fabricante que al fin accedió fue Sony. Los ejecutivos de Sony en un principio se rehusaron a autorizar a Amazon a vender sus productos, pero se dieron cuenta de que estaban luchando una batalla perdida por tratar de mantener el control y la exclusividad en el nuevo mundo de la venta minorista por Internet. En la actualidad, los productos de Sony están siendo muy vendidos en el sitio.[7]

Amazon.com y sus socios representan un ecosistema, en el cual la compañía depende en algún grado de otras y cada una tiene la oportunidad de fortalecerse. Por ejemplo, Amazon.com está dándose cuenta de que cada nuevo socio minorista tiene sus propias demandas acerca de cómo presentar y vender un producto. Los directivos en Amazon.com acogen con beneplácito esta retroalimentación porque les permite mejorar con frecuencia el sitio. Los socios minoristas también se fortalecen, debido a que Amazon.com vigila con celo factores como la administración de las entregas, comunicación y servicio al cliente, por parte de los minoristas.

El cuadro 5.1 muestra la infinidad de relaciones imbricadas en las cuales intervinieron compañías de tecnología de punta en 1999, lo cual ilustra cuán complejo puede llegar a ser un ecosistema. Desde entonces, muchas de estas compañías se han fusionado, han sido compradas, o salieron del negocio durante la caída de las punto com en 2000 y 2001. Los ecosistemas también evolucionan en forma constante, mientras algunas relaciones se fortalecen y otras se debilitan o llegan a su fin. El patrón cambiante de las relaciones e interacciones en un ecosistema contribuye a la salud y vitalidad del sistema como un todo integrado.[8]

En un ecosistema organizacional, con frecuencia, el conflicto y la cooperación coexisten de manera simultánea. Procter & Gamble (P&G) y Clorox son rivales feroces en el mercado de los productos de limpieza y de purificación de agua, pero ambas compañías se beneficiaron cuando colaboraron en una nueva envoltura plástica. P&G inventó una envoltura que sella en forma hermética sólo donde se presiona y no se adhiere a otra parte. Los directivos se dieron cuenta del valor de este producto, pero P&G no tenía una categoría de envolturas plásticas. Pensaron en una empresa conjunta con Clorox para comercializar la nueva envoltura plástica bajo el nombre de marca bien establecido de Glad, lo cual sería más rentable que invertir tiempo y dinero para establecer una nueva categoría de producto de P&G. P&G compartió la tecnología con su archirrival Clorox, e invirtió un 10% en el negocio de Glad. La participación de Glad en el mercado de envolturas se disparó a 23% casi de la noche a la mañana con la introducción del Glad Press 'n Seal. Desde entonces, ambas compañías han continuado colaborando para la introducción de bolsas de basura Glad Force Flex, las que utilizan el plástico distensible inventado en los laboratorios de P&G.[9] Las dependencias mutuas y asociaciones se han vuelto comunes en los ecosistemas de negocios. ¿La competencia está muerta? Las compañías modernas pueden utilizar su fuerza para ganar conflictos y negociaciones, pero finalmente la cooperación marca la pauta.

La función cambiante de la administración

En los ecosistemas de negocios, los directivos aprenden a ver más allá de las responsabilidades tradicionales que plantean la estrategia corporativa y el diseño de las estructuras jerárquicas y sistemas de control. Si un alto directivo busca implementar el orden y la uniformidad en los niveles descendentes, la compañía estará perdiendo la oportunidad de crear relaciones externas nuevas y en evolución.[10] En este nuevo escenario, los directivos piensan en procesos horizontales y no en estructuras verticales.

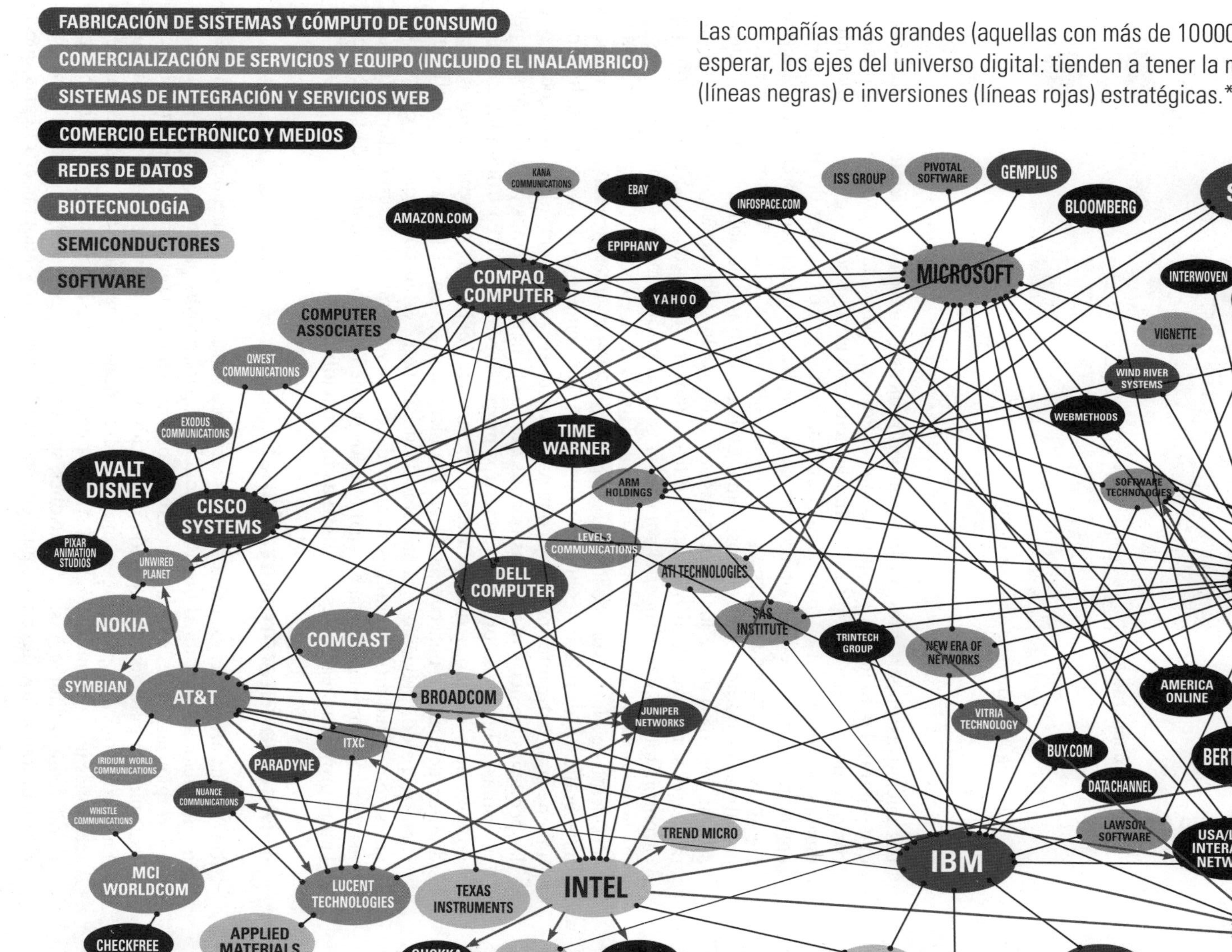

CUADRO 5.1
Un ecosistema organizacional (basado en datos de 1999)

CUADRO 5.2
*Un modelo de relaciones interorganizacionales**

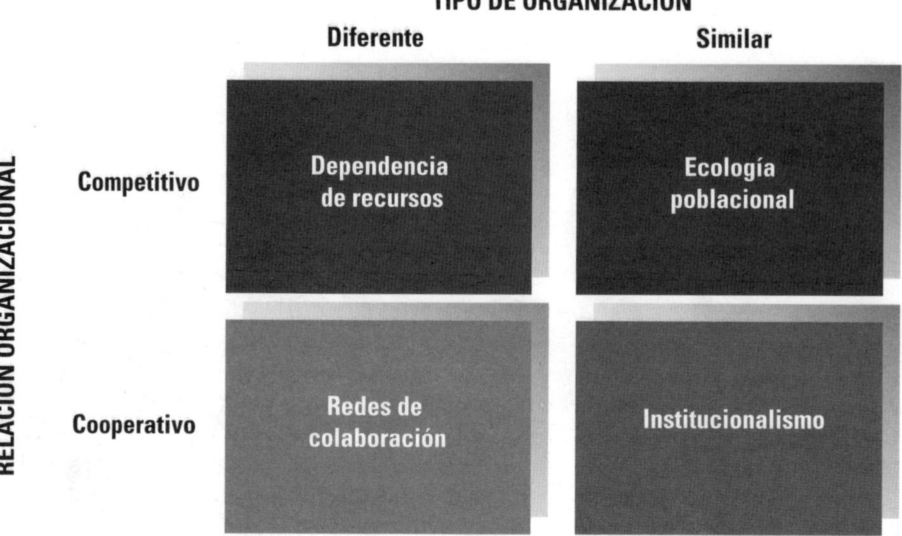

**Gracias a Anand Narasimhan por sugerir este modelo.*

Las iniciativas importantes no sólo son jerárquicas, sino que trascienden las fronteras que separan las unidades organizacionales. Por otra parte, las relaciones horizontales, como se describe en el capítulo 3, ahora incluyen vínculos con proveedores y clientes, quienes se convierten en parte integrante del equipo. Los líderes del negocio pueden aprender a dirigir la evolución económica conjunta. Los directivos aprenden a observar y a apreciar el entorno rico en oportunidades que surgen de las relaciones cooperativas con otros colaboradores en el ecosistema. En lugar de tratar de obligar a los proveedores a bajar precios o a que los clientes paguen precios altos, los directivos luchan por fortalecer el sistema general que está evolucionando en torno de ellos; se esfuerzan por encontrar formas de entender el panorama general y cómo pueden contribuir.

Este liderazgo es más amplio que nunca antes. Por ejemplo, Donovan Neale-May, presidente de Neale-May & Partners, formó una alianza internacional con 40 agencias independientes de relaciones públicas de vanguardia tecnológica, llamada GlobalFluency, a fin de compartir información y comercializar sus servicios para adquirir negocios que las pequeñas agencias manejadas por sus dueños tenían problemas para conquistar por sí mismas. "Tenemos compañías, nuestros propios vecinos aquí en Colorado, a quienes no contratan debido a que no tienen oficinas en 65 países", asegura John Metzger, director general de una compañía en Boulder. Ahora, con el poder de GlobalFluency como respaldo, pequeñas firmas como la de Metzger están consiguiendo cuentas que antes sólo ganaban los grandes competidores. Los miembros de esta alianza todavía mantienen su independencia en cuanto a los pequeños trabajos pero pueden unirse para lanzar proyectos regionales o campañas internacionales.[11]

Modelo interorganizacional

Una de las áreas más excitantes de la teoría organizacional es entender este ecosistema organizacional general. Al final, los modelos y perspectivas para entender las relaciones interorganizacionales ayudan a los directores a cambiar las funciones de una dirección jerarquizada para adoptar una administración horizontal a través de las organizaciones. En el cuadro 5.2 se presenta un modelo para analizar las diferentes perspectivas de las relaciones interorganizacionales. Éstas se pueden dividir con base en si la organización es diferente o similar y si la relaciones son competitivas o cooperativas. Al entender este panorama, los directivos pueden evaluar su entorno y adoptar estrategias que se ajusten a sus necesidades. La primera perspectiva se denomina teoría de la dependencia de recursos, que se explicó con brevedad en el capítulo 4. Esta teoría explica las formas racionales en que las organizaciones negocian entre ellas para reducir la dependencia del entorno. La segunda perspectiva se refiere a las redes de colaboración, donde las organizaciones se permitan a sí mismas volverse dependientes de otras para incrementar el valor y la productividad de ambas. La tercera perspectiva es la ecología poblacional, la cual examina cómo las nuevas organizaciones llenan nichos que dejan abiertos las organizaciones establecidas, y cómo se beneficia la sociedad de esta gran variedad de nuevas formas de organización. El último enfoque se denomina institucionalismo y explica por qué y cómo las organizaciones se legitiman a sí mismas en el entorno general y diseñan estructuras gracias a las ideas de las demás. Estos cuatro enfoques para estudiar las relaciones interorganizacionales se explicarán en lo que resta de este capítulo.

Dependencia de recursos

La dependencia de recursos representa la visión tradicional de las relaciones interorganizacionales. Como se analizó en el capítulo 4, la teoría de la **dependencia de recursos** sostiene que las organizaciones tratan de minimizar su dependencia de otras organizaciones para el suministro de recursos importantes e intentan influir en el entorno para conseguirlos .[12] Las organizaciones tienen éxito cuando luchan por la independencia y la autonomía. Cuando están amenazadas por una dependencia mayor, pueden ejercer control sobre los recursos externos para minimizar esa dependencia. La teoría de la dependencia de recursos argumenta que las organizaciones no desean convertirse en puntos vulnerables para otras organizaciones debido a que esto perjudicaría su desempeño.

Portafolios

Como gerente de una organización, tenga en mente estos lineamientos:

Relaciónese y controle los sectores externos que amenazan sus recursos necesarios. Adopte estrategias para controlar los recursos, en especial cuando su organización se ha vuelto dependiente y tenga poco poder. Ejerza la influencia de su compañía cuando usted tenga el poder y el control sobre los recursos.

La cantidad de dependencia de un recurso está basada en dos factores. En primer lugar está la importancia del recurso para la empresa, y en segundo, cuánta discreción o poder monopólico tienen aquellos que controlan un recurso sobre su distribución y uso.[13] Por ejemplo, un fabricante de Wisconsin produce instrumentos científicos con componentes internos. Las partes las suministra un proveedor que ofrece la calidad adecuada al menor precio. El proveedor no estaba involucrado en el diseño de producto del fabricante pero pudo proporcionar condensadores industriales estandarizados a 50 centavos cada uno. A medida que los estándares industriales cambiaron, otros proveedores de condensadores cambiaron a otros productos, y en un año el costo de los condensadores se incrementó a dos dólares cada uno. La empresa de Wisconsin no tuvo otra opción que pagar este precio. En 18 meses, el precio de los condensadores se incrementó a 10 dólares cada uno, y entonces el proveedor descontinuó la producción. Sin condensadores, la producción se paralizó durante seis meses. El fabricante de instrumentos científicos se permitió volverse dependiente de un solo proveedor y planeó el rediseño que permitiera el uso de condensadores sustitutos o buscó nuevos proveedores. Un solo proveedor tuvo el poder suficiente para incrementar los precios más allá de lo razonable y casi sacó a la empresa de Wisconsin del negocio.[14]

Las organizaciones conscientes de la dependencia de recursos tienden a desarrollar estrategias para reducir su dependencia del entorno y a aprender cómo utilizar sus diferencias de poder.

Estrategias de recursos

Cuando las organizaciones perciben que existen restricciones de recursos o de suministros, la perspectiva de dependencia de recursos sostiene que éstas maniobran para mantener su autonomía mediante una variedad de estrategias, muchas de las cuales se analizaron en el capítulo 4. Una estrategia es adaptarse o alterar las relaciones interdependientes. Esto podría implicar la adquisición de proveedores, el desarrollo de contratos a largo plazo o el establecimiento de empresas conjuntas para asegurar los recursos necesarios, o construir relaciones de otras formas. Otra técnica es utilizar las interconexiones de directores, lo cual significa que los consejos de administración incluyen a miembros de los consejos de administración de los proveedores. Las organizaciones también pueden unirse a asociaciones comerciales para coordinar sus necesidades, firmar acuerdos comerciales, o fusionase con otra empresa para garantizar los recursos y el suministro de materiales. Algunas organizaciones pueden llevar a cabo acciones políticas, como el cabildeo para impulsar nuevas regulaciones o desregulaciones, impuestos favorables, aranceles o subsidios, o ejercer presión para el establecimiento de nuevos estándares que faciliten la adquisición de recursos. Las organizaciones que operan con base en la filosofía de la dependencia de recursos harán lo que sea necesario para evitar la dependencia excesiva del entorno y mantener el control sobre los recursos y, por lo tanto, reducir la incertidumbre.

Estrategias de poder

En la teoría de la dependencia de recursos, las grandes compañías independientes tienen poder sobre los proveedores pequeños.[15] Por ejemplo, el poder sobre los productos de consumo ha cambiado de manos de proveedores como Rubbermaid y Procter & Gamble a las de las grandes cadenas minoristas de descuento, las cuales pueden demandar, y recibir, un trato especial en cuanto a la fijación de precios. Wal-Mart ha crecido tanto y con tanto poder que puede dictar los términos en forma virtual a cualquier proveedor. Considere el caso de Levi Strauss, quien durante gran parte de sus 150 años de historia fue un proveedor poderoso con una marca de jeans que millones de personas buscaban y que los minoristas estaban deseosos de tener en existencia. "Cuando comencé en este negocio, los minoristas eran intermediario para el consumidor", afirma el director general de Levi's, Philip Marineau. "Los fabricantes tenían la tendencia a decirle a los distribuidores cómo hacer negocios". Pero el balance de poder ha cambiado en forma radical. Con el fin de vender a Wal-Mart, Levi Strauss ha tenido que supervisar su operación completa, desde el diseño y producción hasta la fijación del precio y la distribución. Por ejemplo, se acostumbraba que los pantalones Levi fueran de la fábrica al centro de distribución de Levi donde eran etiquetados, empacados y enviados a los distribuidores. Ahora, para cumplir con los requerimientos de Wal-Mart de conseguir con rapidez los productos, los pantalones se envían ya etiquetados de las fábricas contratadas directo a los centros de distribución de Wal-Mart, donde los camiones de Wal-Mart los recogen y los envían a las tiendas individuales.[16] Cuando una compañía tiene poder sobre otra, puede pedir a los proveedores que absorban más costos, que tengan una distribución más eficiente y que proporcionen más servicios que nunca antes, la mayoría de las veces sin un incremento en el precio. A menudo los proveedores no tienen otra opción que aceptar, y aquellos que no lo hacen pueden salir del negocio.

El poder también está desplazándose hacia otras industrias. Durante décadas, los proveedores de tecnología han lanzado productos incompatibles, en espera de que sus clientes corporativos asuman la carga y los gastos de lograr que todo trabaje en conjunto. Este es el principio del fin de aquellos días. Cuando la economía comenzó a declinar, las grandes corporaciones recortaron sus gastos en tecnología, lo que redundó en una competencia más agresiva entre los proveedores y en un mayor poder de los clientes corporativos para exigir. Microsoft y Sun Microsystems, quienes han estado en guerra durante 15 años, hace poco pusieron fin a las hostilidades y negociaron un acuerdo de colaboración que suavizaría la forma en que abastecen productos de software compatibles.[17]

Redes de colaboración

Por tradición, la relación entre las organizaciones y sus proveedores ha sido adversa. De hecho, las compañías estadounidenses por lo general trabajan solas, compiten entre ellas y creen en el usual individualismo y la autosuficiencia. Ahora, sin embargo, gracias al entorno global incierto, se está presentando una realineación en las relaciones corporativas. La perspectiva de **redes de colaboración** es una alternativa emergente a la teoría de la dependencia de recursos. Las compañías se unen para volverse más competitivas y compartir recursos escasos. Las compañías tecnológicas se unen para crear productos innovadores. Las grandes compañías aeroespaciales se asocian entre sí, con compañías más pequeñas y con proveedores para diseñar aeronaves de propulsión de nueva generación. Las grandes compañías farmacéuticas se unen a pequeñas empresas de biotecnología para compartir recursos y conocimientos, y promover la innovación. Las empresas consultoras, corporaciones inversionistas y compañías contables pueden unirse en una alianza para cubrir las demandas de servicios ampliados por parte de los clientes.[18] A medida que las compañías se mueven en su propio territorio inexplorado, también están acelerando la formación de alianzas.

¿Por qué la colaboración?

¿A qué se debe todo este interés en la colaboración interorganizacional? Entre las principales razones se encuentra el hecho de que cuando se ingresa a nuevos mercados es necesario compartir riesgos, implementar nuevos y costosos programas y reducir los costos, mejorar el currículo organizacional en industrias y tecnologías seleccionadas. La cooperación es un requisito para la mayor innovación, la resolución de problemas y el desempeño.[19] Además, las asociaciones son una vía importante para ingresar a los mercados globales, tanto para empresas grandes como para pequeñas que desarrollan asociaciones en el extranjero y Norteamérica.

Los estadounidenses sólo han aprendido de su experiencia internacional cuán eficientes pueden ser las relaciones interorganizacionales. Tanto Japón como Corea han tenido una larga tradición de clanes corporativos o grupos industriales que colaboran y se ayudan en forma recíproca. Por lo general, los estadounidenses han considerado la interdependencia como algo negativo, ya que piensan que podría reducir la competencia. Sin embargo, la experiencia de colaboración en otros países ha demostrado que la competencia entre las compañías puede ser feroz en algunas áreas y de colaboración en otras. Es similar a lo que sucede en una familia donde hermanos y hermanas tienen negocios separados y desean aventajar al otro, pero se siguen amando y ayudando cuando es necesario.

Los vínculos interorganizacionales proporcionan una clase de red de seguridad que fomenta la inversión a largo plazo y la toma de riesgos. Las compañías pueden alcanzar niveles más altos de innovación y desempeño a medida que aprenden a cambiar la mentalidad de antagonismo por una de asociación.[20] En muchas compañías están aprendiendo a trabajar en conjunto. Considere los siguientes ejemplos:

- El nuevo auto deportivo Crossfire de Chrysler fue desarrollado en colaboración con socios de Mercedes y Mitsubishi y ensamblado casi por completo por proveedores externos que utilizaron sus propias fábricas y empleados. El fabricante de automóviles está construyendo una nueva planta en Canadá donde los empleados de los proveedores superarán en número a los trabajadores de Chrysler. Los proveedores harán todo, desde la encorvadura del acero hasta la pintura de acabado final, los empleados de Chrysler tendrán a su cargo sólo el ensamble final.[21]
- La gigante compañía farmacéutica, Pfizer, colabora con más de 400 compañías en proyectos de investigación y desarrollo y en campañas de marketing compartido. Por ejemplo, Pfizer ha ganado miles de millones por la promoción conjunta del Lipitor de Warner-Lambert, el fármaco para tratar el colesterol elevado.[22]
- El Chicago Mercantile Exchange y el Chicago Board of Trade son rivales en toda la ciudad, pero colaboran en un sistema conjunto de cámara de compensación para Internet que permite a estas instituciones financieras llevar a cabo transacciones de ingreso de dinero en una cuenta sólo una vez a fin de garantizar las transacciones que se realicen en ambas casas.[23]
- Las pequeñas empresas se están agrupando para competir contra empresas mucho más grandes. Cuarenta microcervecerías locales formaron el Oregon Brewers Guild a fin de obtener los recursos necesarios para competir contra las cervezas artesanales de Miller y AnheuserBusch.[24]

CUADRO 5.3
Características cambiantes de las relaciones interorganizacionales

Orientación tradicional: Antagonismo	Nueva orientación: Asociación
Baja dependencia.	Alta dependencia.
Sospecha, competencia, distanciamiento.	Confianza, adición de valor para ambas partes, compromiso alto.
Medidas detalladas de desempeño, monitoreo estricto.	Medidas de desempeño relajadas, discusión de problemas.
Precio, eficacia, utilidades propias.	Equidad, trato justo, ganancias para ambas partes.
Información limitada y retroalimentación.	Vínculos electrónicos para compartir información clave, retroalimentación de problemas y discusión.
Resolución legal de conflictos.	Mecanismo para la coordinación estrecha, personal de ambas partes en una misma planta.
Participación mínima e inversión directa, recursos separados.	Participación en el diseño del producto y producción del socio, recursos compartidos
Contratos de corto plazo.	Contratos a largo plazo.
Contrato que limita la relación.	Asistencia a los negocios más allá de lo estipulado en el contrato.

Fuente: Basado en Mick Marchington y Steven Vincent, "Analysing the Influence of Institutional, Organizational, and Interpersonal Forces in Shaping Inter-Organizational Relations", *Journal of Management Studies* 41, núm. 6 (septiembre 2004), 1029-1056; Jeffrey H. Dyer, "How Chrysler Created an American *Keiretsu*", *Harvard Business Review* (julio-agosto 1996), 42-56; Myron Magnet, "The New Golden Rule of Business", *Fortune* (febrero 21, 1994), 60-64, y Peter Grittner, "Four Element of Successful Sourcing Strategies", *Management Review* (octubre 1995), 41-45.

Como gerente de una organización, tenga en mente estos lineamientos:

Busque asociaciones de colaboración que permitan la dependencia recíproca y mejoren el valor y la obtención de ganancias para ambas partes. Involúcrese a fondo en los negocios de su socio, y viceversa para obtener ambos un beneficio.

De adversarios a socios

Donde alguna vez reinó un panorama marcado por la batalla, y por las fuertes rivalidades entre los proveedores, clientes y competidores, ahora están brotando flores nuevas. En un principio, la colaboración entre las organizaciones estadounidenses tuvo lugar en el servicio social sin fines de lucro y en organizaciones para la salud mental, donde estaba implicado el interés público. Las organizaciones comunitarias colaboraban para lograr una mayor efectividad y mejor aprovechamiento de los recursos escasos.[25] Gracias al impulso por parte de los competidores internacionales y los ejemplos de las compañías globales, los inflexibles directores de negocios estadounidenses comenzaron a adoptar el nuevo paradigma de asociación como base de sus relaciones.

Un resumen de este cambio de mentalidad se presenta en el cuadro 5.3. Cada vez más compañías están abandonando la mentalidad tradicional de antagonismo y adoptan una orientación de asociación. Las evidencias que arrojan los estudios a compañías como General Electric, Toyota, Whirlpol, Harley-Davidson y Microsoft indican que las asociaciones permiten reducir costos e incrementar el valor para ambas partes en una depredadora economía global.[26] En lugar de que las organizaciones mantengan su independencia, el nuevo modelo está basado en la interdependencia y la confianza. Las medidas de desempeño de la asociación están definidas de manera relajada, y los problemas se resuelven a través de la discusión y el diálogo. La administración de relaciones estratégicas con otras empresas se ha convertido en una habilidad directiva trascendental, como se analiza en el Marcador de libros de este capítulo. Según esta nueva orientación, las personas intentan agregar valor para ambas partes y creen en un alto nivel de compromiso y no en la sospecha y la competencia. Las compañías trabajan hacia el logro de ingresos equitativos para ambos lados y no sólo para su propio beneficio. El nuevo modelo está caracterizado por una gran cantidad de información compartida, incluidos vínculos electrónicos para realizar pedidos automáticos y sostener discusiones frente a frente que favorezcan una retroalimentación correctiva y la resolución de conflictos. Algunas personas de las otras compañías se encuentran en la misma planta para posibilitar la estrecha coordinación, como se pudo observar en el ejemplo de apertura.

Los socios están implicados en el diseño y producción del otro, y realizan inversiones a largo plazo, en el entendido de que las relaciones continuarán. Los socios desarrollan soluciones equitativas para los conflictos en lugar de depender de relaciones reguladas por acuerdos. Los contratos pueden estar especificados de una manera relajada, y no es poco común para los socios de los negocios brindarse ayuda mutua adicional a lo especificado en el contrato.[27]

Por ejemplo, AMP, un fabricante de electrónicos y conectores eléctricos, fue contactado por un cliente debido a un conector roto que le trajo serios problemas. Ni siquiera era un conector de AMP, pero un fin de semana, el vicepresidente y su gerente de ventas acudieron al almacén para encontrar partes de reemplazo a fin de ayudar al cliente. Proporcionaron el servicio sin cargo como una forma de mejorar la relación. De hecho, esta clase de trabajo en equipo trata a las compañías asociadas casi como un departamento de la propia organización.[28]

Esta nueva mentalidad de asociación puede observarse en varias industrias. Microsoft contrató al fabricante contratista Flextronics no sólo para construir sino para que le ayudara a diseñar el Xbox, su consola de juegos electrónicos.[29] Muchos supermercados y otros minoristas dependen de proveedores clave quienes les ayudan a determinar qué colocar en los estantes de las tiendas. Un comercializador tan grande como

Marcador de libros 5.0 (¿YA LEYÓ ESTE LIBRO?)

Administración de las relaciones estratégicas: La clave para el éxito en los negocios

Por Leonard Greenhalgh

¿Qué determina el éxito organizacional en el siglo XXI? De acuerdo con Leonard Greenhalgh, autor de *Managing Strategic Relationships: The Key to Business Success*, es la forma en que los directores apoyan, promueven y protegen las relaciones de colaboración tanto dentro como fuera de la empresa. En distintos capítulos, el libro ofrece estrategias para la administración de relaciones entre la gente y los grupos dentro de la compañía y otras organizaciones. Las relaciones de administración efectivas generan un sentido de mancomunidad y consenso, lo que al final redunda en una ventaja competitiva.

LA ADMINISTRACIÓN DE LAS RELACIONES EN UNA NUEVA ERA

Greenhalgh afirma que los directivos necesitan una nueva forma de pensar que sea adecuada a las realidades que supone esta nueva era. He aquí algunas de sus directrices:

- *Reconozca que los contratos legales detallados pueden menoscabar la confianza y la buena voluntad.* Greenhalgh enfatiza la necesidad de construir relaciones que estén basadas en la honestidad, confianza y entendimiento, así como en las metas comunes y no en contratos legales estrictamente definidos que se concentran en lo que un negocio le puede dar al otro.
- *Trate a los socios como miembros de su propia organización.* Los miembros de las organizaciones asociadas necesitan ser participantes activos en la experiencia de aprendizaje al involucrarse en la capacitación, juntas de equipos y otras actividades. Esto le ofrece a los empleados de la organización asociada la oportunidad de realizar contribuciones genuinas, promueve la formación de enlaces más sólidos y un sentido de unidad.
- *Los altos directivos deben ser defensores de la alianza.* Los directivos de ambas organizaciones tienen que actuar de una forma que envíe señales a todos dentro y fuera de la organización de un nuevo énfasis en la asociación y la colaboración. El uso de ceremonias y símbolos puede ayudar a infundir en la cultura de la compañía un compromiso con la asociación.

CONCLUSIÓN

Para triunfar en el entorno actual, las prácticas administrativas basadas en el viejo paradigma referente al poder, jerarquía y relaciones adversarias deben transformarse en prácticas de mancomunidad de la nueva era, la cual enfatiza la colaboración y las formas comunales de organización. Greenhalgh piensa que las compañías que prosperen "serán aquellas que en la realidad actúan en conjunto; aquellas que integren con éxito la estrategia, los procesos, los acuerdos de negocio, los recursos, sistemas y fuerzas de trabajo con empowerment". Asegura que esto sólo puede lograrse mediante el apoyo, creación y conformación efectivos de las relaciones estratégicas.

Managing Strategic Relationships: The Key to Business Success, por Leonard Greenhalgh, publicado por The Free Press.

Procter & Gamble, por ejemplo analiza los datos nacionales y realiza recomendaciones de qué productos podría ofrecer la tienda, incluye no sólo las marcas de P&G, sino también productos de sus competidores.[30] Una gran compañía inglesa que suministra pigmentos a las industrias del plástico, automotrices e imprentas tiene una relación interdependiente de larga duración con un proveedor de químicos clave, y las dos organizaciones comparten información acerca de las necesidades de sus negocios de largo plazo de manera que cualquier cambio en los productos o procesos pueda beneficiar a ambas partes.[31]

Según esta nueva visión de las asociaciones, la dependencia en otra compañía tiene la intención de reducir y no de incrementar los riesgos. Mediante este enfoque es posible lograr un valor mayor para ambas partes. Al estar inserto en un sistema de relaciones interorganizacionales, el desempeño de todos mejora mediante la ayuda mutua. Esto dista mucho de la creencia que las organizaciones se desempeñan mejor si son autónomas e independientes. Los representantes de ventas pueden tener un escritorio en la planta del cliente, y tener acceso a los sistemas de información y al laboratorio de investigación.[32] La coordinación es tan íntima que algunas veces es difícil separar una organización de otra. Considere la forma en que Bombardier de Canadá y sus proveedores están vinculados casi como una organización en la construcción del Continental, una aeronave de negocios de "super tamaño medio" que puede transportar de manera confortable a ocho pasajeros sin escalas de costa a costa.

En la práctica
Bombardier

En una planta ensambladora al borde del aeropuerto Mid-Continent en Wichita, se está dando forma a un nuevo aeroplano mientras grandes trozos de él entran a raudales y se ensamblan. Sin contar los remaches, tan sólo es necesaria una docena de partes enormes —las cuales se fabrican en otros lugares— para armar al nuevo Continental de Bombardier. Esas enormes partes provienen de todo el mundo: Los motores de Phoenix en Estados Unidos, la nariz y la cabina del piloto de Montreal, Canadá, el fuselaje medio de Belfast, al norte de Irlanda, la cola de Taichung Taiwán, las alas de Nagoya, Japón y otras partes de Australia, Francia, Alemania y Austria. Cuando la producción llegue hasta el límite de su velocidad, tomará sólo cuatro días ensamblar al avión y ponerlo en el aire.

En el pasado, la mayoría de las compañías de aeroplanos ejecutivos, fabricaban sus principales partes ellas mismas. Ahora, Bombardier de Canadá, depende en gran medida de los proveedores para diseñar el soporte y compartir los costos de desarrollo y los riesgos de mercado. La compañía está entrecruzada con un aproximado de 30 proveedores, una docena o más de los cuales han participado desde la etapa de diseño. En un determinado momento, alrededor de 250 miembros del equipo de Bombardier y 250 de proveedores externos trabajaron en conjunto en Montreal para asegurarse de que el diseño marche bien para todos los que estaban implicados. Hasta ese momento, Bombardier había invertido aproximadamente $250 millones en el Continental, pero los proveedores han igualado ese monto en los costos de desarrollo. Además de compartir los costos, las compañías proveedoras también comparten los riesgos. "No tienen un contrato que establezca: 'nos vas a vender 25 alas al año, durante los 10 años siguientes'. Si hay mercados, ellos estarán, si no, no", advierte John Holding, quien está a cargo de la ingeniería y el desarrollo de productos de Bombardier.

La integración de asociaciones, de manera que todos salgan beneficiados, depende de los otros —y administre su iniciativa multinacional y de múltiples compañías— no es una tarea fácil, pero con los costos de desarrollo para una nueva aeronave de más de mil millones de dólares, el enfoque de asociación sí tiene sentido.[33]

Las compañías modernas están cambiando el concepto de lo que conforma a una organización mediante el derrumbe de las fronteras y la participación en asociaciones con una actitud de negociación justa y adición de valor para ambas partes. El tipo de colaboración que ilustra el caso de Bombardier también se está utilizando por un número cada vez más grande de compañías automotrices, incluidas Volkswagen y General Motors. Estas compañías están impulsando más que nunca antes la idea de la asociación, y se acercan un poco al enfoque de redes para el diseño organizacional, como se analizó en el capítulo 3.

Ecología poblacional

Esta sección presenta una perspectiva diferente acerca de las relaciones entre las organizaciones. La **perspectiva de la ecología poblacional** difiere de otras debido a que se enfoca en la diversidad organizacional y la adaptación dentro de una población de organizaciones.[34] Una **población** es un conjunto de organizaciones involucradas en actividades similares con patrones parecidos de utilización de recursos y producción. Las organizaciones en el interior de la población compiten por recursos o clientes similares, como las instituciones financieras en el área de Seattle.

Dentro de una población, la pregunta que se formulan los investigadores ecológicos se refiere al gran número y variaciones de las organizaciones en la sociedad. ¿Por qué aparecen con frecuencia nuevas formas organizacionales que crean tal diversidad? La respuesta es que la adaptación organizacional individual está muy limitada en comparación con los cambios demandados por el entorno. La innovación y el cambio en una población de organizaciones es resultado del nacimiento de nuevas formas y clases de organizaciones y no de la reforma y transformación de las organizaciones existentes. De hecho, las formas organizacionales se consideran algo estables, el desarrollo de nuevas formas de organización se debe a que éstas intentan servir a la sociedad a través de las iniciativas emprendedoras. Las nuevas organizaciones satisfacen nuevas necesidades de la sociedad más que las organizaciones ya establecidas que son lentas para el cambio.[35]

¿Qué implica esta teoría en términos prácticos? Implica que las organizaciones grandes y establecidas muchas veces se convierten en dinosaurios. Como se analizó en el capítulo anterior, las grandes aerolíneas que dependen del sistema centro y periferia han pasado momentos muy difíciles para adaptarse a un entorno con cambios tan vertiginosos. Como consecuencia, están surgiendo formas organizacionales novedosas como JetBlue como una respuesta al entorno actual, para llenar un nuevo nicho y, con el paso del tiempo, para despojar de sus negocios a las compañías ya establecidas.

¿Por qué ha sido tan difícil para las organizaciones ya establecidas adaptarse a un entorno con cambios tan repentinos? Michael Hannan y John Freeman, creadores del modelo de ecología poblacional, argumentan que existen muchas limitaciones en la capacidad de las organizaciones para cambiar. Las limitaciones son resultado de las fuertes inversiones en plantas, equipo y personal especializado, de la información limitada, de los puntos de vista estructurados de quienes toman las decisiones, la propia historia de éxito de la organización que justifica los procedimientos vigentes, y la dificultad de cambiar la cultura corporativa. La transformación verdadera es un acontecimiento inusual y poco probable cuando se toman en cuenta todas estas barreras.[36]

En este preciso instante, están emergiendo nuevas formas organizacionales. Considere el caso de Asset Recovery Center, quien compra los remanentes de dispositivos de conexión de redes, servidores y demás equipo de redes a corporaciones en quiebra o extintas por centavos de dólar para revenderlas y obtener una ganancia. Hay miles de operaciones de este tipo en los negocios actuales debido a las tremendas oportunidades que suponen: organizaciones que están recortando el gasto de capital y los problemas corporativos ampliamente difundidos que han creado un exceso de equipo casi nuevo para venta. Los grandes fabricantes de equipo como Cisco, Nortel Networks y Sun Microsystems están pasando apuros por perder negocios de millones de dólares a manos de los comerciantes de equipo usado.[37] Otro cambio reciente es el desarrollo de universidades dentro de grandes compañías como Motorola y FedEx. Existen más de 2000 universidades corporativas, en comparación con sólo 200 de hace algunos años. Una

Como gerente de una organización, tenga en mente estos lineamientos:

Adapte su organización a las nuevas variaciones que estén siendo seleccionadas y retenidas por el entorno externo. Si está arrancando una nueva organización, encuentre un nicho cuyo entorno tenga una fuerte necesidad de su producto o servicio, y prepárese para la lucha competitiva por los recursos escasos.

de las razones por las que se han desarrollado con tanta rapidez es que las compañías no pueden obtener los servicios que desean de las universidades establecidas, las cuales están inmersas en las formas tradicionales de pensamiento y enseñanza.[38]

De acuerdo con la visión de ecología poblacional, cuando se observa una población organizacional como un todo, el entorno cambiante determina qué organizaciones sobrevivirán o fracasarán. Supone que las organizaciones individuales padecen una inercia estructural y encuentran difícil adaptarse a los cambios que plantea el entorno. Así, cuando se presentan cambios rápidos, es muy probable que las viejas organizaciones se debiliten o fracasen, y que surjan nuevas organizaciones mejor adaptadas a las necesidades del entorno.

El modelo de ecología poblacional tiene su origen en las teorías biológicas de selección natural, y los términos *evolución* y *selección* se utilizan para referirse a los procesos conductistas subyacentes. Las teorías de la evolución biológica intentan explicar por qué surgen y sobreviven ciertas formas de vida, mientras otras perecen. Algunas teorías sugieren que, por lo general, las formas que sobreviven están mejor adaptadas al entorno inmediato.

Hace algunos años, la revista *Forbes* reportó un estudio de la evolución de los negocios estadounidenses a través de 70 años, de 1917 a 1987. ¿Ha escuchado alguna vez acerca de Baldwin Locomotive, Studebaker o Lehigh Coal & Navigation? Estas compañías fueron parte del 78% de las 100 principales en 1917, las cuales no llegaron a 1987. De las 22 restantes , sólo 11 lo lograron con sus nombres originales. El entorno de la década de 1940 y 1950 fue propicio para Woolworth, pero las nuevas formas organizacionales como Wal-Mart se volvieron dominantes en la década de 1980. En 1917, la mayoría de las principales 100 compañías eran las gigantescas organizaciones industriales del acero y la minería, las cuales más adelante fueron reemplazadas por las compañías de alta tecnología como IBM y Merck.[39] Dos compañías que en apariencia prosperaron durante un largo tiempo fueron Ford y General Motors, pero ahora están siendo amenazadas por los cambios mundiales en la industria automotriz. Ninguna compañía es inmune al proceso de cambio social. Tan sólo de 1979 a 1989, 187 de las compañías de las 500 de *Fortune* dejaron de existir como compañías independientes. Algunas fueron compradas, otras se fusionaron y algunas fueron liquidadas.[40] Mientras tanto, la tecnología continúa el cambio en el entorno. AT&T, en un tiempo el proveedor dominante de larga distancia y la compañía más grande, saludable y próspera en Estados Unidos, ha declinado en importancia, mientras la tecnología celular ha convertido a Verizon en una empresa muy popular. La expansión de Internet hacia dentro del hogar cotidiano del cliente ha producido una proliferación de nuevas compañías como Amazon.com, Google y eBay.

Forma organizacional y nicho

El modelo de ecología poblacional está relacionado con formas organizacionales. La **forma organizacional** es una tecnología, estructura, producto, metas y personal específicos de la organización, los cuales están sujetos a ser seleccionados o rechazados por el entorno. Cada nueva organización intenta encontrar un **nicho** (un dominio de recursos y necesidades únicos en el entorno) que sea suficiente para sustentarla. Por lo general, en las primeras etapas de una organización, el nicho es pequeño pero puede incrementar su tamaño a través del tiempo si la organización es exitosa. Si no hay un nicho disponible, la organización se debilitará o quizá perecerá.

Desde el punto de vista de una sola empresa, la suerte, la oportunidad y la aleatoriedad juegan un papel importante en la supervivencia. Con frecuencia, los emprendedores y las grandes organizaciones proponen nuevos productos e ideas. Si estas ideas y formas organizacionales sobrevivirán o fracasarán es una cuestión de suerte, es decir, si se presentan ciertas circunstancias externas para sustentarlas. Una mujer que comenzó un pequeño negocio de contratación eléctrica en una comunidad en rápido crecimiento de Florida, tendría una oportunidad excelente de éxito. Si la misma mujer comenzara el mismo negocio en una comunidad en declive en cualquier parte de Estados Unidos,

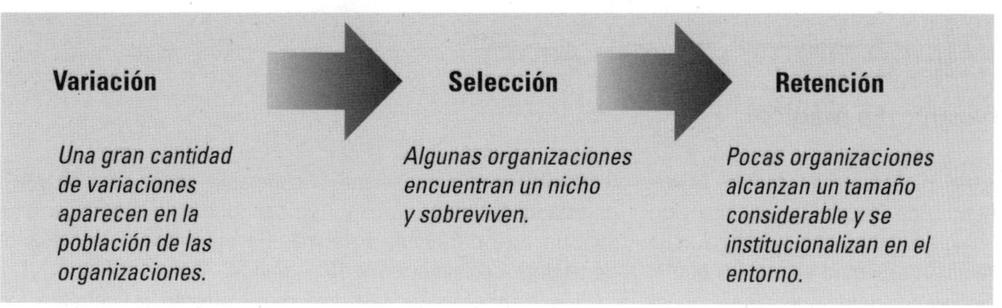

CUADRO 5.4
Elementos en el modelo de ecología poblacional de las organizaciones

la oportunidad de éxito sería mucho menor. Por tanto, el éxito o el fracaso de una sola empresa depende de las características del entorno así como de las habilidades o estrategias que la organización utilice.

Procesos de cambio ecológico

El modelo de ecología poblacional supone que de continuo están surgiendo nuevas organizaciones en la población. Así, las poblaciones organizacionales están experimentando cambios de manera permanente. El proceso de cambio en la población está definido por tres principios que se presentan en etapas: Variación, selección y retención. Estas etapas se resumen en el cuadro 5.4.

- *Variación.* La **variación** significa la aparición de nuevas y diversas formas en una población de organizaciones. Los empresarios son quienes inician estas nuevas formas organizacionales, las cuales se establecen con capital de riesgo proveniente de grandes corporaciones, o el gobierno las establece con la intención de ofrecer nuevos servicios. Algunas formas puedan ser concebidas para cubrir alguna necesidad percibida en el entorno externo. En años recientes, se ha creado un gran número de empresas para que desarrollen software, ofrezcan consultoría y otros servicios a grandes corporaciones y creen productos y tecnologías necesarios en el comercio por Internet. Otras nuevas organizaciones crean un producto tradicional, como el acero, pero lo hacen con una tecnología mínima y técnicas administrativas novedosas, gracias a las cuales estas nuevas compañías, como la compañía fabricante de acero, Nucor, son mucho más aptas para la supervivencia. Las variaciones organizacionales son análogas a las mutaciones biológicas, se agregan al ámbito y complejidad de las formas organizacionales en el entorno. El recuadro de este capítulo, titulado Liderazgo por diseño, describe una nueva forma organizacional ideada por un empresario inglés para capitalizar los avances en tecnología de información y envío de mensajes de texto inalámbrico.
- *Selección.* La **selección** se refiere a si una nueva forma organizacional es adecuada para el entorno y puede sobrevivir. Sólo unas pocas variaciones son "seleccionadas para entrar" por el entorno y sobreviven durante largo tiempo. Algunas variaciones se adecuarán al entorno mejor que otras. Demuestran ser beneficiosas y, por lo tanto, son capaces de encontrar un nicho y adquirir los recursos necesarios del entorno para sobrevivir. Otras variaciones no pueden satisfacer las necesidades del entorno y perecen. Cuando la demanda para el producto de una empresa es insuficiente y cuando la organización tenga pocos recursos disponibles, esa organización será "seleccionada para salir". Como el caso de Shazam, narrado en el recuadro de Liderazgo por diseño, una compañía lanzada a mediados de 2002. Si la demanda de un nuevo servicio no continúa su crecimiento, o si la compañía no puede obtener los recursos necesarios, será seleccionada para salir y dejará de existir.

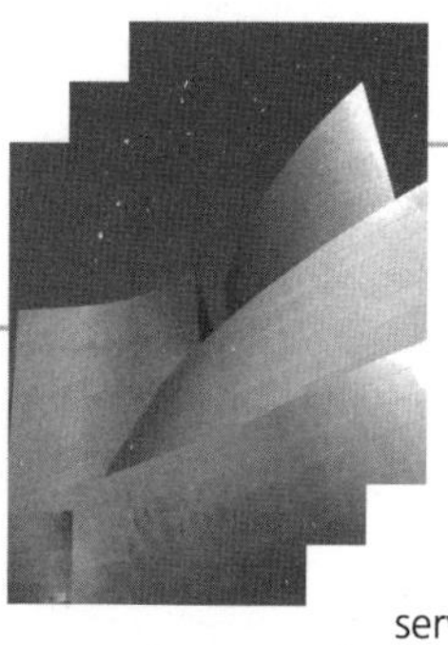

Liderazgo por diseño

Shazam: ¡Es mágico!

Muchas personas han tenido la experiencia de escuchar una canción de su agrado en la radio o en un club de baile y han esperado en vano a que el disc jockey la identifique. Shazam, un servicio de música móvil telefónica, lanzado en Reino Unido en agosto de 2002, ha llegado al rescate. La siguiente ocasión que un usuario de teléfono celular escuche ese tono enigmático, lo único que tendrá por hacer es marcar un número de cuatro dígitos en su teléfono celular, dejar que la música se haga sonar en su microteléfono, y momentos después recibir un mensaje de texto con el artista y el título de la canción. El usuario puede reenviar un fragmento de la canción de 30 segundos a sus amigos, o incluso descargar la canción en forma directa en su teléfono. La canción puede ser descargada de manera legal desde el teléfono móvil a la computadora personal y compartirla entre múltiples aparatos.

La magia de Shazam es posible gracias al uso del algoritmo de software de reconocimiento de patrones desarrollado por el científico más importante de la compañía. El algoritmo elige las características salientes de un tono y las compara con una base de datos musicales masiva. La compañía, fundada por el empresario californiano, Chris Barton, llama al proceso "identificación", y los usuarios tan sólo de Reino Unido han identificado más de 5.5 millones de pistas musicales. Los usuarios se pueden conectar en línea y ver la lista de todas las canciones que han identificado.

El éxito de Shazam depende de las asociaciones de colaboración con compañías de telefonía móvil, con las principales compañías de discos, con las compañías de software, entre otros. Una reciente asociación con la compañía suiza SDC (Secure Digital Container) AG provee la tecnología que permite un procedimiento "identificación a descarga" completo en tres simples pasos, que permite a los usuarios comprar música en movimiento. Una alianza estratégica con MTV Japón ayudó a Shazam a expandirse en un aproximado de 40 millones de suscriptores de teléfonos móviles en Japón. Las negociaciones con operadores de telefonía móvil internacional y compañías de medios a través de Estados Unidos, Europa y Asia han logrado que el servicio de Shazam esté disponible para más de mil millones de usuarios de teléfonos celulares en todo el mundo.

Las compañías de telefonía móvil ofrecen la identificación como un servicio de alta categoría a sus clientes y pagan a Shazam una parte de las ganancias. Como la identificación promete elevar los tiempos en la llamada, cada vez más compañías de telefonía están interesadas. También los intereses de las compañías disqueras son atendidos ya que este procedimiento lleva música nueva a los clientes. Las recomendaciones de boca en boca son medios poderosos para elevar las ventas musicales, de manera que la idea de gente a través de todo el mundo al enviar fragmentos de 30 segundos de sus nuevas canciones ha hecho que las compañías musicales estén muy atentas. El servicio ha demostrado ser un buen indicador de las ventas futuras en Gran Bretaña, de manera que la industria musical observa muy de cerca la cartelera semanal de Shazam de las pistas de prelanzamientos identificados.

Shazam es el número uno mundial en identificación musical y una de las más brillantes ideas del mundo de la tecnología. Con múltiples negocios y una presencia en doce países, es evidente que Shazam está bien equipado para hacer frente al entorno y que ha encontrado un nicho sólido. Sin embargo, la administración de la red compleja de relaciones globales representará un desafío para los administradores de esta pequeña compañía, y está por verse si podrán manejar esta buena idea y construir una organización perdurable.

Fuentes: "SDC Partners with Shazam to Create Simple, Secure Music Download", *M2Presswire* (febrero 14, 2005), 1; Steve McClure, "Shazam Works Its Magic", *Billboard* (agosto 21, 2004), 60; Adam Jolly, "Going for a Song and Growth", *Sunday Times* (junio 13, 2004), 17; Michael Parsons, "I Got Music, I Got Algorithm", *Red Herring* (mayo 2002), 54-57; y "MTV and Shazam Lead Japanese Market Extending Music Recognition Offering to KDDI Subscribers and Expanding Local Music Database", *M2Presswire* (febrero 16, 2005), 1.

- *Retención.* La **retención** es la preservación e institucionalización de formas organizacionales seleccionadas. Ciertas tecnologías, productos y servicios son muy valiosos para el entorno. La forma organizacional retenida puede convertirse en una parte dominante del entorno. Muchas formas organizacionales se han institucionalizado, como el gobierno, las escuelas, las iglesias y los fabricantes de automóviles. McDonald's, la cual posee 43% del mercado de comida rápida, proporciona a muchos adolescentes su primer trabajo y se ha convertido en una institución de la vida estadounidense.

Las organizaciones institucionalizadas como McDonald's parecen ser características algo permanentes en la población organizacional, pero en el largo plazo, no es así. El entorno siempre está cambiando y, si las formas organizacionales dominantes no se adaptan al cambio externo, en forma gradual disminuirán y serán reemplazadas por otras organizaciones. McDonald's está en apuros debido a que los clientes piensan que sus rivales Burger King y Wendy's ofrecen comidas más frescas y de mejor calidad a precios más accesibles. Además, las cadenas como Subway y Quizno's están ofreciendo al cliente actual consciente de la salud una alternativa de comida rápida a las hamburguesas y frituras. En una encuesta anual de la satisfacción del cliente, McDonald's fue calificado como el peor participante de los restaurantes de comida rápida todos los años desde 1992.[41] A menos que se adapte, McDonald's puede dejar de ser competitivo en el mercado de comida rápida.

Desde la perspectiva de la ecología poblacional, el entorno es una determinante importante para el éxito o fracaso de la organización. La organización debe encontrar una necesidad en el entorno, o será seleccionada para salir. El proceso de variación, selección y retención redunda en el establecimiento de nuevas formas organizacionales en una población de organizaciones.

Estrategias para la supervivencia

Otro principio que subyace al modelo de ecología poblacional es **la lucha por la existencia**, por la competencia. Las organizaciones y poblaciones de organizaciones participan en una lucha competitiva por los recursos, y cada forma organizacional está luchando por la supervivencia. La lucha es más intensa entre las nuevas organizaciones, y la frecuencia de nacimientos y supervivencia de las nuevas organizaciones está relacionada con factores en el entorno general. Factores como el tamaño del área urbana, porcentaje de inmigrantes, turbulencia política, tasa de crecimiento industrial y variabilidad del entorno ejercen su influencia sobre el nacimiento y la supervivencia de periódicos, empresas de telecomunicación, vías ferroviarias, agencias gubernamentales, sindicatos y hasta organizaciones voluntarias.[42]

Desde la perspectiva de la ecología poblacional, las estrategias **generalistas** y **especialistas** distinguen a las formas organizacionales en la lucha por la supervivencia. Las organizaciones con un nicho o dominio amplios, es decir, aquellas que ofrecen una amplia gama de productos o servicios o que atienden a un mercado extenso, son generalistas. Las organizaciones que proporcionan una variedad más limitada de bienes o servicios o que sirven a un mercado más reducido son especialistas.

En el entorno natural, una forma especialista de flora o fauna evolucionará en un aislamiento protegido en un lugar como Hawai, donde el cuerpo de tierra más cercano está a 2000 millas de distancia. La flora y la fauna están muy protegidas. En contraste, un lugar como Costa Rica, el cual experimenta con frecuencia oleadas de influencias externas, desarrolló un conjunto generalista de flora y fauna que tiene una mejor resistencia y flexibilidad para adaptarse a un amplio conjunto de circunstancias. En el mundo de los negocios, Amazon.com comenzó con una estrategia especialista, es decir, vendía libros a través de Internet, pero evolucionó hacia una estrategia generalista con la adición de música, DVD, tarjetas de felicitación y otros productos, además de su asociación con otras organizaciones como un centro comercial en línea para vender una amplia diversidad de productos. Una compañía como Olmec Corporation, vendedora de muñecas afroamericanas e hispanas, podría ser considerada especialista, mientras Mattel, es generalista, ya que comercializa una amplia variedad de juegos para niños y niñas de todas las edades.[43]

Los especialistas por lo general son más competitivos que los generalistas en la limitada área en la cual sus dominios se imbrican. Sin embargo, la amplitud del dominio de los generalistas sirve para protegerlos de los cambios del entorno. Aunque la demanda de algunos productos o servicios de los generalistas puede disminuir, por lo general se incrementa en forma simultánea para otros productos o servicios. Además, debido a la diversidad de productos, servicios y clientes, los generalistas son capaces de reasignar recursos internamente para adaptarse al entorno cambiante, mientras los especialistas no. Sin embargo, como los especialistas muchas veces son compañías más pequeñas, en ocasiones pueden moverse con más rapidez y ser más flexibles para adaptarse a los cambios.[44]

El impacto de la administración en el éxito de la compañía con mucha frecuencia proviene de la elección de una estrategia que dirija a la empresa hacia un nicho abierto. Considere la forma en que Genentech ha florecido después de que su nuevo director general la ha encaminado hacia un nuevo nicho en la industria farmacéutica.

En la práctica
Genentech

Genentech fue la primera empresa dedicada a la biotecnología en todo el mundo, fundada hace más de 25 años, su creación ha impulsado el desarrollo de un completo nuevo subgrupo en la industria farmacéutica. Se ha establecido una amplia variedad de pequeñas empresas dedicadas a la biotecnología, cada una lucha por encontrar un nicho que le permita sobrevivir en el volátil mundo competitivo del desarrollo y elaboración de fármacos.

Genentech pasó sus primeros años en su intento por lanzar al mercado fármacos exitosos y hacer crecer a la compañía al nivel de los gigantes farmacéuticos como Schering Plough y Merck. Pero sus primeros éxitos potenciales fracasaron, y la fortuna de la compañía menguó. Las cosas comenzaron a cambiar cuando el director de investigaciones de Genentech, Arthur Levinson, fue nombrado director general. Levinson eligió una estrategia de desarrollo de "fármacos orientados", a nuevos medicamentos lucrativos dirigidos a pequeños conjuntos de pacientes. Por ejemplo, Herceptin, la primera terapia orientada de Genentech que había sido lanzada hace varios años, es un fármaco contra el cáncer de seno que se prescribe sólo al 25% de los pacientes cuyos tumores revelan una característica genética específica. Otros tratamientos orientados incluyen el Rituxan, para tratar el cáncer de células inmunes, denominado linfoma no Hodgkin, y Xolair, un medicamento para un tipo de asma alérgico, cuya aprobación por la FDA está pendiente.

Las grandes compañías farmacéuticas están luchando en una industria amenazada por los cambios en la atención médica controlada, la expiración de numerosas patentes y el alto costo de desarrollo de nuevos medicamentos. Muchas compañías han tratado de competir mediante campañas masivas de mercadotecnia para compensar el declive de los fármacos exitosos. Mientras tanto, Genentech está logrando un éxito extraordinario con su enfoque especializado. La compañía hace poco aventajó a las gigantes empresas farmacéuticas para convertirse en el principal vendedor de medicamentos de marca que combaten los tumores en Estados Unidos. Genentech tiene 10 productos impresionantes en el mercado y 20 más en pruebas clínicas en espera de la aprobación de la FDA.[45]

Genentech no es inmune a la volatilidad e incertidumbre inherente de la industria, pero los directivos encontraron un nicho que colocó a la compañía sobre una base sólida para su supervivencia a largo plazo. El director general, Levinson, eligió una estrategia especializada, la cual está enfocada en terapias específicas para subconjuntos algo pequeños de pacientes en lugar de impulsar medicamentos masivos exitosos.

Institucionalismo

La perspectiva institucional proporciona otra visión de las relaciones interorganizacionales.[46] Las organizaciones están muy interconectadas. Tal como las compañías necesitan una producción eficiente para sobrevivir, la perspectiva institucional sustenta que las organizaciones necesitan legitimidad por parte de sus participantes. Las compañías tienen un buen desempeño cuando son percibidas por el entorno general como merecedoras de un derecho legítimo a existir. Así, la **perspectiva institucional** describe cómo sobreviven y triunfan las organizaciones mediante la congruencia entre una organización y las expectativas de su entorno. El **entorno institucional** está compuesto por normas y valores de los participantes (clientes, inversionistas, asociaciones, consejos, gobierno y organizaciones con los que colabora). Por lo tanto, la visión institucional cree que las organizaciones adoptan estructuras y procesos para complacer a las terceras partes, y que esas actividades asumen una función parecida a las reglas en las organizaciones. El entorno institucional refleja lo que la sociedad general concibe como formas correctas de comportamiento organizacional.[47]

La **legitimidad** está definida como la perspectiva general de que las acciones de una organización son deseables, apropiadas y adecuadas dentro del sistema de normas, valores y creencias del entorno.[48] Por lo tanto, la teoría institucional está relacionada con el conjunto de normas y valores intangibles que moldean el comportamiento, lo opuesto a los elementos tangibles de tecnología y estructura. Las organizaciones deben adecuarse a las expectativas emocionales y cognitivas de su audiencia. Por ejemplo, las personas no depositarían dinero en un banco a menos que éste enviara señales de acatamiento de las normas para una administración financiera inteligente. Considere también el caso de su gobierno local. Éste podría recaudar impuestos para incrementar el financiamiento a las escuelas, si los residentes comunitarios no aprobaran las políticas y actividades del distrito escolar.

La mayor parte de las organizaciones están interesadas en la legitimidad, como lo refleja la encuesta anual de la revista *Fortune* que califica a las corporaciones con base en sus reputaciones, y el estudio anual Reputation Quotient, una encuesta de opinión pública realizada por Harris Interactive and Reputation Institute.[49] Muchas corporaciones moldean y administran en forma activa sus reputaciones para incrementar su ventaja competitiva, y con la aparición de los escándalos éticos y financieros de compañías bien conocidas como Boeing, Enron y WorldCom, los directores están en busca de nuevas formas de fortalecer su legitimidad. Una compañía que ha construido la reputación de una empresa altamente ética y responsable con la sociedad es Johnson & Johnson, donde los directivos enfatizan el compromiso de la compañía con los clientes, empleados y la comunidad en general. Johnson & Johnson se ha colocado en el primer lugar durante seis años consecutivos en la lista de Reputation Quotient, la cual encuesta a más de 20 000 personas por teléfono y en entrevistas en línea. Por el contrario, Wal-Mart ha visto su reputación descender un poco desde hace dos años.[50]

En la práctica

Wal-Mart

"Me siento ofendido por los anuncios de Wal-Mart", afirma Anthony Leo, un médico de Arvada, Colorado. "La imagen de la bandera de Estados Unidos ondeando, mientras los rostros de los empleados satisfechos y ciudadanos agradecidos dan la bienvenida al liberador Wal-Mart, bueno, no lo soporto." Por primera vez en su historia, Wal-Mart está enfrentando un serio problema de legitimidad. Una combinación de factores ha provocado el declive de la reputación de la compañía y las crecientes críticas a sus prácticas.

Por una razón: Es natural que la gente comience a desconfiar de empresas que crecen tanto y son tan dominantes como lo es Wal-Mart. Además, el tamaño de la compañía ha entrañado una multitud de nuevos desafíos para la administración. La divulgación acerca de empresas contratistas encargadas de la limpieza que emplean trabajadores ilegales en las tiendas Wal-Mart ha empañado la imagen típica estadounidense de la compañía. El eslogan de principios de la década de los noventas de Wal-Mart "Compre a la manera estadounidense" ha sido en silencio ocultado mientras la compañía excede la duplicación de sus importaciones provenientes de China desde entonces. Y algunos críticos culpan a Wal-Mar de que los fabricantes estadounidenses de todo tipo de artículos, desde sostenes hasta bicicletas hayan tenido que cerrar plantas, despedir trabajadores y subcontratar servicios en países con bajos salarios con el fin de sobrevivir frente a las demandas de recortes de costos de Wal-Mart. Las quejas de los empleados por los bajos salarios y una demanda por discriminación de género han provocado los problemas de imagen de la compañía.

Los consumidores son cautivos de los precios bajos de Wal-Mart, pero hay una creciente preocupación y crítica acerca de los altos costos sociales y económicos del enfoque en los "precios bajos" de la empresa. "Los compradores se podrían comenzar a sentir culpables por comprar en nuestra empresa", afirma la vocera de Wal-Mart Mona Williams. "Las comunidades podrían obstaculizar la construcción de tiendas". Así, los ejecutivos de Wal-Mart han empezado a considerar las críticas en serio, y hacen votos para realizar un mejor trabajo en contar la historia correcta al público.[51]

Wal-Mart no ha sufrido daños severos por estas críticas, pero los directivos saben cómo perciben los clientes a la compañía, y que el público tiene una gran importancia en el éxito a largo plazo. Hoy Wal-Mart es muy poderosa, pero su poder podría menguar si las acciones de la compañía no se consideran legítimas y apropiadas.

Tener una buena reputación rinde sus frutos y esto está comprobado por un estudio de las organizaciones de la industria aeronáutica. La buena reputación estuvo muy relacionada con los niveles más altos de medidas de desempeño como el rendimiento sobre las acciones y el margen de utilidad neta.[52]

La noción de legitimidad es la respuesta a una importante interrogante que han planteado los teóricos institucionales. ¿Por qué hay tanta homogeneidad en las formas y prácticas de las organizaciones establecidas? Por ejemplo, visite bancos, colegios, hospitales, departamentos gubernamentales o empresas de negocios en una industria similar, en cualquier parte del país, y observará que son muy parecidas. Cuando un campo organizacional acaba de comenzar, como el comercio electrónico, la diversidad es la norma. Las nuevas organizaciones llenan los nichos emergentes. No obstante, una vez que una industria se ha establecido, hay una fuerza invisible que la empuja hacia la homogeneidad. *Isomorfismo* es el término que describe este suceso.

La visión institucional y el diseño organizacional

La visión institucional también concibe a las organizaciones como portadoras de dos dimensiones esenciales: Técnica e institucional. La dimensión técnica corresponde al trabajo cotidiano, la tecnología y los requerimientos operativos. La estructura institucional es la parte más visible de la organización para el público externo. Además, la dimensión técnica está gobernada por normas de racionalidad y eficiencia, pero la dimensión institucional está gobernada por las expectativas provenientes del entorno. Como resultado de la presión para hacer las cosas de una manera correcta y apropiada, las estructuras formales de muchas organizaciones reflejan las expectativas y valores del entorno y no los requerimientos de las actividades laborales. Esto significa que una organización puede incorporar puestos o actividades (funcionario encargado del empleo equitativo, división de comercio electrónico, jefe de ética corporativa), percibidos por la sociedad general como una parte importante, y por lo tanto su legitimidad y expectativas de supervivencia se incrementan, a pesar de que estos elementos pudieran provocar una eficiencia menor. Por ejemplo, muchas empresas pequeñas establecen sitios Web, aunque los beneficios que obtiene del sitio algunas veces son sobrepasados por los costos que supone su mantenimiento. La sociedad de nuestros días en general considera que tener un sitio Web es esencial para la empresa. La estructura formal y el diseño organizacionales quizá no sean racionales con respecto al flujo de trabajo y productos o servicios, pero asegurará la supervivencia de la compañía en el entorno global.

Las organizaciones se adaptan al entorno por medio del envío de señales de su congruencia con las demandas y expectativas surgidas de las normas culturales, estándares establecidos por corporaciones profesionales, agencias de financiamiento y clientes. La estructura es una parte de una fachada desconectada del trabajo técnico, pero mediante ella, la organización consigue la aprobación, legitimidad y apoyo constante. Por lo tanto, la adopción de estructuras puede no estar vinculada con las necesidades reales de producción, y se implementa sin importar si los problemas específicos internos se resuelven o no. En esta perspectiva la estructura formal está separada de la acción técnica.[53]

Similitud institucional

Las organizaciones tienen una fuerte necesidad de aparentar legitimidad. Por ello, muchos aspectos de su estructura y comportamiento pueden estar orientados hacia la aceptación del entorno y no hacia la eficiencia técnica interna. Así, las relaciones interorganizacionales están caracterizadas por fuerzas que provocan que las organizaciones

CUADRO 5.5
Tres mecanismos para la adaptación institucional

	Mimético	Coercitivo	Normativo
Razón de volverse similar:	Incertidumbre.	Dependencia.	Deber, obligación.
Circunstancias:	Visibilidad de las innovaciones.	Leyes, reglas y sanciones políticas.	Profesionalismo: Certificación, acreditación.
Base social:	Apoyada culturalmente.	Ley.	Moral.
Ejemplo:	Reingeniería, evaluación por comparación.	Controles de contaminantes, regulaciones escolares.	Estándares contables, capacitación para consultores.

Fuente: Adaptado de W. Richard Scott, *Institutions and Organizations* (Thousands Oaks, Calif.: Sage, 1995).

en una población similar se parezcan entre sí. La **similitud institucional**, llamada en la literatura académica *isomorfismo institucional*, es el surgimiento de una estructura y enfoques comunes entre las organizaciones del mismo campo. El isomorfismo es el proceso que provoca que una unidad en la población se parezca a otras unidades que enfrentan el mismo conjunto de condiciones en el entorno.[54]

Exactamente, ¿cómo se presenta la creciente similitud? ¿Cómo se materializan esas fuerzas? Un resumen de los tres mecanismos para la adaptación institucional se presenta en el cuadro 5.5. Estos mecanismos centrales son: las *fuerzas miméticas*, resultado de las respuestas ante la incertidumbre; *fuerzas coercitivas*, que surgen a raíz de la influencia política; y las *fuerzas normativas*, resultado de los procesos comunes de capitación y profesionalización.[55]

Persiga la legitimidad con sus principales participantes organizacionales en el entorno externo. Adopte estrategias, estructuras y nuevas técnicas administrativas que satisfagan las expectativas de las partes significativas, y con ello asegure su cooperación y el acceso a los recursos.

Fuerzas miméticas. La mayoría de las organizaciones, en especial las organizaciones de negocios, enfrentan una gran incertidumbre. Los altos ejecutivos no tienen muy claro de manera exacta con qué productos, servicios, o tecnología alcanzarán sus metas, y algunas veces las metas mismas no están bien definidas. Las **fuerzas miméticas**, es decir, la presión para copiar o imitar otras organizaciones, surgen para hacer frente a esta incertidumbre.

Una vez que los ejecutivos observan una innovación en otra empresa por lo general considerada como exitosa, copian con rapidez dicha práctica administrativa. Un ejemplo es la proliferación los lugares de moda con redes inalámbricas, como en cafés, hoteles y aeropuertos. Starbucks fue una de las primeras compañías en adoptar la tecnología inalámbrica, lo que permitió a los clientes utilizar computadoras portátiles y llevarlas a las tiendas Starbucks. Esta práctica fue imitada pronto tanto por pequeñas como por grandes compañías, desde Holiday Inns, hasta la tienda local de platillos preparados. Muchas veces, esta imitación se realiza sin una prueba clara de que su implementación redundará en un mejor desempeño. Los procesos miméticos explican por qué se presentan las modas pasajeras en el mundo de los negocios. Una vez que comienza una idea, muchas organizaciones se entusiasman con ella, sólo para darse cuenta de que su aplicación es difícil y podría ocasionar más problemas de los que resuelve. Este fue el caso de la reciente ola de fusiones que abarcó muchas industrias. En las dos décadas pasadas se presenció la ola más grande de fusiones y adquisiciones de la historia, pero la evidencia demuestra que muchas de esas fusiones no produjeron las ganancias financieras esperadas ni otros beneficios. El momento más álgido de la tendencia fue tan poderoso, que muchas compañías optaron por la fusión no por los incrementos potenciales en la eficiencia o rentabilidad sino sólo porque parecía que era lo correcto.[56] Otra tendencia que se ha atribuido a las fuerzas miméticas es el *downsizing*. A pesar de la evidencia que apunta a que las reducciones masivas de personal en realidad afectan a las organizaciones, los directivos las perciben como un medio efectivo y legítimo de mejorar el desempeño.[57]

Las técnicas como el *outsourcing*, la reingeniería, los programas de calidad Six Sigma, y el tablero de mando equilibrado (*balanced scorecard*) se han adoptado sin la evidencia clara de que beneficiarán la eficiencia o la efectividad. El único beneficio cierto es que los sentimientos de incertidumbre de la dirección se reducirán y la imagen de la empresa mejorará debido a que se considerará que la compañía utiliza las últimas técnicas administrativas famosas. Un estudio reciente de 100 organizaciones confirmó que aquellas compañías relacionadas con el uso de técnicas administrativas famosas eran más admiradas y tenían más altos puntajes en cuanto a la calidad del desempeño, aunque esas organizaciones a menudo no reflejaran un alto desempeño económico.[58] Quizá el ejemplo más claro de imitación oficial sea la técnica de benchmarking (evaluación por comparación) como parte de un movimiento integral de calidad. *Benchmarking* significa identificar a la mejor empresa en una industria y después duplicar su técnica para crear excelencia, e incluso mejorarla en el proceso.

El proceso mimético funciona debido a que las organizaciones enfrentan un alto nivel de incertidumbre constante, están al tanto de las innovaciones que se presentan en el entorno, y las innovaciones son apoyadas en forma cultural, por lo que otorgan legitimidad a los adoptantes. Se trata de un mecanismo sólido mediante el cual un grupo de bancos, colegios o empresas de manufactura comienzan a verse y a actuar de manera similar.

Fuerzas coercitivas. Todas las organizaciones están sujetas a la presión, tanto formal como informal, por parte del gobierno, agencias normativas, y otras importantes organizaciones en el entorno, en especial aquellas de las que la compañía depende. Las fuerzas coercitivas son presiones externas ejercidas sobre una organización a fin de que adopte estructuras, técnicas o comportamientos similares a otras organizaciones. Como con otros cambios, los ocasionados por las fuerzas coercitivas pueden no hacer que la organización sea más eficiente, pero sí que lo aparente y sea aceptada como legítima en el entorno. Algunas presiones pueden tener la fuerza de la ley, como los mandatos gubernamentales para adoptar un nuevo equipo de control de contaminantes. Las regulaciones de salud y seguridad pueden requerir que se designe un encargado de seguridad laboral. Se han establecido nuevas regulaciones y consejos de vigilancia en la industria contable después de los escándalos financieros ampliamente difundidos.[59]

Las presiones coercitivas pueden ocurrir también entre organizaciones donde existe una diferencia de poder, como se analizó en una sección previa de este capítulo sobre la dependencia de recursos. Los grandes vendedores minoristas y fabricantes a menudo insisten que sus proveedores implementen ciertas políticas, procedimientos y técnicas. Cuando Honda eligió a Donnelly Corporation para fabricar todos los espejos de sus automóviles ensamblados en Estados Unidos, Honda insistió que Donnelly implementara un programa de *empowerment* para el empleado. Los directivos de Honda creyeron que la asociación sólo podría funcionar si Donnelly aprendía cómo promover las relaciones de colaboración internas.

Los cambios organizacionales resultado de fuerzas coercitivas ocurren cuando una organización es dependiente de otra, cuando existen factores políticos como reglas, leyes y sanciones implicadas, o cuando otra base legal o contractual define la relación. Las organizaciones que operan con estas restricciones adoptarán cambios y se relacionarán entre sí de una forma que incremente la homogeneidad y limite la diversidad.

Fuerzas normativas. La tercera razón del cambio organizacional de acuerdo con la visión institucional la representan las fuerzas normativas. Las fuerzas normativas son presiones para cambiar a fin de alcanzar los estándares de profesionalismo y adoptar técnicas que la comunidad profesional considera vigentes y efectivas. Los cambios se pueden presentar en cualquier área, como en la tecnología de información, requerimientos contables, técnicas de marketing o relaciones de colaboración con otras organizaciones.

Los profesionales comparten un sistema de educación formal basado en grados universitarios y redes profesionales mediante las cuales intercambian ideas con consultores y líderes profesionales. Las universidades, empresas consultoras, asociaciones comerciales e instituciones de capacitación profesional desarrollan normas dirigidas a los directores profesionales. La gente está expuesta a una capacitación y estándares similares y adoptan valores compartidos, los cuales implementan en las organizaciones donde trabajan. Las escuelas de negocios enseñan especialidades de finanzas, mercadotecnia y recursos humanos en las cuales se afirma que ciertas técnicas son mejores que otras, de manera que el uso de esas técnicas se convierte en una norma en el campo. En una investigación, por ejemplo, una estación de radio cambió su estructura funcional por una multidivisional debido a que un consultor la recomendó como "estándar más alto" para hacer negocios. No había nada que probara que esta estructura era mejor, pero la estación de radio deseaba legitimidad y ser percibida como una compañía por completo profesional y a la vanguardia en las técnicas administrativas.

Las compañías aceptan las presiones normativas para parecerse entre sí mediante un sentido de deber y compromiso con los altos estándares de desempeño basados en las normas profesionales compartidas por directivos y especialistas en sus respectivas organizaciones. Estas normas se transmiten a través de la educación y certificación profesional y tienen un matiz casi moral o ético basado en los estándares más altos aceptados por la profesión en ese momento. Sin embargo, en algunos casos, las fuerzas normativas que dan sustento a la legitimidad se desintegran, como sucedió hace poco en la industria contable, y son necesarias fuerzas coercitivas para que las organizaciones vuelvan a asumir estándares aceptables.

Una organización puede utilizar cualquiera o todos los mecanismos de fuerzas miméticas, coercitivas o normativas, para transformarse a sí misma a fin de lograr una mayor legitimidad en el entorno institucional. Las empresas tienden a utilizar estos mecanismos cuando actúan en condiciones de dependencia, incertidumbre, metas ambiguas y confianza en los títulos profesionales. El resultado de estos procesos es que las organizaciones se tornan mucho más homogéneas que lo que se esperaría dada la diversidad natural entre directores y entornos.

Portafolios

Como gerente de una organización, tenga en mente estos lineamientos:

Mejore la legitimidad con la ayuda de las buenas ideas de otras empresas, mediante el cumplimiento de las leyes y regulaciones y el seguimiento de los procedimientos considerados mejores para su compañía.

Resumen e interpretación

Este capítulo ha estudiado la importante evolución en las relaciones interorganizacionales. En una época, las organizaciones se consideraban a sí mismas autónomas y separadas, con la intención de superar a otras compañías. Ahora, más organizaciones se conciben a sí mismas como parte de un ecosistema. La organización puede interconectarse con varias industrias y verse inserta en una densa red de relaciones con otras compañías. En este ecosistema, la colaboración es tan importante como la competencia. De hecho, las organizaciones pueden competir y colaborar al mismo tiempo según su ubicación y campo. En el ecosistema corporativo, la función de la administración está cambiando para abarcar el desarrollo de las relaciones horizontales con otras organizaciones.

Se han desarrollado cuatro perspectivas para explicar las relaciones entre las organizaciones. La perspectiva de dependencia de recursos es la más tradicional, y afirma que las organizaciones intentan evitar la dependencia excesiva de otras organizaciones. Desde este punto de vista, las organizaciones dedican un esfuerzo considerable a controlar el entorno a fin de asegurar una amplia cantidad de recursos mientras conservan su independencia. Además, las organizaciones poderosas explotarán la dependencia de las pequeñas empresas. Una perspectiva alternativa que está emergiendo es la de la red de colaboración. Las organizaciones acogen con beneplácito la colaboración e interdependencia con otras para mejorar el valor para ambas. Muchos ejecutivos están cambiando paradigmas basados en la autonomía, para adoptar los que están enfocados en la colaboración, a menudo con antiguos enemigos corporativos. La nueva mentalidad enfatiza la confianza, las negociaciones justas y la obtención de ganancias para todas las partes de la relación.

La perspectiva de ecología poblacional explica por qué la diversidad organizacional aumenta en forma continua con la aparición de nuevas organizaciones que llenan los nichos olvidados por las compañías establecidas. Esta perspectiva afirma que, por lo general, las empresas grandes no se adaptan al entorno cambiante; por lo tanto, surgen nuevas compañías con la forma y habilidades apropiadas para atender esas nuevas necesidades. A través del proceso de variación, selección y retención, algunas organizaciones sobrevivirán y crecerán mientras otras perecerán. Las compañías pueden adoptar una estrategia generalista o especialista para sobrevivir en la población organizacional.

La perspectiva institucional argumenta que las relaciones interorganizaciones están conformadas tanto por la necesidad corporativa de legitimidad como por la necesidad de proporcionar productos y servicios. La necesidad y legitimidad implica que la organización adoptará estructuras y actividades que los participantes externos perciben como válidas, apropiadas y recientes. De esta forma, las organizaciones establecidas copian técnicas de otras y comienzan a parecerse mucho entre sí. El surgimiento de estructuras o enfoques comunes en el mismo campo se denomina similitud institucional o isomorfismo organizacional. Hay tres mecanismos clave que explican la creciente homogeneidad organizacional: Las fuerzas miméticas, resultado de respuestas a la incertidumbre; fuerzas coercitivas, producidas por las diferencias de poder e influencias políticas; y las fuerzas normativas, consecuencia de la capacitación y profesionalización estandarizadas.

Cada una de las cuatro perspectivas es válida y representa diferentes prismas a través de los cuales se pueden observar las relaciones interorganizacionales: Las organizaciones experimentan una lucha competitiva por la autonomía; pueden florecer entre las relaciones de colaboración mutua; la lentitud para adaptarse proporciona vías para que las nuevas organizaciones florezcan; y las organizaciones buscan la legitimidad así como ganancias en el entorno. Lo importante para los directivos es estar al tanto de las relaciones interorganizacionales y administrarlas de manera consciente.

Conceptos clave

dependencia de recursos
ecosistema organizacional
entorno institucional
especialista
forma organizacional
fuerzas coercitivas
fuerzas miméticas
fuerzas normativas
generalista
legitimidad
lucha por la existencia
nicho
perspectiva de la ecología poblacional
perspectiva institucional
población
red de colaboración
relaciones interorganizacionales
retención
selección
similitud institucional
variación

Preguntas para análisis

1. El concepto de ecosistema de negocios implica que las organizaciones son más interdependientes que antes. Desde su experiencia personal, ¿está de acuerdo con esto? Explique.
2. ¿Cómo se siente con la idea de convertirse en director y tener que administrar un conjunto de relaciones con otras compañías y no sólo administrar la suya? Analice.
3. Suponga que usted es el director de una pequeña empresa que depende de un cliente que es un gran fabricante de computadoras y que utiliza la perspectiva de la dependencia de recursos. Póngase en la posición de la empresa pequeña, y describa qué acciones implementa-

ría para sobrevivir y tener éxito. ¿Qué acciones tomaría desde la perspectiva de la empresa grande?

4. Muchos directivos contemporáneos fueron educados con el supuesto de relaciones adversarias con otras compañías. ¿Piensa que operar como adversarios es más fácil o difícil que operar como socios con otras compañías? Analice.
5. Analice cómo funcionan las orientaciones de asociacionismo en comparación con las de oposición entre los estudiantes de su clase. ¿Hay un sentido de competencia por las calificaciones? ¿Es posible desarrollar verdaderas asociaciones en las cuales su trabajo dependa de los demás?
6. La perspectiva de ecología poblacional afirma que para la sociedad es saludable el surgimiento de nuevas organizaciones, mientras las viejas mueren a medida que el entorno cambia. ¿Está de acuerdo? ¿Por qué los países europeos aprueban leyes para apoyar a las organizaciones tradicionales e inhibir el surgimiento de nuevas?
7. Indique cómo los procesos de variación, selección y retención podrían explicar las innovaciones que se presentan en una organización.
8. ¿Cree que la legitimidad realmente motive a grandes y poderosas organizaciones como Wal-Mart? ¿Acaso la aceptación de otras personas es también una motivación para las mismas? Explique.
9. ¿A qué se debe que el deseo de legitimidad genere organizaciones más homogéneas con el transcurso del tiempo?
10. ¿En qué difieren las fuerzas miméticas de las fuerzas normativas? Dé un ejemplo de cada una.

Libro de trabajo del capítulo 5: Modas en la administración*

Busque uno o dos artículos que hablen de las tendencias actuales o modas en la administración. Después, encuentre uno o dos artículos acerca de una moda administrativa impuesta varios años atrás. Por ultimo, navegue en Internet en busca de información acerca de modas actuales y pasadas.

Preguntas

1. ¿Cómo se utilizaron esas modas en las organizaciones? Utilice los ejemplos reales de sus lecturas.
2. ¿A qué se debe que hayan adoptado esas modas? ¿Estas modas se adoptaron para mejorar en verdad la producción y la moral y no con el deseo de aparentar estar a la vanguardia de las técnicas administrativas en comparación con su competencia?
3. Proporcione un ejemplo en el que la moda no haya funcionado como se esperaba. Explique la razón por la que fue así.

Caso para el análisis: Compañía Oxford Plastics*

Oxford Plastics fabrica plásticos y resinas de alta calidad para su uso en una variedad de productos que van desde ornamentos y mobiliario para jardines hasta automóviles. La planta de Oxford ubicada cerca de Beatty, en una localidad con aproximadamente 45 000 personas en un estado del suroeste, da empleo a cerca de 3000 trabajadores. Esta empresa juega un importante papel en la economía local y de hecho, en la del estado, ya que ofrece algunos puestos industriales bien pagados.

A principios de 1995, Sam Henderson, el gerente de planta de la instalación de Beatty, informó al gobernador Tom Winchell que Oxford se encontraba lista para anunciar planes para una importante ampliación a la fábrica: Un laboratorio de color y un taller de pintura de primer nivel que les permitiría un mejor y más rápido igualado de colores para los requerimientos de los clientes. El nuevo taller mantendría la competitividad de Oxford en el dinámico mercado global de los plásticos, y además llevaría a la planta de Beatty a alcanzar la conformidad con las regulaciones de la Agencia de Protección Ambiental (EPA por sus siglas en inglés) que entrarían en vigor en dos años.

Los planes para la nueva instalación en gran parte se encontraban terminados. La tarea más importante que quedaba por hacer era la identificación de la ubicación específica. El nuevo laboratorio de color y el taller de pintura cubrirían aproximadamente 25 acres, lo que obligaba a Oxford a adquirir terreno adicional a su campus industrial de 75 acres. A Henderson le preocupaba un poco la ubicación recomendada por la alta dirección ya que se encontraba fuera del límite de la zona industrial actual y además requería la destrucción de varios árboles de haya con antigüedad de 400 a 500 años.

*Fuente: Basado en "El nuevo taller de pintura de Mammoth Motors' New Paint Shop" un juego de rol preparado originalmente por Arnold Howitt, director general del centro A. Alfred Taubman y gobierno local en la escuela Kennedy de Gobierno, Universidad Harvard, y posteriormente editado por Gerarld Cormick, principal director en el grupo CSE y conferencista de la Escuela de graduados en asuntos públicos de la Universidad de Washington.

El dueño de la propiedad, una agencia sin fines de lucro, estaba dispuesta a vender, en tanto que la propiedad ubicada al otro extremo del *campus* sería más difícil de obtener con oportunidad. Oxford se enfrentaba a un programa ajustado para completar el proyecto. Si la nueva instalación no se encontraba construida y en funciones para cuando las regulaciones de EPA entraran en vigor, existía la posibilidad de que la EPA obligara a Oxford a detener el uso de su proceso antiguo, lo que obligaría a detener la fábrica.

El gobernador estaba interesado con la decisión de Oxford de construir el nuevo taller en Beatty y presionaba a Henderson para que comenzara de inmediato a trabajar de forma conjunta con las autoridades locales y estatales para evitar cualquier problema potencial. Resultaba crítico, enfatizaba, que el proyecto no se atorara o se viera obstaculizado por conflictos entre los diferentes grupos de interés dado que éste era demasiado importante para el desarrollo económico de la región. El gobernador Winchell asignó a Beth Friedlander, directora de la Oficina de Desarrollo Económico del gobernador para que trabajara de forma cercana a Henderson en el proyecto. Sin embargo, Winchell no estaba dispuesto a ofrecer su apoyo para llevar a cabo la urbanización, dado que él había sido un defensor abierto y entusiasta de causas ambientales.

Después de su conversación con el gobernador Winchell, Henderson se sentó para identificar a las distintas personas y organizaciones que tendrían un interés en el proyecto del nuevo laboratorio de color y que sería necesario que participaran para que éste prosiguiera sin problemas y concluyera a tiempo. Éstos son:

Oxford Plastics

- Mark Thomas, vicepresidente de operaciones de Norteamérica. Thomas volaría desde las oficinas centrales de Oxford en Michigan para supervisar la adquisición del terreno y las negociaciones relativas a la expansión.
- Sam Henderson, director de la planta de Beatty, quien había pasado toda su carrera profesional en la instalación de Beatty, comenzó desde el piso de planta al salir de la preparatoria.
- Wayne Talbert, presidente del sindicato local. El sindicato apoya con firmeza que el nuevo taller se ubique en Beatty debido al potencial de más empleos y mejor pagados.

Gobierno estatal

- Gobernador Tom Winchell, quien puede ejercer presión sobre las autoridades locales para obtener apoyo para el proyecto.
- Beth Friedlander, directora de la oficina de Desarrollo Económico del gobernador.
- Manu Gottlieb, director del departamento estatal de calidad del ambiente.

Gobierno de la ciudad

- Alcaldesa Barbara Ott, recién llegada a la política, que ha estado en el cargo por menos de un año y quien lucha por cuestiones ambientales.
- Mayor J. Washington, el presidente de la Cámara de Comercio del desarrollo económico local.

Público

- May Pinelas, presidente de la sociedad histórica de Beatty, quien defiende que el futuro de la región depende de la preservación natural e histórica y del turismo.
- Tommy Tompkins, presidente de la Fundación Salvemos Nuestro Futuro, un grupo de individuos y representantes privados de la universidad local que desde hace tiempo han participado en cuestiones ambientales públicas y que han frustrado al menos un proyecto anterior de expansión.

Henderson se encuentra confundido acerca de la forma de proceder. Reflexiona que "para avanzar, ¿de qué forma podré formar una alianza entre estas organizaciones y grupos diversos?". Comprende la necesidad de que Oxford proceda rápido, pero desea que la empresa cuente con una adecuada relación con la gente y con las organizaciones que de manera evidente se opondrán a la destrucción de parte de la belleza natural de Beatty. Henderson siempre ha sido partidario de un acuerdo ganar-ganar, sin embargo, existen tantos grupos con interés en este proyecto que no está seguro por dónde iniciar. Quizá deba comenzar por trabajar de forma cercana con Beth Friedlander de la oficina del gobernador, no hay duda que éste es un proyecto muy importante para el desarrollo económico del estado. Por otro lado, la gente local será la más afectada y la que más participe en las decisiones finales. El vicepresidente de Oxford sugirió una conferencia de prensa para anunciar el nuevo taller a finales de la semana, pero a Henderson le preocupa afectar al proyecto con la noticia. ¿Quizá deba convocar ahora a una reunión con las partes interesadas y dejar que todos expresen sus ideas abiertamente? Sabe que esto podría ponerse complicado, pero se pregunta si las cosas no se pondrían más difíciles más adelante si no hace esto.

Caso para el análisis: Hugh Russel, Inc.*

La siguiente historia es una recopilación personal de David Hurst acerca de la experiencia de un grupo de directivos en una organización madura que atraviesa por un cambio profundo. . . El suceso que desencadenó este cambio fue una severa crisis de negocios. . .

* Fuente: Reimpreso con autorización de Harvard Business School Press. De la obra *Crisis and Renewal: Meeting the Challenge of Organizational Change*, por David K. Hurst (Boston: Harvard Business School Press, 1995), pp. 53-73.

Cuando me incorporé a Hugh Russel Inc., en 1979, se trataba de un distribuidor canadiense de tamaño medio de acero y productos industriales; con ventas de $535 millones de dólares canadienses y 3000 empleados, el negocio era controlado por el presidente, Archie Russel, quien era dueño del 16 por ciento de las acciones comunes. La empresa constaba de cuatro negocios: Las actividades centrales de distribución de acero (denominadas "Russelsteel"), la distribución de rodamientos y válvulas industriales, una cadena de mayoristas de herramientas y accesorios deportivos y una pequeña empresa de manufactura. . .

La empresa se encontraba estructurada para el desempeño. . . La dirección se encontraba profesionalizada, con cada una de las jerarquías divisionales encabezada por un presidente de grupo que reportaba a Foster en su calidad de presidente de la compañía. Las tareas se encontraban detalladas en descripciones de puestos y su forma de ejecución se especificaba en procedimientos estándares de operación detallados. Tres volúmenes del manual corporativo detallaban las políticas sobre todos los aspectos, desde la contabilidad hasta la compensación por vacaciones. Grandes sistemas de contabilidad y procesamiento de información permitían a los directivos darle seguimiento al progreso de las operaciones individuales en comparación con los planes y presupuestos. La compensación estaba basada en el desempeño, con el rendimiento sobre los activos netos (RONA por sus siglas en inglés Return On Net Assets) como la principal medida y grandes primas (hasta el 100 por ciento del salario base) para los directivos que alcanzaran sus metas.

Al nivel de la alta dirección, la cultura era cortés y formal. El consejo de administración estaba formado por amigos de Archie y socios así como por directivos internos. Archie y Peter conducían la organización como si fueran dueños mayoritarios. Sus interacciones con los directivos fuera de la sede central se restringían a la visita de trabajo ocasional. . .

Crisis

Nueve meses después de haberme integrado a la empresa como el responsable de la planeación financiera, fuimos puestos "en juego" por un especulador, y después de una feroz batalla de posturas, fuimos adquiridos en una adquisición hostil. Nuestro adquiriente era una empresa privada controlada por el hijo mayor de un emprendedor de fortuna y habilidad legendaria, de modo que no teníamos una idea de la sucesión de altibajos que se aproximaba. Desconocíamos no sólo que el hijo no contaba con el apoyo de su padre en esta operación sino que también se había negado a consultar con sus dos hermanos, ¡quienes eran dueños conjuntos de la compañía que nos adquirió! Dado que había asumido una deuda de $300 millones para realizar la operación, esto había dejado a cada uno de los hermanos comprometidos con una fianza personal de $100 millones. ¡Ellos no estaban muy contentos, y lo demostraron!

En los días del acuerdo, nos inundaron oleadas de consultores, abogados y contadores: Parecía que cada accionista contaba con su propio panel de asesores. Después de seis semanas de intenso análisis, resultaba claro que se había pagado demasiado por nosotros y que la transacción en gran medida estaba sobre apalancada. Al inicio del acuerdo, la parte adquiriente se había acercado a nuestros banqueros y les había preguntado si deseaban una parte de la "acción". Preocupados por la posible pérdida de nuestro negocio bancario y ansiosos por asociarse con una familia tan prominente, nuestros banqueros acordaron proporcionar el financiamiento inicial con un apretón de manos. Ahora, a medida que por primera vez observaban las cifras detalladas y al conocer las discrepancias entre los accionistas, retiraron su apoyo y demandaron que les devolvieran su dinero. Necesitábamos refinanciar $300 millones en deuda y rápido. . .

Cambio

La adquisición y la posterior fusión de las operaciones de fabricación de acero de nuestro moribundo dueño a Hugh Russel cambiaron nuestra agenda por completo. Contábamos con nuevos accionistas (quienes con frecuencia peleaban entre sí), nuevos banqueros y nuevas operaciones de negocio en un entorno de tasas de interés en crecimiento y una demanda decreciente de nuestros productos y servicios. En la práctica de la noche a la mañana la empresa pasó de una operación orientada al crecimiento, ambiciosa y dirigida por utilidades, a una empresa quebrada, necesitada de efectivo y desesperada por sobrevivir. Los cierres, despidos, reducciones, retrasos, ventas de activos y una "racionalización" se convirtieron en nuestras prioridades. . . En la oficina central, la claridad de los puestos se desvaneció; por ejemplo, yo fui contratado para realizar pronósticos financieros y obtener capital en los mercados de capital, pero con la empresa en un lío financiero, evidentemente esto no podría realizarse. Para todos nosotros, el futuro se vislumbraba peligroso y atemorizante a medida que la bancarrota, tanto personal como corporativa, se veía llegar.

Y también existía una atmósfera de crisis tal, que Wayne Mang, el nuevo presidente (Archie Russel y Peter Foster abandonaron la organización poco después de la operación), reunió al primer nivel de directivos para analizar la situación. Wayne Mang había trabajado en la industria del acero por muchos años y era respetado por el personal de Hugh Russel. Contador por formación profesional, se denominaba "director del personal" para acentuar su creencia tanto en la habilidad de las personas para marcar la diferencia en la organización como la responsabilidad de la gerencia de línea para hacer que esto suceda.

La precipitada primera reunión estuvo conformada por personas de confianza y respeto para Wayne, provenientes de toda la organización. Habían sido seleccionados sin considerar su posición en la vieja jerarquía.

La forma y el contenido de esta primera reunión fue una revelación para muchos. Algunos de ellos nunca habían sido convocados a la oficina central para nada excepto para cuestionarles sus presupuestos. Ahora se les revelaban los sangrientos detalles de la situación de la empresa y, por vez primera, tratados como si tuvieran algo por contribuir. Wayne les pidió su ayuda.

Durante esta primera reunión, identificamos diecinueve problemas principales que enfrentaba la empresa. Ninguno de ellos caía bajo una sola área funcional. Nos organizamos por nuestra cuenta en grupos de trabajo para enfrentarlos. Digo "por nuestra cuenta" porque así fue la forma cómo sucedió. Los individuos se ofrecieron sin ninguna presión para trabajar en los problemas que les interesaban o para los cuales, sus habilidades eran relevantes.

También propusieron a otras personas que no participaron en la reunión pero que se consideró, podrían ayudar. Existió una cierta guía (cada grupo de trabajo contaba con una persona de la oficina central cuya función era reportar lo que sucedía al "centro") y algunos miembros participaban en demasiados grupos de trabajo, lo que exigía que se localizaran sustitutos. Pero este fue el alcance de la administración del proceso.

La reunión finalizó a las 2:00 A.M., cuando todos regresamos a casa a comentar con nuestras incrédulas esposas lo que había sucedido. . .

El equipo de proyecto multidisciplinario rápido se volvió nuestro método predilecto de organización para nuevas iniciativas, y en la oficina central, la antigua estructura formal en forma virtual desapareció. Los equipos podían formarse al momento de la noticia para manejar un problema actual y disolverse así de rápido. Por ejemplo, encontramos que aun cuando no realizábamos reuniones formales, parecíamos pasar la mayor parte de nuestro tiempo al platicar de manera informal entre nosotros, dos personas iniciaban una conversación en la oficina de alguien, y antes que usted pudiera darse cuenta, otras personas pasaban por ahí y se formaba una pequeña sesión de grupo. Más adelante denominamos a estos eventos como "burbujas"; eran nuestro equivalente de las pláticas de hoguera. . .

Tiempo después, cuando me convertí en vicepresidente ejecutivo, Wayne y yo compartíamos de forma intencional una oficina, de modo que pudiéramos escuchar lo que el otro hacía en tiempo real y crear un entorno en el que las "burbujas" se formaran de manera espontánea. Conforme las personas pasaban frente a nuestra puerta abierta los invitábamos a que se incorporaran a la plática. El tema de estas sesiones siempre tenía que ver con nuestra difícil situación, tanto corporativa como personal. Se trataba de asuntos serios, pero la atmósfera era ligera y abierta. Nuestro destino de manera potencial era desastroso, pero al menos sería compartido. Los que participamos entonces no podemos recordar habernos reído tanto. Reímos de nosotros mismos y de la complicada situación. Reímos de la tontería de los banqueros al haber financiado tal desastre, y de los trucos de los accionistas en disputa, cuyas extrañas maneras y lenguaje aprendimos a imitar a la perfección.

Creo que fue la atmósfera de estas sesiones informales la que de continuo influyó en todas nuestras interacciones, con los empleados, banqueros, proveedores, y todos con quienes teníamos contacto. Es claro que con frecuencia tuvimos duras reuniones, llenas de tensión y amenazas, pero siempre fuimos capaces de salir adelante respaldados por nuestra emoción en las presentaciones informales subsecuentes. . .

Quizás el mejor ejemplo del cambio en la estructura y la eliminación de fronteras en la organización fue de las relaciones con nuestros banqueros. Al principio, al menos por el corto tiempo en que el crédito fue bien recibido, la sociedad era seria y distante. La comunicación era formal. A medida que el banco se dio cuenta del horror que había financiado (un proceso que tomó cerca de 18 meses) la relación con frecuencia se volvió más hostil. Los altos directivos del banco estaban más amenazantes, al señalar las acciones que emprenderían si no resolvíamos nuestro problema. Esta hostilidad culminó en una investigación por parte del banco respecto a un posible fraude (un procedimiento estándar en muchos bancos cuando enfrentan una pérdida importante).

Durante este periodo, observamos una sucesión de diferentes banqueros, cada uno de los cuales había sido asignado a nuestra cuenta por unos cuantos meses. Como resultado de nuestros esfuerzos por informar a cada nueva cara que aparecía, construimos una importante red de contactos dentro del banco con quienes habíamos compartido de forma abierta una buena cantidad de información y opiniones. Cuando se descubrió que no se había cometido ningún fraude, el banco consultó con su propia gente lo que debía hacerse. Las opiniones presentadas de forma tan coherente por parte de nuestra gente (porque todo mundo sabía lo que sucedía) y compartidas de forma tan amplia con tantos banqueros, tuvieron una influencia enorme en el resultado de este proceso. El cual fue la formación de un equipo conjunto de la empresa y el banco para atender un problema común que juntos podíamos resolver. Las fronteras entre la empresa y el banco habían sido eliminadas: Ante un observador externo, hubiera sido difícil saber dónde terminaba la empresa y dónde iniciaba el banco. . .

Nuestra empresa contaba con grandes sistemas formales de generación de reportes que permitían el monitoreo de las operaciones sobre una base regular. Después de la adquisición, estos sistemas necesitaron importantes modificaciones. Por ejemplo. . . debíamos reportar nuestros resultados al público cada trimestre ¡en un momento en que estábamos perdiendo cerca de 2 millones por semana! Sabíamos que a menos que acudiéramos a nuestros proveedores con anticipación, ellos podrían asustarse con facilidad y rehusar otorgarnos crédito. Cualquier movimiento repentino de su parte habría tenido consecuencias fatales para el negocio.

Además nuestros planes de cierre de plantas por todo Canadá y Estados Unidos nos acercaron a sindicatos y gobiernos de una forma muy diferente. Nos dimos cuenta que no teníamos más opción que negociar con estos grupos con anticipación a los sucesos.

Ya he descrito cómo se modificó nuestra relación con los banqueros como resultado de nuestra comunicación abierta. Obtuvimos en realidad el mismo efecto con estos nuevos grupos. De forma inicial, nuestros principales proveedores no podían comprender por qué les habíamos dicho que nos encontrábamos en problemas con anticipación. Sin embargo, tuvimos éxito al encuadrar la situación de una manera en que integramos su apoyo para nuestra supervivencia, y para el momento en que la "historia de guerra" se convirtió en noticia, ya contábamos con todo su apoyo. De forma similar, la mayoría de las organizaciones sindicales y gubernamentales estaban tan complacidas de haber sido involucradas en el proceso antes que los anuncios se realizaran, que ellos actuaron como un apoyo. Del mismo modo que con el caso del banco, formamos grupos de trabajo conjuntos con estas instituciones "externas" para resolver los que ya eran problemas comunes. Un colaborador importante para nuestra capacidad de hacer frente a esto, fue la alta calidad de nuestra comunicación interna. Todos los participantes de los equipos conocían la fotografía completa y actualizada de lo que estaba sucediendo. Una organización externa podía conversar con cualquier persona de un equipo y obtener la misma historia. De esta manera, construimos una red de contactos formidable, muchos de los cuales contaban con habilidades especiales y experiencia en áreas que resultaron ser de gran ayuda para nosotros en el futuro.

La adición de múltiples redes a nuestros sistemas de información mejoró nuestra capacidad tanto de recopilar como de diseminar la información. La apertura e informalidad de las redes, junto con el alto número de interacciones cara a cara, nos proporcionó un sistema de advertencia temprana, con el cual podíamos detectar resentimientos y posibles movimientos hostiles de parte de los accionistas, proveedores, banqueros nerviosos e incluso clientes. Esta información nos ayudó a evitar problemas antes que se presentaran. Las redes también funcionaron como un sistema de difusión a través del cual podíamos validar planes y acciones antes de anunciarlos de manera formal. De esta forma no sólo obtuvimos excelentes sugerencias de mejora, sino que además todos consideraban que habían sido consultados antes de emprender una acción. . .

Tuvimos una experiencia similar con un grupo de personas fuera de la empresa durante los últimos y agitados seis meses de 1983, cuando intentábamos finalizar un acuerdo para que los accionistas y banqueros vendieran el negocio de distribución de acero a nuevos inversionistas. El grupo de personas en cuestión abarcaba hasta las secretarias de los numerosos abogados y contadores involucrados en la operación. . .

A estas secretarias las hicimos parte de la red, informándoles con anticipación sobre la situación, les explicamos por qué se requerían ciertas cosas y las mantuvimos actualizadas sobre el progreso del acuerdo. Nos asombramos de la cooperación que recibimos: Nuestras llamadas fueron atendidas, los mensajes recibieron rápidas respuestas, y los borradores y opiniones se generaron a tiempo. A final de cuentas, un acuerdo que debería haber tomado nueve meses en llevarse a cabo, se realizó en tres meses y todo esto logrado por gente ordinaria que llegó más allá de lo que podríamos haber esperado de ellos. . .

Habíamos sido empujados a una crisis inesperada, y nuestras acciones iniciales en la práctica fueron reacciones a los problemas que se nos imponían. Pero a medida que actuábamos con los grupos de trabajo nos comenzamos a dar cuenta que contábamos con fuentes inesperadas de influencia sobre lo que estaba sucediendo.

El cambio en las relaciones con el banco ilustra esto claramente. Aunque no teníamos un poder formal en dicho estado, observamos que al encuadrar una situación difícil y confusa de una forma coherente podíamos, por medio de nuestra red, influir en los resultados de las decisiones del banco. Lo mismo sucedió con los proveedores: Al mantenerlos informados con anticipación y presentándoles un escenario razonable para la recuperación de sus anticipos, podíamos influir sobre las decisiones que tomarían.

Lentamente comenzamos a darnos cuenta que a pesar de no tener un poder en el sentido formal, nuestras redes en conjunto con nuestra propia coherencia interna, nos proporcionaban la capacidad de hacer las cosas de forma invisible. Conforme analizamos la situación con todas las partes involucradas, comenzó a emerger una estrategia. Una estructura financiera/fiscal complicada permitiría al banco "administrar" su pérdida y proporcionarles un incentivo para no ejercer las garantías personales de los accionistas. El negocio central de distribución de acero podía ser refinanciado sobre la marcha y vendido a nuevos dueños. La disputa entre los accionistas podía resolverse y cada uno obtendría su beneficio. Todo lo que tenía que hacerse era reunir a todas las partes, incluido un comprador para el negocio de acero, y hacer que estuvieran de acuerdo en que éste era el mejor camino a tomar. Al utilizar nuestras recién descubiertas habilidades, pudimos lograrlo.

Esto no sucedió sin contratiempos: En el último minuto los accionistas interpusieron nuevas objeciones al acuerdo. Sólo el banco podía hacer que vendieran, y se encontraban renuentes a hacerlo, temerosos de que pudieran atraer una demanda. Mediante discretas llamadas a los principales proveedores, varios de cuyos directivos eran parte del consejo del banco, se solucionó esto. Se les dijo a los proveedores "Este negocio necesita ser vendido y recapitalizado, si se realiza el acuerdo, es probable que usted reduzca su riesgo crediticio". El acuerdo se llevó a cabo. Para finales de 1983, contábamos con nuevos dueños, justo a tiempo para beneficiarse de la recuperación general del negocio. El calvario había terminado.

Taller del capítulo 5: Caso Naranjas Ugli*

1. Forme grupos de tres miembros. Una persona será el Dr. Roland, otra el Dr. Jones y la tercera será un observador.
2. Roland y Jones leerán sólo sus propios papeles, pero el observador leerá ambos.
3. Juego de rol: El instructor anuncia: "Soy el Sr./Sra. Cardoza, propietario de las naranjas Ugli restantes. Mi empresa de exportación de fruta no sostiene relaciones diplomáticas con su país, aunque tenemos fuertes relaciones comerciales".

   Los grupos pasarán un aproximado de 10 minutos en su junta con el representante de la otra empresa y decidirán un curso de acción. Prepárese para responder a las siguientes preguntas:
   a. ¿Qué planea hacer?
   b. Si desea comprar las naranjas, ¿qué precio ofrecerá?
   c. ¿A quién y de qué manera serán entregadas las naranjas?
4. Los observadores reportarán las soluciones alcanzadas. Los grupos describirán el proceso de toma de decisiones utilizado.
5. El instructor conducirá una discusión sobre el ejercicio que atienda las siguientes preguntas:
   a. ¿Cuáles grupos tuvieron más confianza? ¿Cómo influyó esto al comportamiento?
   b. ¿Cuáles grupos compartieron más información? ¿Por qué?
   c. ¿Qué tan importante es la confianza y apertura en las negociaciones?

*Por el Dr. Robert House, Universidad de Toronto. Utilizado con autorización

Papel del "Dr. Jones"

Usted es el Dr. John W. Jones, un científico investigador en biología empleado de una empresa farmacéutica. Hace poco desarrolló un químico sintético útil para la cura y prevención de Rudosen, el cual es una enfermedad contraída por mujeres embarazadas. Si no se detecta en las primeras cuatro semanas de embarazo, la enfermedad ocasiona un serio daño en el cerebro, ojos y oído del feto. Hace poco se ha presentado un brote de Rudosen en su estado, y varias miles de mujeres han contraído la enfermedad. Usted descubrió, con pacientes voluntarios que su suero sintético recién desarrollado cura el Rudosen en sus etapas tempranas. Por desgracia, el suero se fabrica a partir del jugo de la naranja Ugli, la cual es una fruta muy rara. Sólo se produjo una cantidad muy pequeña (aproximadamente 4000) de estas naranjas la temporada pasada. No habrá naranjas Ugli adicionales disponibles sino hasta la próxima temporada, lo cual es demasiado tarde para curar a las víctimas actuales de Rudosen.

Usted ha demostrado que su suero sintético no afecta de ninguna forma a las mujeres embarazadas. En consecuencia, no existen efectos colaterales. La Administración de Alimentos y Medicamentos ha autorizado la producción y distribución del suero como una cura para el Rudosen. Desafortunadamente, el brote actual no se esperaba, y su empresa no había planeado contar con el suero compuesto disponible por seis meses. Su empresa posee la patente del suero sintético y se espera que sea un producto muy rentable cuando se ponga a disposición del público.

En fecha reciente se le ha informado de buena fuente que el Sr. R. H. Cardoza un exportador de fruta sudamericano posee 3000 naranjas Ugli en buenas condiciones. Si usted pudiera obtener el jugo de dichas naranjas sería capaz tanto de curar a las víctimas actuales como de proporcionar inmunización suficiente a las mujeres embarazadas restantes en el estado. Ningún otro estado presenta en la actualidad un caso de Rudosen.

Se le acaba de informar que el Dr. P. W. Roland también busca encarecidamente naranjas Ugli y que también conoce la posesión del Sr. Cardoza de las 3000 naranjas disponibles. El Dr. Roland es empleado de una empresa farmacéutica competidora. Ha trabajado en investigaciones de armamento biológico durante los últimos años. En la industria farmacéutica existe una gran cantidad de espionaje industrial. Durante los últimos años, la empresa del Dr. Roland y la de usted se han demandado varias veces una a la otra, por infracción de derechos de patente y violaciones a la ley de espionaje.

Su empresa le ha autorizado acercarse al Sr. Cardoza para adquirir las naranjas mencionadas. Se le ha dicho que las venderá al mejor postor. Su empresa le ha autorizado ofrecer hasta $250 000 para obtener el jugo de las naranjas disponibles.

Papel del "Dr. Roland"

Usted es el Dr. Roland. Trabaja como biólogo investigador para una empresa farmacéutica. La empresa sostiene un contrato con el gobierno para investigar métodos para combatir el uso enemigo de armamento biológico.

Hace poco, varias bombas experimentales de gas nervioso de la Segunda Guerra Mundial se desplazaron de Estados Unidos a una pequeña isla alejada de la costa en el Pacífico. En el proceso de transportarlas, dos de las bombas desarrollaron una fuga. Misma que en la actualidad es controlada por científicos del gobierno, quienes consideran que el gas filtrará las cámaras de las bombas en 2 semanas. No conocen ningún método para evitar que el gas llegue a la atmósfera y se disperse a otras islas y muy probable también a la costa oeste. Si esto sucede, es posible que varios miles de personas sufran un severo daño cerebral o la muerte.

Usted ha desarrollado un vapor sintético que neutralizará el gas nervioso si se inyecta a la cámara de las bombas antes que el gas se filtre. El vapor se fabrica con un químico extraído de la cáscara de la naranja Ugli, una fruta muy rara. Por desgracia, sólo se produjeron 4000 de estas naranjas en esta temporada.

Se le ha informado de buena fuente que un Sr. R. H. Cardoza, un exportador de frutas en Sudamérica, posee 3000 naranjas ugli. Los químicos provenientes de las cáscaras de las dichas naranjas serían suficientes para neutralizar el gas si el vapor se desarrolla e inyecta de forma eficiente. Se le ha informado que las cáscaras de estas naranjas se encuentran en buena condición.

Usted sabe que el Dr. J. W. Jones también busca de forma urgente adquirir naranjas Ugli y que conoce la posesión del Sr. Cardoza de las 3000 disponibles. El Dr. Jones trabaja para una empresa con la que su empresa compite bastante fuerte. Existe una gran cantidad de espionaje en la industria farmacéutica. Con los años, su empresa y la del Dr. Jones se han demandado una a la otra por violaciones a las leyes de espionaje industrial y faltas a los derechos de patente en varias ocasiones. El juicio de dos demandas todavía está en proceso.

El gobierno federal le ha solicitado a su empresa apoyo. Su empresa le ha autorizado acercarse al Sr. Cardoza para adquirir las 3000 naranjas Ugli. Se le ha dicho que él las venderá al mejor postor. Su empresa le ha autorizado ofertar hasta $250 000 para obtener las cáscaras de las naranjas.

Antes de acercarse con el Sr. Cardoza usted decidió conversar con el Dr. Jones para influir sobre él de modo que no le impida adquirir las naranjas.

Notas

1. Tonya Vinas, "IT Starts with Parts", *Industry Week* (septiembre 2003), 40-43; y "Navistar's Operating Company Signs Collaboration Pact with German Truck and Engine Manufacturer", *Business Wire* (diciembre 6, 2004), 1.
2. Christine Oliver, "Determinants of Interorganizational Relationships: Integration and Future Directions", *Academy of Management Review* 15 (1990), 241-265.

3. James Moore, *The Death of Competition: Leadership and Strategy in the Age of Business Ecosystems* (Nueva York: HarperColiins, 1996); Brent Schlender, "How Big Can Apple Get?" *Fortune* (febrero 21, 2005), 66-76.
4. Howard Muson, "Friend? Foe? Both? The Confusing World of Corporate Alliances", *Across the Board* (marzo-abril 2002), 19-25; y Devi R. Gnyawali y Ravindranath Madhavan, "Cooperative Networks and Competitive Dynamics: A Structutal Embeddedness Petspective", *Academy of Management Review* 26, núm. 3 (2001), 431-445.
5. Thomas Perzinger, Jr., *The New Pioneers: The Men and Women Who Are Transforming the Workplace and Marketplace* (Nueva York: Simon & Schuster, 1999), 53-54.
6. James Moore, "The Death of Competition", *Fortune* (abril 15, 1996), 142-144.
7. Nick Wingfield, "New Chapter: A Web Giant Tries to Boost Profits by Taking On Tenants", *The Wall Street journal* (septiembre 24, 2003), A1, A10; y Nick Wingfield, "Amazon's eBay Challenge", *The Wall Street Journal* (junio 3, 2004), B1, B2.
8. Brian Goodwin, *How the Leopard Changed Its Spots: The Evolution of Complexity* (Nueva York: Touchstone, 1994), 181, citado en Petzinger, *The New Pioneers, 53*.
9. Alice Dragoon, "A Travel Guide to Collaboration", *CIO* (noviembre 15, 2004), 68-75.
10. Sumantra Ghoshal y Christophet A. Bartlett, "Changing the Role of Top Management: Beyond Structure and Process", *Harvard Business Review* (enero-febrero 1995), 86-96.
11. Susan Greco y Kate O'Sullivan, "Independents' Day", *Inc.* (agosto 2002), 76-83.
12. J. Pfeffer y G. R. Salancik, *The External Control of Organizations: A Resource Dependence Perspective* (Nueva York: Harper & Row, 1978).
13. Derek S. Pugh y David J. Hickson, *Writers on Organizations,* 5a. ed. (Thousand Oaks, Calif.: Sage, 1996).
14. Peter Grittner, "Four Elements of Successful Sourcing Strategies", *Management Review* (ocrubre 1996), 41-45.
15. Este análisis está basado en Matthew Schifrin, "The Big Squeeze", *Forbes* (marzo 11, 1996), 45-46; Wendy Zellner con Marti Benedetti, "CLOUT!" *Business Week* (diciembre 21, 1992), 62-73; Kevin Kelly y Zachary Schiller con James B. Treece, "Cut Costs or Else", *Business Week* (marzo 22, 1993), 28-29; y Lee Berton, "Push from Above", *The Wall Street Journal* (mayo 23, 1996), R24.
16. "Fitting In; In Bow to Retailers' New Clout, Levi Strauss Makes Alterations", *The Wall Street Journal* (junio 17, 2004), A1.
17. Robert A. Guth y Don Clark, "Peace Program; Behind Secret Settlement Talks: New Power of Tech Customers", *The Wall Street Journal* (abril 5, 2004), A1.
18. Mitchell P. Koza y Arie Y. Lewin, "The Co-Evolution of Network Alliances: A Longitudinal Analysis of an International Professional Service Network", Center for Research on New Organizational Forms, Borrador 98-09-02; y Kathy Rebello con Richard Brandt, Peter Coy y Mark Lewyn, "Your Digital Future", *Business Week* (septiembre 7, 1992), 56-64.
19. Christine Oliver, "Determinants of Interorganizational Relationships: Integration and Future Directions", *Academy of Management Review,* 15 (1990), 241-265; Ken G. Smith, Stephen J. Carroll, y Susan Ashford, "Intra- and Interorganizational Cooperation: Toward a Research Agenda", *Academy of Management Journal,* 38 (1995), 7-23; y Ken G. Smith, Stephen J. Carroll y Susan Ashford, "Intra- and Inrerorganizational Cooperation: Toward a Research Agenda", *Academy of Management Journal 38* (1995), 7-23.
20. Timothy M. Stearns, Alan N. Hoffman y Jan B. Heide, "Performance of Commercial Television Stations as an Outcome of Interorganizational Linkages and Environmental Conditions", *Academy of Management Journal* 30 (1987), 71-90; y David A. Whetten y Thomas K. Kueng, "The Instrumental Value of Interorganizational Relations: Antecedents and Consequences of Linkage Formation", *Academy of Management Journal* 22 (1979), 325-344.
21. Alex Taylot III, "Just Another Sexy Sports Car?" *Fortune* (marzo 17, 2003), 76-80.
22. Muson, "Friend' Foe? Both?"
23. Dragoon, "A Travel Guide to Collaboration." Donna Fenn, "Sleeping with the Enemy", *Inc.* (noviembre 1997), 78-88.
25. Keith G. Provan y H. Brinton Milward, "A Preliminary Theory of Interorganizational Network Effectiveness: A Comparative of Four Community Mental Health Systems", *Administrative Science Quarterly* 40 (1995), 1-33.
26. Myron Magnet, "The New Golden Rule of Business", *Fortune* (febrero 21, 1994), 60-64; Grittner, "Four Elements of Successful Sourcing Strategies"; y Jeffrey H. Dyer y Nile W. Hatch, "Using Supplier Networks to Learn Faster", *MIT Sloan Management Review* (primavera 2004), 57-63.
27. Peter Smith Ring y Andrew H. Van de Ven, "Developmental Processes of Corporate Inrerorganizational Relationships", *Academy of Management Review* 19 (1994), 90-118; Jeffrey H. Dyer, "How Chrysler Created an American *Keiretsu",* *Harvard Business Review* (julio-agosto 1996), 42-56; Grittner, "Four Elements of Successful Sourcing Strategies"; Magnet, "The New Golden Rule of Business"; y Mick Marchington y Steven Vincent, "Analyzing the Influence of Institutional, Organizational and Interpersonal Forces in Shaping Interorganizational Relationships", *Journal of Management Studies* 41, núm. 6 (septiembre 2004), 1029-1056.
28. Magnet, "The New Golden Rule of Business"; y Grittner, "Four Elements of Successful Sourcing Strategies."
29. Pete Engardio, "The Barons of Outsourcing", *Business Week* (agosto 28, 2000), 177-178.
30. Andrew Raskin, "Who's Minding the Store" *Business 2.0* (febrero 2003), 70-74.
31. Marchington y Vincent, "Analyzing the Influence of Institutional, Organizational and Interpersonal Forces in Shaping Interorganizational Relationships."
32. Fred R. Blekley, "Some Companies Let Suppliers Work on Site and Even Place Orders", *The Wall Street Journal* (enero 13, 1995), A1, A6.
33. Philip Siekman, "The Snap-Together Business Jet", *Fortune* (enero 21, 2002), 104[A]-104[H].
34. Esta sección está basada en Joel A. C. Baum, "Organizational Ecology", en Stewart R. Clegg, Cynthia Hardy y Walter R. Nord, eds., *Handbook of Organization Studies* (Thousand Oaks, Calif.: Sage, 1996); Jitendra V. Singh, *Organizational Evolution: New Directions* (Newbury Park, Calif.: Sage,

1990); Howard Aldrich, Bill McKelvey y Dave Ulrich, "Design Strategy from the Population Perspective", *Journal of Management* 10 (1984), 67-86; Howard E. Aldrich, *Organizations and Environments* (Englewood Cliffs, N.J.: Prentice Hall, 1979); Michael Hannan y John Freeman, "The Population Ecology of Organizations", *American Journal of Sociology* 82 (1977), 929-964; Dave Ulrich, "The Population Perspective: Review, Critique, and Relevance", *Human Relations* 40 (1987), 137-152; Jitendra V. Singh y Charles J. Lumsden, "Theory and Research in Organizational Ecology", *Annual Review of Sociology 16* (1990), 161-195; Howard E. Aldrich, "Understanding, Not Integration: Vital Signs from Three Perspectives on Organizations", en Michael Reed y Michael D. Hughes, eds., *Rethinking Organizations: New Directions in Organizational Theory and Analysis* (Londres: Sage, 1992); Jitendra V. Singh, David J. Tucker y Robert J. House, "Organizational Legitimacy and the Liability of Newness", *Administrative Science Quarterly* 31 (1986), 171-193; y Douglas R. Wholey y Jack W. Brittain, "Organizational Ecology: Findings and Implications", *Academy of Management Review* 11 (1986), 513-533.

35. Pugh y Hickson, *Writers on Organizations;* y Lex Donaldson, *American Anti-Management Theories of Organization* (Nueva York: Cambridge University Press, 1995).
36. Michael T. Hannan y John Freeman, "The Population Ecology of Organizations."
37. Julie Creswell, "Cisco's Worst Nightmare (And Sun's and IBM's and Nortel's and ....)", *Fortune* (febrero 4, 2002), 114-116.
38. Thomas Moore, "The Corporate University: Transforming Management Education" (presentación en agosto 1996; Thomas Moore es decano de Arthur D. Little University).
39. Peter Newcomb, "No One is Safe", *Forbes* (julio 13, 1987), 121; "It's Tough Up There", *Forbes* (julio 13, 1987), 145-160.
40. Stewart Feldman, "Here One Decade, Gone the Next", *Management Review* (noviembre 1990), 5-6.
41. David Stires, "Fallen Arches", *Fortune* (abril 29, 2002), 74-76.
42. David J. Tucker, Jitendra V. Singh y Agnes G. Meinhard, "Organizational Form, Population Dynamics, and Institutional Change: The Founding Patterns of Voluntary Organizations", *Academy of Management Journal* 33 (1990), 151-178; Glenn R. Carroll y Michael T. Hannan, "Density Delay in the Evolution of Organizational Populations: A Model and Five Empirical Tests", *Administrative Science Quarterly* 34 (1989), 411-430; Jacques Delacroix y Glenn R. Carroll, "Organizational Foundings: An Ecological Study of the Newspaper Industries of Argentina and Ireland", *Administrative Science Quarterly* 28 (1983), 274-291; Johannes M. Pennings, "Organizational Birth Frequencies: An Empirical Investigation", *Administrative Science Quarterly* 27 (1982), 120-144; David Marple, "Technological Innovation and Organizational Survival: A Population Ecology Study of Nineteenth-Century American Railroads", *Sociological Quarterly* 23 (1982), 107-116; y Thomas G. Rundall y John O. McClain, "Environmental Selection and Physician Supply", *American Journal of Sociology* 87 (1982), 1090-1112
43. Robert D. Hof y Linda Himelstein, "eBay vs. Amazon.com", *Business Week* (mayo 31, 1999), 128-132; y Maria Mallory con Stephanie Anderson Forest, "Waking Up to a Major Market", *Business Week* (marzo 23, 1992), 70-73.
44. Arthur G. Bedeian y Raymond F. Zammuto, *Organizations: Theory and Design* (Orlando, Fla.: Dryden Press, 1991); y Richard L. Hall, *Organizations: Structure, Process and Outcomes* (Englewood Cliffs, N.J.: Prentice Hall, 1991).
45. David Stipp, "How Genentech Got It", *Fortune* (junio 9, 2003), 81-88.
46. M. Tina Dacin, Jerry Goodstein y W. Richard Scott, "Institutional Theory and Institutional Change: Introduction to the Special Research Forum", *Academy of Management Journal* 45, núm. 1 (2002), 45-47. Agradecemos a Tina Dacin por su material y sugerencias para esta sección del capítulo.
47. J. Meyer y B. Rowan, "Institutionalized Organizations: Formal Structure as Myth and Ceremony", *American Journal of Sociology* 83 (1990), 340-363.
48. Mark C. Suchman, "Managing Legitimacy: Strategic and Institutional Approaches", *Academy of Management Review* 20 (1995), 571-610.
49. *Jerry* Useem, "America's Most Admired Companies", *Fortune* (marzo 7, 2005), 66-70; y los resultados de la encuesta de Harris Interactive and the Reputation Institute, que aparecen en la obra de Ronald Alsop, "In Business Ranking, Some Icons Lose Luster", *The Wall Street Journal* (noviembre 15, 2004), B1.
50. Grahame R. Dowling, "Corporate Reputations: Should You Compete on Yours?" *California Management Review 46,* núm. 3 (primavera 2004), 19-36; Ronald Alsop, "In Business Ranking, Some Icons Lose Luster."
51. *Jerry* Useem, "Should We Admire Wal-Mart?" *Fortune* (marzo 8, 2004), 118-120; Charles Fishman, "The Wal-Mart You Don't Know: Why Low Prices Have a High Cost", *Fast Company* (diciembre 2003), 68-80; Ronald Alsop, "In Business Ranking, Some Icons Lose Luster", *The Wall Street Journal* (noviembre 15, 2004), B1; y Ronald Alsop, "Corporate Scandals Hit Home", *The Wall Street Journal* (febrero 19, 2004), B1.
52. Richard J. Martínez y Patricia M. Norman, "Whither Reputation? The Effects of Different Stakeholders", *Business Horizons* 47, núm. 5 (septiembre-octubre 2004), 25-32.
53. Pamela S. Tolbert y Lynne G. Zucker, "The Institutionalization of Institutional Theory", en Stewart R. Clegg, Cynthia Hardy y Walter R. Nord, eds., *Handbook of Organization Studies* (Thousand Oaks, Calif.: Sage, 1996).
54. Pugh y Hickson, *Writers on Organizations;* y Paul J. DiMaggio y Walter W. Powell, "The Iron Cage Revisited: Institutional Isomorphism and Collective Rationality in Organizational Fields", *American Sociological Review 48* (1983), 147-160.
55. Esta sección está basada en gran parte en la obra de DiMaggio y Powell, "The Iron Cage Revisited"; Pugh y Hickson, *Writers on Organizations;* y W. Richard Scott, *Institutions and Organizations* (Thousand Oaks, Calif.: Sage, 1995).
56. Ellen R. Auster y Mark L. Sirower, "The Dynamics of Merger and Acquisition Waves", *The Journal of Applied Behavioral Science* 38, núm. 2 (junio 2002), 216-244

57. William McKinley, Jun Zhao y Kathleen Garrett Rust, "A Sociocognitive Interpretation of Organizational Downsizing", *Academy of Management Review* 25, núm. 1 (2000), 227-243.
58. Barry M. Staw y Lisa D. Epstein, "What Bandwagons Bring: Effects of Popular Management Techniques on Corporate Performance, Reputation, and CEO Pay", *Administrative Science Quarterly* 45, núm. 3 (septiembre 2000), 523-560.
59. Jeremy Kahn, "Deloine Restates Its Case", *Fortune* (abril 29, 2002), 64-72.

6 Diseño de organizaciones para el entorno internacional

Ingreso a la arena global

Motivaciones para la expansión global • Etapas de desarrollo internacional • Expansión global mediante alianzas estratégicas internacionales

Diseño estructural acorde con la estrategia global

Modelo de las oportunidades globales frente a las locales • División internacional • Estructura global de división por producto • Estructura global de división geográfica • Estructura matricial global

Construcción de capacidades globales

El reto organizacional global • Mecanismos de coordinación global

Diferencias culturales en cuanto a coordinación y control

Sistema de valores nacional • Tres enfoques nacionales para la coordinación y el control

El modelo de organización trasnacional

Resumen e interpretación

Una mirada al interior de

Gruner + Jahr

El plan consistía en convertirse en un jugador de altos vuelos en la industria editorial de revistas en Estados Unidos. Pero después de casi 30 años de intentarlo, la división de Bertelsmann AG's Gruner + Jahr ha comenzado a vender sus activos estadounidenses, incluidos pilares como *Family Circle, Parents* y *Fitness*. Los títulos sobre negocios de la compañía, *Inc.* y *Fast Company*, muy pronto se venderán o desaparecerán.

El choque de culturas es una de las razones por las que Gruner + Jahr, la editora de revistas más grande de Europa ha tenido tantos problemas para conquistar el mercado estadounidense. A pesar de que los altos ejecutivos en Alemania contrataron de manera acertada a muchos directivos estadounidenses para Gruner + Jahr USA Publishing, aquéllos continuaban en su forma de hacer las cosas. Por ejemplo, el director de las revistas internacionales, un antiguo periodista alemán, se entrometía en todos los detalles de la producción, incluso intentó decidir cómo debían verse los bordes entre los artículos. El director general de la división en Estados Unidos estaba muy contrariado ante tales intrusiones e insistió que se les diera más autonomía a sus editores. Al mismo tiempo, algunos afirmaron que el director estadounidense pretendía explotar los malentendidos culturales para ganar puntos ante su jefe alemán con un nivel superior en la compañía.

También se presentaron otros conflictos. Los ejecutivos en Alemania decidieron que todas las unidades de Gruner + Jahr debían utilizar a Brown Printing, una compañía impresora estadounidense que también era propiedad de Gruner + Jahr. Los directores en Nueva York se rebelaron y argumentaron que Brown no era tan efectivo como algunos competidores para manejar revistas de gran circulación como *Family Circle*. Los alemanes cedieron pero de nuevo enfurecieron a los directivos estadounidenses cuando les ordenaron compartir información con Brown acerca de las licitaciones solicitadas por los competidores de éste. Los ejecutivos estadounidenses estaban consternados ante las implicaciones éticas de tal práctica, mientras los alemanes no podían entender el porqué de tanto alboroto.

Los choques culturales entre los alemanes y los estadounidenses, las diferencias en las prácticas de negocios entre los dos países, un declive en la publicidad y el número de lectores y el gran alcance y complejidad que supone administrar a escala internacional, constituyeron un pesado lastre sobre el negocio de Gruner + Jahr. Cuando la división comenzó a deshacerse de sus activos estadounidenses, un periodista de negocios se refirió a la liquidación de Gruner + Jahr como "la salida de un experimento multimillonario que resultó terriblemente mal".[1]

Cuando una organización decide hacer negocios en otro país, los directivos se enfrentan a un nuevo conjunto de retos. Gruner + Jahr ingresó por primera vez al mercado estadounidense en 1978, pero los directivos pronto se dieron cuenta de que esto no iba a ser una simple cuestión de transferir su éxito europeo a Estados Unidos. A pesar de los retos que supone hacer negocios a escala internacional, la mayoría de las compañías actuales piensan que las recompensas potenciales sobrepasan los riesgos. Las empresas con sede en Estados Unidos han estado implicadas en los negocios internacionales durante mucho tiempo, pero ahora el interés en el comercio global es mayor que nunca antes. Miles de compañías estadounidenses han establecido operaciones en el extranjero para producir bienes y servicios que los clientes de otros países necesitan, así como obtener costos más bajos para generar productos y venderlos en su país. A su vez, las compañías japonesas, alemanas e inglesas compiten con las estadounidenses desde su propio territorio así como en el extranjero. Los mercados nacionales de muchas empresas ya se han saturado, y el único potencial de crecimiento se encuentra en el exterior. Para las compañías de comercio electrónico, expandirse a nivel internacional se está transformando en una prioridad. La participación total estadounidense en el comercio electrónico a nivel mundial está descendiendo a medida que compañías extranjeras establecen sus propias empresas de comercio electrónico, las cuales están respondiendo mejor a las necesidades locales.[2] El éxito a escala global no es fácil, ya que las organizaciones tienen que tomar decisiones referentes al enfoque estratégico, a la mejor forma de participar en los mercados internacionales, y a cómo diseñar a la organización para aprovechar los beneficios que ofrece la expansión internacional.

Propósito de este capítulo

Este capítulo analizará la forma en que los directores diseñan su organización para el entorno internacional. Se iniciará con un análisis de algunas de las motivaciones primarias de las organizaciones para expandirse, las etapas típicas del desarrollo, y el uso de alianzas estratégicas como medio de la expansión internacional. Después, se examinarán los enfoques estratégicos globales y la aplicación de varios diseños estructurales para obtener una ventaja global. Luego, se estudiarán algunos de los retos específicos que las organizaciones globales enfrentan, los mecanismos para enfrentarlos y las diferencias culturales que influencian el enfoque organizacional para diseñar y administrar una empresa global. Por último, se dará un vistazo al tipo emergente de organización global, el modelo trasnacional, que alcanza altos niveles de capacidades variadas necesarias para triunfar en un entorno internacional complejo y volátil.

Ingreso a la arena global

Nada menos hace 25 años, muchas compañías podían permitirse ignorar el entorno internacional. Hoy, las compañías deben pensar de manera global o quedarse atrás. El mundo se está convirtiendo en un campo global unificado. Los extraordinarios avances en las comunicaciones, tecnología y transporte han creado un nuevo panorama, muy competitivo. Los productos pueden fabricarse y venderse en cualquier parte del mundo, las comunicaciones son instantáneas, y los ciclos de desarrollo y vida del producto están reduciéndose. Ninguna compañía está aislada de la influencia global. Algunas compañías llamadas estadounidenses, como Coca-Cola y Procter & Gamble, dependen de las ventas internacionales porque éstas representan una porción importante de sus ventas y utilidades. Por otra parte, las organizaciones de otros países buscan consumidores en Estados Unidos. Siemens ahora obtiene un 24% de sus ventas anuales de Estados Unidos, frente a 22% de su Alemania natal.[3] Incluso las compañías más pequeñas pueden estar en forma activa involucradas en los negocios internacionales a través de exportaciones y negocios en línea. Gayle Warwick Fine Linen, por ejemplo, tiene sólo dos empleados: Gayle y su asistente. Gracias a las conexiones electrónicas, los dos pueden administrar de manera efectiva una compañía que elabora ropa de cama y mantelería de calidad superior tejidas en Europa, bordadas en Vietnam y exportadas a Gran Bretaña y Estados Unidos.[4]

Motivaciones para la expansión global

Las fuerzas económicas, tecnológicas y competitivas se han combinado para presionar a muchas compañías a que cambien de un enfoque nacional a uno global. En algunas industrias, en la actualidad ser exitoso significa haber triunfado a escala global. La importancia del entorno global para las organizaciones contemporáneas está reflejada en la economía mundial cambiante, prueba de esto es la lista de las 500 Globales de *Fortune*, es decir, las 500 compañías más grandes del mundo, lo cual indica que la influencia económica está difundiéndose a través de una amplia escala global. En el cuadro 6.1 cada círculo representa los ingresos totales de las 500 Globales en cada país. Aunque Estados Unidos representa la mayoría de los ingresos de las 500 Globales, varios países más pequeños y menos desarrollados están creciendo con una fuerza mayor. China, por

Nota: Cada círculo representa los ingresos totales de las 500 compañías globales en ese país en 2003. El número entre paréntesis indica el número de compañías que el país tenía en la lista de las 500 globales en ese año.

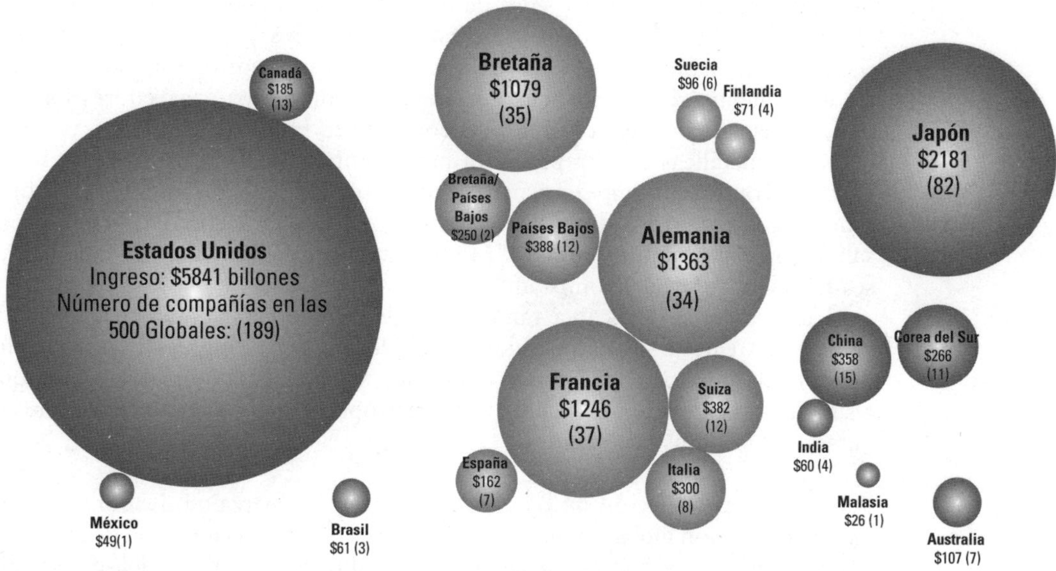

CUADRO 6.1

La economía global como está reflejada por la lista de las 500 globales de Fortune.

Fuente: "The Fortune Global 500", *Fortune* (julio 26, 2004), 159-180, figura de la página 161.

ejemplo, tuvo 15 compañías en las 500 Globales de 2003, en comparación con sólo tres compañías de la lista 10 años atrás. Por otro lado, la importancia de Japón ha disminuido, con 149 compañías a sólo 82.[5] En general, tres son los factores principales que motivan a las compañías a expandirse internacionalmente: Las economías de escala, las economías de alcance y los factores de producción de bajo costo.[6]

Economías de escala. Crear una presencia global amplía la escala organizacional de las operaciones, lo que le permite lograr **economías de escala**. La tendencia hacia la formación de grandes organizaciones fue impulsada al principio por la Revolución Industrial, la cual creó la necesidad en muchas industrias de fábricas más grandes que pudieran aprovechar los beneficios de las economías de escala que ofrecían las nuevas tecnologías y los métodos de producción. A través de producción de gran volumen, estos gigantes industriales fueron capaces de lograr el costo más bajo posible por unidad de producción. Sin embargo, para muchas compañías, los mercados nacionales ya no proporcionan más el alto nivel de ventas necesario para mantener el suficiente volumen para lograr las economías de escala. En una industria como la automotriz, por ejemplo, una compañía necesitaría una gigantesca participación de mercado nacional para lograr economías de escala. Así, una organización como Ford Motor Company está obligada a internacionalizarse con el fin de sobrevivir. Las economías de escala también permiten a las compañías obtener descuentos por volumen de parte de sus proveedores, lo que disminuye a su vez, el costo de producción de la organización.

Como gerente de una organización, tenga en mente estos lineamientos:

Considere crear una presencia internacional para materializar las economías de escala, explotar las economías de alcance u obtener factores de producción escasos o de bajo costo como mano de obra y materias primas.

Economías de alcance. Un segundo factor es el potencial mejorado para explotar las **economías de alcance**. El *alcance* se refiere al número y variedad de productos y servicios que una compañía ofrece, así como el número y variedad de regiones, países y mercados que atiende. Tener presencia en múltiples países proporciona un poder de marketing y sinergia en relación con una empresa del mismo tamaño que tiene presencia en menos países. Por ejemplo, una agencia de publicidad que comparece ante varios mercados globales obtiene una ventaja competitiva al prestar sus servicios a grandes compañías que abarcan el planeta. O considere el caso de McDonald's el cual tiene paquetes de mostaza y salsa de tomate casi idénticos en sus restaurantes de todo el mundo. Un proveedor con presencia en todos los países que atiende McDonald's tiene ventaja debido a que proporciona beneficios de costo, consistencia y conveniencia a su cliente, el cual no tiene que negociar con varios proveedores locales en cada país. Transmatic Manufacturing Co., con sede en Holland, Michigan, es un proveedor de partes metálicas de alta precisión para compañías como Motorola y Delphi Corp. Cuando Transmatic empezó a perder contratos con sus proveedores en China, donde grandes compañías estadounidenses tenían fabricas, el dueño, P. J. Thompson, decidió saltar a la escena internacional. "Mis clientes son multinacionales y desean que yo lo sea también", afirma Thompson.[7]

Las economías de alcance también pueden incrementar el poder de mercado de una compañía frente a sus competidores, debido a que la empresa desarrolla un conocimiento más amplio de los factores culturales, sociales, económicos, etcétera, que afectan a sus clientes en diferentes lugares y puede proporcionar productos y servicios especiales para satisfacer esas necesidades.

Factores de producción de bajo costo. La tercera fuerza motivadora más importante para la expansión global se refiere a los **factores de producción.** Una de las más antiguas, y aun así más importantes causas para las compañías estadounidenses para invertir en el extranjero es la oportunidad de obtener materias primas y otros recursos al costo más bajo posible. Durante mucho tiempo, las organizaciones se han internacionalizado para asegurar las materias primas que eran escasas o inaccesibles en su país de origen. En los primeros años del siglo xx, las compañías llanteras se internacionalizaron para desarrollar plantaciones de caucho a fin de abastecer de llantas a la creciente industria automotriz estadounidense. En la actualidad, los fabricantes de papel en Estados Unidos como Weyerhaeuser y U.S. Paper Co., fueron obligadas por los problemas que presentaba el entorno a buscar la internacionalización para conseguir bosques maderables nuevos, y ahora están administrando millones de acres de plantaciones de árboles en Nueva Zelanda.[8]

Muchas compañías también acuden a otros países para conseguir una fuente de mano de obra barata. Hoy en día, la industria textil en Estados Unidos en la práctica ha dejado de existir a medida que las compañías han transferido la mayor parte de su producción a Asia, México, América Latina y el Caribe, donde los costos por la mano de obra y suministros son mucho más bajos. Entre 1997 y 2002, el porcentaje de ropa vendida en Estados Unidos pero fabricada en otra parte se elevó alrededor de 75%, un incremento de casi 20% en cinco años. Una revisión de las etiquetas "hecho en" de una tienda Gap, encontró ropa hecha en 24 países, además de Estados Unidos.[9] La fabricación de muebles no tapizados está siguiendo el mismo patrón con gran rapidez. Las compañías están cerrando fábricas en Estados Unidos e importando sus muebles de madera de alta calidad de China, donde se puede contratar hasta 30 trabajadores por el costo de un solo fabricante de gabinetes en Estados Unidos.[10] Pero la tendencia no está limitada a la manufactura. La compañía india Wipro Ltd., por ejemplo, desarrolla software, realiza trabajos de consultoría, integra soluciones de gestión administrativa y maneja el soporte técnico de algunas de las más grandes corporaciones estadounidenses y realiza el trabajo por un 40% menos que las empresas estadounidenses comparables.[11] Otras organizaciones se han internacionalizado en busca de costos de capital más bajos, fuentes de energía barata, restricciones gubernamentales reducidas, u otros factores que disminuyan los costos totales de producción de la compañía. Las empresas pueden ubicar sus instalaciones donde sea más conveniente desde el punto de vista económico en términos de educación y niveles de habilidades de los empleados requeridos, costos de materias primas y mano de obra, y otros factores de producción. Los fabricantes de automóviles como Toyota, BMW, General Motors y Ford han construido

CUADRO 6.2
Las cuatro etapas de la evolución internacional

	I. Local	II. Internacional	III. Multinacional	IV. Global
Orientación estratégica	Orientada localmente.	Multinacional orientada a las exportaciones.	Multinacional.	Global.
Etapa de desarrollo	Participación incipiente en el extranjero.	Posicionamiento competitivo.	Explosión.	Global.
Estructura	Estructura local, más un departamento de exportaciones.	Estructura local, más división internacional.	Global geográfica, de producto.	Matricial, trasnacional.
Potencial de mercado	Moderado, en su mayor parte local.	Grande, multinacional.	Muy grande, multinacional.	Todo el mundo.

Fuente: Basado en Nancy J. Adler, *International Dimensions of Organizational Behavior*, 4a. Ed. (Cincinnati, Ohio, South-Western, 2002), 8-9; y Theodore T. Herbert, "Strategy and Multinational Organization Structure: An Interorganizational Relationships Perspective", *Academy of Management Review* 9 (1984), 259-271.

plantas en Sudáfrica, Brasil y Tailandia, donde pagan a los empleados menos de una décima parte de lo que los trabajadores ganan en países desarrollados con salarios más altos. Además, estos países por lo general ofrecen costos en forma radical más bajos por factores como tierra, agua y electricidad.[12] Las compañías extranjeras también acuden a Estados Unidos para obtener circunstancias favorables. Honda y Toyota de Japón, Samsung Electronics de Corea del Sur y la empresa farmacéutica suiza Novartis han construido plantas o centros de investigación en Estados Unidos para aprovechar los incentivos fiscales, encontrar trabajadores calificados, y estar cerca de un mayor número de clientes y proveedores.[13]

Etapas de desarrollo internacional

Ninguna compañía se ha convertido en un gigante global de la noche la mañana. Los directivos tienen que adoptar de manera consciente una estrategia de desarrollo y crecimiento globales. Las organizaciones ingresan a mercados extranjeros de varias formas y siguen diversos patrones. Sin embargo, la transformación de local a global por lo general ocurre a través de varias etapas de desarrollo, como se ilustra en el cuadro 6.2.[14] En la etapa uno, **la etapa local**, la compañía está orientada internamente, pero los directores están conscientes del entorno global y quizá consideren una participación inicial en el extranjero para expandir su volumen de producción y lograr economías de escala. El potencial de mercado está limitado y se encuentra principalmente en el país de origen. La estructura de la compañía es local, por lo general funcional o divisional, y las ventas iniciales al extranjero se manejan a través de un departamento de exportaciones. Los detalles de embarques de productos, problemas aduanales, y tipos de cambio son manejados por extranjeros.

En la etapa dos, la **etapa internacional**, la compañía se ocupa en serio de las exportaciones y comienza a pensar de una manera multinacional. Lo **multinacional** se refiere a las cuestiones competitivas en cada país que son independientes de otros países; la compañía maneja a cada país en forma individual. Su preocupación es el posicionamiento competitivo internacional en comparación con otras empresas en la industria. En este punto, una división internacional ha reemplazado al departamento de exportaciones, y se contratan especialistas para manejar las ventas, servicios y almacenamiento en el extranjero. Los múltiples países se identifican como un mercado potencial. Por ejemplo, Purafil, una pequeña compañía con sede en Doraville, Georgia, vende filtros de aire que eliminan la contaminación y limpian el aire en 50 diferentes países. A pesar de que

Purafil es pequeña, mantiene contratos con compañías comercializadoras independientes en varios países, las cuales conocen los mercados y culturas locales.[15] La compañía comenzó exportando a principios de la década de 1990 y ahora, el 60% de sus ventas provienen del extranjero.

En la etapa tres, la **etapa multinacional**, la compañía tiene una vasta experiencia en varios mercados internacionales y ha establecido centros de marketing, manufactura o investigación y desarrollo (I&D) en diferentes países extranjeros. Un gran porcentaje de los ingresos de la organización provienen de las ventas en el extranjero. La explosión se presenta a medida que las operaciones internacionales despegan y las unidades de negocio de la compañía se difunden por todo el mundo junto con proveedores, fabricantes y distribuidores. Entre las compañías que se encuentran en la etapa multinacional están Siemens de Alemania, Sony de Japón y Coca-Cola de Estados Unidos. Wal-Mart, a pesar de ser la compañía más grande del mundo, apenas está ingresando a esta etapa, con sólo el 18.5% de las ventas y el 15.8% de sus ingresos provenientes de negocios internacionales en 2003.

La cuarta y última etapa es la **etapa global**, lo cual significa que la compañía ya ha trascendido las fronteras de cualquier país individual. El negocio no es sólo una colección de industrias locales, sino implica que las subsidiarias están interrelacionadas hasta el punto en que la posición competitiva en un país tiene influencia significativa en las actividades en otros países.[16] Las **compañías** verdaderamente **globales** no piensan más en sí mismas como poseedoras de una sola procedencia, y de hecho, han sido llamadas *corporaciones sin nacionalidad*.[17] Esto representa una evolución nueva y radical de la compañía multinacional de la década de 1960 y 1970.

Las compañías globales operan de una forma en verdad global, y el mundo entero es su mercado. La estructura organizacional en esta etapa puede ser en extremo compleja y muchas veces se desarrolla en una matriz internacional o en un modelo trasnacional, que se analizará más adelante en este capítulo.

Las compañías globales como Nestlé, Royal Dutch/Shell, Unilever y Matsushita Electric, pueden operar en más de cien países. El problema estructural de mantener unido a este descomunal complejo de sucursales esparcidas a miles de millas de distancia es inmenso.

Expansión global mediante de alianzas estratégicas internacionales

Una de las formas más conocidas en que las compañías participan en forma activa en operaciones internacionales es a través de alianzas estratégicas. Una gran corporación estadounidense promedio, sin alianzas en los primeros años de la década de 1990, ahora tiene más de treinta, muchas de las cuales son con empresas internacionales. Las compañías en industrias que cambian con rapidez como la de los medios y el entretenimiento, la farmacéutica, biotecnológica y de software, pueden tener cientos de relaciones de ese tipo.[18]

Desarrolle alianzas estratégicas internacionales, como el licenciamiento, empresas conjuntas, sociedades, y consorcios, como formas rápidas y económicas de participar en forma activa en ventas y operaciones internacionales.

El licenciamiento, las empresas conjuntas o *joint ventures* y los consorcios, son ejemplos típicos de alianzas.[19] Por ejemplo, las compañías farmacéuticas como Merck, Eli Lilly, Pfizer y Warner-Lambert licencian entre sí sus nuevos fármacos para apoyar la innovación y el marketing de toda la industria y contrarrestar los altos costos fijos de investigación y distribución.[20] Una **empresa conjunta** es una entidad separada creada con dos o más empresas activas como patrocinadores. Este es un conocido enfoque para compartir los costos de desarrollo y producción y penetrar en nuevos mercados. Las empresas conjuntas pueden establecerse entre clientes o competidores.[21] Las empresas competidoras como Sprint, Deutsche Telecom y Telecom France cooperan entre sí y con varias empresas más pequeñas en una empresa conjunta que atiende las necesidades de telecomunicación de compañías globales en 65 países.[22] La compañía suiza de alimentos Nestlé y el gigante francés de cosméticos L'Oreal participan en una empresa conjunta para desarrollar Inneov, un complemento nutricional ideado para mejorar la salud de la piel.[23] MTV

Networks ha establecido empresas conjuntas con compañías en Brasil, Australia y otros países para expandir su presencia en los medios globales de comunicación.[24]

Con frecuencia, las compañías buscan empresas conjuntas para aprovechar el conocimiento que tiene el socio de los mercados locales, lograr ahorros en los costos de producción a través de las economías de escala, compartir las fortalezas tecnológicas complementarias, o ubicar nuevos productos y servicios mediante los canales de distribución de otro país. Un acuerdo entre Robex Resources Inc., una compañía canadiense de desarrollo y exploración de oro, y Geo Services International, una compañía internacional que opera en Mali, permite a las dos empresas combinar su poder tecnológico e incrementar el éxito de sus proyectos de excavación y exploración de oro en ciertas áreas. ICiCI Bank, la banca más grande del sector privado en India, y Prudential plc de Reino Unido establecieron una empresa conjunta de administración de activos que ofrece un servicio más sólido para los clientes corporativos de ICiCI en India y permite a Prudential expandir su presencia en Asia.[25] Otro enfoque en auge es que las compañías formen parte de **consorcios**, es decir, grupos de compañías independientes: Incluidos los proveedores, costos y acceso a los mercados del otro. Por ejemplo, Airbus Industrie, un consorcio compuesto por compañías aerospaciales francesas, inglesas y alemanas que está apabullando al gigante estadounidense Boeing.[26] Los consorcios muchas veces se implementan en otras partes del mundo, como la familia *keiretsu* de corporaciones en Japón. En Corea, estos acuerdos de interconexiones de compañías se denominan *chaebol*.

Una clase de consorcio, la *organización virtual* global, se está utilizando con mayor frecuencia en Estados Unidos y ofrece un prometedor método de hacer frente a la competencia mundial. La organización virtual se refiere a un conjunto en continua evolución de relaciones de compañías que existe temporalmente para explotar oportunidades únicas o alcanzar ventajas estratégicas específicas. Una compañía puede estar implicada en múltiples alianzas en cualquier momento. La compañía de software Oracle, puede estar implicada en hasta 15 000 sociedades organizacionales de corto plazo en cualquier momento.[27] Algunos ejecutivos piensan que adoptar un enfoque virtual es la mejor forma que tienen las compañías de ser competitivas en el mercado global.[28]

Diseño estructural acorde con la estrategia global

Como se analizó en el capítulo 3, la estructura organizacional debe adecuarse a su situación, es decir, debe proporcionar un procesamiento de la información suficiente para la coordinación y control mientras enfoca a sus empleados en funciones, productos o regiones geográficas específicas. El diseño organizacional para las empresas internacionales se basa en la misma lógica, pero su interés en las oportunidades estratégicas globales es mayor que en las locales.

Modelo de las oportunidades globales frente a las locales

Cuando las organizaciones se aventuran en terrenos internacionales, los directores se esfuerzan por formular una estrategia global coherente que proporcione sinergia entre las operaciones mundiales a fin de alcanzar las metas organizacionales comunes. Un dilema que enfrentan es elegir entre enfatizar la **estandarización** global o la sensibilidad ante las necesidades locales. Los directores deben decidir si quieren que cada afiliado global actúe de manera autónoma o si deben estandarizar las actividades entre todos los países. Estas decisiones se reflejan en la elección entre una estrategia global de *globalización* o una *multinacional*.

La **estrategia de globalización** implica que la estrategia de diseño de producto, manufactura y marketing estará estandarizada en todo el mundo.[29] Por ejemplo, los japoneses vencieron a las compañías canadienses y estadounidenses por desarrollar productos similares, de alta calidad y bajo costo para todos los países. Las compañías canadienses y estadounidenses incurrían en costos más altos al fabricar productos a la medida para países específicos. Black & Decker pudo ser más competitivo a nivel internacional cuando estandarizó su línea de herramientas mecánicas manuales. Otros productos, como Coca-Cola, son inherentes a la globalización, debido a que sólo la publicidad y el marketing se hacen a la medida de las diferentes regiones. En términos generales, los servicios son los menos adecuados para la globalización debido a que los diferentes hábitos y costumbres muchas veces requieren un diferente enfoque para ofrecerlos. Wal-Mart tuvo problemas para transplantar su exitosa fórmula estadounidense sin ajustes. Por ejemplo, en Indonesia, Wal-Mart cerró sus tiendas sólo después de un año. A los clientes no les agradó la luz brillante, las tiendas altamente organizadas, y, como no se permitía el regateo, pensaron que la mercancía era demasiado cara.[30]

En años recientes, otras compañías han comenzado a alejarse de la estrategia estricta de la globalización. La economía y los cambios sociales, así como la reacción negativa en contra de las enormes compañías globales, ha ocasionado que los clientes estén menos interesados en las marcas globales y favorezcan más los productos que tienen un toque local.[31] No obstante, una estrategia de globalización puede ayudar a una organización de manufactura a aprovechar las eficiencias de las economías de escala mediante la estandarización del diseño de producto y la fabricación, el uso de proveedores comunes, la rápida introducción de productos en todo el mundo, la coordinación de precios y la eliminación de instalaciones con las mismas funciones. Gracias a los estándares de fabricación, proveedores, diseño y transmisión de conocimientos tecnológicos a escala mundial, mediante una operación automotriz global y coordinada, Ford ahorró $5000 millones durante los primeros 3 años.[32] De manera similar, Gillette Company, fabricante de productos para el aseo personal como el sistema de rasurado Mach3 para hombres y el rastrillo Venus para mujeres, tiene grandes instalaciones de producción que utilizan proveedores y procesos comunes para elaborar productos cuyas especificaciones técnicas están estandarizadas a través del mundo.[33]

Una **estrategia multinacional** implica que la competencia en cada país se maneja sin tomar en cuenta la que se genera en otros países. Así, una estrategia multinacional promovería el diseño de producto, el ensamblado y el marketing a la medida de las necesidades especiales de cada país. Algunas compañías se han dado cuenta de que sus productos no prosperan en un solo mercado global. Por ejemplo, la gente de diferentes países tiene diversas expectativas con respecto a los productos de aseo personal, como desodorantes o pasta dental, por ejemplo. Los franceses no toman jugo de naranja en el desayuno y el detergente de lavandería se usa para lavar utensilios, no ropa, en algunas partes de México. Domino's Pizza sabe que la masa, salsa y queso básicos funcionan bien para una pizza en todos lados, pero más allá de eso, no hay reglas fijas. La compañía tiene más de 2500 restaurantes internacionales y ofrece 100 diferentes clases de pizza, incluida la pizza de queso panela en India y la pizza *mayo-jaga* en Japón. En otro ejemplo de estrategia multinacional, Procter & Gamble intentó estandarizar el diseño de pañales, pero descubrió que los valores culturales de varias partes del mundo requerían ajustes al estilo a fin de que el producto fuera aceptable para varias mamás. En Italia, por ejemplo, el diseño de pañales para cubrir el cordón umbilical del bebé fue crucial para lograr ventas exitosas.[34]

Así, los diferentes diseños organizacionales globales se adaptan mejor a la necesidad tanto de estandarización global como de sensibilidad nacional. Una investigación reciente de más de 100 empresas internacionales con sede en España proporcionó un sustento adicional a la relación entre estructura internacional y enfoque estratégico.[35] El modelo en el cuadro 6.3 ilustra cómo se ajusta el diseño organizacional y la estrategia internacional a las necesidades del entorno.[36]

Las compañías se pueden clasificar con base en si sus líneas de producto y servicio tienen potencial para la globalización, lo que implica ventajas mediante la estandari-

CUADRO 6.3
Modelo para adaptar la estrategia organizacional a las ventajas internacionales
Fuente: Roderick E. White y Thomas A. Poynter, "Organizing for Worldwide Advantage", *Business Quarterly* (verano 1989), 84-89. Adaptado con autorización de *Business Quarterly*, publicado por Western Business School, University of Western Ontario, Londres, Ontario, Canadá.

zación a nivel mundial. Las compañías que venden diversos productos o servicios en muchos países tienen una estrategia de globalización. Por otra parte, algunas compañías tienen productos y servicios adecuados para una estrategia multinacional, lo que implica ventajas locales-nacionales mediante la diferenciación y elaboración de productos y servicios a la medida para satisfacer las necesidades locales.

Como lo indica el cuadro 6.3, cuando las fuerzas tanto de la estandarización global como las de la sensibilidad nacional en muchos países son bajas, los negocios multinacionales se pueden manejar mediante una división internacional con estructura local. Sin embargo, en algunas industrias, las fuerzas tecnológicas, sociales o económicas pueden propiciar una situación en la que vender productos estandarizados a nivel mundial proporcione una ventaja competitiva. En estos casos, una estructura de producto global sería adecuada. Esta organización da a los gerentes de producto, autoridad para manejar sus líneas de producto en forma global y permite a la compañía aprovechar un mercado total unificado. En otros casos, las empresas pueden aprovechar el grado de sensibilidad nacional, es decir, al atender las necesidades únicas de los diferentes países en los que realizan negocios. En estas negociaciones, lo más recomendable es la adopción de una estructura mundial geográfica. Cada país tendrá sucursales u oficinas regionales que modificarán los productos y servicios a fin de que se adapten a la localidad. Un buen ejemplo es el que ofrece la empresa de publicidad Ogilvy & Mather, la cual divide sus operaciones en cuatro principales zonas geográficas debido a que los enfoques publicitarios necesitan modificarse para ajustarse a los gustos, las preferencias, los valores culturales y las regulaciones gubernamentales en diferentes partes del mundo.[37] En Estados Unidos se acostumbra emplear niños en los anuncios publicitarios, pero este método en Francia es ilegal. Las afirmaciones competitivas de productos rivales son muy comunes en la televisión estadounidense, pero violan las regulaciones gubernamentales en Alemania.[38]

En muchos casos, las compañías necesitarán responder de manera simultánea tanto a las oportunidades locales como a las globales, en cuyo caso la estructura matricial global es la más aconsejable. Quizá una parte de la línea de producto deba estandarizarse a nivel global, y otras partes se deban adaptar a las necesidades de los países locales.

CUADRO 6.4
Estructura híbrida local con división internacional

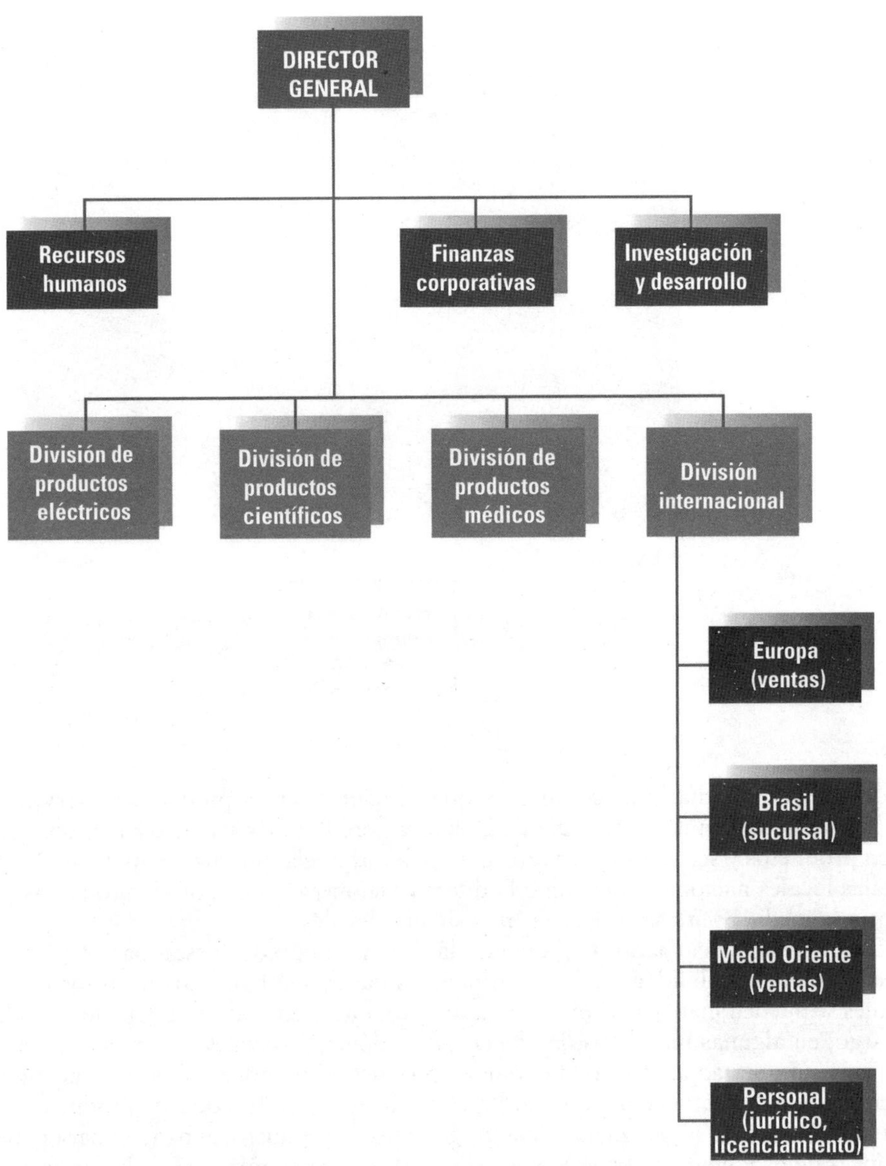

A continuación se analizarán con mayor detalle cada una de las estructuras del cuadro 6.2.

División internacional

Cuando las compañías comienzan a estudiar las oportunidades internacionales, por lo general, inician con un departamento de exportaciones que con el tiempo se transforma en una **división internacional.** El estatus de la división internacional es igual al de otros departamentos importantes o divisiones dentro de la empresa, como se ejemplifica en el cuadro 6.4. Debido a que las divisiones locales se organizan con base en las líneas de producto o funcionales, la división internacional se organiza de acuerdo con los intereses geográficos, como se ilustra en el cuadro. La división internacional tiene su propia jerarquía para manejar los negocios (licenciamiento, empresas conjuntas) en diferentes países, como por ejemplo, la venta de productos y servicios creados por las divisiones locales, la apertura de sucursales y, en general, lograr que la organización adopte operaciones multinacionales más sofisticadas.

Aunque las estructuras funcionales a menudo se utilizan de manera local, su uso para administrar un negocio de clase mundial es menos frecuente.[39] Las líneas de la jerarquía adecuada a través del mundo se extenderían demasiado, así que se debe utilizar un tipo de estructura geográfica o de producto para subdividir a la organización en unidades más pequeñas. Por lo general, las compañías comienzan con un departamento internacional y, según su estrategia, después usan estructuras de divisiones geográficas o de producto.

Estructura global de división por producto

En una **estructura global de producto**, las divisiones por producto tienen la responsabilidad de las operaciones globales en su área específica de producto. Ésta es una de las estructuras más utilizadas y a través de la cual los directivos intentan alcanzar sus metas globales debido a que es una forma muy sencilla de administrar de manera efectiva una serie de negocios y productos en todo el mundo. Los gerentes de cada línea de producto se pueden enfocar en la organización de operaciones internacionales cuando vean que la energía de los empleados es adecuada y está dirigida hacia su propio conjunto único de problemas globales u oportunidades divisionales.[40] Además, la estructura proporciona a los altos directivos de las oficinas centrales una perspectiva más amplia de la competencia, lo cual permite a la corporación completa responder con mayor rapidez a un entorno en constante transformación.[41]

Con una estructura global de producto, cada gerente divisional es responsable de la planeación, organización y control de todas las funciones para la producción y distribución de sus productos en cualquier mercado del mundo. La estructura basada en productos funciona mejor cuando una división maneja productos tecnológicamente similares y que se pueden estandarizar para su comercialización mundial. Como se vio en el cuadro 6.3, la estructura global de producto da mejores resultados cuando la compañía tiene oportunidades para la producción y venta a nivel mundial de productos estandarizados para todos los mercados, por lo cual hace posibles las economías de escala y la estandarización de la producción, la comercialización y la publicidad.

Eaton Corporation ha utilizado una forma de estructura de producto mundial, como lo ilustra el cuadro 6.5. En esta estructura el grupo de componentes automotrices, el industrial, etcétera, son responsables de la fabricación y ventas de productos a nivel mundial. El vicepresidente del departamento internacional es responsable de los coordinadores en cada región, como el de Japón, Australia, Sudamérica y Europa del Norte. Ellos encuentran la forma de compartir instalaciones y mejorar la producción y distribución entre todas las líneas de producto que se venden en sus regiones. Estos coordinadores tienen la misma función de los integradores que se analizó en el capítulo 3.

La estructura de producto es mayor en la producción y ventas estandarizadas a través del mundo, pero soporta algunos problemas. Muchas veces las divisiones de producto no funcionan bien juntas, debido a que compiten en lugar de cooperar en algunos países, y los gerentes de producto pueden ignorar algunas zonas. La solución que Eaton Corporation adoptó de utilizar coordinadores de países que tuvieran una función claramente definida es una forma excelente de superar estos problemas.

Portafolios

Como gerente de una organización, tenga en mente estos lineamientos:

Elija una estructura global de producto cuando la organización pueda obtener ventajas competitivas mediante una estrategia de globalización (integración global). Elija una estructura global geográfica cuando la compañía tenga ventajas con una estrategia multinacional (sensibilidad nacional). Utilice una división internacional cuando la compañía sea principalmente nacional y tenga sólo algunas pocas operaciones multinacionales.

Estructura global de división geográfica

Una organización basada en regiones es adecuada para compañías que desean enfatizar la adaptación a las necesidades de mercado locales o regionales mediante una estrategia multinacional, como se ilustra en el cuadro 6.3. La **estructura global geográfica** divide al mundo en regiones geográficas, y cada división le reporta al director general. Cada división tiene un control total de las actividades funcionales dentro de su área geográfica. Por ejemplo, Nestlé, con oficinas centrales en Suiza, pone un gran énfasis en la autono-

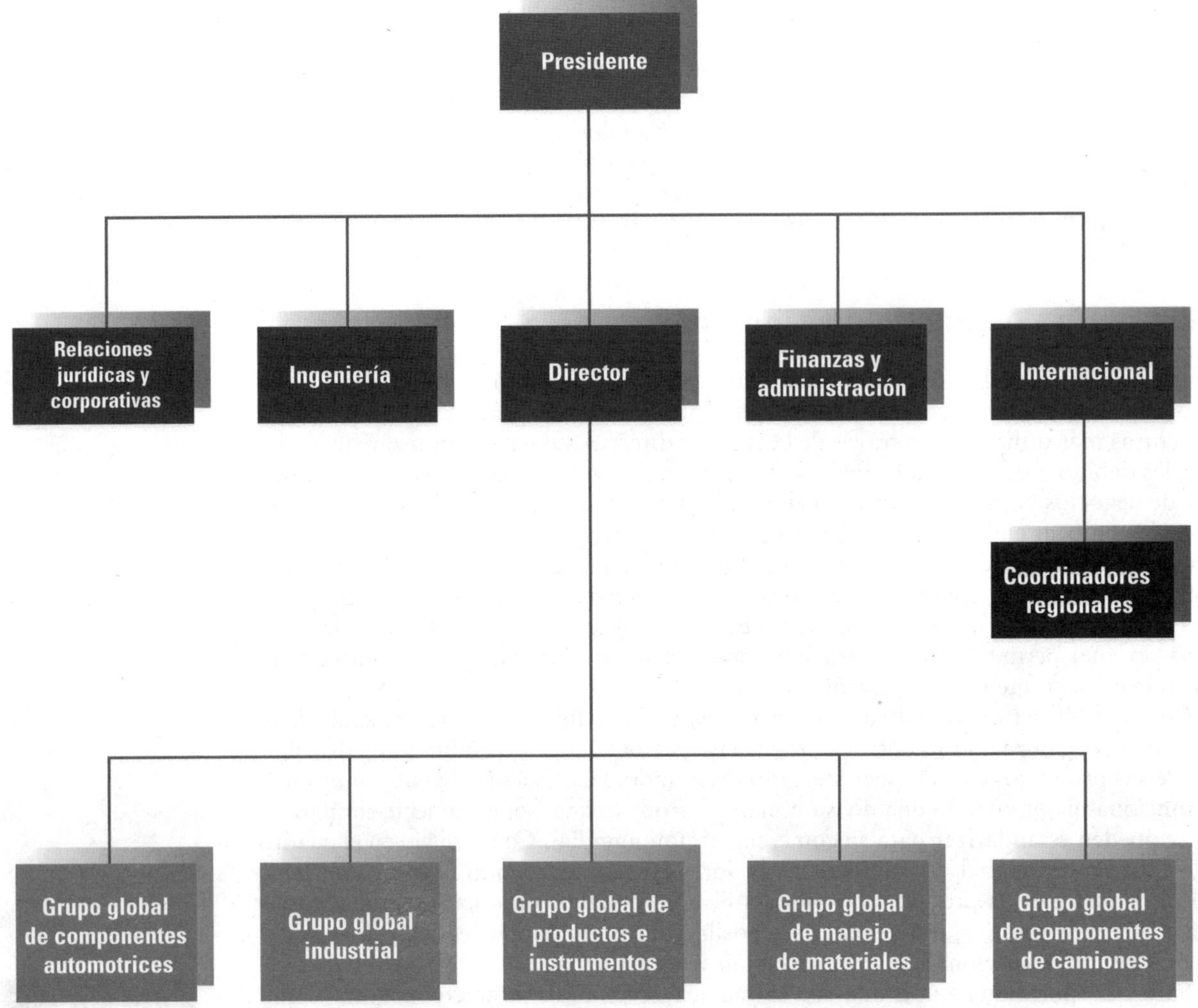

CUADRO 6.5
Estructura de producto parcialmente global utilizada por Eaton Corporation
Fuente: basado en *New Directions in Multinational Corporate Organization* (Nueva York: Business International Corp., 1981).

mía de los directores regionales que conocen la cultura local. La compañía de alimentos de marca más grande del mundo, Nestlé, rechaza la idea de un solo mercado global y utiliza una estructura geográfica para enfocarse a las necesidades y competencia locales de cada país. Los directivos locales tienen la autoridad de modificar el sabor, empaque, tamaño de porción y otros elementos del producto que consideren necesario. Muchas de las 8000 marcas de la compañía están registradas sólo en un país.[42]

Las empresas que utilizan este tipo de estructura han sido, por regla general, aquellas con líneas de producto maduras y tecnologías estables. Pueden encontrar mano de obra de bajo costo en países, así como satisfacer las diferentes necesidades de cada país para comercializar y vender sus productos. Sin embargo, numerosas tendencias de negocios y organizacionales han aumentado la clase de compañías que utilizan la estructura geográfica global.[43] El crecimiento de las organizaciones de servicio le lleva muchos años de ventaja a las de manufactura, y también a las de servicios que por su naturaleza deben presentarse en un nivel local. Además, para hacer frente a nuevas amenazas competitivas, muchas empresas de manufactura están enfatizando la capacidad de elaborar productos a la medida para satisfacer necesidades específicas, lo cual requiere una atención mayor a la sensibilidad local y regional. Todas las organizaciones están constreñidas por el entorno actual y los retos competitivos a desarrollar relaciones más estrechas con los clientes, lo cual obliga a las compañías a cambiar sus estructuras basadas en productos a otras basadas en la geografía.

Los problemas con los que se encuentran los altos directivos al utilizar una estructura geográfica global son resultado de la autonomía de cada división regional. Por ejemplo, es complicado planear a escala global —como la investigación y desarrollo de un nuevo producto— debido a que cada división actúa para satisfacer sólo las necesidades de esa región. La transferencia de nuevas tecnologías y productos locales a los mercados internacionales puede ser difícil debido a que cada división piensa que desarrollará lo que necesite. De igual manera, no es fácil introducir con rapidez los productos desarrollados a otros mercados nacionales, y muchas veces se presenta una duplicación de línea y de gerentes de personal entre las regiones.

Nestlé en la actualidad está luchando por adaptar su estrategia geográfica en un esfuerzo por reducir sus costos e impulsar su eficiencia. Como las divisiones regionales actúan para resolver necesidades específicas en sus propias áreas, la supervisión y el control sobre los costos ha sido un verdadero problema. Uno de los analistas se refirió a Nestlé como "Una empresa controladora, con cientos de compañías subordinadas". El director general Peter Brabreck-Letmathe está en busca de formas de incrementar la eficiencia y coordinación sin perder los beneficios que supone la estructura global geográfica. El siguiente ejemplo ilustra cómo los ejecutivos de Colgate-Palmolive superaron algunos de los problemas asociados con este tipo de estructura.

En la práctica

Colgate-Palmolive Company

Durante varios años, Colgate-Palmolive, la cual fabrica y comercializa productos para el cuidado personal, la limpieza y productos de especialidad, utilizó una estructura global geográfica del tipo que se ilustra en el cuadro 6.6. Colgate tiene una larga historia rica en participación internacional y para conservar su ventaja competitiva ha dependido de divisiones regionales en Norteamérica, Europa, Latinoamérica, el Lejano Oriente y Sudáfrica. Más de la mitad de las ventas totales de la compañía se generan fuera de Estados Unidos.

El enfoque regional se basa en los valores culturales de Colgate, los cuales enfatizan la autonomía individual, el espíritu emprendedor y la capacidad de actuar localmente. Cada director regional reporta al director de operaciones, y cada división cuenta con sus propias funciones de personal como recursos humanos (RH), finanzas, manufactura y marketing. Colgate manejó el problema de coordinación entre las divisiones geográficas mediante la creación de un *grupo de desarrollo de negocios internacionales* que tiene la responsabilidad de la planeación corporativa de largo plazo, la coordinación mundial del producto y la comunicación. Utilizó varios líderes de proyecto de producto, muchos de los cuales han sido antiguos gerentes en cada país con amplia experiencia y conocimiento. Los líderes de producto en esencia son coordinadores y consejeros para las divisiones geográficas, no tienen un poder directo, pero sí la capacidad y el apoyo organizacional necesarios para ejercer una importante influencia. La adición de este grupo de desarrollo de negocios produjo con prontitud resultados positivos en términos de una introducción más rápida de nuevos productos en todos los países y un mejor marketing de menor costo.

El éxito del grupo de desarrollo de negocios internacionales provocó que la alta dirección de Colgate agregara dos puestos de coordinación: Un viceptesidente de desarrollo corporativo que se enfocara en las adquisiciones, y un grupo de marketing y ventas mundiales que coordinara las ventas y las iniciativas de marketing en todas las ubicaciones geográficas. Con la adición de estos puestos mundiales a la estructura, Colgate se mantiene centrado en cada región y logra una coordinación global de toda la planeación, introducciones de productos más rápidas, y mejores ventas y eficiencia de marketing.[44]

CUADRO 6.6
Estructura global geográfica de Colgate Palmolive Company
Fuente: Basado en Robert J. Kramer, *Organizing for Global Competitiveness: The Geographical Design* (Nueva York: The Conference Board, 1993), 30.

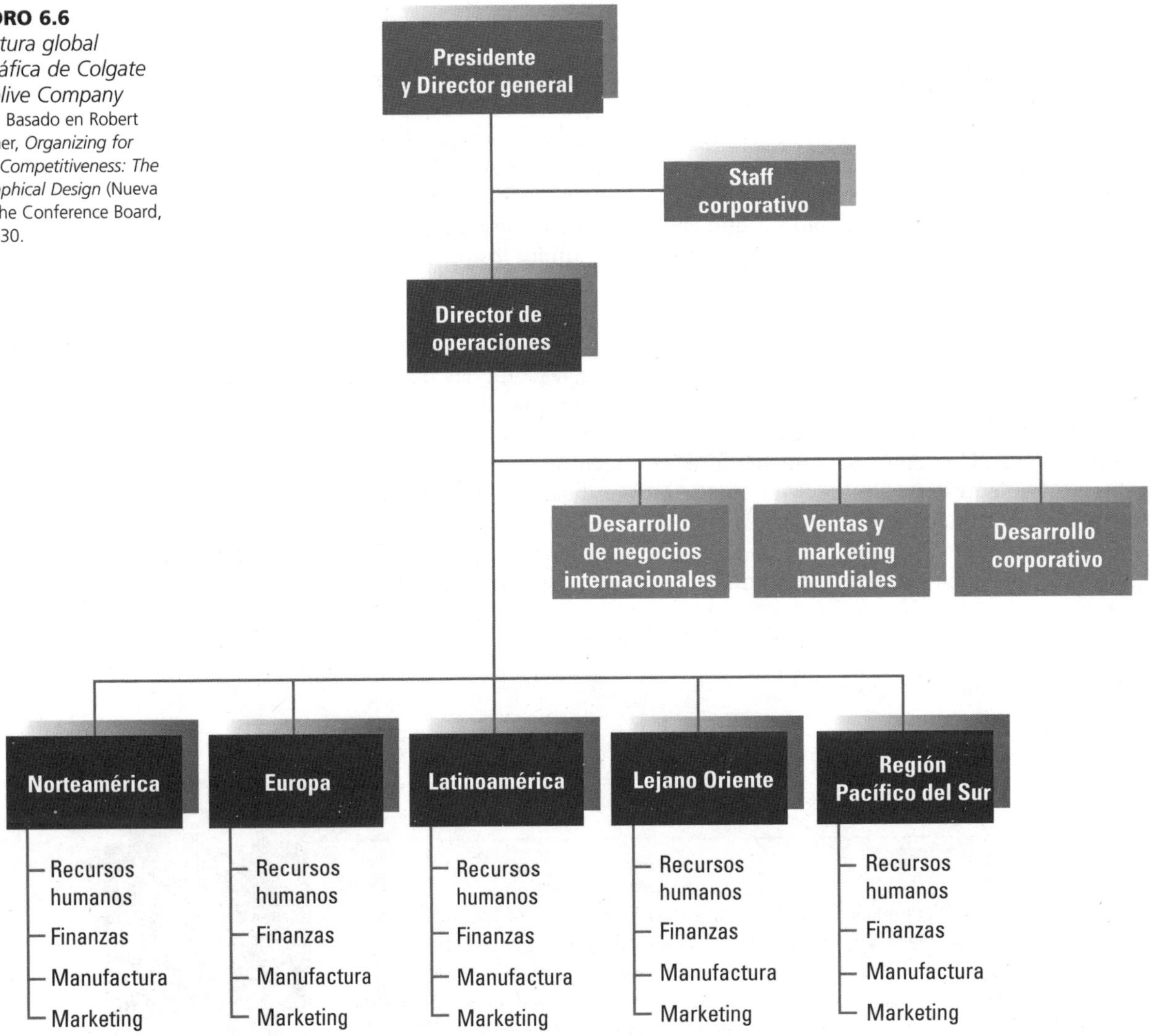

- Presidente y Director general
  - Staff corporativo
  - Director de operaciones
    - Desarrollo de negocios internacionales
    - Ventas y marketing mundiales
    - Desarrollo corporativo
    - Norteamérica: Recursos humanos, Finanzas, Manufactura, Marketing
    - Europa: Recursos humanos, Finanzas, Manufactura, Marketing
    - Latinoamérica: Recursos humanos, Finanzas, Manufactura, Marketing
    - Lejano Oriente: Recursos humanos, Finanzas, Manufactura, Marketing
    - Región Pacífico del Sur: Recursos humanos, Finanzas, Manufactura, Marketing

Estructura matricial global

Se ha analizado la forma en que Eaton utilizó la estructura global de división de producto y encontró formas de coordinar divisiones en todo el mundo. Colgate Palmolive utilizó una estructura de división geográfica global por medio de la cual pudo coordinar regiones geográficas. Cada una de estas compañías enfatizó una sola dimensión. Recuerde que en el capítulo tres se estudió que una estructura matricial ofrece una forma de lograr la coordinación vertical y horizontal de manera simultánea a través de dos dimensiones. Una **estructura matricial global** es similar a la matriz que se analiza en el capítulo 3, salvo en que para las corporaciones multinacionales las distancias geográficas para la comunicación son mayores y la coordinación más compleja.

La matriz funciona mejor cuando la presión para tomar decisiones equilibra los intereses tanto de la estandarización de producto como de la localización geográfica y cuando es importante que la organización comparta recursos. Durante muchos años, Asea Brown Boveri (ABB), una corporación dedicada a la fabricación de equipos eléctricos con sede en Zurich, utilizó una estructura matricial global que funcionó muy bien para coordinar a una compañía de 200 000 personas que operaba en más de 140 países.

En la práctica
Asea Brown Boveri Ltd. (ABB)

ABB le ha dado un nuevo significado a la noción de "ser local a nivel mundial". ABB posee 1300 compañías regionales, divididas en 5000 centros de utilidades localizados en 140 países. El tamaño promedio de la planta de ABB tiene menos de 200 trabajadores y la mayoría de los 5000 centros de utilidades están conformados por 40 a 50 personas, lo que significa que casi todos en la compañía están cerca del cliente. Durante muchos años, ABB utilizó una compleja estructura matricial similar a la del cuadro 6.7 para lograr economías de escala a nivel mundial combinadas con la flexibilidad y la capacidad de respuesta.

En la cúspide se encuentra el director general y un comité internacional de ocho altos ejecutivos, quienes con frecuencia sostienen juntas en todo del mundo. A un lado de la matriz se encuentran más o menos 65 áreas de negocio ubicadas en todo el mundo, en las cuales se agrupan los productos y servicios de ABB. Cada área tiene un líder responsable de manejar los negocios a escala global, asignar los mercados de exportación, establecer estándares de calidad y de costos y crear equipos de trabajo de nacionalidades mixtas para resolver problemas. Por ejemplo, el líder de los transformadores de energía es responsable de 25 fábricas en 16 países.

Del otro lado de la matriz se encuentra una estructura local; ABB tiene más de 100 directores locales, la mayor parte de ellos son ciudadanos del país en el cual trabajan. Manejan compañías nacionales y son responsables de los balances, estados de resultados y escalafones laborales. Por ejemplo, el presidente de Alemania, es responsable de 36 000 personas repartidas entre diferentes áreas de negocio que generan ingresos anuales en Alemania de más de $4 mil millones.

La estructura matricial converge al nivel de 1300 compañías locales. Los presidentes de las compañías locales están subordinados a dos jefes: El líder del área, que por lo general se encuentra fuera del país, y el presidente nacional, quien maneja a la compañía de la cual la organización local es sucursal.

La filosofía de ABB es descentralizar los asuntos hacia los niveles más bajos. Los gerentes globales son generosos, pacientes y multilingües. Deben trabajar con equipos configurados por personas de diferentes nacionalidades y ser culturalmente sensibles. Formular la estrategia y evaluar el desempeño de la gente y de las oficinas regionales de todo el mundo. Los directivos locales, en contraste, son gerentes regionales de línea responsables de varias sucursales nacionales. Ellos deben cooperar con los directores del área de negocios para lograr eficiencias a nivel mundial y la introducción de nuevos productos. Por último, los presidentes de las compañías locales tienen tanto un jefe global —el gerente de área de negocios— como un jefe nacional, y aprenden a coordinar las necesidades de ambos. [45]

CUADRO 6.7
Estructura matricial global

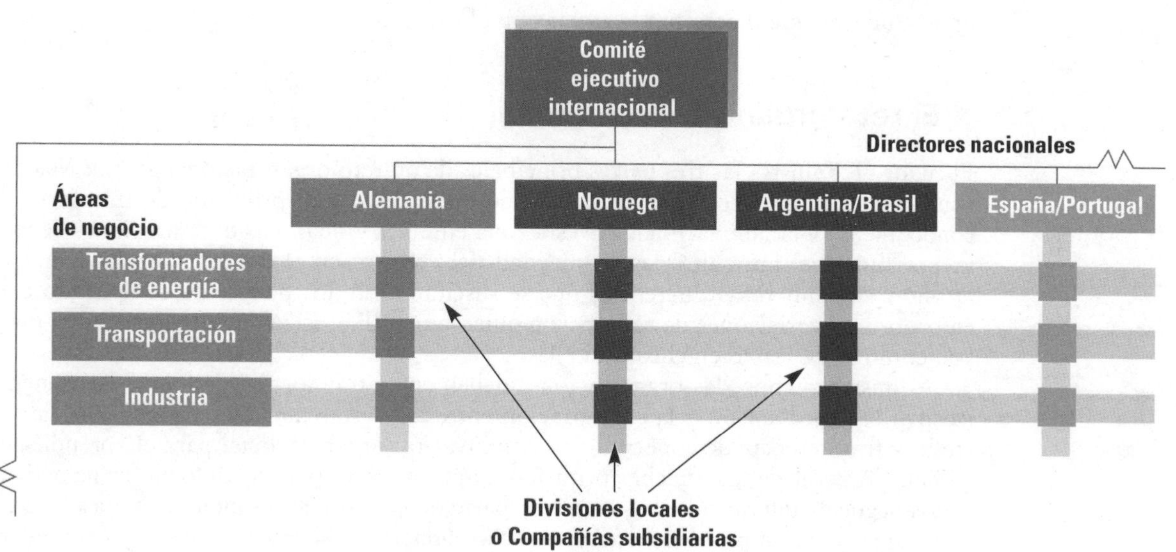

ABB es una compañía grande y exitosa que obtuvo beneficios tanto de la estructura de producto como de organizaciones geográficas a través de la estructura matricial. Sin embargo, desde hace algunos años, ABB ha enfrentado cuestiones competitivas cada vez más difíciles, los líderes han transformado la compañía para convertirla en una organización compleja llamada *modelo trasnacional*, el cual se estudiará más adelante en este capítulo.

En el mundo real, como en el caso de la estructura híbrida nacional que se analizó en el capítulo 3, muchas empresas internacionales aplican una estructura *híbrida global o mixta*, en la cual se utilizan dos o más estructuras diferentes o elementos de diferentes organizaciones. Las estructuras híbridas son típicas en entornos muy volátiles. Siemens AG de Alemania, por ejemplo, combina elementos de las divisiones funcionales, geográficas y de producto para responder a las condiciones dinámicas de mercado en los múltiples países donde opera.[46]

Las organizaciones como Siemens, Colgate Palmolive y Nestlé, que operan a escala global con frecuencia hacen ajustes a sus estructuras para superar los retos que supone hacer negocios en un entorno global. En las siguientes secciones, se analizarán algunos de los desafíos específicos que las organizaciones enfrentan en la arena global y los mecanismos para confrontarlos con éxito.

Construcción de capacidades globales

Existen muchos ejemplos de compañías de renombre que han experimentado problemas para transferir ideas exitosas, productos y servicios de su país de origen al terreno internacional. Se habló con anterioridad acerca de los problemas que Wal-Mart está enfrentando en el aspecto internacional, pero éste no es el único caso. A principios de la década de 1990, PepsiCo. Inc., estableció una meta de cinco años para triplicar sus ingresos multinacionales provenientes de bebidas de soda y expandir audazmente su presencia en los mercados internacionales. Sin embargo, para 1997, la compañía había salido de algunos de sus mercados y perdió un aproximado de $1000 millones en sus operaciones mundiales de bebidas.[47] Cientos de compañías estadounidenses que consideraron a Vietnam como una tremenda oportunidad internacional a mediados de la década de 1990, ahora están cerrando sus empresas en medio de grandes pérdidas. Las diferencias políticas y culturales han perjudicado a la mayor parte de las firmas. Sólo algunas pocas compañías, como la unidad Citibank de Citygroup y el negocio de maquinaria pesada de Caterpillar, han tenido éxito en ese país.[48] Los directores que internacionalizan a sus compañías enfrentan un reto colosal en cuanto a la forma de capitalizar las increíbles oportunidades que representa la expansión global.

El reto organizacional global

El cuadro 6.8 ilustra las tres partes principales de un reto organizacional global: Mayor complejidad y diferenciación, necesidad de integración y el problema de transferir el conocimiento y la innovación a través de una empresa global. Las organizaciones deben aceptar un nivel muy alto de complejidad del entorno en el dominio internacional y afrontar las numerosas diferencias que se suscitan entre los países. Lo complicado del entorno y las variaciones de cada país requieren una diferenciación organizacional mayor, como se describió en el capítulo 4.

Al mismo tiempo, las organizaciones deben encontrar formas de lograr de manera efectiva la coordinación y la colaboración entre las vastas unidades y facilitar el desarrollo y transferencia de conocimiento e innovación organizacional para el aprendizaje global.[49] A pesar de que muchas pequeñas empresas están participando en forma activa en los negocios internacionales, la mayor parte de las compañías internacionales crecen tanto, que crean un problema enorme de coordinación. El cuadro 6.9 ayuda a entender

CUADRO 6.8
El reto organizacional global

el tamaño e impacto de dichas empresas gracias a una comparación entre el valor agregado de varias compañías multinacionales grandes y el producto interno bruto (PIB) de los países seleccionados.

Complejidad y diferenciación incrementadas. Cuando la organización ingresa a la arena internacional, se encuentra con un nivel de complejidad interna y externa mayor que cualquier otro que haya experimentado en su propio país. Las compañías tienen que crear una estructura para operar en varios países que difieren en su desarrollo económico, lenguaje, sistemas políticos y regulaciones gubernamentales, normas y valores culturales e infraestructura como servicios de transporte y comunicación. Por ejemplo, aun-

Compañía	Valor agregado*	País	PIB anual†
Wal-Mart	$67.7	Perú	$53.5
Exxon Mobil	$52.6	República Checa	$50.8
General Motors	$46.2	Hungría	$45.6
Mitsubishi	$44.3	Nigeria	$41.1
DaimlerChrysler	$37.5	Rumania	$36.7
Royal Dutch/Shell	$37.3	Marruecos	$33.5
General Electric	$32.5	Vietnam	$31.3
Toyota Motor Co.	$30.4	Kuwait	$29.7

CUADRO 6.9
Comparación de las compañías multinacionales líderes y de los paises seleccionados, 2000 (en dólares estadounidenses)

*El valor agregado se refiere a la suma de los salarios, utilidades antes de impuestos, y depreciación y amortización de las compañías, en miles de millones.

†Producto Interno Bruto, en miles de millones.

Fuentes: Banco Mundial y revista *Fortune*, según el reporte de Paul De Grauwe, University of Leuven y Belgian Senate, y Filip Camerman, senado belga, "How Big are the Big Multinational Companies?" Borrador de trabajo, 2002.

que la mayor parte de las empresas internacionales tienen sus oficinas centrales en países prósperos y con una economía avanzada, los directivos inteligentes están invirtiendo con fuerza en los países menos desarrollados de Asia, Europa del Este y América Latina, los cuales ofrecen enormes nuevos mercados en los que ofertar sus bienes y servicios. En el área del comercio electrónico, el número de usuarios de Internet y la cantidad de ventas en línea están aumentando en América Latina, de manera que compañías como Dell y América Online establecieron con rapidez tiendas en línea y servicios para clientes en esas regiones.[50] Desde hace algunos años, China se ha convertido en un centro importante de negocios internacionales, y está incluyendo a compañías locales florecientes así como a grandes corporaciones extranjeras como Nokia, IBM, Volkswagen y BMW. Sin embargo hacer negocios en China, con sus deficientes carreteras y su infraestructura en vías de desarrollo, no es fácil, incluso para las grandes empresas.[51]

Otro factor que aumenta la complejidad para las organizaciones es el número creciente de clientes globales que están rechazando la noción de productos y servicios homogeneizados, y que demandan una respuesta más acertada a las preferencias locales. Incluso McDonald's, quizá el ejemplo por excelencia de estandarización para el mercado global, se ha dado cuenta de la necesidad de ser más sensible a las diferencias locales y nacionales. En Francia, donde los consumidores han visto con indignación la incursión de las cadenas de comida rápida, McDonald's impulsó sus ventas aunque con eso sus restaurantes estadounidenses quedaran estancados, al remodelar tiendas para equiparlos con detalles como pisos y vigas de madera, butacas confortables, y además agregó artículos en el menú como expreso, brioche y sándwiches de primera calidad.[52]

Toda esta complejidad en el entorno internacional está reflejada en una mayor complejidad organizacional interna. Recuerde que en el capítulo 4 se aprendió que a medida que los entornos se vuelven más complejos e inciertos, el desarrollo de las compañías se caracteriza por ser más diferenciado, con más puestos y departamentos especializados para enfrentar sectores específicos en el entorno. La alta dirección puede necesitar establecer departamentos especializados para manejar las diversas regulaciones contables, legales y gubernamentales en diferentes países, por ejemplo. Son necesarios más departamentos de interconexión de fronteras para percibir y responder al entorno externo. Además, las organizaciones pueden implementar diferentes estrategias, una gama más amplia de actividades y un número mucho mayor de productos y servicios a nivel internacional o con el fin de satisfacer las necesidades de un mercado diverso.

Necesidad de integración. A medida que las organizaciones adquieren una estructura más diferenciada, con múltiples productos, divisiones, departamentos y puestos difundidos a través de muchos países, los directivos enfrentan un inmenso desafío de integración. Como se analizó en el capítulo 4, la *integración* se refiere a la calidad de colaboración entre las unidades organizacionales. La cuestión es cómo alcanzar la coordinación y colaboración necesaria para la organización global a fin de aprovechar las ventajas que representan las economías de escala, las economías de alcance y las eficiencias de costos en función de la producción y mano de obra que la expansión internacional ofrece. Incluso en una empresa nacional, la alta diferenciación entre los departamentos requiere que se dediquen más tiempo y recursos para lograr una coordinación entre actitudes, metas y orientaciones que difieren ampliamente de los empleados. Imagine cómo sería una organización internacional, cuyas unidades de operación se dividieran no sólo por metas y actitudes de trabajo sino por distancia geográfica, diferencias de tiempo, valores culturales y quizá, incluso, con base en el lenguaje. Recuerde cómo creó Colgate Palmolive varias unidades específicas para alcanzar la coordinación y la integración entre las divisiones regionales. Además, otras compañías deben encontrar formas de compartir información, ideas, nuevos productos y tecnologías a través de la organización. Considere cómo iPod de Apple venció a Sony en gran parte debido a los problemas de integración de este último.

En la práctica

Sony

En un tiempo Sony controlaba el mercado de los reproductores de música portátiles. Con 50 años en el negocio de la música móvil —primero con el radio de transistores en la década de 1950 y después con el Walkman, que vendió más de 340 millones de aparatos—, el gigante de electrónicos de consumo parecía que estaba bien posicionado para convertirse en la empresa líder en el mundo de la música digital. Pero Sony fue tomado por sorpresa por una compañía de computadoras. Con la introducción del iPod de Apple, al cual Steve Jobs se refiere como el "walkman del siglo XXI", y la tienda de música iTunes, tal parece que Sony fue sacado de la jugada.

Un enorme problema de Sony fue que su negocio de música digital estaba disperso en diferentes partes del vasto imperio de esta empresa, y la cooperación entre las partes era deplorable e inadecuada. Además, la insistencia de Sony en utilizar sólo su propia tecnología significó que, hasta hace poco, los clientes no pudieran utilizar el walkman para reproducir música en formato MP3. La tienda de música de Sony, Connect, utilizó su propia engorrosa tecnología de compresión que desalentó a los usuarios. A principios de 2005, Connect ocupaba el lugar 23 en los sitios musicales visitados por los usuarios de Internet, mientras el Launch de Yahoo, AOL Music e iTunes de Apple ocupaban los tres primeros lugares. Se estima que Connect se quedó rezagado por algo así como 300 millones de ventas de canciones detrás de iTunes.

En el mundo de la música digital, todo depende de una integración uniforme, y Apple en forma sencilla lo logró. La coordinación impecable entre hardware, software y contenido hicieron que la compra y la reproducción de música fuera fácil en comparación con el sistema de Sony. Hace poco, los altos ejecutivos de Sony establecieron una nueva división, también llamada Sony Connect, que está orientada sólo a lograr que los negocios electrónicos con sede en Tokio y los negocios de medios en Estados Unidos trabajen en conjunto. Además, el nuevo director general, Sir Howard Stringer, el primer nativo no japonés a la cabeza de Sony, está destacando la colaboración a través de la compañía para lograr las proezas tecnológicas que harán que las cosas de nuevo vayan por buen camino.

Unir todas las piezas dispersas en un todo no es un trabajo fácil en una compañía del tamaño de Sony. "El lado del servicio y el lado de los electrónicos tienen diferentes opiniones y prioridades", afirma Koichiro Tsujino, quien funge como copresidente (con el estadounidense, Phil Wiser) de Sony Connect. "Y cuando uno piensa en Japón y Estados Unidos, los lenguajes son diferentes, los estilos de trabajo y las zonas horarias son diferentes, y están en lo físico alejados uno de otro." La tarea más difícil, aunque la más importante del nuevo director general, debe ser desarrollar mecanismos para lograr que los gerentes de todo el mundo encargados de juegos, música, películas y hardware colaboren, compartan ideas y establezcan prioridades conjuntas.[53]

Este ejemplo ilustra la tremenda complejidad de las grandes organizaciones globales y las dificultades de conjuntar todas las piezas para que funcionen de forma integral. Apple tuvo una ventaja en la creación de iPod e iTunes debido a que la compañía es más pequeña y está menos dispersa, lo cual redunda en una coordinación más sencilla. Quizá Sony nunca sea capaz de alcanzar al iPod de Apple, el cual posee un 65% del mercado de reproducción de música digital en Estados Unidos. Pero los nuevos mecanismos estructurales y un nuevo énfasis en la integración interna puede permitir a las partes dispersas de la organización coordinar mejor sus esfuerzos y ayudar a Sony a recuperar, al menos en parte, su categoría perdida.

Transferencia de conocimiento e innovación. La tercera pieza de los retos internacionales consiste en que las organizaciones aprendan de sus experiencias internacionales mediante la transferencia del conocimiento y las innovaciones a través de la empresa. La diversidad del entorno internacional ofrece oportunidades extraordinarias para aprender y desarrollar diversas capacidades.

Las unidades organizacionales adquieren las habilidades y conocimiento para hacer frente a los desafíos del entorno que surgen en un lugar en particular. Gran parte de ese conocimiento, que puede estar relacionado con las mejoras de producto, eficiencias operativas, avances tecnológicos, o un gran número de otras competencias, es relevante en muchos países, de manera que las organizaciones necesitan sistemas que promuevan la transferencia de conocimiento e innovación en el interior de la empresa global. Un buen ejemplo es el que presenta Procter & Gamble. El detergente líquido Tide fue uno de los lanzamientos de producto estadounidenses más exitosos de P&G en la década de 1980, pero el producto se generó a partir de la transferencia de las innovaciones desarrolladas en diversas partes de la empresa. El detergente líquido incorporó una tecnología que ayudaba a suspender la suciedad en el agua de lavado, la cual fue descubierta en las oficinas centrales de P&G en Estados Unidos, la fórmula de los agentes limpiadores de P&G fue inventada por técnicos japoneses, los ingredientes especiales que contrarrestan las sales minerales presentes en el agua dura corrieron por parte de científicos de la compañía en Bruselas.[54]

La mayoría de las organizaciones utilizan sólo una fracción del potencial disponible de la transferencia de conocimiento e innovación entre fronteras.[55] Hay varias razones de esto:

- Muchas veces el conocimiento está oculto en diferentes unidades debido al idioma, a las distancias geográficas y culturales, lo cual impide que los altos directivos reconozcan que existe.
- En ocasiones las divisiones consideran el conocimiento y la innovación como poder y desean conservarlo como una forma de obtener una posición influyente dentro de la empresa global.
- El síndrome "no fue inventado aquí" hace que algunos directores no utilicen el que otras unidades sepan cómo hacer las cosas y tengan experiencia en ese campo.
- Gran parte del conocimiento organizacional se encuentra en las mentes de los empleados, por lo que no es fácil escribirlo o compartirlo con otras unidades.

Las organizaciones tienen que encontrar formas de estimular tanto el desarrollo como la transferencia del conocimiento, implementar sistemas para utilizar el conocimiento siempre que exista, y encontrar formas de compartir innovaciones y hacer frente a los retos globales.

Mecanismos de coordinación global

Los directores enfrentan de múltiples formas los desafíos globales que suponen la coordinación y la transferencia de conocimiento e innovación a través de las unidades altamente diferenciadas. Algunas de las más comunes son el uso de equipos globales, oficinas centrales más enérgicas para la planeación y el control y funciones específicas de coordinación.

Equipos globales. La popularidad y el éxito de los equipos en el frente nacional permitió a los directores observar de primera mano la forma en que este mecanismo puede lograr una coordinación horizontal, como se describió en el capítulo 3, y por lo tanto reconocer el potencial de los equipos para la coordinación a través de una empresa global también. Los **equipos globales**, también llamados *equipos trasnacionales*, son grupos de trabajo que trascienden fronteras, conformados por miembros multinacionales y multidisciplinarios cuyas actividades se difunden en varios países.[56] Por lo general, los equipos son de dos formas: Equipos interculturales, cuyos miembros provienen de diferentes países y se encuentran cara a cara, y equipos globales virtuales, cuyos miembros permanecen en sus ubicaciones en todo el mundo y realizan su trabajo vía electrónica.[57] Heineken conformó la Fuerza de Tarea de Producción Europea, un equipo de 13 miembros multinacionales, que se reunían de manera habitual y expresaban sus ideas para optimizar las instalaciones de producción de la compañía en toda Europa.[58] La unidad de investigación de BT Labs cuenta con 660 investigadores difundidos a través de Inglaterra y varios otros países que trabajan en equipos globales virtuales para investigar la realidad virtual, inteligencia artificial y otras tecnologías de la información avanzadas.[59] El enfoque de equipo permite que las tecnologías, ideas y aprendizaje en un país se difundan con rapidez en toda la empresa por medio de la información que se ha compartido entre todos los miembros del equipo.

El uso más avanzado y competitivo de los equipos globales implica contribuciones simultáneas en tres áreas estratégicas.[60] En primer lugar, los equipos globales ayudan a las compañías a enfrentar el reto de la diferenciación, al permitirles ser más sensibles a las necesidades locales con la ayuda del conocimiento que se les otorga para satisfacer los requerimientos de diferentes mercados regionales, las preferencias del consumidor y los sistemas legales y políticos. Al mismo tiempo, los equipos proporcionan beneficios de integración, ya que ayudan a las organizaciones a alcanzar sus eficiencias globales mediante el desarrollo regional internacional de las ventajas de costos, diseños y operaciones estandarizados a través de los países. Por último, estos equipos contribuyen al continuo aprendizaje organizacional, a la transferencia de conocimiento y a la adaptación a nivel global.

Planeación proveniente de las oficinas centrales. Un segundo enfoque para lograr una coordinación global más sólida es que las oficinas centrales asuman una función activa en la planeación, programación y control a fin de lograr que las piezas muy difundidas en la organización global trabajen en conjunto y se muevan hacia la misma dirección. En una encuesta, el 70% de las compañías globales reportó que la función más importante de las oficinas corporativas era "proporcionar liderazgo empresarial".[61] Sin un liderazgo fuerte, las divisiones altamente autónomas pueden comenzar a actuar como compañías independientes y no como partes coordinadas de un todo global. Para contrarrestar esto, la alta dirección puede delegar responsabilidad y autoridad en cuanto a la toma de decisiones en algunas áreas, como la adaptación de productos o servicios para satisfacer las necesidades locales, mientras ejerce un fuerte control a través de la administración centralizada y los sistemas de información que permiten a las oficinas centrales mantener una vigilancia sobre lo que está sucediendo y que sirve para coordinar actividades entre las divisiones y los países. Los planes, los programas, las reglas formales y los procedimientos pueden ayudar a asegurar una comunicación mayor entre las divisiones y con las oficinas centrales y promover la cooperación y la sinergia entre las unidades distantes para alcanzar las metas organizacionales en una forma que sea eficiente en relación con los costos. Los altos directivos pueden proporcionar una dirección estratégica clara, guiar las operaciones distantes y resolver las demandas en competencia de diferentes unidades. Ésta es una de las principales metas de Sir Howard Stringer en Sony, la cual se analizó en la sección anterior. En su primera conferencia a los medios, Sir Howard enfatizó su resolución para promover la colaboración y la creatividad a fin de producir "nuevos productos, nuevas ideas, nuevas estrategias, nuevas alianzas y una visión compartida". [62]

Como gerente de una organización, tenga en mente estos lineamientos:

Utilice mecanismos como los equipos globales, la planeación proveniente de las oficinas centrales y las funciones específicas de coordinación para ofrecer la coordinación necesaria y la integración entre las unidades internacionales distantes. Enfatice la necesidad de compartir la información y el conocimiento a fin de ayudar a la organización a aprender y mejorar a escala global.

Funciones de coordinación ampliadas. Las organizaciones también pueden implementar soluciones estructurales para alcanzar una coordinación y colaboración más sólidas.[63] La creación de funciones o puestos específicos organizacionales para la coordinación es una forma de integrar todas las piezas de la empresa para alcanzar una posición competitiva más firme. En las compañías internacionales exitosas, la función de los altos *directores funcionales*, por ejemplo, se ha ampliado para incluir la responsabilidad de coordinar actividades a través de varios países, identificar y vincular la experiencia y recursos de la organización a nivel mundial. En una organización internacional, el director de manufactura tiene que estar al tanto de los avances y coordinar las operaciones de manufactura de la compañía en diferentes partes del mundo de manera que la compañía logre una operación eficiente y comparta la tecnología y las ideas entre las diferentes unidades. Una nueva tecnología de manufactura desarrollada para mejorar la eficiencia en las operaciones brasileñas de Ford también puede ser valiosa para las plantas europeas y estadounidense. Los directores de manufactura son responsables de estar al tanto de los nuevos desarrollos, si es que ocurren, y de usar su conocimiento para mejorar a la organización. Asimismo, los directores de marketing, los directores de recursos humanos, y directores funcionales en una compañía internacional están implicados no sólo en actividades por su ubicación particular, sino también en la coordinación de sus unidades hermanas en otros países.

Si los directores funcionales coordinan entre países, los directores nacionales coordinan entre funciones. Un director nacional de una empresa internacional tiene que coordinar diferentes actividades prácticas para solucionar los problemas, aprovechar las oportunidades, necesidades y tendencias en el mercado local, lo que permite a la organización alcanzar una flexibilidad multinacional y lograr una respuesta rápida. El director nacional en Venezuela para una compañía de productos de consumo global como Colgate Palmolive puede coordinar todo lo que respecta a ese país, desde la manufactura hasta los recursos humanos y el marketing, para asegurar que las actividades cumplan con los requerimientos de lenguaje, culturales, gubernamentales y legales de Venezuela. Un director nacional en Irlanda o Canadá haría lo mismo en esos países. Los directores nacionales también ayudan a transferir ideas, tendencias, productos y tecnologías que se originan en su país y que pueden tener importancia a una escala más amplia.

Algunas organizaciones crean puestos de *coordinador de redes* para combinar la información en las actividades relacionadas con cuentas de clientes clave. Estos coordinadores permitirían a una organización de manufactura, por ejemplo, proporcionar a un cliente tan grande como Wal-Mart, conocimiento y soluciones integradas entre los múltiples negocios, divisiones y países.[64] Los altos directivos en empresas globales exitosas también estimulan y apoyan la creación de redes informales y relaciones para mantener un flujo de comunicación en todas direcciones. Gran parte del intercambio de información de una organización ocurre no a través de sistemas formales o estructuras sino a través de canales informales y relaciones. Los ejecutivos fomentan la coordinación organizacional al apoyar estas redes de confianza y dar a las personas detrás de las fronteras la oportunidad de reunirse y desarrollar relaciones y después medios de mantener un contacto cercano y desarrollar relaciones.

Para las actuales compañías internacionales es difícil ser competitivas sin una coordinación y colaboración enérgicas entre unidades. Estas firmas que estimulan y apoyan la colaboración por lo general están mejor adaptadas para explotar los recursos y capacidades dispersas a fin de aprovechar los beneficios económicos y operativos.[65] Los beneficios que se generan de la colaboración entre unidades son los siguientes:

- *Ahorro de costos.* La colaboración puede producir resultados reales y cuantificables en forma de ahorros de costos provenientes de la transmisión de las mejores prácticas a través de las divisiones globales. Por ejemplo, en BP, una cabeza de unidad de negocios en Estados Unidos mejoró la producción de inventario y redujo el circulante necesario para manejar las estaciones de servicio estadounidenses mediante el aprendizaje de las mejores prácticas de las operaciones de BP en Reino Unido y los Países Bajos.
- *Mejor toma de decisiones.* Mediante prácticas como compartir la información y consejos entre las divisiones, los directores pueden tomar mejores decisiones de negocios que apoyen su propia unidad así como a la organización como un todo.
- *Mayores ingresos.* Al compartir la experiencia y productos entre diferentes divisiones, las organizaciones pueden obtener mayores ingresos. BP una vez más proporciona un ejemplo. Más de 75 personas de diferentes unidades en todo el mundo volaron a China para asistir al desarrollo en equipo de una planta de ácido acético ahí. Como resultado, BP finalizó el proyecto y comenzó a obtener ingresos más pronto de lo que los gerentes de proyecto habían planeado.
- *Aumento de la innovación.* Las ideas e innovaciones tecnológicas que son compartidas entre las unidades son un factor que estimula la creatividad y el desarrollo de nuevos productos y servicios. Recuerde el ejemplo de Procter & Gamble que se mencionó con anterioridad, en el cual esta compañía desarrolló el detergente líquido Tide con base en ideas y cambios que surgieron en diferentes divisiones en todo el mundo.

Diferencias culturales en cuanto a coordinación y control

De la misma forma en que los valores sociales y culturales difieren de país en país, los valores gerenciales y las normas organizacionales de las compañías internacionales tienden a variar según el país de origen de la organización. Las normas y valores organizacionales están influidos por los valores de una cultura nacional más amplia, y éstos a su vez influencian el enfoque estructural de la organización y las formas en que los directores coordinan y controlan una empresa internacional.

Sistema de valores nacional

Las investigaciones han intentado determinar de qué forma el sistema de valores influye en la administración y en las organizaciones. Una de las investigaciones más trascendentes fue la realizada por Geert Hofstede, quien identificó varias dimensiones del sistema de valores nacional que varían de manera amplia a través de los países.[66] Por ejemplo, dos dimensiones que parecen tener un fuerte impacto dentro de las organizaciones son la *distancia de poder* y *la evasión de la incertidumbre*. Una distancia alta de poder implica que la gente acepta la desigualdad del mismo entre las instituciones, organizaciones y personas. Una baja distancia de poder significa que la gente espera un equilibrio de éste. Una evasión alta de la incertidumbre implica que los miembros de una sociedad no se sienten a gusto con la incertidumbre y la ambigüedad y por lo tanto apoyan creencias que prometen certidumbre y conformidad. Una baja evasión de la incertidumbre implica que la gente tiene una alta tolerancia a cuestiones sin estructurar, poco claras e impredecibles. La investigación más reciente de Project GLOBE (Global Leadership and Organizational Behavior Effectiveness) ha respaldado y ampliado la evaluación de Hofstede. Project GLOBE utilizó datos recabados de 18 000 directores en 62 países para identificar nueve dimensiones que explican las diferencias culturales, incluidas las que Hofstede identificó.[67]

Las dimensiones de valor de *distancia de poder* y *evasión de incertidumbre* están reflejadas dentro de las organizaciones en forma de creencias concernientes a la necesidad de jerarquía, toma de decisiones centralizadas y control, reglas y procedimientos formales y trabajos especializados.[68] Por ejemplo, en países que tienen una alta distancia de poder, las organizaciones tienden a ser más jerárquicas y centralizadas, con un control y una coordinación mayores provenientes de los niveles más altos de la organización. Por otro lado, las organizaciones en países que tienen una baja distancia de poder tienen una mayor propensión a la descentralización. Una baja tolerancia a la incertidumbre tiende a estar reflejada en una preferencia por la coordinación mediante reglas y procedimientos. Las organizaciones en países donde la gente tiene una alta tolerancia para la incertidumbre, por lo general, tienen menos reglas y sistemas formales, dependen más de las redes informales y la comunicación personal para la coordinación. El Marcador de libros de este capítulo examina con más profundidad de qué forma los patrones de valores culturales influyen en las organizaciones internacionales.

Aunque las organizaciones no siempre reflejan los valores culturales dominantes, los estudios han encontrado patrones muy claros de estructuras administrativas cuando éstas se comparan en países de Europa, Estados Unidos y Asia.

Portafolios

Como gerente de una organización, tenga en mente estos lineamientos:

Aprecie las diferencias culturales y esfuércese por utilizar los mecanismos de coordinación que se adapten a los valores locales. Cuando sea necesaria la implementación de mecanismos de coordinación más amplios, enfóquese en la educación y la cultura corporativa como una forma para obtener aceptación y comprensión.

Tres enfoques nacionales para la coordinación y el control

Ahora se analizarán tres enfoques importantes para la coordinación y el control según compañías japonesas, estadounidenses y europeas.[69] Se debe hacer notar que las compañías de cada país utilizan herramientas y técnicas de cada uno de los tres métodos de coordinación. Sin embargo, existen patrones generales y amplios que ilustran las diferencias culturales.

Coordinación centralizada en compañías japonesas. Al expandirse en el mundo, las compañías japonesas han desarrollado mecanismos distintivos de coordinación que dependen de la centralización. Los altos directivos en las oficinas sede dirigen y controlan de manera activa las operaciones en el extranjero, cuyo principal objetivo es implementar las estrategias decretadas por las oficinas centrales. Un estudio reciente de las actividades de investigación y desarrollo en empresas de alta tecnología en Japón y Alemania sustenta la idea de que las organizaciones japonesas tienden a ser más centralizadas. En

Marcador de libros 6.0 (¿YA LEYÓ ESTE LIBRO?)

Comportamiento de negocios intercultural: Marketing, negociación y administración entre culturas

Por Richard R. Gesteland

Richard Gesteland afirma que tomar en cuenta "las dos reglas de hierro en los negocios internacionales" es crucial para el éxito en el entorno de negocios globales de la actualidad: "En los negocios internacionales, se espera que el vendedor se adapte al comprador", y "en los negocios internacionales, se espera que el visitante observe las costumbres locales". En su obra *Cross-Cultural Business Behavior*, Gesteland explica y clasifica los diferentes patrones culturales de comportamiento que pueden ayudar a los directores a seguir estas reglas.

PATRONES CULTURALES LÓGICOS

Gesteland enfatiza cuatro importantes patrones de valores culturales, los cuales denomina *patrones lógicos*, que caracterizan a los países en todo el mundo:

- *Orientado al acuerdo en comparación con el orientado a las relaciones.* Las culturas orientadas al acuerdo, como las de Norteamérica, Australia y el Norte de Europa, están enfocadas en las tareas, mientras las culturas orientadas a las relaciones, como las de Arabia, África, Latinoamérica y Asia, por lo general están dirigidas a la gente. Los individuos que se enfocan en las negociaciones manejan los negocios de una forma objetiva e impersonal. Los individuos que se enfocan en las relaciones creen en la construcción de estrechas relaciones personales como la manera apropiada de realizar negocios.
- *Informal en comparación con formal.* Las culturas informales dan un valor más bajo al estatus y a las diferencias de poder, mientras que las culturas formales por lo general son jerárquicas y están conscientes del estatus social. Los valores no limitativos de las culturas informales, como las de Estados Unidos y Australia, pueden insultar a las personas originarias de sociedades jerárquicas y formales, lo mismo que la conciencia de clases de los grupos formales, de la misma manera en que las culturas de la mayor parte de Europa y Latinoamérica pueden ofender los valores igualitarios de las personas provenientes de culturas informales.
- *Tiempo rígido en comparación con tiempo fluido.* Una parte de las sociedades del mundo es flexible en cuanto al tiempo y la planeación, en tanto otro grupo es más rígido y dedicado con respecto a la puntualidad. Los conflictos se pueden suscitar debido a que las personas con una conciencia rígida del tiempo con frecuencia consideran a las personas con fluidez en el horario como indisciplinadas e irresponsables, mientras que las personas con horarios fluidos consideran a las personas con horarios rígidos como arrogantes, exigentes y esclavizadas por plazos de tiempo que no tienen sentido.
- *Expresivo en comparación con reservado.* Las culturas expresivas incluyen a las de Latinoamérica y del Mediterráneo. Las culturas reservadas son las provenientes del Oriente y del Sudeste Asiático así como las personas de Europa germánica. Esta distinción puede crear una brecha importante en la comunicación. La gente proveniente de culturas expresivas tiende a hablar con más fuerza y a utilizar más expresiones con las manos y gesticulaciones faciales. Las culturas reservadas pueden interpretar la elevación del tono de voz y la gesticulación como señales de enojo o inestabilidad.

GUÍA PRÁCTICA

Las diferencias culturales y geográficas, y los problemas potenciales que puede crear la comunicación transcultural, "afectan el éxito de nuestro negocio a través del mercado global", asegura Gesteland. La obra *Cross-Cultural Business Behavior* "tiene la intención de ser una guía práctica para el hombre y la mujer que se encuentran en las líneas de fuego del comercio mundial, aquellos que se enfrentan cada día a las diferencias frustrantes entre las costumbres y prácticas de los negocios globales". La comprensión de los patrones lógicos de Gesteland puede ayudar a los directores a adaptarse a valores culturales diversos y a mejorar sus oportunidades de éxito internacional.

Cross-Cultural Business Behavior: Marketing, Negotiating and Managing Across Cultures, por Richard R. Gesteland, publicado por Copenhagen Business School Press.

tanto que las empresas alemanas se apoyan en grupos dispersos de investigación y desarrollo establecidos en diferentes regiones, las compañías japonesas tendían a mantener estas actividades centralizadas en su país de origen.[70] Este enfoque centralizado permite a las compañías japonesas explotar el conocimiento y recursos ubicados en el centro corporativo, lograr eficiencias globales y coordinar unidades para obtener sinergias y evitar batallas enconadas. Los altos directivos utilizan sólidos vínculos para asegurar que los gerentes en las oficinas base se mantengan actualizados e implicados por completo en las decisiones estratégicas. Sin embargo, la centralización tiene sus límites. A medida que la organización se expande y las divisiones crecen más, las oficinas centrales se pueden sobrecargar por lo que la toma de decisiones se entorpece. La calidad de las decisiones también puede verse afectada debido a que la mayor diversidad y complejidad hacen difícil que las oficinas centrales entiendan y respondan a las necesidades locales de cada región.

China representa una parte en rápido crecimiento del entorno de negocios internacionales; sin embargo, se ha realizado una investigación limitada de las estructuras directivas de las compañías chinas. Muchas empresas con sede en China son algo pequeñas y son manejadas de una forma tradicional parecida a una empresa familiar. Sin embargo, igual que Japón, las organizaciones por lo general reflejan una jerarquía de autoridad diferente y una centralización sólida hasta cierto grado. La obligación juega un papel importante en la cultura y administración chinas de manera que los empleados se sientan forzados a seguir órdenes que provienen directamente de arriba.[71] No obstante, un estudio encontró con sorpresa que los empleados chinos son leales no sólo a su jefe, sino también a las políticas de la compañía.[72] A medida que las organizaciones chinas crecen más, se irá comprendiendo más acerca de cómo este tipo de empresas manejan el equilibrio entre coordinación y control.

Enfoque descentralizado de las empresas europeas. Un enfoque diferente es el que las empresas europeas han adoptado. En lugar de depender de una fuerte coordinación y control central dirigidos como en las empresas japonesas, las unidades internacionales tienden a tener un nivel superior de independencia y de autonomía en la toma de decisiones. Las compañías dependen de una misión fuerte, de valores compartidos y de relaciones personales informales para su coordinación. Así, se da una mayor importancia a la selección cuidadosa, capacitación y desarrollo de los directores clave a través de la organización internacional. Los sistemas de control y de administración formales se utilizan como base para el control financiero y no para el técnico o el operativo. Con este enfoque, cada unidad internacional se enfoca en sus mercados, lo que permite a la negociación dar lo mejor de sí para satisfacer diversas necesidades. Una desventaja es el costo de asegurar, a través de la capacitación y programas de desarrollo, que los directores que se encuentran en una gigantesca empresa global, compartan valores, metas y prioridades. La toma de decisiones también puede ser lenta y compleja, y los desacuerdos y los conflictos entre las divisiones son más difíciles de resolver.

Estados Unidos: Coordinación y control a través de la formalización. Las compañías con sede en Estados Unidos que se han expandido a la arena internacional han asumido una tercera dirección. Por lo general, estas organizaciones han delegado la responsabilidad a divisiones internacionales, aunque el mando general sobre la empresa aún lo retienen a través del uso de sistemas de control administrativo sofisticados y el desarrollo de personal especializado en las oficinas centrales. Los sistemas formales, políticas, estándares de desempeño y un flujo regular de información proveniente de las divisiones hacia las oficinas centrales son los principales medios de coordinación y control. La toma de decisiones está basada en datos objetivos, políticas y procedimientos, los cuales proporcionan muchas eficiencias operativas y reducen el conflicto recíproco entre las divisiones y el que pudiera existir entre las divisiones y la oficina central. Sin embargo, el costo de establecer sistemas complejos, políticas y reglas para una organización internacional puede ser muy alto. Este enfoque también requiere que las oficinas base cuenten con mayor personal para revisar, interpretar y compartir información, con lo que se generan mayores costos. Por lo general, las rutinas y los procedimientos estandarizados no siempre son idóneos para cubrir las necesidades de nuevos problemas y situaciones. La flexibilidad está limitada si es tanta la atención que ponen los directores a los sistemas que llegan a ser incapaces de reconocer las oportunidades y amenazas en el entorno.

Es claro que cada uno de estos enfoques tiene ventajas. Pero a medida que la organización internacional se hace más grande y más compleja, las desventajas de cada tendencia se vuelven más pronunciadas. Como los enfoques tradicionales no han sido los adecuados para satisfacer las demandas de un entorno mundial complejo y en rápida transformación, muchas empresas grandes internacionales están adoptando una nueva clase de forma organizacional, llamada *modelo trasnacional*, que está lo suficiente diferenciado para hacer frente a la complejidad del entorno y, sin embargo, ofrece niveles muy altos de coordinación, aprendizaje y transferencia de conocimiento organizacional e innovaciones.

El modelo de organización trasnacional

El **modelo trasnacional** representa el tipo más avanzado de organización internacional. Refleja cuestiones que son básicas tanto en la complejidad, con numerosas unidades diferentes, como en la coordinación organizacional, con mecanismos para la integración de las diferentes partes. El modelo trasnacional es útil para grandes compañías multinacionales con sucursales en muchos países que intentan explotar las ventajas globales y las locales, así como los avances tecnológicos, la rápida innovación, aprendizaje global y uso común del conocimiento. En lugar de construir en forma principal capacidades en un campo, como eficiencia global, sensibilidad nacional, o aprendizaje global, el modelo trasnacional busca alcanzar estos tres objetivos de manera simultánea. Para manejar cuestiones múltiples, variadas e interrelacionadas se requiere una forma compleja de organización y estructura.

El modelo trasnacional representa la manera de pensar más moderna acerca de la clase de estructura que necesitan las difíciles organizaciones globales como Philips NV, ilustrada en el cuadro 6.10. Con su centro de operaciones en los Países Bajos, Philips cuenta con cientos de unidades operativas alrededor del mundo y es un ejemplo típico de compañías globales como Unilever, Matsushita o Procter & Gamble.[73]

Como gerente de una organización, tenga en mente estos lineamientos:

Esforzarse hacia un modelo de organización trasnacional en el que la compañía tiene que responder a múltiples fuerzas globales de manera simultánea y necesita promover la integración, el aprendizaje y compartir el conocimiento en todo el mundo.

Las unidades en el cuadro 6.10 son muy amplias. Lograr que las sucursales estén coordinadas, tengan un sentido de participación e implicación y que compartan información, conocimiento, nuevas tecnologías y clientes representa un desafío colosal. Por ejemplo, una corporación global como Philips es tan grande, que el tamaño por sí solo representa un enorme problema para coordinar las operaciones globales. Además, algunas sucursales se vuelven tan grandes que ya no encajan en la reducida función estratégica definida por las oficinas centrales. Si bien forman parte de una organización más grande, las unidades individuales necesitan algún grado de autonomía para sí mismas y la capacidad de influir sobre otras partes de la organización.

El modelo trasnacional se ocupa de estos desafíos al crear una red integrada de operaciones individuales que están vinculadas entre sí para alcanzar las metas multidimensionales de la organización global.[74] La filosofía gerencial está basada en la interdependencia y no en una independencia divisional completa o dependencia total por parte de estas unidades de las oficinas centrales para la toma de decisiones y el control. El modelo trasnacional es más que sólo un organigrama. Se trata de un paradigma gerencial, un conjunto de valores, un deseo compartido de hacer funcionar un sistema de aprendizaje a nivel mundial, y una estructura idealizada para la dirección efectiva de tal sistema. Son varias las características que distinguen a la organización trasnacional de otras formas de organizaciones globales como la matricial, descrita con anterioridad.

1. *Los activos y recursos están dispersos en todo el mundo en operaciones muy especializadas que están vinculadas a través de relaciones interdependientes.* Los recursos y capacidades están distribuidos con amplitud para ayudar a que la organización perciba y responda ante los diversos estímulos, como necesidades de mercado, de-

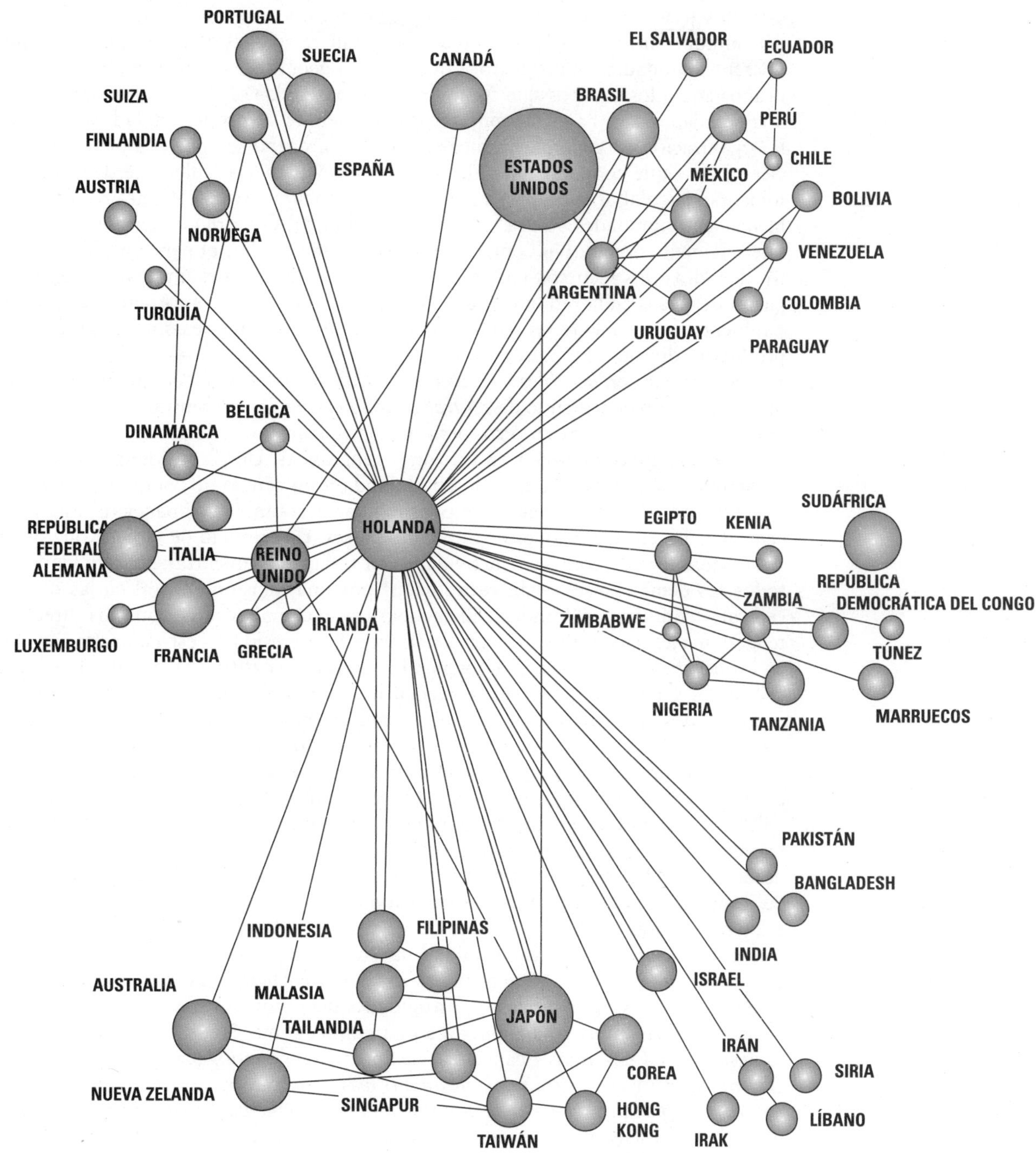

CUADRO 6.10

Unidades organizacionales internacionales e interconexiones dentro de Philips NV

Fuente:Sumantra Ghoshal y Christopher A. Barlett, "The Multinational Corporation as an Interorganizational Network", *Academy of Management Review* 15 (1990), 605. Utilizado con autorización.

sarrollos tecnológicos o tendencias de consumo que emergen en diferentes partes del mundo. Sin embargo, los directivos forjan relaciones interdependientes entre diferentes unidades de producto, funcionales o geográficas. Por ejemplo, los mecanismos como los equipos que combinan personal de las oficinas regionales, obligan a las unidades a trabajar en conjunto por el bien de su propia unidad así como de la organización en general. En lugar de que cada grupo sea por completo autosuficiente, tiene que cooperar para alcanzar sus propias metas. Tales interdependencias fomentan la colaboración para compartir información y recursos, para resolver problemas entre unidades y para la implementación colectiva requerida por el entorno internacional competitivo contemporáneo. Los materiales, el personal, los productos, las ideas, los recursos y la información con frecuencia están fluyendo entre las partes dispersas en la red integrada. Además, los directores conforman, administran y refuerzan activamente las redes de información informal que combinan funciones, productos, divisiones y países.

2. *Las estructuras son flexibles y en constante transformación.* La compañía trasnacional opera según el principio de *centralización flexible*. Puede centralizar algunas funciones en un país, otras en otro, pero descentralizará otras funciones entre muchas de sus operaciones dispersas en las zonas geográficas. Un centro de investigación y desarrollo puede estar establecido en Holanda y un centro de compras puede estar ubicado en Suecia, mientras las responsabilidades contables y financieras están descentralizadas en operaciones de diferentes países. Una unidad de Hong Kong puede ser responsable de coordinar actividades en toda Asia, mientras las actividades de todos los demás países están coordinadas por una división general en las oficinas centrales con sede en Londres. El modelo trasnacional requiere que los directivos tengan una actuación flexible para determinar las necesidades estructurales con base en los beneficios que se pueden obtener. Por su propia naturaleza, algunas funciones, productos y regiones geográficas pueden necesitar un control y coordinación más centralizados que otros. Además, estos mecanismos pueden cambiar a través del tiempo para hacer frente a las nuevas necesidades o amenazas competitivas.
3. *Los gerentes de las oficinas regionales instituyen estrategias e innovaciones que se convierten en la estrategia para la corporación integral.* En las estructuras tradicionales, los gerentes tienen una función estratégica sólo en su división. En la estructura trasnacional, varios centros y oficinas regionales pueden dar forma a la compañía desde los niveles jerárquicos más bajos hasta los más altos mediante el desarrollo de respuestas creativas y la implementación de programas surgidos como respuesta a las necesidades locales y a través de su difusión a nivel mundial. Las compañías trasnacionales reconocen cada unidad internacional como una fuente de capacidades y conocimientos que se pueden utilizar para beneficiar a la organización entera. Además, como las demandas y oportunidades del entorno varían de país en país, y la organización entera está expuesta a esta amplia gama de estímulos en el entorno, se desencadena una mayor capacidad de aprendizaje e innovación.
4. *La unificación y el control se alcanzan a través de la cultura corporativa, la visión y valores compartidos, el estilo de administración y no mediante estructuras y sistemas formales.* La estructura trasnacional en esencia es una estructura horizontal. Es diversa y amplia, y existe en un entorno fluctuante, de manera que circunstancias tales como la jerarquía, reglas estandarizadas, procedimientos y la supervisión estricta no son adecuados. Lograr la unidad y coordinación dentro de una organización en la cual los empleados tienen diferentes orígenes, están separados por el tiempo y por el espacio geográfico, y poseen diferentes normas culturales, es más fácil a través de una comprensión compartida por medio de sistemas formales. Los altos directivos construyen un escenario de perspectivas, valores y visión participativos entre los gerentes quienes a su vez difunden estos elementos en todas las partes de la organización. La selección y capacitación de los gerentes enfatiza la flexibilidad y la amplitud de criterio. Además, la gente muchas veces cambia de puestos, divisiones y países para obtener una experiencia más amplia y familiarizarse con la cultura cor-

porativa. Alcanzar la coordinación en una organización trasnacional es un proceso mucho más complejo que la simple centralización o descentralización de la toma de decisiones y requiere la conformación y la adaptación de creencias, valores y cultura de manera que todos participen en el aprendizaje y uso común de la información.

Estas características en conjunto facilitan el orden, el aprendizaje organizacional y el uso común del conocimiento a una escala global amplia. El modelo trasnacional es en verdad una forma compleja y confusa de conceptualizar la estructura organizacional, pero está cobrando una relevancia cada vez mayor para empresas grandes y globales a fin de tratar el mundo entero como un campo de juego y no un país como base única. La autonomía de las partes organizacionales aporta fortaleza a las unidades más pequeñas y permite a las empresas ser flexibles para responder a las oportunidades competitivas y en una rápida transformación desde un nivel local, mientras el énfasis en la interdependencia posibilita las eficiencias globales y el aprendizaje organizacional. Cada parte de la empresa trasnacional está consciente de y está integrada estrechamente a la organización como un todo, de manera que las acciones locales se complementan y en consecuencia mejoran las diferentes partes de la compañía.

Resumen e interpretación

En este capítulo se ha examinado la forma en que los directivos diseñan las organizaciones para un entorno internacional complejo. Casi todas las compañías contemporáneas están siendo afectadas por importantes fuerzas globales, y muchas están desarrollando operaciones en el extranjero para aprovechar los mercados globales. Las tres principales motivaciones para la expansión global son el logro de las economías de escala, la explotación de las economías de alcance y la obtención de los factores escasos o de bajo costo de producción, como mano de obra, materias primas o tierra. Una forma muy conocida de participar activamente en operaciones internacionales es mediante alianzas estratégicas con empresas internacionales. Las alianzas incluyen el licenciamiento, las empresas conjuntas y los consorcios.

Las organizaciones por lo general evolucionan a través de cuatro etapas, la primera es la orientación nacional, después se adopta una orientación internacional, luego se cambia a una orientación multinacional y por último se implementa la orientación global que ve el mundo entero como un mercado potencial. Las organizaciones por lo general utilizan al inicio un departamento de exportaciones, después un departamento internacional y con el tiempo desarrollan una estructura de producto o geográfica a nivel mundial. Las estructuras geográficas son más efectivas para las organizaciones que se pueden beneficiar de una estrategia multinacional, la cual implica que los productos y servicios serán mejores si están hechos a la medida de las necesidades y culturas locales. La estructura de producto se basa en una estrategia de globalización, es decir, que los productos y servicios pueden ser estandarizados y con ello venderse a nivel mundial. Las gigantes empresas globales pueden utilizar una estructura matricial para responder tanto a las fuerzas locales como las globales de manera simultánea. Muchas empresas utilizan estructuras híbridas al combinar elementos de dos o más diferentes estructuras para hacer frente a las condiciones dinámicas del entorno global.

El éxito a escala global no es fácil. Hay tres aspectos de los desafíos para la organización global y son: Hacer frente a la complejidad del entorno mediante una complejidad y diferenciación mayor en la organización, lograr la integración y coordinación entre las unidades altamente diferenciadas e implementar mecanismos para la transferencia de conocimiento y las innovaciones. Las formas comunes de hacer frente al problema de la integración y la transferencia de conocimiento son mediante equipos globales, a través de la planeación y control enérgicos provenientes de las oficinas centrales, y por medio de funciones de coordinación específicas. Los directivos también reconocen que los valores culturales y nacionales diversos influyen el enfoque organizacional para la coordinación y el control. Los enfoques nacionales son la coordinación centralizada y el control, por lo general encontrados en las empresas de origen japonés, el enfoque descentralizado en las empresas europeas y el enfoque de formalización utilizado a menudo en las empresas internacionales estadounidenses. Sin embargo, la mayoría de las compañías, sin importar su país de origen, utilizan una mezcla de elementos de cada uno de estos enfoques.

Muchos también se encuentran con la necesidad de ampliar sus métodos de coordinación y están adoptando un modelo trasnacional de organización. Éste está basado en la filosofía de la interdependencia. Aunque está demasiado diferenciado, ofrece altos niveles de coordinación, aprendizaje y transferencia del conocimiento entre vastas divisiones. El modelo trasnacional representa el diseño global concluyente en términos tanto de complejidad como de integración organizacional. Cada parte de la organización trasnacional está consciente de y estrechamente integrada a la organización como un todo de manera que las acciones locales complementan y mejoran las demás partes de la compañía.

Conceptos clave

compañías globales
consorcios
distancia del poder
división internacional
economías de alcance
economías de escala
empresa conjunta
equipos globales
estandarización
estrategia de globalización
estrategia multinacional
estructura geográfica global
estructura global de estandarización de producto
estructura matricial global
etapa global
etapa internacional
etapa multinacional
etapa nacional
evasión de la incertidumbre
factores de producción
modelo trasnacional
multinacional

Preguntas para análisis

1. ¿En qué condiciones una compañía debe considerar la adopción de una estructura geográfica global y no de una estructura de producto global?
2. Mencione algunas compañías que usted piense que podrían tener éxito en la actualidad con una estrategia de globalización y explique a qué se debe su elección. ¿En qué se diferencia una estrategia de globalización de una estrategia multinacional?
3. ¿Por qué querría una compañía unirse en una alianza estratégica en lugar de participar sola en operaciones internacionales? ¿Cuáles son las ventajas y desventajas potenciales que usted observa en las alianzas internacionales?
4. ¿Por qué la transmisión del conocimiento es tan importante para una organización global?
5. ¿Cuáles son algunas de las principales razones por las que una compañía decide expandirse a nivel internacional? Identifique en las noticias una compañía que en fecha reciente haya establecido instalaciones en el extranjero. ¿Cuál de las tres motivaciones para la expansión global descritas en el capítulo piensa que explique mejor la decisión de dicha compañía? Analice.
6. ¿Cuándo consideraría una organización utilizar una estructura matricial? ¿En qué difiere la estructura matricial global de la estructura matricial nacional que se analizó en el capítulo 3?
7. Mencione algunos de los elementos que contribuyen a incrementar la complejidad de las organizaciones internacionales. ¿Cómo manejan las organizaciones esta complejidad? ¿Piensa que estos elementos aplicarían a una compañía en línea como eBay que desea crecer internacionalmente? Analice.

8. Los valores tradicionales en México son la base de una distancia de poder grande y una baja tolerancia a la incertidumbre. ¿Cuál sería su predicción acerca de una compañía que abre una división en México e intenta implementar equipos globales caracterizados por poder y autoridad compartidos y la falta de lineamientos, reglas y estructuras formales?
9. ¿Cree que sería posible para una compañía global alcanzar en forma simultánea las metas de eficiencia global e integración, sensibilidad y flexibilidad nacionales y la transferencia de conocimiento e innovación a nivel mundial? Analice.
10. Compare la descripción del modelo trasnacional en este capítulo con los elementos de la organización que aprende descritos en el capítulo 1. ¿Piensa que el modelo trasnacional parece factible para una enorme empresa global? Analice.
11. ¿Qué implica cuando se dice que un modelo trasnacional está basado en una filosofía de interdependencia?

Libro de trabajo del capítulo 6: ¿Hecho en Estados Unidos?

Encuentre tres productos de consumo, como una camiseta, un juguete y un zapato. Intente descubrir la siguiente información para cada producto, como se muestra en la tabla. Para encontrar esta información, utilice sitios Web, artículos de la compañía en diferentes periódicos y revistas de negocios, así como las etiquetas de los artículos. También podría intentar llamar por teléfono a la compañía y hablar con alguien de ahí.

Producto	¿De dónde provienen los materiales?	¿Dónde se fabrican o ensamblan?	¿Qué país realiza el marketing y la publicidad?	¿En qué diferentes países se vende el producto?
1.				
2.				
3.				

¿Cuál es su conclusión acerca de los productos y organizaciones internacionales en las que basó su análisis?

Caso para el análisis: TopDog Software*

A la edad de 39 años, después de haber trabajado por casi 15 años en una compañía líder de software en la Costa Oeste, Ari Weiner y su próxima esposa, Mary Carpenter, ejercieron sus opciones de compra de acciones, retiraron sus ahorros, suturaron sus tarjetas de crédito, y comenzaron su propio negocio, lo nombraron TopDog Software por su amado perro alaska malamute. Los dos habían desarrollado un nuevo software para aplicaciones de administración de relaciones con el cliente (CRM, por sus siglas en inglés) que tenían la certeza de que era superior a cualquier cosa que hubiera en el mercado en esa época. El software de TopDog era en lo particular efectivo para utilizarse en centros de atención telefónica debido a que proporcionaba una forma muy eficiente para integrar cantidades masivas de datos del cliente y ponerlas a la disposición inmediata de todos los representantes cuando estaban al teléfono. El software, que se podría utilizar como un producto autónomo o se podía integrar con otros software de CRM, aceleraba de manera radical la identificación y verificación del cliente, seleccionaba los datos pertinentes y los proporcionaba en un formato fácil de interpretar de manera que el centro de atención telefónica o los representantes de servicio al cliente podían proporcionar un servicio rápido, amistoso y a la medida.

El momento era justo el adecuado. CRM estaba teniendo un gran éxito y TopDog estaba preparado para aprovechar la tendencia como un jugador de nicho en un mercado en crecimiento. Weiner y Carpenter trajeron a dos antiguos colegas

*Fuente: Basado en Walter Kuemmerle, "Go Global-Or No?" *Harvard Business Review* (junio 2001), 37-49.

como socios y pronto pudieron capturar la atención de una empresa de capital de riesgo para obtener financiamiento adicional. En un par de años, TopDog ya tenía 28 empleados y sus ventas habían alcanzado casi $4 millones.

Ahora, sin embargo, los socios están enfrentando el primer problema importante de la compañía. La directora de ventas de TopDog, Samantha Jenkins, se ha enterado de una nueva compañía con sede en Londres que trata de probar la fase inicial de un paquete nuevo de CRM que promete superar al de TopDog, además, la compañía londinense, Fast-Data, ha estado divulgando sus aspiraciones globales en la prensa. "Si permanecemos centrados en Estados Unidos y ellos arrancan como un jugador global, nos matarán en unos meses", lamenta Sam. "Tenemos que preparar una estrategia internacional para enfrentar esta clase de competencia."

En una serie de juntas de grupo, en retiros fuera de la empresa y conversaciones cara a cara, Weiner y Carpenter han reunido opiniones e ideas de sus socios, empleados, consejeros y amigos. Ahora tienen que tomar una decisión: ¿TopDog debe globalizarse? y si es así, ¿cuál enfoque sería más efectivo? Hay un mercado creciente para el software de CRM en el extranjero, y las nuevas compañías como FastData harán mella con gran rapidez en la participación de mercado estadounidense de TopDog también. Samantha Jenkins no es la única que piensa que TopDog no tiene otra opción sino la de entrar a los mercados internacionales o ser comido vivo. Sin embargo, a otros les preocupa que TopDog no esté preparado para dar ese paso. Los recursos corporativos se han consumido hasta su límite, y algunos consejeros han advertido que la expansión global rápida podría producir un desastre. TopDog no está bien establecido en Estados Unidos, argumentan, y la expansión internacional podría dañar las capacidades y los recursos de la compañía. Otros han señalado que ninguno de los directivos tiene experiencia internacional y la compañía tendría que contratar a alguien con experiencia global importante para siquiera pensar en ingresar a nuevos mercados.

Aunque Mary tiende a aceptar que TopDog por el momento debe estar enfocado en construir su negocio en Estados Unidos, Ari ha comenzado a pensar que es necesaria una expansión global de algún tipo. Pero si TopDog por último se decide por la expansión global, él trata de imaginar cómo sería posible actuar en un entorno tan enorme y tan complejo. Sam, el gerente de ventas, afirma que la compañía debe establecer desde cero sus propias oficinas pequeñas en el extranjero, y equiparlas casi con gente local. Establecer una oficina en Reino Unido y una en Asia, afirma, daría a TopDog una base ideal para penetrar en mercados de todo el mundo. Sin embargo, esto sería muy costoso, sin mencionar las complejidades que supone enfrentar las diferencias culturales y de lenguaje, las regulaciones gubernamentales y legales, entre otras cuestiones. Otra opción sería establecer alianzas o empresas con pequeñas empresas europeas y asiáticas que se pudieran beneficiar de la adición de aplicaciones de CRM a su conjunto de productos. Las compañías podrían compartir los gastos de establecer las instalaciones de producción en el extranjero y la red de venta y distribución globales. Esto podría ser una operación mucho menos costosa y daría a TopDog el beneficio de la experiencia de los socios extranjeros. Sin embargo, también requeriría largas negociaciones y sin lugar a dudas significaría ceder un poco de control a las compañías asociadas.

Uno de los socios de TopDog está promoviendo un tercer enfoque, incluso de más bajo costo: El licenciamiento del software de TopDog a distribuidores extranjeros como una ruta para la expansión internacional. Al ceder derechos a las compañías de software extranjeras para producir, comercializar y distribuir su software de CRM, TopDog podría construir una identidad de marca y una conciencia en el cliente al tiempo en que controla los gastos. A Ari le agrada este enfoque de bajo costo, pero duda que el licenciamiento dará a TopDog la suficiente participación y control para desarrollar con éxito su presencia internacional. Al llegar a su fin otro día más, Weiner y Carpenter no están más cerca de una decisión sobre la expansión global de lo que estaban cuando el sol salió.

Caso para el análisis: Rhodes Industries

David Javier estaba revisando los cambios propuestos por la empresa consultora para la estructura organizacional de Rhodes Industries (RI). A medida que Javier leía el informe, se preguntaba si los cambios que los consultores habían recomendado causarían más daño que bien a RI. Javier había sido presidente de RI durante 18 meses, y estaba muy familiarizado con los problemas organizacionales y de coordinación que necesitaban corregirse a fin de que RI mejorara sus ganancias y crecimiento en sus negocios internacionales.

Antecedentes en la compañía

Robert Rhodes, un ingeniero y empresario de corazón, inició Rhodes Industries en la década de 1950 en Ontario del Sur, Canadá. Robert inició su negocio primero con la fabricación de tuberías y después vidrio para usos industriales, pero tan pronto como el negocio inicial fue establecido, se ramificó con rapidez hacia nuevas áreas como selladores industriales, recubrimientos y limpiadores, incluso la fabricación de silenciadores y partes para la industria camionera. Gran parte de su expansión ocurrió mediante la adquisición de pequeñas empresas en Canadá y Estados Unidos durante la década de 1960. RI tenía una estructura tipo conglomerado con oficinas regionales muy diversas dispersas alrededor de Norteamérica, las cuales reportaban directo a las oficinas centrales de Ontario. Cada sucursal era un negocio por completo local y se le permitía operar en forma independiente siempre y cuando contribuyera a la rentabilidad de RI.

Durante las décadas de 1970 y 1980, el presidente en ese momento, Clifford Michaels, le dio a RI un enérgico énfasis internacional. Su estrategia fue adquirir pequeñas empresas

CUADRO 6.11 *Organigrama de Rhodes Industries*

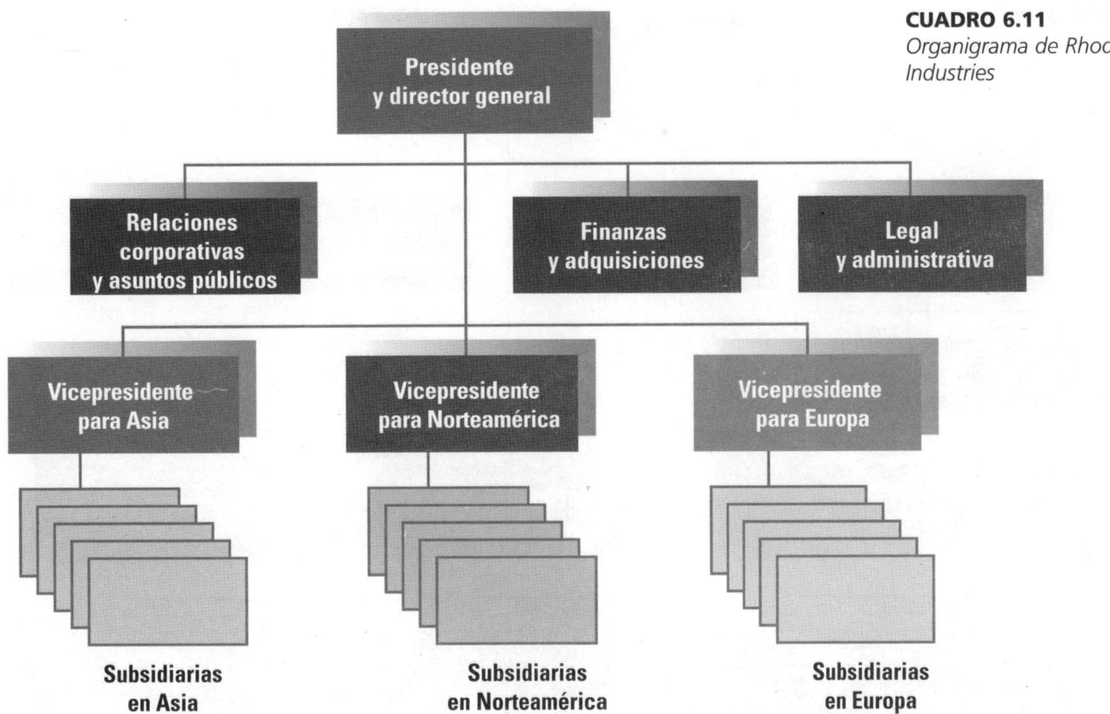

en todo el mundo con la creencia de que podrían formar una unidad cohesiva que le daría a RI sinergias y utilidades gracias a los bajos costos de manufactura y a la atención de negocios en los mercados internacionales. Algunos de los negocios de RI fueron adquiridos sólo porque se estaban vendiendo a un buen precio, y así, llegó un momento en que RI se encontró en nuevas líneas de negocio tales como productos de consumo (papel y sobres) y equipo eléctrico (tableros de mandos, focos y sistemas de seguridad), además de sus líneas de negocios anteriores. La mayoría de esos productos tenían nombres de marcas o eran fabricados para compañías internacionales importantes como General Electric o Cornign Glass.

Durante la década de 1990, un presidente de RI, Sean Rhodes, el nieto del fundador, tomó el mando de la empresa y adoptó la estrategia de enfocar a la compañía en tres líneas de negocio: Productos industriales, productos de consumo y electrónicas. Encabezó la adquisición de más negocios internacionales que se adecuaban a estas tres categorías, y se deshizo de algunos negocios que no se ajustaban. Cada una de estas tres divisiones tenía fábricas así como sistemas de mercadotecnia y distribución en Norteamérica, Asia y Europa. La división de productos industriales incluía tuberías, vidrio, selladores industriales y recubrimientos, equipo de limpieza y partes de camiones. La división de electrónica incluía bulbos de especialidad, tableros de mando, sistemas de cómputo integrados, resistores y condensadores para el equipo original de los fabricantes. Los productos de consumo incluían utensilios y cristalería, papel y sobres y lápices y plumas.

Estructura

En 2004, David Javier reemplazó a Sean Rhodes como presidente. Estaba muy preocupado acerca de si era necesaria una nueva estructura organizacional para RI. La estructura actual estaba basada en tres principales áreas geográficas: Norteamérica, Asia y Europa, como lo ilustra el cuadro 6.11. Las diferentes unidades autónomas dentro de esas regiones estaban subordinadas a la oficina del vicepresidente regional. Cuando varias unidades existían en un solo país, uno de los presidentes regionales era también el responsable de coordinar los diferentes negocios en tal país, pero la mayor parte de la coordinación se realizaba a través del vicepresidente regional. Los negocios tenían un alto grado de independencia, lo cual proporcionaba flexibilidad y motivación a los directores de las sucursales.

Los departamentos funcionales de las oficinas centrales en Ontario eran más bien pequeños. Los tres departamentos centrales: Relaciones corporativas y asuntos públicos, finanzas y adquisiciones, y jurídico y administrativo; atendían los negocios corporativos a nivel mundial. Otras funciones como la administración de recursos humanos, el desarrollo de nuevos productos, el marketing y la fabricación eran parte de las sucursales individuales pero había poca coordinación de estas funciones entre las regiones geográficas. Cada negocio diseñaba su propia forma de desarrollo, manufactura y comercialización de sus productos dentro de su propio país y región.

Problemas organizacionales

Los problemas que Javier enfrentó en RI, confirmados por el informe que se le presentó, están relacionados con tres áreas. En primer lugar, cada sucursal actuaba como un negocio independiente, utilizaba su propio sistema jerárquico y actuaba para maximizar sus propias utilidades. La autonomía hizo cada vez más difícil consolidar los informes financieros

CUADRO 6.12
Estructura propuesta de director de producto

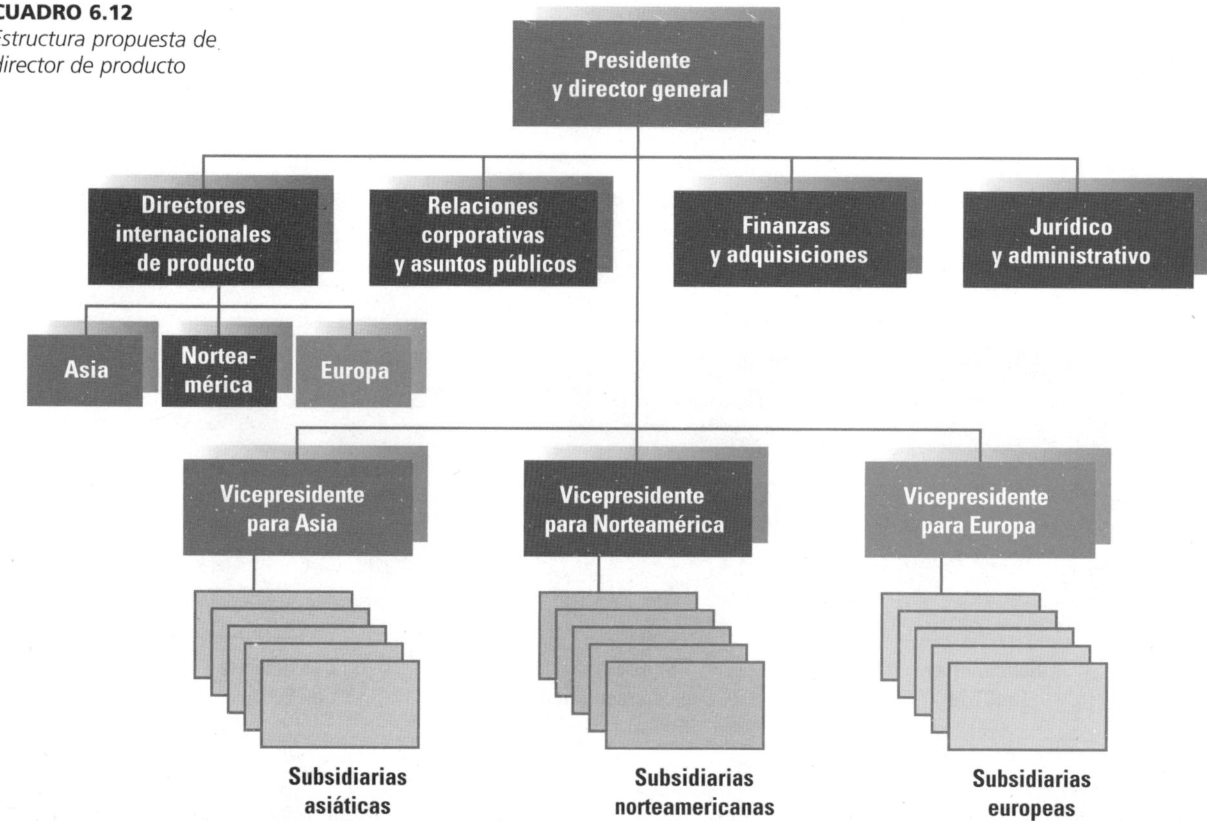

a nivel mundial y obtener las eficiencias de los sistemas de subordinación y de información uniformes.

En segundo lugar, las principales decisiones estratégicas se realizaban a fin de beneficiar a los negocios individuales según los intereses locales de una región o un país. Los proyectos e ingresos locales recibían más tiempo y recursos que los proyectos que beneficiaban a RI a nivel mundial. Por ejemplo, un fabricante de electrónicos en Singapur se rehusó a incrementar la producción de circuitos integrados y condensadores para su venta en Reino Unido debido a que esta operación podría dañar las utilidades finales de la operación en Singapur. Sin embargo, las economías de escala en Singapur compensarían de más los costos de envío al Reino Unido y permitirían a RI cerrar sus costosas instalaciones de manufactura en Europa, lo que incrementaría la eficiencia y los ingresos de RI.

En tercer lugar, no había habido transferencia de tecnología, de ideas nuevas de producto o innovaciones en el interior de RI. Por ejemplo, una tecnología que ahorraría los costos para la fabricación de focos en Canadá había sido ignorada en Asia y Europa. Una innovación tecnológica que ofrecía acceso a teléfono celular a los dueños de las casas para sistemas de seguridad domésticos, desarrollada en Europa fue ignorada en Norteamérica. El informe que se le presentó a Javier enfatizaba que RI no estaba difundiendo las innovaciones importantes en toda la organización. Estas innovaciones ignoradas podían proporcionar mejoras significativas tanto en el área de manufactura como de marketing en todo el mundo. El informe expresaba, "nadie en RI entiende todos los productos y lugares de una forma que permita a la empresa capitalizar las mejoras en manufactura y las oportunidades de nuevos productos". El informe también expresaba que una mejor coordinación a nivel mundial reduciría los costos de RI en 7% cada año e incrementaría su potencial de mercado en 10%. Estas cifras eran demasiado cuantiosas para ser ignoradas.

Estructura recomendada

El informe del consultor recomendaba que RI intentara una de dos opciones para mejorar su estructura. La primera alternativa era crear un nuevo departamento internacional en las oficinas centrales con la responsabilidad de coordinar la transferencia tecnológica, la manufactura de productos y el marketing a nivel mundial (cuadro 6.12). Este departamento tendría un director de producción para cada línea importante de producto: Industrial, de consumo y electrónica; también tendría la autoridad para coordinar actividades e innovaciones a nivel mundial. Cada director de producto contaría con un equipo que viajaría a cada región y llevaría información acerca de las innovaciones y mejoras a las sucursales en otras partes del mundo.

La segunda recomendación era reorganizar a la compañía en una estructura mundial de producto, como se muestra en el cuadro 6.13. Todas las sucursales internacionales asociadas con una línea de producto le reportaría al director

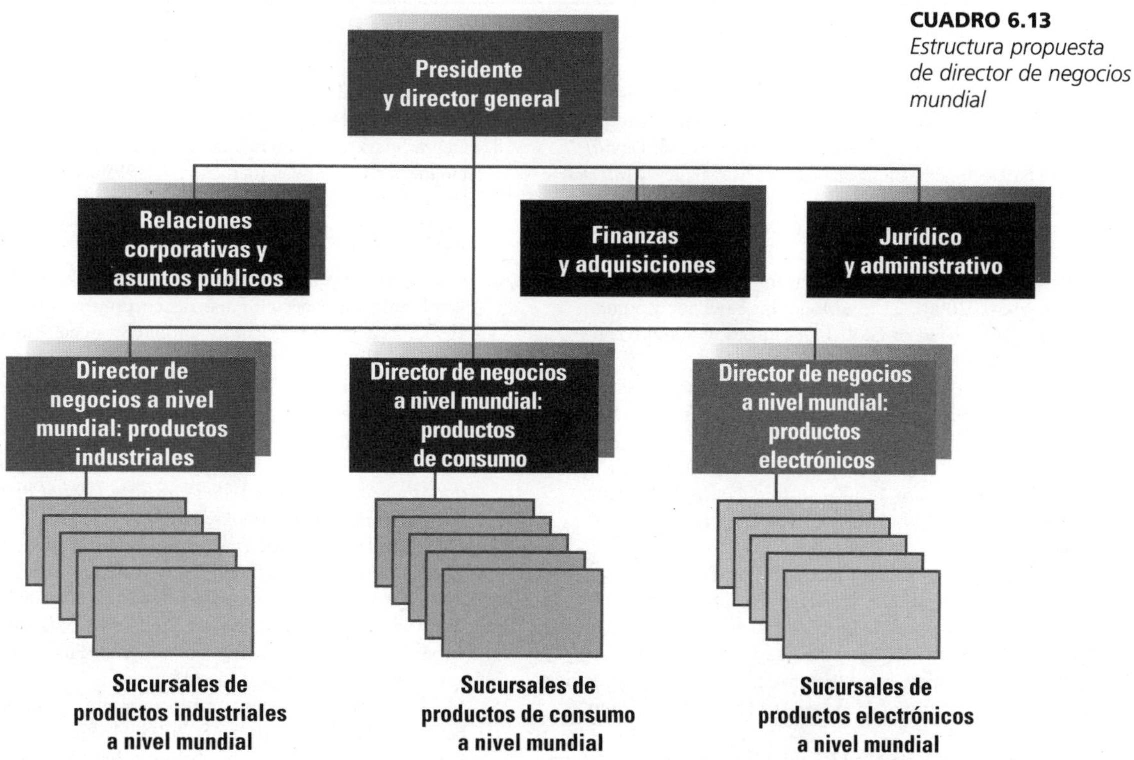

CUADRO 6.13
Estructura propuesta de director de negocios mundial

de negocios de línea de producto. El director de negocios y su personal serían responsables de desarrollar estrategias de negocio y de coordinar todas las eficiencias de manufactura y desarrollos de producto a nivel mundial para su línea de producto.

Esta estructura mundial de producto sería un cambio muy importante para RI. Javier tenía muchas preguntas en mente. ¿Las subsidiarias seguirían siendo competitivas y se adaptarían a los mercados locales si se vieran obligadas a coordinarse con otras sucursales alrededor del mundo? ¿Los directores de negocios serían capaces de cambiar los hábitos de los gerentes de las subsidiarias para que adoptaran un comportamiento más global? ¿Sería una mejor idea designar a coordinadores de director de producto como primer paso, o saltar directo a una estructura de producto con un gerente de negocios? Javier tenía la corazonada de que mover la coordinación del producto a nivel mundial tenía sentido, pero deseaba pensar en todos los problemas potenciales y en la forma en que RI implementaría todos los cambios.

Taller del capítulo 6: Comparación de culturas*

Como grupo, rente un video de una película extranjera (o puede ir a un cine donde presenten una película extranjera). Tome nota de lo que observa en la película, busque cualquier diferencia en las normas culturales en comparación con las suyas. Por ejemplo, identifique alguna discrepancia en las siguientes cuestiones comparadas con sus propias normas culturales:

a. La forma en que interactúan las personas entre sí.
b. La formalidad o informalidad de las relaciones.
c. Las actitudes hacia el trabajo.
d. La cantidad de tiempo que la gente pasa en su trabajo en comparación del que está con su familia.
e. La conexión con la familia.
f. Cómo se divierten las personas.

Preguntas

1. ¿Cuáles son las principales diferencias que observó en la cultura de la película en comparación con la suya?
2. ¿Cuáles son las ventajas y desventajas de utilizar las películas para entender otra cultura?

*Fuente:

Notas

1. James Bandler y Matthew Karnitschnig, "Lost in Translation; European Giant in Magazines Finds U.S. a Tough Read", *The Wall Street Journal* (agosto 19, 2004), A1, A6; David Carr, "The Decline and Fall of Business Magazines", *International Herald Tribune* (mayo 31, 2005), 11; y James Bandler, "Gruner Cites Latest Miscue Tied to Magazine Circulation", *The Wall Street Journal* (enero 13, 2005), B3.
2. Jim Rose y Salim Teja, "The Americans Are Coming!" *Business 2.0* (mayo 2000), 215; y Mohanbir Sawhney y Sumant Mandal, "What Kind of Global Organization Should You Build?" *Business 2.0* (mayo 2000), 213.
3. Matthew Karnirtschnig, "Identity Question; For Siemens, Move into U.S. Causes Waves Back Home", *The Wall Street Journal* (septiembre 8, 2003), A1, *A8*.
4. Jane L. Levere, "A Small Company, A Global Approach", *The New York Times* (enero 1, 2004) *http://www.nytimes.com*
5. Paola Hject, "The Fortune Global 500", *Fortune* (julio 26, 2004), 159-180.
6. Este análisis está basado en Christopher A. Bartlett y Sumantra Ghoshal, *Transnational Management: Text, Cases, and Readings in Cross-Border Management,* 3a. ed. (Boston: Irwin McGraw-Hill, 2000), 94-96; y Anil K. Gupta y Vijay Govindarajan, "Converting Global Presence into Global Competitive Advantage", *Academy of Management Executive* 15, núm. 2 (2001). 45-56.
7. Neil King Jr., "A Whole New World: Competition from China and India Is Changing the Way Businesses Operate Everywhere", *The Wall Street Journal* (septiembre 27, 2004), R1.
8. Jim Carlton, "Branching Out; New Zealanders Now Shear Trees Instead of Sheep", *The Wall Street Journal* (mayo 29, 2003), A1, A10.
9. "Little Trouble in Big China", *FSB* (marzo 2004), 56-61; "Trade Gap", marco recuadro en *Fast Company* (junio 2004), 42.
10. Dan Morse, "Cabinet Decisions; In North Carolina, Furniture Makers Try to Stay Alive", *The Wall Street Journal* (febrero 20, 2004), A1.
11. Keith H. Hammonds, "Smart, Determined, Ambitious, Cheap: The New Face of Global Competition", *Fast Company* (febrero 2003), 91-97.
12. Todd Zaun, Gregory L. White, Norihiko Shirouzu, y Scott Miller, "More Mileage: Auto Makers Look for Another Edge Farther from Home", *The Wall Street Journal* (julio 31, 2002), A1, A8.
13. Ken Belson, "Oursourcing, Turned Inside Out", *The New York Times* (Abril 11, 2004), Sección 3, 1.
14. Basado en Nancy J. Adler, *International Dimensions of Organizational Behavior,* 4ta ed. (Cincinnati, Ohio: South-Western, 2002); Theodore T. Herbert, "Strategy and Multinational Organizational Structure: An Interorganizational Relationships Perspective", *Academy of Management Review* 9 (1984), 259-271; y Laura K. Rickey, "International Expansion-U.S. Corporations: Strategy, Stages of Development, and Structure" (manuscrito inédito, Vanderbilt University, 1991)
15. Julia Boorstin, "Exporting Cleaner Air", segmento de "Small and Global", *FSB* (junio 2004), 36-48.
16. Michael E. Porter, "Changing Patterns of International Competition", *California Management Review* 28 (invierno 1986), 9-40.
17. William J. Holstein, "The Stateless Corporation", *Business Week* (mayo 14, 1990), 98-115.
18. Debra Sparks, "Partners", *Business Week,* Informe especial: Finanzas corporativas (octubre 25, 1999), 106-112.
19. David Lei y John W. Slocum, Jr., "Global Strategic Alliances: Payoffs and Pitfalls", *Organizational Dynamics* (invierno 1991), 17-29.
20. Joseph Weber con Amy Barrett, "Volatile Combos", *Business Week,* Informe especial: Finanzas corporativas (octubre 25. 1999), 122; y Lei y Slocum, "Global Strategic Alliances".
21. Stratford Sherman, "Are Strategic Alliances Working?" *Fortune* (septiembre 21, 1992), 77-78; y David Lei, "Strategies for Global Competition", *Long-Range Planning 22* (1989), 102-109.
22. Cyrus F. Freidheim, Jr., *The Trillion-Dollar Enterprise: How the Alliance Revolution Will Transform Global Business* (Nueva York: Perseus Books, 1998).
23. Carol Matlack, "Nestlé Is Starring to Slim Down at Last; But Can the World's No. 1 Food Colossus Fatten Up Its Profits As It Slashes Costs?" *BusinessWeek* (octubre 27, 2003), 56ff.
24. Ron Grover y Richard Siklos, "When Old Foes Need Each Other", *Business Week,* Informe especial: Finanzas corporativas (octubre 25, 1999), 114, 118.
25. "Joint Venture Agreement and Resource Acquisition by Robex", *PR Newswire* (marzo 8, 2005), 1; "ICiCI Bank and Prudential Strengthen Relationship in India", *Business Wire* (marzo 11, 2005), 1.
26. Sparks, "Partners".
27. Sparks, "Partners".
28. Kevin Kelly y Otis Port, con James Treece, Gail DeGeorge y Zachary Schiller, "Learning from Japan", *Business Week* (enero 27, 1992), 52-60; y Gregory G. Dess, Abdul M. A. Rasheed, Kevin J. McLaughlin y Richard L. Priem, "The New Corporate Architecture", *Academy of Management Executive* 9, núm. 3 (1995), 7-20.
29. Kenichi Ohmae, "Managing in a Borderless World", *Harvard Business Review* (mayo-junio 1989), 152-161.
30. Constance L. Hays, "From Bentonville to Beijing and Beyond", *The New York Times* (diciembre 6, 2004), *http://www.nytimes.com.*
31. Conrad de Aenlle, "Famous Brands Can Bring Benefit, or a Backlash", *The New York Times* (octubre 19, 2003), sección 3, 7.
32. Cesare R. Mainardi, Martin Salva y Muir Sanderson, "Label of Origin: Made on Earth", *Strategy & Business 15* (segundo trimestre, 1999), 42-53; y Joann S. Lublin, "Place vs. Product: It's Tough to Choose a Management Model", *The Wall Street Journal* (junio 27, 2001), A1, A4.
33. Mainardi, Salva y Sanderson, "Label of Origin".
34. Gupta y Govindarajan, "Converting Global Presence into Global Competitive Advantage".
35. Jose Pla-Barber; "From Stopford and Wells's Model to Bartlett and Ghoshal's Typology: New Empirical Evidence", *Management International Review* 42, núm. 2 (2002), 141-156.
36. Sumantra Ghoshal y Nitin Nohria, "Horses for Courses: Organizational Forms for Multinational Corporations", *Sloan Management Review* (invierno 1993), 23-35; y Roderick E. White y Thomas A. Poynter, "Organizing for Worldwide Advantage", *Business Quarterly* (verano 1989), 84-89.

37. Robert J. Kramer, *Organizing for Global Competitiveness: The Country Subsidiary Design* (Nueva York: The Conference Board, 1997), 12.
38. Laura B. Pincus y James A. Belohlav, "Legal Issues in Multinational Business: To Play the Game, You Have to Know the Rules", *Academy of Management Executive 10,* núm. 3 (1996), 52-61.
39. John D. Daniels, Robert A. Pitts, y Marietta J. Tretter, "Strategy and Structure of U.S. Multinationals: An Exploratory Study", *Academy of Management Journal* 27 (1984), 292-307.
40. Robert J. Kramer, *Organizing for Global Competitiveness: The Product Design* (Nueva York: The Conference Board, 1994).
41. Robert J. Kramer, *Organizing for Global Competitiveness: The Business Unit Design* (Nueva York: The Conference Board, 1995), 18-19.
42. Carol Matlack, "Nestlé is Starting to Slim Down".
43. Basado en Robert J. Kramer, *Organizing for Global Competitiveness: The Geographic Design* (Nueva York: The Conference Board, 1993).
44. Kramer, *Organizing for Global Competitiveness: The Geographic Design,* 29-31.
45. William Taylor, "The Logic of Global Business: An Interview with ABB's Percy Barnevik", *Harvard Business Review* (marzo-abril 1991), 91-105; Carla Rappaport, "A Tough Swede Invades the *U.S*"., *Fortune* (enero 29, 1992), 76-79; Raymond E. Miles y Charles C. Snow, "The New Network Firm: A Spherical Structure Built on a Human Investment Philosophy", *Organizational Dynamics* (primavera 1995), 5-18; y Manfred F. R. Kets de Vries, "Making a Giant Dance", *Across the Board* (octubre 1994), 27-32.
46. Matthew Karnitschnig, "Identity Question; For Siemens, Move into U.S. Causes Waves Back Home".
47. Gupta y Govindarajan, "Converting Global Presence into Global Competitive Advantage".
48. Robert Frank, "Withdrawal Pains: In Paddies of Vietnam, Americans Once Again Land in a Quagmire", *The Wall Street Journal* (abril 21, 2000), A1, A6.
49. El análisis de estos retos está basado en Bartlett y Ghoshal, *Transnational Management.*
50. Ian Katz y Elisabeth Malkin, "Battle for the Latin American Net", *BusinessWeek* (noviembre 1, 1999), 194-200; y Pamela Drukerman y Nick Wingfield, "Lost in Translation: AOL's Big Assault in Latin America Hits Snags in Brazil", *The Wall Street Journal* (julio 11, 2000), A1
51. Neil King Jr., "Competition from China and India Is Changing the Way Businesses Operate" y "Little Trouble in Big China".
52. Shirley Leung, "McHaute Cuisine: Armchairs, TVs, and Espresso-Is It McDonald's?" *The Wall Street Journal* (agosto 30, 2002), A1, A6.
53. Adam Lashinsky, "Saving Face at Sony", *Fortune* (febrero 21, 2005), 79-86; Phred Dvorak y Merissa Marr, "Stung by iPod, Sony Addresses a Digital Lag", *The Wall Street Journal* (diciembre 30, 2004), A1; Ken Belson, "An Executive Who Could Not Bring the Company into Focus with His Vision", *The New York Times* (marzo 8, 2005), *http://www.nytimes.com;* Randall Stross, "How the iPod Ran Circles around the Walkman", *The New York Times* (marzo 13, 2005), sección de negocios, 5; Brian Bremner con Cliff Edwards, Ronald Grover, Tom Lowry, y Emily Thornton, "Sony's Sudden Samurai", *BusinessWeek* (marzo 21, 2005), 28ff; y Lorne Manly y Andrew Ross Sorkin, "At Sony, Diplomacy Trumps Technology", *The New York Times* (marzo 8, 2005), *http://www.nytimes.com.*
54. P. Ingrassia, "Industry Is Shopping Abroad for Good Ideas to Apply to Products", *The Wall Street Journal* (abril 29, 1985), A1.
55. Basado en Gupta y Govindarajan, "Converting Global Presence into Global Competitive Advantage".
56. Vijay Govindarajan y Anil K. Gupta, "Building an Effective Global Business Team", *MIT Sloan Management Review* 42, núm. 4 (verano 2001), 63-71.
57. Charlene Marmer Solomon, "Building Teams across Borders", *Global Workforce* (noviembre 1998), 12-17.
58. Charles C. Snow, Scott A. Snell, Sue Canney Davison, y Donald C. Hambrick, "Use Transnational Teams to Globalize Your Company", *Organizational Dynamics* 24, núm. 4 (primavera 1996), 50-67.
59. Jane Pickard, "Control Freaks Need Not Apply", *People Management* (febrero 5, 1998), 49.
60. Snow *et al.*, "Use Transnational Teams to Globalize Your Company".
61. Robert J. Kramer, *Organizing for Global Competitiveness: The Corporate Headquarters Design* (Nueva York: The Conference Board, 1999).
62. Manly y Sorkin, "At Sony, Diplomacy Trumps Technology".
63. Estas funciones están basadas en Christopher A. Bartlett y Sumantra Ghoshal, *Managing across Borders: The Transnational Solution,* 2a. ed. (Boston: Harvard Business School Press, 1998), capítulo 11, 231-249.
64. Ver Jay Galbraith, "Building Organizations around the Global Customer", *Ivey Business Journal* (septiembre-octubre 2001), 17-24, para un análisis de las redes formales e informales utilizadas en compañías multinacionales.
65. Esta sección está basada en Morten T. Hansen y Nitin Nohria, "How to Build Collaborative Advantage", *MIT Sloan Management Review* (otoño 2004), 22ff.
66. Geert Hofstede, "The Interaction between National and Organizational Value Systems", *Journal of Management Studies* 22 (1985), 347-357; y Geert Hofstede, *Cultures and Organizations: Software of the Mind* (Londres: McGraw-Hill, 1991).
67. Ver Mansour Javidan y Robert J. House, "Cultural Acumen for the Global Manager: Lessons from Project GLOBE", *Organizational Dynamics* 29, núm. 4 (2001), 289-305; y R. J. House, M. Javidan, Paul Hanges, y Peter Dorfman, "Understanding Cultures and Implicit Leadership Theories across the Globe: An Introduction to Project GLOBE", *Journal of World Business* 37 (2002), 3-10.
68. Este análisis está basado en "Culture and Organization", lectura 2-2 en Christopher A. Bartlett y Sumantra Ghoshal, *Transnational Management,* 3a. ed. (Boston: Irwin McGraw-Hill, 2000), 191-216, extracto de Susan Schneider y Jean-Louis Barsoux, *Managing across Cultures* (Londres: Prentice-Hall, 1997).
69. Basado en Bartlett y Ghoshal, *Managing across Borders,* 181-201.
70. Martin Hemmert, "International Organization of R&D and Technology Acquisition Performance of High-Tech Business Units", *Management International Review* 43, núm. 4 (2003), 361-382.
71. Jean Lee, "Culture and Management-A Study of a Small Chinese Family Business in Singapore", *Journal of Small Business Management* 34, núm. 3 (julio 1996), 63ff; "Olivier Blanchard

and Andrei Shleifer, "Federalism with and without Political Centralization: China versus Russia", *Papeles de trabajo del IMF* 48 (2001), 171ff.

72. Nailin Bu, Timothy J. Craig, y T. K. Peng, "Reactions to Authority", *Thunderbird International Business Review 43.* núm. 6 (noviembre-diciembre 2001), 773-795.

73. Sumantra Ghoshal y Christopher Bartlett, "The Multinational Corporation as an Interorganizational Network", *Academy of Management Review* 15 (1990), 603-625.

74. La descripción de la organización trasnacional está basada en Bartlett y Ghoshal, *Transnational Management* and *Managing across Borders.*

PARTE 4

Elementos de diseño interno

7. Tecnologías de manufactura y servicio
8. Tecnología de la información y control
9. Tamaño, ciclo de vida y declive de la organización

7 Tecnologías de manufactura y servicio

Una mirada al interior de

American Axle & Manufacturing (AAM)

Richard Dauch siempre quiso manejar su propia compañía de manufactura. Después de más de 28 años en la industria automotriz, Richard primero trabajó como empleado en la línea de montaje y después como gerente de compañías como General Motors, Volkswagen de América y en la corporación Chrysler; hasta que, finalmente, tuvo su oportunidad. General Motors estaba reestructurándose y ofrecía para su venta cinco de sus plantas de unidades motrices y ejes motores en Detroit, Three Rivers, Michigan y Buffalo, Nueva York. Dauch, con dos inversionistas pasivos, recaudó más de 300 millones y estableció American Axle & Manufacturing (AAM). Los dos retos más apremiantes que AAM enfrentó casi de inmediato consistieron en que las plantas eran muy viejas, estaban descuidadas y dañadas, y que la fuerza laboral estaba desmotivada y temerosa por su futuro. La prioridad de Dauch fue trabajar con estas personas y construir una cultura de equipo además de fomentar en ellas un compromiso con los estándares de excelencia en todo lo que hicieran. Entre las principales prioridades estaban la implementación de una calidad y el desarrollo de un producto a prueba de balas, con entregas impecables, disciplina económica y un desempeño financiero sólido. Para lograr estas metas, Dauch conocía la necesidad de actualizar de manera equilibrada los productos, los procesos y la tecnología de sistemas.

Amigos y miembros de la familia dudaban del juicio de Dauch. Sin embargo, él estaba determinado a transformar a esas plantas en fábricas rápidas y flexibles que pudieran producir partes automotrices de alta calidad y competir con los fabricantes de bajo costo de China y de cualquier lugar del mundo. Los equipos de ingenieros pusieron en marcha misiones globales para localizar el mejor mecanismo de procesamiento y maquinaria de producción de clase mundial. Por ejemplo, en Alemania, el equipo observó y adquirió una maquinaria de alto rendimiento para tallar engranajes que era exponencialmente más rápida que cualquier otra en uso y que además reducía la rebaba. En general, AAM gastó $3 mil millones en la modernización y la reconstrucción de la capacidad y el potencial de las fábricas.

Un componente crucial del diseño es el uso de equipo de producción computarizado y de sistemas de información en un método de procesamiento integrado y simultáneo. Ahora los ingenieros pueden probar y validar productos por medio de la computadora antes de que éstos sean fabricados. Las imágenes de partes, junto con datos y especificaciones exactos, se transmiten directamente a las máquinas de producción. Un sistema de información avisa de inmediato a los directores cómo está ejecutándose la producción en las líneas de montaje de cada planta. El uso inteligente del nuevo equipo suprimió 5 millas de transportadores, liberó miles de pies cuadrados de espacio en la planta, mejoró la calidad y duplicó la productividad de AAM. También se actualizó la capacitación y habilidades de los trabajadores a fin de que pudieran manejar maquinaria más compleja. AAM proporciona casi a todos los asociados 40 horas de capacitación al año, además de la opción de tomar cursos a nivel universitario. Los empleados ahora tienen más oportunidades de usar su intelecto e ingenio en el trabajo.

Durante sus primeros 10 años de existencia, AAM duplicó sus ingresos totales y logró mejorar su calidad en 99.9%, mientras producía más de 45 millones de ejes y 1200 millones de forjaduras sin devolución alguna o tener que enfrentar alguna demanda legal por falta de calidad en los productos. La nueva tecnología en combinación con una nueva forma de pensar impulsó a la compañía de Dauch a convertirse en uno de los 10 proveedores de partes automotrices más importantes de Norteamérica y uno de los 35 más importantes del mundo. AAM ahora cuenta con 17 000 empleados en 18 plantas alrededor del mundo. En 2005, el número de clientes ha crecido de 2 a 100, entre los que se cuenta a los fabricantes de automóviles estadounidenses, coreanos y europeos.[1]

Las plantas de manufactura en Estados Unidos están siendo amenazadas como nunca antes. Muchas compañías se han dado cuenta de que es más provechoso subcontratar la manufactura a contratistas de otros países que pueden realizar el trabajo a un costo más bajo, como ya se ha estudiado en capítulos anteriores. En general, la manufactura ha diminuido en Estados Unidos y en otros países desarrollados

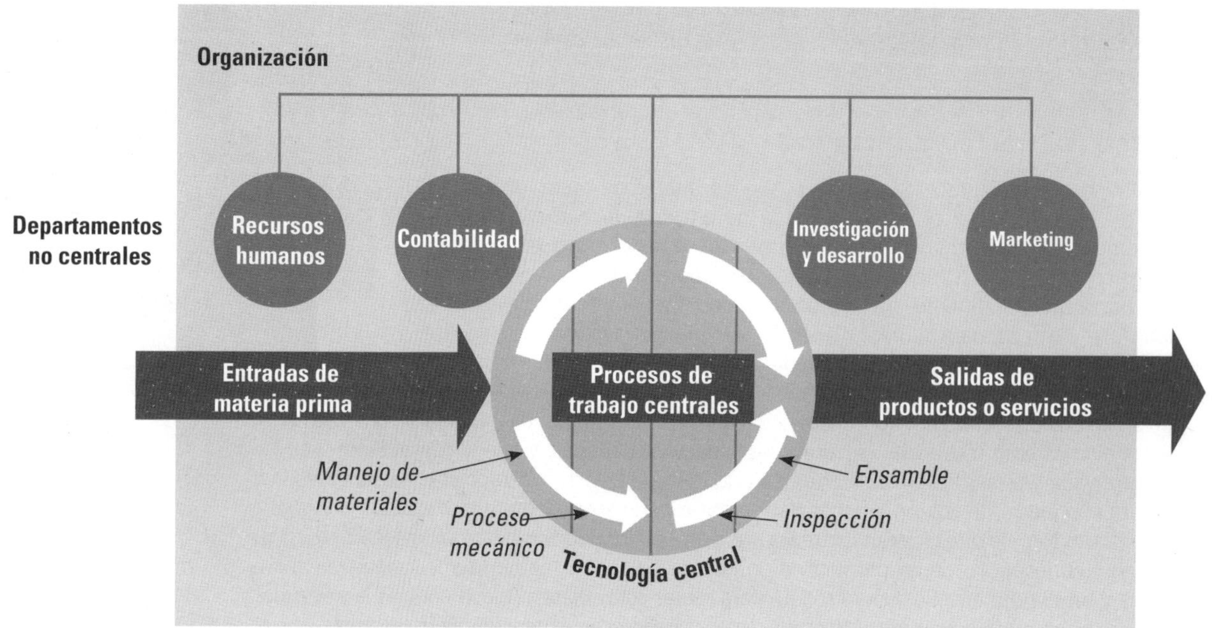

CUADRO 7.1
Proceso de transformación central para una compañía de manufactura

desde hace años, mientras los servicios se han convertido en una parte cada vez mayor de la economía. Sin embargo, algunas compañías de manufactura, como AAM, están aplicando nuevas tecnologías para obtener una nueva ventaja competitiva. A pesar de que AAM también tiene plantas en países con bajos niveles salariales, Dauch insiste en que su motivación es estar cerca de los clientes principales que tienen sus propias fábricas ahí. De hecho, gracias a la eficiencia y la productividad ampliadas en las plantas estadounidenses, AAM ha recuperado una parte del trabajo que se había cedido a México y lo ha regresado a Detroit. Además, hace poco AAM obtuvo un contrato para fabricar componentes de unidades motrices en Detroit que antes se fabricaban en China.[2]

Este capítulo analiza tanto las tecnologías de servicio como las de manufactura y la forma en que el uso de la misma se relaciona con la estructura organizacional. La **tecnología** se refiere a los procesos de trabajo, las técnicas, las maquinarias y las acciones utilizadas para transformar las entradas organizacionales (materiales, información, ideas) en salidas (productos y servicios).[3] La tecnología es un proceso de producción organizacional y comprende los procedimientos de trabajo así como la maquinaria.

Una **tecnología central** organizacional es el proceso de trabajo que está unido con la misión de la organización, como la enseñanza en una secundaria, los servicios médicos en una clínica de salud, o la manufactura en AAM. Por ejemplo, en AAM, la tecnología central comienza con la materia prima (por ejemplo, acero, aluminio y metales compuestos). Los empleados trabajan en la materia prima a fin de realizar un cambio en ella (cortan y labran metales, y ensamblan partes), así, la transformación de la materia prima constituye la salida de la organización (ejes, ejes de transmisión, cigüeñales, partes de transmisión, etcétera). Para una organización de servicios como UPS, la tecnología central incluye el equipo de producción (por ejemplo las máquinas clasificadoras, el mecanismo de manejo de paquetes, camiones y aeroplanos) y el procedimiento para la entrega de paquetes y el correo nocturno. El día de hoy, las computadoras y la tecnología de la información han revolucionado los procesos de trabajo tanto en las organizaciones de manufactura como en las de servicio, ejemplo de ambas son UPS y AAM. El impacto específico de la nueva tecnología de la información sobre las organizaciones se analizará en el capítulo 8.

El cuadro 7.1 muestra un ejemplo de tecnología central para una planta de manufactura. Observe la forma en que la tecnología central está compuesta por entradas de materias primas, un proceso de transformación (proceso mecánico, inspección, ensamble) que cambia y agrega valor a la materia prima, y produce la salida del producto terminado o servicio final que se vende a los consumidores en el entorno. En las

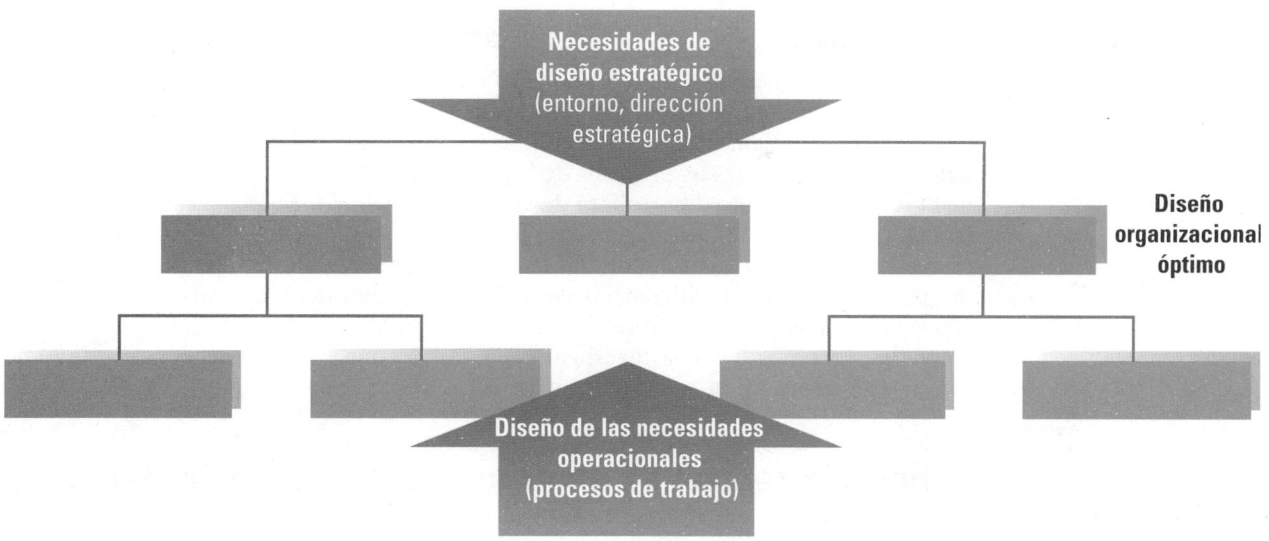

CUADRO 7.2
Presiones que afectan el diseño organizacional
Fuente: Basado en David A. Nadler y Michael L. Tushman, con Mark B. Nadler, *Competing by Design: The Power of Organizational Architecture* (Nueva York: Oxford University Press, 1997), 54.

organizaciones grandes y complejas de la actualidad, los procesos de trabajo centrales varían en gran medida y algunas veces pueden ser difíciles de identificar. Una tecnología central puede ser entendida en parte mediante el análisis de las materias primas que fluyen dentro de la organización,[4] la variabilidad de las actividades laborales,[5] el grado al cual están mecanizados los procesos de producción,[6] el nivel al cual una tarea depende de otra en el flujo de trabajo,[7] y el número de salidas de nuevos productos terminados o servicios.[8]

Otro tema importante en este capítulo es la forma en que la tecnología central afecta la estructura organizacional. Así, la tecnología central proporciona una comprensión de la forma en que una organización puede reestructurarse para un desempeño eficiente.[9]

Las organizaciones están constituidas por numerosos departamentos, cada uno de los cuales puede utilizar diferentes procesos de trabajo (tecnología) para proporcionar un bien o servicio dentro de una organización. Una **tecnología no central** es un proceso de trabajo departamental importante para la organización pero que no está relacionada en forma directa con su misión. En el cuadro 7.1 los procesos de trabajo no centrales están representados por los departamentos de recursos humanos, contabilidad, investigación y desarrollo, y marketing. Así, el departamento de investigación y desarrollo transforma las ideas en nuevos productos, y marketing transforma los inventarios en ventas, cada uno utiliza procesos de trabajo un tanto diferentes. La salida del departamento de recursos humanos son las personas que trabajan en la organización, y el departamento de contabilidad produce estados financieros precisos acerca de la condición de la empresa.

Propósito de este capítulo

En este capítulo, se analizarán tanto los procesos de trabajo centrales como los no centrales y su relación con el diseño de la estructura organizacional. Es necesario considerar la naturaleza de los procesos de trabajo de la organización al realizar el diseño organizacional a fin de lograr eficiencia y efectividad máximas. El diseño organizacional óptimo está basado en diferentes elementos. El cuadro 7.2 muestra que las fuerzas que afectan el diseño organizacional son tanto internas como externas a la organización. Las necesidades estratégicas externas, las condiciones del entorno, la dirección estratégica y las metas organizacionales, crean una presión jerárquica para el diseño organizacional de tal forma que ésta se adapte al entorno y alcance sus metas. Estas presiones en el diseño se han analizado en capítulos anteriores. Sin embargo, en la decisión del diseño se deben considerar las presiones de ascendentes: las que provienen de los procesos de trabajo realizados para generar los productos o servicios de la organización. Los procesos de trabajo operativos tienen una gran influencia en el diseño estructural asociado tanto con la tecnología central como con los departamentos no centrales. Por lo tanto, el planteamiento fundamental de este capítulo es, "¿cómo se debe diseñar la organización para adaptar y facilitar sus procesos de trabajo operativos?".

El resto del capítulo desarrollará de la siguiente manera: En primer lugar, se examinará la forma en que la tecnología como un todo afecta la estructura organizacional y el diseño. Este análisis abarcará tanto las tecnologías de servicio como las de manufactura. Luego, se analizarán las diferencias entre las tecnologías departamentales y la manera en que las tecnologías influyen en el diseño y administración de las subunidades organizacionales. En tercer lugar, se investigará la forma en que la interdependencia —flujo de materiales e información— entre departamentos afecta la estructura.

Tecnología central de una organización de manufactura

Las tecnologías de manufactura incluyen procesos tradicionales y aplicaciones contemporáneas, como son la manufactura flexible y la manufactura esbelta.

Como gerente de una organización, tenga en mente estos lineamientos:

Utilice las categorías desarrolladas por Woodward para diagnosticar si la tecnología de producción en una empresa de manufactura es de lotes pequeños, masiva o de proceso continuo. Utilice una estructura más orgánica con las tecnologías de procesos continuos o de lotes pequeños y con los nuevos sistemas de manufactura flexible. Utilice una estructura mecanicista con las tecnologías de producción masiva.

Empresas de manufactura

El primer y más influyente estudio acerca de la tecnología de manufactura fue desarrollado por la socióloga industrial inglesa, Joan Woodward. Su investigación inicia como un estudio de campo sobre los principios administrativos en la parte sur de Essex. El enfoque administrativo que prevalecía en esa época (la década de 1950) estaba basado en lo que se conoce como principios administrativos universales. Éstos eran prescripciones tipo "la única forma correcta" que se esperaba que las organizaciones efectivas adoptaran. Woodward encuestó a 100 empresas de manufactura para entender de primera mano cómo estaban organizadas.[10] Ella y su equipo de investigación visitaron cada empresa, entrevistaron a directivos, examinaron los registros de las compañías y observaron las operaciones de manufactura. Sus datos incluían una gran variedad de características estructurales (tramo de control, niveles directivos) y dimensiones del estilo directivo (comunicaciones escritas en relación con las verbales, uso de recompensas) y el tipo de procesos de manufactura. También recabó datos que reflejaran el éxito comercial de las empresas.

Woodward desarrolló una escala y organizó a las empresas de acuerdo con la complejidad técnica de los procesos de manufactura. La **complejidad técnica** representa el grado de mecanización de un proceso de manufactura. Una complejidad técnica elevada implica que la mayor parte del trabajo lo realizan las máquinas. En cambio una complejidad técnica baja indica que los trabajadores tienen un papel fundamental en el proceso de producción. La escala de complejidad técnica de Woodward en un principio consistía en 10 categorías, como se resume en el cuadro 7.3, las cuales se subdividieron en categorías que se dividieron a su vez en tres grupos tecnológicos básicos:

- *Grupo I: Producción unitaria y en pequeños lotes.* Estas empresas tienden a ser operaciones de taller que fabrican y ensamblan pequeños pedidos para satisfacer las necesidades específicas de los clientes. El trabajo a la medida es la norma. La **producción en lotes pequeños** depende en gran parte del operador humano; y por lo tanto no es muy mecanizada. Rockwell Collins, el cual fabrica equipo electrónico para aeroplanos y otros productos, ofrece un ejemplo de manufactura en lotes pequeños. A pesar de que se utiliza maquinaria computarizada sofisticada como parte del proceso de producción, el ensamble final requiere operadores humanos muy capacitados para asegurar la confiabilidad absoluta de los productos utilizados por compañías aeroespaciales, contratistas de la defensa y el ejército estadounidense. La

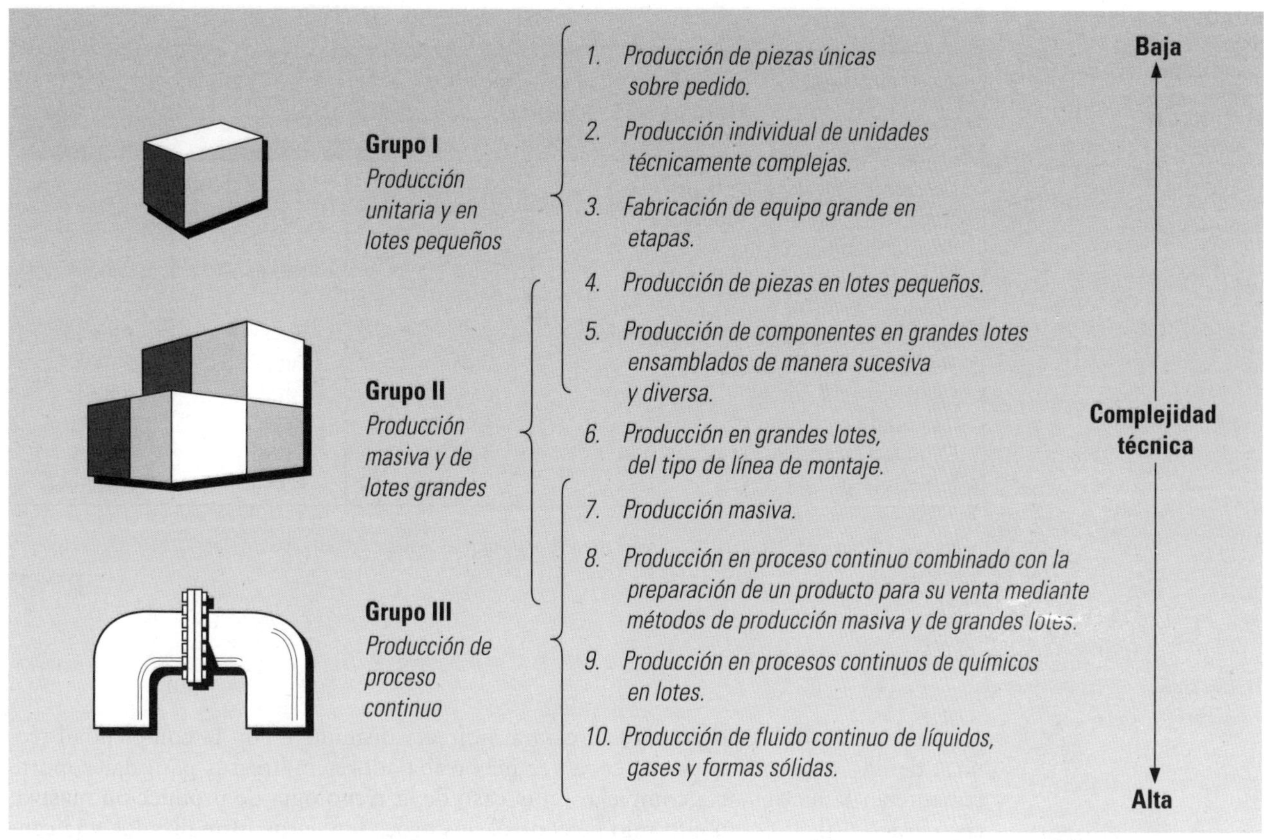

CUADRO 7.3
Clasificación de Woodward de las 100 empresas inglesas de acuerdo con sus sistemas de producción
Fuente: Adaptado de Joan Woodward, *Management and Technology* (Londres: Her Majesty's Stationery Office, 1958). Utilizado con autorización de Her Britannic Majesty's Stationery Office.

fuerza de trabajo de la compañía está dividida en células de manufactura, algunas de las cuales producen sólo 10 unidades al día. En una planta, 140 trabajadores configuran sistemas de distribución de información táctica conjunta, para administrar las comunicaciones del campo de batalla desde un plano circulante, a una velocidad de 10 por mes.[11]

- *Grupo II*: *Lote grande y producción masiva*. La producción de lotes grandes es un proceso de manufactura caracterizado por grandes corridas de fabricación de partes estandarizadas. Con frecuencia la producción forma parte del inventario de donde se surten los pedidos, debido a que los clientes no tienen necesidades especiales. Los ejemplos incluyen a la mayor parte de líneas de montaje, como para automóviles y casas rodantes.
- *Grupo III*: *Producción de proceso continuo*. En la producción de proceso continuo, éste es mecanizado. No hay un inicio ni una pausa. Este proceso representa la mecanización y la estandarización llevada un paso más allá del de las líneas de montaje. Las máquinas automatizadas controlan el proceso continuo, y los resultados son muy predecibles. Entre los ejemplos de este tipo de producción están las plantas químicas, las refinerías de petróleo, los productores de licor, las compañías farmacéuticas y las plantas de energía nuclear.

Mediante esta clasificación de tecnología, los datos de Woodward cobran sentido. Algunos de sus hallazgos principales están plasmados en el cuadro 7.4. Por ejemplo, la cantidad de niveles directivos y la relación entre el director y la cantidad total de personal, muestran incrementos definidos a medida que aumenta la complejidad técnica de un proceso de producción unitaria a un proceso continuo. Esto indica que se necesita un liderazgo de mayor intensidad para administrar la tecnología compleja.

CUADRO 7.4
Relación entre complejidad técnica y características estructurales

Características estructurales	Tecnología		
	Producción unitaria	Producción masiva	Proceso continuo
Número de niveles directivos	3	4	6
Tramo de control del supervisor	23	48	15
Relación laboral directa	9:1	4:1	1:1
Relación entre la cantidad total de personal/director	Baja	Media	Alta
Nivel de habilidad de los trabajadores	Alta	Baja	Alta
Procedimientos formalizados	Baja	Alta	Baja
Centralización	Baja	Alta	Baja
Cantidad de comunicación verbal	Alta	Baja	Alta
Cantidad de comunicación escrita	Baja	Alta	Baja
Estructura global	Orgánica	Mecanicista	Orgánica

Fuente: Joan Woodward, *Industrial Organization: Theory and Practice* (Londres: Oxford University Press, 1965). Usado con autorización.

La relación de mano de obra directa a indirecta disminuye con la complejidad técnica, debido a que se requieren cada vez más trabajadores indirectos para dar soporte y mantener la maquinaria compleja. En el caso de la tecnología de producción masiva, con características como el tramo de control, los procedimientos formalizados y la centralización, son más frecuentes debido a que el trabajo es estandarizado, pero en otras tecnologías su presencia es baja. Las tecnologías de producción unitaria y de proceso continuo requieren trabajadores bien capacitados para operar las máquinas, que dominen la comunicación verbal adaptable a condiciones cambiantes. La producción masiva es estandarizada y rutinaria, de manera que ocurren pocas excepciones, la comunicación verbal necesaria es baja, y los empleados están menos capacitados.

En general, los sistemas directivos tanto en la tecnología de producción unitaria como en la de proceso continuo están caracterizados como orgánicos, como se definió en el capítulo 4. Son más adaptables y tienen flujos libres, con menos procedimientos y estandarización. Sin embargo, la producción masiva, es mecanicista, con trabajos estandarizados y procedimientos formalizados. El descubrimiento de Woodward sobre la tecnología proporciona una nueva comprensión sustancial acerca de las causas de la estructura organizacional. En las propias palabras de Woodward, "las diferentes tecnologías imponen diferentes clases de demandas en los individuos y las organizaciones, y esas demandas tienen que satisfacerse mediante la estructura apropiada".[12]

Como gerente de una organización, tenga en mente estos lineamientos:

Cuando adopte una nueva tecnología, reformule la estrategia, estructura y procesos de administración para lograr el mejor desempeño.

Estrategia, tecnología y desempeño

Otra parte del estudio de Woodward analizó el éxito de las empresas según dimensiones como rentabilidad, participación de mercado, precio de las acciones y reputación. Como se indicó en el capítulo 2, la medición de la efectividad no es simple o precisa, pero Woodward pudo calificar a las empresas con base en una escala de éxito comercial si mostraban un desempeño superior al promedio, el promedio, o por debajo del promedio, en lo referente a sus objetivos estratégicos.

Woodward comparó la relación entre estructura y tecnología frente al éxito comercial, y descubrió que para lograrlo las empresas con éxito tenían estructuras y tecnologías que se complementaban entre sí. Muchas de las características organizacionales de dichas empresas estaban cerca del promedio de su categoría tecnológica, como se muestra en el cuadro 7.4. Las empresas calificadas por debajo del promedio tendían a desviarse de las características estructurales de su tipo tecnológico. Otra conclusión fue que las características estructurales se podían interpretar como una agrupación de sistemas administrativos orgánicos y mecanicistas. Las organizaciones exitosas con procesos continuos y con lotes pequeños tenían estructuras orgánicas, y las organizaciones de producción en masa prósperas contaban con estructuras mecanicistas. La investigación posterior ha puesto en tela de juicio estos hallazgos.[13]

Lo que esto implica para las compañías contemporáneas es que la estrategia, estructura y tecnología necesitan reformularse, en especial cuando las condiciones competitivas cambian.[14] Por ejemplo, los fabricantes de computadoras tuvieron que modificar su estrategia, estructura y tecnología para competir con Dell en el mercado de computadoras personales. Los fabricantes como IBM que alguna vez intentaron diferenciar sus productos y fijar un precio alto, han adoptado una estrategia de bajo costo y una tecnología que les permitiera fabricar computadoras personales a la medida, modernizar sus cadenas de suministro y comenzar a subcontratar la manufactura a otras compañías que pudieran realizar el trabajo de manera más eficiente.

En la actualidad, muchos fabricantes estadounidenses delegan su producción a otras compañías. Printronix, es una compañía de propiedad pública en Irvine, California, sin embargo ha tomado la dirección opuesta y ha logrado triunfar reorganizando de manera cuidadosa la tecnología, la estructura y los procesos administrativos para alcanzar sus objetivos estratégicos.

En la práctica

Printronix

Printronix fabrica el 60% de las impresoras de línea electromecánica que se emplean en las fábricas y almacenes de todo el mundo. A fin de mantener la confiabilidad que hace que los productos de Printronix tengan un precio que va de $2600 a $26 000 , la compañía hace casi todo ella misma: El diseño, la elaboración de cientos de partes, el ensamble final, incluso la investigación de nuevos materiales. En la década de 1970, Printronix comenzó a fabricar una impresora de línea de alta velocidad que podía acoplarse a las minicomputadoras que se utilizaban entonces en los pisos de fábricas. A pesar de que ésta no fue la primera impresora de línea, era bastante resistente para utilizarse en ambientes industriales e incorporaba un software vanguardista que podía imprimir imágenes como cuadros, gráficas y etiquetas de código de barras.

Printronix comenzó como una operación tradicional de producción en masa, pero la compañía enfrentó un tremendo desafío a finales de la década de 1980 cuando las fábricas comenzaron a cambiar de las minicomputadoras a las computadoras personales y después a los servidores. En dos años, las ventas y los ingresos se desplomaron, y el fundador y director general Robert A. Kleist se dio cuenta de que en Printronix necesitaban cambiar sus ideas, su tecnología y usar nuevos métodos para adaptarse a un mundo donde las impresoras ya no eran productos autónomos sino partes de redes empresariales emergentes. Un cambio que Kleist implementó fue eliminar la producción en masa de impresoras que se almacenaban en el inventario y adoptó un sistema de producción unitaria o en lotes pequeños que construía impresoras sobre pedido. Los productos se rediseñaron y el trabajo de montaje se reorganizó de manera que pequeños grupos de trabajadores pudieran configurar cada impresora según las necesidades específicas de los clientes. Se tuvo que capacitar a muchos empleados para que contaran con nuevas habilidades y que asumieran una responsabilidad mayor que la que tenían en la línea de montaje tradicional. También se necesitaban trabajadores muy capacitados para fabricar algunas partes de precisión requeridas en las nuevas máquinas. Además de la reestructura interna, Kleist decidió adoptar la tendencia del *outsourcing* e ir en pos del negocio de impresoras de fábrica para la industria de la computación, y con ello consiguió pedidos para producir con el nombre de IBM, Hewlett-Packard y Siemens. Kleist duplicó el presupuesto en investigación y desarrollo a fin de asegurarse de que la compañía estuviera a la par de los desarrollos tecnológicos. En 2000, Printronix comenzó a construir impresoras térmicas así como impresoras láser especializadas que podían imprimir etiquetas de códigos de barra adhesivas a una velocidad relampagueante.

Al implementar cambios en la tecnología, el diseño y los métodos de administración, Printronix ha perseverado en cumplir su objetivo estratégico de diferenciar sus productos de la competencia. "La reestructura nos convirtió en una compañía más fuerte tanto en la manufactura como en la ingeniería", afirma Kleist.[15]

El hecho de no adoptar las nuevas tecnologías apropiadas para apoyar la estrategia, o adoptarlas y no reformular la estrategia a fin de que ambas se compenetren, puede redundar en un desempeño deficiente. La creciente competencia global de la actualidad conlleva a mercados más volátiles, ciclos de vida de producto más cortos y consumidores más sofisticados y conocedores; y la flexibilidad para satisfacer estas nuevas demandas se ha convertido en un imperativo estratégico de muchas compañías.[16] Las empresas de manufactura pueden adoptar nuevas tecnologías a fin de apoyar la estrategia de flexibilidad. No obstante, las estructuras organizacionales y los procesos administrativos también se deben reformular, ya que una estructura altamente mecanicista obstaculiza

Marcador de libros 7.0 (¿YA LEYÓ ESTE LIBRO?)

Invitación al desastre: Lecciones desde el filo de la tecnología.
Por James R. Chiles

Fecha y lugar: París, Francia, julio 25 de 2000. Menos de dos minutos después de que el vuelo 4590 del Concorde de Air France despegara del aeropuerto Charles DeGaulle, algo sale terriblemente mal. Frente a un rastro de fuego y una nube de humo negro, el avión entero rueda hacia la izquierda y choca contra un hotel, matando a las 109 personas a bordo y a cuatro más en tierra. Este es uno de los desastres tecnológicos que James R. Chiles describe en su libro, *Inviting Disaster: Lessons from the Edge of Technology*. Uno de los puntos principales de Chiles es que la tecnología avanzada posibilita la creación de máquinas que afectan la habilidad humana para entender y operarlas de manera segura. Además, afirma, los márgenes de seguridad son menores a medida que las energías que controlamos se vuelven más poderosas, y el tiempo entre la invención y el uso es más corto. Chiles cree que en la actualidad, "por cada 20 libros so-bre la búsqueda del éxito, es necesario un libro sobre cómo las cosas explotan en pequeños trozos a pesar de los enormes esfuerzos y los ideales tan altos". Todos los sistemas complejos, nos advierte, están destinados a fallar en algún momento.

CÓMO EXPLOTAN LAS COSAS EN FRAGMENTOS: EJEMPLOS DE FRACTURAS EN LOS SISTEMAS

Chiles utiliza las calamidades históricas como el hundimiento del *Titanic* y desastres modernos como la explosión del transbordador espacial *Challenger* (el libro fue publicado antes del choque del transbordador *Columbia*) para ilustrar los peligros de la *fractura de un sistema*, es decir, desajustes en una compleja maquinaria que producen una cadena de eventos que involucra el error humano. El desastre comienza cuando un punto débil se enlaza con otros.

- *Sultana* (barco de vapor estadounidense en el río Mississippi cerca de Memphis, Tennessee), abril 25 de 1865. El barco, diseñado para transportar un máximo de 460 personas, transportaba al norte más de 2000 ex prisioneros de la Unión, y a 200 personas más entre tripulación y pasajeros; cuando tres de las cuatro calderas explotaron y mataron a 1800 personas. Una de las calderas había sido parchada en una de sus partes para cubrir una rotura, pero este parche era muy delgado. Los operadores no remediaron este hecho reestableciendo la válvula de seguridad.
- *Piper Alpha* (plataforma de perforación petrolera en ultramar en el Mar del Norte), julio 6 de 1988. La plataforma ultramarina procesaba grandes volúmenes de gas natural provenientes de otras plataformas por medio de tuberías. La tripulación del turno diurno, no había reparado por completo la bomba de gas condensado, sólo avisó de manera verbal al siguiente turno, pero los trabajadores pusieron la bomba a andar de todas formas. Cuando el sello temporal de la bomba falló, un incendio atrapó a la tripulación sin ninguna ruta de escape y murieron 167 trabajadores de rescate y de tripulación.
- *Union Carbide (India) Ltd.* (liberación de químicos altamente tóxicos en una comunidad), Bophal, Mahdya Pradesh, India, diciembre 13, 1984. Existen tres teorías contradictorias acerca de cuánta agua había en el tanque de almacenamiento, lo cual creó una reacción violenta que liberó en el entorno el compuesto bastante tóxico para herbicidas, isocianato de metilo, lo que ocasionó casi 7000 muertes: 1) Mantenimiento deficiente de los sistemas de seguridad, 2) sabotaje, o 3) error de los trabajadores.

¿QUÉ ES LO QUE OCASIONA LAS FRACTURAS EN EL SISTEMA?

Existe un catálogo verídico de las causas que desencadenaron tales desastres, desde errores en el diseño, capacitación insuficiente de los operadores y una mala planeación, hasta la avaricia y la mala administración. Chiles anota en su libro como un recordatorio que la tecnología nos pone en situaciones riesgosas, ya sea en el espacio exterior, en una torre de 2000 pies de altura o en una planta de procesamiento químico. Chiles también cita ejemplos de desastres potenciales que fueron revertidos por la rápida reacción y la respuesta apropiada. Para ayudar a evitar las fracturas en los sistemas, los directivos pueden crear organizaciones en las cuales la gente sea experta en interpretar las señales sutiles de los problemas reales y que estén facultados para reportarlas y llevar a cabo una acción pronta.

Inviting Disaster: Lessons from the Edge of Technology, por James R. Chiles, publicado por HarperBusiness.

la flexibilidad e impide que la compañía coseche los beneficios de la nueva tecnología.[17] Los directivos deben recordar siempre que los sistemas humanos y tecnológicos de una organización están entretejidos. El Marcador de libros de este capítulo proporciona una perspectiva diferente de la tecnología al observar los peligros que supone no entender el papel que juega el hombre para administrar los avances tecnológicos.

Aplicaciones contemporáneas

En los años que han transcurrido desde la investigación de Woodward, se han presentado nuevos desarrollos en la tecnología de manufactura. A pesar de que la manufactura en Estados Unidos ha descendido, representa el 14% del Producto Interno Bruto (PIB) y el 11% del empleo total en Estados Unidos.[18] Sin embargo, la fábrica contemporánea es muy diferente de las empresas industriales que Woodward estudió en la década de 1950. En particular, las computadoras han revolucionado todo tipo de procesos de manufactura: Lotes pequeños, lotes grandes y procesos continuos. En la planta de Rockwell Automation's Power Systems Division en Marion, Carolina del Norte, los empleados bien capacitados pueden fabricar con rapidez una unidad según la demanda gracias a las computadoras, la tecnología inalámbrica y los sistemas de radio frecuencia. En una ocasión, la planta de Marion construyó, empacó y entregó soportes de reemplazo para la instalación en una unidad de aire acondicionado industrial en Texas sólo 15 horas después que el cliente llamó para pedir ayuda.[19] Un ejemplo de la manufactura de proceso continuo lo representa la planta petroquímica BP's Texas City, en Texas. Los técnicos que alguna vez monitoreaban de forma manual cientos de procesos complejos ahora enfocan su energía en observar las tendencias de producción a largo plazo. En la actualidad, el control de la producción continua de las petroquímicas se maneja de manera más rápida, más inteligente, más precisa y más económica gracias a las computadoras. La productividad en la planta Texas City se ha incrementado un 55%. La planta utiliza el 3% menos de electricidad y un 10% menos gas natural, lo que hace un total de millones de dólares en ahorros y menos emisiones de dióxido de carbono.[20]

La manufactura de producción en masa también ha experimentado transformaciones similares. Las aplicaciones contemporáneas de la tecnología de manufactura son los sistemas de manufactura flexible y la manufactura esbelta.

Sistemas de manufactura flexible

La mayor parte de las fábricas actuales utilizan una variedad de nuevas tecnologías de manufactura, incluyen robots, herramientas mecánicas controladas en forma numérica, identificación de radiofrecuencia, tecnología inalámbrica y software para el diseño de productos, análisis de ingeniería y control remoto de la maquinaria. Las más novedosas fábricas automatizadas se denominan **sistemas de manufactura flexible** (SMF).[21] Conocidos también como *manufactura integrada por computadora, fábricas inteligentes, tecnología de manufactura avanzada, manufactura ágil* o *la fábrica del futuro*, los SMF vinculan los componentes de manufactura que antes eran independientes. Así, una sola computadora coordina a los robots, las máquinas, el diseño de producto y el análisis de ingeniería.

El resultado ha revolucionado el taller, y permitido a las fábricas grandes ofrecer una variedad más amplia de productos hechos a la medida a costos bajos de producción en masa.[22] La manufactura flexible también permite a las pequeñas empresas estar al mismo nivel de las fábricas grandes de los competidores extranjeros de bajo costo. Techknits, Inc., un fabricante pequeño ubicado en la ciudad de Nueva York, compite con éxito contra los fabricantes de suéteres de bajo costo en Asia mediante el uso de telares computarizados y otro tipo de maquinaria. El trabajo de diseñar suéteres, que en algún tiempo consumía dos días, ahora puede ser completado en dos horas. Los telares operan las 24 horas y generan 60 000 suéteres a la semana, gracias a esto Techknits puede abastecer los pedidos de los clientes con una rapidez mayor que sus competidores extranjeros.[23]

La manufactura flexible, por lo general, es resultado de tres componentes:

- *Diseño asistido por computadora* (CAD, por sus siglas en inglés). Las computadoras se utilizan como un apoyo en la elaboración de bosquejos, diseños y en la ingeniería de nuevas partes. Los diseñadores guían sus computadoras para presentar configuraciones específicas en la pantalla, como dimensiones y detalles de componentes. De esta manera se pueden estudiar cientos de alternativas de diseño, así como ajustar las versiones del original.[24]
- *Manufactura asistida por computadora* (CAM, por sus siglas en inglés). Las máquinas controladas por computadoras que intervienen en el manejo de materiales, la fabricación, la producción y el ensamble incrementan la velocidad a la cual los artículos se pueden fabricar. Esto también permite que en una misma línea de producción se cambie con rapidez de la fabricación de un producto a la elaboración de cualquier otro, tan sólo con dar nuevas instrucciones o cambiar los códigos de software en la computadora. Lo que quiere decir que en determinado momento CAM es de gran ayuda para que las solicitudes del cliente sobre cambios en el diseño y mezcla de productos se puedan cumplir.[25]
- *Red integrada de información*. Un sistema computarizado vincula todos los aspectos de la empresa, lo que incluye la contabilidad, las compras, el marketing, el control de inventarios, el diseño, la producción etcétera. Este sistema, basado en datos comunes y una base de información, permite a los directivos tomar decisiones y dirigir el proceso de manufactura de una forma en verdad integrada.

La combinación de CAD, CAM y sistemas de información integrados redunda en el diseño de un nuevo producto mediante la computadora, y en la posibilidad de generar un prototipo que no sea tocado por manos humanas. La fábrica ideal puede cambiar con rapidez de un producto a otro, trabajar con velocidad y precisión, sin papeleo o documentación administrativa que entorpezca el sistema.[26]

Van's Aircraft de Aurora, Oregon, utilizó CAD/CAM para convertirse en el líder mundial en la producción de aeroplanos para armar. El negocio de Van's se ha duplicado en los siete años que siguieron a la introducción de la tecnología por parte del fundador y director general, Dick VanGrunsven, y las ganancias son de más del 25%. El sistema CAD/CAM permite que los datos de diseño fluyan a máquinas automatizadas que cortan, doblan, estampan o taladran las piezas adecuadas para un plano de motor único que un aficionado pueda armar, casi como un rompecabezas, en aproximadamente 2000 horas.[27]

Algunas fábricas avanzadas han adoptado un sistema llamado *administración del ciclo de vida del producto* (PLM, por sus siglas en inglés). El software PLM puede administrar un producto desde que es una idea hasta su desarrollo, manufactura, prueba e incluso mantenimiento en el campo. El software PLM proporciona tres principales ventajas para la innovación del producto. PLM 1) almacena datos sobre ideas y productos provenientes de todas partes de la compañía; 2) vincula el diseño del producto con todos los departamentos (incluso con los proveedores externos) implicados en el desarrollo del nuevo producto, y 3) proporciona imágenes tridimensionales de nuevos productos para su prueba y el mantenimiento. PLM se ha utilizado para coordinar a las personas, las herramientas, y las instalaciones a través del mundo que intervienen en el diseño, el desarrollo y la manufactura de productos tan diversos como los patines producidos por GID de Yorba Linda, California, los empaques de productos para los consumibles de Procter & Gamble, y el nuevo jet de pasajeros 7E7 Dreamliner de Boeing.[28]

Manufactura esbelta

La manufactura flexible alcanza su nivel culminante para mejorar la calidad, el servicio al cliente y la reducción de costos cuando todas las partes se utilizan de manera interdependiente y están combinadas con procesos de administración flexible en un sistema denominado **manufactura esbelta**. La manufactura esbelta utiliza empleados muy capacitados en todas las etapas del proceso de producción, los cuales asumen un enfoque meticuloso hacia los detalles y la resolución de problemas para reducir el desperdicio y mejorar la calidad. También incorpora elementos tecnológicos, como CAD/CAM y PLM, pero el corazón de la manufactura esbelta no son las máquinas o el software, sino las personas. La manufactura esbelta requiere cambios en los sistemas organizacionales, como en los procesos de toma de decisiones y administrativos, así como una cultura organizacional que sustente la participación activa de los empleados, quienes están entrenados para pensar de manera esbelta, es decir, atacar el desperdicio y esforzarse por mejorar de manera continua en todas las áreas.[29]

Toyota Motor Corporation de Japón, pionera en la manufactura esbelta, muchas veces es considerada como la organización de manufactura más importante en el mundo. El prestigioso sistema de producción Toyota combina técnicas como el inventario justo a tiempo, administración del ciclo de vida del producto, la producción en flujo continuo, la rápida conversión en líneas de montaje, la frecuente mejoría y el mantenimiento preventivo con un sistema de administración que fomenta la participación de los empleados y la resolución de problemas. Todo trabajador puede detener la línea de producción en cualquier momento para resolver un problema. Ya que el equipo está diseñado para detenerse automáticamente de manera que el defecto pueda componerse, lo que constituye un elemento clave del sistema.[30]

Numerosas organizaciones estadounidenses han estudiado el sistema de producción Toyota y han visto mejoras radicales en la productividad, reducción de inventario y calidad. Autoliv, líder en la fabricación de bolsas de aire automotrices, ha aplicado el sistema tan bien que hace poco ganó el premio Shingo a la excelencia en manufactura de la Utah State University.

En la práctica

Autoliv

El supervisor de producción, Bill Webb pensó que había sido modesto cuando sugirió a Takashi Harada de Toyota Motor Corp., que de la escala de calificación del 1 al 10, Autoliv tenía una calificación de casi tres. Sin embargo se sorprendió cuando Harada replicó, "quizá un menos tres". Ésta fue la lección inicial para la educación de Autoliv en el sistema de producción Toyota.

Autoliv, que comenzó en 1956 con el nombre de Morton Automotive Safety y fue adquirida por la compañía sueca Autoliv AB en 1996, es líder en el negocio de módulos de bolsas de aire automotrices, con una participación de mercado dominante. Toyota era su principal cliente, a pesar de sus crecientes defectos de manufactura, por ello, Autoliv estaba más que deseoso de aceptar la oferta de ayuda de Toyota.

Uno de los primeros cambios que Harada hizo fue establecer un sistema para solicitar e implementar las sugerencias de los empleados, de manera que las mejoras en la eficiencia y seguridad se pospusieron para el final. La compañía también realizó cambios radicales en la administración de inventario y en los procesos de producción.

En la época del comentario de Harada, Autoliv estaba ensamblando módulos de bolsas de aire con base en una línea de montaje automatizada y lineal. La planta controlaba aproximadamente $23 millones en partes: es decir, de 7 a 10 días de provisiones en el inventario; en un almacén gigante. Cada día, Webb introducía montañas de inventario al piso de montaje, pero como no sabía a ciencia cierta lo que se necesitaba, muchas veces metía una gran cantidad de inventario, mismo que se regresaba al final del día. Después de la introducción de la manufactura esbelta, se creó software para rastrear automáticamente las partes a medida que se iban utilizando. Los datos eran comunicados al almacén y las partes eran reabastecidas según como fueran necesarias. Al mismo tiempo, la información se pasaba de manera automática a los proveedores de Autoliv, a fin de que pudieran enviar nuevas existencias. Así el inventario fue recortado alrededor de un 50%. El proceso de ensamble fue rediseñado en 88 células de producción con forma de U. Cada una contaba con unos cuantos empleados. Cada 24 minutos, una fuerte música de rock indicaba la llegada de más partes y la rotación de cada persona a una tarea diferente. Además de ser entrenados para llevar a cabo diferentes tareas, los empleados están capacitados para buscar de manera continua cómo mejorar todas las áreas.

La adopción de la manufactura esbelta ha rendido frutos. Los defectos por millón en partes modulares se redujeron de manera radical, de más de 1100 en 1998 a sólo 16 en 2003. En ese mismo año, Autoliv reportó utilidades de $1000 millones con ingresos de $5300 millones. "Sus plantas son tan buenas como ninguna en el mundo", afirma Ross Robson, administrador del premio Shingo para la excelencia en manufactura.[31]

Liderazgo por diseño

Dell Computer

Es una época difícil en la industria de las computadoras, pero Dell Computer, igual que el conejo Energizer, sigue, sigue y sigue. Incluso los competidores están de acuerdo en que no hay una forma mejor de fabricar, vender y entregar computadoras personales que la de Dell. Las computadoras de Dell se fabrican sobre pedido y se entregan directo al cliente. Cada cliente recibe exactamente la máquina que él o ella desea, y la obtienen más rápido y más barato que si la hubieran comprado con la competencia de Dell.

El sistema rápido, flexible y eficiente con respecto a los costos, está reflejado en la fábrica más nueva de la compañía, la instalación Topfer Manufacturing cerca de las oficinas centrales de Dell en Round Rock, Texas, donde Dell creó una nueva forma de fabricar computadoras personales que ayudó a la compañía a ubicarse del número 3 al número 1 en ventas de PC. El proceso combina la entrega justo a tiempo de las partes de los proveedores con un sistema complicado de manufactura asistida por computadora, que prácticamente pone en las manos de un trabajador la parte correcta: Ya sea cualquier docena de diferentes microprocesadores o una combinación específica de software, justo en el momento preciso. La meta no sólo es reducir los costos sino también ahorrar tiempo al reducir el número de intervenciones de obreros por máquina. Dell tenía la costumbre de fabricar las computadoras de una manera consecutiva en líneas de montaje, hasta con 25 personas diferentes implicadas en la fabricación de una sola máquina. Ahora, los equipos están constituidos por tres a siete trabajadores los cuales construyen una computadora completa, desde el principio hasta el final mediante lineamientos precisos y el uso de componentes entrantes que se colocan en estantes cuidadosamente señalados frente a ellos. La combinación de canastas, estantes y señales de tráfico que mantiene la operación global en movimiento se denomina sistema de indicadores luminosos. El sistema de indicadores luminosos está basado en bases de datos de último minuto y software de vinculación a un sistema de almacén. Esto significa que el sistema puede asegurarse de que los equipos tengan todo lo que necesitan para completar un pedido, ya sea una PC o doscientas. El sistema mantiene un seguimiento acerca de cuáles materiales se necesitan y para asegurarse de que las canastas y los estantes estén abastecidos con los componentes adecuados. La coordinación precisa, asistida por un software sofisticado de cadena de suministro, ha implicado que Dell pueda mantener existencias de partes en el inventario tan sólo de dos horas y reabastecerlas sólo cuando lo necesite en el transcurso del día. El sistema flexible trabaja tan bien que el 85% de los pedidos se construyen, se fabrican a la medida y se envían dentro de las ocho horas siguientes.

El nuevo sistema de Dell ha mejorado de manera importante la productividad, con un incremento en la velocidad de fabricación y la producción total de computadoras hechas a la medida de las necesidades del cliente por 150%. Los empleados también están felices debido a que ahora utilizan más sus habilidades y construyen una máquina completa en equipo en lugar de realizar el mismo trabajo repetitivo una y otra vez en la línea de montaje. El sistema que comenzó en una fábrica de vanguardia ha sido adoptado en todas las plantas de manufactura de la compañía. Con esta clase de flexibilidad, no hay duda de que Dell es el número uno.

Fuente: Kathryn Jones, "The Dell Way", *Business 2.0* (febrero 2003), 61-66 Stewart Deck, "Fine Line", *CIO* (febrero 1, 2000), 88-92; Andy Serwer, "Dell Does Domination", *Fortune* (enero 21, 2002), 71-75; y Betsy Morris, "Can Michael Dell Escape the Box?" *Fortune* (octubre 16, 2000), 93-110.

A pesar del éxito que alcanzó Autoliv, los directivos están realizando cambios de manera continua según lo que ahora denominan sistema de producción Autoliv. Una lección de la manufactura esbelta es que siempre hay espacio para la mejora.

Los sistemas de manufactura esbelta y manufactura flexible han trazado el camino para la **fabricación personalizada en masa,** lo cual se refiere al uso de la tecnología de la producción en masa para ensamblar de manera rápida y efectiva con respecto a los costos, bienes que fueron diseñados para ajustarse a las demandas individuales de los clientes .[32] La fabricación pesonalizada en masa tuvo lugar primero cuando Dell Computer Corporation comenzó a construir computadoras sobre pedido, y desde entonces se ha expandido a productos tan diversos como maquinaria agrícola, calentadores de agua, vestidos y detergentes industriales. En la actualidad, usted puede comprar jeans hechos a la medida de su cuerpo, anteojos moldeados para un ajuste preciso que favorezca el tipo de su rostro, ventanas de la forma y tamaño exactos que usted desea para un nuevo hogar, píldoras con la combinación específica de vitaminas y minerales que usted necesita.[33] Dell, según se analizó en el recuadro de Liderazgo por diseño, es todavía un excelente ejemplo de la manufactura flexible necesaria para la realización del trabajo de fabricación personalizada en masa.

Oshkosh Truck Company floreció durante la crisis económica que experimentó la industria entera en las ventas al ofrecer camiones militares, para basura, para cemento y contra incendios hechos a la medida. Los bomberos con frecuencia visitan la planta para ver cómo toma forma su nuevo vehículo, algunas veces llevan trazos de pintura para elegir a su gusto el color de su flota.[34] Los fabricantes de automóviles también están adoptando la personalización masiva. El 60% de las ventas de automóviles BMW en Europa se realizan sobre pedido.[35] En la actualidad los fabricantes estadounidenses construyen y remodelan sus plantas para dar alcance a los fabricantes japoneses como Nissan y Honda en cuanto a la capacidad de ofrecer productos personalizados a los clientes. Por ejemplo, la planta de Ford de la ciudad de Kansas, Missouri, una de las instalaciones más grandes de manufactura en el mundo, produce alrededor de 490 000 F-150, Ford Escapes y Mazda Tributes al año. Con sólo un pequeño ajuste, las líneas de montaje en la ciudad de Kansas se pueden programar para fabricar cualquier clase de automóvil o camión Ford . El nuevo F-150 tienen tantas opciones que existen más de un millón de configuraciones posibles. Robots en jaulas de alambre realizan la mayor parte del trabajo, y la gente actúa como asistente, toman medidas, reponen partes y alteran el sistema si algo va mal. El ensamble está sincronizado por medio de computadoras, desde el principio hasta el último espejo retrovisor. Está proyectado para que el sistema de manufactura flexible de Ford ahorre a la compañía $2 mil millones durante los siguientes 10 años.[36] Los expertos en eficiencia de planta creen que la tendencia hacia la personalización masiva crecerá a medida que los sistemas de fabricación se vuelvan aún más sofisticados y adaptables.

Desempeño e implicaciones estructurales

La impresionante ventaja de la manufactura flexible es que los productos de diferentes tamaños, tipos y requerimientos del cliente se entremezclan con libertad en la línea de montaje. Los códigos de barra impresos en una parte permiten a las máquinas realizar cambios instantáneos, como colocar un tornillo más largo en un lugar diferente, sin detener la línea de producción. Un fabricante puede producir una variedad infinita de producto en tamaños de lotes ilimitados, como se ilustra en el cuadro 7.5. En los sistemas de manufactura tradicional estudiados por Woodward las elecciones estaban limitadas por la diagonal. Los lotes pequeños posibilitaban una alta flexibilidad de producto y pedidos de clientes, pero debido a la "artesanía" implicada en los productos hechos a la medida, el tamaño de los lotes era necesariamente pequeño. La producción masiva podía tener tamaños más grandes de lotes, pero ofrecía una flexibilidad limitada de producto. Los procesos continuos podían elaborar un producto único estandarizado en cantidades ilimitadas. Los sistemas de manufactura flexible permiten que las plantas liberen esta diagonal e incrementen tanto el tamaño de lote como la flexibilidad de producto al mismo tiempo. Cuando se llevan a sus últimas consecuencias, los sistemas de manufactura flexible permiten la personalización masiva, con cada producto específico hecho a la medida del cliente. Este alto uso de la manufactura flexible se ha denominado *trabajo artesanal asistido por computadora.*[37]

Algunos estudios sugieren que con los sistemas de manufactura flexible, la utilización de las máquinas es más eficiente, la productividad de la mano de obra se incrementa, las tasas de desechos disminuyen y la variedad de productos y la satisfacción del cliente aumentan.[38] Muchas fábricas estadounidenses están reinventando el uso de los sistemas de manufactura flexible para incrementar la productividad. Está surgiendo más investigación acerca de la relación entre los sistemas de manufactura flexible y las características organizacionales, estos patrones se resumen en el cuadro 7.6. En comparación con las tecnologías tradicionales de producción masiva, los sistemas de manufactura flexible tienen un tramo de control pequeño, pocos niveles jerárquicos, tareas adaptables, baja especialización y descentralización y el entorno general está caracterizado como orgánico y autónomo. Los empleados necesitan estar capacitados para participar en los

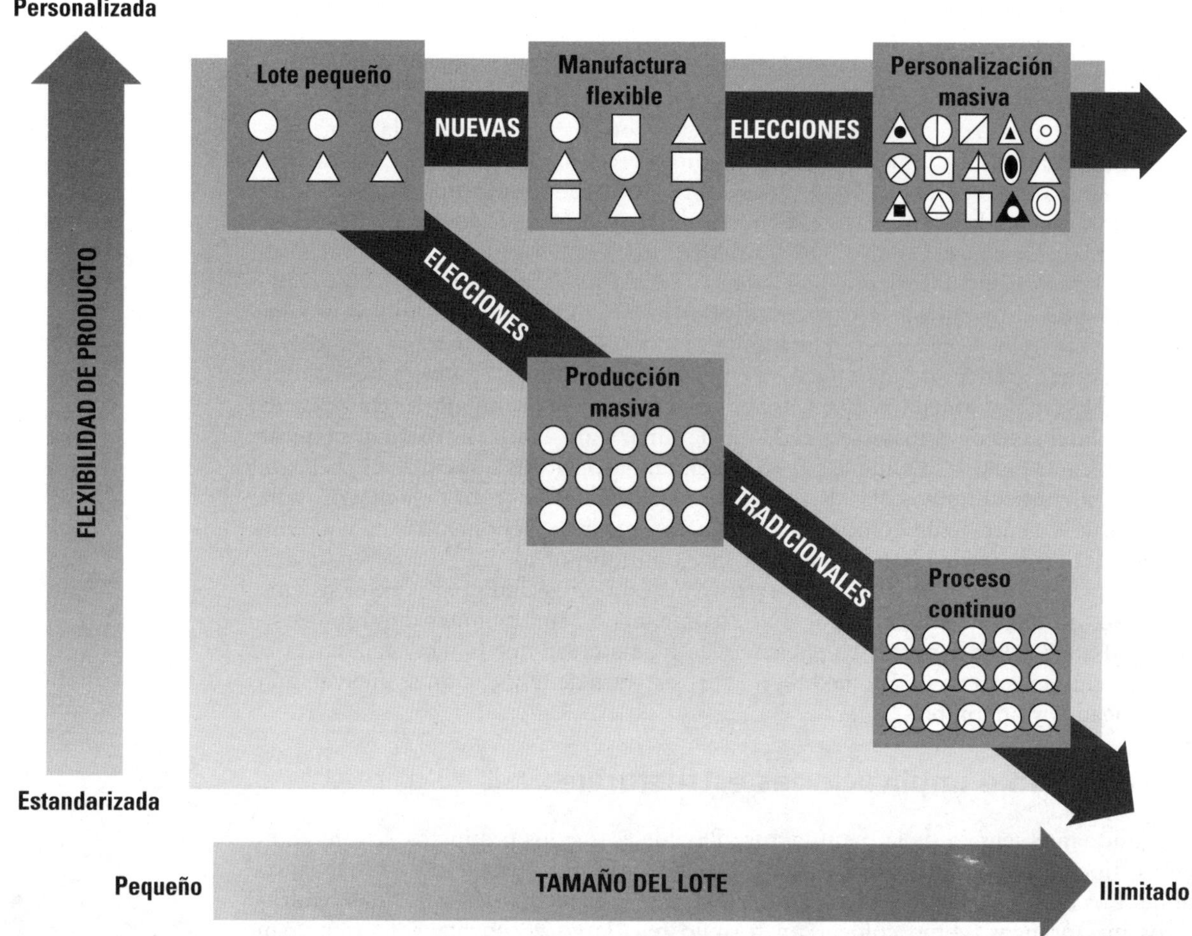

CUADRO 7.5

Relación de la tecnología de manufactura flexible con las tecnologías tradicionales

Fuente: Basado en Jack Meredith, "The Strategic Advantages of New Manufacturing Technologies for Small Firms", *Strategic Management Journal 8* (1987), 249-258; Paul Adler, "Managing Flexible Automation", *California Management Review* (primavera 1988), 34-56; y Otis Port, "Custom-made Direct from the Plant", *BusinessWeek*/21st Century Capitalism (noviembre 18, 1994), 158-159.

equipos; el entrenamiento es amplio (de manera que los trabajadores no se especializan en exceso) y frecuente (de manera que los trabajadores estén al día). La experiencia tiende a ser cognitiva así que los empleados pueden procesar ideas abstractas y resolver problemas. Las relaciones interorganizacionales en las empresas que implementan los sistemas de manufactura flexible están caracterizadas por una demanda cambiante por parte de los clientes —la cual es manejada con facilidad por la nueva tecnología— y relaciones estrechas con algunos pocos proveedores que pueden ofrecer materias primas de alta calidad.[39]

La tecnología sola no puede dar a las organizaciones los beneficios de la flexibilidad, la calidad, la producción incrementada y la mayor satisfacción del cliente. La investigación sugiere que los sistemas de manufactura flexible pueden convertirse en un pesado lastre en lugar de una ventaja competitiva a menos que las estructuras organizacionales y los procesos administrativos estén diseñados para aprovechar las nuevas tecnologías.[40] Sin embargo, cuando los altos directivos se comprometen a implementar nuevas estructuras y procesos a través del *empowerment* a los trabajadores y apoyan un entorno de conocimiento y de aprendizaje, los sistemas de manufactura flexible pueden ayudar a las compañías a ser más competitivas.[41]

Características	Producción en masa	Sistema de manufactura flexible
Estructura		
Tramo de control	Amplia	Estrecha
Niveles jerárquicos	Muchos	Pocos
Tareas	Rutinarias, repetitivas	Adaptables, artesanales
Especialización	Alta	Baja
Toma de decisiones	Centralizada	Descentralizada
Global	Burocrática, mecanicista	Autorregulada, orgánica
Recursos humanos		
Interacciones	Dependientes	Trabajo en equipo
Capacitación	Estrecho, una vez	Amplio, frecuente
Experiencia	Manual, técnica	Cognitiva, social, resolución de problemas
Interorganizacionales		
Demanda del cliente	Estable	Cambiante
Proveedores	Muchos, distantes	Pocos, relaciones estrechas

CUADRO 7.6
Comparación de las características organizacionales asociadas con la producción en masa y los sistemas de manufactura flexible

Fuente: Basado en Patricia L. Nemetz y Louis W. Fry, "Flexible Manufacturing Organizations: Implications for Strategy Formulation and Organization Design", *Academy of Management Review* 13 (1988), 627-638; Paul S. Adler, "Managing Flexible Automation", *California Management Review* (primavera, 1988), 34-56; y Jeremy Main, "Manufacturing the Right Way", *Fortune* (mayo 21, 1990) 54-64.

Tecnología central de la organización de servicio

Otro cambio importante que está ocurriendo en la tecnología organizacional es el crecimiento del sector servicios. El porcentaje de mano de obra empleada en la manufactura continúa en declive, no sólo en Estados Unidos, sino en Canadá, Francia, Alemania, Reino Unido y Suecia.[42] El aumento del sector servicio se ha triplicado en comparación con el del sector de manufactura en la economía norteamericana. Más de dos tercios de la fuerza laboral estadounidense trabaja en el área de servicios, como hospitales, hoteles, entrega de paquetes, servicios en línea o telecomunicaciones. Las tecnologías de servicio son diferentes de las de manufactura, y a su vez, requieren una estructura organizacional específica.

Portafolios

Como gerente de una organización, tenga en mente estos lineamientos:

Utilice el concepto de tecnología de servicio para evaluar el proceso de producción en las empresas que no son de manufactura. Las tecnologías de servicio son intangibles y deben ubicarse cerca del cliente. Por lo tanto, las organizaciones de servicio pueden tener una estructura organizacional con menos funciones de frontera, mayor dispersión geográfica, descentralización, empleados muy capacitados en cuanto al centro técnico, y por lo general, menos control que en las organizaciones de manufactura.

Empresas de servicio

Definición. Mientras las organizaciones de manufactura alcanzan su propósito esencial a través de la generación de productos, las organizaciones de servicio logran su propósito primario a través de la producción y oferta de servicios, como educación, cuidado de la salud, del transporte, de la banca y la hotelería. Los estudios de las organizaciones de servicio se han enfocado en dimensiones particulares de tecnologías de servicio. Las características de la **tecnología de servicio** se comparan con las de la tecnología de manufactura en el cuadro 7.7.

La diferencia más obvia es que la tecnología de servicio produce resultado intangible, y no un *producto tangible*, como una empresa de manufactura produce un refrigerador. Un servicio es abstracto y con frecuencia consiste en un conocimiento e ideas y no en un producto físico. Así, mientras los productos de los fabricantes pueden ser inventariados para su venta, los servicios están caracterizados por *la producción y el consumo simultáneos*. Un cliente se reúne con un doctor o abogado, por ejemplo, y

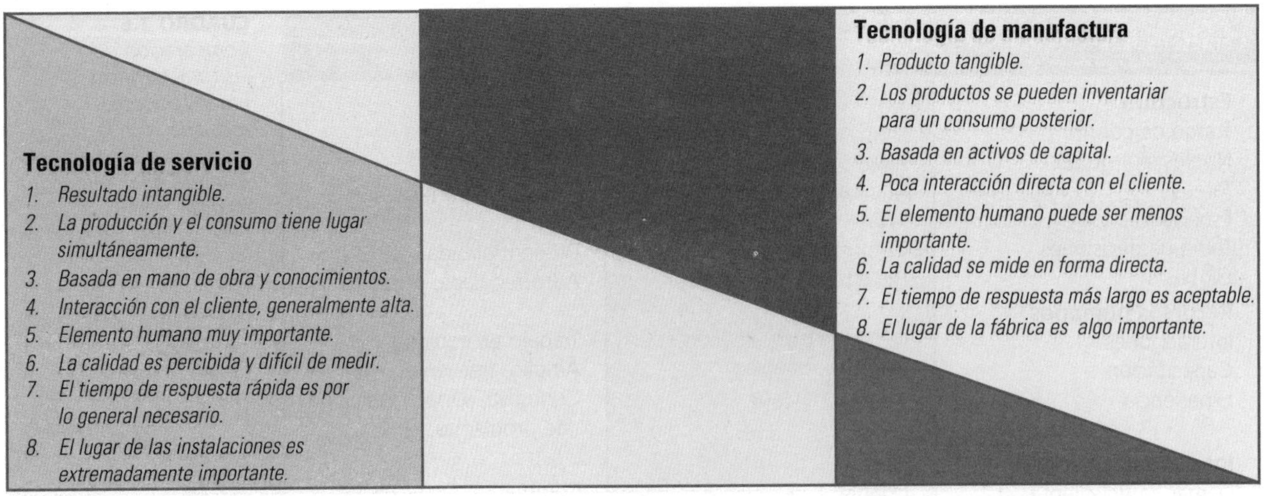

Tecnología de servicio

1. *Resultado intangible.*
2. *La producción y el consumo tiene lugar simultáneamente.*
3. *Basada en mano de obra y conocimientos.*
4. *Interacción con el cliente, generalmente alta.*
5. *Elemento humano muy importante.*
6. *La calidad es percibida y difícil de medir.*
7. *El tiempo de respuesta rápida es por lo general necesario.*
8. *El lugar de las instalaciones es extremadamente importante.*

Tecnología de manufactura

1. *Producto tangible.*
2. *Los productos se pueden inventariar para un consumo posterior.*
3. *Basada en activos de capital.*
4. *Poca interacción directa con el cliente.*
5. *El elemento humano puede ser menos importante.*
6. *La calidad se mide en forma directa.*
7. *El tiempo de respuesta más largo es aceptable.*
8. *El lugar de la fábrica es algo importante.*

Servicio	Producto y servicio	Producto
Aerolíneas	*Restaurantes de comida rápida*	*Compañías de bebidas gaseosas*
Hoteles	*Cosméticos*	*Compañías de acero*
Consultores	*Bienes raíces*	*Fabricantes de automóviles*
Cuidado de la salud	*Corredor de bolsa*	*Corporaciones mineras*
Despachos de abogados	*Tiendas de venta al detalle*	*Plantas de procesamiento de alimentos*

CUADRO 7.7
Diferencias entre las tecnologías de manufactura y de servicio
Fuente: Basado en F. F. Reichheld y W. E. Sasser, Jr., "Zero Defections: Quality Comes to Services", *Harvard Business Review* 68 (septiembre-octubre 1990), 105-111; y David E. Bowen, Caren Siehl y Benjamin Schneider, "A Framework for Analyzing Customer Service Orientations in Manufacturing", *Academy of Management Review* 14 (1989), 75-95.

los estudiantes con los maestros se reúnen en el salón de clase o en Internet. Un servicio es un producto intangible que no existe hasta que el cliente lo solicita. No puede almacenarse, inventariarse o ser visto como un producto terminado. Si el servicio no se consume de inmediato después de la producción, desaparece.[43] Esto por lo general implica que las empresas de servicio requieren una cantidad importante de *mano de obra y conocimiento*, con la exigencia de muchos empleados de satisfacer las necesidades de los clientes, mientras las empresas de manufactura tienden a estar concentradas en el *capital intensivo*, dependen de la producción masiva, procesos continuos y una tecnología de manufactura flexible.[44]

La *interacción directa entre el cliente y el empleado* por lo general es muy alta en el área de servicios, mientras que en las empresas de manufactura es poca. Esta interacción directa implica que el *elemento humano* (empleados) se convierte en un factor muy importante en las empresas de servicio. Si bien la mayoría de la gente nunca conoce a los trabajadores que fabrican sus autos, interactúa directamente con los vendedores del Honda Element o el Ford F-150. El trato que reciben de un vendedor, doctor, abogado o estilista, afecta la percepción del servicio recibido y el nivel de satisfacción del cliente.

La *calidad de un servicio se percibe* y no puede medirse ni compararse de manera directa de la misma forma que la calidad de un producto tangible. Otra característica que afecta la satisfacción del cliente y la percepción de la calidad del servicio es el *tiempo de respuesta corto*. Un servicio debe proporcionarse cuando el cliente lo desea y lo necesita. Cuando usted lleva a un amigo a cenar, desea ser sentado y servido de una manera oportuna; no se sentiría muy satisfecho si el anfitrión o gerente le dijera que regresara mañana o cuando hubiera más mesas o meseros disponibles para acomodarlo.

La última característica definitoria de la tecnología de servicios es que *la elección del sitio muchas veces es más importante* que con la manufactura. Debido a que los servicios son intangibles, deben estar localizados donde el cliente desea que sean proporcionados. Los servicios están dispersos y ubicados geográficamente cerca de los clientes. Por ejemplo, las franquicias de comida rápida por lo general difunden sus instalaciones mediante tiendas locales. La mayoría de los pueblos actuales de tamaño moderado tienen dos o más restaurantes McDonald's y no sólo uno grande, con el fin de ofrecer sus servicios donde los clientes lo deseen.

En realidad es difícil encontrar organizaciones que reflejen el 100% de las características de servicio o el 100% de las características de manufactura. Algunas empresas de servicios asumen las características de manufactura, y viceversa. Muchas empresas de manufactura están poniendo un énfasis mayor en el servicio al cliente para diferenciarse a sí mismas o ser más competitivas. En General Electric (GE) el presidente y director general, Jeffrey Immelt, ha implementado un programa llamado "al cliente, para el cliente", o ACFC (por sus siglas en inglés). Según su enfoque el servicio al cliente se encuentra en el centro de su negocio, incluso ofrece ayudarle con problemas que muchas veces no tienen nada que ver con los productos de GE. Un consultor de GE Aircraft Engines, por ejemplo, hace poco acudió a las instalaciones de Southwest Airlines para resolver un fastidioso problema con un componente hecho por otra compañía.[45] Además, las organizaciones de manufactura tienen departamentos como el de compras, recursos humanos y marketing basados en la tecnología de servicios. Por otra parte, las organizaciones como las estaciones gasolineras, los corredores de bolsa, las tiendas de venta al detalle y los restaurantes pertenecen al sector de los servicios, pero una parte importante de su transacción consiste en proporcionar un producto. La inmensa mayoría de las organizaciones implican alguna combinación de productos y servicios. El punto importante es que todas las organizaciones puedan clasificarse con base en un todo que incluya tanto las características de manufactura como las de servicio, como se ilustra en el cuadro 7.7.

Nuevas direcciones en los servicios. Las empresas de servicios siempre han tendido hacia proporcionar un resultado personalizado, es decir, ofrecer un servicio específico a cada cliente que lo desee y lo necesite. Cuando usted visita a un estilista, no obtiene el mismo corte de pelo que los tres clientes anteriores. El estilista corta su cabello de la forma que usted pidió. Sin embargo, la tendencia hacia la personalización masiva que está revolucionando la manufactura tiene también un impacto importante en el sector servicio. Las expectativas de los clientes de lo que constituye un buen servicio están en aumento.[46] Las compañías de servicio como Ritz Carlton Hotels, Vanguard y Progressive Insurance utilizan nuevas tecnologías para hacer que los clientes regresen. Todos los hoteles Ritz Carlton están vinculados a una base de datos compuesta por las preferencias de medio millón de huéspedes, la cual le permite a cualquier recepcionista o botones saber cuál es su vino favorito, si es usted alérgico a las almohadas de pluma y cuántas toallas adicionales desea en su habitación.[47] En Vanguard, los encargados de servicio al cliente enseñan a éstos cómo utilizar efectivamente el sitio Web de la compañía. Esto significa que los clientes que necesitan información simple ahora la obtienen rápida y fácil en la Web, así, los representantes tienen más tiempo de ayudar a los clientes con cuestiones complicadas. El nuevo enfoque ha tenido un impacto positivo en los niveles de retención del cliente de Vanguard.[48]

La expectativa de una mejor atención también está presionando a las empresas de servicio de las industrias de reparto de paquetes hasta las bancarias a considerar la manufactura. La empresa Japan Post, se vio obligada a reducir las pérdidas de $191 millones en sus operaciones, así que contrató a Toshihiro Takahashi de Toyota para que la ayudara a aplicar el sistema de producción de Toyota para la recolección, clasificación y reparto de mensajes. En total, el equipo de Takahashi produjo 370 mejoras y redujo en 20% las horas hombre de la oficina postal. La reducción de desperdicio se espera que recorte los costos por alrededor de $350 millones al año.[49]

CUADRO 7.8
Configuración y características estructurales de las organizaciones de servicio frente a las organizaciones de producto

Característica estructural	Servicio	Producto
1. Funciones de frontera separadas.	Pocas	Muchas
2. Dispersión geográfica.	Mucha	Poca
3. Toma de decisiones.	Descentralizada	Centralizada
4. Formalización.	Baja	Alta
Recursos humanos		
1. Nivel de habilidad del empleado.	Alto	Bajo
2. Énfasis en la habilidad.	Interpersonal	Técnico

Diseño de la organización de servicio

A fin de que los empleados del centro técnico estén cerca del cliente es necesario que las características de las tecnologías de servicio tengan una influencia y sistemas de control distintos a los de la estructura organizacional.[50] Las diferencias entre las organizaciones de servicio y producto requeridas por el contacto con el cliente se resumen en el cuadro 7.8.

El impacto del contacto con el cliente sobre la estructura organizacional está reflejado en las nociones de frontera y la disgregación estructural.[51] Las funciones de frontera se utilizan mucho en las empresas de manufactura para manejar a los clientes y reducir los disturbios en el centro técnico. Se utilizan menos en las empresas de servicio debido a que los servicios son intangibles y no pueden transmitirse mediante las interconexiones de fronteras, de manera que para servir a los clientes, los empleados técnicos deben actuar de manera directa, como en el caso de los médicos o corredores de bolsa.

Una empresa de servicio trata con información y resultados intangibles y no necesita ser grande. Sus mayores economías las alcanza mediante la disgregación en pequeñas unidades que pueden ubicarse cerca de los clientes. Los corredores de bolsa, las clínicas médicas, las firmas consultoras y los bancos distribuyen sus instalaciones en forma de oficinas regionales y locales. Algunas cadenas de comida rápida, como Taco Bell, están llevando este enfoque un paso más allá, al vender tacos de pollo y burritos de frijoles donde sea que la gente se reúna: Aeropuertos, supermercados, campus universitarios o esquinas de calles.

Las empresas de manufactura, por otro lado, tienden a agregar operaciones en una sola área donde las materias primas y la mano de obra sean disponibles. Una empresa de manufactura grande puede aprovechar las economías derivadas de la maquinaria costosa y las corridas de producción grandes.

La tecnología de servicios también influye en las características internas organizacionales utilizadas para dirigir y controlar. Por una razón, en general las habilidades de los empleados del centro técnico necesitan ser mayores. Estos empleados deben tener conocimiento y percepción suficientes para manejar los problemas de los clientes y no sólo desempeñar tareas mecánicas. Las habilidades sociales e interpersonales, son tan importantes como las habilidades técnicas.[52] Como las habilidades son mayores así como la dispersión estructural, muchas veces, en las empresas de servicio la toma de decisiones tiende a estar descentralizada, y la formalización tiende a ser baja. En general, los empleados en estas empresas tienen más libertad en cuanto al trabajo. Sin embargo, algunas de ellas, como muchas cadenas de comida rápida, han establecido reglas y procedimientos de servicio al cliente. La cadena con sede en Londres, Pret A Manger desea diferenciarse a sí misma en el mercado de comida rápida por implementar un enfoque diferente.

En la práctica

Pret A Manger

"¿Desea papas fritas para acompañar su orden?" es la pregunta estandarizada que se les enseña a los trabajadores como parte de un guión para atender a los clientes. Pero en Pret A Manger, una cadena de comida rápida con sede en Londres, no escuchará preguntas prediseñadas. Aquí no se les enseña a los empleados fórmulas para atender a los clientes o se les encasilla para desempeñar las mismas tareas repetitivas todo el día. Los directivos desean que la gente deje que sus personalidades salgan a flote al ofrecer la atención a cada cliente y dar el mejor servicio posible. "Nuestros clientes dicen, 'me gusta ser atendido por seres humanos'", explica Ewan Stickley, gerente de capacitación laboral. El *Sunday Times* de Londres en fecha reciente calificó a Pret A Manger como una de las principales 50 compañías para trabajar en Gran Bretaña: El único restaurante en lograrlo.

Pret A Manger (locución francesa de "listo para comer") opera 118 establecimientos en Reino Unido y se está expandiendo a Estados Unidos. "Nunca antes nadie había ido a Estados Unidos, el hogar de la comida rápida, con un concepto que resultara ser una cadena nacional exitosa. Nosotros pensamos que lo podemos lograr", afirma el presidente y director general, Andrew Rolfe. El concepto de Pret está basado en la organización del negocio de servicio de mercado masivo en torno a la innovación y no a la estandarización. El menú está basado en ensaladas, sándwiches frescos, sopas calientes, sushi y una variedad de helados de yogurt y jugos combinados. Los artículos del menú cambian con frecuencia, según lo que las ventas y los clientes indican. Pret A Manger ha implementado varios mecanismos para obtener una retroalimentación rápida. El director general revisa los comentarios de los empleados y de los clientes cada viernes. Los empleados que mandan las mejores ideas de cambios a productos o procedimientos pueden ganar hasta $1500. Los gerentes pasan cada trimestre un día completo en una tienda para estar en contacto con los clientes y observar cómo afectan sus políticas a los empleados.

En su Inglaterra nativa, Pret A Manger ha sido un gran éxito. Transplantar ese éxito a Estados Unidos ha sido más que una batalla. Para ayudar en la transición, Pret se ha aliado con un poderoso socio: McDonald's. A algunos les preocupa que McDonald's pueda corromper los valores de la compañía y su énfasis en la comida saludable y fresca y el servicio individualizado, pero Rolfe cree que él y sus empleados están listos para el desafío.[53]

Comprender la naturaleza de su tecnología de servicios ayuda a los gerentes en Pret A Manger a reformular la estrategia, la estructura y los procesos de administración que son muy diferentes de los de una tecnología de manufactura tradicional o basada en el producto. Por ejemplo, el concepto de separar tareas complejas en una serie de pequeños trabajos y explotar las economías de escala es un pilar de la manufactura tradicional, pero los investigadores han encontrado que aplicarlo a las organizaciones de servicio con frecuencia no funciona tan bien.[54] Algunas empresas de servicios han rediseñado tareas para separar las actividades según el grado de contacto con el cliente, es decir, en altas y bajas, con más reglas y estandarización en los trabajos de bajo contacto. Los trabajos de servicio de alto contacto, como los de Pret A Manger, necesitan más libertad y menos control para satisfacer a los clientes.

Entender la tecnología de servicio es importante para las empresas de manufactura, también, en especial a medida que se pone un mayor énfasis en el servicio al cliente. Los directivos pueden utilizar estos conceptos e ideas para fortalecer la orientación de servicio de su compañía.

Ahora observemos otra perspectiva sobre la tecnología, la de las actividades de producción dentro de los departamentos organizacionales específicos. Éstos con frecuencia tienen características similares a los de tecnología de servicio, y proporcionan servicios a otros departamentos dentro de la misma organización.

Tecnología departamental no central

Esta sección analizará el nivel departamental para departamentos que no necesariamente se encuentran dentro del centro técnico. Cada división en una organización tiene un proceso de producción que consiste en una tecnología diferente. General Motors tiene áreas para ingeniería, investigación y desarrollo, recursos humanos, publicidad, control de calidad, finanzas y docenas de otras funciones. Esta sección estudia la naturaleza de la tecnología departamental y su relación con su estructura.

El modelo que ha tenido el mayor impacto para el estudio de las tecnologías departamentales fue desarrollado por Charles Perrow.[55] El modelo de Perrow ha sido muy útil para una gama muy amplia de tecnologías, lo que lo hace ideal para el análisis de las actividades departamentales.

Variedad

Perrow especificó dos dimensiones de las actividades departamentales que eran relevantes para la estructura de procesos organizacionales. La primera es la cantidad de excepciones en el trabajo. Esto se refiere a una **variedad** de tareas, la cual es la frecuencia con la que los eventos inesperados y novedosos ocurren en el proceso de conversión. La variedad de tareas se refiere a si el proceso de trabajo es desarrollado de la misma forma cada vez o difiere de vez en cuando a medida que los empleados transforman las entradas a la organización en salidas.[56] Cuando los individuos se encuentran con un gran número de situaciones inesperadas, con problemas frecuentes, la variedad se considera alta. Cuando existen pocos problemas y los requerimientos de trabajo cotidiano son repetitivos, la tecnología implica poca variedad. La variedad en los departamentos puede ocurrir desde la repetición de un solo acto, como en una línea de montaje tradicional, hasta trabajar en una serie de problemas o proyectos inconexos.

Posibilidad de análisis

La segunda dimensión de la tecnología tiene que ver con la **posibilidad de análisis** de las actividades laborales. Cuando los procesos de conversión se pueden analizar, el trabajo se puede reducir a pasos mecánicos y los participantes pueden seguir un procedimiento computacional objetivo para resolver los problemas. La solución de los mismos puede implicar el uso de procedimientos estandarizados, instrucciones y manuales, o conocimiento técnico como en un libro de texto o en un instructivo. Por otro lado, una parte del trabajo no se puede analizar. Cuando surgen problemas, es difícil identificar la solución correcta. No hay un conjunto de técnicas o procedimientos que le digan a la persona exactamente qué hacer. La causa o la solución a un problema no son claras, de manera que los empleados dependen de la experiencia y del conocimiento, y no de procesos estandarizados. Philippos Poulos, un regulador de tono en Steinway & Sons, cuenta con una tecnología que no se puede analizar. Los reguladores de tono deben verificar con cuidado cada macillo de piano para asegurarse de que produzca el sonido apropiado Steinway.[57] Estas tareas de control de calidad requieren años de experiencia y práctica. Los procedimientos estandarizados no le dirán a una persona cómo realizar estas tareas.

Modelo

Las dos dimensiones de la tecnología y los ejemplos de las actividades departamentales en el modelo de Perrow se muestran en el cuadro 7.9. Las dimensiones de variedad y susceptibilidad de análisis forman la base de las cuatro principales categorías de la tecnología: Rutina, artesanal, ingeniería y no rutina.

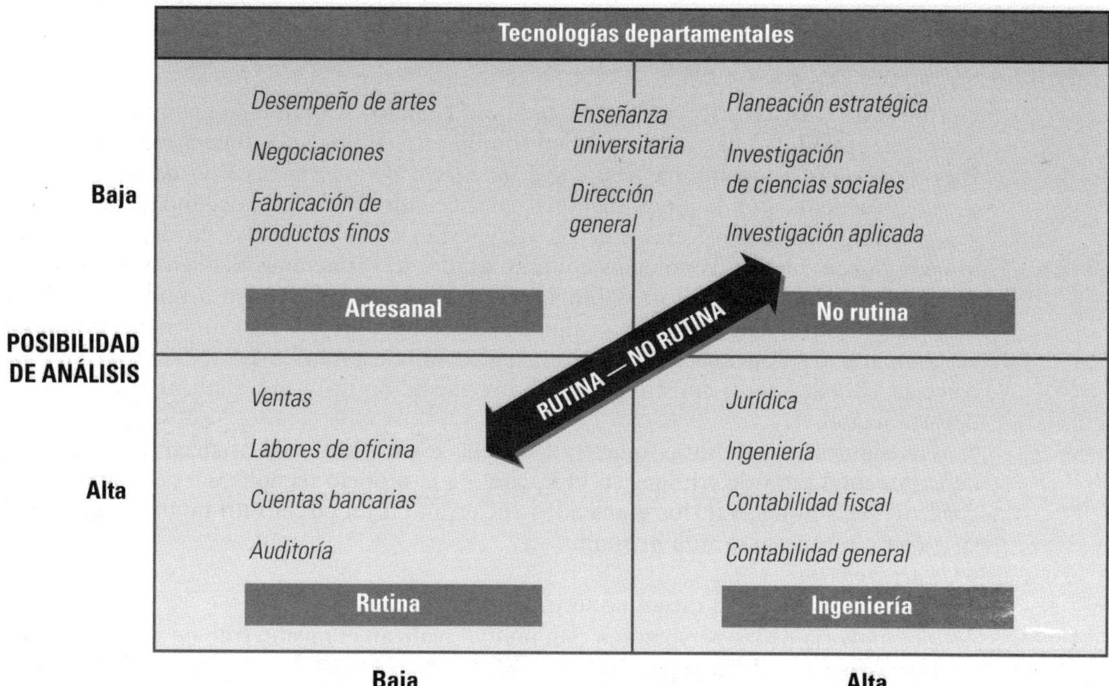

CUADRO 7.9
Modelo para tecnologías departamentales
Fuente: Adaptado con autorización de Richard Daft y Norman Macintosh, "A New Approach to Design and Use of Management Information", *California Management Review* 21 (1978), 82-92. Derechos reservados © 1978 por los regentes de la Universidad de California. Reimpreso con la autorización de los regentes.

Las **tecnologías de rutina** están caracterizadas por una variedad de tareas pequeñas y el uso de procedimientos computacionales objetivos. Las actividades están formalizadas y estandarizadas. Entre los ejemplos se encuentran la línea de montaje automotriz y un departamento de cajeros bancarios.

Las **tecnologías artesanales** están caracterizadas por una corriente muy estable de actividades, pero el proceso de conversión no se puede analizar o comprender en toda su magnitud. Las actividades requieren capacitación y experiencia amplias debido a que los empleados responden a factores intangibles con base en el conocimiento, intuición y experiencia. Aunque los avances en la tecnología de las máquinas parecen haber reducido el número de tecnologías artesanales en las organizaciones, éstas todavía son importantes. Por ejemplo, los ingenieros de los hornos de acero continúan con la mezcla del acero según su intuición y experiencia, los fabricantes de patrones para compañías de ropa convierten los toscos bosquejos de los diseñadores en prendas de vestir muy cotizadas, y los equipos de escritores para series televisivas como *Everwood* y *OC* convierten las ideas en guiones y tramas.

Las **tecnologías de ingeniería** tienden a ser complejas debido a que hay una variedad sustancial en las tareas desempeñadas. Sin embargo, las diferentes actividades por lo general se manejan según fórmulas establecidas, procedimientos y técnicas. Con frecuencia se recurre a un órgano bien desarrollado de conocimiento para manejar estos problemas. Las tareas de ingeniería y de contabilidad por lo general caen dentro de esta categoría.

Las **tecnologías de no rutina** tienen una variedad muy alta de tareas, y no es posible analizar o entender completamente su proceso de conversión. En la tecnología no rutinaria, una gran cantidad de esfuerzos se dedican a analizar problemas y actividades. Por lo general, se pueden encontrar varias opciones igualmente aceptables. El conocimiento técnico y la experiencia se utilizan para resolver problemas y realizar el trabajo. La investigación básica, planeación estratégica y otras clases de trabajo que implican nuevos proyectos y problemas inesperados son no rutinarios. El florecimiento de la industria biotecnológica también representa una tecnología no rutinaria. Los avances en la comprensión del metabolismo y fisiología a nivel celular dependen de empleados altamente capacitados que utilizan su experiencia e intuición así como sus conocimientos científicos. Un científico que manipula los anillos químicos en una molécula de ADN ha sido comparado con un músico que ejecuta variaciones sobre un tema.[58]

La rutina en comparación con la no rutina. El cuadro 7.9 también ilustra que la variedad y susceptibilidad de análisis pueden combinarse en una sola dimensión tecnológica. Esta dimensión se denomina *tecnología de rutina comparada con la de no rutina*, y está representada por la línea diagonal en el cuadro 7.9. La posibilidad de análisis y la variedad de dimensiones muchas veces están correlacionadas en departamentos, lo que implica que las tecnologías con alto grado de variaciones tienden a ser bajas en posibilidad de análisis, y las tecnologías bajas en variedad tienden a poderse analizar bien. Los departamentos pueden evaluarse con respecto a una sola dimensión de rutina en comparación con una no rutinaria, que combine tanto la posibilidad de análisis como la variedad, esto constituye una breve medición útil para analizar la tecnología departamental.

Las siguientes preguntas muestran de qué forma se puede analizar la tecnología departamental para determinar su ubicación en el modelo tecnológico de Perrow en el cuadro 7.9.[59] En general, los empleados encierran en un círculo un número del uno al siete como respuesta a cada pregunta.

Variedad:

1. ¿En qué grado usted diría que su trabajo es rutinario?
2. ¿La mayoría de las personas en esta unidad realizan el mismo trabajo de igual forma la mayor parte del tiempo?
3. ¿Acaso los miembros de la unidad realizan actividades repetitivas cuando ejecutan sus labores?

Susceptibilidad de análisis:

1. ¿Hasta qué grado hay una forma claramente conocida para realizar los principales tipos de trabajo con los que por lo general usted se encuentra?
2. ¿Hasta qué grado existe una secuencia comprensible de pasos que se puedan servir para realizar su trabajo?
3. Para hacer su trabajo, ¿hasta qué grado en realidad usted depende de procedimientos y prácticas establecidas?

Si las respuestas a las preguntas anteriores indican altas calificaciones para la susceptibilidad de análisis y bajas para la variedad, el departamento tendrá una tecnología rutinaria. Si sucede lo contrario, la tecnología será no rutinaria. La baja variedad y la baja susceptibilidad de análisis indican una tecnología artesanal, una variedad alta y alta susceptibilidad de análisis indican una tecnología de ingeniería. Como cuestión práctica, la mayoría de los departamentos encajan en algún lado a lo largo de la diagonal y pueden caracterizarse con mayor facilidad como rutinarios o no rutinarios.

El diseño departamental

Una vez que se ha identificado la naturaleza de la tecnología departamental, se puede determinar la estructura apropiada. La tecnología departamental tiende a asociarse con un conjunto de características, como empleados muy capacitados, formalización y patrón de comunicación. En la relación entre la tecnología de unidad de trabajo y las características estructurales existen patrones definidos, los cuales están asociados con el desempeño departamental.[60] Las relaciones clave entre tecnología y otras dimensiones y departamentos se analizan en esta sección y se resumen en el cuadro 7.10.

La estructura general de los departamentos puede clasificarse como orgánica o mecanicista. Las tecnologías rutinarias están asociadas a una estructura y proceso mecanicista, con reglas formales y procesos gerenciales rígidos. Las tecnologías no rutinarias están asociadas con una estructura orgánica, y la gerencia del departamento es más flexible y fluida. El diseño específico de las características de formalización, centraliza-

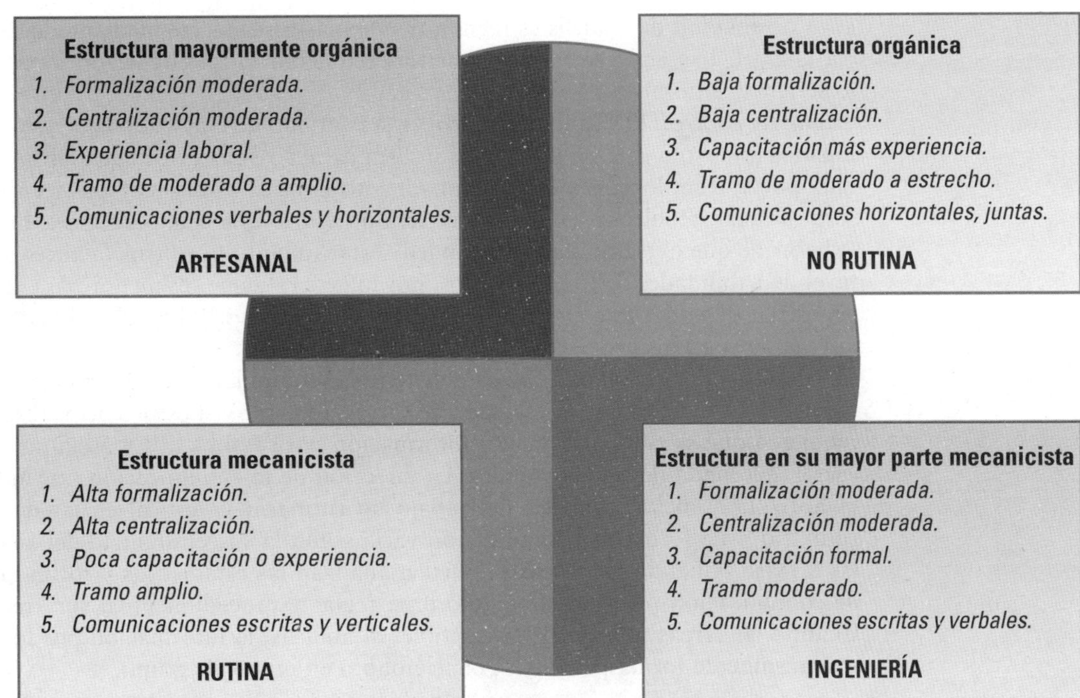

CUADRO 7.10
Relación de la tecnología departamental con las características estructurales y administrativas

ción, nivel de habilidades del empleado, tramo de control, comunicación y coordinación varían según la tecnología de la unidad de trabajo.

1. *Formalización.* La tecnología de rutina está caracterizada por la estandarización y división de la mano de obra en pequeñas tareas que están regidas por reglas y procedimientos formales. Para las tareas no rutinarias, la estructura es menos formal y menos estandarizada. Cuando la variedad es alta, como en un departamento de investigación, algunas actividades son suplidas por procedimientos formales.[61]
2. *Descentralización.* En la tecnología de rutina, la mayor parte de la toma de decisiones sobre las actividades de tareas está centralizada en la administración.[62] En las tecnologías de ingeniería, los empleados con capacitación técnica tienden a adquirir una autoridad de decisión moderada debido a que el conocimiento técnico es importante para la realización de las tareas. Los empleados de producción que tienen gran experiencia obtienen una autoridad de decisión en las tecnologías artesanales debido a que saben cómo responder a los problemas. La descentralización hacia los empleados es mayor en los escenarios no rutinarios, donde muchas decisiones las toman los mismos empleados.
3. *Nivel de habilidad del trabajador.* El personal en la tecnología de rutina por lo general requiere poca educación o experiencia, lo cual es pertinente para las actividades de trabajo repetitivo. En las unidades de trabajo con mayor variedad, el personal está más capacitado y muchas veces ha adquirido una capacitación formal en universidades o escuelas técnicas. La capacitación para actividades artesanales,

Portafolios

Como gerente de una organización, tenga en mente estos lineamientos:

Utilice las dos dimensiones de variedad y susceptibilidad de análisis para descubrir si el trabajo en un departamento es rutinario o no lo es. Si el trabajo en un departamento es rutinario, utilice una estructura y proceso mecanicista. Si el trabajo en un departamento es no rutinario, utilice un proceso de administración orgánico.

cuya posibilidad de análisis es menor, tiende más a realizarse mediante la experiencia laboral. Las actividades no rutinarias requieren tanto educación formal como experiencia laboral.[63]

4. *Tramo de control.* El tramo de control es la cantidad de empleados que están subordinados a un solo gerente o supervisor. Esta característica por lo general se ve afectada por la tecnología departamental. Cuanto la tarea es más compleja y rutinaria, surgirán más problemas en los cuales será necesario que el supervisor se involucre. A pesar de que el tramo de control puede estar influido por otros factores, como el nivel de habilidades de los empleados, por lo general debe ser menor para las tareas complejas debido a que en estas actividades el supervisor y los subordinados deben interactuar con frecuencia.[64]
5. *Comunicación y coordinación.* La actividad de comunicación y la frecuencia se incrementan a medida que la variedad de tareas aumenta.[65] Los problemas frecuentes requieren que se comparta mayor información para resolverlos y asegurar la realización adecuada de las actividades. La dirección de la comunicación por lo general es horizontal en las unidades de trabajo no rutinario y vertical en las de trabajo rutinario.[66] La forma de comunicación varía según la susceptibilidad del análisis de las tareas.[67] Cuando las tareas se pueden analizar, las estadísticas y formas escritas de comunicación (memorandos, informes, reglas y procedimientos) son frecuentes. Cuando las tareas son menos susceptibles al análisis, la información por lo general se transmite de forma personal, por teléfono o en juntas de grupo.

Hay dos puntos importantes reflejados en el cuadro 7.10. En primer lugar, los departamentos difieren entre sí y pueden clasificarse de acuerdo con su tecnología de flujo de trabajo.[68] En segundo lugar, los procesos estructurales y de gerencia difieren con base en la tecnología departamental. Los gerentes deben diseñar sus departamentos de manera que se puedan cumplir los requerimientos basados en la tecnología. Los problemas de diseño son más visibles cuando el desarrollo del mismo claramente incongruente con la tecnología. Algunos estudios han encontrado que cuando la estructura y las características de comunicación no reflejan la tecnología, los departamentos tienden a ser menos efectivos.[69] Los empleados no se podrían comunicar con la frecuencia necesaria para resolver los problemas. Considere cómo las características de diseño laboral y la unidad de alumbramiento del Parkland Memorial Hospital contribuyeron a convertirlo en un departamento de funcionamiento impecable.

En la práctica

Parkland Memorial Hospital

El Parkland Memorial Hospital en Dallas, Texas, trajo 16 597 bebés al mundo en 2001; más que cualquier otro hospital en Estados Unidos, 40 o 50 bebés al día. Las tasas de mortalidad neonatal o alumbramientos de niños muertos en el hospital son menores que el promedio nacional, a pesar del hecho de que el 95% de las mujeres que entran en la unidad de trabajo de parto y alumbramiento son indigentes y muchas tienen problemas de alcohol o drogadicción. Como hospital de condado, Parkland atiende a todos; desde pacientes privados hasta inmigrantes ilegales, se las arregla para ofrecer atención de alta calidad con muy pocos recursos. "No tenemos habitaciones de alumbramiento decoradas, pisos de madera dura ni papel tapiz bonito", afirma la enfermera titulada, Reina Duerinckx. "Pero tenemos lo importante". Parte de lo importante que ha ayudado a Parkland a lograr tales resultados fenomenales con poco personal y dinero es el diseño de la unidad de trabajo de parto y alumbramiento. A pesar de que esta unidad opera dentro de un conjunto de protocolos con todo cuidado codificados concernientes al servicio médico, las reglas están aplicadas de una forma relajada, informal y flexible. La estructura da a las personas un sentido de orden entre el caos; pero la flexibilidad y el trabajo en equipo de profesionales altamente capacitados en trabajo de parto y alumbramiento traducen las reglas en una acción adecuada. La toma de decisiones es centralizada, de manera que los empleados pueden responder a iniciativa propia con base en los problemas que surgen. "Los protocolos no son recetas", afirma Miriam Sibley, vicepresidente de los servicios para niños y mujeres de Parkland. "Nos dan una forma de organizar la tremenda cantidad de trabajo."

Otro mecanismo para mantener un sentido de orden es la jerarquía que define con precisión las tareas y la autoridad en cada nivel. Este orden asegura que cada paciente sea atendido por la persona mejor calificada en cada etapa del servicio. Sin embargo, la unidad de trabajo de parto y alumbramiento tiene un sentido igualitario. No es raro ver a un doctor trapeando una sala de parto para alistarse y recibir a la siguiente madre. Cuando hay cambio de turno a las 7 A.M., se explica brevemente lo sucedido al personal entrante. La gente se llama entre sí por sus nombres de pila y todo el mundo viste con batas azules y comparte los mismos vestidores. A pesar de que los gerentes de Parkland creen que es importante tener funciones definidas, ha quedado claro que no debe haber fronteras. La comunicación es frecuente, personalizada y fluye hacia todas direcciones. Así tiene que ser cuando hasta 14 bebés nacen cada hora y la siguiente crisis puede estar a la vuelta de la esquina.[70]

Interdependencia de flujo de trabajo entre departamentos

Hasta aquí, este capítulo ha explorado la forma en que las tecnologías departamentales y organizacionales influyen en el diseño estructural. La última característica que repercute en la estructura se denomina interdependencia. La **interdependencia** implica el grado al cual los departamentos dependen unos de otros para la adquisición de recursos o materiales a fin de cumplir con sus tareas. La baja interdependencia significa que los departamentos pueden realizar su trabajo de manera independiente y tener poca necesidad de interacción, consulta e intercambio de materiales. La alta interdependencia significa que los departamentos deben intercambiar constantemente recursos.

Tipos

James Thompson definió tres tipos de interdependencia que afectan la estructura organizacional.[71] Estas interdependencias se ilustran en el cuadro 7.11 y se analizan en las siguientes secciones.

Compartida. La **interdependencia compartida** es la forma más baja de interdependencia entre los departamentos. En este tipo el trabajo no fluye entre las unidades. Cada departamento forma parte de la organización y contribuye al bien común de ésta, pero trabaja de manera independiente. Los restaurantes Subway o las sucursales bancarias son ejemplos de interdependencia compartida. Una tienda en Chicago no necesita interactuar con una tienda urbana. La interdependencia compartida puede estar asociada con las relaciones dentro de una *estructura divisional*, definida en el capítulo 3. Las divisiones o sucursales comparten recursos financieros de un fondo común, y el éxito de cada división contribuye al de la organización en general.

Thompson propuso que la interdependencia compartida existiría en empresas con lo que él denominó tecnología de mediación. Una **tecnología de mediación** ofrece productos o servicios que median o vinculan a clientes del entorno externo y, al hacerlo, permite a cada departamento trabajar de manera independiente. Los bancos, las casas de bolsa y las oficinas de bienes raíces son mediadoras entre compradores y vendedores, pero las oficinas trabajan de manera independiente dentro de la organización.

Las implicaciones gerenciales asociadas a la interdependencia compartida son muy simples. Thompson argumenta que los directores deben utilizar reglas y procedimientos a fin de estandarizar actividades entre departamentos. Cada departamento debe utilizar los mismos procedimientos y estados financieros de manera que los resultados de todos los departamentos puedan ser medidos y puestos en un fondo común. Se requiere una coordinación cotidiana mínima entre las unidades.

CUADRO 7.11
Clasificación de Thompson de la interdependencia y las implicaciones administrativas

Forma de interdependencia	Demandas en la comunicación horizontal, toma de decisiones	Tipo de coordinación requerida	Prioridad para acercar a las unidades entre sí
Compartida (banco) Clientes	Baja comunicación	Estandarización, reglas, procedimientos Estructura divisional	Baja
Secuencial (línea de montaje Cliente	Comunicación media	Planes, programas, retroalimentación Fuerza de tarea	Media
Recíproca (hospital) Cliente	Comunicación alta	Ajuste mutuo, juntas interdepartamentales, trabajo en equipo Estructura horizontal	Alta

Portafolios

Como gerente de una organización, tenga en mente estos lineamientos:

Evalúe la interdependencia entre los departamentos organizacionales. Utilice la regla general de que, a medida que las interdependencias aumentan, los mecanismos para la coordinación también deben crecer. Considere la estructura divisional para la interdependencia compartida. Para la interdependencia secuencial, utilice una fuerza de tarea o integradores para una coordinación horizontal mayor. A un nivel más alto de interdependencia (la interdependencia recíproca), lo más apropiado podría ser una estructura horizontal.

Secuencial. Cuando la interdependencia es de forma serial, con partes producidas en un departamento que se convierten en entradas de otro departamento, se denomina **interdependencia secuencial**. El primer departamento debe llevar a cabo sus actividades de manera correcta a fin de que el segundo departamento se desempeñe de manera adecuada. Éste se trata de un nivel alto de interdependencia en comparación con la interdependencia compartida, debido a que los departamentos intercambian recursos y dependen entre sí para desempeñarse bien. La interdependencia secuencial crea una necesidad mayor de mecanismos horizontales como integradores o fuerza de tarea.

La interdependencia secuencial ocurre en lo que Thompson llamó **tecnología de vinculación larga**, lo cual se refiere a "la combinación de etapas sucesivas de producción en una organización; cada etapa de producción utiliza como sus entradas de producción las salidas de la etapa anterior y produce entradas para la etapa siguiente".[72] Un ejemplo de interdependencia secuencial se resume en la industria de fabricación de barcos. Hasta hace poco, los diseñadores de barcos elaboraban sus patrones en moldes de papel y madera laminada, los cuales eran transferidos a la ensambladora. Sin embargo, los errores en las medidas de las mezclas de patrones, con frecuencia ocasionaban fallas en el corte y en el proceso de ensamble, lo que redundaba en demoras y costos mayores. El arquitecto naval Filippo Cali creó un software complejo que sirve como puente entre el diseño y el ensamble. El software suprime la necesidad de los moldes de madera laminada y papel ya que pone la parte crítica del proceso de diseño dentro de un programa de cómputo.[73] Otro ejemplo de interdependencia secuencial sería una línea de montaje automotriz, en la cual deben tener a su alcance todas las partes que se necesitan, como los motores, los mecanismos de dirección y las llantas, para mantener la producción en marcha.

Los requerimientos administrativos para la interdependencia secuencial son más demandantes que los de la interdependencia compartida. Es necesaria la coordinación entre las plantas o departamentos vinculados. Dado que la interdependencia implica el flujo de una sola vía de materiales en general es necesaria una extensa planeación y programación. El departamento B necesita saber qué esperar del departamento A de manera que ambos puedan desempeñarse de manera efectiva. También es necesaria una poca de comunicación cotidiana entre las plantas o departamentos para manejar problemas inesperados y las salvedades que surjan.

Recíproca. El nivel más alto de interdependencia se denomina **interdependencia recíproca.** Ésta tiene lugar cuando la salida de la operación A es la entrada de la operación B, y la salida de la operación B nuevamente se convierte en la entrada de la operación A. Las salidas de los departamentos influyen a esos mismos departamentos de una forma recíproca.

La interdependencia recíproca tiende a ocurrir en organizaciones con lo que Thompson llamó **tecnologías intensivas**, las cuales proporcionan a un cliente una variedad de productos o servicios combinados. Los hospitales son un excelente ejemplo debido a que proporcionan servicios coordinados a los pacientes. Un paciente puede moverse hacia atrás y hacia adelante entre la terapia física, rayos X y cirugía, según sea necesario para curarse. Una empresa que desarrolla nuevos productos es otro ejemplo. Es necesaria la coordinación intensa entre el diseño, la ingeniería, la manufactura y el marketing para combinar todos sus recursos a fin de adaptarse a la necesidad de producto que tiene un cliente.

Los requerimientos administrativos son mayores en el caso de la interdependencia recíproca. Debido a que la interdependencia recíproca requiere que los departamentos trabajen en conjunto y coordinados íntima y estrechamente, la estructura horizontal puede ser la adecuada. La estructura debe permitir una comunicación horizontal frecuente y una adaptación como la de Parkland Memorial Hospital. Se requiere una planeación a conciencia, sin embargo, los planes no anticiparán o resolverán todos los problemas. La interacción cotidiana y el ajuste mutuo entre los departamentos son imprescindibles. Los gerentes de varios departamentos están implicados conjuntamente en la coordinación personalizada, en el trabajo en equipo y en la toma de decisiones. La interdependencia recíproca es la más compleja de las interdependencias que las organizaciones pueden manejar.

Prioridad estructural

Como se mostró en el cuadro 7.11, debido a que los problemas de toma de decisiones, comunicación y coordinación son mayores para la interdependencia recíproca, ésta debe recibir la prioridad en la estructura de una organización. El desarrollo de nuevos productos es un área de interdependencia recíproca que está recibiendo una atención creciente por parte de los directores a medida que las compañías enfrentan una presión cada vez más fuerte para hacer llegar nuevos productos al mercado con mayor rapidez. Muchas empresas están rediseñando la relación diseño-manufactura mediante la estrecha integración de tecnologías CAD y CAM analizadas con anterioridad en este capítulo.[74] Las actividades que son recíprocamente interdependientes deben agruparse de manera cercana en la organización a fin que los gerentes tengan un fácil acceso entre sí para un ajuste mutuo. Estas unidades deben estar subordinadas a una misma persona, lo cual estará indicado en el organigrama y deben estar cerca desde el punto de vista físico, de manera que el tiempo y el esfuerzo para la coordinación se pueda minimizar. Una estructura horizontal, con conjuntos vinculados de equipos que trabajan en el proceso central, pueden proporcionar la coordinación estrecha necesaria para apoyar la interdependencia recíproca. La mala coordinación redundará en un desempeño deficiente para la organización. Si las unidades recíprocamente interdependientes no son cercanas entre sí, la organización debe diseñar mecanismos para la coordinación, como juntas diarias entre departamentos o una intranet para facilitar la comunicación. La siguiente prioridad se da a la interdependencia secuencial y por último a las interdependencias compartidas.

CUADRO 7.12
Principales medios para lograr la coordinación entre diferentes niveles de interdependencia de tareas en una empresa de manufactura
Fuente: Adaptado de Andrew H. Van de Ven, Andre Delbecq y Richard Koenig, "Determinants of Communication Modes within Organizations", *American Sociological Review* 41 (1976), 330.

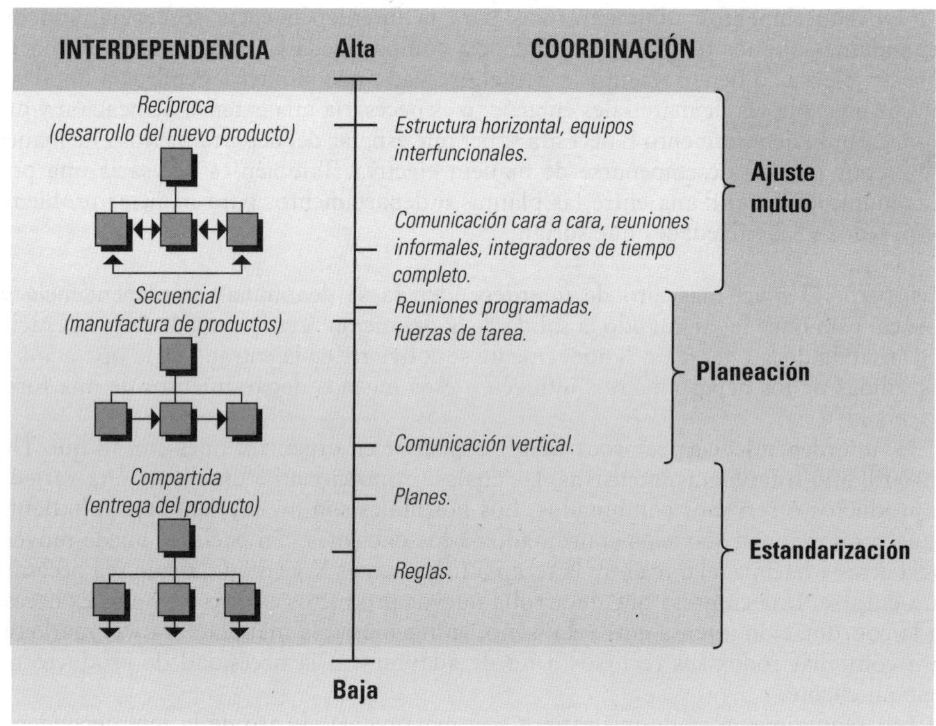

Esta estrategia de organización acorta los canales de comunicación donde la coordinación es más crítica para el éxito organizacional. Por ejemplo, Boise Cascade Corporation estaba ofreciendo un servicio deficiente a los clientes debido a que los representantes de servicio al cliente ubicados en la ciudad de Nueva York no estaban coordinados con los planeadores de producción en las plantas de Oregon, por lo que los clientes no podían recibir lo que necesitaban. Boise fue reorganizada, y se consolidaron dos grupos bajo un mismo techo, a las órdenes del mismo supervisor y de las oficinas centrales de división. Ahora las necesidades del cliente se satisfacen debido a que los encargados de servicio al cliente trabajan con la planeación de producción para programar los pedidos de los clientes.

Implicaciones estructurales

La mayoría de las organizaciones experimenta diferentes niveles de interdependencia, y la estructura se puede diseñar con el fin de adecuarse a estas necesidades, como lo ilustra el cuadro 7.12.[75] En una empresa de manufactura, el desarrollo de nuevos productos comparte una interdependencia recíproca entre el departamento de diseño, ingeniería, compra, manufactura y departamento de ventas. Quizá se podría utilizar una estructura horizontal o equipos transfuncionales para manejar el flujo de información y de recursos de dos vías. Una vez que el producto se diseña, su manufactura real sería una interdependencia secuencial, con un flujo de bienes de un departamento a otro, como entre las compras, inventario, control de producción, manufactura y ensamble. Los pedidos reales y entrega de productos conforman una interdependencia compartida, con almacenes que trabajan de manera independiente. Los consumidores pueden hacer un pedido a la instalación más cercana, lo cual no requerirá que los almacenes estén coordinados, excepto en casos excepcionales como una interrupción en el flujo de existencias.

Los tres niveles de interdependencia se le ilustran mediante un estudio de los equipos deportivos que examina la interdependencia entre los jugadores y cómo ésta repercute en otros aspectos de los equipos de béisbol, fútbol americano y basquetbol.

En la práctica

Equipos deportivos

Una diferencia distintiva entre el béisbol, fútbol americano y basquetbol es la interdependencia entre los jugadores. El béisbol tiene una baja interdependencia, el fútbol americano una media y el basquetbol representa la interdependencia más alta entre los jugadores. Las relaciones entre interdependencia y otras características del juego en equipo están ilustradas en el cuadro 7.13.

Pete Rose afirma, "El béisbol es un juego en equipo, pero nueve hombres que alcanzan sus metas individuales conforman un buen equipo". En el béisbol, la interdependencia entre los jugadores del equipo es baja y puede definirse como compartida. Cada miembro juega de manera independiente, toma un turno al bat y juega según su propia posición. Cuando la interacción ocurre, ésta se presenta entre dos o tres jugadores, como en una jugada doble. Los jugadores están físicamente dispersos, y las reglas del juego son los medios principales de coordinación entre ellos. Los jugadores practican y desarrollan sus habilidades individuales, como la práctica del bateo y el acondicionamiento físico. El trabajo del administrador es elegir buenos jugadores. Si cada jugador es exitoso como individuo, el equipo debe ganar.

CUADRO 7.13
Relaciones entre interdependencia y otras características del juego en equipo

	Béisbol	Fútbol	Basquetbol
Interdependencia	Compartida	Secuencial	Recíproca
Dispersión física de los jugadores	Alta	Media	Baja
Coordinación	Reglas que rigen el deporte	Plan de juego y funciones según la posición	Ajuste mutuo y responsabilidad compartida
Trabajo clave de la administración	Seleccionar jugadores y desarrollar sus capacidades	Preparar y ejecutar el juego	Influir en el flujo del juego

Fuente: Basado en William Pasmore, Carol E. Francis y Jeffrey Haldeman, "Sociotechnical Systems: A North American Reflection on the Empirical Studies of the 70s", *Human Relations* 35 (1982), 1179-1204.

En el fútbol americano, la interdependencia entre los jugadores es alta y tiende a ser secuencial. La línea primero bloquea a los oponentes para permitir que los de atrás corran o pasen. Las jugadas se realizan de manera secuencial, del primer down al cuarto. La dispersión física es media, lo cual permite a los jugadores operar como una unidad coordinada. El mecanismo primario para coordinar a los jugadores es desarrollar un plan de juego basado en reglas que gobiernen el comportamiento de los miembros del equipo. Cada jugador tiene una tarea que se adecua a las demás, y la administración diseña el plan de juego para lograr la victoria.

En el basquetbol, la interdependencia tiende a ser recíproca. El juego es de flujo libre, y la división del trabajo es menos precisa que en otros deportes. Cada jugador está implicado tanto en la ofensiva como en la defensiva, maneja el balón, e intenta anotar. El balón fluye hacia atrás y adelante entre los jugadores. Los miembros del equipo interactúan en un flujo dinámico para lograr la victoria. Las capacidades de administración implican la habilidad de influir en el proceso dinámico del juego, ya sea con el cambio de los jugadores o trabajar el balón en ciertas áreas. Los jugadores deben aprender a adaptarse al flujo del juego y entre sí a medida que los eventos se desarrollan.

La interdependencia entre los jugadores es el factor primario para explicar la diferencia entre los tres deportes. El béisbol está organizado en torno a un individuo autónomo, el fútbol alrededor de grupos que son interdependientes de manera secuencial, y el basquetbol alrededor de un flujo libre de jugadores recíprocos.[76]

Impacto de la tecnología en el diseño de puestos

Hasta ahora este capítulo ha descrito los modelos para analizar cómo la manufactura, el servicio y las tecnologías departamentales influyen en la estructura y los procesos de administración. La relación entre una nueva tecnología y la organización parecen seguir un patrón, el cual comienza con los efectos inmediatos sobre el contenido de los trabajos que se desempeñan (después de un periodo más largo) debido al impacto sobre el diseño organizacional.

La huella final de la tecnología sobre los empleados puede entenderse en parte gracias a los conceptos de diseño de puestos y sistemas sociotécnicos.

Diseño de puestos

El **diseño de puestos** comprende la asignación de metas y tareas a los trabajadores a fin de que éstos las alcancen. Los directivos pueden cambiar de manera consciente el diseño de puestos a fin de mejorar la productividad mediante la motivación del trabajador. Por ejemplo, cuando los trabajadores están implicados en el desempeño de tareas aburridas y repetitivas, quizá los ejecutivos deban implementar una **rotación de puestos**, lo cual significa cambiar a los empleados de una actividad a otra para darles una mayor variedad de tareas. Sin embargo, quizá los directivos influyan de forma inconsciente en el diseño de puestos mediante la introducción de nuevas tecnologías, lo cual cambia la manera en que se realizan los trabajos y la naturaleza de los mismos.[77] Los jefes deben entender cómo la introducción de las nuevas tecnologías puede afectar el trabajo de los empleados. El tema común de las nuevas tecnologías en el área de trabajo es que de alguna forma éstas sustituyen la mano de obra para transformar las entradas en salidas. Los cajeros automáticos han reemplazado a miles de cajeros humanos, por ejemplo. IBM incluso construyó una planta en Austin, Texas, que puede producir computadoras portátiles sin la ayuda de un solo trabajador.[78]

Como gerente de una organización, tenga en mente estos lineamientos:

Tenga cuidado que la introducción de una nueva tecnología tiene un impacto significativo en el diseño de puestos. Considere el uso del enfoque de sistemas sociotécnicos para equilibrar las necesidades de los trabajadores con los requerimientos del nuevo sistema sociotécnico.

Además de que en realidad reemplaza a los seres humanos, la tecnología puede tener múltiples efectos sobre los trabajos humanos que subsisten. La investigación ha indicado que las tecnologías de producción en masa tienden a producir una **simplificación del puesto,** lo cual significa que la variedad y dificultad de las tareas desempeñadas por una sola persona se reducen, por lo que las actividades se vuelven repetitivas y aburridas para el empleado, que tarde o temprano estará insatisfecho. Por otro lado, la tecnología más avanzada, tiende a causar **enriquecimiento del puesto,** lo cual significa que el trabajo proporciona responsabilidad, reconocimiento y oportunidades mayores para el crecimiento y el desarrollo. Este tipo de tecnologías crean una necesidad más grande de capacitación y educación laboral debido a que el personal necesita un nivel de habilidades más alto y una mayor competencia para dominar sus tareas. Por ejemplo, los cajeros automáticos llevan a cabo la mayor parte de las tareas rutinarias (depósitos y retiros) antes realizadas por los cajeros bancarios humanos y se les han dejado a ellos las actividades más complejas que requieren niveles más altos de aprendizaje. Los estudios de manufactura flexible han encontrado que esto produce tres resultados evidentes para los empleados: Más oportunidades de dominio intelectual y de mejorar sus conocimientos; más responsabilidad laboral por los resultados, y mayor interdependencia entre los mismos, lo que permite una mayor interacción social, el desarrollo de equipos de trabajo y habilidades de coordinación.[79] La tecnología de manufactura flexible puede también contribuir a la **ampliación del puesto,** la cual es una expansión de la cantidad de tareas diferentes que un empleado desempeña. Con nueva tecnología disminuye la mano de obra, y cada empleado tiene que ser capaz de realizar un mayor número y variedad de tareas.

Con la tecnología avanzada, los trabajadores deben adquirir con frecuencia nuevos conocimientos debido a que los cambios tecnológicos también son rápidos. Los avances en la *tecnología de la información,* que se analizarán con mayor detalle en el siguiente capítulo, están teniendo un efecto importante sobre los trabajos en la industria de servicios, lo que incluye los consultorios y las clínicas médicas, los despachos de abogados,

CUADRO 7.14
Modelo de sistemas sociotécnico
Fuentes: Basado en T. Cummings, "Self-Regulating Work Groups: A Socio-Technical Synthesis", *Academy of Management Review* 3 (1978), 625-634; Don Hellriegel, John W. Slocum, y Richard W. Woodman, *Organizational Behavior*, 8a. ed. (Cincinnati, Ohio: South-Western, 1998), 492; y Gregory B. Northcraft y Margaret A. Neale, *Organizational Behavior: A Management Challenge*, 2a. ed. (Fort Worth, Tex: The Dryden Press, 1994), 551.

planeadores financieros y librerías. Los trabajadores pueden encontrar que sus puestos cambian casi a diario debido a los nuevos programas de software, al uso creciente de Internet y otros avances en la tecnología de la información.

La tecnología avanzada no siempre tiene un efecto positivo en los empleados, pero, en general, la investigación ha encontrado que los resultados son alentadores, e implican que las actividades para los trabajadores están siendo enriquecidas y no simplificadas, que demandan sus capacidades mentales más altas, que les ofrecen oportunidades para aprender y crecer, y que les proporcionan una mayor satisfacción.

Sistemas sociotécnicos

El **enfoque de los sistemas sociotécnicos** reconoce la interacción de las necesidades técnicas y humanas para el diseño de puestos efectivo, mientras se combinan las necesidades de las personas con la demanda organizacional de eficiencia técnica. El término *socio* de este enfoque se refiere a la persona y a los grupos que actúan en las organizaciones y la forma en que el trabajo está organizado y coordinado. El vocablo *técnico* se refiere a los materiales, herramientas, máquinas y procesos utilizados para transformar las entradas en las salidas organizacionales.

El cuadro 7.14 ilustra los tres componentes primarios del modelo de sistema sociotécnico.[80] El *sistema social* incluye todos los elementos humanos —tales como los comportamientos individual y en equipo, la cultura organizacional, las prácticas administrativas y el grado de apertura de la comunicación— que influye en el desempeño del trabajo. El *sistema técnico* se refiere al tipo de tecnología de producción, el nivel de interdependencia, la complejidad de las tareas, etcétera. La meta del enfoque de los sistemas sociotécnicos es diseñar la organización para una **optimización conjunta**, lo cual significa que una organización trabaja mejor sólo cuando los sistemas sociales y técnicos están diseñados para ajustarse a sus necesidades mutuas. El diseño organizacional para satisfacer las necesidades humanas mientras se ignoran los sistemas técnicos, o cambiar la tecnología para mejorar la eficiencia mientras se ignoran las necesidades humanas, puede, aunque de manera inadvertida, ocasionar problemas en el desempeño. El enfoque de los sistemas sociotécnicos intenta encontrar un balance entre lo que los trabajadores desean y necesitan del sistema de producción de la organización.[81]

Un ejemplo lo da el caso de un museo que instaló un sistema de circuito cerrado de televisión. En lugar de tener a varios guardias que patrullaran el museo y el área, un solo guardia puede encargarse de monitorear una televisión. Aunque la tecnología haya ahorrado dinero debido a que sólo se necesitaba un guardia por turno, esto comportó problemas inesperados de desempeño. Los guardias habían disfrutado con anterioridad de la interacción social que les proporcionaba la vigilancia del museo; monitorear un televisor de circuito cerrado produjo la alienación y el aburrimiento. Cuando una agencia federal realizó una prueba de 18 meses al sistema, sólo se había detectado el 5% de las numerosas incursiones encubiertas experimentales en el museo.[82] El sistema era inadecuado debido a que las necesidades humanas se pasaron por alto.

Los principios sociotécnicos han evolucionado a partir del trabajo del Tavistock Institute, una organización de investigación en Inglaterra, realizado durante las décadas de 1950 y 1960.[83] Desde entonces, se han presentado varios ejemplos de cambios organizacionales que han utilizado los principios de los sistemas sociotécnicos, como en General Motors, Volvo, Tennessee Valley Authority (TVA) y Procter & Gamble.[84] A pesar de que han habido fallas en muchas de estas aplicaciones, la optimización conjunta de cambios en la tecnología y en la estructura para satisfacer las necesidades de la gente así como la eficiencia mejoraron el desempeño, la seguridad, la calidad, el ausentismo y la rotación. En algunos casos, el diseño de puestos no fue el más eficiente según los principios técnicos y científicos, pero el compromiso del trabajador y la participación hicieron la gran diferencia. Así, una vez más la investigación muestra que las nuevas tecnologías no necesitan tener un impacto negativo sobre los trabajadores, debido a que la tecnología muchas veces requiere capacidades sociales y mentales de nivel más alto, y se puede organizar a fin de fomentar el compromiso y la participación de los empleados, lo cual es beneficioso tanto para el empleado como para la organización.

En el mundo contemporáneo de complejidad tecnológica creciente, el principio de los sistemas sociotécnicos acerca de que la gente debe ser vista como un recurso y al cual se le debe proporcionar las capacidades apropiadas, un trabajo significativo y recompensas adecuadas ha cobrado aún más importancia.[85] Un estudio de las fábricas de papel encontró que las organizaciones que confían demasiado en las máquinas y en las tecnologías y ponen poca atención a la administración adecuada de la gente, no logran las ventajas de productividad y flexibilidad. Las compañías más exitosas en la actualidad luchan por encontrar la mezcla adecuada de máquinas, sistemas de cómputo y gente, y la forma más efectiva de coordinar estos elementos.[86]

A pesar de que muchos principios de la teoría de los sistemas sociotécnicos son válidos, los académicos e investigadores actuales también demandan una expansión del enfoque para capturar la naturaleza dinámica de las organizaciones existentes, el entorno caótico y el cambio de puestos rutinarios a no rutinarios que ha comportado el avance de la tecnología.[87]

Resumen e interpretación

Este capítulo analizó diferentes modelos y los hallazgos de investigación claves en el tema de la tecnología organizacional. La importancia potencial de la tecnología como un factor en la estructura organizacional fue descubierta durante la década de 1960. Desde entonces, se ha emprendido una vertiginosa actividad investigadora para entender con más precisión la relación entre tecnología y otras características organizacionales.

Son cinco las ideas en la literatura tecnológica que sobresalen. La primera es el resultado de la investigación de Woodward sobre la tecnología de manufactura. Ella recurrió a organizaciones y recabó datos prácticos sobre características tecnológicas, estructura organizacional y sistemas administrativos. Encontró relaciones claras entre la tecnología y la estructura en las organizaciones con alto desempeño. Sus hallazgos son tan claros que los directores pueden analizar sus propias organizaciones según las mismas dimensiones de tecnología y estructura. Además, la tecnología y la estructura se pueden combinar con estrategia organizacional para satisfacer las necesidades cambiantes y proporcionar nuevas ventajas competitivas.

La segunda idea importante es que las tecnologías de servicio difieren de una manera sistemática con respecto a las tecnologías de manufactura. Las tecnologías de servicio están caracterizadas por resultados intangibles y la participación directa del cliente en el proceso de producción. Las empresas de servicio no cuentan con las tecnologías fijas basadas en máquinas que aparecen en las organizaciones de manufactura; de ahí que el diseño organizacional muchas veces difiera también.

La tercera idea importante es el modelo de Perrow aplicado a las tecnologías departamentales. Entender la variedad y la posibilidad de análisis de una tecnología arroja datos acerca del estilo directivo, estructura y procesos que deben caracterizar a tal departamento. Las tecnologías de rutina están caracterizadas por una estructura mecanicista y las tecnologías de no rutina por una estructura orgánica. Aplicar el sistema directivo incorrecto a un departamento redundará en insatisfacción y decremento en la eficiencia.

La cuarta idea importante es la interdependencia entre departamentos. El grado en que el departamento depende de otro en cuanto a materiales, información y otros recursos, determina la cantidad de coordinación requerida entre ambos. A medida que aumenta la interdependencia, así también las demandas de coordinación en la organización. El diseño organizacional debe permitir la cantidad correcta de comunicación y coordinación para manejar la interdependencia a través de los departamentos.

La quinta idea importante es que las organizaciones están adoptando nuevos sistemas de manufactura flexible los cuales tienen un impacto sobre el diseño organizacional. En su mayoría, el impacto es positivo, con la adopción de estructuras más orgánicas tanto en el taller como en la jerarquía de la organización. Estas tecnologías reemplazan los puestos rutinarios, ofrecen a los empleados una autonomía mayor, producen trabajos más desafiantes, fomentan el trabajo en equipo y permiten a la organización ser más flexible y sensitiva. Las nuevas tecnologías están enriqueciendo los trabajos hasta el punto en que las organizaciones son lugares más felices de trabajo.

A medida que los avances en la tecnología alteran la naturaleza de los trabajos y la interacción social en las compañías del mundo actual, cobran mayor importancia varios de los principios de la teoría de los sistemas sociotécnicos, la cual intenta diseñar los aspectos técnicos y humanos de una organización para combinarlos de forma adecuada.

Conceptos clave

ampliación del puesto
complejidad técnica
diseño de puestos
enfoque de los sistemas sociotécnicos
enriquecimiento del puesto
interdependencia
interdependencia compartida
interdependencia recíproca
interdependencia secuencial
manufactura esbelta
optimización conjunta
personalización masiva
posibilidad de análisis
producción de lotes grandes
producción de lotes pequeños
producción de proceso continuo
rotación de puestos
simplificación del puesto
sistemas de manufactura flexible
tecnología
tecnología artesanal
tecnología central
tecnología de ingeniería
tecnología de mediación
tecnologías de no rutina
tecnologías de rutina
tecnología de servicio
tecnología de vinculación larga
tecnologías intensivas
tecnología no central
variedad

Preguntas para análisis

1. ¿En dónde ubicaría al departamento de su universidad o colegio en el modelo tecnológico de Perrow? Tome en cuenta las características de variedad y susceptibilidad de análisis cuando haga su evaluación. ¿Un departamento dedicado por completo a la enseñanza estaría ubicado en un cuadrante diferente al de un departamento dedicado exclusivamente a la investigación?
2. Explique los niveles de interdependencia de Thompson. Identifique un ejemplo de cada nivel de interdependencia en el caso de la universidad o colegio. ¿Qué tipos de mecanismos de coordinación debe desarrollar una administración para manejar cada nivel de interdependencia?
3. Describa la clasificación de Woodward de las tecnologías organizacionales. Explique por qué cada uno de los tres grupos tecnológicos está relacionado de manera diferente con estructuras organizacionales y procesos de administración.
4. ¿Qué relaciones descubrió Woodward entre el tramo de control del supervisor y la complejidad tecnológica?
5. ¿En qué difiere la manufactura flexible y la manufactura esbelta de otras tecnologías de manufactura? ¿Por qué estos nuevos enfoques son necesarios en el entorno actual?
6. ¿Qué es una tecnología de servicio? ¿Es probable que los diferentes tipos de tecnologías de servicio se asocien a diferentes estructuras? Explique.
7. La personalización masiva de productos se ha convertido en un enfoque común en las organizaciones de manufactura. Analice las formas en que la personalización masiva puede aplicarse también a las empresas de servicio.
8. ¿En qué formas esenciales el diseño de las empresas de servicio difiere por lo general de las empresas de producto? ¿Por qué?
9. Un alto ejecutivo afirmó que la alta dirección es una tecnología artesanal debido a que el trabajo comprende intangibles, como el manejo de personal, la interpretación del entorno y hacer frente a situaciones poco usuales, los cuales se tienen que aprender a través de la experiencia. ¿Esto es cierto, es adecuado enseñar administración en una escuela de negocios? ¿Acaso enseñar la administración con un libro de texto supone que el trabajo del director es susceptible de análisis, y por lo tanto la capacitación formal es más importante que la experiencia?
10. ¿En qué cuadrante del modelo de Perrow se podría ubicar la tecnología de producción masiva? ¿Dónde se ubicarían las tecnologías de proceso continuo y de lote pequeño? ¿Por qué? ¿El modelo de Perrow lleva a la misma recomendación de Woodward acerca de las estructuras orgánicas en comparación con las estructuras mecánicas?
11. ¿Hasta qué grado el desarrollo de nuevas tecnologías simplifica y hace rutinarias las tareas de los empleados? ¿De qué manera una nueva tecnología produce una ampliación del puesto? Analice.
12. Describa el modelo de sistemas sociotécnicos. ¿Por qué algunos directivos se oponen al enfoque de los sistemas sociotécnicos?

Libro de trabajo del capítulo 7: Bistro Technology*

Analizará la tecnología utilizada en tres diferentes restaurantes: McDonald's, Subway y un típico restaurante familiar. Su instructor le indicará si realizará esta tarea en grupo o individualmente.

Deberá visitar los tres restaurantes e inferir cómo se realiza el trabajo, de acuerdo con los siguientes criterios. No está permitido entrevistar a ningún empleado, pero será un observador. Tome tantas notas como le sea posible cuando se encuentre allí.

*Libre adaptación de Dorothy Marcic de "Hamburger Techonology", en Douglas T. Hall *et al.*, *Experiences in Management and Organizational Behavior*, 2a. ed. (Nueva York: Wiley, 1982), 244-247, así como "Behavior, Technology and Work Design" en A. B. Shani y James B. Lay, *Behavior in Organizations* (Chicago: Irwin, 1996), M16-23 a M16-26.

	McDonald's	Subway	Restaurante familiar
Metas de la organización: Velocidad, servicio, atmósfera, etcétera.			
Estructura de autoridad			
Tipo de tecnología con base en el modelo de Woodward			
Estructura organizacional: ¿Mecanicista u orgánica?			
En equipo o individual: ¿La gente trabaja en conjunto o sola?			
Interdependencia: ¿Cómo dependen los empleados entre sí?			
Tareas: Rutinarias o no rutinarias			
Especialización de tareas por empleados			
Estandarización: ¿Qué tan variadas son las tareas y los productos?			
Experiencia requerida: Técnica o social			
Toma de decisiones: Centralizada o descentralizada			

Preguntas

1. ¿La tecnología utilizada es la mejor para cada restaurante, según sus metas y el entorno?
2. A partir de los datos anteriores, determine si la estructura y otras características se ajustan a la tecnología.
3. Si usted fuera parte de un equipo consultor asignado para mejorar las operaciones de cada organización, ¿qué recomendaciones haría?

Caso para el análisis: Departamento de acetatos*

El producto del departamento de acetatos consistía en un aproximado de 20 clases de acetato líquido viscoso utilizado por otro departamento para fabricar una película transparente que se deja aclarar o recubrir con una emulsión fotográfica u óxido de hierro.

Antes del cambio: El departamento se ubicaba en un edificio de cuatro pisos como se muestra en el cuadro 7.15. El flujo de trabajo era el siguiente:

1. Cuatro clases de polvo llegaban diario en bolsas de papel de 50 libras. Además, dos camiones tanque debían llenar cada semana los recipientes de almacenamiento de líquido.
2. Dos o tres ayudantes de acetatos descargaban en equipo las camillas de bolsas y las introducían al área de almacén mediante un camión de carga.
3. Varias veces durante la duración de un turno, los ayudantes introducían el material empacado en bolsas en el elevador al tercer piso, donde temporalmente sería almacenado a lo largo de las paredes.
4. La mezcla de esos lotes, que era como cocinar un pastel, se realizaba bajo la dirección de un jefe de grupo. El líder del grupo, los mezcladores y los ayudantes operaban las válvulas, según una forma preestablecida, para alimentar el solvente apropiado y colocar en forma manual el peso y la mezcla adecuada del material sólido. Éste se mezclaba por aspas gigantes y se calentaba de acuerdo con la receta.
5. Cuando el lote estaba completo, se depositaba en un tanque de almacenamiento de producto final.
6. Después de haber completado cada lote, la cuadrilla limpiaba el área de trabajo de polvo y de bolsas vacías, ya que la limpieza era de extrema importancia para el producto final.

Para llevar a cabo este trabajo, el departamento estaba estructurado como lo muestra el cuadro 7.16.

Por lo general, los ayudantes eran hombres jóvenes entre 18 y 25 años de edad; los mezcladores, entre 25 y 40; y el líder de los grupos y los capataces, de 40 a 60. Los capataces tenían un salario; los líderes de grupo, mezcladores y ayudantes recibían un pago por hora.

Para producir 20 millones de libras de producto al año, el departamento operaba 24 horas al día, siete días a la semana. Había cuatro cuadrillas que cambiaban de turno: Por ejemplo, el capataz A, sus dos líderes de grupo y las cuadrillas trabajarían dos semanas en el turno de la mañana (8:00 A.M. a 4:00 P.M.), después dos semanas en el turno de la tarde (4:00 a medianoche), después dos semanas en el turno de la noche (de la medianoche a las 8:00 A.M.). Había dos días de descanso entre los cambios de turno.

*De "Redesigning the Acetate Department", por David L. Hampton, Charles E. Summer y Ross A. Webber, *Organizational Behavior and the Practice of Management* (Glenview, Ill.: Scott Foresman and Co., 1982), 751-755. Usado con autorización.

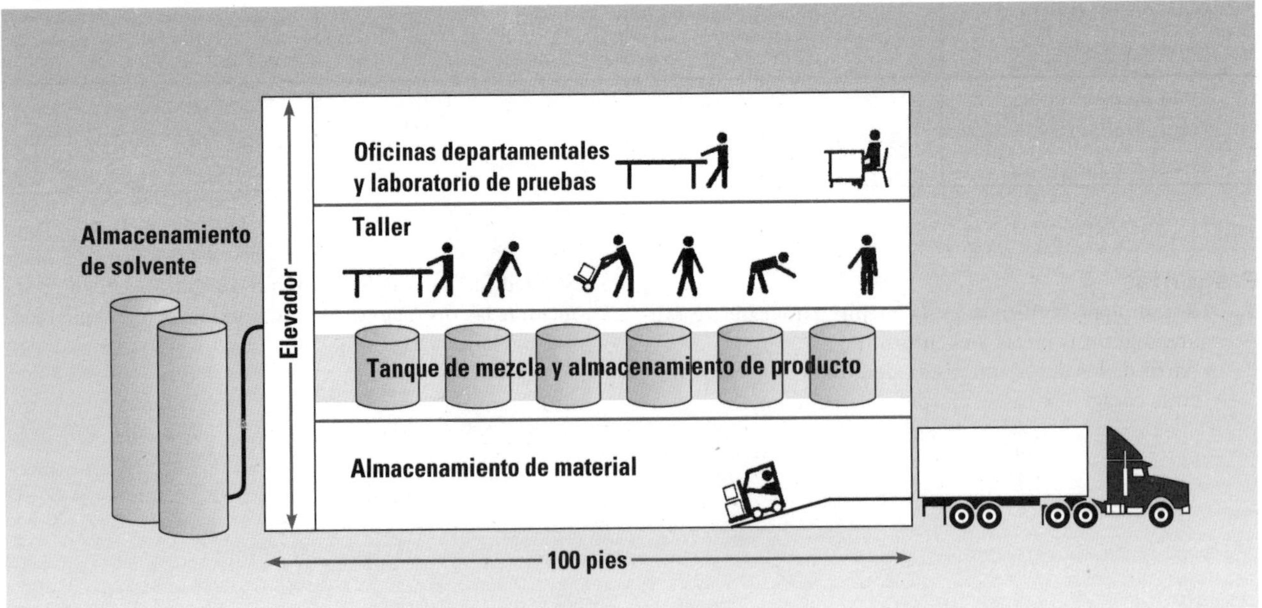

CUADRO 7.15
Vista aérea del Departamento de acetatos antes del cambio

CUADRO 7.16
Organigrama del Departamento de acetatos antes del cambio

Durante un cambio típico de turno, un líder de grupo y su equipo podían completar de dos a tres lotes. Con frecuencia, un lote comenzaba en un turno y era completado por el personal del siguiente turno. Había un poco menos trabajo en los turnos de la tarde debido a que no había entregas, pero el personal se encargaba un poco más de la limpieza. El capataz del turno daba instrucciones a los dos líderes de grupo al principio de cada cambio de turno acerca del estado de los lotes en proceso, los lotes que se habían de mezclar, qué entregas se esperaban, y la limpieza que se había de realizar. Periódicamente en el transcurso del turno, el capataz recababa muestras en pequeñas botellas, las cuales se dejaban en el escritorio de los técnicos de laboratorio para su inspección.

La administración y el personal de oficina (el director de departamento, el personal de ingeniería, técnico de laboratorio y oficinista de departamento) sólo trabajaban en el turno diurno, aunque sí surgía una emergencia en los otros turnos, el capataz debía avisar.

En general, el departamento era un lugar agradable en el cual trabajar. El taller era un poco caliente, pero estaba bien iluminado, silencioso y limpio. Cuando el equipo no estaba cargando lotes, particularmente en la tarde y en los turnos nocturnos, se suscitaban bromas y payasadas. Los hombres tenían un blanco de tiro en el área de trabajo y la competencia era apasionada y ruidosa. Con frecuencia el equipo de trabajo iba a jugar boliche después de trabajar, incluso a la una de la mañana; ya que los parques comunitarios estaban abiertos las 24 horas del día. La rotación del departamento y el abstencionismo eran bajos. La mayor parte de los empleados pasaba su vida profesional en la compañía, muchos en un solo departamento. La corporación era grande, paternalista y ofrecía márgenes de prestaciones atractivas que incluían bonos casi automáticos y considerables para todos. Después vino el cambio.

El nuevo sistema: Para mejorar la productividad, el departamento de acetatos fue completamente rediseñado; la tecnología cambió del procesamiento en lotes al procesamiento continuo. El edificio se conservó pero se modificó en forma sustancial como lo muestra el cuadro 7.17. El grupo de trabajo modificado es el siguiente:

1. La mayor parte de la materia prima sólida es entregada por medio de camiones en contenedores grandes de aluminio que soportan 500 libras.
2. Un cargador (antes ayudante) está en funciones todo el tiempo en el primer piso para recibir la materia prima y colocar los contenedores en un alimentador de tirabuzón semiautomático.
3. El operador líder (anteriormente el líder del grupo) dirige las operaciones de mezclado desde su panel de control en el cuarto piso ubicado a lo largo de una pared a través de las oficinas del departamento. La mezcla es virtualmente una operación automática una vez que el material sólido se ha introducido en el alimentador de tirabuzón; un programa abre y cierra las válvulas necesarias para agregar el solvente, calentar, mezclar, etcétera. El operador líder sentado en su mesa monitorea el proceso y que todo esté operando dentro de las temperaturas y presiones especificadas.

Este cambio técnico permitió al departamento reducir de manera radical su fuerza de trabajo. La nueva estructura se muestra en el cuadro 7.18. Se creó un nuevo puesto: El del operador de bombas que está localizado en un puesto separado a 300 pies del edificio principal. Él opera las bombas y las válvulas que mueven el producto terminado entre diferentes tanques de almacenamiento.

Con este nuevo sistema, la capacidad de producción se incrementó a 25 millones de libras al año. Todos los empleados restantes recibieron incremento del 15% en su pago. El antiguo personal del departamento de acetatos se transfirió a otros departamentos de la compañía. Ninguno fue despedido.

Por desgracia, la producción actual se ha quedado rezagada por debajo de su capacidad después de varios meses de que terminaron el trabajo de construcción y la capacitación técnica. La producción actual es casi idéntica a la que se tenía con la tecnología antigua, el abstencionismo ha aumentado de manera importante, y los errores de juicio de los operadores han redundado en pérdidas sustanciales.

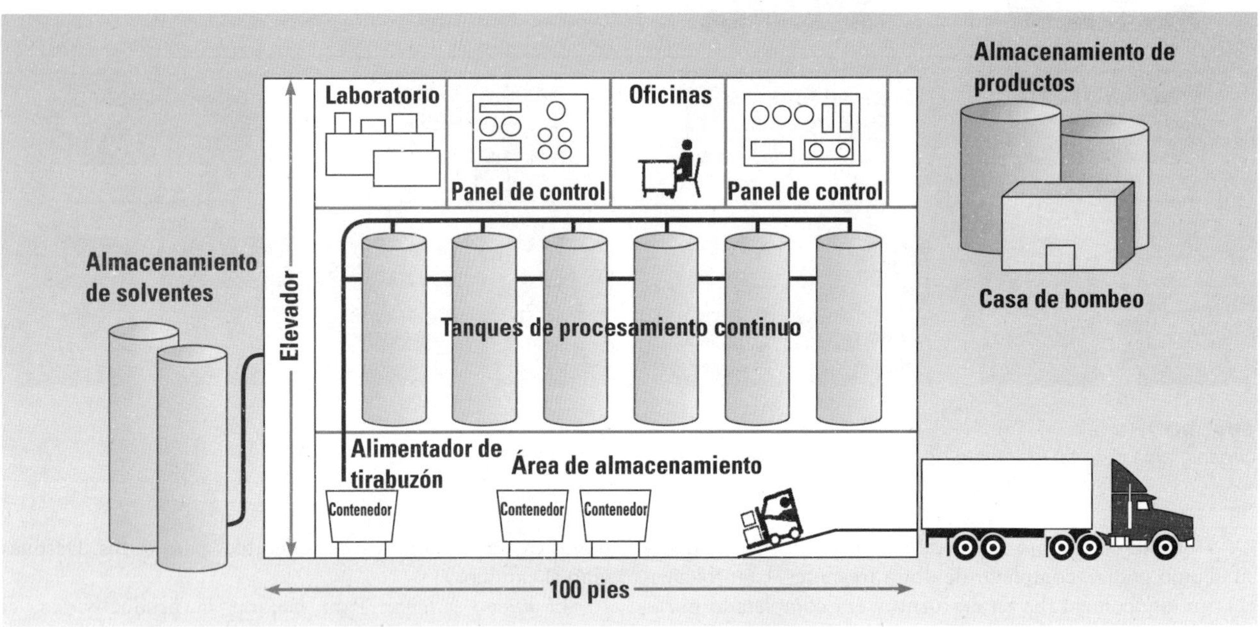

CUADRO 7.17
Vista aérea del departamento de acetatos después del cambio

CUADRO 7.18
Organigrama del departamento de acetatos después del cambio

Notas

1. Gene Bylinsky, "Heroes of Manufacturing", *Fortune* (marzo 8, 2004), 190[B]-190[H].
2. Íbid.
3. Charles Perrow, "A Framewotk for the Comparative Analysis of Organizations", *American Sociological Review 32* (1967), 194-208; y R. J. Schonberger, *World Class Manufacturing: The Next Decade* (Nueva York: The Free Press, 1996).
4. Linda Argote, "Input Uncertainty and Organizational Coordination in Hospital Emergency Units", *Administrative Science Quarterly* 27 (1982), 420-434; Charles Perrow, *Organizational Analysis: A Sociological Approach* (Belmont, Calif.: Wadsworrh, 1970); y William Rushing, "Hardness of Marerial as Related to the Division of Labor in Manufacturing Industries", *Administrative Science Quarterly 13* (1968), 229-245.
5. Lawrence B. Mohr, "Organizational Technology and Organization Structure", *Administrative Science Quarterly* 16 (1971), 444-459; y David Hickson, Derek Pugh y Diana Pheysey, "Opetations Technology and Organization Structure: An Empirical Reappraisal", *Administrative Science Quarterly* 14 (1969), 378-397.
6. Joan Woodward, *Industrial Organization: Theory and Practice* (Londres: Oxford Universiry Press, 1965); y Joan Woodward, *Management and Technology* (Londres: Her Majesty's Stationery Office, 1958).
7. Hickson, Pugh y Pheysey, "Operations Technology and Organization Structure"; y James D. Thompson, *Organizations in Action* (Nueva York: McGraw-Hill, 1967).
8. Edward Harvey, "Technology and the Structure of Organizations", *American Sociological Review* 33 (1968), 241-259.
9. Wanda J. Orlikowski, "The Duality of Technology: Rethinking the Concept of Technology in Organizations", *Organization Science* 3 (1992), 398-427.
10. Basado en el trabajo de Woodward, *Industrial Organization* and *Management and Technology.*
11. Philip Siekman, "A Big Maker of Tiny Batches", *Fortune* (mayo 27, 2002), 152[A]-152[H].
12. Woodward, *Industrial Organization,* vi.
13. William L. Zwerman, *New Perspectives on Organizational Theory* (Westport, Conn.: Greenwood, 1970); y Harvey, "Technology and the Structure of Organizations."
14. Dean M. Schroeder, Steven W. Congden y C. Gopinath, "Linking Competitive Strategy and Manufacturing Process Technology", *Journal of Management Studies* 32, núm. 2 (marzo 1995), 163-189.
15. Gene Bylinsky, "Heroes of U.S. Manufacturing", *Fortune* (marzo 18, 2002), 130[A]-130[L].
16. Fernando F. Suárez, Michael A. Cusumano y Charles H. Fine, "An Empirical Study of Flexibility in Manufacturing", *Sloan Management Review* (otoño 1995), 25-32.
17. Raymond F. Zammuto y Edward J. O'Connor, "Gaining Advanced Manufacturing Technologies' Benefits: The Roles of Organization Design and Culture", *Academy of Management Review* 17, núm. 4 (1992), 701-728; y Schroeder, Congden, y Gopinath "Linking Competitive Strategy and Manufacturing Process Technology."
18. Reportado en Grainger David, "One Truck a Minute", *Fortune* (abril 5, 2004), 252-258.
19. John S. McClenahen, "Bearing Necessitites", *Industry Week* (octubre 2004), 63ff.
20. Gene Bylinsky, "Elite Factories", *Fortune,* sección especial, "Industrial Management and Technology" (septiembre 1, 2003), 154[B]-154J.
21. Jack R. Meredith, "The Strategic Advantages of the Factory of the Future", *California Management Review* 29 (primavera 1987), 27-41; Jack Meredith, "The Strategic Advantages of the New Manufacturing Technologies for Small Firms", *Strategic Management Journal* 8 (1987), 249-258; y Althea Jones y Terry Webb, "Introducing Computer Integrated Manufacturing", *Journal of General Management* 12 (verano 1987), 60-74.
22. Raymond F. Zammuto y Edward J. O'Connor, "Gaining Advanced Manufacturing Technologies' Benefits: The Roles of Organization Design and Culture", *Academy of Management Review* 17 (1992), 701-728.
23. John S. DeMott, "Small Facrories' Big Lessons", *Nation's Business* (abril 1995), 29-30.
24. Paul S. Adler, "Managing Flexible Automation", *California Management Review* (primavera 1988), 34-56.
25. Bela Gold, "Computerization in Domestic and International Manufacturing", *California Management Review* (invierno 1989), 129-143.
26. Graham Dudley y John Hassard, "Design Issues in the Development of Computer Integrated Manufacturing (CIM)", *Journal of General Management* 16 (1990), 43-53.
27. Jeff Wise, "Plane Dealer", *FSB* (julio-agosto 2004),83-84.
28. Íbid; y Tom Massung, "Manufacturing Efficiency", *Microsoft Executive Circle* (invierno 2004), 28-29.
29. Brian Heymans, "Leading the Lean Enterprise", *Industrial Management* (septiembre-octubre 2002), 28-33; y Fara Warner, "Think Lean", *Fast Company* (febrero 2002), 40, 42.
30. Perer Strozniak, "Toyota Alters Face of Production", *IndustryWeek* (agosto 13, 2001), 46-48.
31. Abrahm Lustgarten, "Elite Factories", *Fortune,* sección especial, "Industrial Management and Technology" (septiembre 6, 2004), 240[B]-240[L].
32. B. Joseph Pine II, *Mass Customization: The New Frontier in Business Competition* (Boston: Harvard Business School Press, 1999).
33. Barry Berman, "Should Your Firm Adopt a Mass Customizarion Strategy?" *Business Horizons* (julio-agosto 2002), 51-60.
34. Mark Tatge, "Red Bodies, Black Ink", *Forbes* (septiembre 18, 2000), 114-115.
35. Erick Schonfeld, "The Customized, Digitized, Have-It-Your-Way Economy", *Fortune* (septiembre 28, 1998), 115-124.
36. Grainger David, "One Truck a Minute", y Scott McMurray, "Ford F-150: Have It Your Way", *Business* 2.0 (marzo 2004), 53-55.
37. Joel D. Goldhar y David Lei, "Variety Is Free: Manufacturing in the Twenty First Century", *Academy of Management Executive* núm. 4 (1995), 73-86

38. Meredith, "The Strategic Advantages of the Factory of the Future".
39. Parricia L. Nemetz y Louis W. Fry, "Flexible Manufacturing Organizations: Implementations for Strategy Formulation and Organization Design", *Academy of Management Review* 13 (1988), 627-638; Paul S. Adler, "Managing Flexible Automation", *California Management Review* (primavera 1988), 34-56; Jeremy Main, "Manufacturing the Right Way", *Fortune* (mayo 21, 1990), 54-64; y Frank M. Hull y Paul D. Collins, "High-Technology Batch Production Systems: Woodward's Missing Type", *Academy of Management Journal* 30 (1987), 786-797.
40. Goldhar y Lei, "Variety Is Free: Manufacturing in the Twenty-First Century"; P. Robert Duimering, Frank Safayeni, y Lyn Purdy, "Integrated Manufacturing: Redesign the Organization before Implementing Flexible Technology", *Sloan Management Review* (verano 1993), 47-56; Zammuto y O'Connor, "Gaining Advanced Manufacturing Technologies' Benefits".
41. Goldhar y Lei, "Variety Is Free: Manufacturing in the Twenty-First Century".
42. "Manufacturing's Decline", *Johnson City Press* (julio 17, 1999), 9; Ronald Henkoff, "Service Is Everybody's Business", *Fortune* (junio 27, 1994), 48-60; Ronald Henkoff, "Finding, Training, and Keeping the Best Service Workers", *Fortune* (octubre 3, 1994), 110-122.
43. Byron J. Finch y Richard L. Luebbe, *Operations Management: Competing in a Changing Environment* (Fort Worth, Tex.: The Dryden Press, 1995), 51.
44. David E. Bowen, Caren Siehl y Benjamin Schneider, "A Framework for Analyzing Customer Service Orientations in Manufacturing", *Academy of Management Review* 14 (1989), 79-95; Peter K. Mills y Newton Margulies, "Toward a Core Typology of Service Organizations", *Academy of Management Review* 5 (1980), 255-265; Peter K. Mills y Dennis J. Moberg, "Perspectives on the Technology of Service Operations", *Academy of Management Review* 7 (1982), 467-478; y G. Lynn Shostack, "Breaking Free from Product Marketing", *Journal of Marketing* (abril 1977), 73-80.
45. Diane Brady, "Will Jeff Immelt's New Push Pay Off for GE?" *BusinessWeek* (octubre 13, 2003), 94-98.
46. Ron Zemke, "The Service Revolution: Who Won?" *Management Review* (marzo 1997), 10-15; y Wayne Wilhelm y Bill Rossello, "The Care and Feeding of Customers", *Management Review* (marzo 1997), 19-23.
47. Schonfeld, "The Customized, Digitized, Have-Iy-Your-Way Economy."
48. Duff McDonald, "Customer, Support Thyself", *Business 2.0* (abril 2004), 56.
49. Paul Migliorato, "Toyota Retools Japan", *Business 2.0* (agosto 2004), 39-41.
50. Richard B. Chase y David A. Tansik, "The Customer Contact Model for Organization Design", *Management Science* 29 (1983), 1037-1050.
51. Íbid.
52. David E. Bowen y Edward E. Lawler III, "The Empowerment of Service Workers: What, Why, How, and When", *Sloan Management Review* (primavera 1992), 31-39: Gregory B. Northcraft y Richard B. Chase, "Managing Service Demand at the Point of Delivery", *Academy of Management Review* 10 (1985), 66-75; y Roger W. Schmenner. "How Can Service Businesses Survive and Prosper?" *Sloan Management Review* 27 (primavera 1986), 21-32.
53. Scott Kirsner, "Recipe for Reinvention", *Fast Company* (abril 2002), 38-42.
54. Richard Metters y Vicente Vargas, "Organizing Work in Service Firms", *Business Horizons* (julio-agosto 2000), 23-32.
55. Perrow, "A Framework for Comparative Analysis" y *Organizational Analysis.*
56. Brian T Pentland, "Sequential Variety in Work Processes." *Organizational Science* 14, núm. 5 (septiembre-octubre 2003) 528-540.
57. Jim Morrison, "Grand Tour. Making Music: The Craft *of* the Steinway Piano", *Spirit* (febrero 1997), 42-49, 100.
58. Stuart F. Brown, "Biotech Gets Productive", *Fortune,* sección especial, "Industrial Management and Technology" enero 20, 2003), 170[A]-170[H].
59. Michael Withey, Richard L. Daft, y William C. Cooper. "Measures of Perrow's Work Unit Technology: An Empirical Assessment and a New Scale", *Academy of Management Journal 25* (1983), 45-63.
60. Christopher Gresov, "Exploring Fit and Misfit with Multiple Contingencies", *Administrative Science Quarterly* 34 (1989),431-453; y Dale L. Goodhue y Ronald L. Thompson, "Task-Technology Fit and Individual Performance", *MIS Quarterly* (junio 1995), 213-236.
61. Gresov, "Exploring Fit and Misfit with Multiple Contingencies"; Charles A. Glisson, "Dependence of Technological Routinization on Structural Variables in Human Service Organizations", *Administrative Science Quarterly* 23 (1978), 383-395; y Jerald Hage y Michael Aiken, "Routine Technology, Social Structure and Organizational Goals", *Administrative Science Quarterly* 14 (1969), 368-379.
62. Gresov, "Exploring Fit and Misfit with Multiple Contingencies"; A. J. Grimes y S. M. Kline, "The Technological Imperative: The Relative Impact of Task Unit, Modal Technology and Hierarchy on Structure", *Academy of Management Journal* 16 (1973), 583-597; Lawrence G. Hrebiniak, "Job Technologies, Supervision and Work Group Structure", *Administrative Science Quarterly* 19 (1974), 395-410; y Jeffrey Pfeffer, *Organizational Design* (Arlington Heights, Ill.: AHM, 1978), Capítulo 1.
63. Patrick E. Connor, *Organizations: Theory and Design* (Chicago: Science Research Associates, 1980); Richard L. Daft y Norman B. Macintosh, "A Tentative Exploration into Amount and Equivocality of Information Processing Organizational Work Units", *Administrative Science Quarterly* 26 (1981), 207-224.
64. Paul D. Collins y Frank Hull, "Technology and Span of Control: Woodward Revisited", *Journal of Management Studies* 23 (1986), 143-164; Gerald D. Bell, "The Influence of Technological Components of Work upon Management Control", *Academy of Management Journal* 8 (1965), 127-132; y Peter M. Blau y Richard A. Schoenherr, *The Structure of Organizations (*Nueva York: Basic Books, 1971).
65. W. Alan Randolph, "Matching Technology and the Design of Organization Units", *California Management Review,* 22-23 (1980-81), 39-48; Daft y Macintosh, "Tentative Exploration into Amount and Equivocality of Information Processing"; y Michael L. Tushman, "Work Characteristics and Subunit

Communication Structure: A Contingency Analysis", *Administrative Science Quarterly* 24 (1979), 82-98.

66. Andrew H. Van de Ven y Diane L. Fetty, *Measuring and Assessing Organizations* (Nueva York: Wiley, 1980); y Randolph, "Matching Technology and the Design of Organization Units."

67. Richard L. Daft y Robert H. Lengel, "Information Richness: A New Approach to Managerial Behavior and Organization Design", en Barry Staw y Larry L. Cummings, eds., *Research in Organizational Behavior,* vol. 6 (Greenwich, Conn.: JAI Press, 1984), 191-233; Richard L. Daft y Norman B. Macintosh, "A New Approach into Design and Use of Management Information", *California Management Review* 21 (1978), 82-92; Daft y Macintosh, "A Tentative Exploration into Amount and Equivocally of Information Processing"; W. Alan Randolph, "Organizational Technology and the Media and Purpose Dimensions of organizational Communication", *Journal of Business Research* 6 (1978), 237-259; Linda Argote, "Input Uncertainty and Organizational Coordination in Hospital Emergency Units", *Administrative Science Quarterly 27* (1982), 420-434; y Andrew H. Van de Ven y Andre Delbecq, "A Task Contingent Model of Work Unit Structure", *Administrative Science Quarterly* 19 (1974), 183-197.

68. Peggy Leatt y Rodney Schneck, "Criteria for Grouping Nursing Subunits in Hospitals", *Academy of Management Journal* 27 (1984), 150-165; y Robert T. Keller, "Technology-Information Processing", *Academy of Management Journal* 37, núm. 1 (1994), 167-179.

69. Gresov, "Exploring Fit and Misfit with Multiple Contingencies"; Michael L. Tushman, "Technological Communication in R&D Laboratories: The Impact of Project Work Characteristics", *Academy of Management Journal* 21 (1978), 624-645; y Robert T. Keller, "Technology-Information Processing Fit and the Performance of R&D Project Groups: A Test of Contingency Theory", *Academy of Management Journal* 37, núm. 1 (1994), 167-179.

70. Charles Fishman, "Miracle of Birth", *Fast Company* (octubre 2002), 106-116.

71. James Thompson, *Organizations in Action* (Nueva York: McGraw-Hill, 1967).

72. Íbid., 40.

73. Gene Bylinsky, "Shipmaking Gets Modern", *Fortune,* sección especial, "Industrial Management and Technology" (enero 20, 2003), 170[K]-170[L].

74. Paul S. Adler, "Interdepartmental Interdependence and Coordination: The case of Design/Manufacturing Interface", *Organization Science* 6, núm. 2 (marzo-abril 1995), 147-167.

75. Christopher Gresov, "Effects of Dependence and Tasks on Unit Design and Efficiency", *Organization Studies* 11 (1990), 503-529; Andrew H. Van de Ven, Andre Delbecq y Richard Koenig, "Determinants of Coordination Modes within Organizations", *American Sociological Review* 41 (1976), 322-338; Linda Argote, "Input Uncertainty and Organizational Coordination in Hospital Emergency Units"; Jack K. Ito y Richard B. Peterson, "Effects of Task Difficulty and Interdependence on Information Processing Systems", *Academy of Management Journal* 29 (1986), 139-149; y Joseph L. C. Cheng, "Interdependence and Coordination in Organizations: A Role-System Analysis", *Academy of Management Journal* 26 *(1983),* 156-162.

76. Robert W. Keidel, "Team Sports Models as a Generic Organizational Framework", *Human Relations* 40 (1987), 591-612; Robert W. Keidel, "Baseball, Football, and Basketball: Models for Business", *Organizational Dynamics* (invierno 1984), 5-18; y Nancy Katz, "Sports Teams as a Model for Workplace Teams: Lessons and Liabilities", *Academy of Management Executive* 15, núm. 3 (2001), 56-67.

77. Michele Liu, Héléné Denis, Harvey Kolodny y Benjt Stymne, "Organization Design for Technological Change", *Human Relations* 43 (enero 1990), 7-22.

78. Stephen P. Robbins, *Organizational Behavior* (Upper Saddle River, N.J.: Prentice-Hall, 1998), 521.

79. Gerald I. Susman y Richard B. Chase, "A Sociotechnical Analysis of the Integrated Factory", *Journal of Applied Behavioral Science* 22 (1986), 257-270; y Paul Adler, "New Technologies, New Skills", *California Management Review* 29 (otoño 1986), 9-28.

80. Basado en Don Hellriegel, John W. Slocum, Jr., y Richard W. Woodman, *Organizational Behavior,* 8a. ed. (Cincinnati, Ohio: South-Western, 1998), 491-495; y Gregory B. Northcraft y Margaret A. Neale, *Organizational Behavior: A Management Challenge,* 2a. ed. (Fort Worth, Tex.: The Dryden Press, 1994), 550-553.

81. F. Emery, "Characteristics of Sociotechnical Systems", Tavistock Institute of Human Relations, document 527, 1959; William Pasmore, Carol Francis y Jeffrey Haldeman, "Sociotechnical Systems: A North American Reflection on Empirical Studies of the 70s", *Human Relations* 35 (1982), 1179-1204; y William M. Fox, "Sociotechnical System Principles and Guidelines: Past and Present", *Journal of Applied Behavioral Science* 31, núm. 1 (marzo 1995), 91-105.

82. W. S. Cascio, *Managing Human Resources* (Nueva York: McGraw-Hill, 1986), 19.

83. Eric Trist y Hugh Murray, eds., *The Social Engagement of Social Science: A Tavistock Anthology,* vol. II (Filadelfia: University of Pennsylvania Press, 1993); y William A. Pasmore, "Social Science Transformed: The Socio-Technical Perspective", *Human Relations* 48, núm. 1 (1995), 1-21.

84. R. E. Walton, "From Control to Commitment in the Workplace;' *Harvard Business Review* 63, núm. 2 (1985), 76-84; E. W. Lawler, III, *High Involvement Management* (Londres: Jossey-Bass, 1986), 84; y Hellriegel, Slocum, y Woodman, *Organizational Behavior,* 491.

85. William A. Pasmore, "Social Science Transformed: The Socio-Technical Perspective", *Human Relations* 48, núm. 1 (1995), 1-21.

86. David M. Upton, "What Really Makes Factories Flexible?" *Harvard Business Review* (julio-agosto 1995), 74-84.

87. Pasmore, "Social Science Transformed: The Socio-Technical Perspective"; H. Scarbrough, *"Review Article: The Social Engagement of Social Science: A Tavistock Anthology,* Vol. II", *Human Relations* 48, núm. 1 (1995), 23-33.

8 Tecnología de la información y control

PROGRESSIVE℠
DIRECT

1-877-776-4266

Correo electrónic

INICIAR VEHÍCULOS CONDUCTORES INFRACCIONES SU CALIFICACIÓN

¡Bienvenido! En sólo unos minutos usted podrá cotizar y comprar una póliza en línea. ¡Es muy sencillo!

Nombre

Inicial del segundo nombre

Apellido

Título

Dirección postal ?

Piso/Número

Ciudad

, Ohio

Código postal

Revelación de información - Para poderle ofrecer una tarifa precisa en una de las compañías suscriptoras de Progressive, recabaremos información en las agencias de informes del consumidor, como antecedentes de tránsito, reclamaciones e informes de historial crediticio. Después se podrán utilizar informes futuros para actualizar o renovar su seguro. Favor de revisar nuestra política de privacidad.

He leído la información de la política de privacidad y de revelación de información y me gustaría continuar

Sí No

CONTINÚA

Centro de ayuda telefónica

Hable ahora con un representante de seguros autorizado

Hable conmigo

Preguntas comunes

- ¿Por qué tengo que proporcionar tanta información?
- ¿Mi tarifa cambiará?
- ¿Podré comparar sus precios con las tarifas de otras compañías?

Evolución de la tecnología de información

Información para la toma de decisiones y control

Sistemas de toma de decisiones organizacionales • Modelo de control basado en la retroalimentación • Sistemas de control administrativo • El Balanced Scorecard

La adición de valor estratégico: Fortalecimiento de la coordinación interna

Intranets • Planeación de recursos empresariales • Administración del conocimiento

La adición de valor estratégico: Fortalecimiento de las relaciones externas

La empresa integrada • Administración de las relaciones con el cliente • Diseño organizacional de los negocios electrónicos

Impacto de las tecnologías de información sobre el diseño organizacional

Resumen e interpretación

Una mirada al interior de

The Progressive Group of Insurance Companies

La empresa The Progressive Group constituye el tercer grupo de aseguradoras automotrices más grande de Estados Unidos, y continúa el crecimiento. Nada mal para un grupo de compañías que comenzó como una aseguradora en un nicho para conductores de alto riesgo y que, tan sólo en 1990, fue la decimoquinta compañía más grande en Estados Unidos. ¿Cómo logró una compañía algo pequeña competir con compañías como State Farm y Allstate en el mercado global de seguros automotrices estándares o preferenciales? En parte, gracias al uso de la tecnología de la información dirigida para lograr una ventaja estratégica.[1]

Progressive inició en 1937 y desde el principio demostró su valía como innovador, cuando estableció el primer servicio de reclamaciones que se podían realizar desde el automóvil. Siempre, ha sido innovador, al utilizar la tecnología para ofrecer una tarifa más precisa, una mejor experiencia para el cliente e información de compra de seguros de automóviles que no está disponible en alguna otra parte.

Por otro lado las tarifas de seguros automotrices se fijan mediante una indagatoria del historial de reclamaciones del cliente. La capacidad de una compañía aseguradora para entender su experiencia en reclamaciones y usar esa información para segmentar a sus clientes y fijar precios con una precisión aún mayor, es esencial para determinar el grado de su éxito. Progressive ha estado utilizando la tecnología para entender mejor y a un nivel más profundo a sus clientes durante mucho tiempo, y, a principios de la década de 1990, comenzó a utilizar esos conocimientos para fijar precios con mayor exactitud en el segmento de mercado denominado "estándar y preferencial". Pensaron que si lograban tener éxito para fijar el precio con precisión en la parte de alto riesgo o "no estándar" del mercado, ¿por qué no podían aplicar este talento al resto de los grupos?

La década de 1990 conllevó otros usos de la tecnología que redundó en un crecimiento para Progressive de $1200 millones en primas netas escritas en 1990 y más de $13 000 millones en 2004. En primer lugar, se introdujo el Servicio de Reclamaciones de respuesta inmediata, el cual supuso el primer servicio de la industria de atención personalizada para accidentes automovilísticos, las 24 horas del día, siete días de la semana. Mediante la tecnología móvil, los ajustadores de seguros llegaban siempre que lo solicitaran los clientes, anotaban una estimación y podían girarles un cheque en ese mismo momento. Desde entonces, Progressive ha refinado aún más su enfoque. Entre un número creciente de mercados, ofrece un servicio de reclamaciones denominado "nivel valet", que consiste en que el cliente tiene que dejar su automóvil en una instalación que está sólo diseñada para tal fin, y recoger un automóvil rentado. El representante de reclamaciones se encarga de todos los aspectos del avalúo, supervisión e inspección de la reparación antes que el cliente recoja su auto. El cliente se marcha con la seguridad de que el trabajo está garantizado por el taller que reparó el vehículo y por Progressive.

A principios de la década de 1990, Progressive introdujo otra innovación: Las tarifas competitivas de seguros de automóviles. Progressive se convirtió en la primera compañía de seguros automotrices —y la única en la actualidad— en proporcionar a los clientes tarifas competitivas. Las que se abrieron primero por teléfono, pero, cuando Progressive lanzó el primer sitio Web de seguros automotrices del mundo en 1995, sus precios se hicieron públicos gracias a esa tecnología. En la actualidad, los visitantes del sitio Web pueden comprar una póliza en menos de siete minutos. También los que ya son clientes lo pueden utilizar para administrar sus pólizas, hacer pagos, cambios e imprimir documentación adicional de seguros.

Progressive continúa con el uso de la tecnología para la innovación, hace poco anunció la disponibilidad de firmas electrónicas para algunos de sus clientes. Las que eliminan la mayor parte del papeleo de seguimiento, lo cual permite a los clientes firmar solicitudes en línea, autorizar las transferencias electrónicas de fondos para pagos, o firmar formas para rechazar coberturas no deseadas.

La industria de los seguros no es la única que se ha transformado debido a la tecnología de la información (TI) e Internet. Las empresas basadas en el conocimiento que utilizan de manera efectiva la TI, durante mucho tiempo han fundado en ella su negocio, como la empresa consultora KPMG Peat Marwick, Amerex Worldwide, una casa de corretaje especializada en recursos energéticos, y Business Wire, la cual proporciona información corporativa y de negocios. En la actualidad, la TI se ha convertido en un factor crucial que ayuda a las compañías de todas las industrias a mantener una ventaja competitiva de frente a una competencia global creciente y a las demandas cada vez mayores de velocidad, conveniencia, calidad y valor por parte del cliente. Wood Flooring International (WFI), con sede en Delran, Nueva Jersey, utiliza un sofisticado sistema basado en Internet para administrar todos los eslabones de la cadena de abasto, desde sus proveedores hasta los clientes de sus clientes. La pequeña empresa compra maderas exóticas en el extranjero, en su mayoría de fábricas de Latinoamérica, las convierte en pisos laminados, y los vende a sus distribuidores. WFI acostumbraba tener tres empleados en el extranjero tan sólo para administrar las relaciones con los proveedores. Ahora, siempre que WFI recibe un pedido, el proveedor puede ver al instante una actualización en el sitio Web y realizar los ajustes necesarios. Las fábricas también pueden confirmar los reportes en tiempo real de sus historiales de ventas, verificar si sus envíos llegaron, y asegurarse de que la contabilidad de WFI cuadre con la suya.[2] Olive Garden, una cadena de restaurantes, utiliza sistemas computarizados para medir y controlar todo, desde la limpieza de los baños hasta el tiempo de preparación de los alimentos. Y el Memorial Health Services en Long Beach, California, utiliza tarjetas magnéticas de identificación médica (disponibles en Internet) que se deslizan en una computadora para acelerar el registro y proporcionar al personal de la sala de emergencias un acceso inmediato a información vital del paciente.[3] Incluso las franquicias de comida rápida están encontrando usos muy creativos para utilizar la TI. Si alguna vez usted pidió una Big Mac en el McDonald's de la carretera interestatal 55, cerca de Cape Girardeau, Missouri, quizá no tenía idea de que quien le tomó la orden se encontraba en un centro de atención telefónica a más de 900 millas. El concesionario Shannon Davis ha vinculado a cuatro de sus restaurantes a un centro de atención telefónica en Colorado Springs, el cual está conectado al cliente y a los trabajadores del restaurante mediante líneas de comunicación de alta velocidad. El pedido de un cliente atraviesa dos estados y es recuperado en Cape Girardeau antes siquiera de que el cliente llegue a la ventanilla para recoger su pedido. En un negocio donde el tiempo es dinero, suprimir aunque sea cinco segundos del tiempo de procesamiento hace la diferencia. El enfoque del centro de atención telefónica recorta los tiempos de los pedidos de 30 segundos a un minuto en la mayoría de los restaurantes que lo utilizan. La precisión de los pedidos también ha mejorado.[4]

Si bien el uso cada vez más rápido de la TI y de Internet presenta no sólo nuevas oportunidades, sino también nuevos retos para los administradores. Por una razón, la balanza del poder se ha inclinado a favor del cliente. Gracias a un acceso ilimitado a la información en Internet, los clientes están mucho mejor informados y se han vuelto mucho más demandantes, lo cual hace que la lealtad del cliente sea un elemento cada vez más difícil de construir.[5] Además, el concepto de vinculación electrónica con proveedores, socios y clientes está obligando a las compañías a reformular sus estrategias, diseño organizacional y procesos de negocios. El ritmo de los negocios se está llevando a cabo a una "velocidad que supera la de la luz".[6] Los horizontes de planeación se están acortando de manera gradual, las expectativas de los clientes cambian con rapidez y los nuevos competidores florecen casi de la noche a la mañana. Todo esto implica para los directivos, así como para los empleados en toda la organización, una necesidad de información de calidad al alcance de la mano.

Las organizaciones muy exitosas de la actualidad por lo general son aquellas que recaban, almacenan, distribuyen y utilizan información de la manera más efectiva. Más que las instalaciones, el equipo o incluso los productos, lo que define el triunfo de una organización, e incluso su supervivencia, es la forma en que utiliza la información y la calidad de la que tiene.[7] Los altos directivos buscan formas de administrar, potenciar y proteger lo que con rapidez se está convirtiendo en el activo más valioso de cualquier organización: La información y el conocimiento.

Propósito de este capítulo

La TI es un componente esencial de las organizaciones exitosas. Los directivos pasan al menos el 80% de su tiempo en el intercambio en forma activa de la información. Necesitan esta comunicación constante para mantener unida a su organización. Por ejemplo, los vínculos informativos verticales y horizontales que se analizaron en el capítulo 3 están diseñados para ofrecer a los directivos datos que son relevantes para la toma de decisiones, la evaluación y el control. Este capítulo examina la evolución de la TI, y comienza con una visión general de los sistemas de la TI aplicados a las operaciones organizacionales y después examina la forma en que la TI se utiliza en la toma de decisiones y el control organizacionales. Las siguientes secciones consideran cómo puede la TI agregar valor estratégico mediante el uso de aplicaciones de coordinación interna como intranets, planeación de recursos empresariales y sistemas de administración del conocimiento; así como su aplicación para la colaboración externa, como extranets, sistemas de administración de relaciones con el cliente, los negocios electrónicos y la empresa integrada. La última sección del capítulo presenta una visión general de la forma en que la TI afecta al diseño organizacional y las relaciones interorganizacionales.

Evolución de la tecnología de la información

La evolución de la TI está ilustrada en el cuadro 8.1. Por lo general, la gerencia de la línea de fuego está implicada en problemas bien definidos sobre cuestiones operativas y acontecimientos pasados. La alta dirección, en contraste, tiene que ver más con la incertidumbre, asuntos ambiguos, como son la estrategia y la planeación. A medida que la complejidad de los sistemas automatizados de TI ha ido en aumento, las aplicaciones se han ampliado para servir de soporte para un control efectivo por parte de la alta dirección y para la toma de decisiones sobre problemas complejos e inciertos.

Los sistemas de TI en las organizaciones en un principio se usaron en las operaciones. Estas primeras aplicaciones estaban basadas en la noción de la eficiencia del cuarto de máquinas, es decir, la posibilidad de que las negociaciones existentes se desarrollaran de una manera más eficiente con el uso de la tecnología computacional. La meta era reducir los costos de mano de obra por medio de computadoras que se encargaban de algunas tareas. Estos sistemas se llegaron a conocer como **sistemas de procesamiento de transacciones** (SPT), los cuales automatizan la rutina de una organización y las transacciones cotidianas de negocios. Los SPT recaban la información de operaciones como las ventas, las compras a proveedores, los cambios en el inventario y la almacenan en una base de datos. Por ejemplo, en Enterprise Rent-a-Car, un sistema computarizado da seguimiento a 1.4 millones de transacciones que la compañía registra cada hora. El sistema puede proporcionar a los empleados en la línea de acción información actualizada de último minuto acerca de la disponibilidad de los automóviles y otros datos importantes, lo que les permite ofrecer un servicio al cliente excepcional.[8]

En años recientes, el uso de software de almacenamiento e inteligencia de negocios ha ampliado la utilidad de estos datos acumulados. El **almacenamiento de datos** es la utilización de bases de datos gigantes que combinan todos los datos de una compañía y permiten a los usuarios tener acceso a ellos de manera directa, crear informes y obtener respuestas a preguntas del tipo, ¿qué pasaría si...? Construir una base de datos en una corporación grande es una empresa colosal que implica la definición de cientos de gigabites de datos recuperados de numerosos sistemas existentes, lo cual proporciona un medio para actualizar de manera continua la información, hacerla compatible y vincularla al software que haga posible a los usuarios buscar y analizar los datos para producir

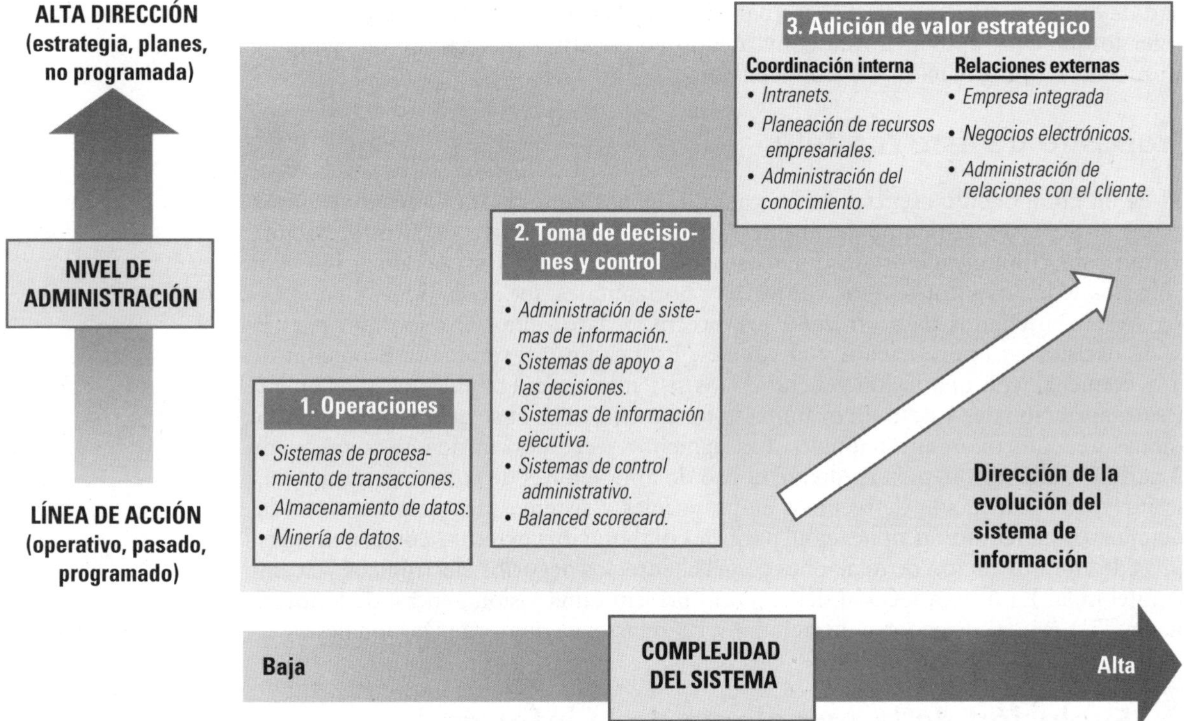

CUADRO 8.1
Evaluación de las aplicaciones organizacionales de la TI

informes útiles. El software de inteligencia de negocios ayuda a los usuarios a entender todos estos datos. La **inteligencia de negocios** se refiere a un análisis de alta tecnología de los datos corporativos con el fin de tomar mejores decisiones estratégicas.[9] También conocida como *minería de datos*, la inteligencia de negocios implica buscar y analizar datos provenientes de múltiples fuentes ubicadas en toda la empresa, y algunas veces derivados de fuentes externas, a fin de identificar patrones y relaciones que pueden ser importantes.

Las organizaciones gastaron $4 mil millones durante 2003 en software de inteligencia de negocios, y se espera que esta cantidad se duplique para 2006.[10] Considere la forma en que Anheuser-Busch utiliza de manera rentable el almacenamiento de datos y la inteligencia de negocios.

En la práctica
Anheuser-Busch

Hace sólo algunos años, los distribuidores de Anheuser-Busch y sus representantes de ventas utilizaron la información almacenada en pilas de papel donde había facturas y pedidos. Mantener un registro de qué productos se estaban vendiendo y qué campañas de marketing eran efectivas implicó un proceso arduo y lento. Algunas veces los directivos ignoraban por meses si un producto se desplazaba bien en un mercado determinado.

Todo esto cambió cuando Anheuser-Busch utilizó BudNet, un almacén de datos corporativos donde los distribuidores y representantes de ventas informan con agudísimo detalle todo desde nuevos pedidos y nivel de ventas hasta las existencias en aparadores de la competencia y los esfuerzos actuales de marketing. Los representantes de ventas acostumbran utilizar asistentes digitales manuales y computadoras portátiles para ingresar los datos que se compilan y transmiten cada noche al almacén de datos en las oficinas centrales corporativas, donde el software de inteligencia de negocios se pone en marcha, y ayuda a los directivos a saber qué tipo de cerveza están comprando, los bebedores así como cuándo, dónde e incluso por qué. Utilizan la inteligencia para formular o cambiar estrategias de marketing, diseñar promociones orientadas a ciertos segmentos de la población y ser advertidos de cuándo es probable que los rivales estén ganando terreno. Por ejemplo, la inteligencia de negocios ayuda a los directivos de marketing a formular campañas a la medida con precisión local. Saben que Tequiza es exitosa en San Antonio, pero no en Peoria; que el 4 de julio es un día festivo que representa grandes ventas de cerveza en Atlanta, pero no el día de San Patricio, y que los bebedores de cerveza que habitan los vecindarios fabriles prefieren latas y no botellas.

Cada mañana, los distribuidores se registran en BudNet para tener acceso a la última inteligencia y obtener órdenes de sus superiores acerca de qué productos promocionar, qué exposiciones usar, qué descuentos ofrecer y en qué vecindarios. "Están explorando hasta llegar al nivel de la tienda individual", afirma Joe Thompson, presidente de Independent Beverage Group.[11]

El almacenamiento de datos importantes se ha convertido en la sangre vital del negocio de Anheuser-Busch. Gracias a que recaban la información correcta y utilizan la inteligencia de negocios para analizarla e identificar tendencias y patrones, los directivos de Anheuser-Busch han podido tomar decisiones más inteligentes e incrementar la participación de mercado en comparación con sus competidores. Así, la TI ha evolucionado para convertirse en sistemas más complejos para la toma de decisiones administrativas y el control organizacional, la segunda etapa ilustrada en el cuadro 8.1. Avances adicionales han llevado al uso de la TI para agregar valor estratégico, el nivel más alto de aplicación. Lo que resta de este capítulo se dedicará al estudio de estas dos etapas de la evolución de la TI.

Información para la toma de decisiones y control

A través del uso de sistemas automatizados más sofisticados, los directivos cuentan con herramientas para mejorar el desempeño de los departamentos y la organización como un todo. Estas aplicaciones utilizan la información almacenada en bases de datos corporativas para ayudar a los ejecutivos a controlar la organización y tomar decisiones importantes. El cuadro 8.2 ilustra los diferentes elementos de los sistemas de información utilizados para la toma de acciones y el control. Los sistemas de información para la administración —incluidos los sistemas de reporte de información, sistemas de apoyo a las decisiones y sistemas de información ejecutiva— facilitan la toma de decisiones rápida y efectiva. Los elementos para el control incluyen diferentes sistemas administrativos de verificación y un procedimiento conocido como Balanced Scorecard o tablero de mando equilibrado. En una organización, estos sistemas están interconectados, como lo indican las líneas punteadas en el cuadro 8.2. Con frecuencia, los sistemas para la toma de decisiones y el control comparten la misma información básica, pero los datos y los informes están diseñados y se utilizan dando una mayor importancia a la toma de decisiones que al control mismo.

Sistemas de toma de decisiones organizacionales

Un **sistema de información para la administración** (SIA) es un sistema automatizado que proporciona información y apoyo para la toma de decisiones gerenciales. El SIA está fundado en los sistemas de procesamiento de las transacciones y en las bases de datos externas y organizacionales. El **sistema de reporte de información**, es la forma más común del SIA, y proporciona a los mandos gerenciales medios informes con datos resumidos que apoyan la toma de decisiones cotidianas. Por ejemplo, cuando los gerentes necesitan tomar una acción determinada acerca de la programación de la producción, pueden

CUADRO 8.2
Sistemas de información para el control administrativo y la toma de decisiones

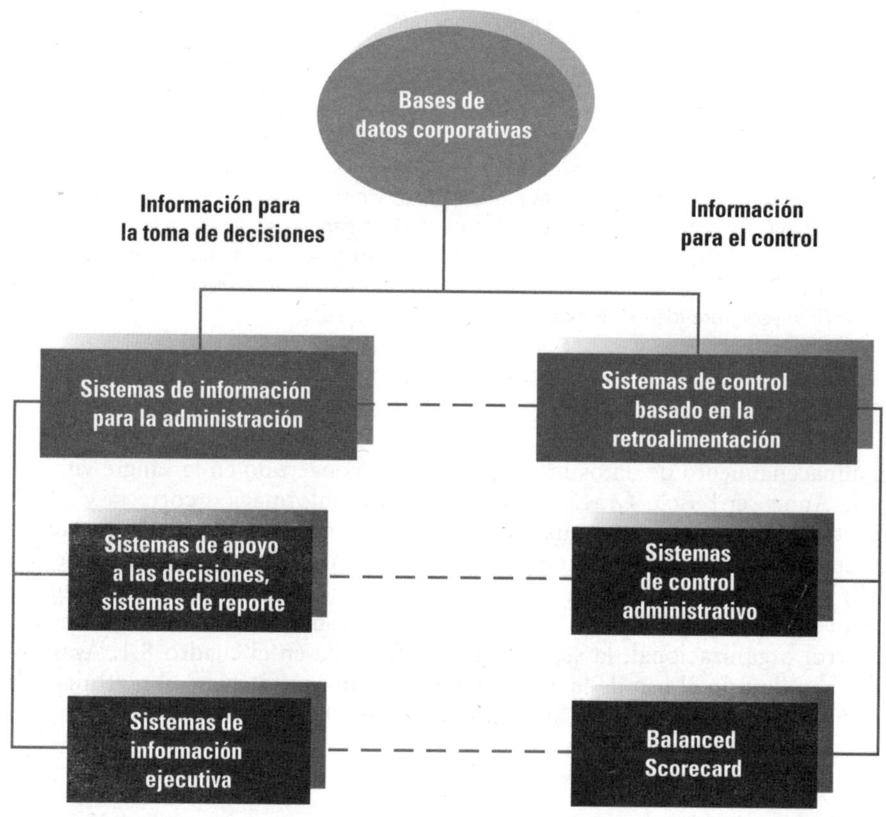

Como gerente de una organización, tenga en mente estos lineamientos:

Mejore el desempeño organizacional por medio de la TI para una mejor toma de decisiones. Implemente los sistemas de información administrativa, los de apoyo a las decisiones y los de reporte de información para ofrecer a los niveles gerenciales medios y menores reportes informativos que apoyen las decisiones cotidianas. El uso de sistemas de información ejecutiva está recomendado para facilitar una mejor toma de decisiones en los niveles organizacionales más altos.

revisar los datos acerca de una cantidad anticipada de pedidos para el mes siguiente, los niveles de inventario y la disponibilidad de recursos humanos.

En los casinos Harrah's, un sistema de reporte realiza un seguimiento detallado de la información de cada jugador y utiliza modelos cuantitativos para pronosticar el valor potencial a largo plazo de cada cliente. Estos datos ayudan a los directivos a formular planes de marketing a la medida, así como ofrecer a los clientes la combinación exacta de servicios y recompensas para que regresen y no cambien de casino. "Casi todo lo que hacemos respecto al marketing y la toma de decisiones está influido por la tecnología", afirma el director general de Harrah's, Gary Loveman. El uso efectivo de la información ayudó a Harrah's a alcanzar 16 trimestres consecutivos de crecimiento de ventas en una misma tienda, así como el incremento de las utilidades más alto en la industria.[12]

Un **sistema de información ejecutiva** (SIE) es una aplicación de alto nivel que facilita la toma de decisiones en los niveles directivos de mayor jerarquía. Estos sistemas, por lo general, están basados en software que puede convertir grandes cantidades de datos complejos en información pertinente y ofrecer esa información a la alta dirección de una manera oportuna. Por ejemplo, el sector de productos semiconductores de Motorola, con sede en Austin, Texas, tenía cantidades masivas de datos almacenados, pero los usuarios no podían encontrar con facilidad lo que necesitaban. La compañía implementó un SIE que utiliza software de procesamiento analítico en línea, así que más de 1000 altos ejecutivos, así como gerentes y analistas de proyectos en los departamentos de finanzas, marketing, ventas y contabilidad en todo el mundo, pudieron obtener rápida y fácilmente información acerca de las tendencias de compra de los clientes, la manufactura, etcétera, desde sus computadoras de escritorio, sin tener que aprender comandos arcanos y complejos de búsqueda.[13]

Un **sistema de apoyo a las decisiones** (SAD) proporciona beneficios específicos a los directivos de todos los niveles en la organización. Estos sistemas automatizados e interactivos dependen de modelos de decisión y de bases de datos integradas. Mediante el uso del software de apoyo a las decisiones, los usuarios pueden formular una serie de preguntas hipotéticas para poner a prueba alternativas factibles. Con base en los posibles escenarios utilizados por el software o especificados por el usuario, los directivos pueden explorar diferentes opciones y recibir información útil para elegir la más conveniente con el fin de obtener el mejor resultado.

Wal-Mart utiliza un SIE y un SAD que dependen de una base de datos masiva para tomar decisiones acerca de lo que se debe almacenar, cómo fijar los precios y promoverlos, y cuándo volver a hacer un pedido. La información acerca de qué productos se están vendiendo y qué artículos se venden en conjunto con más frecuencia se obtiene por medio de los lectores ópticos de las cajas de los supermercados. Las unidades manuales inalámbricas que operan los dependientes y gerentes departamentales ayudan a tener un control estrecho sobre los niveles de inventario. Todos estos datos se envían al almacén de datos de Wal-Mart en Bentonville, Arkansas, el cual tiene la sorprendente cantidad de 460 TB de datos, de acuerdo con los representantes de la compañía. Wal-Mart utiliza esta montaña de datos para promover una mayor eficiencia a todos los niveles, así como pronosticar tendencias y hacer más negocios. Gracias al análisis de datos mediante el sistema de apoyo a las decisiones y el uso de tecnología para pronósticos, por ejemplo, los gerentes de Wal-Mart ahora saben que los paquetes de seis latas de cerveza se venden con rapidez y que las ventas de Pop-Tarts de fresa sextuplican su tasa de ventas normales en los días anteriores a un huracán.[14]

Modelo de control basado en la retroalimentación

Otra aplicación importante de la información en las organizaciones es el control. Los sistemas efectivos para el control implican el uso de retroalimentación para determinar si el desempeño cumple con los estándares establecidos para ayudar a la organización a lograr sus metas. Los directivos establecen sistemas de control organizacional compuestos por cuatro pasos principales del **modelo de control basado en la retroalimentación** ilustrado en el cuadro 8.3.

El ciclo de control comprende la configuración de metas estratégicas para los departamentos o para la organización como un todo. El establecimiento de métricas y estándares de desempeño, la comparación de métricas del desempeño real en relación con los estándares, y la corrección o cambio de actividades según sea necesario. El control basado en la retroalimentación ayuda a los directivos a realizar los ajustes necesarios a las actividades laborales, estándares de desempeños o metas para ayudar a la organización a lograr el éxito. Por ejemplo, gracias a la evaluación del desempeño de ventas, las calificaciones del cliente y demás tipos de retroalimentación, los directivos en McDonald's vieron la necesidad de ajustar los menús de su cadena de comida rápida para incluir comidas más saludables como las ensaladas, la opción de rebanadas de manzanas y leche en lugar de papas fritas y bebidas gaseosas en las cajitas felices, y MacNuggets de carne blanca de pollo.[15] En las secciones siguientes se analizarán los dos métodos utilizados con más frecuencia que operan como sistemas de control basado en la retroalimentación: Los sistemas de control administrativo y el balanced scorecard.

Como gerente de una organización, tenga en mente estos lineamientos:

Diseñe sistemas de control compuestos por las cuatro etapas esenciales del modelo de control basado en la retroalimentación: fije metas, establezca estándares de desempeño, mida el desempeño real y compárelo con los estándares y corrija o cambie las actividades según sea necesario.

Sistemas de control administrativo

Los **sistemas de control administrativo** se definen en sentido amplio como las rutinas formales, los reportes y los procedimientos que utilizan la información para mantener o alterar patrones en las actividades organizacionales.[16] Estos sistemas de control incluyen actividades formalizadas basadas en la información para la planeación, la elaboración de presupuestos, la evaluación del desempeño, la distribución de recursos y la asigna-ción de recompensas a los empleados. A fin de que los directivos implementen

CUADRO 8.3
Modelo simplificado de control basado en la retroalimentación

las acciones correctivas se les informa de los resultados comparados con los objetivos y la varianza, las que se establecen de antemano. Los avances en la TI han mejorado de manera radical la eficiencia y efectividad de estos sistemas. Por ejemplo, muchas organizaciones utilizan *cuadros de mando ejecutivos*, los cuales permiten a los directivos enterarse con un vistazo de los indicadores de control clave como ventas en relación con los objetivos, número pendiente de productos en producción, o porcentaje de llamadas de servicio al cliente resueltas dentro de un periodo específico.[17] Los sistemas de cuadros de mando ejecutivos coordinan, organizan y presentan las métricas que los directivos consideran más importantes para ser monitoreadas de manera habitual, con un software que actualiza las cifras de manera automática. En Verizon Communications, un sistema de cuadros de mando está al tanto de más de 300 mediciones diferentes del desempeño del negocio en tres amplias categorías: Pulso del mercado (que incluye el número de las ventas diarias y la participación de mercado); servicio al cliente (por ejemplo, los tiempos de espera en los centros de atención telefónica y los problemas resueltos en la primera llamada); y los factores inductores del costo (como la cantidad de camiones de reparación en el campo). Los líderes de las unidades de negocio eligen un conjunto limitado de métricas que interesarán más a sus ejecutivos de división y gerentes de línea, así que el sistema proporciona los datos adecuados y no una sobrecarga de información.[18]

El cuadro 8.4 lista cuatro elementos del sistema de control los cuales muchas veces son considerados como el centro de los sistemas de control administrativo: Estados financieros y presupuesto; reportes periódicos estadísticos no financieros; sistemas de recompensa, y sistemas de control de calidad.[19]

Por lo general, el *presupuesto* se utiliza para establecer los objetivos referentes a los gastos organizacionales anuales y después informa los costos reales en forma trimestral o mensual. Como forma de control, los presupuestos reportan los gastos reales así como los planeados para cuestiones como el efectivo, los activos, las materias primas, los salarios y otros recursos de manera que los directivos puedan implementar acciones para subsanar las varianzas. Algunas veces, la diferencia entre el presupuesto y la cantidad total de cada artículo de línea se lista como parte del presupuesto. Los directivos también dependen de un gran número de informes financieros. Los *balances* muestran la posición financiera de la empresa con respecto a sus activos y pasivos en una fecha específica. Un *estado de resultados*, también denominado *estado de pérdidas y ganancias*, resume el desempeño financiero de la compañía para un determinado tiempo, como una semana, mes o año. Este estado muestra los ingresos que entran a la organización, provenientes

CUADRO 8.4
Sistemas de control administrativo

Subsistema	Contenido y frecuencia
Presupuesto, estados financieros, reportes estadísticos.	Finanzas, gasto de recursos, ingresos y pérdidas; resultados mensuales no financieros; mensual o semanal, con frecuencia automatizados.
Sistemas de recompensa.	Evaluación de los directivos con base en las metas departamentales y en el desempeño, establecimiento de recompensas; anual.
Sistemas de control de calidad.	Participación, directrices de benchmarking, metas Six Sigma; continuo.

Fuente: Basado en Richard L. Daft y Norman B. Macintosh, "The Nature and Use of Formal Control Systems for Management Control and Strategy Implementation", *Journal of Management* 10 (1984), 43-66.

de todas las fuentes y resta todos los gastos, como costos de bienes vendidos, intereses, impuestos y depreciación. El *balance final* indica el ingreso neto, ganancia o pérdida, para un determinado tiempo.

Los gerentes utilizan reportes estadísticos periódicos para evaluar y monitorear el desempeño no financiero, como satisfacción del cliente, desempeño de los empleados o la tasa de rotación de personal. Para las organizaciones de comercio electrónico, las medidas importantes de desempeño no financiero incluyen métricas como la *adhesividad* (cuánta atención recibe un sitio durante un tiempo), la *tasa de conversión*, es decir, la tasa de compradores que visitan un sitio y los *datos de desempeño del sitio*, como cuánto tiempo tarda en cargarse una página o cuánto en hacer un pedido.[20] Los directivos de comercio electrónico, por lo general, revisan los informes referentes a las tasas de conversión, abandono de clientes y otras métricas para identificar problemas y mejorar su negocio. Para todas las organizaciones los informes no financieros casi siempre son automatizados y se puede acceder a ellos a diario, cada semana o cada mes. La compañía de subastas en línea eBay proporciona un buen ejemplo del uso de informes financieros y no financieros para el control basado en la retroalimentación.

En la práctica
eBay

Meg Whitman, director general de eBay, tiene un mantra que lo guía: "Si no lo puedes medir, no lo puedes controlar". Whitman maneja una compañía que está obsesionada con la medición del desempeño. De forma personal, ella monitorea métricas de desempeño tales como el número de visitantes a un sitio, porcentaje de nuevos usuarios y el tiempo que se pasa en un sitio, así como los estados de resultados y la tasa de ingresos de eBay en función del valor de los bienes comercializados. Los directivos de la compañía también monitorean de forma habitual el desempeño. Los gerentes de categoría, por ejemplo, tienen claros estándares de desempeño para sus categorías de subastas (como los deportes, los objetos personales de celebridades, las joyas y relojes, la salud y belleza, etcétera). Con frecuencia miden, implementan pequeños ajustes y promueven sus categorías para alcanzar o superar sus metas.

Whitman cree que la comprensión de la medición del desempeño por parte de la compañía es esencial para que una empresa sepa dónde gastar el dinero, hacia dónde encauzar más personal y qué proyectos promover o abandonar. Cuantas más estadísticas estén disponibles, los directivos sabrán con mayor antelación de los problemas y las oportunidades. Pero el desempeño no sólo se trata de números en eBay. La medición de la satisfacción del cliente (usuarios) requiere una mezcla de métodos, como las encuestas, el monitoreo de los tableros de discusión de eBay y el contacto personal con clientes en conferencias habituales en vivo.

Gracias a la definición de sus estándares y el uso efectivo de los informes financieros y estadísticos, los directivos de eBay pueden identificar los puntos problemáticos y reaccionar con mayor rapidez para implementar acciones correctivas cuando y donde sean necesarias.[21]

Además de la medición del desempeño, eBay también utiliza de manera efectiva los demás sistemas de control enumerados en el cuadro 8.4: Los sistemas de recompensa y los sistemas de control de calidad. Los sistemas de recompensa ofrecen incentivos para el personal a fin de mejorar el desempeño y cumplir las metas departamentales. Los directivos y empleados evalúan el desempeño, establecen nuevas metas y recompensas a quien cumpla con los nuevos objetivos. Las recompensas con frecuencia están vinculadas con el proceso de evaluación del desempeño anual, que hacen los directivos a los empleados, mediante el cual, ofrecen retroalimentación a estos últimos para ayudarlos a mejorar en su actividad.

El elemento de control final enunciado en el cuadro 8.4 representan los sistemas de control de calidad, los cuales utilizan los directivos para capacitar a los empleados en los métodos de control de calidad, establecer objetivos para la participación de los empleados, implementar lineamientos de benchmarking (o evaluación por comparación) y asignar y medir las metas *Six Sigma*. Por ejemplo, en eBay, Whitman utilizó el benchmarking para medir cómo se desempeña el sitio Web de la compañía en comparación con sus iguales. Al darse cuenta de que el sitio de eBay era débil en el aspecto de agregar nuevas características, de manera que los ejecutivos han tomado cartas en el asunto para mejorar el desempeño del sitio en esa área. **Benchmarking** es el proceso de medir de manera continua los productos, los servicios y las prácticas en comparación con los mejores competidores u otras organizaciones reconocidas como líderes de la industria.[22] **Six Sigma**, en su origen ideada por Motorola Corp., es un estándar de calidad altamente ambicioso que especifica una meta de no más de 3.4 defectos por millón de partes.[23]

Sin embargo, Six Sigma se ha desviado de esta precisa definición para convertirse en un término genérico para un conjunto total de procedimientos de control que enfatiza el propósito implacable de obtener una calidad más alta y precios más bajos. La disciplina está basada en una metodología conocida como DMAIC (siglas en inglés de los términos: Definir, medir, analizar, mejorar y controlar, y se pronuncia como de-MAY-ick, para abreviar), la cual proporciona una forma estructurada para las organizaciones de enfocar y resolver problemas.[24] Compañías como General Electric, ITT Industries, Dow Chemical, ABB Ltd., y 3M han ahorrado millones de dólares gracias a los procesos Six Sigma que han ayudado a erradicar ineficiencias y desperdicios.[25]

Como gerente de una organización, tenga en mente estos lineamientos:

Establezca sistemas de control administrativo que utilicen los informes financieros y presupuestos, informes no financieros estadísticos, sistemas de recompensa y sistemas de control de calidad. Utilice el *balanced scorecard* para integrar diferentes dimensiones del control y obtener un panorama más completo acerca del desempeño organizacional. Seleccione indicadores en áreas de desempeño financiero, servicio al cliente, procesos internos y aprendizaje y crecimiento.

Un hallazgo de la investigación acerca de los sistemas de control administrativo es que cada uno de los cuatro sistemas de control se enfoca sobre un aspecto diferente de los procesos de producción. Por lo tanto, estos cuatro sistemas forman un sistema de control administrativo global que proporciona a los mandos medios información para el control de entradas de recursos, eficiencia de procesos y salidas.[26] Además, el uso y la dependencia de los sistemas de control depende de los objetivos estratégicos establecidos por la alta dirección.

El presupuesto se utiliza de manera principal para distribuir entradas de recursos. Los directivos utilizan el presupuesto para planear el futuro y reducir la incertidumbre acerca de la disponibilidad de recursos materiales y humanos necesarios para llevar a cabo las tareas departamentales. Los informes estadísticos automatizados se utilizan para controlar las salidas. Estos informes contienen datos acerca del volumen y la calidad de salidas, y otros indicadores que ofrecen retroalimentación a los mandos medios acerca de los resultados departamentales. El sistema de recompensas y los sistemas de control de calidad están dirigidos al proceso de producción. Los sistemas de control de calidad especifican estándares para la participación de los trabajadores, el trabajo en equipo y la resolución de problemas. Los sistemas de recompensas ofrecen incentivos para alcanzar metas y pueden ayudar a guiar y a corregir el comportamiento de los empleados. Los gerentes también utilizan la supervisión directa para mantener la actividad de trabajo departamental dentro de los límites deseados.

El Balanced Scorecard

En el pasado, la mayoría de las organizaciones dependían en gran medida de las mediciones contables y financieras como fundamento para cuantificar el desempeño organi-

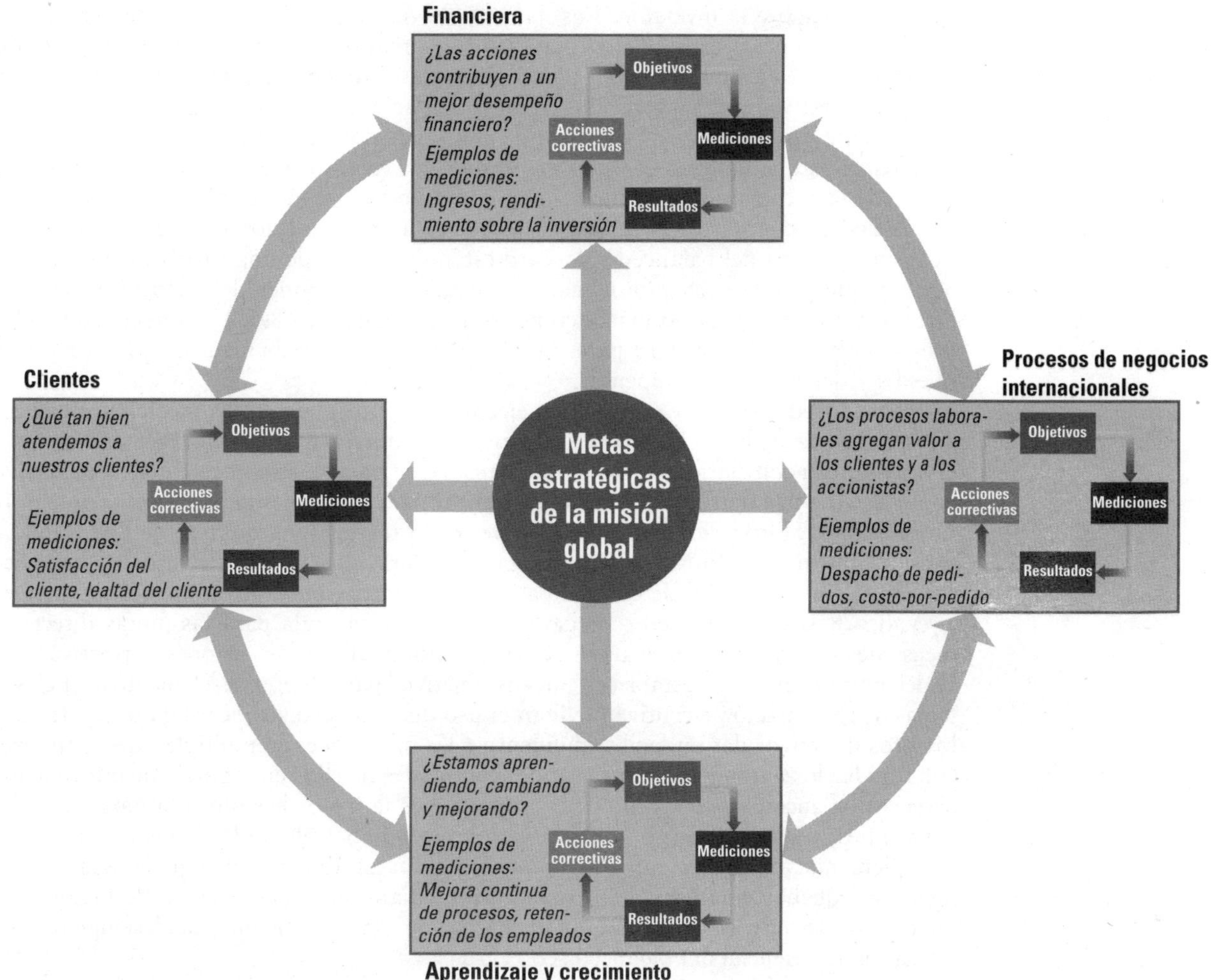

CUADRO 8.5

Principales perspectivas del Balanced Scorecard

Fuente: Basado en Robert S. Kaplan y David P. Norton, "Using the Balanced Scorecard as a Strategic Management System", *Harvard Business Review* (enero-febrero 1996), 75-85; Chee W. Chow, Kamal M. Haddad y James E. Williamson, "Applying the Balanced Scorecard to Small Companies", *Management Accounting* 79, núm. 2 (agosto 1997), 21-27; y Cathy Lazere, "All Together Now", *CFO* (febrero 1998), 28-36.

zacional, pero las compañías de la actualidad se dan cuenta que una visión balanceada tanto de las evaluaciones operativas como financieras es lo que se requiere para lograr un control organizacional exitoso.

Los cuatro elementos de control listados en el cuadro 8.4 ayudan a lograr que los directores tengan una perspectiva equilibrada de la organización. Además, una reciente innovación es la integración de las mediciones financieras internas y los informes estadísticos que tengan que ver con mercados y clientes así como con empleados. El **balanced scorecard** es un sistema de control administrativo integral que balancea las mediciones financieras tradicionales con mediciones operativas correspondientes a los factores críticos para el éxito de una compañía.[27] El balanced scorecard contiene cuatro perspectivas, como se ilustra en el cuadro 8.5: Desempeño financiero, servicio al cliente, procesos internos de negocios y la capacidad organizacional de aprender y crecer.[28] Dentro de estas cuatro áreas, los directivos identifican los indicadores de desempeño cruciales a los que la organización deberá dar seguimiento. La *perspectiva financiera* refleja un interés en que las actividades organizacionales contribuyan a mejorar el desempeño financiero de corto y largo plazos. Ésta incluye mediciones tradicionales como el ingreso neto y rendimiento sobre la inversión. Los *indicadores de servicio al cliente* miden cuestiones como la forma en que los clientes perciben a la organización, así como la retención del cliente y su satisfacción. Los *indicadores de procesos de negocios* se enfocan en las estadísticas operativas y de producción, como el despacho de pedidos o costo por pedido. El componente final observa el *potencial de aprendizaje y crecimiento* de la organización, y se centra en qué tan bien se están manejando los recursos y el capital humano para el futuro de la corporación. Las mediciones comprenden cuestiones como la retención del empleado, las mejoras de procesos de negocio y la introducción de nuevos productos. Los componentes del balanced scorecard están diseñados de una forma integradora de manera que se refuercen mutuamente y vinculen las acciones de corto plazo con las metas estratégicas de largo plazo, como lo ilustra el cuadro 8.5. Los directivos pueden utilizar el balanced scorecard para establecer metas, distribuir recursos, planear presupuestos y determinar recompensas.[29]

El balanced scorecard ayuda a los ejecutivos a enfocarse en las mediciones estratégicas clave que definen el éxito de una organización en particular a través del tiempo y las comunican con claridad a través de la misma. El balanced scorecard se ha convertido en un sistema de control administrativo central para muchas organizaciones contemporáneas, como Hilton Hotels Corp., Allstate, Bell Emergis (una división de Bell Canada) y Cigna Insurance. British Airways vincula de una manera clara el uso del balanced scorecard con el modelo de control basado en la retroalimentación mostrado antes en el cuadro 8.3. Los balanced scorecards sirven como agenda para las juntas directivas mensuales, donde los jefes evalúan el desempeño, analizan las acciones correctivas que se deben implementar y establecen nuevos objetivos para diferentes elementos.[30] Los sistemas de información ejecutiva facilitan el uso del balanced scorecard ya que permite a los altos directivos dar un fácil seguimiento a las mediciones en múltiples áreas, analizar con rapidez los datos y convertir grandes cantidades de ellos en reportes de información clara. El balanced scorecard no necesariamente es la mejor herramienta para todas las situaciones, y las pequeñas organizaciones parecen haber obtenido la menor eficacia en la implementación de este enfoque. Por ejemplo, un estudio encontró que a pesar de que muchas pequeñas empresas de manufactura medían una gran variedad de factores no financieros, la mayoría no integraba los datos con otras mediciones de desempeño, una característica esencial del balanced scorecard.[31]

Una vez que se ha observado el uso de los sistemas de información para la toma de decisiones administrativas y el control, se puede ver que la TI ha evolucionado en forma adicional como una herramienta estratégica para organizaciones como Wal-Mart, Harrah's Entertainment y Progressive Insurance. Este es el nivel más alto de aplicación, como se presenta en el cuadro 8.1 al principio de este capítulo. La TI puede agregar valor estratégico ya que proporciona mejor información y datos a la organización (coordinación interna) y define y apoya las relaciones con clientes, proveedores y otras organizaciones (relaciones externas).

La adición de valor estratégico: Fortalecimiento de la coordinación interna

Las tres principales herramientas de la TI para la coordinación son las intranets, la planeación de recursos empresariales (ERP, por sus siglas en inglés), y los sistemas de administración de conocimiento.

Intranets

Los **sistemas de redes**, que vinculan personas y departamentos dentro de un edificio o entre oficinas corporativas, permiten compartir información y cooperar en los proyectos, lo cual se ha convertido en una importante herramienta estratégica para muchas compañías. Por ejemplo, una base de datos en línea denominada CareWeb, a la que los profesionales médicos acceden vía una red en el Beth Israel Deaconess Medical Center en Boston, contiene registros de más de 9 millones de pacientes. Los médicos de la sala de emergencias pueden revisar al instante el historial médico de un paciente, lo que representa un ahorro de segundos que podrían hacer la diferencia entre la vida y la muerte. Gracias a la administración de información y a ponerla a disposición de todo aquel que lo necesite en toda la organización, CareWeb permite a Beth Israel ofrecer una mejor atención, así como mantener el mejor control de los costos.[32]

Como gerente de una organización, tenga en mente estos lineamientos:

Mejore la coordinación interna, la integración y la transmisión de información a través de intranets, sistemas de planeación de recursos empresariales (ERP) y sistemas de administración del conocimiento. Utilice el ERP para integrar y optimizar los procesos de negocio a través de toda la empresa.

Los sistemas de redes pueden asumir muchas formas, pero la forma de sistema de redes corporativas que ha tenido el más rápido crecimiento es la **intranet**, un sistema de información privado que abarca a toda la empresa y que utiliza los protocolos y estándares de comunicación de Internet y de la WWW pero a la que sólo tienen acceso las personas de la compañía. Para observar archivos e información, los usuarios sólo navegan por un sitio con un navegador de Web estándar, y hacen clic sobre los vínculos deseados.[33] Como las intranets están basadas en Web, se puede tener acceso a ellas desde cualquier tipo de computadora o estación de trabajo.

En la actualidad, la mayoría de las compañías con intranets han migrado sus sistemas de información administrativa, sistemas de información ejecutiva, etcétera, a la intranet, de manera que cualquier persona que los necesite pueda tener acceso a ellos. Además, tener estos sistemas como parte de la intranet implica nuevas características y aplicaciones que se pueden agregar y tener acceso a ellas a través de un navegador estándar.

Las intranets pueden mejorar la comunicación interna y revelar la información oculta. Permiten a los empleados estar en contacto con lo que está sucediendo en torno a la organización, encontrar la información que requieren de una forma rápida y fácil, compartir ideas, y trabajar en proyectos de manera conjunta. Las intranets más avanzadas, como las de SPS, Ford Motor Company, Nike y Weyerhaeuser, están conectadas a sistemas patentados que gobiernan las funciones de negocios de una empresa. La intranet global de Ford conecta a más de 100 000 estaciones de trabajo con miles de sitios que ofrecen información privilegiada, como investigación de mercados, análisis de componentes de la competencia y desarrollo de productos.[34] La intranet de Frito-Lay's permite a sus vendedores tener un acceso rápido a la información corporativa y de ventas relacionadas con el cliente, realizar lluvias de ideas con sus colegas acerca del mejor enfoque para un argumento de venta, o localizar a un experto dentro de la compañía para pedirle ayuda con la planeación promocional, la determinación de costos o los anuncios de nuevos productos.[35]

Planeación de recursos empresariales

Otro enfoque reciente referente a la administración de información ayuda a conjuntar diferentes tipos de datos para ver de qué forma las decisiones y acciones en una parte de la organización afectan otras partes de la misma. Un número cada vez mayor de compañías están estableciendo sistemas de información a gran escala gracias a los cuales se obtiene un panorama global de las actividades de la organización. Estos **sistemas de planeación de recursos empresariales** (ERP), recaban, procesan y proporcionan información acerca de un proyecto completo de la compañía, lo que incluye el procesamiento de pedidos, el diseño de productos, las compras, el inventario, la manufactura, la distribución, los recursos humanos, los recibos de pago y el pronóstico de la demanda futura.[36] Un sistema ERP puede servir como la columna vertebral de una organización total ya que integra y optimiza los diferentes procesos de negocio a través de la empresa general.[37]

Un sistema de esta naturaleza vincula a las áreas de actividad dentro de una red, como lo ilustra el cuadro 8.6. Cuando un vendedor toma un pedido, el sistema verifica de qué forma este pedido afecta los niveles del inventario, la planeación, el departamento de recursos humanos, el de compras y el de distribución. El sistema replica los procesos organizacionales en software, guía a los empleados paso por paso a través de los procesos, y automatiza tantos como sea posible. Por ejemplo, el software ERP puede girar un cheque en forma automática para cuentas por pagar tan pronto como un dependiente confirme que los bienes se han recibido en el inventario, envía un pedido de compras en línea de inmediato después de que un gerente ha autorizado una compra, o planea la producción en la planta más apropiada después de que el pedido se ha recibido.[38]

Gracias a la implementación de ERP, Bollinger Shipyards, con sede en Louisiana, eliminó un 15% en el tiempo que conlleva construir un barco, lo que redundó en enor-

CUADRO 8.6
Ejemplo de una red ERP

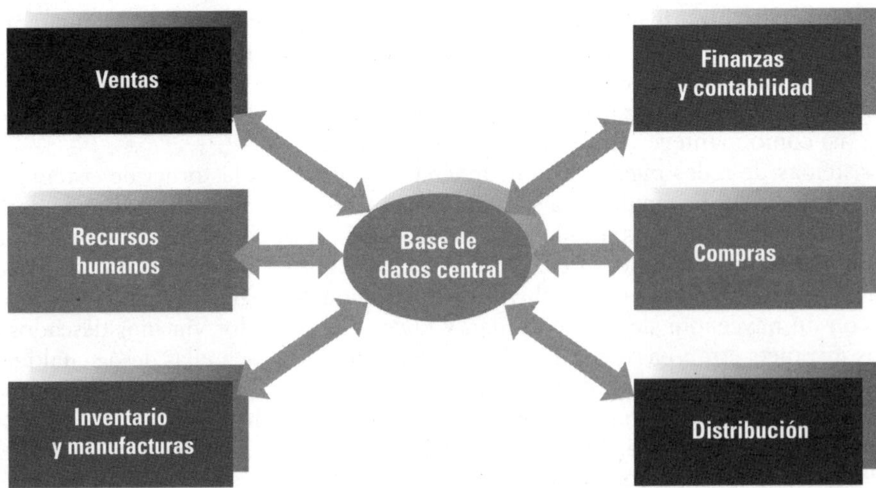

mes ahorros para la compañía. Era costumbre que cada uno de los nueve astilleros de Bollinger requiriera dos empleados para manejar la administración, las compras y el pago de nóminas; ahora esto lo logra con una persona que trabaja medio tiempo en cada astillero debido a que el sistema ERP automatiza estos procesos. Liberados de las tareas mundanas, se ha reasignado a los empleados a trabajos que requieren mayor conocimiento.[39]

Además, como los sistemas integran datos de todos los aspectos de las operaciones, los administradores y los empleados en todos los niveles pueden ver de qué forma las decisiones y las acciones en una parte de la organización afectan a las otras, y utilizan esta información para mejorar sus objetivos. La ERP puede ofrecer el tipo de información que proporcionan los sistemas de procesamiento de transacciones, así como el que ofrecen los sistemas de reporte de información, los sistemas de apoyo a las decisiones o los sistemas de información ejecutiva. La clave es que la ERP entreteje todos estos sistemas de manera que la gente puede tener la perspectiva total de una situación y actuar con prontitud, lo que ayuda a la organización a ser más inteligente y efectiva. Medecins du Monde, una organización de ayuda internacional, utiliza un sistema ERP para mantener un registro preciso de los gastos, suministros y necesidades, y permite que los doctores y voluntarios en funciones sepan de qué recursos disponen y dónde se necesitan sus servicios con mayor urgencia.[40]

Administración del conocimiento

Una meta fundamental de los sistemas TI de la actualidad es apoyar los esfuerzos para administrar y aprovechar el conocimiento organizacional. El capital intelectual se está convirtiendo cada vez más en la principal forma en que los negocios miden su valor.[41] De ahí que los administradores perciban el conocimiento como un recurso importante que se debe administrar, de la misma forma en que administran el flujo de efectivo, las materias primas y otros recursos. Una encuesta de directores generales que asistieron al Foro Económico Mundial encontró que el 97% de los altos ejecutivos consideraban la administración del conocimiento como una cuestión vital para sus organizaciones.[42] Para poder aprender y cambiar, las organizaciones deben adquirir, crear y transferir de manera efectiva el conocimiento a través de toda la compañía y modificar sus actividades para reflejar un nuevo conocimiento y comprensión.[43]

La **administración del conocimiento** es una nueva manera de concebir la forma de organizar y compartir los recursos creativos e intelectuales de una empresa. Se refiere a los esfuerzos sistemáticos para encontrar, organizar y hacer asequible el capital intelectual corporativo y fomentar una cultura de aprendizaje continuo y de transmisión del conocimiento de manera que las actividades organizacionales se fundamenten en lo que ya se sabe.[44] El **capital intelectual** de una compañía es la suma de este conocimiento, experiencia, comprensión, relaciones, procesos, innovaciones y descubrimientos. A pesar de que la mayor parte del conocimiento de una compañía se encuentra dentro de las fronteras formales de ella misma, sacar provecho del conocimiento de expertos externos también es importante debido a que esto trae consigo un nuevo conocimiento para la organización que puede combinarse con el ya existente para identificar problemas y oportunidades y hacer que la organización sea más competitiva.[45] Una variedad de nuevos instrumentos de software apoyan la colaboración y la transmisión de conocimiento a través de servicios como conferencias en Web, portales de conocimiento, administración de contenido y el uso de *wikis* (o boletines electrónicos), una herramienta emergente de colaboración. Los wikis son una extensión del concepto de *blog* (bitácoras Web); en lugar de simplemente permitir que un individuo difunda sus puntos de vista a una audiencia en línea, como los blogs lo hacen, los wikis permiten a la gente editar y agregar contenido a la bitácora en operación.[46]

¿Qué es el conocimiento? El conocimiento no es lo mismo que los datos o la información, aunque utiliza a ambos. Los **datos** son hechos y cifras simples y absolutas que, por sí mismos, pueden tener poca utilidad. Una compañía puede tener datos que muestren que el 30% de un producto en particular es vendido a clientes en Florida. A fin de que estos datos sean útiles para una organización, se procesan para convertirlos en *información* refinada mediante su conexión con otros datos: Por ejemplo, nueve de 10 productos vendidos en Florida los compran personas que tienen más de 60 años de edad. La **información** consiste en datos que se han vinculado con otros datos y se han transformado en un contexto útil para un uso específico. El **conocimiento** va un paso más allá; es una conclusión a la que se llega a partir de información después de que ésta ha sido vinculada con otra y comparada con lo que ya se sabe. El conocimiento, contrario a la información y los datos, siempre implica un factor humano. Los libros pueden contener información, pero la información se convierte en conocimiento sólo cuando una persona asimila esa información y la aplica.[47]

Las organizaciones manejan tanto el conocimiento explícito, como el implícito, o tácito.[48] El **conocimiento explícito** es un conocimiento formal y sistemático que puede estar codificado, escrito y se puede transferir a otros en forma de documentos o instrucciones generales. El conocimiento tácito, por otro lado, con frecuencia es difícil de expresarse en palabras. el **conocimiento tácito** está basado en la experiencia personal, en reglas generales, en la intuición y el juicio. Incluye el saber hacer profesional y la destreza, la perspicacia y la experiencia individual, así como soluciones creativas que no son fáciles de comunicar y transferir a los demás. El conocimiento explícito puede equipararse al *saber sobre*; el conocimiento tácito puede equipararse al *saber cómo*.[49]

Encontrar formas de transferir el conocimiento explícito y el tácito —saber sobre y saber cómo— a través de la organización es un factor crucial.[50] A pesar de que el conocimiento explícito puede capturarse y compartirse con facilidad por medio de documentos y a través de los sistemas de TI, tanto como el 80% del conocimiento valioso de la organización puede consistir en conocimiento tácito que no puede ser capturado o transferido con facilidad.[51]

Enfoques para la administración del conocimiento. Hay dos enfoques distintos para la administración del conocimiento que se muestran en el cuadro 8.7. El primer método que se explica tiene que ver en forma principal con la recolección del conocimiento explícito, en gran parte a través del uso de sofisticados sistemas de TI.[52] El conocimiento explícito puede abarcar propiedades intelectuales como patentes y licencias; procesos de trabajo como políticas y procedimientos; información específica sobre los clientes, los mercados, los proveedores o competidores; informes de inteligencia competitiva; datos de estándares comparativos; entre otros. Cuando una organización emplea este enfoque, se concentra en recabar y codificar el conocimiento y almacenarlo en bases de datos donde todos en una organización puedan tener fácil acceso a él. Con este enfoque "gente–a-documentos", el conocimiento se recaba de individuos que lo poseen y se organiza en documentos a los que otros pueden tener acceso y reutilizar. Cuando Barclays

Como gerente de una organización, tenga en mente estos lineamientos:

Establezca sistemas para facilitar tanto el conocimiento explícito como el tácito para ayudar a la organización a aprender y mejorar.

Global Investors se enfrenta con la solicitud de propuestas, por ejemplo, los empleados tienen que responder a cientos de cuestiones complicadas formuladas por los clientes. Un sistema de administración del conocimiento les permite tener acceso a las respuestas y reutilizar las respuestas similares que se obtuvieron de propuestas previas.[53]

Aunque la TI ejerce una función importante en la administración del conocimiento al permitir el almacenamiento y difusión de los datos e información a través de la organización, la TI es tan sólo una pieza de un rompecabezas más grande.[54] Un sistema completo de administración del conocimiento incluye no sólo los procesos para la captura y almacenamiento de conocimiento así como su organización para un acceso fácil, sino también formas de generar conocimiento nuevo mediante el aprendizaje y compartir este conocimiento a través de toda la empresa. Como se analiza en el Marcador de libros de este capítulo, el papel pasado de moda puede tener una función tan importante en el trabajo del conocimiento como la tecnología de cómputo.

El segundo enfoque se centra en aprovechar la experiencia individual y el saber hacer, es decir, el conocimiento tácito, mediante la conexión personalizada de la gente

Marcador de libros 8.0 (¿YA LEYÓ ESTE LIBRO?)

El mito de la oficina sin papeles

Por Abigail J. Sellen y Richard H. R. Harper

A primera vista, parece una gran idea: Deshacerse de todos los papeles que desordenan los escritorios y meter todo a las computadoras. En especial con la proliferación de los artilugios manuales, los papeles parecen ser redundantes. Sin embargo, la venta de papel se incrementa cada año debido a que este material está entretejido en el entramado de nuestras vidas y organizaciones; y por muy buenas razones, argumentan Abigail Sellen y Richard Harper, autores de *The Myth of the Paperless Office*. En realidad, el papel permite una cierta clase de procesamiento de información y constituye la base de la administración del conocimiento en colaboración. La gente simplemente no puede pensar de la misma forma cuando ven un documento en la pantalla de una computadora.

¿POR QUÉ HA SUBSISTIDO EL PAPEL?

Sellen y Harper ofrecen varias razones de por qué el papel ha persistido. El papel tiene muchas ventajas, afirman, para la realización de cierta clase de tareas cognitivas y para apoyar determinados tipos de colaboración.

- *El papel es flexible y se puede manipular con facilidad para la lectura*. La mayor parte de la gente prefiere leer periódicos o documentos en papel y no en una pantalla de computadora. Los autores citan cuatro principales razones para ello: El papel permite a la gente navegar de manera flexible a través del documento, facilita la correlación en más de un documento a la vez, permite hacer anotaciones de manera sencilla, y posibilita la combinación entre la lectura y escritura. El papel da ocasión a levantar un documento o un periódico, o girarlo, leer partes de aquí y de allá y darse con rapidez una idea de su contenido en general.
- *El papel es una herramienta para la administración y la coordinación de acciones entre colaboradores*. Los autores citan un ejemplo fascinante de los controladores de tráfico aéreo quienes, a pesar de la posibilidad de utilizar tecnología muy sofisticada, emplean cintas de progreso de vuelo de papel ya que fomenta un trabajo en equipo perfecto, permite una fácil manipulación para indicar las variaciones de vuelo, ofrece a todos en el equipo información de un vistazo, y facilita el rápido progreso del trabajo requerido en este ambiente de alta presión.
- *El papel apoya la colaboración y la transferencia de conocimiento*. El papel tiene propiedades interactivas que no son fáciles de duplicar con los medios digitales y herramientas para la colaboración. Las personas que trabajan en colaboración en documentos y que requieren el juicio profesional y contribuciones de muchas personas, por lo general, imprimen borradores para leer, marcar y discutir con otros mientras dan vuelta a las páginas. Sellen y Harper argumentan que, sin borradores de papel, el trabajo de conocimiento iterativo y colaborador resultaría mucho más difícil y lento. El papel, afirman, "es un medio versátil que puede ser cooptado, moldeado y adaptado para satisfacer las necesidades del trabajo".

LO MEJOR DE DOS MUNDOS

Los autores enfatizan que las tecnologías digitales tienen sus propias ventajas. El punto central de su obra *The Myth of the Paperless Office* es que los administradores deben entender lo que el papel y lo que las computadoras pueden hacer y deben saber cómo obtener lo mejor de cada medio. "La cuestión real para las organizaciones... es no abandonarlo a su propia suerte, sino tener la suficiente motivación para entender su propio proceso de trabajo y las formas en que el papel desempeña su función".

The Myth of the Paperless Office, por Abigail Sellen y Richard Harper, publicado por MIT Press.

Explícito Proporciona sistemas de información rápidos, confiables y de alta calidad para el acceso de conocimiento codificado y reutilizable.		**Tácito** Canaliza la experiencia individual para proporcionar consejos creativos sobre problemas estratégicos.
Enfoque persona-a-documentos *Desarrolla un sistema de documentos electrónicos que codifica, almacena, discrimina y permite la reutilización del conocimiento.*	**Estrategia de administración del conocimiento**	**Enfoque persona-a-persona** *Desarrolla redes para vincular a la gente de manera que el conocimiento tácito pueda compartirse.*
Realiza grandes inversiones en tecnología de información con la meta de conectar a la gente con conocimiento codificado reutilizable.	**Enfoque de tecnología de la información**	*Realiza inversiones moderadas en tecnología de la información, con la meta de facilitar conversaciones y el intercambio personal de conocimiento tácito.*

CUADRO 8.7
Dos enfoques para la administración del conocimiento
Fuente: Basado en Morten T. Hansen, Nitin Nohria y Thomas Tierney. "What's Your Strategy for Managing Knowledge?" *Harvard Business Review* (marzo-abril 1999), 106-116.

o a través de medios de comunicación interactivos. El conocimiento tácito incluye el saber hacer profesional, las perspectivas y la creatividad individual y la experiencia e intuición personal. Mediante este enfoque, los directivos se concentran en desarrollar redes personales que vinculen a la gente de manera cercana a fin de compartir el conocimiento tácito. La organización utiliza sistemas de TI principalmente para facilitar la conversación y la transmisión de experiencias, ideas y perspectivas de una persona a otra. Por ejemplo, las intranets son importantes para ayudar a los empleados, en especial a aquellos que están dispersos en zonas geográficas, a compartir ideas y a explotar el conocimiento experto de toda la organización.

Por lo general, las organizaciones combinan varios métodos y tecnologías para facilitar que el conocimiento tácito y el explícito puedan compartirse y transferirse. Considere el ejemplo de Montgomery-Watson Harza (MWH), uno de los líderes expertos mundiales en cuestiones de energía, agua y desperdicio de agua.

En la práctica

Montgomery-Watson Harza

Montgomery-Watson Harza diseña, construye, financia y administra algunos de los proyectos de distribución de agua, drenaje, control de flujos, tratamiento de aguas residuales, limpieza de agua, y plantas de energía, con la tecnología más avanzada en el mundo. Por ejemplo, proyectos recientes incluyen un contrato de $92 millones para la planta de Lake Houston en Texas y un proyecto complejo con el departamento de Nueva Zelanda de conservación para resolver problemas de alcantarillado en el parque nacional de Abel Tasman.

El sello de MWH es la innovación, y no está limitada a atender a los clientes. La empresa ha implementado sistemas sofisticados para la colaboración que permiten a los equipos de proyecto compartir su conocimiento y administrar el trabajo del cliente de una manera más efectiva, lo que le brinda a MWH una ventaja competitiva. Considere el trabajo de los equipos de diseño, los cuales antes tenían que reunirse en forma personal en el área de labor para el desarrollo, el diseño y la administración de proyectos. En promedio, la investigación de una propuesta de proyecto y la búsqueda en las diferentes librerías de MWH duraba tres semanas. La obtención de la retroalimentación y los comentarios tomaba más tiempo y los cambios de planes muchas veces se presentaban en el último minuto. Por lo general, los diseños de proyecto tardaban meses en concretarse.

En la actualidad, los equipos tienen acceso a una base de datos que les permite averiguar la forma en que otros proyectos han manejado cuestiones específicas y han logrado hacer las cosas mejor, de una manera más eficiente, más rápida y más segura (conocimiento explícito). Además, los miembros de los equipos pueden compartir la información y el conocimiento tácito en línea y aprovechar la pericia de cualquiera que pueda ser capaz de agilizar o fortalecer el proyecto.

El uso de los sistemas de administración del conocimiento ha recortado el ciclo de diseño-a-entrega, ha mejorado la calidad de los diseños y ha incrementado la eficiencia de los proyectos de MWH.[55]

La adición de valor estratégico: Fortalecimiento de las relaciones externas

Las aplicaciones externas de la TI para fortalecer relaciones con clientes, proveedores y socios incluyen sistemas para la administración de la cadena de suministro y la empresa integrada, los sistemas de administración de relaciones con el cliente y el diseño de la organización de los negocios electrónicos. La extensión de las intranets corporativas para incluir a clientes y socios ha ampliado el potencial para la colaboración externa. Una **extranet** es un sistema de comunicaciones externo que utiliza Internet y es compartido por dos o más organizaciones. Cada organización transfiere ciertos datos fuera de su intranet privada, pero sólo otras compañías que compartan esta extranet pueden tener acceso a los datos. Por ejemplo, la extranet de Pitney Bowes puede permitir a un pequeño proveedor de comprimidos de madera utilizar su extranet para ver con cuántos de sus productos cuenta Pitney Bowes y cuántos necesitará en los días siguientes.

Liderazgo por diseño

Corrugated supplies

Rick Van Horne tuvo una visión. ¿Qué sucedería si todo el equipo de su planta alimentara con frecuencia de datos a Internet, donde el resto de la compañía, así como proveedores y clientes, pudieran estar al tanto de lo que está sucediendo en el taller de la fábrica en tiempo real? Por medio de una contraseña, los clientes podrían asomarse al funcionamiento interno de la compañía en cualquier momento, y presentar en la pantalla los programas de producción de Corrugated para ver con exactitud en qué etapa del proceso se encuentran sus pedidos y cuándo llegarán. Los proveedores pueden aprovechar el sistema para administrar su propio inventario: inventario que estuvieron vendiendo a Corrugated así como materiales almacenados en la planta de Corrugated para venderlos a alguien más.

Costó millones de dólares, pero la visión de Van Horne se convirtió en una realidad, la cual transformó a Corrugated en una de las primeras plantas de producción en el mundo basada por completo en tecnología Web. La idea detrás del nuevo sistema es conectar todo el equipo de manufactura de las plantas y después vincularlo a la Web, el sistema integrado está al alcance de todos, desde los operadores del taller hasta los clientes y proveedores que se encuentran fuera de la planta. El diagrama que se muestra más adelante ilustra cómo funciona el sistema para un cliente que coloca un pedido: El cliente se conecta al sitio Web y teclea un pedido de papel corrugado, cortado y plegado con precisión para 20 000 cajas. Las computadoras en la fábrica de Corrugated se ponen a trabajar de inmediato para determinar la mejor forma de combinar ese pedido con muchos otros pedidos que van desde unas pocas docenas de cajas hasta 50 000. La computadora genera el programa óptimo, es decir, el que produce más pedidos a partir de un solo rollo y con menos desperdicio de papel. Un operador humano verifica el programa en una de las pantallas de las computadoras en red que encuentran repartidas alrededor de la planta y presiona el botón Enviar. El software dirige las máquinas de corrugación masiva, las máquinas devastadoras, cortadoras y demás equipo, que comienzan a expeler pedidos de papel a 800 pies por minuto. Las bandas del transportador automatizado trasladan el pedido a la plataforma de carga, donde carretillas elevadoras equipadas con computadoras personales inalámbricas llevan la carga hasta el tráiler designado. Los conductores de camiones se conectan al sitio Web donde reciben instrucciones de qué tráiler cargar para maximizar su eficiencia de viaje. El pedido por lo general se entrega al cliente al día siguiente.

En la actualidad, cerca del 70% de los pedidos de Corrugated son enviados vía Internet y encaminados electrónicamente al taller. El sistema ahorra tiempo y dinero a Corrugated ya que programa en forma automática los detalles de pedidos especiales y reduce el desperdicio de papel. Para los clientes, esto redunda en un servicio más rápido y con menos complicaciones. Un cliente, Gene Mazurek, copropietario de Suburban Corrugated Box Co., afirma que lo primero que hace cada mañana es conectarse al sitio Web de Corrugated para ver qué está funcionando, qué se rompió, dónde se encuentra el pedido y cuándo debe llegar. El nuevo sistema ha recortado el tiempo de entrega de Mazurek a sus propios clientes, que era antes de una semana, a dos días, algo que los competidores más grandes no han podido lograr. Se trata de "lo mejor que ha sucedido hasta ahora", afirma Mazurek. "Es como tener a Rick con su máquina de corrugar aquí mismo dentro de mi planta."

La empresa integrada

Como gerente de una organización, tenga en mente estos lineamientos:

Utilice las aplicaciones de la TI, extranets, sistemas para la administración de la cadena de suministro y sistemas de negocios electrónicos de integración de la empresa para fortalecer las relaciones con clientes, proveedores y socios de negocio.

La extranet tiene una función crítica en la empresa integrada contemporánea. La **empresa integrada** es una organización que utiliza tecnología de información avanzada que permite una coordinación estrecha dentro de la compañía, así como con proveedores, clientes y socios. Un buen ejemplo de la empresa integrada es Corrugated Supplies, que ha conectado su fábrica entera a Internet, como se narró en el recuadro Liderazgo por diseño. Un aspecto importante de la empresa integrada es la *administración de la cadena de suministro*, lo cual implica administrar la secuencia de proveedores y compradores en todas las etapas del procesamiento desde la obtención de materia prima hasta la distribución de productos terminados para los clientes.[56] A fin de que las organizaciones operen de manera eficiente y proporcionen artículos de alta calidad que satisfagan las necesidades de los clientes, la compañía debe realizar entregas confiables de alta calidad, así como suministros y materiales a precios razonables. También requiere un sistema confiable y eficiente para distribuir productos terminados y que pronto estén a la disposición de los clientes.

Sistema de Corrugated en acción

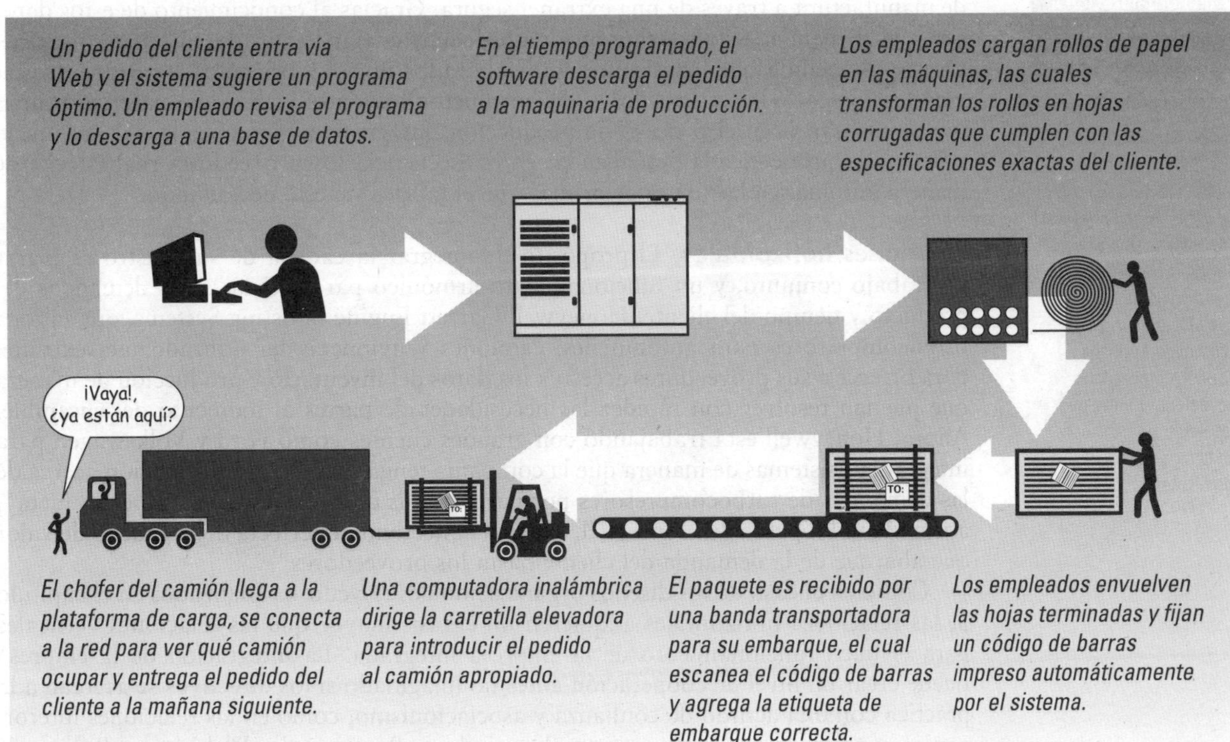

Fuente: Adaptado de la obra de Bill Richards, "Superplant", *eCompany* (noviembre 2000), 182-196.

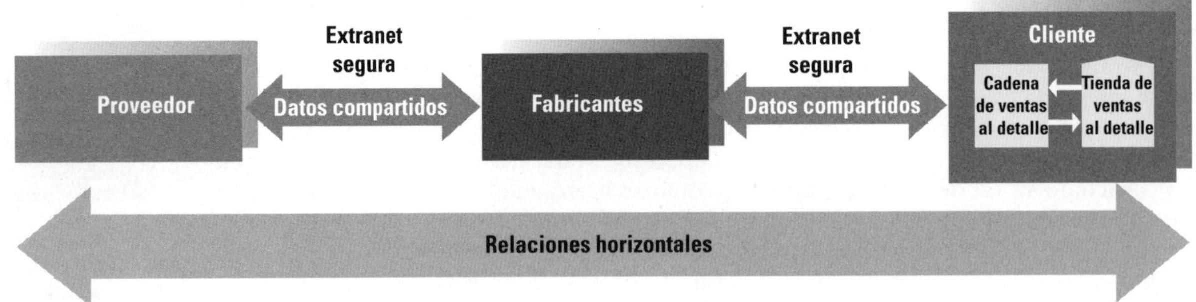

CUADRO 8.8
La empresa integrada
Fuente: Basado en Jim Turcotte, Bob Silveri y Tom Jobson, "Are You Ready for the E-Supply Chain?" *APICS-The Performance Advantage* (agosto 1998), 56-59.

Portafolios

Como gerente de una organización, tenga en mente estos lineamientos:

Transforme su organización en una empresa integrada mediante el establecimiento de vínculos de información horizontal entre ella misma y terceras personas clave. Cree una línea integrada perfecta que abarque desde los consumidores finales hasta los proveedores de materias primas que satisfarán las demandas de tiempo y producto de los clientes.

Vínculos de información. Los más recientes avances implican el uso de redes de cómputo o extranets para lograr el balance correcto de niveles de inventario bajo y sensibilidad del cliente. El cuadro 8.8 ilustra los vínculos horizontales de información en la empresa integrada. Mediante el establecimiento de vínculos electrónicos entre la organización y los socios clave para compartir e intercambiar datos, la empresa integrada crea una línea de informe integrada que va desde los consumidores finales hasta los proveedores de materias primas.[57] Por ejemplo, en el cuadro, a medida que los compradores adquieren productos en las tiendas de venta al detalle, los datos son alimentados de inmediato a los sistemas de información de las cadenas de ventas al detalle. A su vez, la cadena proporciona acceso a estos datos que de continuo se están actualizando a la compañía de manufactura a través de una extranet segura. Gracias al conocimiento de estos datos sobre la demanda, el fabricante puede producir y enviar los productos cuando sea necesario. A medida que los mismos son elaborados por el fabricante, se pueden ofrecer vía electrónica a los proveedores del productor los datos sobre las materias primas que se utilizaron en el proceso de producción, información actualizada del inventario y demanda pronosticada actualizada; en consecuencia los proveedores reabastecen de manera automática las materias primas que el fabricante esté necesitando.

Relaciones horizontales. El propósito de integrar la cadena de suministro es lograr un trabajo conjunto, y un funcionamiento armónico para satisfacer las demandas del producto y tiempo del cliente. Honeywell Garrett Engine Boosting Systems, que fabrica turbocompresores para automóviles, camiones y avionetas ha utilizado una extranet para ofrecer a sus proveedores acceso a los datos del inventario y producción de manera que puedan resolver con rapidez las necesidades de partes al momento del ensamble. Ahora, Honeywell está trabajando con grandes clientes como Ford y Volkswagen para integrar sus sistemas de manera que la compañía tenga una mejor información acerca de las demandas de turbocompresores por parte de sus clientes también. "Nuestra meta", afirma Paul Hopkins de Honeywell, "es una conectividad perfecta de la cadena de valor que abarque de la demanda del cliente hasta los proveedores".[58]

Como en el caso de los diseños organizacionales novedosos analizados en el capítulo 3, las relaciones horizontales adquieren un énfasis mayor que las relaciones verticales para el buen funcionamiento de la empresa integrada. La integración de la empresa puede crear un nivel de cooperación antes no imaginado si los directivos se acercan a la práctica con una actitud de confianza y asociacionismo, como en las relaciones interorganizacionales que se analizaron en el capítulo 5. Por ejemplo, Wal-Mart y Procter & Gamble (P&G) comenzaron sólo por intercambiar datos de ventas de manera que las mercancías de Procter pudieran reemplazarse de manera automática a medida que eran vendidas en los estantes de Wal-Mart. Sin embargo, esta información de computadora a computadora se transformó en una relación horizontal, con ambas empresas al compartir información del cliente, información de lealtad del consumidor, y otros datos que proporcionan ventajas estratégicas para ambos lados de la sociedad comercial.[59]

Administración de las relaciones con el cliente

Otro enfoque para fortalecer las relaciones externas es mediante el uso de los sistemas de administración de las **relaciones con el cliente** (CRM). Estos sistemas ayudan a las compañías a estar al tanto de las interacciones que se llevan a cabo entre los clientes y la empresa, y permiten a los empleados revisar las compras pasadas de un cliente y los registros de servicio, los pedidos pendientes, o los problemas sin resolver.[60] El CRM acumula en una base de datos toda la información del cliente que el dueño de una tienda en una pequeña población conservaría en su cabeza: Los nombres de los clientes, lo que compran, los problemas que han tenido con sus compras, etcétera. Este sistema ayuda a coordinar los departamentos de ventas, marketing y servicio al cliente de manera que todos funcionen en conjunto sin contratiempo alguno.

Diseño organizacional de los negocios electrónicos

CRM y la empresa integrada son dos componentes de los negocios electrónicos, un nuevo enfoque de la forma en que las organizaciones llevan a cabo sus actividades de negocio. Los **negocios electrónicos** se pueden definir como cualquier negocio que se lleve a cabo mediante procesos digitales en una red de cómputo y no en el espacio físico. En términos más comunes, se refiere a los vínculos electrónicos sobre Internet con clientes, socios, proveedores, empleados y otros constituyentes importantes. A pesar del derrumbe de las punto com a principios de la década de 2000, Internet continúa en el cambio de las formas tradicionales de hacer negocios, ha ayudado a las compañías en las industrias desde la banca, la manufactura hasta la venta minorista de música, a reducir costos, acelerar la innovación, y mejorar las relaciones con los clientes.[61] Muchas organizaciones tradicionales han establecido operaciones en Internet para fortalecer y mejorar estas relaciones, pero los directivos aún tienen que tomar la decisión sobre cómo integrar de la mejor forma *lo físico y lo virtual*, es decir, cómo mezclar sus operaciones acostumbradas con las iniciativas en Internet. En los primeros días de los negocios electrónicos, muchas organizaciones establecieron iniciativas punto com con poca comprensión de cómo tales actividades podían y debían integrarse a sus negocios globales. A medida que la realidad de los negocios electrónicos ha evolucionado, las compañías han obtenido lecciones valiosas acerca de cómo fusionar las actividades físicas y en línea.[62]

La variedad de estrategias básicas para establecer una operación en Internet está representada en el cuadro 8.9. En un extremo del espectro, las compañías pueden establecer una división interna que esté integrada estrechamente con los negocios tradicionales. El enfoque contrario es crear una compañía derivada que esté muy separada de la organización tradicional. Muchas compañías eligen el punto medio mediante la construcción de sociedades estratégicas con otras organizaciones para su iniciativa en Internet. Cada una de estas opciones presenta distintas ventajas y desventajas.[63]

División interna. Una división interna ofrece una integración estrecha entre la operación en Internet y la operación tradicional de la organización. La organización crea una unidad separada dentro de ella misma que funciona dentro de la estructura y que sirve de guía de la organización acostumbrada. Este enfoque aporta a la nueva división varias ventajas ya que se beneficia de la compañía ya establecida. Entre las ventajas se encuentran el reconocimiento de marca, el poder de compra con los proveedores, la información compartida del cliente y las oportunidades de marketing, así como las eficiencias de distribución. Tesco logró triunfar en el reparto de abarrotes en línea al hacer que Tesco.com estuviera estrechamente integrada a la cadena de abarrotes existente.

Portafolios

Como gerente de una organización, tenga en mente estos lineamientos:

- Utilice una división interna de negocios electrónicos que proporcione una integración estrecha entre la operación en Internet y la operación tradicional y aproveche el nombre de la marca, la información de los clientes, los proveedores y la fuerza de marketing de la empresa matriz.
- Cree una compañía derivada si la unidad de negocio electrónico necesita autonomía y flexibilidad mayores para adaptarse a las condiciones de mercado que cambian con rapidez.
- Considere una sociedad estratégica como punto medio, pero recuerde que éstas implican la dependencia en otras empresas y requieren una inversión mayor de tiempo para administrar las relaciones y resolver los conflictos potenciales.

CUADRO 8.9

Variedad de estrategias para integrar lo físico y lo virtual

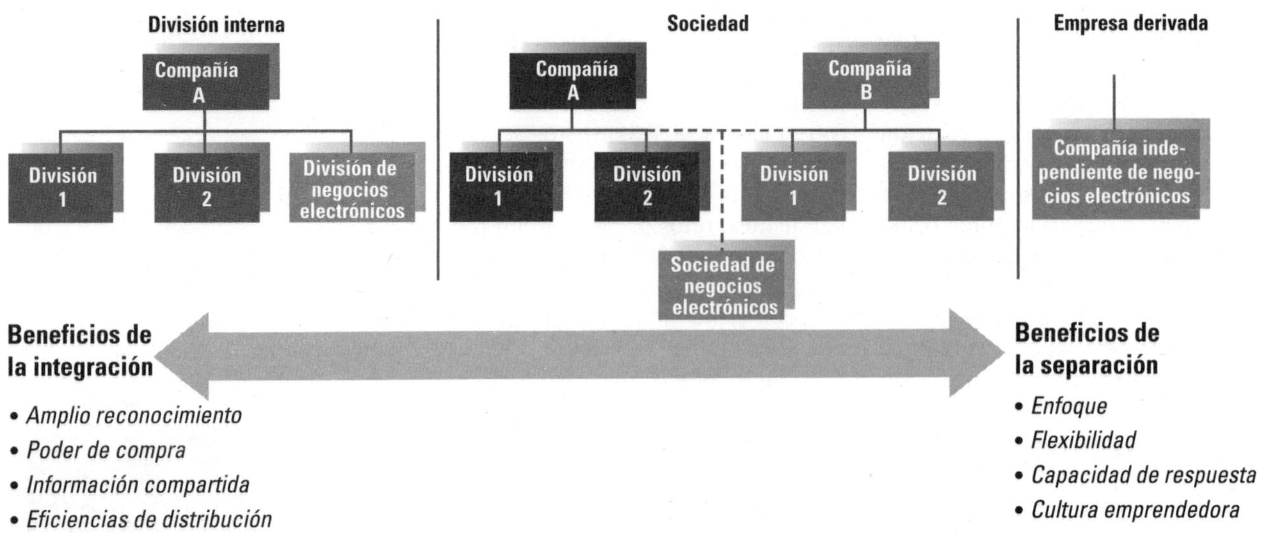

Fuente: Basado en Ranjay Gulati y Jason Garino, "Get the Right Mix of Bricks and Clicks", *Harvard Business Review* (mayo-junio 2000), 107-114.

En la práctica

Tesco.com

Cuando la cadena de supermercados número uno de Gran Bretaña, Tesco, decidió lanzar una división punto com, mediante la creación de una versión electrónica del muchacho repartidor de la década de 1950, los directivos evaluaron las opciones y decidieron establecer una división interna para evitar los costos colosales que supone tratar de iniciar una compañía independiente. La idea consistía en un comienzo lento y en mantener un control estrecho sobre la nueva operación para mantener su rentabilidad. Los directivos de Tesco pensaron que el servicio en línea era sólo otra forma de proporcionar beneficios a los clientes.

Por ser parte de una empresa más grande como Tesco, Tesco.com pudo crecer a expensas de su empresa matriz, aprovechar su marca, proveedores, publicidad y base de datos de clientes. Tesco comenzó por ofrecer entregas sólo desde una tienda, y poco a poco desplegó sus servicios hacia otras áreas. Gracias a la integración de la nueva operación con las tiendas tradicionales, Tesco no tuvo que construir nuevos almacenes; la división de Internet en forma simple utilizó los almacenes establecidos y los sistemas de distribución de la cadena y para abastecer los pedidos de los clientes tomaba los productos de los estantes del supermercado. El enfoque de abastecimiento basado en la tienda mantuvo los costos de arranque bajos. Tesco gastó sólo $58 millones en su operación de Internet durante los primeros cuatro años, y la operación fue rentable desde el principio. Para mediados del año 2004, Tesco.com había crecido para cubrir el 95% del Reino Unido y estaba recibiendo 70 000 pedidos a la semana.[64]

El éxito de Tesco ilustra muchas de las ventajas del enfoque de la división interna. Sin embargo, un problema potencial de la división interna es que la nueva operación no goza de la flexibilidad y autonomía necesarias para moverse con rapidez en el mundo de Internet.

Divisiones derivadas. Para que la operación en Internet goce de mayor autonomía, flexibilidad y enfoque organizacional, algunas empresas optan por crear una compañía derivada independiente. Por ejemplo, Barnes & Noble creó una división autónoma, barnesandnoble.com, la cual a fin de cuentas se derivó como una compañía independiente para competir con Amazon. Whirpool creó una división derivada llamada Brandwise.com, un sitio diseñado para ayudar a los consumidores a encontrar los mejores productos y valor, incluso si esto implica recurrir a otros fabricantes. Peter Monticup, propietario de la tienda de venta minorista Magic Tricks, agregó una división derivada en Internet que tuvo tanto éxito que eventualmente cerró su establecimiento físico.[65] Las ventajas de la derivación incluyen una toma de decisiones más rápida, mayor flexibilidad y sensibilidad ante las condiciones cambiantes del mercado, una cultura emprendedora y la administración en su totalidad centrada en el éxito de la operación en línea. Las desventajas potenciales son la pérdida del reconocimiento de la marca y las oportunidades de marketing, los costos mayores para el arranque, y la pérdida de la influencia con los proveedores.

La sociedad estratégica. Las sociedades, ya sea a través de empresas conjuntas o alianzas, ofrecen un punto medio, y permiten a las organizaciones lograr algunas de las ventajas y superar una que otra de las desventajas que suponen las opciones de empresas puramente derivadas o internas. Por ejemplo cuando J&R Electronics, una tienda de Manhattan con un alcance nacional limitado, decidió utilizar la red, los directivos se dieron cuenta muy rápido de que J&R no contaba con los recursos necesarios para construir un sólido negocio en línea. La compañía se asoció con Amazon.com para capitalizar las ventajas tanto de la integración como de la separación. Amazon invierte alrededor de $200 millones al año en tecnología y contenido para su sitio, una tasa que un pequeño vendedor al detalle como J&R sólo no podría. El enfoque asociacionista dio a J&R acceso a los millones de clientes de Amazon y permitió a la empresa forjar su identidad y reputación en línea. Los directivos de J&R concordaron con los consejos de Drew Sharma, director de administración de la agencia de marketing en Internet, Mindfire Interactive, dirigidos a las pequeñas compañías que decidieron utilizar Internet: "Si puedes apoyarte en los hombros de los gigantes, entonces, ¿por qué no?"[66] Una ventaja fundamental de las asociaciones es el tiempo que se invierte en administrar las relaciones, los conflictos potenciales entre los socios y la posibilidad de que una compañía no cumpla con entregar lo prometido o salga del negocio. Por ejemplo, si Amazon.com fracasara, se llevaría consigo el negocio en línea de J&R y dañaría la reputación de la compañía construida con los clientes de Internet.

Impacto de las tecnologías de la información sobre el diseño organizacional

No todas las organizaciones se involucran en los negocios electrónicos como Tesco, Corrugated Supplies o J&R Electronics. Sin embargo, los avances en TI han tenido un impacto tremendo sobre todas las organizaciones en todas las industrias. Algunas implicaciones específicas de estos avances para el diseño organizacional son las empresas más pequeñas, las estructuras descentralizadas, coordinación interna y externa mejoradas, y las nuevas estructuras organizacionales en redes.

Como gerente de una organización, tenga en mente estos lineamientos:

Con el mayor uso de la TI, considere el uso de unidades organizacionales más pequeñas, estructuras descentralizadas, coordinación interna mejorada y mayor colaboración interorganizacional, lo que incluye la posibilidad de subcontrataciones o una estructura en red.

1. *Organizaciones más pequeñas.* Algunos negocios basados en Internet existen casi por completo en el ciberespacio; no hay una organización formal en términos de un edificio con oficinas, escritorios, etcétera. Una o algunas personas pueden mantener el sitio desde sus hogares o desde un espacio de trabajo rentado. Incluso para los negocios tradicionales, la nueva tecnología de información permite a la organización realizar más trabajo con menos gente. En el ejemplo del caso de apertura de este capítulo sobre Progressive Insurance, los clientes pueden comprar seguros sin siquiera hablar con un agente o un representante de ventas. Además, el ERP y otros sistemas de tecnología de información manejan de manera automática muchas tareas administrativas, lo que reduce la necesidad de personal de oficina. El departamento de transporte de Michigan necesitaba un ejército de empleados para verificar el trabajo de los contratistas. Los proyectos grandes muchas veces requerían hasta 20 inspectores en el sitio todos los días para estar pendiente de miles de cuestiones laborales. En la actualidad, este departamento en raras ocasiones envía más de un técnico de campo al sitio. El empleado ingresa los datos en una computadora portátil mediante un software de administración de construcción de caminos vinculado a computado-

ras en las oficinas centrales. El sistema puede generar de manera automática estimaciones de pago y manejar otros procesos administrativos que antes consumían horas de trabajo.[67] Las compañías también pueden subcontratar muchas funciones y por lo tanto utilizar menos recursos internos.

2. *Estructuras organizacionales descentralizadas.* La tecnología de información permite a las organizaciones reducir los niveles administrativos y descentralizar la toma de decisiones. La información que quizá antes estaba reservada sólo a los altos directivos en las oficinas centrales ahora puede compartirse de manera fácil y rápida a través de toda la organización, incluso a través de grandes distancias geográficas. Los directores en diferentes divisiones de negocio u oficinas obtienen la información necesaria para tomar importantes decisiones de manera rápida y no esperan que éstas sean tomadas por los altos directivos en las oficinas centrales. Las tecnologías que permiten a la gente reunirse y coordinarse en línea pueden facilitar la comunicación y la toma de acciones entre grupos distribuidos y autónomos de trabajadores. Además, la tecnología permite la actividad a distancia, por medio del cual los trabajadores individuales pueden desarrollar labores que alguna vez realizaban en la oficina, desde sus computadoras en el sitio u otra ubicación remota. La gente y los grupos ya no tendrán que ubicarse debajo de un mismo techo para colaborar y compartir información. Una organización puede estar constituida por numerosos equipos pequeños o incluso individuos que laboran de manera autónoma pero que se coordinan vía electrónica. Aunque la filosofía administrativa y la cultura corporativa tienen un impacto sustancial en si la tecnología de la información se utiliza para descentralizar la información y la autoridad o para reforzar una estructura de autoridad centralizada,[68] la mayor parte de las organizaciones contemporáneas utilizan la tecnología para descentralizarse aún más.
3. *Coordinación horizontal mejorada.* Quizá uno de los principales efectos de la tecnología de la información es su potencial para mejorar la coordinación y la comunicación dentro de la empresa. Las intranets y otras redes pueden conectar a las personas incluso cuando sus oficinas, fábricas o tiendas están dispersas alrededor del mundo. Por ejemplo, la intranet de General Motors, apodada Sócrates dado que el nombre del filósofo griego sería reconocido a nivel mundial, conecta a casi 100 000 miembros del personal alrededor del mundo. Los ejecutivos utilizan Internet para comunicarse entre sí y para mantenerse al tanto de las actividades y resultados organizacionales.[69] También pueden proporcionar información clara de los empleados a través de la organización con sólo algunos teclazos.
4. *Relaciones interorganizacionales mejoradas.* La TI también puede mejorar la coordinación horizontal y la colaboración con partes externas como proveedores, clientes y socios. Las extranets son cada vez más importantes para vincular a las compañías con fabricantes contratistas y subcontratistas, así como para apoyar la empresa integrada, como se analizó antes. El cuadro 8.10 muestra las diferencias entre las características tradicionales de relación interorganizacional y las características de las relaciones emergentes. Por costumbre, las organizaciones han tenido una relación distante con los proveedores. Sin embargo, como se analizó en el capítulo 5, los proveedores se están convirtiendo en socios cercanos, vinculados por medios electrónicos con la organización para consultar pedidos, facturas y pagos. Además, la nueva tecnología de la información ha incrementado el poder de los clientes al ofrecerles acceso electrónico a una gran cantidad de información proveniente de miles de compañías tan sólo con un clic de su mouse. Los consumidores también tienen un acceso directo a los fabricantes, lo cual altera su percepción y expectativas concernientes a la conveniencia, velocidad y servicio.

Varios estudios han demostrado que las redes de información interorganizacional tienden a fomentar la integración, a borrar las fronteras organizacionales y a crear contingencias estratégicas compartidas entre las empresas.[70] Un buen ejemplo de colaboración organizacional es la alianza PulseNet, patrocinada por Centers for Disease Control and Prevention (CDC). La red de información de The PulseNet utiliza tecnología de colaboración para ayudar a las agencias federales y estatales estadounidenses de cómo anticipar, identificar y prevenir epidemias de enfermedades

CUADRO 8.10
Características clave de las relaciones interoganizacionales emergentes en comparación con las tradicionales
Fuente: Basado en Charles V. Callahan y Bruce A. Pasternack, "Corporate Strategy in the Digital Age", *Strategy & Business*, núm. 15 (segundo trimestre 1999), 10-14.

	Relaciones interorganizacionales tradicionales	Relaciones interorganizacionales emergentes
Proveedores	*Relación distante.* *Uso del teléfono y del correo para realizar pedidos, facturación y pagos.*	*Relación electrónica interactiva.* *Pedidos, facturación y pagos por medios electrónicos.*
Clientes	*Comunicación limitada con el fabricante.* *Mezcla de respuesta telefónica, por correo, información impresa.*	*Acceso directo al fabricante, intercambio de información en tiempo real.* *Acceso electrónico a información del producto, calificaciones y datos de servicio del cliente.*

transmitidas por los alimentos. Mediante una comunicación más continua y transmisión de información en tiempo real, se han desarrollado relaciones enriquecedoras entre diferentes agencias. Los laboratorios de salud estatales y el CDC alguna vez tuvieron un contacto poco frecuente pero ahora están implicados en una planeación estratégica conjunta en lo concerniente al proyecto PulseNet.[71]

5. *Estructuras en red mejoradas*. El alto nivel de colaboración interorganizacional necesario en una estructura organizacional en red, descrita en el capítulo 3, no sería posible sin el uso de tecnología de la información avanzada. En el mundo de los negocios, existe algo que se denomina a veces *estructuras modulares* u *organizaciones virtuales*. El *outsourcing* se ha convertido en una tendencia importante, gracias a la tecnología de cómputo que puede unir a las compañías mediante un flujo de información perfecto. Por ejemplo, Li & Fung de Hong Kong es uno de los proveedores más grandes de ropa para minoristas como Abercrombie & Fitch, Guess, Ann Taylor, Limited y Disney, pero la compañía no posee ninguna fábrica, ni máquinas o telas. Li & Fung se especializa en administrar información, y depende de una red de 7500 socios en 37 países conectados por medios electrónicos para proporcionar materias primas y confeccionar la ropa. Gracias a una extranet, Li & Fung se mantiene en contacto con sus socios a nivel mundial y traslada artículos muy rápido de las fábricas a los comerciantes minoristas. Esto también permite a los minoristas estar al tanto de los pedidos conforme se desarrollan a través de la producción y hacer cambios y adiciones de último minuto.[72] Con una estructura en red, la mayor parte de las actividades son subcontratadas, de manera que diferentes compañías desempeñan diversas funciones necesarias para la organización. La velocidad y facilidad de la comunicación electrónica hace de la estructura en red una opción viable para las compañías que desean mantener bajos sus costos pero expandir sus actividades o su presencia en el mercado.

Resumen e interpretación

Este capítulo abarcó varios temas importantes relacionados con la tecnología de la información. La revolución de la misma ha tenido un impacto tremendo en todas las organizaciones. Las organizaciones muy exitosas de la actualidad por lo general son aquellas que recaban, almacenan, distribuyen y utilizan información de manera efectiva. Los sistemas de TI han evolucionado para producir una variedad de aplicaciones que cubren las necesidades de información de las organizaciones. Las aplicaciones operativas están aplicadas a tareas bien definidas en los niveles más bajos de la organización y ayudan a mejorar su eficiencia. Éstos incluyen los sistemas de procesamiento de transacciones, almacenamiento de datos y minería de datos. Los sistemas avanzados automatizados también se utilizan para una mejor toma de acciones y control de la organización. Los sistemas de toma de decisiones incluyen la administración de sistemas de información, sistemas de reporte, sistemas de apoyo y sistemas de información ejecutiva, los cuales por lo general se utilizan en los niveles medios y superiores de la organización. Los sistemas de control administrativo comprenden los presupuestos y estados financieros, reportes estadísticos no financieros, sistemas de recompensa y sistemas de control de calidad. Una innovación denominada *balanced scorecard* proporciona a los directivos una visión equilibrada de la organización al integrar las mediciones financieras tradicionales y los reportes estadísticos con una perspectiva de los mercados, los clientes y los empleados.

En la actualidad, los diferentes sistemas automatizados han comenzado a fusionarse en un sistema global de tecnologías de información que se puede utilizar para agregar valor estratégico. Las intranets, ERP y sistemas de administración del conocimiento se utilizan principalmente para apoyar una mayor coordinación interna y flexibilidad. Los sistemas que apoyan y fortalecen las relaciones externas abarcan las extranets, la empresa integrada, la administración de las relaciones con el cliente y los negocios electrónicos. La empresa integrada utiliza tecnología de la información avanzada para permitir una coordinación cercana entre una compañía y sus proveedores, socios y clientes. Los sistemas de administración de las relaciones con el cliente ayudan a las compañías a estar al tanto de las interacciones de sus clientes con la organización y ofrecer un mejor servicio. Para establecer un negocio electrónico, las compañías pueden elegir entre una división interna, una derivada o una sociedad estratégica. Cada una tiene sus propias ventajas y desventajas.

La tecnología de la información avanzada está teniendo un impacto importante en el diseño organizacional. La tecnología ha permitido la creación de la estructura organizacional en red, en la cual una compañía subcontrata la mayor parte de sus principales funciones a empresas separadas que están conectadas por medios electrónicos a las oficinas centrales de la organización. Incluso las organizaciones que no utilizan una estructura en red están tendiendo con rapidez hacia una colaboración mayor. Otras implicaciones específicas de los avances en la tecnología para el diseño organizacional incluyen organizaciones más pequeñas, estructuras organizacionales descentralizadas y coordinación interna y externa mejorada.

Conceptos clave

administración de relaciones con el cliente
administración del conocimiento
almacenamiento de datos
balanced scorecard
benchmarking
capital intelectual
conocimiento
conocimiento explícito
conocimiento tácito
datos
empresa integrada
extranet
información
inteligencia de negocios
intranet
minería de datos
modelo de control basado en la retroalimentación
negocios electrónicos
planeación de recursos empresariales
sistema de información ejecutiva
sistema de redes
sistema de reporte de información
sistema de soporte a las decisiones
sistemas de control administrativo
sistemas de información para la administración
sistemas de procesamiento de transacciones
Six Sigma

Preguntas para análisis

1. ¿Piensa usted que la tecnología eventualmente permitirá a los altos directivos realizar sus trabajos mediante una comunicación personalizada menor? Analice.
2. ¿Por qué podría una compañía considerar utilizar una intranet y no sistemas de información ejecutivos o la administración tradicional?
3. ¿De qué forma se podría utilizar un sistema de planeación de recursos empresariales para mejorar la administración estratégica de una organización de manufactura?
4. Analice algunas formas en que una compañía de seguros grande como Progressive, descrita en el caso de apertura de este capítulo, podría utilizar el SIA para mejorar su proceso de toma de decisiones.
5. Describa cómo los 4 elementos del sistema de control analizados en este capítulo se podrían utilizar para el control basado en la retroalimentación dentro de las organizaciones. Compare y contraste este sistema de cuatro partes con el uso del balanced scorecard
6. Describa su uso del conocimiento explícito cuando investiga y escribe un trabajo de fin de cursos. ¿También utiliza el conocimiento tácito en esta actividad? Analice.
7. ¿Por qué la administración del conocimiento es particularmente importante para una compañía que desea convertirse en una organización que aprende?
8. ¿Qué características implica una empresa integrada? Describa la forma en que las organizaciones pueden utilizar las extranets para extender y mejorar las relaciones horizontales requeridas por la integración empresarial.
9. ¿Cuáles son algunos de los temas competitivos que pueden llevar a una compañía a adoptar un enfoque asociacionista con respecto a los negocios electrónicos y no establecer una división de Internet interna? ¿Cuáles son las ventajas y desventajas de cada enfoque?
10. ¿De qué forma podría afectar la adopción de la TI el diseño de una organización?

Libro de trabajo del capítulo 8: ¿Es usted lo bastante rápido para tener éxito en la era de Internet?*

¿Su negocio tiene lo que se necesita para avanzar a la velocidad de Internet?

¿Qué es un año Internet? Es el tiempo que le toma a una empresa electrónica alcanzar el tipo de metas de negocios que antes tomaba un año. Por lo general se establece a un año Internet entre 60 y 90 días. Sea cual sea, pocas personas discutirán que las empresas requieren moverse más rápido hoy de lo que alguna vez imaginaron.

¿Puede usted darse el lujo de contar con un análisis profundo, una planeación precisa y meticulosa, la formación de consenso o la validación de marketing; todas ellas actividades esenciales de una administración corporativa responsable? ¿Cambia su valor en comparación con el costo del activo-tiempo más escaso de su compañía? Kelsey Biggers, vicepresidente ejecutivo de Micro Modeling Associates (MMA), ofrece los siguientes escenarios para ayudar a determinar si usted es capaz de operar a la velocidad de Internet. Elija la mejor línea de acción de las opciones ofrecidas (las respuestas están más adelante):

1. Usted conoció una empresa que podría convertirse en un socio estratégico para comercializar su servicio a una nueva industria en línea. La impresión es favorable y usted desea delinear la potencial relación, sin embargo, para hacer esto usted necesita compartir información de la facturación y de los clientes. Es necesario un acuerdo de no divulgación y la empresa le envía su acuerdo estándar. ¿Qué hace usted?
   a. Obtiene una copia del acuerdo estándar de no divulgación de su propia empresa y se lo envía a su socio potencial como una alternativa a su acuerdo.
   b. Le envía por fax el acuerdo a su abogado y le solicita que se lo devuelva lo antes posible con cualquier modificación de modo que pueda continuar con la negociación.
   c. Revisa el acuerdo y lo firma inmediatamente.
2. Usted requiere un director creativo para su sitio Web, y sabe que el puesto será crítico para la imagen y comportamiento general de su empresa en línea. Espera contar con tres o cuatro excelentes candidatos para elegir y ha considerado realizar un proceso de selección riguroso para el puesto. De improviso, su antiguo compañero de cuarto de la universidad, a quien usted respeta mucho, le remite un colega para el puesto. Usted desayuna con el candidato y resulta sorprendido por las referencias y personalidad del candidato. Usted tiene tres opciones:
   a. Ofrecer al candidato el puesto antes de que llegue la cuenta.
   b. Ofrecer al candidato una cálida expectativa del puesto a la vez que inicia una rápida búsqueda de un par de candidatos alternos.

* "Are You Fast Enough to Succeed in Internet Time? Does Your Business Have What It Takes to Move at Internet Speed?" Reimpreso con autorización de *Entrepreneur Magazine*. Septiembre 1999, *http://www.entrepreneur.com*.

c. De vuelta a la oficina, programa una serie de entrevistas con sus directivos, para confirmar su impresión positiva, a la vez que identifica uno o dos candidatos alternativos para efectos de comparación.

3. Su estrategia en línea requiere seleccionar dos mercados verticales para ofrecer sus servicios en los próximos nueve meses. Sus servicios pueden ajustarse para atender las necesidades de compra de empresas en varias industrias, de forma que sólo es cuestión de seleccionar las industrias correctas a centrarse. Las industrias dinámicas de alto crecimiento obviamente son favorecidas. ¿Qué método elegiría?
   a. Contratar un egresado de una maestría en administración de negocios con experiencia en finanzas y marketing para generar criterios de diagnóstico de alto nivel para seleccionar industrias e identificar las cinco que se ajustan mejor a sus servicios.
   b. Contratar a un vecino, que resulta ser un médico y que conoce la industria del cuidado de la salud y que puede realizar varias presentaciones a organizaciones dedicadas al cuidado de la salud y empresas farmacéuticas.
   c. Solicitar a un becario que investigue información pública disponible de Gartner Group, Forrester Research y de otras organizaciones dedicadas al análisis de industrias, acerca de los hábitos de gasto en línea para distintas empresas y le proporcione recomendaciones.
4. Su empresa ha estado buscando la fusión con un socio estratégico desde hace tiempo. Usted ha identificado tres empresas que se ajustarían bien a esto, sin embargo cada una de ellas presenta ventajas y desventajas. ¿Cuál elegiría?
   a. La empresa A ofrece un servicio que es el complemento perfecto al suyo y el precio es adecuado. Sin embargo, la empresa ha señalado que no considera contar con el tamaño suficiente para llevar a cabo una fusión ahora y que preferiría esperar nueve meses hasta la temporada de ventas navideñas para llevar a cabo la transacción.
   b. La empresa B es más pequeña y dinámica, sin embargo ha crecido demasiado rápido y presenta un balance general negativo. El acuerdo podría llevarse a cabo de forma inmediata, sin embargo su empresa tendría que asumir una deuda no deseada junto con la empresa que se fusione.
   c. La empresa C cuenta con una excelente presencia fuera de línea en su territorio, pero aún no ha ejecutado su plan de comercio electrónico. Las dos empresas se ajustarían muy bien una vez que la empresa C haya establecido su presencia en línea para mediados del verano.
5. Su estrategia de comercio electrónico requiere un sistema de pedidos en tiempo real que pueda procesar órdenes directas, así como ofrecer información sobre los patrones de compra de los clientes. Usted ha buscado fuera de su empresa apoyo tecnológico para ayudarle a contar con esta capacidad en línea y se le presentan tres alternativas:
   a. Un programador experimentado proveniente de su anterior empresa ahora es un consultor independiente. Él podría iniciar de inmediato y contratar una docena de codificadores quienes prometen contar con un sistema que se ejecute en 60 días y hacer crecer la funcionalidad.
   b. Su grupo de tecnología interno puede formar un equipo de doce personas para desarrollar el sistema en un año y más adelante tener la capacidad de dar soporte y hacer crecer el servicio cuando se implemente.
   c. Una consultoría de soluciones electrónicas puede administrar el proyecto y desarrollar el sistema completo, pero necesitaría 60 días para diseñar la arquitectura técnica antes de iniciar el desarrollo. Los consultores insisten que este tiempo es necesario para asegurar un servicio escalable.

Respuestas (cada respuesta correcta representa un punto)

Pregunta 1

c. El objetivo es tomar una decisión rápida y avanzar en el proceso sin demasiada burocracia y retraso. El proceso legal en ocasiones puede retrasar la toma de decisiones (ya sea en tres semanas o tres meses) y el tiempo es la esencia del mundo en línea. Adicionalmente, ¿cuándo fue la última vez que un acuerdo de no divulgación sobre la información de los clientes afectó a su empresa? Es mejor invertir su tiempo y consolidar la confianza que protegerse contra un improbable inconveniente.

Pregunta 2

a. Ofrezca al candidato el puesto mientras esperan por la cuenta. Si esta persona es garantizada por alguien en quien usted confía, asegure al candidato mientras se encuentra disponible y póngalo a trabajar. Si usted considera que el candidato resulta una gran contratación, es probable que también lo hagan sus competidores.

Pregunta 3

b. Contrate a su vecino. Cualquier lista de industrias dinámicas que realice incluirá la del cuidado de la salud, y su reto más grande será encontrar una persona confiable con el conocimiento de la industria y contactos, que pueda introducirle a la industria. Su vecino puede hacer esto, luego comience a identificar las demás industrias en las que desea concentrarse.

Pregunta 4

b. Adquiera la Empresa B, la cual ha demostrado ser ágil y dinámica y sus problemas de balance la vuelven abierta a un precio favorable. Las Empresas A y C intentan vincular su éxito a eventos futuros (una fuerte temporada navideña o un exitoso lanzamiento en línea) que pueden no presentarse y que se encuentran en el futuro distante en términos de Internet.

Pregunta 5

c. La única área en la que una empresa no puede equivocarse es la arquitectura tecnológica. Debe ser escalable y confiable, o su empresa estará en riesgo. Los programadores sin un diseño no podrán asegurar un entorno en línea exitoso y utilizar personal interno consume mucho tiempo y no es seguro. Es mejor subcontratar el proyecto de forma inmediata a la vez que se forma un equipo interno para encargarse una vez que se libere.

Caso para el análisis: Century Medical*

Sam Nolan confirmó con un clic de su mouse una ronda más de solitario en la computadora de su estudio. Había estado en ello por más de una hora y su esposa desde hace tiempo se había rendido en el intento de persuadirlo de que la acompañara al cine o a una visita de sábado por la noche a la ciudad. El repetitivo juego parecía ser lo único que hacía que Sam dejara de pensar en el trabajo y en la forma en que su labor empeoraba día con día.

Nolan era director en jefe de información en Century Medical, una empresa grande de productos médicos con sede en Connecticut. Se había integrado a la empresa hace cuatro años y desde entonces Century había progresado mucho en la integración de la tecnología a sus sistemas y procesos. Nolan había dirigido proyectos para diseñar y construir dos sistemas muy exitosos para Century. Uno era un sistema de administración de prestaciones para el departamento de recursos humanos de la empresa. El otro, un complejo sistema de compras basado en Web que agilizó el proceso de adquisición de suministros y bienes de capital. A pesar de que el sistema funcionaba desde hace apenas unos cuantos meses, estimaciones conservadoras indicaban que ahorraba a Century casi 2 millones de dólares por año.

Antes, los gerentes de compras de Century se veían abrumados con una maraña de papeles. El proceso de adquisición iniciaba cuando un empleado llenaba una forma de solicitud de materiales. Más adelante la forma recorría varias oficinas para su aprobación y firmas antes de que se convirtiera en una orden de compra. El nuevo sistema basado en Web permitía que los empleados llenaran formas electrónicas de solicitud que eran enviadas de forma automática a todos aquellos que requerían aprobarla. El tiempo para procesar las formas de solicitud se redujo de semanas a días e incluso horas. Cuando la autorización estaba completa, el sistema enviaba de forma automática una orden de compra al proveedor adecuado. Además, ya que el nuevo sistema había reducido de forma importante el tiempo que los gerentes de compras pasaban en la revisión de papeles, ahora tenían más tiempo para trabajar de forma conjunta con los participantes clave para identificar y seleccionar los mejores proveedores y negociar mejores acuerdos.

Nolan recordó las horas que había pasado en la formación de confianza con la gente por toda la organización, al mostrarles la manera en que la tecnología podía no sólo ahorrarles tiempo y dinero sino también, apoyarles con el trabajo en equipo y proporcionarles un mayor control sobre sus actividades. Brevemente sonrió al recordar a una empleada veterana de recursos humanos, Ethel Moore de 61 años de edad. Ella se vio intimidada cuando Nolan comenzó por mostrarle la intranet de la empresa, pero ahora ella era una de sus principales defensoras. De hecho, había sido Ethel quien se le había acercado con una idea acerca de un sistema de publicación de vacantes basada en Web. Los dos formaron un equipo y desarrollaron una idea para vincular a los directivos de Century, a los reclutadores internos y a los aspirantes a puestos al utilizar un software de inteligencia artificial en un sistema integrado basado en Web. Cuando Nolan presentó la idea a su jefe, la vicepresidenta ejecutiva Sandra Ivey, la apoyó de forma entusiasta y en unas cuantas semanas el equipo contaba con autorización para proceder con el proyecto.

Pero todo comenzó a cambiar cuando Ivey renunció a su puesto hacía 6 meses para tomar un mejor trabajo en Nueva York. El sucesor de Ivey, Tom Carr, parecía tener un menor interés en el proyecto. Durante su primera reunión, Carr se había referido en forma abierta al proyecto como una pérdida de tiempo y dinero. En seguida rechazó varias ideas nuevas sugeridas por los reclutadores internos de la empresa, incluso cuando el equipo del proyecto sostenía que estas características podían duplicar la contratación interna y ahorrar millones de dólares en costos de capacitación. "Sólo adhiéranse al plan original y termínenlo. De todos modos todo eso debe manejarse de una forma personal" respondía Carr. "No es posible aprender más de una computadora que el hablar con gente real, y para el reclutamiento interno, no debe ser tan complicado con la gente, si ésta ya trabaja aquí en la empresa". Carr parecía no tener ningún entendimiento de la manera y el propósito con el que se utilizaba la tecnología. Se molestó cuando Ethel Moore se refería al sistema como "basado en Web". Presumía que nunca había visitado el sitio de intranet de la empresa y sugería que "esta moda del Internet" eventualmente pasaría al olvido de todos modos. Incluso el entusiasmo de Ethel no pudo llegar a él. Ella intentó mostrarle algunos de los servicios del área de recursos humanos disponibles en la intranet y explicarle la forma cómo habían beneficiado al departamento y a la empresa pero él la rechazó. "La tecnología es para la gente del departamento de TI. Mi trabajo es la gente, y también debería ser el suyo". Ethel se desmoronó, y Nolan se dio cuenta que sería como estrellar su cabeza contra una pared el tratar de persuadir a Carr del punto de vista del equipo. Cerca del final de la reunión, Carr incluso bromeó y sugirió que el equipo del proyecto debía adquirir un par de archiveros y ahorrarle a todo mundo algo de tiempo y dinero.

Justo cuando el equipo pensaba que las cosas no podían empeorar, Carr soltó la otra bomba. Ya no se les permitiría recopilar retroalimentación de los usuarios del nuevo sistema. Nolan temió que sin la retroalimentación de los usuarios potenciales, el sistema no cubriría sus necesidades o incluso los usuarios boicotearían el sistema dado que no se les había permitido participar. Sin duda esto sólo pondría una gran sonrisa del tipo "te lo dije" en la cara de Carr.

Nolan suspiró y se inclinó en su silla. El proyecto había comenzado a sentirse como una broma. El animado e innovador departamento de recursos humanos que su equipo había imaginado ahora no parecía más que una ilusión. Pero a pesar de su frustración, un nuevo pensamiento llegó a la cabeza de Nolan: "¿Se trata sólo de la obstinación y estrechez de visión de Carr o tenía razón en cuanto a que recursos humanos es una operación de gente que no requiere un sistema de publicación de puestos de alta tecnología?".

* Basado en "New Boss Blues" de Carol Hildebrand *CIO Enterprise*, Sección 2 (Noviembre 15, 1998), 53-58; y "Advanced Micro Devices' Web-Based Purchasing System" de Megan Santosus, *CIO*, Sección 1 (mayo 15, 1998), 84.

Caso para el análisis: Producto X*

Hace varios años, la alta dirección de una empresa de varios miles de millones de dólares decidió que el Producto X era un fracaso y debía eliminarse. Las pérdidas involucradas excedían los $100 millones. Cuando menos cinco personas sabían que el Producto X era un fracaso 6 años antes que se tomara la decisión de dejar de producirlo. Tres de estas personas eran gerentes de planta quienes convivían a diario con los problemas de la producción. Las otras dos personas eran directivos de marketing quienes sabían que los problemas de manufactura no podían resolverse sin gastos que elevarían el precio del producto hasta el punto en que ya no sería competitivo en el mercado.

Existen varios motivos por lo que esta información no llegó antes a la alta dirección. Al principio, los subordinados creyeron que con un trabajo fuerte y excepcional serían capaces de convertir los errores en éxitos. Pero conforme más luchaban más cuenta se daban de la envergadura del error original. La siguiente tarea era comunicar las malas noticias hacia arriba de modo que fueran consideradas. Sabían que en su empresa las malas noticias no serían bien recibidas en los niveles más altos, si éstas no eran acompañadas de sugerencias para una acción positiva. También sabían que la alta dirección presentaba con entusiasmo al Producto X como un líder en su campo. Por ello, pasaron mucho tiempo y redactaron informes que comunicarían la realidad sin asustar a los directivos.

La gerencia media los leyó y los consideró demasiado abiertos y directos. Dado que ellos habían realizado los estudios de marketing y producción que dieron por resultado la decisión de producir X, los informes de la gerencia de menor nivel cuestionaban la validez de su análisis. Querían tiempo para verificar en verdad estas predicciones y, en caso de que fueran precisas, diseñar estrategias alternas de corrección. Si la información pesimista se enviaría a la alta dirección, la gerencia media deseaba que fuera acompañada de alternativas optimistas de acción, por consiguiente el retraso creció.

Una vez que la gerencia media se convenció que las sombrías predicciones eran válidas, comenzaron a revelar algunas de las malas noticias a la alta dirección (pero en dosis muy medidas). Administraron las revelaciones con cuidado para asegurarse que estuvieran cubiertas si la alta dirección se molestaba. La táctica que utilizaron fue recortar en forma drástica los informes y resumir los hallazgos. Argumentaban que los recortes eran necesarios debido a que los altos ejecutivos siempre se quejaban de recibir informes extensos; en efecto, algunos altos jefes decían que los mejores informes eran los de una página o menos. El resultado de esto fue que la alta dirección recibió información fragmentada que subestimaba la intensidad del problema (no al problema en sí) y sobreestimaba el grado de control que la gerencia media y los técnicos tenían sobre el problema.

La alta dirección por tanto continuó su halago del producto, en parte para asegurar que obtendría el respaldo financiero que requería de la empresa. La gerencia de bajo nivel se encontraba confundida y algo abatida, ya que no podían comprender este apoyo incesante de los principales ejecutivos ni el motivo por el que se habían ordenado estudios para evaluar los problemas de producción y marketing que ya habían sido identificados. Su reacción fue reducir la frecuencia de sus informes y la intensidad de la alarma, a la vez que delegaron la responsabilidad de hacer frente al problema al personal de gerencia media. Cuando a los gerentes de planta locales, a su vez, les preguntaban los supervisores y empleados qué era lo que sucedía, la única respuesta que proporcionaban era que la empresa estudiaba la situación y continuaba su apoyo. Esta información confundía a los supervisores y les llevaba a reducir su propia preocupación.

* Extraído de *Organizational Learning: A Theory of Action Perspective*, de C. Argyris y D. Schon. Argyris/Schon, *Organizational Learning*, © 1978, Addison-Wesley Publishing Co., Inc., Reading, Massachusetts. Páginas 1-2. Reimpreso con autorización. El caso apareció en *Creative Organization Theory* de Gareth Morgan (1989), Sage Publications.

Notas

1. Patrick Barwise y Sean Meehan, "The Benefits of Getting the Basics Right", *Financial Times* (octubre 8, 2004), 4ff; Lisa A. Lewins y Tim R. V. Davis, "Progressive Insurance Competes with the Strategic Application of Information Technology", *Journal of Organizational Excellence* (primavera 2002), 31-38; y "Auto Insurance Gets Even Easier for Progressive Direct Customers Buying Online; New Electronic Signature Capability Cuts Down on Paperwork", *Business Wire* (febrero 17, 2005), 1.
2. Leigh Buchanan, "Working Wonders on the Web", *Inc. Magazine* (noviembre 2003), 76-84, 104
3. James Cox, "Changes at Olive Garden Have Chain Living 'La Dolce Vita,'" *USA Today*, (diciembre 18, 2000), B1: Bernard Wysocki Jr., "Hospitals Cut ER Waits", *The Wall Street Journal* (julio 3, 2002), D1, D3.
4. Michael Fitzgerald, "A Drive-Through Lane to the Next: Time Zone", *The New York Times* (julio 18, 2004), sección 3, 3.
5. Charles V. Callahan y Bruce A. Pasternack, "Corporate Strategy in the Digital Age", *Strategy & Business*, núm. 15. (segundo trimestre 1999), 10-14.
6. Ibíd.

7. Bill Richards, "A Total Overhaul", *The Wall Street Journal* (diciembre 7, 1998), R30.
8. Erik Berkman, "How to Stay Ahead of the Curve", *CIO* (febrero 1, 2002), 72-80; y Heather Harreld, "Pick-Up Artists", *CIO* (noviembre 1, 2000), 148-154.
9. "Business Intelligence", sección especial de publicidad, *Business 2.0* (febrero 2003), S1-S4; y Alice Dragoon, "Business Intelligence Gets Smart", *CIO* (septiembre 15, 2003), 84-91.
10. Julie Schlosser, "Looking for Intelligence in Ice Cream", *Fortune* (marzo 17, 2003), 114-120.
11. Kevin Kelleher, "66, 207, 896 Bottles of Beer on the Wall", *Business 2.0* (enero-febrero 2004), 47-49.
12. Gary Loveman, "Diamonds in the Data Mine", *Harvard Business Review* (mayo 2003), 109-113; Joe Ashbrook Nickell, "Welcome to Harrah's", *Business 2.0* (abril 2002), 48-54; y Meridith Levinson, "Harrah's Knows What You Did Last Night", *Darwin Magazine* (mayo 2001), 61-68.
13. Megan Santosus, "Motorola's Semiconductor Products Sector's EIS", columna Working Smart, *CIO,* sección 1 (noviembre 15, 1998), 84.
14. Constance L. Hays, "What They Know About You; Wal-Mart-An Obsessive Monitor of Customer Behavior", *The New York Times* (noviembre 14, 2004), sección 3, 1.
15. Michael Arndt, "McDonald's: Fries With That Salad?" *BusinessWeek* (julio 5, 2004), 82-84.
16. Robert Simons, "Strategic Organizations and Top Management Attention to Control Systems", *Strategic Managemet Journal* 12 (1991), 49-62.
17. Kevin Ferguson, "Mission Control", *Inc. Magazine* (noviembre 2003), 27-28; y Russ Banham, "Seeing the Big Picture: New Data Tools Are Enabling CEOs to Get a Better Handle on performance Across Their Organizations", *Chief Executive* (noviembre 2003), 46ff.
18. Christopher Koch, "How Verizon Flies by Wire", *CIO* (noviembre 1, 2004), 94-96.
19. Richard L. Daft y Norman B. Macintosh, "The Nature and Use of Formal Control Systems for Management Control and Strategy Implementation", *Journal of Management 10* (1984), 43-66.
20. Susannah Patton, "Web Metrics That Matter", *CIO* (noviembre 14, 2002), 84-88; y Ramin Jaleshgari, "The End of the Hit Parade", *CIO* (mayo 14, 2000), 183-190.
21. Adam Lashinsky, "Meg and the Machine", *Fortune* (septiembre 1, 2003), 68-78.
22. Howard Rothman, "You Need Not Be Big to Benchmark", *Nation's Business* (diciembre 1992), 64-65.
23. Tom Rancour y Mike McCracken, "Applying 6 Sigma Methods for Breakthrough Safety Performance", *Professional Safety,* 45, núm. 10 (octubre 2000), 29-32; Lee Clifford, "Why You Can Safely Ignore Six Sigma", *Fortune* (enero 22, 2001), 140.
24. Michael Hammer y Jeff Goding, "Putting Six Sigma in Perspective", *Quality* (octubre 2001), 58-62; Michael Hammer, "Process Management and the Future of Six Sigma", *Sloan Management Review* (invierno 2002), 26-32.
25. Michael Arndt, "Quality Isn't JUSt for Widgets", *Business Week* (julio 22, 2002), 72-73.
26. Daft y Macintosh, "The Nature and Use of Formal Control Systems for Management Control and Strategy Implementation"; Scott S. Cowen y J. Kendall Middaugh II, "Matching an Organization's Planning and Control System ro Its Environment", *Journal of General Management 16* (1990), 69-84.
27. "On Balance", entrevista a un director de operaciones con Robert Kaplan y David Norton, *CFO* (febrero 2001), 73-78; Chee W. Chow, Kamal M. Haddad y James E. Williamson, "Applying the Balanced Scorecard to Small Companies", *Management Accounting* 79, núm.2 (agosto 1997), 21-27; y Robert Kaplan y David Norton, "The Balanced Scorecard: Measures That Drive Performance", *Harvard Business Review* (enero-febrero 1992), 71-79.
28. Basado en Kaplan y Norton, "The Balanced Scorecard"; Chow, Haddad y Williamson, "Applying the Balanced Scorecard"; Cathy Lazere, "All Together Now", *CFO* (febrero 1998), 28-36.
29. Debby Young, "Score It a Hit", *CIO Enterprise,* sección 2 (noviembre 15, 1998), 27ff.
30. Nils-Goran Olve, Carl-Johan Petri, Jan Roy y Sofie Roy, "Twelve Years Later: Understanding and Realizing the Value of Balanced Scorecards", *Ivey Business Journal* (mayo-junio 2004), 1-7.
31. William Davig, Norb Elbert, y Steve Brown, "Implementing a Strategic Planning Model for Small Manufacturing Firms: An Adaptation of the Balanced Scorecard", *SAM Advanced Management Journal* (invierno, 2004), 18-24.
32. Melanie Warner, "Under the Knife", *Business 2.0* (enero-febrero 2004), 84-89.
33. Wayne Kawamoto, "Click Here for Efficiency", *BusinessWeek Enterprise* (diciembre 7, 1998), Ent. 12-Ent. 14.
34. Marry J. Cronin, "Ford's Intranet Success", *Fortune* (marzo 30, 1998), 158; Eryn Brown, "9 Ways to Win on the Web", *Fortune* (mayo 24, 1999), 112-125.
35. Esther Shein, "The Knowledge Crunch", *CIO* (mayo 1, 2001), 128-132.
36. Derek Slater, "What is ERP?" *CIO Enterprise,* sección 2 (mayo 15, 1999), 86; y Jeffrey Zygmont, "The Ties That Bind", *Inc. Tech* núm. 3 (1998), 70-84.
37. Vincent A. Mabert, Ashok Soni y M. A. Venkataramanan, "Enterprise Resource Planning: Common Myths versus Evolving Reality", *Business Horizons* (mayo-junio 2001), 69-76.
38. Slater, "What Is ERP?"
39. Owen Thomas, "E-Business Software: Bollinger Shipyards", *eCompany* (mayo 2001), 119-120.
40. Susannah Patton, "Doctors' Group Profits from ERP", *CIO* (septiembre 1, 2003), 32.
41. Investigación publicada en Eric Seubert, Y. Balaji, y Mahesh Makhija, "The Knowledge Imperative", *CIO Advertising Supplement* (marzo 15, 2000), S1-S4.
42. Andrew Mayo, "Memory Bankers", *People Management* (enero 22, 1998), 34-38; Gary", Abramson, "On the KM Midway", *CIO Enterprise,* sección 2 (mayo 15, 1999), 63-70.
43. David A. Garvin, "Building a Learning Organization", en *Harvard Business Review on Knowledge Management* (Boston, Mass.: President and Fellows of Harvard College, 1998), 47-80.
44. Basado en Mayo, "Memory Bankers"; William Miller, "Building the Ultimate Resource", *Management Review* (enero 1999), 42-45; y Todd Darz, "How to Speak Geek", *CIO Enterprise,* sección 2 (abril 15, 1999), 46-52.
45. Vikas Anand, William H. Glick, y Charles C. Manz, "Thriving on the Knowledge of Outsiders: Tapping Organizational Social Capital", *Academy of Management Executive* 16, núm. 1 (2002), 87-101.
46. Tony Kontzer, "Kitchen Sink: Many Collaborative Options", *Information Week* (mayo 5, 2003), 35; marco recuadro en Tony Kontzer, "Learning to Share", *Information Week* (mayo 5, 2003), 29-37.
47. Louisa Wah, "Behind the Buzz", *Management Review* (abril 1999), 17-26.

48. Richard McDermott, "Why Information Tecnnology Inspired but Cannot Deliver Knowledge Management", *California Management Review* 41, núm. 4 (verano 1999), 103-117.
49. Basado en Ikujiro Nonaka y Hirotaka Takeuchi, *The Knowledge-Creating Company: How Japanese Companies Create the Dynamics of Innovation* (Nueva York: Oxford University Press, 1995), 8-9; y Robert M. Grant, "Toward a Knowledge-Based Theory of the Firm", *Strategic Management Journal 17* (invierno 1996), 109-122.
50. Grant, "Toward a Knowledge-Based Theory of the Firm."
51. Martin Schulz, "The Uncertain Relevance of Newness: Organizational Learning and Knowledge Flows", *Academy of Management Journal* 44, núm. 4 (2001), 661-681.
52. C. Jackson Grayson, Jr. y Carla S. O'Dell, "Mining Your Hidden Resources", *Across the Board* (abril 1998), 23-28.
53. Basado en Morten T. Hansen, Nitin Nohria y Thomas Tierney, "What's Your Strategy for Managing Knowledge?" *Harvard Business Review* (marzo-abril 1999), 106-116.
54. Kontzer, "Learning to Share."
55. Michael A. Fontaine, Salvatore Parise y David Miller, "Collaborative Environments: An Effective Tool for Transforming Business Processes", *Ivey Business Journal* (mayo-junio 2004); Mary Flood, "Hawk Vote for California Firm Unanimous", *Houston Chronicle* (mayo 15, 2001), 15; y "Firm Finalist for Innovation", *The Nelson Mail* (mayo 23, 2003), 4.
56. Steven A. Melnyk y David R. Denzler, *Operations Management:* A *Value-Driven Approach* (Burr Ridge, Ill.: Richard D. Irwin, 1996), 613
57. Jim Turcotte, Bob Silveri y Tom Jobson, "Are You Ready for the E-Supply Chain?" *APICS-The Performance Advantage* (agosto 1998), 56-59.
58. Sandra Swanson, "Get Together", *Information Week* (julio 1. 2002), 47-48.
59. Christopher Koch, "It All Began with Drayer", *CIO* (agosto 1, 2002), 56-60.
60. Brian Caulfield, "Facing Up to CRM", *Business* 2.0 (agosto-septiembre 2001), 149-150; y "Customer Relationship Management: The Good, The Bad, The Future", special advertising section, *BusinessWeek* (abril 28, 2003), 53-64.
61. Timothy J. Mullaney, "E-Biz Strikes Again", *BusinessWeek* (mayo 10, 2004), 80-90.
62. Christopher Barnatt, "Embracing E-Business", *Journal of General Management* 30, núm. 1 (otoño 2004), 79-96.
63. Este análisis está basado en Ranjay Gulati y Jason Garino, "Get the Right Mix of Bricks and Clicks", *Harvard Business Review* (mayo-junio 2000), 107-114.
64. Andy Reinhardt, "Tesco Bets Small-and Wins Big", *Business Week E.Biz* (octubre 1, 2001), EB26-EB32; y Patrick Barwise y Sean Meehan, "The Benefits of Getting the Basics Right", *Financial Times* (octubre 8, 2004), 4.
65. Buchanan, "Working Wonders on the Web."
66. Andrew Blackman, "A Strong Net Game", *The Wall Street Journal* (octubre 25, 2004), R1, R11.
67. Stephanie Overby, "Paving over Paperwork", *CIO* (febrero 1, 2002), 82-86.
68. Siobhan O'Mahony y Stephen R. Barley, "Do Digital Telecommunications Affect Work and Organization? The State of Our Knowledge", *Research in Organizational Behavior* 21 (1999), 125-161.
69. Sari Kalin, "Overdrive", *CIO Web Business,* sección 2 (julio 2, 1999), 36-40.
70. O'Mahony y Barley, "Do Digital Telecommunications Affect Work and Organization?"
71. Michael A. Fontaine, Salvatore Parise y David Miller, "Collaborative Environments: An Effective Tool for Transforming Business Processes", *Ivey Business Journal* (mayo-junio 2004).
72. Joanne Lee-Young y Megan Barnett, "Furiously Fast Fashions", *The Industry Standard* (junio 11, 2001), 72-79.

9 Tamaño, ciclo de vida y declive de la organización

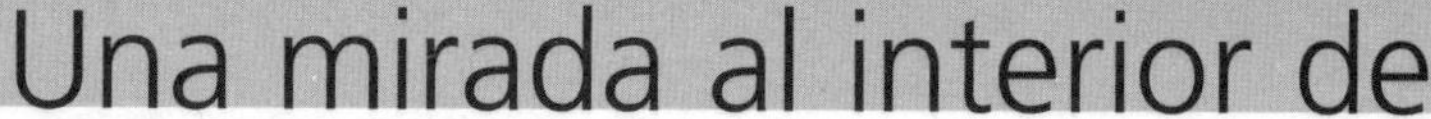

Una mirada al interior de

Interpol

Ron Noble, secretario general de Interpol, está al frente de una de las organizaciones más complejas del mundo. Interpol tiene que trabajar con países de todo el mundo, promover la cooperación entre personas con diferentes valores culturales, lenguajes y sistemas legales y políticos. Además, debe lograr todo esto con alrededor de una décima parte del tamaño del departamento de policía de la ciudad de Nueva York.

Cuando Interpol trabaja, lo hace muy bien, ya que encabeza la rápida captura de terroristas internacionales, asesinos y otros fugitivos. Pero cuando Noble se hizo cargo de la organización policíaca internacional, no funcionaba tan bien. En lugar de ser una organización ágil de lucha contra el crimen, Noble se topó con una torpe agencia burocrática mal equipada para responder a los retos masivos de un mundo con una creciente necesidad de la imposición coordinada de la ley a nivel internacional, a fin de impedir tragedias como los ataques del 11 de septiembre al World Trade Center. Por ejemplo, si un fin de semana llegaba a la Interpol una solicitud de asistencia e información acerca de Mohammed Atta, uno de los líderes terroristas, la agencia estaba cerrada hasta el lunes en la mañana. "Los avisos rojos" de Interpol (alertas urgentes acerca de las personas buscadas en todo el mundo) se procesaban en seis meses y se enviaban por correo de tercera clase para ahorrarse los costos postales.

Noble sabía que esa clase de respuestas tan lentas tenía que cambiar.

Desde que se hizo cargo de la dirección de Interpol, ha hecho avanzar a la organización a pasos agigantados, a fin de reducir la burocracia y transformar a esta agencia en una organización moderna y ágil. Uno de sus primeros cambios fue mantener a Interpol abierta 24 horas al día, los 7 días de la semana. En forma inmediata después de los ataques de septiembre 11 de 2001 puso en marcha una política de publicación de alertas rojas de terroristas dentro de las siguientes 24 horas y los avisos para criminales menos peligrosos dentro de las siguientes 72 horas. Noble reorganizó a Interpol para aumentar su velocidad y flexibilidad y para que se pudiera enfocar en el "cliente" (grupos de vigilancia de la ley en 179 países miembros). En la actualidad, las noticias más críticas se traducen de manera inmediata, se envían por correo electrónico y por servicio de paquetería express.

La reorganización también incluye mecanismos para una mejor coordinación y reunión de información. La meta de Noble es que la Interpol se convierta en la agencia policíaca internacional número 1, que coordine y encabece un enfoque contra el crimen multidimensional. Noble sabe que, el combate al terrorismo y crimen organizado, requiere que todos tengan la información necesaria cuando así se requiera, y que la policía local, los servicios judiciales, la inteligencia, la diplomacia y la milicia trabajen en conjunto. Un paso importante hacia un esfuerzo mundial más coordinado se presentó cuando en fecha reciente Interpol nombró a su primer representante ante las Naciones Unidas.[1]

A medida que las organizaciones crecen y se vuelven más complejas, necesitan sistemas y procedimientos más complicados para guiar y controlar la organización. Por desgracia, estas características pueden también originar problemas de ineficiencia, rigidez y lentitud para reaccionar. Todas las organizaciones, desde las agencias internacionales como Interpol hasta los restaurantes y los talleres de hojalatería y pintura locales, se lidian con cuestionamientos acerca del tamaño de la organización, la burocracia y el control. La mayoría de los empresarios que comienzan un negocio desean que su empresa crezca. Sin embargo, a medida que lo hace, muchas veces se hace difícil responder con rapidez ante los cambios en el entorno. Las organizaciones contemporáneas, como Interpol, están buscando formas de ser más flexibles y sensibles ante el mercado en vertiginosa transformación.

Durante el siglo XX, las grandes organizaciones se difundieron y la burocracia se convirtió en un tema importante en el estudio de la teoría organizacional.[2] La mayor parte de las organizaciones tienen características burocráticas, las cuales pueden ser muy efectivas. Estas organizaciones proveen a la sociedad de bienes y servicios abundantes y logran hazañas asombrosas, como las exploraciones a Marte, la entrega nocturna de paquetes en cualquier lugar del mundo, la programación y coordinación de 20 000 vuelos aéreos diarios en Estados Unidos, todo lo cual constituye el testimonio de su efectividad. Por otro lado, la burocracia también ha cometido muchos errores, como ineficiencia, rigidez y trabajo rutinario degradante que enajena tanto a los empleados como a los clientes de la organización que intenta servir.

Propósito de este capítulo

En este capítulo, se analiza la pregunta de qué es más conveniente si las organizaciones grandes o las pequeñas y de qué forma el tamaño se relaciona con la estructura y el control. El tamaño organizacional es una variable contextual que influye en el diseño y funcionamiento organizacional tal y como lo hacen: La tecnología, el ambiente y las metas, que se analizaron en los capítulos anteriores. En la primera sección, se observarán las ventajas que supone un tamaño grande en comparación con uno pequeño. A continuación, se analizará lo que se denomina ciclo de vida de una organización y las características estructurales de cada una de sus etapas. Después, se examinará la necesidad histórica de la burocracia como un medio de controlar grandes organizaciones y se comparará su control con diferentes estrategias para ejercer el mismo. Por último, el capítulo examinará las causas del declive organizacional y algunos métodos para manejar el *downsizing*. Al final del capítulo, usted será capaz de reconocer el momento en que el control burocrático puede hacer que una organización sea efectiva y cuándo son más apropiados otros tipos de control.

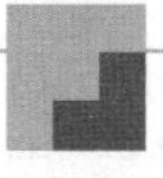

Tamaño de la organización: ¿Cuanto más grande, mejor?

El dilema de qué es preferible, si un tamaño grande o uno pequeño, comienza con la noción de crecimiento y con las razones por las que tantas organizaciones sienten la necesidad de hacerse más grandes.

Presiones del crecimiento

El sueño de casi todo empresario es que su compañía se convierta en una de las mencionadas de la lista de las 500 de *Fortune*: Crecer con rapidez y mucho.[3] Algunas veces esta meta es más urgente que fabricar los mejores productos o presentar las mayores utilidades. Hace una década, los analistas y académicos de la administración anunciaban un cambio que se alejaba de la "grandeza" para adoptar el paradigma de las compañías pequeñas y ágiles que pudieran responder con rapidez al entorno en transformación veloz. Sin embargo, a pesar de la proliferación de organizaciones nuevas y pequeñas, los gigantes como Procter & Gamble, General Motors, Toyota y Wal-Mart son cada día más grandes. Wal-Mart, por ejemplo, emplea a más gente que el ejército estadounidense y en 2003 vendió 36% de todo el alimento para perro, 32% de todos los pañales desechables y 26% de toda la pasta dental que se consume en Estados Unidos.[4]

En la actualidad, el mundo de los negocios ha ingresado en la era de la mega corporación. La manía de las fusiones ha dado origen a monstruos como DaimlerChrysler AG y Citigroup.[5] La industria de la publicidad está controlada por cuatro gigantescas agencias: Omnicom Group e Interpublic Group of Companies, ambas con sede en

Nueva York, la londinense WPP Group y Publicis Groupe, con sede en París.[6] Estos enormes conglomerados poseen numerosas compañías que absorben más de la mitad de los ingresos de la industria de la publicidad y tienen injerencia en la publicidad, el marketing de correo directo y las relaciones públicas de todas las regiones del planeta. Además, estas agencias han crecido en forma predominante para servir mejor a sus clientes, quienes por su parte también han crecido y se han globalizado. Las compañías en todas las industrias, desde las aeroespaciales hasta las productoras de mercancías y hasta las publicistas, luchan por ser grandes y adquirir el tamaño y recursos necesarios para competir a escala global, invertir en nueva tecnología, controlar canales de distribución y garantizar su acceso a los mercados.[7]

Existen otras presiones para que las organizaciones crezcan. Muchos ejecutivos han encontrado que las empresas deben aumentar en tamaño para mantenerse saludables desde el punto de vista económico. Detener el crecimiento es igual a estancarse. Ser estable significa que quizá los clientes no tengan satisfechas por completo sus demandas o que los competidores estén incrementando su participación de mercado a expensas de su compañía. Por ejemplo, Wal-Mart se mantiene en constante crecimiento debido a que los ejecutivos tienen, como ya lo han expresado, "el complejo de inferioridad" de Sam Walton. Tienen arraigada la idea de que detener el crecimiento es estancarse y morir.[8] Cardinal Health, uno de los distribuidores farmacéuticos más importantes en Estados Unidos, buscó nuevas formas de aumentar su tamaño en una industria que estaba presionada tanto por los clientes preocupados por el costo, como por las demandas de los poderosos fabricantes de medicamentos. Cardinal encontró nuevas oportunidades para ofrecer servicios que podrían ayudar a sus proveedores y clientes a mejorar sus propios negocios. Por ejemplo, en lugar de tan sólo enviar medicamentos, Cardinal ofrece servicios de administración farmacéutica a hospitales. Gracias a su nueva línea de negocios, Cardinal registró un crecimiento compuesto anual de 40% de 1991 a 2001, en una época donde muchos distribuidores de farmacéuticos estaban viendo decaer sus ingresos.[9]

Ascender es crucial para la salud económica de las compañías intensivas en marketing como Coca-Cola, Procter & Gamble y Anheuser-Busch. Grandes dimensiones significan para estas compañías poder de mercado y, por lo tanto, el crecimiento de sus ingresos.[10] Además, las organizaciones en crecimiento son lugares vibrantes y excitantes de trabajo, lo cual permite a estas compañías atraer y conservar trabajadores de calidad. Cuando el número de empleados se incrementa, la compañía les puede ofrecer varios retos y oportunidades para su desarrollo.

Como gerente de una organización, tenga en mente estos lineamientos:

Decida si su organización debe actuar como una compañía grande o una pequeña. En la medida en que las economías de escala, el alcance global y la complejidad sean importantes, implemente una forma de burocratización conforme las organizaciones aumentan en tamaño. Cuando sea necesario agregue reglas y regulaciones, documentación escrita, especialización laboral, competencia técnica en la contratación y la promoción, y descentralización.

Dilemas del tamaño grande

Las organizaciones se sienten obligadas a crecer pero, ¿cuánto y cómo? ¿Cuál tamaño organizacional es mejor para competir en un entorno global? Los argumentos se resumen en el cuadro 9.1.

Grande. Se necesitan enormes recursos y economías de escala para que muchas organizaciones compitan a nivel global. Sólo las grandes organizaciones pueden construir una tubería masiva en Alaska. Sólo una gran corporación como Airbus Industrie puede solventar la construcción del A380, la primera aerolínea de pasajeros de dos niveles en el mundo y sólo Virgin Atlantic Airways la habría podido comprar. En exclusiva Johnson & Johnson puede invertir cientos de millones en nuevos productos como los lentes de contacto bifocales y parches liberadores de anticonceptivos a través de la piel. Además, las grandes organizaciones tienen los recursos para convertirse en un soporte económico y un motor social en tiempos difíciles. En 2005, después de que el huracán Katrina azotó Nueva Orleans y gran parte del Golfo de México, Wal-Mart entregó a miles de empleados $1000 para ayuda de emergencia, ofreció a los residentes de las áreas afectadas suministros de prescripciones médicas de emergencia gratuitos durante siete días, envió más de 100 vehículos cargados con mercancía a los centros de evacuación y donó millones a las organizaciones de auxilio.[11] De manera similar, después de los ataques terroristas de 2001 en Estados Unidos, American Express tuvo los recursos para ayudar

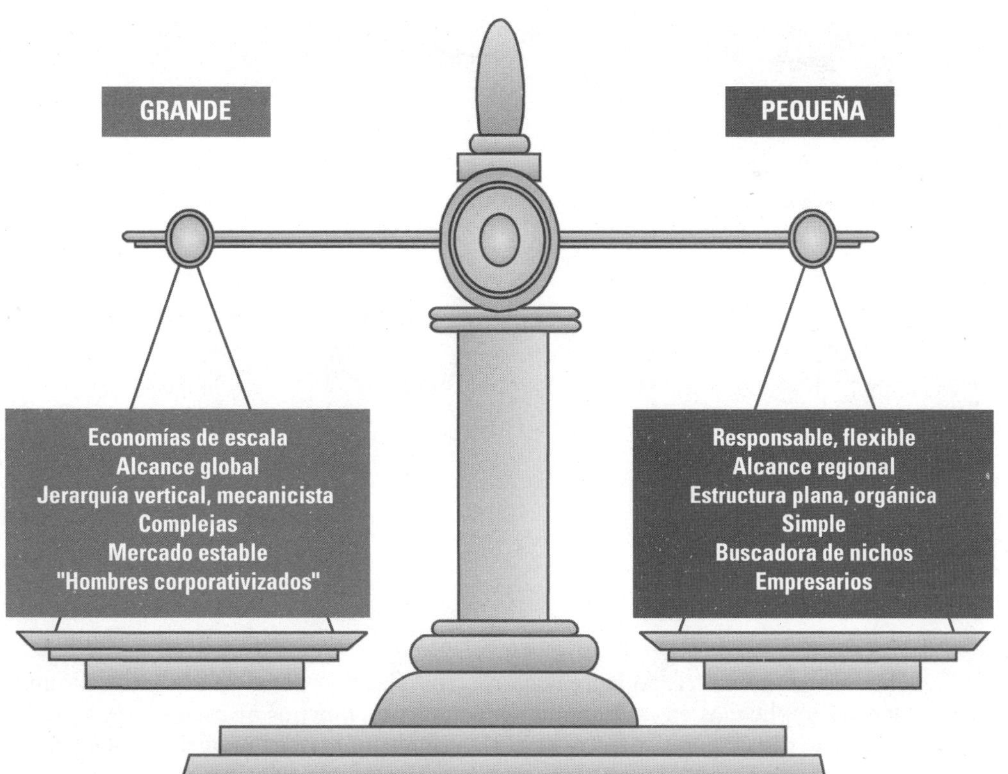

CUADRO 9.1
Diferencias entre organizaciones grandes y pequeñas
Fuente: Basado en John A. Byrne, "Is Your Company Too Big?" *BusinessWeek* (27 de marzo, 1989), 84-94.

a los clientes en dificultades a que llegaran a sus hogares y renunció a los cobros moratorios por pagos atrasados.[12] Las grandes organizaciones también son capaces de regresar a sus negocios con más rapidez después de un desastre, lo que ofrece a los empleados un sentimiento de seguridad y de pertenencia durante épocas inciertas.

Las grandes compañías se manejan de una forma estandarizada y muchas veces mecanicista y compleja. La complejidad ofrece cientos de especialidades funcionales dentro de la organización para desarrollar tareas polifacéticas y generar productos variados y complicados. Además, las grandes organizaciones, una vez establecidas, pueden ser una presencia que estabilice un mercado durante años. Los administradores pueden unirse a la compañía y esperar tener una carrera que haga recordar al "hombre corporativizado" de las décadas de 1950 y 1960. La organización puede proporcionar longevidad, aumentos de sueldo y oportunidades de crecimiento.

Pequeña. El argumento contrario afirma que lo pequeño es bello debido a que los requerimientos cruciales para el éxito en una economía global son la sensibilidad y flexibilidad en mercados en rápida transformación. Una escala pequeña puede proporcionar ventajas significativas en términos de rápida reacción ante las necesidades cambiantes del cliente o ante un entorno y condiciones de mercado en constante transformación.[13] Aunque la economía estadounidense contiene muchas organizaciones grandes y exitosas, la investigación muestra que a medida que el comercio global se ha acelerado, las organizaciones pequeñas se han convertido en la norma. Desde mediados de la década de 1960, la mayoría de los negocios grandes que existían desde esa época, ahora han perdido participación de mercado a nivel mundial.[14] Muchas grandes compañías han crecido incluso más a través de fusiones o adquisiciones en años recientes. Sin embargo, la investigación indica que pocas veces las fusiones han estado a la altura de los niveles de desempeño esperados.[15] Un estudio sobre 10 de las fusiones más grandes de todos los tiempos, entre las que se encuentran AOL/Time Warner, Glaxo/SmithKline y Daimler/Chrysler, mostraron una disminución importante en el valor de los accionistas de ocho de las diez compañías combinadas, como lo ilustra el cuadro 9.2. Sólo dos, Exxon/Movil

CUADRO 9.2
Efecto de las 10 megafusiones en la riqueza de los accionistas

Fusión	Año de la transacción	Valor creado o destruido a partir del 1 de julio de 2002
AOT/Time Warner	2001	–$148 mil millones
Vodafone/Mannesmann	2000	–$299 mil millones
Pfizer/Warner-Lambert	2000	–$78 mil millones
Glaxo/SmithKline	2000	–$40 mil millones
Chase/J.P. Morgan	2000	–$26 mil millones
Exxon/Mobil	1999	+$8 mil millones
SBC/Ameritech	1999	–$68 mil millones
WoldCom/MCI	1998	–$94 mil millones
Travelers/Citicorp	1998	+$109 mil millones
Daimler/Chrysler	1998	–$36 mil millones

Fuente: Reportado en Keith Hammonds, "Size is Not a Strategy", *Fast Company* (septiembre 2002), 78-86.

y Travelers/Citicorp, en verdad incrementaron su valor.[16] A pesar de que existen numerosos factores implicados en la disminución del mismo, muchos investigadores y analistas están de acuerdo en que con frecuencia, ser grande no implica un mejor desempeño.[17] El recuadro del Marcador de libros de este capítulo afirma que una razón por la que algunas veces las compañías grandes fracasan es que los altos directivos se alejan demasiado de las cosas básicas que entraña manejar un negocio. Sin la ejecución adecuada, cualquier iniciativa estratégica importante como una fusión, puede fracasar.

A pesar del tamaño creciente de muchas compañías, la vitalidad económica de Estados Unidos y la del resto del mundo desarrollado, está ligada a negocios pequeños y medianos. Se calcula que entre 15 y 17 millones de negocios estadounidenses pequeños representan una porción importantísima de los bienes y servicios suministrados. Además, éstos representan un gran porcentaje de las exportaciones.[18] El crecimiento de Internet y de otras tecnologías de información está facilitando a los pequeños empresarios actuar en grande, como se analizó en el capítulo 8. El sector servicios, ahora en auge, también está contribuyendo a la disminución en el tamaño promedio de las organizaciones, debido a que muchas compañías de servicio han conservado su tamaño para atender mejor a sus clientes.

Las organizaciones pequeñas tienen una estructura plana y un estilo directivo orgánico y de libres movimientos que fomenta la innovación y el espíritu emprendedor. Por ejemplo, los medicamentos biotecnológicos más importantes fueron desarrollados por empresas pequeñas como Gilead Sciences, que desarrolló medicamentos antirretrovirales para tratar el VIH, y no las gigantes compañías farmacéuticas como Merck.[19] Además, la participación activa de los empleados en las empresas no grandes promueve la motivación y el compromiso, debido a que se identifican con la misión de la organización.

Híbrido compañía grande/compañía pequeña. La paradoja que se presenta consiste en que las ventajas de las compañías pequeñas algunas veces les permiten triunfar y, por lo tanto, crecer. La mayor parte de las 100 empresas de la lista de la revista *Fortune* de las compañías con el crecimiento más rápido en Estados Unidos son compañías pequeñas caracterizadas por su énfasis en ser rápidas y flexibles en sus respuestas al entorno.[20] Sin embargo, estas compañías, se pueden convertir en víctimas de su propio éxito a medida que crecen, ya que comienzan adoptar una estructura mecanicista que da importancia a jerarquías verticales y engendra "hombres corporativizados" y no empresarios. Las compañías gigantes están "construidas para la optimización, no para la innovación".[21] Las compañías grandes se comprometen con las tecnologías existentes y han atravesado momentos difíciles al tratar de apoyar la innovación para el futuro.

La solución es lo que Jack Welch, director retirado de General Electric (GE), llamó "híbrido compañía grande/compañía pequeña" que combina los recursos y la investigación de una gran corporación con la simplicidad y flexibilidad de una compañía pequeña. Las empresas integrales de servicio global necesitan una base sólida de recursos, así como la complejidad y las jerarquías suficientes para atender a los clientes de todo el mundo. El tamaño no necesariamente es contrario a la velocidad y la flexibilidad, como lo evidencian grandes compañías como GE, Wal-Mart e eBay que continúan en el intento de nuevas cosas y en movimiento continuo para cambiar las reglas de los negocios. La estructura divisional, descrita en el capítulo 3, es sólo una forma en la que grandes organizaciones logran el hibrido compañía grande/compañía pequeña. Mediante la reorganización en grupos de compañías pequeñas, corporaciones gigantescas como Johnson & Johnson capturan la actitud y las ventajas de lo pequeño. Johnson &

Como gerente de una organización, tenga en mente estos lineamientos:

Si la sensibilidad, flexibilidad, simplicidad y búsqueda de nichos son importantes, reestructura la organización en divisiones simples y autónomas que tengan la libertad y mentalidad de una compañía pequeña.

Marcador de libros 9.0 (¿YA LEYÓ ESTE LIBRO?)

Ejecución: La disciplina de lograr que las cosas se hagan
Por Larry Bossidy y Ram Charan, con Charles Burke

¿Por qué tantas estrategias espléndidas fracasan y tantas compañías grandes se equivocan? Ésta es la pregunta central que Larry Bossidy presidente y ex director general de Allied Signal, y consultor administrativo de Ram Charan formula en su obra, *Execution: The Discipline of Getting Things Done*. El éxito para cualquier organización, grande o pequeña, se encuentra en los detalles. Esta obra ofrece una guía práctica para traducir las grandes ideas en acciones exitosas. Las compañías que cumplen sus promesas año tras año son aquellas cuyos directores generales están especializados en la disciplina de la ejecución.

COMPONENTES BÁSICOS

La disciplina de la ejecución está basada en los siguientes tres componentes básicos:

- *Comportamientos esenciales de liderazgo*. Los autores enfatizan que la ejecución es la primera tarea de un líder. Esto no significa que los líderes deban administrar hasta los detalles más ínfimos, sino que deben participar de una manera activa y apasionada, e instaurar una estructura y cultura, así como elegir a la gente adecuada para que las cosas sucedan. Los siete comportamientos esenciales de un líder forman la primera pieza básica de ejecución: 1) Conocer a su gente y a su negocio, 2) insistir en el realismo y confrontar los problemas sin rodeos, 3) establecer prioridades y metas claras, 4) proceder cabalmente, 5) recompensar a los "hacedores", 6) expandir las capacidades de la gente y 7) saber de sí mismo el nivel de sus atributos.
- *Una cultura corporativa que refuerce una disciplina de ejecución*. Los líderes se enfocan en modificar las creencias y comportamientos de la gente de manera que produzcan *resultados*, no sólo ideas, planes y estrategias. La adopción de una cultura bien orientada, hace que los líderes sepan con claridad los resultados que desean, capaciten a la gente en cómo lograrlos, y recompensarlos por hacerlo. Cuando la gente fracasa con frecuencia para alcanzar los resultados, los líderes necesitan el coraje para asignarles otros trabajos o dejarlos partir. Una actuación persistente de este tipo produce una cultura de hacer que las cosas se hagan.
- *La gente correcta en el lugar correcto*. Un trabajo que ningún líder debe delegar, insisten los autores, es reclutar, contratar, promover y desarrollar a la gente correcta. Si bien la mayoría de los líderes afirma, "la gente es nuestro recurso más valioso", pone muy poca atención en este aspecto de su negocio, y en lugar de ello lo transfiere al departamento de recursos humanos. Tener a la gente correcta en el lugar correcto, en particular aquellos que constituyen una fuente de liderazgo para la compañía, constituye un elemento clave para el éxito, y los líderes pueden tener un control directo. Como el caso del director general de Allied Signal, Larry Bossidy, que dedicaba hasta el 40% de su día a contratar y desarrollar líderes en toda la compañía.

LA IMPORTANCIA DE LA EJECUCIÓN

La ejecución o simplemente hacer que las cosas se hagan, implica entender los elementos que tienen que ordenarse para lograrlo. Como los autores explican, "la ejecución es un proceso sistemático de discusión rigurosa de los cómos y los qués, de cuestionamiento, de cumplimiento cabal y tenaz y de aseguramiento de la responsabilidad". Al tener a la gente correcta —individual y colectivamente— enfocada en los detalles específicos en el momento adecuado, las organizaciones pueden ejecutar y lograr de manera efectiva resultados sorprendentes.

Execution: The Discipline of Getting Things Done, por Larry Bossidy y Ram Charan, publicado por Crown Business.

Johnson en la actualidad es un grupo de 204 compañías individuales. Cuando se crea un nuevo producto en uno de sus 56 laboratorios, también se crea junto con él una nueva compañía.[22]

El desarrollo de nuevas formas organizacionales, con un énfasis en la autoridad descentralizadora y la supresión de capas de la jerarquía, en combinación con el uso creciente de tecnología de la información que se describió en el capítulo 8, está facilitando más que nunca a las compañías ser tanto grandes como pequeñas a la vez, y así aprovechar las ventajas de ambas posiciones. Incluso este cambio se puede ver en el ejército estadounidense. A diferencia de la Segunda Guerra Mundial, por ejemplo, en la que peleó una gran cantidad de soldados guiados por las decisiones que se tomaban en los niveles superiores, la guerra actual contra el terrorismo depende de la toma de decisiones descentralizada y de fuerzas más pequeñas de soldados bien entrenados con acceso a información de último minuto.[23] Las grandes organizaciones también han encontrado una amplia variedad de formas de actuar como compañías grandes y pequeñas. Los gigantes de ventas al detalle como Home Depot y Wal-Mart, por ejemplo, utilizan la ventaja del tamaño en áreas como la publicidad, las compras y la acumulación de capital; sin embargo, también dotan a cada tienda individual de la autonomía necesaria para atender a los clientes como si fueran establecimientos de pequeñas localidades.[24] Para fomentar la innovación, el gigante Royal Dutch/Shell creó una estrategia en su división de exploración y producción para asignar el 10% del presupuesto de investigación de la división a ideas "locas". Todos pueden solicitar el financiamiento, y las decisiones no son tomadas por los directivos, sino por pequeños grupos de empleados inconformes.[25] Las compañías pequeñas que están creciendo también pueden usar estas ideas para ayudar a sus organizaciones a conservar la flexibilidad y el enfoque en el cliente que impulsan su crecimiento.

Ciclo de vida de la organización

Portafolios

Como gerente de una organización, tenga en mente estos lineamientos:

Crezca cuando sea posible. Con esto, usted puede proporcionar oportunidades para el avance de los empleados y una rentabilidad y efectividad mayores. Aplique los nuevos sistemas administrativos y configuraciones estructurales a cada etapa de su desarrollo organizacional. Interprete las necesidades de la empresa en crecimiento y responda con sistemas administrativos e internos que la guíen durante la transición a su siguiente etapa de desarrollo.

Una forma útil de pensar en el crecimiento y cambio de una organización es el concepto del **ciclo de vida** de la misma,[26] el cual sugiere que éstas nacen, maduran y con el tiempo mueren. La estructura organizacional, el estilo de liderazgo y el estilo de administración siguen un patrón muy predecible a través de etapas en el ciclo vital. Las etapas son secuenciales y siguen una progresión natural.

Etapas del desarrollo del ciclo de vida

La investigación acerca del ciclo de vida de la organización sugiere que existen cuatro etapas importantes que caracterizan a su desarrollo.[27] Estas etapas están ilustradas en el cuadro 9.3, junto con los problemas asociados con la transición a cada etapa. El crecimiento no es fácil. Cada vez que una organización ingresa a una nueva etapa en el ciclo de vida, también toma parte de un juego bastante nuevo con un conjunto distinto de reglas acerca de cómo funcionaría desde el punto de vista interno y cómo sería su relación con el entorno.[28] Para las compañías tecnológicas actuales, los ciclos vitales se están acortando; para que puedan ser competitivas, compañías como eBay y Google tienen que progresar de manera exitosa a través de las etapas del ciclo con mayor rapidez.

1. *Etapa emprendedora.* Cuando una organización nace, el énfasis se encuentra en crear un producto o servicio y sobrevivir en el mercado. Los fundadores son empresarios y canalizan todas sus energías a las actividades técnicas de producción y marketing. La organización es informal y no burocrática, sus horas de trabajo son largas y el control está basado en la supervisión personal de los dueños. El crecimiento proviene de un producto o servicio nuevo y creativo. Por ejemplo, Ross Perot arrancó Electronic Data Systems (EDS) en 1962 después de haber fracasado en convencer a sus superiores en IBM de que las compañías alguna vez querrían aprovechar la tecnología de cómputo sin tener que entenderla o administrarla ellas mismas. Después de algunos años difíciles, la demanda de los nuevos servicios que EDS ofrecía

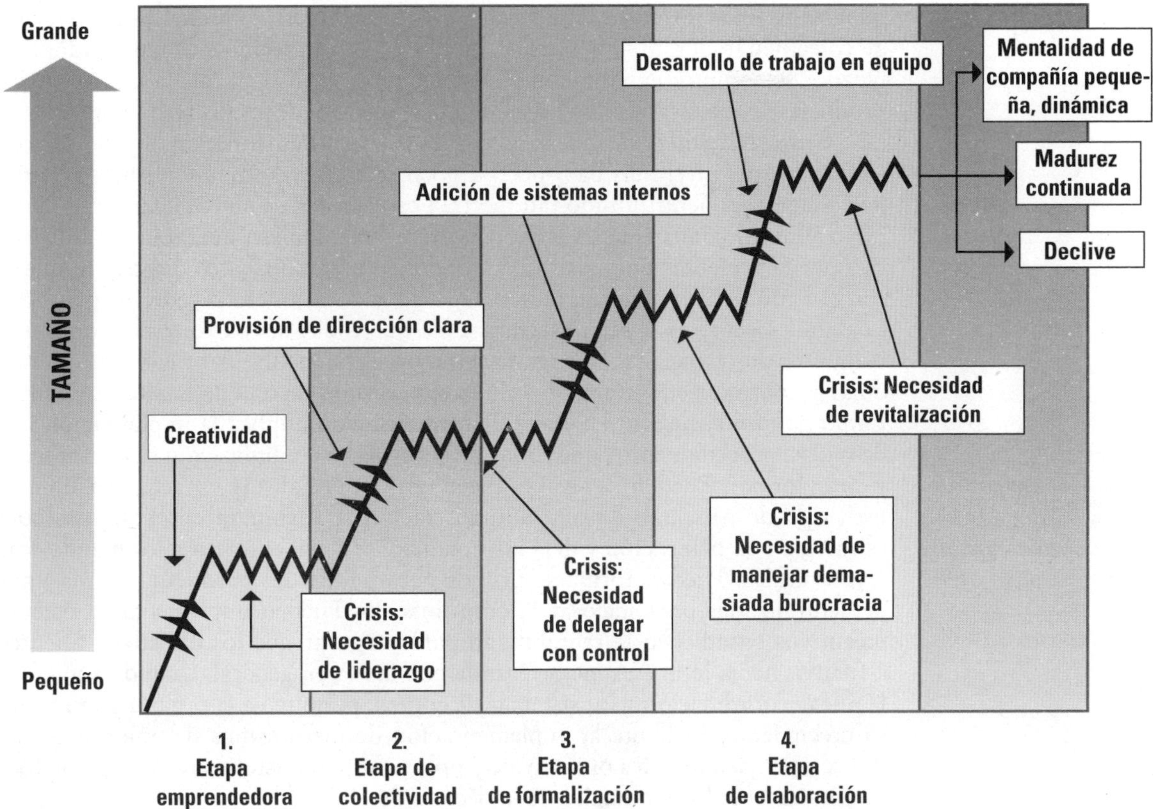

CUADRO 9.3
Ciclo de vida de la organización
Fuente: Adaptado de Robert E. Quinn y Kim Cameron, "Organizational Life Cycles and Shifting Criteria of Effectiveness: Some Preliminary Evidence", *Management Science* 29 (1983), 33-51; y Larry E. Greiner, "Evolution and Revolution as Organizations Grow", *Harvard Business Review* 50 (julio-agosto 1972), 37-46.

era magnífica y la compañía creció con gran rapidez.[29] Apple Computer estaba en su **etapa emprendedora** cuando fue creada por Steve Jobs y Stephen Wosniak en la cochera de los padres de éste.

Crisis: Necesidad de liderazgo. A medida que la organización comienza a crecer, la gran cantidad de empleados ocasiona problemas. Los dueños creativos y orientados hacia el aspecto técnico se enfrentan con cuestiones administrativas, pero quizá prefieran enfocar sus esfuerzos a hacer y vender productos o inventar nuevos productos y servicios. En esta época de crisis, los empresarios deben ajustar la estructura de la organización para manejar el crecimiento continuado o incluso traer directivos fuertes que lo puedan lograr. Cuando Apple comenzó un periodo de rápido crecimiento, reclutó a A. C. Markkula como líder debido a que ni Jobs ni Wozniak estaban calificados o no les interesaba administrar la compañía en expansión.

2. *Etapa de colectividad.* Si la crisis de liderazgo se resuelve, es posible que se obtenga un liderazgo fortalecido y la organización comience a desarrollar metas y dirección claras. Los departamentos se establecen junto con una jerarquía de autoridad, una asignación de puestos y entonces comienza la división del trabajo. El buscador Web, Google, efectuó con rapidez la transición de la etapa emprendedora a la etapa de colectividad. Los fundadores, Larry Page y Sergey Brin dedicaron toda su energía a asegurarse de que Google fuera el buscador más poderoso, rápido y sencillo que hay, luego incorporaron a un directivo hábil, el exdirector general de Novell, Eric Schmidt, para manejar la compañía. Google está contratando en la actualidad a otros ejecutivos experimentados para manejar varias áreas funcionales y unidades de negocio conforme la organización crece.[30] En la etapa de colectividad, los empleados se identifican con la misión de la organización y pasan largas horas en su intento por lograr que ésta tenga éxito. Los miembros se sienten parte de una agrupación y la comunicación y el control son, en su mayor parte, informales a pesar de que

nuevos sistemas formales comiencen a aparecer. Apple Computer estaba en su **etapa de colectividad** durante los años de 1970 a 1981 su crecimiento fue rápido. Los empleados se comprometieron con el negocio al momento en que la línea principal de producto estaba establecida y más de 2000 distribuidores firmaron contratos.

Crisis: Necesidad de delegación. Si la nueva administración ha sido exitosa, los empleados del nivel más bajo poco a poco se encontrarán a sí mismos restringidos por el liderazgo jerarquizado tan fuerte. Los gerentes de niveles más bajos comenzarán a adquirir confianza en sus propias áreas funcionales y desearán más libertad. Lo que puede presentar una crisis de autonomía cuando los altos directivos, que lograron el éxito debido a su fuerte liderazgo y visión, no deseen ceder responsabilidad. Los altos ejecutivos desean asegurarse de que todas las partes estén coordinadas y conjunten sus esfuerzos. La organización necesita encontrar mecanismos para coordinar y controlar departamentos sin la supervisión directa de la alta dirección.

3. *Etapa de formalización.* La **etapa de formalización** implica la implantación y el uso de reglas, procedimientos y sistemas de control. La comunicación es menos frecuente y más formal. Pueden agregarse ingenieros, especialistas en recursos humanos y otro tipo de personal. La alta administración se involucra en cuestiones como la estrategia y la planeación y deja las operaciones de la empresa a los mandos medios y gerenciales. Pueden formarse grupos encargados del producto y otras unidades descentralizadas para mejorar la coordinación. Pueden implementarse sistemas de incentivos basados en la rentabilidad para asegurar que los directivos orienten sus esfuerzos hacia lo que es mejor para la compañía en general. Cuando son efectivos, la nueva coordinación y los sistemas de control permiten a la organización continuar su crecimiento mediante la implementación de mecanismos de unión entre la alta dirección y las unidades operativas. Apple Computer estaba en su etapa de formalización a mediados y a finales de la década de 1980.

   Crisis: Demasiada burocracia. En este punto del desarrollo organizacional, la proliferación de sistemas y programas puede comenzar a reprimir a los ejecutivos de los niveles medios. La organización se burocratiza y los mandos medios pueden resentir la inclusión de personal nuevo. La innovación puede restringirse. La organización parece demasiado grande y compleja para ser administrada a través de programas formales. Fue en esta etapa del crecimiento de Apple, cuando Jobs renunció a la compañía y un nuevo director general asumió el control para enfrentar sus propios retos directivos.

4. *Etapa de elaboración.* La solución a la crisis burocrática radica en un nuevo sentido de colaboración y trabajo en equipo. A través de la organización, los directivos desarrollan habilidades para confrontar problemas y trabajar en conjunto. La burocracia puede haber alcanzado su límite. El control social y la autodisciplina reducen la necesidad de controles formales adicionales. Los directivos aprenden a trabajar dentro de la burocracia sin adherirse a ella. Los sistemas formales pueden ser simplificados y reemplazados por equipos gerenciales y fuerzas de tarea. Para lograr la colaboración, con frecuencia se forman equipos con miembros de todas las funciones o divisiones de la compañía. La organización puede también seccionarse en múltiples áreas para mantener la filosofía de compañía pequeña. Apple Computer está hoy en la **etapa de elaboración** de su ciclo de vida, así como compañías grandes como EDS, Caterpillar y Motorola.

   Crisis: Necesidad de revitalización. Después de que una organización alcanza la madurez, puede ingresar a periodos de declive temporal.[31] La necesidad de renovación puede presentarse de cada 10 a 20 años. La organización se desequilibra con respecto al entorno o quizá se vuelva lenta y cargue con un exceso de burocratización y deba atravesar una etapa de innovación y agilización. Con frecuencia, los altos directivos son reemplazados durante este periodo. En Apple, el puesto más alto ha cambiado de manos varias veces mientras la compañía lucha por revitalizarse. Los directores generales, John Sculley, Michael Spindler y Gilbert Amelio fueron expulsados por el consejo de Apple cuando los problemas se profundizaron. Steve

Jobs regresó a mediados de 1997 para manejar a la compañía que había fundado 25 años atrás. Durante estos 25 años, Jobs había obtenido las habilidades directivas y la experiencia necesaria para ayudar a Apple a superar sus problemas. Un Jobs más inteligente y maduro reorganizó con gran rapidez a la compañía, erradicó ineficiencias y reenfocó a Apple en productos innovadores para el mercado de consumo, y convirtió a la nueva y radiante iMac en uno de los lanzamientos más novedosos de un nuevo producto. Pero lo más importante, Jobs devolvió el espíritu emprendedor a Apple al hacer que la compañía ingresara a una dirección nueva en su totalidad, gracias al sistema musical iPod, el cual puso en marcha el crecimiento de Apple en una época en que el mercado de las computadoras personales iba en picada. Las ventas y utilidades son magníficas en Apple debido a la iPod y a una línea en expansión de productos electrónicos de consumo.[32] Todas las organizaciones maduras tienen que atravesar periodos de revitalización o se debilitarán, como se muestra en la última etapa del cuadro 9.3.

Resumen. El 84 % de los negocios que sobreviven al primer año fracasan en los próximos cinco años debido a que no pueden lograr la transición de la etapa emprendedora.[33] Las transiciones se vuelven incluso más difíciles a medida que las organizaciones progresan a través de las sucesivas etapas de su ciclo vital. Cuando no se resuelven con éxito los problemas asociados con estas transiciones se restringe el crecimiento e incluso las empresas pueden morir. Desde dentro de una organización pequeña, las crisis del ciclo de vida son muy reales. Por ejemplo, Nike atravesó momentos difíciles en años recientes debido a que parecía estar estancada en una adolescencia prolongada y tenía dificultades para resolver la necesidad de disciplina y de sistemas de control formales

En la práctica

Nike

Nike siempre ha sido el "niño malo" de el marketing deportivo. Phil Knight y su entrenador de atletismo del colegio, Bill Bowerman, iniciaron la compañía con $500 cada uno y obtuvieron la inspiración para su primer par de zapatos de entrenamiento de una waflera (el zapato se llamó Waffle Trainer debido a sus huellas características). Nike aprecia por encima de todo la creatividad; los líderes han fomentado una cultura de libertad y parecen burlarse del lado empresarial de las cosas. Hasta hace poco, el manejo de la compañía se había basado en gran medida en el instinto y la audacia.

Pero Nike comenzó a sufrir por esta actitud en contra de lo establecido, y hace poco Phil Knight realizó algunos cambios importantes para sacar a la compañía de su adolescencia persistente y moverla a una nueva etapa de su ciclo de vida. Después de haber llegado a la marca de $960 millones en 1998, las ventas se estancaron. El antiguo enfoque de la compañía que consistía en adivinar cuántos zapatos fabricar y después inundar el mercado con ellos, fue contraproducente cuando los zapatos Nike se quedaban llenos de polvo en los estantes de las tiendas. Una serie de adquisiciones mal pensadas y acusaciones de que los trabajadores estaban siendo explotados en las fábricas asiáticas de Nike, no ayudaron en nada. En Nike no tenían la disciplina ni los sistemas formales necesarios para enfrentar esta clase de problemas. Durante un par de años en la década de 1990, la enorme compañía ni siquiera tenía un director financiero. Cuando la división francesa de Nike se excedió en el presupuesto por varios millones en un esfuerzo promocional, Wall Street comenzó a preguntarse si alguien estaba al mando de la compañía.

Aunque la cultura de Nike fue impactante en términos de diseño y marketing, Knight se dio cuenta de que la compañía ya no podía operar más como una empresa emprendedora, pequeña y joven. La reorganización de las piezas básicas del negocio, como son los principios operativos, la administración financiera, la cadena de suministro y la administración del inventario, etcétera, se convirtió en una prioridad. Comenzó a reunir un nuevo equipo de directivos experimentados, incluidos algunos de los veteranos de Nike, pero también a algunos externos, como el director de finanzas, Donald Blair, traído de Pepsi. Estos directores, a su vez, han aportado la disciplina que Nike necesitaba, como el establecimiento de líneas de autoridad claras, la implementación de sistemas excelentes para la administración del inventario y la cadena de abasto y la creación de un departamento para manejar cuestiones laborales.

Nike parece haber logrado de manera exitosa la transición a la etapa de formalización, y la nueva disciplina está rindiendo frutos. Después de cuatro años bajo la dirección del nuevo equipo directivo, las ventas de Nike han ascendido en 15% y la compañía ha ganado casi $1000 millones.[34]

El examen administrativo detenido de Phil Knight no se detuvo hasta que alcanzó el máximo. A principios de 2005, Knight se retiró como director general de la compañía y designó como su sucesor a Bill Pérez, antiguo director de S. C. Johnson Company. Algunos observadores temen que sin Knight, Nike vuelva a tropezar. Sin embargo, Phil Knight cree que Pérez es el líder adecuado para la etapa actual del ciclo de vida de la organización. Knight proporciona hoy visión y guía en su función de presidente, pero el manejo cotidiano de la compañía ahora está en manos de otros.[35]

Características organizacionales durante el ciclo de vida

A medida que las organizaciones evolucionan a través de las cuatro etapas de su ciclo de vida, se presentan cambios en la estructura, los sistemas de control, la innovación y sus metas. Las características organizacionales que están asociadas con cada etapa se resumen en el cuadro 9.4.

Emprendedora. En un principio la organización es pequeña, no burocrática y unipersonal. La alta dirección proporciona la estructura y los sistemas de control. La energía organizacional se canaliza a la supervivencia y la producción de un solo producto o servicio. La organización con sede en Reino Unido, Shazam, que permite a los usuarios de la telefonía móvil tener acceso a una base de datos para identificar canciones por título y artista, se encuentra en su etapa emprendedora. El caso de Shazam se narró en el recuadro Liderazgo por diseño del capítulo 5.

Colectividad. Ésta representa la juventud de la organización. El crecimiento es rápido y los empleados están emocionados y comprometidos con la misión de la organización. En su mayoría, la estructura es informal, aunque están surgiendo algunos procedimientos. Los líderes carismáticos fuertes como Steve Jobs de Apple Computer o Phil Knight de Nike proporcionan la dirección y los objetivos para toda la organización. La meta principal es tener un crecimiento continuo.

Formalización. En este punto, la organización está ingresando a su edad madura. Aquí es donde emergen las características burocráticas y la organización agrega grupos de apoyo al personal, formaliza procedimientos y establece una jerarquía clara y una división del trabajo. En la etapa de formalización, las organizaciones también pueden desarrollar productos complementarios para ofrecer una línea completa de los mismos. La innovación se puede alcanzar mediante el establecimiento de un departamento independiente de investigación y desarrollo (I&D). Las metas más importantes son la estabilidad interna y la expansión del mercado. La alta dirección delega, pero también implementa sistemas de control formales.

En esta etapa, por ejemplo, el fundador de Microsoft, Bill Gates cedió la administración cotidiana de la compañía a Steven Ballmer, quien desarrolló e implementó sistemas financieros, administrativos y planeación formal a través de toda la compañía. Gates quería a alguien que pudiera manejar las operaciones cotidianas del negocio de manera que pudiera encauzar sus energías a la innovación tecnológica.[36]

Elaboración. La organización madura es grande y burocrática, con amplios sistemas de control, reglas y procedimientos. Los directivos intentan desarrollar una mentalidad de equipo dentro de la burocracia para impedir que ésta se haga mayor. Los altos directivos están preocupados por el establecimiento de una organización completa. El estatus y la reputación son importantes. La innovación se institucionaliza a través del depar-

CUADRO 9.4
Características organizacionales durante las cuatro etapas del ciclo de vida

Características	1. Emprendedora No burocrática	2. Colectividad Preburocrática	3. Formalización Burocrática	4. Elaboración Muy burocrática
Estructura	Informal, unipersonal	En su mayor parte informal, pocos procedimientos	Procedimientos formales, división del trabajo, nuevas especialidades agregadas	Trabajo en equipo con burocracia, mentalidad de una compañía pequeña
Productos o servicios	Un solo producto o servicio	Producto o servicios importantes, con variaciones	Línea de productos o servicios	Múltiples productos o líneas de servicio
Sistemas de recompensa y control	Personal, paternalista	Personal, contribución al éxito	Impersonal, sistemas formalizados	Amplios, hechos a la medida del producto y departamento
Innovación	Por el dueño-director	Por empleados y directivos	Por grupo separado de innovación	Por el departamento de investigación y desarrollo institucionalizado
Meta	Supervivencia	Crecimiento	Estabilidad interna, expansión del mercado	Reputación, organización completa
Estilo de la alta dirección	Individualista, emprendedora	Carismático, proveedor de orientación	Delegación con control	Enfoque en equipo, ataque a la burocracia

Fuente: Adaptado de Larry E. Greiner, "Evolution and Revolution as Organizations Grow", *Harvard Business Review* 50 (julio-agosto 1972), 37-46; G.L. Lippitt y W. H. Schmidt, "Crises in a Developing Organization", *Harvard Business Review* 45 (noviembre-diciembre 1967), 102-112; B. R. Scott, "The Industrial State: Old Myths and New Realities", *Harvard Business Review* 51 (marzo-abril 1973), 133-148; Robert E. Quinn y Kim Cameron, "Organizational Life Cycles and Shifting Criteria of Effectiveness", *Management Science* 29 (1983), 33-51.

tamento de investigación y desarrollo. La administración puede atacar la burocracia y reducirla.

Resumen. Las organizaciones en crecimiento atraviesan varias etapas del ciclo de vida y cada una de ellas está asociada con características específicas estructurales, sistemas de control, metas e innovación. El fenómeno del ciclo vital es un concepto poderoso que se utiliza para entender problemas que están enfrentando las organizaciones y la manera en que los directivos pueden responder de una forma positiva para lograr que la compañía avance a la siguiente etapa.

Burocracia y control organizacionales

A medida que las organizaciones progresan a través de su ciclo vital, por lo general asumen características burocráticas conforme crece su tamaño y su complejidad. El estudio sistemático de la burocracia fue iniciado por Max Weber, un sociólogo que estudió las organizaciones gubernamentales en Europa y desarrolló un modelo para las características administrativas que convertiría a las grandes empresas en entidades lógicas y eficientes.[37] Weber deseaba entender la forma en que las organizaciones se podían diseñar para que ejercieran una función positiva en la sociedad en general.

CUADRO 9.5
Dimensiones burocráticas de Weber

¿Qué es la burocracia?

A pesar de que Weber concibió a la **burocracia** como una amenaza a las libertades personales y esenciales, también la reconoció como el sistema de organización más eficiente posible. Predijo el triunfo de la burocracia debido a su capacidad de asegurar el funcionamiento más eficiente de las organizaciones tanto en entornos empresariales como gubernamentales. Weber identificó un conjunto de características organizacionales que se presentan en el cuadro 9.5, y que se encuentran en los aparatos burocráticos exitosos.

Las reglas y los procedimientos estandarizados permitieron que se desarrollaran actividades organizacionales de una forma rutinaria y predecible. Las tareas especializadas implicaban que cada empleado tuviera una tarea clara que desarrollar. La jerarquía de autoridad ofrecía un mecanismo sensible para la supervisión y el control. La competencia técnica era la base mediante la cual la gente era contratada y no la amistad, ni los lazos familiares, ni el favoritismo, los cuales redundaron en un grave menoscabo del desempeño laboral. La separación del puesto con respecto al dueño del puesto significaba que los individuos no poseían ni tenían la propiedad del derecho inherente al trabajo, lo cual fomentó la eficiencia. Los registros escritos proporcionaron una memoria y continuidad organizacional a través del tiempo.

Aunque las características burocráticas llevadas a un extremo son muy criticadas en la actualidad, el control racional que presentó Weber constituyó una idea importante y una nueva forma de organización. La burocracia ofreció muchas ventajas sobre las formas organizacionales basadas en el favoritismo, estatus social, conexiones familiares o sobornos. Por ejemplo, cuando Efren Plana fue nombrado comisionado de ingresos internos en Filipinas hace 30 años, se encontró con una corrupción masiva, en la que funcionarios contrataban a sus parientes en trabajos bastante remunerados y asesores fiscales que obtenían promociones mediante el cohecho de sus superiores.[38] En México, un abogado estadounidense tuvo que pagar $500 de soborno para obtener una línea telefónica. La tradición de ofrecer puestos gubernamentales a parientes está muy difundida en lugares como China. A la clase emergente de gente educada en China le desagrada ver que los mejores trabajos vayan a manos de los hijos y otros parientes de los funcionarios.[39] En comparación, la lógica y la forma racional de la organización descrita por Weber permite que el trabajo se realice de manera eficiente y de acuerdo con reglas establecidas.

Las características burocráticas listadas en el cuadro 9.5 tienen un impacto positivo en muchas empresas grandes. Considere el caso de United Parcel Services (UPS), una de las organizaciones grandes más eficientes en Estados Unidos y Canadá.

En la práctica

United Parcel Service

UPS, algunas veces llamada *Big Brown*, por el color de sus camiones repartidores y de los uniformes de los empleados, es la compañía más grande de mensajería en el mundo, con entregas de más de 13 millones de paquetes todos los días laborables. UPS también está ganando participación de mercado en el servicio aéreo, la logística y los servicios de información. Los comerciales de televisión preguntan, "¿qué puede hacer Brown por usted hoy?", lo que significa que la compañía está expandiendo sus servicios globales de información.

¿Cómo logró UPS ser tan exitosa? Se lograron numerosas eficiencias a través de la adopción del modelo de organización burocrático. UPS está envuelta en reglas y regulaciones. Enseña a los conductores la asombrosa cantidad de 340 pasos precisos para entregar de manera correcta un paquete. Por ejemplo, les dice cómo cargar sus camiones, cómo abrochar sus cinturones de seguridad, cómo caminar, cómo portar sus llaves. Se les hace cumplir un código estricto de vestimenta: Uniformes limpios (llamados *browns*) todos los días, zapatos cafés o negros pulidos con suelas antideslizantes, ninguna camisa desabotonada por debajo del primer botón, el cabello no debe sobrepasar el cuello de la camisa, no barba, no fumar enfrente de los clientes, entre otras medidas. La compañía realiza a diario inspecciones físicas de tres minutos a sus conductores, una práctica que empezó el fundador de la empresa a principios de la década de 1900. Hay reglas de seguridad para los conductores, los cargadores, los dependientes y los gerentes. Se pide a los empleados que limpien sus escritorios al final del día de manera que puedan comenzar frescos a la siguiente mañana. Los gerentes reciben copias de los libros de políticas con la esperanza de que adquieran la costumbre de leerlos, y diario circulan cientos de memorandos sobre varias políticas y reglas.

A pesar de las medidas estrictas, los empleados están satisfechos y UPS tiene una tasa de retención de más del 90%. Los empleados son tratados bien y también tienen buenos sueldos. La compañía ha mantenido un sentido de igualdad y justicia; todo el mundo es tratado por su nombre. El libro de políticas establece, "un líder no tiene que recordar a los demás su autoridad por usar un título. El conocimiento, desempeño y capacidad deben constituir una evidencia adecuada del puesto y liderazgo". La calificación técnica, no el favoritismo, es el criterio de contratación y promociones. Los altos ejecutivos comenzaron desde los niveles más bajos: El director general actual, James Kelly, por ejemplo, comenzó como conductor temporal en días festivos con mucha carga de trabajo. El énfasis en la igualdad, la justicia y la mentalidad de crecimiento desde dentro, inspira la lealtad y el compromiso a través de los diferentes rangos.

UPS también ha sido líder en el uso de nueva tecnología para mejorar la confiabilidad y la eficiencia. Los conductores utilizan un portapapeles computarizado, llamado DIAD (dispositivo de adquisición de información de entrega), para registrar todo, desde las millas por galón del conductor hasta los datos sobre las entregas de paquetes. La tecnología está permitiendo a UPS expandir sus servicios y convertirse en una compañía de acción no sólo en cuanto a paquetes, sino en cuanto al conocimiento e información. Los altos directivos saben que la nueva tecnología implica que algunos de los procedimientos rígidos de UPS quizá tengan que flexibilizarse. Sin embargo, es probable que no demasiado. Cuando se están transportando más de 13 millones de artículos al día, la estabilidad y certidumbre son la consigna, ya sea que se esté utilizando el primer modelo T de Ford o el último hechizo tecnológico.[40]

UPS ilustra de qué forma las características burocráticas aumentan con la magnitud del tamaño. UPS es tan productivo y confiable que domina en el pequeño mercado de entrega de paquetes. A medida que se expande y realiza su transición al negocio de logística global basado en el conocimiento, los directivos de UPS quizá requieran formas efectivas para reducir la burocracia. La nueva tecnología y los nuevos servicios suponen más demandas para los trabajadores, quienes quizá necesiten más flexibilidad y autonomía para desempeñarse bien. A continuación se estudiarán algunas formas específicas en que el tamaño afecta la estructura y el control organizacionales.

Tamaño y control estructural

En el campo de la teoría organizacional, el tamaño de la empresa se ha representado como una variable importante que influye en el diseño estructural y los métodos de control. ¿Una organización debe burocratizarse más a medida que crece? ¿En qué organizaciones las características burocráticas son más adecuadas? Más de 100 estudios han intentado dar respuesta a estas preguntas.[41] La mayor parte de estos estudios indican que las organizaciones grandes son diferentes de las pequeñas con respecto a varias dimensiones de la estructura burocrática, entre las que se encuentran la formalización, centralización y proporción de personal.

Portafolios

Como gerente de una organización, tenga en mente estos lineamientos:

Conforme la organización crece, dótela de una formalización mayor para alcanzar la estandarización y el control. Evite los gastos generales excesivos para mantener bajos los costos generales del personal administrativo, de línea y de staff.

Formalización y centralización. **La formalización**, como se describió en el capítulo 1, se refiere a reglas, procedimientos y documentación escrita, como manuales de políticas y descripciones de puestos, que prescriben los derechos y deberes de los empleados.[42] La evidencia apoya la conclusión de que las organizaciones grandes son más formalizadas, como UPS. La razón es que las grandes organizaciones dependen de reglas, procedimientos y documentación para alcanzar la estandarización y control sobre su gran cantidad de empleados y departamentos, en tanto que los altos directivos en una organización pequeña pueden utilizar la observación personal para ejercer control.[43]

La **centralización** se refiere al nivel de jerarquía con autoridad para tomar decisiones. En las organizaciones centralizadas, las decisiones tienden a tomarse en la parte superior de la jerarquía. En las organizaciones descentralizadas las decisiones se toman en un nivel más bajo.

La descentralización representa un arma de dos filos debido a que en una burocracia perfecta, todas las decisiones correrían por parte del directivo de nivel más alto, quien tendría un control perfecto. No obstante, a medida que la organización crece y cuenta con más personas y departamentos, las decisiones no pueden transferirse a la parte superior debido a que los altos directivos pueden sobrecargarse de trabajo. Así, la investigación acerca del tamaño indica que las organizaciones más grandes permiten una descentralización mayor.[44] Considere el caso de Microsoft, donde el director general Steven Ballmer y el presidente Bill Gates acostumbraban tomar todas las decisiones importantes. No obstante, en una compañía con 50 000 empleados y múltiples líneas de producto, la estructura tradicional estaba sobrecargada en la parte superior. La toma de decisiones se entorpeció. Ballmer reorganizó la empresa de 50 000 empleados en siete divisiones y confirió a cada cabeza de división una autoridad mayor para la toma de decisiones.[45] Por otro lado, en las pequeñas organizaciones novatas, el fundador o el alto ejecutivo puede participar de manera activa y efectiva en todas las decisiones, tanto grandes como pequeñas.

Proporción del personal. Otra característica de la burocracia se relaciona con la **proporción de personal** en cuanto al personal administrativo, de oficina y staff profesional. La proporción que se estudia con más frecuencia es la administrativa.[46] Han surgido dos patrones, el primero es que la proporción de la alta dirección con respecto a los empleados totales es en realidad más pequeña en las organizaciones grandes,[47] lo que indica que las organizaciones experimentan economías administrativas a medida que crecen. El segundo patrón tiene que ver con las proporciones entre el personal de oficina y el staff profesional.[48] Estos grupos tienden a *incrementar* su proporción en relación con el tamaño de la organización. La proporción del personal de oficina se incrementa debido a la mayor comunicación y requerimientos de informes necesarios durante el crecimiento de la organización. La proporción del staff profesional se incrementa debido a la mayor necesidad de habilidades especializadas en las organizaciones más grandes y complejas.

El cuadro 9.6 ilustra las proporciones entre el personal administrativo y staff para organizaciones pequeñas y grandes. A medida que las organizaciones crecen, la proporción del personal administrativo disminuye y la proporción de otros grupos de

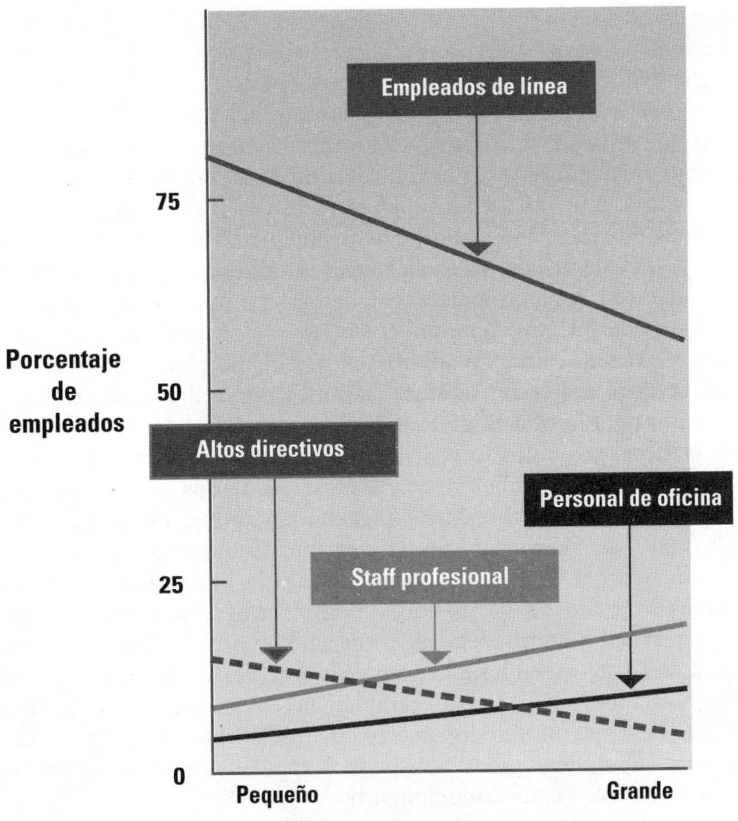

CUADRO 9.6
Porcentaje de personal asignado a actividades administrativas y de soporte

apoyo aumenta.[49] El efecto neto para la proporción de trabajadores directos es que ésta disminuye como un porcentaje de los empleados totales. En resumen, mientras los altos directivos no compensen la cantidad desproporcionada de empleados en las organizaciones grandes, estarán apoyando la idea de que se requieren gastos generales en proporción mayores en las organizaciones grandes. Si bien, las grandes empresas redujeron sus gastos generales durante los años económicamente difíciles de la década de 1980, los costos por los gastos generales de muchas corporaciones estadounidenses comenzaron a elevarse en forma gradual conforme sus ingresos aumentaban a finales de la década de 1990.[50] Con el declive de la economía estadounidense después del colapso del sector tecnológico, amenazas de guerra y terrorismo y el sentimiento generalizado de incertidumbre, muchas compañías una vez más han luchado por reducir sus costos operativos. Mantener bajos los costos del personal administrativo, de oficina y staff representa un reto continuo para las grandes organizaciones.[51]

Burocracia en un mundo cambiante

La predicción de Weber acerca del triunfo de la burocracia ha demostrado ser exacta. Las características burocráticas tienen muchas ventajas y han funcionado bastante bien para muchas de las necesidades de la era industrial.[52] Debido a que establece una jerarquía de autoridad y reglas y procedimientos específicos, la burocracia ha demostrado ser una efectiva forma de suministrar orden a grandes grupos de personas e impedir los abusos de poder. Las relaciones impersonales basadas en las funciones y no en las personas redujeron el favoritismo y las características de nepotismo de muchas organizaciones preindustriales. La burocracia también proporcionó formas racionales y sistemáticas para realizar las tareas administrativas demasiado complejas para ser entendidas y manejadas por unos pocos individuos, así se mejoró de una forma muy importante la eficiencia y efectividad de las grandes organizaciones.

Sin embargo, el mundo está cambiando con rapidez y los sistemas burocráticos de la era industrial que semejan máquinas, ya no funcionan tan bien, debido a que las organizaciones están enfrentándose a nuevos desafíos. La competencia global y los entornos inciertos, hacen que muchas de ellas luchen contra la formalización creciente y contra las proporciones de staff profesional. Los problemas ocasionados por la excesiva burocratización son evidentes en las ineficiencias de algunas organizaciones gubernamentales estadounidenses. Algunas agencias tienen tantos miembros de personal de oficina y títulos confusos de puestos, que nadie está seguro en realidad de lo que cada quien hace. Richard Cavanagh, un exayudante del presidente Jimmy Carter, informó que su título federal favorito era el de "asistente administrativo del administrador asistente de la administración para la oficina de Servicios Generales".[53]

Algunos críticos han culpado a la burocracia gubernamental de las fallas en inteligencia, comunicación y rendición de cuentas vinculados con los ataques terroristas de 2001, el desastre del transbordador espacial Columbia, los abusos en la prisión de Abu Ghraib, y la lenta respuesta ante la devastación que ocasionó el huracán Katrina de 2005. "Cada vez que se agrega un nivel más a la burocracia, se retrasa el flujo de la información en la cadena de mando... y la información se diluye debido a que en cada nivel, se pierden algunos detalles", afirma Richard A. Posner, un juez federal de apelaciones de la Corte quien ha escrito un libro acerca de la reforma en inteligencia.[54] Muchas organizaciones corporativas también necesitan reducir su formalización y la burocracia. Las descripciones de los puestos definidas con detalle, por ejemplo, tienden a limitar la creatividad, flexibilidad y respuestas rápidas necesarias en las organizaciones contemporáneas basadas en el conocimiento.

Sistemas temporales de organización para la flexibilidad y la innovación

¿De qué forma las organizaciones pueden superar los problemas que entraña la burocracia en entornos rápidamente cambiantes? Algunas organizaciones están implementando soluciones estructurales innovadoras. Un concepto estructural, denominado *sistema de comando de incidentes* (SCI), por lo general es utilizado por organizaciones que tienen que responder con rapidez a la emergencia o a situaciones críticas, como los departamentos de policía y de bomberos y otras agencias de administración de emergencias. El **sistema de comando de incidentes** se desarrolló para conservar los beneficios de eficiencia y control de la burocracia pero evita los problemas de lenta respuesta ante las crisis.[55] Este enfoque está siendo adaptado por otras clases de organizaciones para ayudarse a responder con rapidez a las nuevas oportunidades, amenazas competitivas imprevistas o crisis propias de la organización.

La idea fundamental detrás del sistema de comando de incidentes es que la organización puede deslizarse suavemente entre una estructura jerárquica y formal, efectiva durante tiempos de estabilidad, y una estructura más flexible y libre necesaria para responder de manera adecuada a condiciones del entorno demandantes e inesperadas. El aspecto jerárquico con sus reglas, procedimientos y cadena de mando ayuda a mantener el control y asegurar la adherencia a las reglas que se han desarrollado y probado durante muchos años para enfrentar problemas y situaciones con las que se está familiarizado. Sin embargo, en épocas de alta incertidumbre, la estructura más efectiva es aquella que libera las categorías de comando y permite a la gente trabajar a través de las líneas jerárquicas y departamentales para anticiparse, evitar y resolver problemas no previstos dentro del contexto de una misión y lineamientos claramente entendidos.

El enfoque puede verse en acción en la cubierta de un transportador de aeronaves nucleares, donde existe una rígida cadena de mando y se espera que la gente cumpla con prontitud las órdenes y sin cuestionamiento alguno.[56] El grado de formalización es alto, con manuales que detallan los procedimientos adecuados para cualquier situación conocida. No obstante, en épocas de alta incertidumbre, como el lanzamiento y la recuperación de aviones durante una guerra real o simulada, ocurre un cambio importante. La jerarquía rígida parece disolverse y se presenta una estructura de colaboración organizada libremente en la cual los marineros y los oficiales trabajan en conjunto como colegas. La gente analiza los mejores procedimientos que pueden utilizar, y por lo general, todos siguen al líder, que casi siempre es quien tiene la mayor experiencia y conocimiento en un área en particular. Durante este momento, nadie está pensando en títulos laborales, autoridad o posición jerárquica; tan sólo están dispuestos en la mejor forma para cumplir la misión de manera segura.

Una variedad de mecanismos aseguran el funcionamiento perfecto del sistema de comando de incidentes.[57] Por ejemplo, a pesar de la naturaleza flexible y libre de la respuesta ante las crisis, siempre hay alguien a cargo. El *comandante de incidentes* es el responsable de todas las actividades que ocurran, y todos saben con claridad quién está a cargo de qué aspecto de la situación. Esto ayuda a mantener el orden en un entorno caótico. La clave es que, mientras las relaciones de autoridad formales son fijas, la autoridad de la toma de decisiones está difundida entre los individuos que entienden mejor la situación en particular. El sistema está basado en la confianza de que los trabajadores de más bajo nivel tienen una clara comprensión de la misión y toman decisiones y acciones dentro de los lineamientos que apoyan las metas organizacionales. El desarrollo de un sistema de comando de incidentes requiere un grado de compromiso significativo y de inversión de tiempo y recursos, pero ofrece un gran potencial para las organizaciones que requieren una confiabilidad, flexibilidad e innovación en extremo altas. Una organización que utiliza de manera efectiva el modelo de comando de incidentes es el Ejército Salvación, como se analiza en el recuadro de este capítulo de Liderazgo por diseño.

Otros enfoques para reducir la burocracia

Las organizaciones están implementando varias medidas menos radicales para reducir la burocracia. Muchas están suprimiendo niveles de la jerarquía, están limitando la cantidad del personal de las oficinas centrales, y están confiriendo a los trabajadores de niveles más bajos mayor libertad para tomar decisiones y no abrumarlos con reglas y regulaciones excesivas. Centex Corporation, que tiene ingresos anuales de aproximadamente $3800 millones es manejada desde unas modestas oficinas centrales en Dallas, por un personal de menos de 100 personas. Centex descentraliza la autoridad y la responsabilidad hacia las divisiones operativas.[58] El punto es no sobrecargar las oficinas centrales con abogados, contadores y analistas financieros que inhiban la flexibilidad y la autonomía de las divisiones.

Por supuesto, muchas compañías deben ser grandes para obtener suficientes recursos y complejidad para generar productos para un entorno global, pero las compañías como Wal-Mart, 3M, Coca-Cola, Emerson Electric y Heinz se están esforzando por lograr una descentralización y esbeltez mayores. Han cedido a los trabajadores de la línea de acción más autoridad y responsabilidad para definir y dirigir sus propios trabajos, muchas veces mediante la creación de equipos autodirigidos que encuentren formas de coordinar el trabajo, mejorar la productividad y atender mejor a los clientes.

Otro ataque a la burocracia proviene de la creciente profesionalización de los empleados. La *profesionalización* se define como la amplitud del entrenamiento formal y la experiencia laboral. Cada vez más empleados necesitan grados académicos, maestrías en administración de empresas y otros grados profesionales para trabajar como abogados, investigadores o doctores en General Motors, Kmart y Bristol-Myers Squibb Company. Además, las compañías basadas en Internet pueden tener como personal a trabajadores del conocimiento bien educados. Los estudios acerca de la profesionalización demuestran que la formalización no es necesaria debido a que la capacitación profesional regulariza un alto estándar de comportamiento para los empleados, que actúa como un sustituto de la burocracia.[59] Las compañías también fomentan esta tendencia

Portafolios

Como gerente de una organización, tenga en mente estos lineamientos:

Considere el uso del sistema de comando de incidentes para conservar los beneficios de eficiencia y control de la burocracia para evitar el problema de las respuestas lentas ante los cambios rápidos del entorno. Permita a la organización deslizarse con suavidad de un sistema formalizado en época de estabilidad a uno con una estructura más flexible y libre cuando se enfrenten amenazas, crisis o cambios inesperados en el entorno.

Liderazgo por diseño

El Ejército de Salvación

El Ejército de Salvación ha sido llamado "la organización más efectiva del mundo" por un afamado académico del área administrativa. Una razón por la que la organización es tan efectiva y poderosa es su enfoque organizacional que utiliza el sistema de comando de incidentes para proporcionar la cantidad exacta de estructura, control y flexibilidad a fin de satisfacer las necesidades que plantea cada situación. El Ejército de Salvación se refiere a este enfoque como "organización para improvisar".

El Ejército de Salvación proporciona asistencia diaria a las personas sin hogar y que enfrentan la desventaja económica. Además, la organización responde con celeridad siempre que se presenta un desastre importante —puede ser un tornado, una inundación, un huracán, un choque de aviones o ataques terroristas—, para vincularse en red con otras agencias a fin de proporcionar ayuda en caso de desastre. Mucho tiempo después de que han pasado los momentos de desesperación de la crisis inicial, el Ejército de Salvación brinda de forma continua su ayuda a las personas a fin de que reconstruyan sus vidas y comunidades, mediante la asistencia financiera y la satisfacción de sus necesidades físicas de alimento, vestido y techo; y a través del apoyo emocional y espiritual que inspira esperanza y ayuda a la gente a construir una base para el futuro. La administración del Ejército de Salvación está consciente de que las emergencias demandan una alta flexibilidad, de que a la vez, la organización debe tener un alto nivel de control y de rendición de cuentas para asegurar su existencia y el cumplimiento de sus responsabilidades cotidianas. Tal como lo dijo un excomandante nacional, "Debemos tener las dos partes. No podemos elegir entre ser flexible e imprudente o ser responsable y sensible... es necesario tener muchas clases de organizaciones diferentes a la vez".

En los primeros momentos de emergencia en una crisis, el Ejército de Salvación despliega una organización temporal que tiene su propia estructura jerárquica. La gente necesita tener un claro sentido de quién está al mando para impedir que las demandas de respuesta rápida degeneren en caos. Por ejemplo, si el ejército responde a una inundación en Tennessee o a un tornado en Oklahoma, los manuales especifican con claridad de antemano quién será el responsable de hablar con los medios, quién está a cargo del abasto de inventarios, quién vinculará las tareas con otras agencias, etcétera. Este modelo de organización temporal mantiene la sensibilidad del Ejército de Salvación y su congruencia. En las fases posteriores de una crisis de recuperación y reconstrucción, con frecuencia los supervisores dan a la gente lineamientos generales que les permitan improvisar las mejores soluciones. No hay tiempo de que ellos revisen y firmen cada decisión que necesita tomarse para que se reestablezcan las familias y comunidades.

Así, el Ejército de Salvación en verdad cuenta con personas que trabajan de manera simultánea en dos tipos de estructuras organizacionales, desde equipos con estructuras jerárquicas verticales y tradicionales, a equipos horizontales, e incluso hasta una clase de red que depende de la colaboración con otras agencias. La operación tan fluida permite a la organización lograr resultados sorprendentes. En un año, el ejército ayudó a más de 2.3 millones de personas atrapadas en desastres en Estados Unidos, además de muchas más personas que reciben atención mediante los programas diarios. El ejército ha sido reconocido como líder en utilizar al máximo sus recursos monetarios, lo que implica que los donadores están dispuestos a dar debido a que confían en que la organización será sensible y responsable al tiempo que es flexible e innovadora para cubrir las necesidades humanas.

Fuente: Robert A Watson y Ben Brown, *The Most Effective Organization in the U.S.: Leadership Secrets of the Salvation Army* (Nueva York: Crown Business, 2001), 159-181.

cuando proporcionan capacitación continua a todos los empleados, desde los de oficina hasta los del taller, e impulsan el aprendizaje individual y organizacional continuo. La creciente capacitación sustituye las reglas y procedimientos burocráticos que pueden reprimir la creatividad de los empleados para resolver problemas e incrementa la capacidad organizacional.

Ha surgido una forma de organización denominada *asociación profesional* constituida por completo por profesionales.[60] Estas organizaciones incluyen servicios médicos, despachos de abogados y empresas consultoras, como McKinsey & Company y Pricewaterhouse-Coopers. El descubrimiento general concerniente a las asociaciones profesionales es que las sucursales tienen una autonomía sustancial y autoridad descentralizada para tomar las decisiones necesarias. Éstas trabajan con una orientación de consenso y no mediante la dirección jerárquica típica de los negocios tradicionales y organizaciones gubernamentales. Así, la tendencia de profesionalización creciente en combinación con entornos en rápida transformación está generando menos burocracia en la corporación norteamericana.

Estrategias de control organizacional

Aunque muchas organizaciones están intentando disminuir la burocracia, así como las reglas y procedimientos que reprimen a los empleados, todas las organizaciones necesitan sistemas para guiarlas y controlarlas. Quizá los empleados tengan más libertad en las compañías actuales, pero el control sigue siendo una responsabilidad fundamental de la dirección.

Los directivos en los niveles altos y medios de una organización pueden elegir entre tres estrategias generales de control. Estas estrategias provienen de un modelo de control organizacional propuesto por William Ouchi de la Universidad de Carolina, en Los Ángeles. Ouchi sugirió tres estrategias de control que las organizaciones podrían adoptar: Burocrática, de mercado y de clan.[61] Si bien, cada forma de control utiliza diferentes tipos de información, los tres tipos pueden aparecer de manera simultánea en una organización. Los requerimientos para cada estrategia de control se presentan en el cuadro 9.7.

Control burocrático

El control burocrático es el uso de reglas, políticas, jerarquía y autoridad, documentación escrita, estandarización y otros mecanismos burocráticos para uniformar el comportamiento y evaluar el desempeño. El control burocrático utiliza las características burocráticas definidas por Weber e ilustradas con el caso de UPS. El propósito fundamental de las reglas y procedimientos burocráticos es estandarizar y controlar el comportamiento de los empleados.

Recuerde que a medida que las organizaciones progresan en su ciclo de vida y crecen, se vuelven más formalizadas y estandarizadas. Dentro de una organización grande, tienen lugar miles de conductas laborales e intercambios de información de manera tanto vertical como horizontal. Las reglas y políticas evolucionan mediante un proceso de prueba y error para regular estos comportamientos. Se utiliza algún grado de control burocrático casi en todas las organizaciones. Las reglas, regulaciones y directrices contienen información acerca de una variedad de comportamientos.

Para hacer funcionar al control burocrático, los directivos deben tener autoridad para mantener el control sobre la organización. Weber argumentó que la autoridad racional y legítima cedida a los directivos era preferible sobre otros tipos de control (como el favoritismo o soborno) como base de las decisiones y actividades organizacionales. Weber identificó tres tipos de autoridad que podrían explicar la creación y el control de una organización grande.[62]

CUADRO 9.7
Tres estrategias de control organizacional

Tipo	Requerimientos
Burocracia	Reglas, estándares, jerarquías, autoridad legítima.
Mercado	Precios, competencia, relación de intercambio.
Clan	Tradición, valores y creencias compartidos, confianza.

Fuente: Basado en William G. Ouchi, "A Conceptual Framework for the Design of Organizational Control Mechanisms", *Management Science* 25 (1979), 833-848.

La **autoridad legal-racional** está basada en la creencia de los empleados en la legalidad de reglas y del derecho de aquellos elevados a posiciones de autoridad a emitir órdenes. La autoridad legal-racional es la base tanto para la creación como para el control de la mayor parte de las organizaciones gubernamentales y es el principio más común de control en las de todo el mundo. La **autoridad tradicional** es la confianza en las tradiciones y en la legitimidad del estatus de la gente que ejerce su autoridad a través de esas costumbres. La autoridad tradicional es la base para el control de las monarquías, iglesias y algunas organizaciones en Latinoamérica y el Golfo Pérsico. La **autoridad carismática** está basada en la devoción a un carácter ejemplar o al heroísmo de una persona y al orden establecido por él o ella. Las organizaciones militares revolucionarias con frecuencia están basadas en el carisma de un líder, como las organizaciones norteamericanas encabezadas por individuos carismáticos como Steve Jobs. La organización refleja la personalidad y valores del líder.

En las organizaciones puede existir más de un tipo de autoridad, como la larga tradición y el carisma especial del líder, pero la autoridad legal-racional es la más utilizada para gobernar las actividades de trabajo internas y la toma de decisiones, en particular en las grandes organizaciones.

Portafolios

Como gerente de una organización, tenga en mente estos lineamientos:

Implemente una de las tres elecciones básicas: Burocrática, de clan o de mercado, como el medio principal de control organizacional. Utilice el control burocrático cuando las organizaciones sean grandes, tengan un entorno estable y utilicen la tecnología de rutina. Implemente el control de clan en departamentos pequeños e inciertos. Emplee el control de mercado cuando se pueda fijar un precio a la producción y cuando se pueda hacer uso de licitaciones de índole competitivo.

Control de mercado

El **control de mercado** ocurre cuando la competencia con base en el precio se utiliza como parámetro para evaluar la producción y productividad de una organización. La idea de control del mercado tiene su origen en la economía.[63] El precio de un dólar es una forma eficiente de control, debido a que los directivos pueden comparar con base en él, precios y utilidades para evaluar la eficiencia de su corporación. Los altos directivos casi siempre utilizan el mecanismo de precios para evaluar el desempeño de las corporaciones. Las ventas y los costos corporativos se resumen en un estado de resultados que puede compararse con el desempeño de años anteriores o con el de otras corporaciones.

El uso de control de mercado requiere que las salidas sean lo suficiente explícitas para que se les pueda asignar un precio y que exista competencia. Sin ella, el precio no reflejaría con precisión la eficiencia interna. Incluso algunos gobiernos y organizaciones sin fines de lucro están adoptando el control de mercado. Por ejemplo, el departamento federal de aviación estadounidense recibe licitaciones para la operación de la automatización de su nómina. El departamento de agricultura venció a IBM y a otras dos compañías privadas en una la licitación. setenta y tres por ciento de los gobiernos locales aún utilizan servicios privados de conserjería y 54% utilizan recolectores de basura privados.[64] La ciudad de Indianápolis requiere que todos sus departamentos liciten contra compañías privadas. Cuando el departamento de transporte fue vencido en una licitación por una compañía privada con costos más bajos para un contrato de cubrimiento de baches, trabajadores sindicalizados de la ciudad elaboraron una contrapropuesta que implicaba la eliminación de la mayor parte de los mandos medios departamentales y la reingeniería de los trabajos sindicalizados para ahorrar dinero. Se despidió a 18 supervisores y se redujeron los costos en un 25%, así el departamento ganó la licitación.[65]

El control de mercado alguna vez se utilizó en forma principal al nivel de la organización completa, pero cada vez se utiliza más en las divisiones de producto. Los centros de utilidades son partes de producto autónomas, como las descritas en el capítulo 3. Cada una de las divisiones contiene las entradas necesarias de recursos para generar un producto. Cada área debe ser evaluada con base en su utilidad o pérdida en comparación con otras divisiones. Asea Brown Boveri (ABB), un contratista multinacional y fabricante de equipo eléctrico, cuenta con tres diferentes tipos de centros de utilidades, que operan de acuerdo con sus propios saldos e interactúan a través de la compra y venta entre sí y con clientes externos.[66] La organización reticular, descrita en el capítulo 3, también ilustra el control del mercado. Diferentes compañías compiten por el precio para proporcionar las funciones y servicios que la organización central requiere. La organización por lo general contrata a compañías que ofrezcan el mejor precio y valor.

Algunas empresas requieren que los departamentos individuales interactúen entre sí a los precios de mercado: Con la compra y venta mutua de productos o servicios a los precios equivalentes a aquellos que se tienen fuera de la empresa. Para hacer que funcione el sistema de control de mercado, las unidades internas también tienen la opción de comprar y vender con compañías externas. Imperial Oil Limited de Canadá (antes Esso) transformó su departamento de investigación y desarrollo en un centro de utilidades semiautónomo hace varios años.

En la práctica

Imperial Oil Limited

A principios de la década de 1990, el departamento de investigación y desarrollo de Imperial Oil era un proveedor de servicios monopólico que tenía asignado un presupuesto anual de casi $45 millones. Imperial Oil sintió que su método de operación daba a los 200 científicos y al personal en general pocos incentivos para controlar los costos o mejorar la calidad.

En la actualidad, el departamento de investigación y desarrollo recibe un presupuesto mucho más reducido y se mantiene a sí mismo más que nada gracias a la investigación aplicada y contratos de servicios de laboratorio negociados con clientes internos y externos. En los contratos se explica los costos de cada programa, análisis o cualquier otro servicio y los directivos preocupados por los costos de Imperial Oil Limited pueden comparar precios con los laboratorios externos.

El departamento de investigación y desarrollo ha introducido la competencia dentro de su propia pequeña unidad. Por ejemplo, los equipos de investigación tienen libertad para comprar algunos servicios de laboratorio fuera de la compañía si sienten que sus propios laboratorios tienen precios superiores o son ineficientes. Sin embargo, la calidad y la eficiencia han mejorado de manera radical en el departamento de investigación y desarrollo de Imperial Oil, y los servicios de bajo costo y alta calidad de las unidades están atrayendo una gran cantidad de negocios provenientes de fuera de la compañía. Las compañías canadienses habitualmente envían muestras de aceite de motor usado a los laboratorios de investigación y desarrollo para su análisis. Los fabricantes utilizan al departamento para examinar las fallas de equipo. Los fabricantes de vehículos como General Motors y Ford prueban sus nuevos motores en el laboratorio de dinamómetro de chasis del departamento de investigación y desarrollo de Imperial Oil Limited. De acuerdo con John Charlton, director de planeación estratégica corporativa de Imperial Oil, aplicar el control de mercado al departamento de investigación y desarrollo ha producido un incremento en la cantidad de trabajo que realiza la unidad, así como una reducción de 12% en los costos internos.[67]

El control de mercado se puede utilizar sólo cuando se le puede asignar un precio en dinero a la salida de una compañía, división o departamento y cuando hay competencia. Las compañías están dándose cuenta de que pueden aplicar el concepto de control de mercado a los departamentos internos como contabilidad, procesamiento de datos, jurídico y de servicios de información.

Control de clan

El **control de clan** es el uso de las características sociales, como cultura corporativa, valores compartidos, compromiso, tradiciones y creencias para controlar el comportamiento. Las organizaciones que utilizan el control de clan requieren valores compartidos y confianza entre los empleados.[68] El control de clan es importante cuando la ambigüedad y la incertidumbre son altas. La incertidumbre implica que la organización no puede fijar precio a sus servicios y que las cosas cambian con tanta rapidez que no se cuenta con reglas y regulaciones necesarias para especificar que cada comportamiento sea correcto. Bajo el control de clan, la gente puede ser contratada debido a que está comprometida con el propósito de la organización, como en una organización religiosa. Los nuevos empleados pueden estar sujetos a un largo periodo de socialización para ganar la aceptación de sus colegas. El control de clan se utiliza más en organizaciones pequeñas e informales o en las que tienen una fuerte cultura, debido a la implicación personal y al compromiso con el propósito organizacional. Por ejemplo, St. Luke's Communications Ltd., una empresa publicitaria londinense comprometida con la propiedad igualitaria de los empleados, es muy cuidadosa para contratar sólo nuevos empleados que crean en la filosofía y misión de la agencia. Incluso, la compañía rechazó un contrato de $90 millones debido a que conllevaba la rápida contratación de nuevos empleados que quizá se adaptaban a la cultura característica de St. Luke's. El control de clan funcionó para St. Luke's; la agencia es muy respetada y sus ingresos continúan en aumento.[69]

Los mecanismos de control tradicionales basados en reglas y supervisión estrictas resultan poco efectivos para controlar el comportamiento en condiciones de alta incertidumbre y rápidos cambios.[70] Además, el uso creciente de redes de cómputo y de Internet, que muchas veces generan una difusión democrática de la información a través de la organización, pueden obligar a muchas compañías a depender menos del control burocrático y más en los valores compartidos que guían las acciones individuales para el bien corporativo.[71] Southwest Airlines representa uno de los mejores ejemplos de control de clan en el mundo corporativo contemporáneo.

En la práctica
Southwest Airlines

Cuando los precios del petróleo repuntaron, las aerolíneas lo resintieron. Pero en Southwest Airlines, los empleados en ocasiones han renunciado por voluntad propia a su pago de vacaciones para ayudar a la aerolínea a solventar los costos crecientes del combustible. La lealtad, compromiso y presión que ejercen los compañeros son fuertes componentes del control en Southwest Airlines, donde una cultura de "todos somos una familia" estimula a los empleados a dar lo mejor de sí y asegurarse de que otros lo hagan también.

Se selecciona con mucho cuidado a las personas que serán contratadas para que se adapten a la cultura y cada empleado atraviesa un largo periodo de socialización y capacitación. La presión que ejercen los compañeros para trabajar duro y ayudar a la compañía a reducir costos e incrementar la productividad es poderosa. Se acostumbra que los trabajadores se desafíen entre sí en cuestiones como llamadas de enfermedad dudosas o el uso de los recursos de oficina. Con frecuencia los empleados hacen más de lo que deben hacer. Los auxiliares de vuelo que están fuera de servicio se ofrecen a limpiar los aviones. Los pilotos ayudan a los agentes de rampas a cargar las maletas para que los vuelos salgan a tiempo. Cuando el fundador y ex director general, Herb Kelleher, pidió hace muchos años a los empleados encontrar una forma de ayudar a que la compañía ahorrará cinco dólares por día, un empleado comenzó a usar las escaleras en lugar del elevador para ahorrar electricidad.

La fuerte cultura y el control de clan ha ayudado a Southwest Airlines a ser rentable durante más de 30 años consecutivos y la han convertido en la cuarta aerolínea más grande en términos de servicio nacional en Estados Unidos. Sin embargo, a medida que la compañía crece más, la cultura ha comenzado a mostrar signos de debilidad. A diferencia de los días pasados, cuando los altos líderes podían enviar notas escritas de felicitaciones o condolencia a la mayoría de sus empleados, ahora sólo alcanzan a una fracción de los 35 000 empleados diseminados en todo el país. Además, con el crecimiento y éxito, Southwest Airlines ha perdido su condición de desamparo y con ella, la motivación que proporcionaba a los empleados a trabajar duro y conquistar nuevos territorios. Las negociaciones laborales con los sindicatos han sido mucho menos amigables que en el pasado, también.

A pesar de estas tensiones, el control de clan continúa en funcionamiento. Los líderes están ahora en el proceso de reforzar la cultura parecida a una familia a fin de asegurar que los controles burocráticos estrictos no sean necesarios.[72]

Southwest Airlines ha utilizado con éxito el control de clan a través de toda su historia, pero así se ilustra el gran tamaño lo que también aumenta las demandas sobre los directivos para conservar los valores culturales sólidos en el que se basa su tipo de control. Las compañías actuales que están intentando convertirse en organizaciones que aprenden, con frecuencia utilizan el control de clan o el *autocontrol* en lugar de depender de reglas y regulaciones. El autocontrol es similar al control de clan, pero mientras el control de clan implica ser socializado dentro de un grupo, el autocontrol está originado en los valores, metas y estándares individuales. La organización intenta provocar un cambio tal que los valores internos y preferencias laborales propias de los empleados individuales se incorporen a la línea de los valores y metas organizacionales.[73] Mediante el autocontrol, los empleados por lo general establecen sus propias metas y vigilan su propio desempeño, aunque las compañías que dependen del autocontrol necesitan líderes enérgicos que puedan clarificar los límites dentro de los cuales los trabajadores ejerzan su propio conocimiento y libertad.

El control de clan o el autocontrol también pueden utilizarse en algunos departamentos, como en la planeación estratégica, donde la incertidumbre es alta y el desempeño es difícil de medir. Los directivos de los departamentos que dependen de estos mecanismos de control informal no deben suponer que la ausencia de control estricto y burocrático implica que no existan controles. El control de clan es invisible aunque poderoso. Un estudio encontró que las acciones de los empleados se podían controlar aun con más energía y totalidad mediante el control de clan que con una jerarquía burocrática.[74] Cuando el control de clan funciona, el control burocrático ya no es necesario.

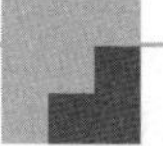

Declive organizacional y downsizing

Al principio del capítulo se analizó el ciclo de vida de la organización, el cual sugiere que las organizaciones nacen, maduran y eventualmente mueren. Las organizaciones atraviesan diferentes periodos de declive temporal. Además, una realidad en el entorno actual es que para algunas compañías, el crecimiento y la expansión continua puede no ser posible.

En todo lo que nos rodea, se puede observar que algunas organizaciones han cesado de crecer y pueden estar en declive. Organizaciones gigantescas como Enron, WorldCom y Arthur Andersen se han colapsado, en parte como resultado del rápido crecimiento y el poco control efectivo: Las iglesias pierden cada día adherentes después de las noticias de abusos sexuales a niños por parte de ministros y la negación de los altos niveles de la organización para despedir a los violadores e impedir conductas de este tipo en el futuro. Los gobiernos locales se han visto obligados a cerrar escuelas y despedir profesores debido a la disminución en los ingresos fiscales. Muchas compañías grandes, como DaimlerChrysler, Nortel Networks, Charles Schwab y General Electric han implementado recortes importantes de plazas en años recientes, y cientos de compañías en Internet que alguna vez parecían estar preparadas para el rápido crecimiento han salido del negocio.

En esta sección, se examinarán las causas y las etapas del declive organizacional y después se analizará de qué forma los líderes pueden administrar de manera efectiva el *downsizing*, que es una realidad en las compañías contemporáneas.

Definición y causas

El término **declive organizacional** se utiliza para definir la condición en la cual una disminución absoluta y sustancial en la base de recursos de una organización ocurre durante un tiempo.[75] El declive organizacional muchas veces está asociado con la caída del entorno, en el sentido de que el dominio organizacional experimenta ya sea una reducción en tamaño (como una contracción en la demanda del cliente o erosión de la base fiscal de la ciudad) o una reducción en la forma (como el cambio en la demanda del cliente). En general, se considera que existen tres factores que causan el declive de una organización.

1. *Atrofia organizacional.* La atrofia ocurre cuando las organizaciones envejecen, se vuelven ineficientes y soportan una sobrecarga burocrática. La capacidad organizacional para adaptarse al entorno se deteriora. Con frecuencia, la atrofia es consecuencia de un largo periodo de éxito, debido a que como la organización toma el éxito como algo seguro, se apega a sus prácticas y estructuras que funcionaron en el pasado, y no puede adaptarse a los cambios en su entorno.[76] Por ejemplo, Blockbus-

ter Inc., fue el rey de la industria de las películas en video en las décadas de 1980 y 1990, y ha tenido un tremendo problema para adaptarse al nuevo mundo de videos bajo demanda (VOD, del inglés, *video on demand*) y las descargas digitales. Blockbuster se ha rezagado ante advenedizos como Netflix que ofrecen VOD, debido a que los gerentes no han podido renunciar al tradicional enfoque exitoso de rentar videos en tiendas y en línea. Los expertos advierten a las compañías del riesgo de volverse obsoletas al apegarse a los patrones que fueron exitosos en el pasado pero que quizá ya no sean efectivos.[77] Algunas señales de alarma de la atrofia organizacional incluyen el exceso de personal de apoyo y administrativo, procedimientos administrativos engorrosos, falta de comunicación efectiva y coordinación y estructura organizacional de fuera de moda.[78]

2. *Vulnerabilidad.* La vulnerabilidad refleja la incapacidad estratégica de una organización para prosperar en su entorno. Esto muchas veces sucede a las pequeñas organizaciones que no están establecidas en su totalidad. Son vulnerables a los cambios en los gustos de los consumidores o a la salud económica de la comunidad en general. Las compañías pequeñas de comercio electrónico que aún no estaban bien cimentadas fueron las primeras en salir del negocio cuando el sector tecnológico comenzó a declinar. Algunas organizaciones son vulnerables debido a que no son capaces de definir la estrategia correcta para adecuarse a su entorno. Por lo general, las organizaciones vulnerables necesitan redefinir su dominio del entorno para ingresar a nuevas industrias o mercados.
3. *Declive del entorno o competencia.* El declive del entorno se refiere a la energía y recursos reducidos disponibles para mantener una organización. Cuando el entorno tiene menos capacidad de apoyar a las organizaciones, éstas tienen que disminuir las operaciones o cambiarse a otro dominio.[79] La nueva competencia incrementa el problema, en especial para las organizaciones pequeñas. Considere lo que está sucediendo a los fabricantes de herramientas estadounidenses, y las compañías que hacen troqueles, moldes, plantillas, monturas y calibradores utilizados en los talleres para fabricar todo desde puertas de automóvil hasta bombas guiadas por láser. Cientos de estas compañías, lo que incluye a una de sólo dos empresas en Estados Unidos que son capaces de fabricar herramientas que se utilizan para construir componentes de los aviones furtivos, han salido del negocio en años recientes, incapaces de competir con los precios super bajos que sus contrapartes en China están ofreciendo. Una compañía China, por ejemplo, está fabricando herramientas para estampar las partes metálicas de gatos hidráulicos para un fabricante estadounidense a menos de la mitad del costo que una compañía estadounidense puede ofrecer. La National Tooling and Machining Association estima que 30% de los fabricantes de herramientas en Estados Unidos han cerrado desde el año 2000.[80]

Como gerente de una organización, tenga en mente estos lineamientos:

Entienda las causas y las etapas del declive. Esté atento para detectar los signos de declive en la organización y tome cartas en el asunto tan rápido como sea posible para revertir el curso. La acción pronta en las primeras etapas impide que la organización se deteriore a la parte cuatro, que es la de crisis, cuando un cambio se hace mucho más difícil.

Modelo de las etapas de declive

Con base en una revisión exhaustiva de la investigación del declive organizacional, se ha propuesto un modelo de etapas de declive que se resume en el cuadro 9.8. Este modelo sugiere que el declive, si no se maneja de manera apropiada, puede atravesar las cinco etapas que desembocan en la disolución organizacional.[81]

1. *Etapa de ceguera.* La primera etapa de declive es el cambio interno y externo que amenaza la supervivencia de largo plazo y puede requerir que la organización se repliegue. Es probable que la organización tenga exceso de personal, procedimientos engorrosos o falta de armonía con los clientes. Con mucha regularidad, los líderes omiten las señales de declive en este punto. La solución es desarrollar sistemas de control y observación efectivos que indiquen que algo va mal. Con la información apropiada, los ejecutivos que estén alertas pueden hacer que la organización regrese a un desempeño óptimo.
2. *Etapa de inacción.* La segunda etapa de declive se denomina *inacción,* en la cual ocurre la negación a pesar de los signos de desempeño deteriorado. Los líderes pueden intentar persuadir a los empleados de que todo va bien. "La contabilidad creativa"

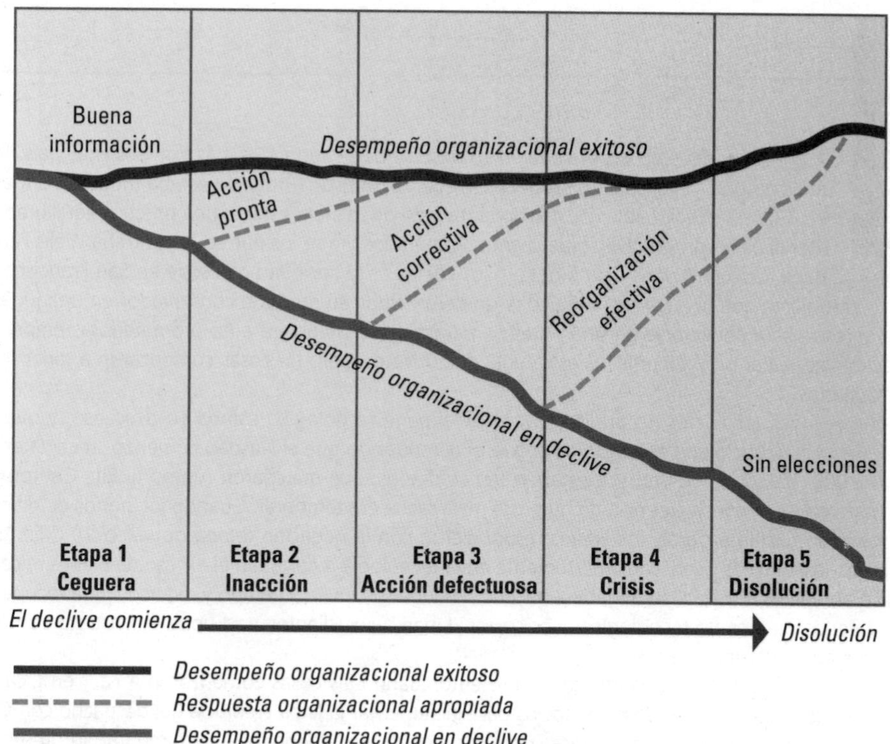

CUADRO 9.8
Etapas de declive y profundización de la brecha de desempeño
Fuente: Reimpreso de "Decline in Organizations: A Literature Integration and Extension", de William Weitzel y Ellen Jonsson, publicado en *Administrative Science Quarterly*, 34, número 1 (marzo 1989), con autorización de *Administrative Science Quarterly*. © Johnson Graduate School of Management, Cornell University.

puede hacer que las cosas parezcan bien durante este periodo. La solución para los líderes es reconocer el declive e implementar una acción pronta para realinear a la organización con el entorno. Las acciones de liderazgo pueden incluir nuevos enfoques de solución de problemas, incrementar la participación en la toma de decisiones y fomentar la expresión de la falta de voluntad para entender lo que está mal.

3. *Etapa de acción defectuosa.* En la tercera etapa, la organización está enfrentando problemas serios, y los indicadores de desempeño deficiente no se deben ignorar. No poder ajustarse al espiral descendente en este punto puede llevar al fracaso organizacional. Los directivos están obligados por circunstancias severas a considerar la implementación de cambios importantes. Las acciones pueden implicar la reducción de gastos, lo que incluye la reducción de personal. Los líderes deben disminuir la incertidumbre de los empleados al esclarecer los valores y proporcionar información. Un error importante en esta etapa disminuye la oportunidad que tiene la organización para un cambio radical.
4. *Etapa de crisis.* En la cuarta etapa, la organización sigue sin ser capaz de manejar el declive de manera efectiva y se enfrenta al pánico. La organización puede experimentar caos, esfuerzos para regresar a lo básico, cambios radicales y enojo. Es mejor que los administradores impidan la crisis de la etapa 4 y la única solución es una reorganización radical. El entramado social de la organización está erosionándose y son necesarias acciones drásticas como en el reemplazo de los altos directivos y cambios revolucionarios en la estructura, estrategia y cultura. La reducción del tamaño de la fuerza de trabajo puede ser severa.
5. *Etapa de disolución.* Esta etapa de declive es irreversible. La organización está sufriendo el desplome en los mercados y en su reputación, la pérdida de su mejor personal y el menoscabo del capital. La única estrategia disponible es cerrar la organización de una forma ordenada y reducir el trauma de la separación de los empleados.

El siguiente ejemplo de un despacho de abogados, en algún tiempo muy respetado, muestra cómo no poder responder apropiadamente a los signos de declive puede provocar un desastre.

En la práctica
Brobeck, Phleger & Harrison LLP

A principios del siglo XXI, era una de los despachos de abogados más exitosos en el país. Tres años después, el despacho Brobeck, Phleger & Harrison (Brobeck) estaba muerto. Fundado en 1926, Brobeck había construido lenta pero de manera estable una práctica equilibrada y atendía a un grupo diverso de clientes adinerados, entre los que se encontraba Wells Fargo Bank, Cisco y Owens Corning. Pero los líderes de la sociedad con sede en San Francisco se distrajeron con el auge tecnológico, y quisieron eludir su enfoque conservador en una jugada agresiva para convertirse en una potencia nacional que atendiera a las prometedoras empresas tecnológicas. Por un momento, la estrategia rindió frutos, pero las cosas comenzaron a tener muy malos resultados.

En primer lugar, los líderes no pudieron ver que el auge tecnológico estaba en descenso, y que se podría llevar a su negocio con él (*etapa de ceguera*). Después de que el Nasdaq comenzó su caída en el otoño de 2000, los socios de Brobeck estaban tan confiados, que marcharon rumbo al Ritz Carlton en Cancún para celebrar, con la creencia de que esta mala racha era temporal. Cuando los signos de dificultad se volvieron bastante claros, los líderes respondieron con la negación (*etapa de inacción*). Mientras otros despachos jurídicos orientados fuertemente en la tecnología recortaban el exceso de bienes raíces y despedían abogados, Brobeck se negaba a hacerlo. En lugar de invertir tiempo y recursos para recuperar la lealtad de los clientes no tecnológicos, los socios daban a sus clientes tradicionales un trato como si fuesen hijos adoptivos indeseados.

La siguiente etapa (*acción defectuosa*) se presentó cuando las cosas comenzaron a caer en picada. El presidente de Brobeck pensó en otros socios para incrementar la línea crediticia del despacho con City Group de manera que la empresa pudiera contratar incluso más abogados e incrementar su presencia en áreas de tecnología de vanguardia como San Diego, Austin y Silicon Valley. La idea consistía en que la empresa necesitaba aprovechar este bache para fortalecer sus recursos y prepararse para cuando las cosas volvieran a la normalidad.

En la *etapa de crisis*, las utilidades se hundieron con rapidez, y la deuda se incrementó en $82 millones. Los socios se reunieron para considerar sus opciones y decidieron buscar una sociedad de fusión, con lo que gastaron alrededor de $26 millones de su propio dinero para pagar deudas, y renegociar préstamos en términos más favorables. Pero las cosas ya habían ido demasiado lejos.

Cuando el personal de Brobeck en todo el país asistió a una videoconferencia a finales de enero de 2003, esperaba celebrar una fusión con Morgan, Lewis & Bockius LLP, la combinación que habría creado una de las más grandes empresas jurídicas en Estados Unidos. En lugar de ello, se enteraron de que Brobeck estaba en quiebra y que todos se quedarían sin trabajo. La pérdida de algunos socios clave y la menoscabada reputación de Brobeck había asustado a Morgan, Lewis & Bockius y la negociación se canceló. Con las utilidades en picada y ningún otro socio que se pudiera considerar para una fusión en el horizonte, los socios de Brobeck se dieron cuenta de que la *disolución* era inevitable.[82]

Como muestra este ejemplo, la administración adecuada del declive organizacional es necesaria si una organización desea evitar la disolución. Los líderes tienen la responsabilidad de detectar los signos de declive, reconocerlos, implementar las acciones necesarias y revertir su curso. Algunas de las decisiones más difíciles pertenecen al *downsizing*, el cual se refiere a la reducción intencionada en el tamaño de la fuerza laboral de la compañía.

Implementación del downsizing

La caída económica que comenzó en 2000 ha hecho del **downsizing** una práctica común entre las corporaciones estadounidenses. Además, la reestructuración es parte de muchas iniciativas de cambio en las organizaciones contemporáneas.[83] Los proyectos de reingeniería, las fusiones y adquisiciones, la competencia global y la tendencia hacia el *outsourcing*, constituyen factores que han provocado las reducciones de los puestos de trabajo.[84]

Algunos investigadores han encontrado que con frecuencia, el *downsizing* masivo no ha logrado los beneficios pensados y que en algunos casos ha dañado de manera importante a las organizaciones.[85] Sin embargo, hay veces en que el *downsizing* es una parte necesaria de la administración del declive organizacional. Varias técnicas pueden ayudar a suavizar el proceso de reestructuración y facilitar las tensiones para los empleados que han tenido que abandonar la empresa y para los que permanecen en ella.[86]

Portafolios

Como gerente de una organización, tenga en mente estos lineamientos:

Cuando sean necesarios los recortes de personal, manéjelos con cuidado. Trate al personal que parte de una manera humana, comuníquese con los empleados y proporcione tanta información como sea posible, ofrezca asistencia a los trabajadores desplazados y recuerde las necesidades emocionales de los sobrevivientes.

1. *Comuníquese más, no menos*. Algunas organizaciones parecen pensar que entre menos se diga acerca de un recorte de personal pendiente, es mejor. Sin embargo no es así. Los directivos organizacionales deben proporcionar avisos previos con tanta información como sea posible. En 3Com Corporations, los ejecutivos formularon un plan de tres etapas mientras se preparaban para el recorte de personal. En primer lugar, avisaron a los empleados con varios meses de anticipación acerca de que los despidos eran inevitables. Pronto después de eso, realizaron presentaciones en las plantas y en todos los lugares para explicar a los empleados por qué eran necesarios los despidos, y proporcionaron tanta información como pudieron acerca de lo que los empleados podían esperar. A los empleados despedidos se les daba un aviso de 60 días completos (requeridos por la nueva regulación federal denominada ley de notificación de reentrenamiento y ajuste del trabajador).[87] Los directivos deben recordar que durante épocas turbulentas ninguna información es excesiva. Los empleados subsistentes necesitan saber qué es lo que se espera de ellos, si son posibles futuros despidos, y qué está haciendo la organización para ayudar a los colaboradores que han perdido sus trabajos.
2. *Ofrezca asistencia a los trabajadores despedidos*. La organización tiene la responsabilidad de ayudar a los trabajadores desplazados a enfrentarse con la pérdida de sus empleos y que se logren restablecer en el mercado laboral. La organización puede proporcionar capacitación, paquetes de cesantía, prestaciones extendidas y asistencia a los desempleados. En Kaiser-Hill, una compañía que maneja la limpieza y desactivación del sitio nuclear Rocky Flats en Colorado, los directivos establecieron un programa de transición de la fuerza laboral, que patrocina un banco de empleo en línea, y donaciones de fondos a emprendedores. Como Kaiser-Hill tiene que motivar a sus empleados a trabajar con el conocimiento de que en un par de años se quedarán sin trabajo, sabe que las personas necesitan el sentimiento de seguridad de que pueden mantener a sus familias cuando el trabajo se acabe.[88] Además, los servicios de asesoría tanto para los empleados como para sus familias puede facilitar los traumas asociados con la pérdida de trabajo. Otro paso importante es permitir a los trabajadores partir con dignidad, por ello se les da la oportunidad de despedirse de sus colegas y reunirse con sus líderes para expresar su enojo y agravio.
3. *Ayudar a prosperar a los supervivientes*. Los líderes también deben recordar las necesidades emocionales de los sobrevivientes. Muchas personas experimentan culpa, enojo, confusión y tristeza después de la pérdida de colegas, y estos sentimientos deben reconocerse. También pueden estar preocupados por sus propios trabajos y tener dificultad para adaptarse a los cambios en las labores, responsabilidades, etcétera. El estado de Oregon contrató al consultor Al Siebert para que ayudara a los empleados a adaptarse después del recorte de más de 1000 puestos de trabajo. La mayor parte de la gente "simplemente no está preparada en términos emocionales para manejar las alteraciones importantes", afirma Siebert. A través de una serie de talleres, Siebert ayudó a la gente a reconocer su enojo y frustración, y después a volverse "resistente al cambio" mediante el desarrollo de habilidades como flexibilidad, curiosidad y optimismo.[89]

Incluso las organizaciones mejores administradas algunas veces pueden necesitar despedir empleados en un entorno turbulento a fin de revitalizar a la organización y revertir el declive. Los líderes pueden lograr resultados positivos si manejan la reestructuración de forma que permita a los empleados que parten a dejar sus empleos con dignidad y hace posible que los miembros restantes de la organización estén motivados, sean productivos y estén comprometidos con un futuro mejor. Charles Schwab & Company recurrió al *downsizing* como último recurso e implementó técnicas para hacer el proceso menos doloroso.

En la práctica
Charles Schwab & Company

Chuck Schwab fundó Charles Schwab & Company (Schwab) en 1974 para "ayudar a la gente real a alcanzar sus sueños financieros". Su misión era la de una compañía que no estaba en el negocio tan sólo para hacer dinero sino para hacer la diferencia. Desde esos días, Schwab ha mantenido una reputación basada en la integridad y en un juego justo, un principio que se extiende a los clientes y a los empleados por igual.

La compañía siempre ha eludido los despidos, a los cuales se refiere como "la palabra o". Hasta hace poco la única gente despedida en la historia de la compañía habían sido 150 personas después de la caída del mercado de acciones en 1987. Pero cuando el mercado hacia la baja tomó el poder a principios del 2000, Schwab fue vapuleado. El ingreso anual se desplomó 29%, los ingresos promedio diarios de las transacciones disminuyeron en más de 50%, y las acciones de la compañía cayeron cerca de 75 % de sus niveles históricos. Algunos tuvieron que rendirse, pero los gerentes contaban con una caja de herramientas repleta con todos los tipos de medidas de reducción de gastos para implementarse antes que recurrir a los despidos. En primer lugar, los directores detuvieron los proyectos y redujeron gastos como los servicios de almuerzos para el personal, viajes y entretenimiento. Cuando fue evidente que eran necesarios más ahorros, los altos ejecutivos sometieron sus sueldos a importantes recortes, dos de los altos directivos redujeron su sueldo un 50% y rechazaron bonos. La compañía también comenzó a alentar a la gente a tomar días de vacaciones sin pagar, cambiar su trabajo a medio tiempo o compartir tareas, y tomar los viernes libres.

Por desgracia, estos movimientos no fueron suficientes. Los directores se dieron cuenta de que los despidos eran inevitables y lo anunciaron a todo el personal. Tuvieron cuidado en mantener informada a la gente a través de todo el proceso, con liberación de información a medida que ésta llegaba. Con el tiempo la compañía despidió alrededor de 6500 trabajadores, un total de 25% de la fuerza laboral. Los recortes fueron dolorosos para todos, pero Schwab ha tratado de facilitar el proceso en la medida de lo posible. Por ejemplo, los paquetes de cesantía incluyen el sueldo de 18 meses, y a todas las personas despedidas se les prometió un bono compensatorio de $7000 si eran recontratados en Schwab. Chuck Schwab y su esposa pusieron 10 millones de su propio dinero en un fondo para todos los que quisieran obtener un grado académico hasta que el mercado repuntara.

Aunque la moral y la satisfacción son bajas en Schwab, para la mayoría de los empleados restantes ha hecho la diferencia la forma en que la compañía maneja los despidos, ya que muestra una preocupación genuina por los empleados en lugar de considerarlos sólo como costos que deben recortarse.[90]

Resumen a interpretación

El material que abarcó este capítulo contiene varias ideas importantes acerca de las organizaciones. Éstas evolucionan a través de distintas etapas del ciclo de vida a medida que crecen y maduran. La estructura organizacional, los sistemas internos y las cuestiones administrativas son diferentes en cada etapa de desarrollo. El crecimiento crea crisis y revoluciones a lo largo del camino hacia convertirse en una empresa grande. Una tarea importante de los directivos es guiar a la organización a través de las etapas de desarrollo como la emprendedora, colectiva, de formalización y de elaboración. A medida que las organizaciones progresan a través del ciclo vital crecen y se vuelven más complejas, por lo general, asumen características burocráticas, como las reglas, la división de trabajo, los registros escritos, la jerarquía de autoridad y los procedimientos impersonales. Si bien, la burocracia es una forma lógica organizacional que permite a las empresas usar los recursos de manera eficiente, en muchas corporaciones grandes y organizaciones gubernamentales, la burocracia ha sido muy atacada con intentos de descentralizar la autoridad, aplanar la estructura organizacional, reducir reglas y registros escritos y crear una mentalidad de pequeña empresa. Estas compañías están dispuestas a cambiar sus economías de escala por organizaciones adaptables y sensibles. Muchas compañías están dividiéndose para obtener las ventajas de las compañías pequeñas. Otro enfoque para superar los problemas de burocracia es el uso de un concepto estructural de sistema de comando de incidentes, el cual permite la organización deslizarse con suavidad entre el estilo jerárquico y muy formalizado, efectivo durante tiempos de estabilidad y un estilo estructurado más flexible y libre para responder a las condiciones inesperadas o volátiles del entorno.

En las organizaciones grandes, se requiere un soporte mayor de los especialistas profesionales y personal de oficina. Esto es resultado lógico de la especialización de los empleados y de la división del trabajo. Al dividir las tareas de la organización y tener especialistas que se desempeñan en cada área, la organización se puede convertir en un organismo más eficiente.

Todas las organizaciones, grandes y pequeñas necesitan sistemas de control. Los administradores pueden elegir entre tres estrategias generales de control: El de mercado, el burocrático y el de clan. El control burocrático depende de reglas estandarizadas y de la autoridad racional-legal de los directivos. El control de mercado se utiliza donde se puede fijar un precio a las salidas de productos o servicios y existe competencia. El control de clan y, más recientemente, el autocontrol, están relacionados con procesos organizacionales inciertos y en rápida transformación. Dependen del compromiso, de la tradición y de los valores compartidos para el control. Los directivos pueden utilizar una combinación de enfoques de control para cubrir las necesidades organizacionales.

Muchas organizaciones han detenido su crecimiento y algunas están en declive. Las organizaciones experimentan etapas de declive y la responsabilidad de los directores es detectar los signos del desplome, e implementar las acciones necesarias y revertir el curso. Una de las decisiones más difíciles pertenece a la reducción de tamaño de la fuerza laboral. Para suavizar este proceso, los directivos pueden comunicarse con los empleados y ofrecerles tanta información como sea posible, asistencia a los trabajadores desplazados y deben recordar atender las necesidades emocionales de aquellos que van a permanecer en la organización.

Conceptos clave

autoridad carismática
autoridad racional-legal
autoridad tradicional
burocracia
centralización
ciclo de vida
control burocrático
control de clan
control de mercado
declive organizacional
etapa de colectividad
etapa de elaboración
etapa de formalización
etapa emprendedora
formalización
proporciones del personal
reestructuración
sistema de comando de incidentes

Preguntas para análisis

1. Analice las principales diferencias entre las organizaciones pequeñas y grandes. ¿Qué clase de organizaciones tendrían un mejor desempeño como organizaciones grandes y cuáles como híbridos de compañía grande/compañía pequeña?
2. ¿Por qué las organizaciones grandes tienden a una mayor formalización?
3. Si usted administrara un departamento de profesores universitarios, ¿en qué se diferenciaría su estructuración de este departamento de la correspondiente a un departamento de contabilidad? ¿Por qué?
4. Aplique el concepto de ciclo de vida a una organización con la que usted esté familiarizado, como una universidad o un negocio local. ¿En qué etapa se encuentra la organización ahora? ¿Cómo maneja o atraviesa dicha organización las crisis correspondientes a su ciclo de vida?

5. Describa las tres bases de autoridad identificadas por Weber. ¿Es posible que cada uno de estos tipos autoridad funcione al mismo tiempo dentro de una organización?
6. Cuando escribió acerca de los tipos de control, William Ouchi afirmó, "el mercado es como la trucha y el clan es como el salmón, cada uno es una especie bella y altamente especializada que requiere condiciones diferentes para su supervivencia. En comparación, el método burocrático de control es el bagre: torpe, feo pero capaz de sobrevivir en una amplia variedad de entornos y finalmente, es la especie dominante". Analice qué es lo que Ouchi quiso decir con esta analogía.
7. Las organizaciones gubernamentales con frecuencia parecen ser más burocráticas que las organizaciones lucrativas. ¿Esto podría ser en parte resultado del tipo de control que utilizan las organizaciones gubernamentales? Explique.
8. El sistema de comando de incidentes se ha utilizado principalmente en organizaciones que manejan por lo general situaciones críticas. Analice si este enfoque parece factible en una compañía de medios de comunicación grande que desea reducir su burocracia. ¿Y en lo que respecta a una compañía fabricante de teléfonos celulares?
9. Remítase al caso de Xerox al principio del capítulo 1 y analice la forma en que Xerox ilustra las principales causas del declive organizacional. ¿En qué etapa del declive parece encontrarse esta empresa?
10. ¿Piensa que una filosofía directiva de "no crecimiento" debe enseñarse en las escuelas de negocios? Analice.

Libro de trabajo del capítulo 9: Mecanismos de control*

Piense en dos situaciones de su vida: Las experiencias de su trabajo y de su escuela. ¿De qué forma se ejerce el control en esas situaciones? Llene las siguientes tablas.

En el trabajo

Sus responsabilidades laborales	Cómo controlan sus jefes	Ventajas de este control	Desventajas de este control	¿Cómo mejoraría el control?
1.				
2.				
3.				
4.				

En la universidad

Categorías	¿Cómo controla el profesor A (clase pequeña)?	¿Cómo controla el profesor B (clase grande)?	¿Cómo lo influyen a usted este tipo de controles?	¿Cuál piensa que sería un mejor control?
1. Exámenes				
2. Tareas/ensayos				
3. Participación en clase				
4. Asistencia				
5. Otros				

Preguntas

1. ¿Cuáles son las ventajas y desventajas de los diferentes tipos de control?
2. ¿Qué sucede cuando hay demasiado control? ¿ Y cuándo es muy poco?
3. ¿El tipo de control depende de la situación y de la cantidad de gente implicada?
4. *Opcional*: ¿De qué manera los mecanismos de control en sus tablas se comparan con los de otros estudiantes?

Caso para el análisis: Sunflower Incorporated*

Sunflower Incorporated es una compañía grande, distribuidora, con más de 5000 empleados y ventas brutas de más de $550 millones (2003). La compañía compra bocadillos y bebidas alcohólicas y los distribuye entre las tiendas independientes de venta minorista a través de Estados Unidos y Canadá. Los bocadillos salados incluyen frituras de maíz, de papa y de tortilla, aros de queso, pretzels y cacahuates. Estados Unidos y Canadá están divididos en 22 regiones, cada una con su almacén central, su personal de ventas, sus departamentos de finanzas y de compras. La compañía distribuye marcas nacionales y locales y empaca algunos artículos con etiquetas privadas. La competencia en esta industria es intensa. La demanda de bebidas alcohólicas ha estado en descenso y los competidores como Procter & Gamble y Frito-Lay están elaborando nuevos bocadillos y opciones bajas en carbohidratos para apoderarse de la participación de mercado de las compañías más pequeñas como Sunflower. La oficina central promueve la autonomía en cada región debido a los gustos y prácticas locales. En el noreste de Estados Unidos, por ejemplo, la gente consume un mayor porcentaje de whisky canadiense y bourbon estadounidense, mientras en el oeste, consumen licores más ligeros, como vodka, ginebra y ron. Los bocadillos salados en el sudoeste muchas veces están sazonados para reflejar los gustos mexicanos, y los clientes del noreste compran un mayor porcentaje de pretzels.

A principios de 1998, Sunflower comenzó a utilizar un sistema de estados financieros que comparaba las ventas, los costos y los ingresos de todas las regiones de la compañía. Cada región era un centro de utilidades, y la alta dirección se sorprendió cuando supo cuánta variación había entre las utilidades. Para 2001, las diferencias eran tan grandes que la dirección decidió que era necesario algún tipo de estandarización. Los ejecutivos creyeron que las regiones con mayor rentabilidad, algunas veces utilizaban artículos de calidad más baja, incluso defectuosos, para aumentar sus márgenes de utilidad. Esta práctica podía dañar la imagen de Sunflower. La mayoría de las regiones estaban enfrentando una competencia brutal basada en los precios para mantener su participación de mercado. Como la división de bocadillos Eagle de Anheuser Busch Company, comenzó a reducir sus precios, los distribuidores nacionales como Frito-Lay, Borden, Nabisco, Procter & Gamble (Pringles) y Standard Brands (Planters Peanuts) estaban presionando para mantener o incrementar la participación de mercado mediante la reducción de precios y el lanzamiento de nuevos productos. Los distribuidores independientes de bocadillos estaban atravesando épocas cada vez más difíciles en la competencia, y muchos tenían que salir del negocio.

A medida que estos problemas se acumulaban, Joe Steelman, presidente de Sunflower, decidió crear un nuevo puesto para vigilar la fijación de precios y prácticas de compra. Así que contrató a Loretta Williams a quien trajo del departamento de finanzas de una organización de la competencia. Su nuevo puesto era el de directora de fijación de precios y compras, y estaba subordinado al vicepresidente de finanzas, Peter Langly. Langly le dio a Williams una amplia libertad para organizar su trabajo y la animó para establecer las reglas y procedimientos que considerara necesarios. También la alentó a recabar información de cada región. Cada región fue notificada de su designación por un memorando oficial enviado a 22 directores regionales. Una copia del mismo fue publicada en los carteles de anuncios de cada almacén. El anuncio también se hizo en el periódico de la compañía.

Después de tres semanas en el trabajo, Williams decidió que había dos problemas que necesitaban su atención. En el largo plazo, Sunflower debía aprovechar más la tecnología de información. Williams creyó que esta tecnología podría proporcionar más datos a las oficinas centrales para la toma de decisiones. Los altos directivos en las divisiones estaban conectados a las oficinas centrales mediante una Intranet, pero los empleados de más bajo nivel y el personal de ventas no lo estaban. Sólo algunos altos ejecutivos en casi la mitad de las divisiones utilizaban este sistema con regularidad.

En el corto plazo, Williams decidió que la fragmentación de las decisiones de fijación de precio y compra constituía un problema y que esas acciones debían estandarizarse en todas las regiones. Esto era necesario corregirlo de inmediato. Como primer paso, dispuso que el ejecutivo de finanzas de cada región le notificara acerca de cualquier cambio en los precios locales de más de 3%. También decidió que los nuevos contratos de las compras locales de más de $5000 debían ser saldados a través de su oficina. (Alrededor de 60% de los artículos distribuidos en las regiones se compraban en grandes cantidades y eran abastecidos desde la oficina central. El otro 40% de la compra era distribuido dentro de la región.) Williams creyó que la única forma de estandarizar las operaciones era que cada región notificara a la oficina central por anticipado acerca de cualquier cambio en los precios o en las compras. Ella analizó la política propuesta con Langly. Él acepto, así que emitieron una propuesta formal al presidente del consejo directivo, quien también la aprobó. Los cambios representaron una transformación complicada en los proce-

*Este caso fue inspirado en "Frito-Lay May Find Itself in a Competition Crunch", *BusinessWeek* (19 de julio, 1982), 186; Jim Bohman, "Mike-Sells Works to Remain on Snack Map", *Dayton Daily News* (27 de febrero, 2005) D; "Dashman Company" en Paul R. Lawrence y John A. Seiler, *Organizational Behavior and Administration; Cases, Concepts, and Research Findings* (Homewood, Ill: Irwin and Dorsey, 1965), 16-17; y Laurie M. Grossman, "Price Wars Bring Flavor to Once Quiet Snack Market", *The Wall Street Journal* (23 de mayo, 1991), B1, B3.

dimientos de políticas, y Sunflower estaba ingresando a una temporada vacacional crítica, de manera que Williams quiso implementar los nuevos procedimientos de inmediato. Decidió enviar un mensaje por correo electrónico seguido de un fax a los ejecutivos de finanzas y de compras en cada región en el que se notificaban los nuevos procedimientos. El cambio sería agregado a todos los manuales de políticas y procedimientos en Sunflower durante los siguientes cuatro meses.

Williams mostró un borrador del mensaje a Langly y lo invitó a que hiciera comentarios. Langly dijo que el mensaje era una buena idea y que pensaba que era suficiente. Las regiones manejaban cientos de artículos y estaban acostumbradas a la toma de decisiones descentralizada. Langly sugirió a Williams que debía visitar las regiones y discutir las políticas de compra y fijación de precios con los ejecutivos. Williams se rehusó, cuando afirmó que tales viajes serían costosos en tiempo y recursos. Ella también tenía muchas cosas que hacer en las oficinas centrales, así que los viajes eran imposibles. Langly también sugirió esperar a implementar procedimientos hasta la reunión anual de la compañía que se presentaría en tres meses, cuando Williams pudiera conocer a los directores regionales en persona. Williams dijo que esto era mucho tiempo, debido a que si se implementaba el plan hasta después de la temporada de ventas alta, ya no tendría el mismo efecto. Ella creía que los cambios se necesitaban en ese mismo momento. Los mensajes se enviaron al día siguiente.

Dentro de los siguientes días, recibió las respuestas en su correo electrónico de las siete regiones. Los ejecutivos afirmaban que estaban de acuerdo y felices de cooperar.

Ocho semanas después, Williams no había recibido noticias de ninguna región acerca de cambios en las compras o los precios locales. Otros ejecutivos que habían visitado los almacenes regionales le indicaron que las regiones estaban tan ocupadas como era común. Los ejecutivos regionales parecían estar siguiendo los procedimientos acostumbrados para esa época del año. Ella llamó por teléfono a uno de los directivos regionales y descubrió que no tenía ni la menor idea de quién era ella y que nunca había oído hablar de su puesto. Además, dijo, "tenemos suficiente con intentar alcanzar metas de rentabilidad para preocuparnos por los procedimientos adicionales provenientes de las oficinas centrales". Williams estaba avergonzada de que su puesto y de que sus cambios sugeridos en los procedimientos no hubieran tenido impacto. Ella no sabía si los encargados de campo eran desobedientes o si debía haber utilizado otra estrategia de comunicación.

Taller del capítulo 9: Windsock, Inc.*

1. *Introducción.* La clase se dividirá en cuatro grupos: Oficina central, diseño de producto, marketing/ventas y producción. La oficina central es un grupo algo pequeño. Si los grupos son lo bastante grandes, se deberán asignar observadores a cada uno. Se da a la oficina central 500 popotes y 750 alfileres. Cada persona leerá sólo la descripción de las funciones relevantes para ese grupo. *Materiales necesarios*: Popotes de plástico (500) y una caja de alfileres (750).
2. *Desarrollo de la tarea.* Según el tamaño de la clase, el paso 2 puede tomar de 60 a 30 minutos. Los grupos desempeñan funciones y preparan un informe de 2 minutos para los accionistas.
3. *Informes de grupo.* Cada grupo da una presentación de 2 minutos a los accionistas.
4. *Informes de los observadores (opcional).* Los observadores comparten sus percepciones con los subgrupos.
5. *Análisis en clase.*
   a. ¿Qué ayuda o bloquea la cooperación y la coordinación intergrupales?
   b. ¿A qué grado había una comunicación abierta en comparación con una cerrada? ¿Qué impacto tendría esto?
   c. ¿Qué estilos de liderazgo se presentaron?
   d. ¿Qué tipos de interdependencias de equipo se presentaron?

Funciones

Oficina central

Su equipo es la administración y dirección de Windsock, Inc. Usted es el corazón y pulso de la organización, ya que sin su coordinación y distribución de recursos, toda la organización fracasaría. Su tarea es administrar todas las operaciones, lo cual no es una responsabilidad fácil debido a que usted tiene que coordinar las actividades de tres diferentes grupos de personal: El grupo de marketing/ventas, el grupo de producción y el grupo de diseño de producción. Además, tiene que administrar los recursos entre los que se encuentran materiales (alfileres y popotes), fechas de entrega, comunicaciones y requerimientos de producto.

En este ejercicio, usted hace lo que sea necesario para lograr su misión y mantener las operaciones de la organización de una forma armónica y eficiente.

Windsock, Inc., tiene un total de 30 minutos (más si es que así lo dispone el profesor) para planear una campaña de publicidad y el anuncio de la misma, diseñar el molino de viento y producir los primeros prototipos para su entrega. Buena suerte a todos.

Diseño de producto

Su equipo es el grupo de diseño de producto y de investigación de Windsock, Inc. Usted es el cerebro del aspecto creativo de la operación, debido a que sin un proyecto diseñado de manera innovadora y exitosa, la organización fracasaría. Su tarea es diseñar productos que compitan de manera favorable en el mercado, al tener en mente las funciones, la estética, costo, facilidad de producción y materiales disponibles.

*Adaptado de Dorothy Marcic de la obra de Christopher Taylor y Saundra Taylor, "Teaching Organizational Team-Building through Simulations", *Organizational Behavior Teaching Review* XI(3), 86-87.

En este ejercicio usted presenta un plan factible para un producto que será desarrollado por su equipo de producción. Su molino de viento debe ser ligero, portátil y fácil de ensamblar, así como atractivo desde el punto de vista de su diseño. La oficina central controla el presupuesto y distribuye material para su división.

Windsock, Inc., como una organización tiene un total de 30 minutos (más si es que así lo determina el instructor) para diseñar una campaña de marketing, hacer el molino de viento (su tarea de grupo), y producir los primeros prototipos para su entrega. Buena suerte a todos.

Marketing/Ventas

Su equipo es el grupo de marketing/ventas de Windsock, Inc. usted es la columna vertebral de la operación, debido a que sin clientes y ventas la organización fracasaría. Su tarea es determinar el mercado, desarrollar una campaña de publicidad para promover el producto exclusivo de su compañía, producir un anuncio para su campaña de publicidad, y desarrollar una fuerza y procedimiento de ventas para clientes potenciales y el público en general.

Para fines de este ejercicio, usted puede asumir que se ha completado un análisis de mercado. Su equipo ahora está en posibilidades de producir una campaña de publicidad y un texto publicitario para el producto. Para ser efectivo, usted se tiene que familiarizar con las características del producto y con la forma en que difiere de otros productos que ya estén en el mercado. La oficina central controla su presupuesto y distribuye los materiales usados por su división.

Windsock, Inc., tiene un total de 30 minutos (más si así lo determina el instructor) para planear una campaña de publicidad y un anuncio (la tarea de su grupo), para diseñar el molino de viento y producir los primeros prototipos para su entrega. Buena suerte a todos.

Producción

Su equipo es el grupo de producción de Windsock, Inc. usted es el corazón de la operación, debido a que sin un grupo para producir el producto, la organización fracasaría. Usted tiene la responsabilidad de coordinar y fabricar el producto para su entrega. El producto implica un diseño innovador de un molino de viento que sea más económico, ligero, más portátil, más flexible y más agradable desde el punto de vista estético que otros modelos que ya están en el mercado. Su tarea es construir molinos de viento dentro de los lineamientos de costo, de acuerdo con las especificaciones y dentro del periodo preestablecido, mediante los materiales predeterminados.

Para fines de este ejercicio, usted tiene que organizar su equipo, establecer programas de producción y construir los molinos de viento. La oficina central controla su presupuesto, materiales y especificaciones.

Windsock, Inc., tiene un total de 30 minutos (o más, si así lo determina el instructor) para planear una campaña de publicidad, diseñar el molino de viento y producir el primer prototipo (la tarea de su grupo) para su entrega. Buena suerte a todos.

Notas

1. Chuck Salter, "Terrorists Strike Fast...Interpol Has to Move Faster... Ron Noble Is on the Case", *Fast Company* (octubre 2002), 96-104; y "Interpol Pushing to Be a Globocop", *The New American* (1 de noviembre, 2004), 8.
2. James Q. Wilson, *Bureaucracy* (Nueva York: Basic Books, 1989); y Charles Perrow, *Complex Organizations: A Critical Essay* (Glenview, Ill.: Scott, Foresman, 1979), 4.
3. Tom Peters, "Rethinking Scale", *California Management Review* (otoño 1992), 7-29.
4. Jerry Useem, "One Nation Under Wal-Mart", *Fortune* (3 de marzo, 2003), 65-78.
5. Matt Murray, "Critical Mass: As Huge Companies Keep Growing, CEOs Struggle to Keep Pace", *The Wall Street Journal* (8 de febrero, 2001), AI, A6.
6. Stuart Elliott, "Advertising's Big Four: It's Their World Now", *The New York Times* (31 de marzo, 2002), sección 3, 1, 10.
7. Donald V. Potter, "Scale Matters", *Across the Board* (julio-agosto 2000), 36-39.
8. Jim Collins, "Bigger, Better, Faster", *Fast Company* (junio 2003), 74-78.
9. Adrian Slywotzky y Richard Wise, "Double-Digit Growth in No-Growth Times", *Fast Company* (abril 2003), 66.
10. James B. Treece, "Sometimes, You've Still Gotta Have Size", *BusinessWeek/Enterprise* (1993), 200-201 (abril, 2003), 66ff.
11. Alan Murray, "The Profit Motive Has a Limit: Tragedy", *The Wall Street Journal* (7 de septiembre, 2005), *A2*.
12. John A. Byrne y Heather Timmons, "Tough Times for a New CEO", *BusinessWeek* (29 de octubre, 2001), 64-70; y Patrick McGeehan, "Sailing Into a Sea of Trouble", *The New York Times* (5 de octubre, 2001), C1, C4.
13. Frits K. Phil y Matthias Holweg, "Exploring Scale: The Advantages of Thinking Small", *MIT Sloan Management Review* (invierno 2003), 33-39.
14. David Friedman, "Is Big Back? Or Is Small Still Beautiful?" *Inc.* (abril, 1998), 23-28.
15. David Henry, "Mergers: Why Most Big Deals Don't Pay Off", *BusillessWeek* (14 de octubre, 2002), 60-70.
16. Keith H. Hammonds, "Size Is Not a Strategy", *Fast Company* (septiembre 2002), 78-86.
17. Para un análisis vea Hammonds, "Size Is Not a Strategy", Henry, "Mergers: Why Most Big Deals Don't Pay Off", y Tom Brown, "How Big Is Too Big?" *Across the Board* (julio-agosto 1999), 15-20.
18. Reportado en John Case, "Counting Companies", *Inc.*, State of Small Business 2001 (29 de mayo, 2001), 21-23; y Peter Drucker, "Toward the New Organization", *Executive Excellence* (febrero 1997), 7.
19. "The Hot 100", *Fortune* (5 de septiembre, 2005), 75-80.
20. Íbid.
21. Gary Hamel, citado en Hammonds, "Size Is Not a Strategy".
22. Richard A. Melcher, "How Goliaths Can Act Like Davids", *BusinessWeek Enterprise* (1993), 192-201.

23. Michael Barone, "Nor a Victory for Big Government", *The Wall Street Journal* (15 de enero, 2002), A16.
24. Íbid.
25. Hammonds, "Size Is Not a Strategy".
26. John R. Kimberly, Robert H. Miles, y asociados, *The Organizational Life Cycle* (San Francisco: Jossey-Bass, 1980); Ichak Adices, "Organizational Passages-Diagnosing and Treating Lifecycle Problems of Organizations", *Organizational Dynamics* (verano 1979), 3-25; Danny Miller y Peter H. Friesen, "A Longitudinal Study of the Corporate Life Cycle", *Management Science* 30 (octubre 1984), 1161-1183; y Neil C. Churchill y Virginia L. Lewis, "The Five Stages of Small Business Growth", *Harvard Business Review* 61 (mayo-junio 1983), 30-50.
27. Larry E. Greiner, "Evolution and Revolution as Organizations Grow", *Harvard Business Review* 50 (julio-agosto 1972), 37-46; y Robert E. Quinn y Kim Cameron, "Organizational Life Cycles and Shifting Criteria of Effectiveness: Some Preliminary Evidence", *Management Science* 29 (1983), 33-51.
28. George Land y Beth Jarman, "Moving beyond Breakpoint", en Michael Ray y Alan Rinzler, eds., *The New Paradigm* (Nueva York: Jeremy P. Tarcher/Perigee Books, 1993), 250-266; y Michael L. Tushman, William H. Newman y Elaine Romanelli, "Convergence y Upheaval: Managing the Unsteady Pace of Organizational Evolution", *California Management Review* 29 (1987), 1-16.
29. David A. Mack y James Campbell Quick, "EDS: An Inside View of a Corporate Life Cycle Transition", *Organizational Dynamics* 30, núm. 3 (2002), 282-293.
30. Adam Lashinsky, "Google Hires a Grown-up", *Business 2.0* (febrero 2002), 22.
31. David A. Whetten, "Sources, Responses, and Effects of Organizational Decline", en John R. Kimberly, Robert H. Miles, y asociados, *The Organizational Life Cycle,* 342-374.
32. Brent Schlender, "How Big Can Apple Get?" *Fortune* (21 de febrero, 2005), 67-76; y Josh Quitner con Rebecca Winters, "Apple's New Core-Exclusive: How Steve Jobs Made a Sleek Machine That Could Be the Home-Digital Hub of the Future", *Time* (14 de enero, 2002), 46.
33. Land y Jarman, "Moving beyond Breakpoint".
34. Stanley Holmes, "The New Nike", *Business Week* (20 de septiembre, 2004), 78-86.
35. Daniel Roth, "Can Nike Still Do It without Phil Knight?" *Fortune* (4 de abril, 2005), 58-68.
36. Jay Greene, "Microsoft's Midlife Crisis", *BusinessWeek* (19 de abril, 2004), 88-98.
37. Max Weber, *The Theory of Social and Economic Organizations,* traducido por A. M. Henderson y T. Parsons (Nueva York: Free Press, 1947).
38. Tina Rosenberg, "The Taint of the Greased Palm", *The New York Times Magazine* (10 de agosto, 2003), 28.
39. John Crewdson, "Corruption Viewed as a Way of Life", *Bryan-College Station Eagle* (28 de noviembre, 1982), 13A; Barry Kramer, "Chinese Officials Still Give Preference to Kin, Despite Peking Policies", *The Wall Street Journal* (29 de octubre, 1985), 1, 21.
40. Kelly Barron, "Logistics in Brown", *Forbes* (10 de enero, 2000), 78-83; Scott Kirsner, "Venture Vérité: United Parcel Service", *Wired* (septiembre 1999), 83-96; y Kathy Goode, Betty Hahn, y Cindy Seiben, *United Parcel Service: The Brown Giant* (manuscrito inédito, Texas A&M University, 1981).
41. Allen C. Bluedorn, "Pilgrim's Progress: Trends and Convergence in Research on Organizational Size and Environment", *Journal of Management Studies* 19 (verano 1993) 163-191; John R. Kimberly, "Organizational Size and the Structuralist Perspective: A Review, Critique, and Proposal", *Administrative Science Quarterly* (1976), 571-597: Richard L. Daft y Selwyn W. Becker, "Managerial, Institutional, and Technical Influences on Administration: A Longitudinal Analysis", *Social Forces* 59 (1980), 392-413.
42. James P. Walsh y Robert D. Dewar, "Formalization and the Organizational Life Cycle", *Journal of Management Studies* 24 (mayo 1987), 215-231.
43. Nancy M. Carter y Thomas L. Keon, "Specialization as a Multidimensional Construct", *Journal of Management Studies* 26 (1989), 11-28; Cheng-Kuang Hsu, Robert M. March, y Hiroshi Mannari, "An Examination of the Determinants of Organizational Structure", *American Journal of Sociology* 88 (1983), 975-996; *Guy* Geeraerts. "The Effect of Ownership on the Organization Structure in Small Firms", *Administrative Science Quarterly* 29 (1984), 232-237; Bernard Reimann, "On the Dimensions of Bureaucratic Structure: An Empirical Reappraisal", *Administrative Science Quarterly* 18 (1973), 462-476; Richard H. Hall, "The Concept of Bureaucracy: An Empirical Assessment", *American Journal of Sociology 69* (1963), 32-40; y William A. Rushing, "Organizational Rules and Surveillance: A Proposition in Comparative Organizational Analysis", *Administrative Science Quarterly* 10 (1966), 423-443.
44. Jerald Hage y Michael Aiken, "Relationship of Centralization to Other Structural Properties", *Administrative Science Quarterly* 12 (1967), 72-91.
45. Steve Lohr y John Markoff, "You Call This a Midlife Crisis?" *The New York Times* (31 de agosto, 2003), sección 3, 1.
46. Peter Brimelow, "How Do You Cure Injelitance?" *Forbes* (7 de agosto, 1989), 42-44; Jeffrey D. Ford y John W. Slocum, Jr., "Size, Technology, Environment and the Structure of Organizations", *Academy of Management Review:* (1977), 561-575; y John D. Kasarda, "The Structural Implications of Social System Size: A Three-Level Analysis. *American Sociological Review* 39 (1974), 19-28.
47. Graham Astley, "Organizational Size and Bureaucratic Structure", *Organization Studies* 6 (1985), 201-228; Spyros, K. Lioukas y Demitris A. Xerokostas, "Size and Administrative Intensity in Organizational Divisions", *Management; Science* 28 (1982), 854-868; Peter M. Blau, "Interdependence and Hierarchy in Organizations", *Social Science Research* 1 (1972), 1-24; Peter M. Blau y R. A. Schoenherr, *The Structure of Organizations* (Nueva York: Basic Books, 1971); A. Hawley, W. Boland, y M. Boland, "Population: Size and Administration in Institutions of Higher Education", *American Sociological Review* 30 (1965), 252-255: Richard L. Daft, "System Influence on Organization Decision-Making: The Case of Resource Allocation", *Academy of Management Journal* 21 (1978), 6-22; y B. P. Indik, "The Relationship between Organization Size and the Supervisory Ratio", *Administrative Science Quarterly* 9 (1964), 301-312.
48. T. F. James, "The Administrative Component in Complex Organizations", *Sociological Quarterly* 13 (1972), 533-539; Daft, "System Influence on Organization Decision-Making"; E. A. Holdaway y E. A. Blowers, "Administrative Ratios and Organization Size: A Longitudinal Examination", *American Sociological Review* 36 (1971), 278-286; y John Child, "Parkinson's Progress: Accounting for the Number of Specialists in Organizations", *Administrative Science Quarterly* 18 (1973), 328-348.
49. Richard L. Daft y Selwyn Becker, "School District Size and the Development of Personnel Resources", *Alberta Journal of Educational Research* 24 (1978), 173-187.
50. Thomas A. Stewart, "Yikes! Deadwood is Creeping Back", *Fortune* (18 de agosto, 1997), 221-222.

51. Cathy Lazere, "Resisting Temptation: The Fourth Annual SG&A Survey", *CFO* (diciembre 1997), 64-70.
52. Basado en Gifford y Elizabeth Pinchot, *The End of Bureaucracy and the Rise of the Intelligent Organization* (San Francisco: Berrett-Koehler Publishers, 1993), 21-29.
53. Jack Rosenthal, "Entitled: A Chief for Every Occasion, and Even a Chief Chief", *New York Times Magazine* (26 de agosto, 2001), 16.
54. Scott Shane, "The Beast That Feeds on Boxes: Bureaucracy", *The New York Times* (10 de abril, 2005), http://www.nytimes.com.
55. Gregory A. Bigley y Karlene H. Roberts, "The Incident Command System: High-Reliability Organizing for Complex and Volatile Task Environments", *Academy of Management Journal* 44, núm. 6 (2001), 1281-1299.
56. Robert Pool, "In the Zero Luck Zone", *Forbes ASAP* (27 de noviembre, 2000), 85.
57. Basado en Bigley y Roberts, "The Incident Command System".
58. Lazere, "Resisting Temptation".
59. Philip M. Padsakoff, Larry J. Williams y William D. Todor, "Effects of Organizational Formalization on Alienation among Professionals and Nonprofessionals", *Academy of Management Journal* 29 (1986), 820-831.
60. Royston Greenwood, C. R. Hinings, y John Brown, "'P2Form' Strategic Management: Corporate Practices in Professional Partnerships", *Academy of Management Journal 33* (1990), 725-755; Royston Greenwood y C. R. Hinings, "Understanding Strategic Change: The Contribution of Archetypes", *Academy of Management Journal* 36 (1993), 1052-1081.
61. William G. Ouchi, "Markets, Bureaucracies, and Clans", *Administrative Science Quarterly* 25 (1980), 129-141; ídem, "A Conceptual Framework for the Design of Organizational Control Mechanisms", *Management Science* 25 (1979), 833-848.
62. Weber, *The Theory of Social and Economic Organizations,* 328-340.
63. Oliver A. Williamson, *Markets and Hierarchies: Analyses and Antitrust Implications* (Nueva York: Free Press, 1975).
64. David Wessel y John Harwood, "Capitalism is Giddy with Triumph: Is It Possible to Overdo It?" *The Wall Street Journal* (14 de mayo, 1998), AI, A10.
65. Anita Micossi, "Creating Internal Markets", *Enterprise* (abril 1994), 43-44.
66. Raymond E. Miles, Henry J. Coleman, Jr. y W. E. Douglas Creed, "Keys to Success in Corporate Redesign", *California Management Review* 37, núm. 3 (primavera 1995), 128-145.
67. Micossi, "Creating Internal Markets".
68. Ouchi, "Markets, Bureaucracies, and Clans".
69. Anna Muoio, ed., "Growing Smart", *Fast Company* (agosto 1998), 73-83.
70. Richard Leifer y Peter K. Mills, "An Information Processing Approach for Deciding upon Control Strategies and Reducing Control Loss in Emerging Organizations", *Journal of Management* 22, núm. 1 (1996), 113-137.
71. Stratford Sherman, "The New Computer Revolution", *Fortune* (14 de junio, 1993), 56-80.
72. Melanie Trottman, "New Atmosphere: Inside Southwest Airlines, Storied Culture Feels Strain", *The Wall Street Journal* (11 de julio, 2003), AI, A6.
73. Leifer y Mills, "An Information Processing Approach for Deciding upon Control Strategies"; y Laurie J. Kirsch, "The Management of Complex Tasks in Organizations: Controlling the Systems Development Process", *Organization Science* 7, núm. 1 (enero-febrero 1996), 1-21.
74. James R. Barker, "Tightening the Iron Cage: Concertive Control in Self-Managing Teams", *Administrative Science Quarterly* 38 (1993), 408-437.
75. Kim S. Cameron, Myung Kim y David A. Whetten, "Organizational Effects of Decline and Turbulence", *Administrative Science Quarterly* 32 (1987), 222-240.
76. Danny Miller, "What Happens after Success: The Perils of Excellence", *Journal of Management Studies* 31, núm. 3 (mayo 1994), 325-358.
77. Kris Frieswick, "The Turning Point: What Options Do Companies Have When Their Industries Are Dying?" *CFO Magazine* (abril 1, 2005), http://www/cfo.com.
78. Leonard Greenhalgh, "Organizational Decline", en Samuel B. Bacharach, ed., *Research in the Sociology of Organizations* 2 (Greenwich, Conn.: JAI Press, 1983), 231-276; y Peter Lorange y Robert T. Nelson, "How to Recognize and Avoid Organizational Decline", *Sloan Management Review* (primavera 1987), 41-48.
79. Kim S. Cameron y Raymond Zammuto, "Matching Managerial Strategies to Conditions of Decline", *Human Resources Management* 22 (1983), 359-375; y Leonard Greenhalgh, Anne T. Lawrence y Robert I. Sutton, "Determinants of Workforce Reduction Strategies in Organizations", *Academy of Management Review* 13 (1988), 241-254.
80. Timothy Aeppel, "Die Is Cast; Toolmakers Know Precisely What's the Problem: Price", *The Wall Street Journal* (21 de noviembre, 2003), AI, A6.
81. William Weitzel y Ellen Jonsson, "Reversing the Downward Spiral: Lessons from W. T. Grant and Sears Roebuck", *Academy of Management Executive 5* (1991), 7-21; William Weitzel y Ellen Jonsson, "Decline in Organizations: A Literature Integration and Extension", *Administrative Science Quarterly* 34 (1989), 91-109.
82. Linda Himelstein con Heather Timmons, "Meltdown of a Highflier", *BusinessWeek* (24 de febrero, 2003), 130-131.
83. William McKinley, Carol M. Sánchez y Allen G. Schick, "Organizational Downsizing: Constraining, Cloning, Learning", *Academy of Management Executive* 9, núm. 3 (1995), 32-42.
84. Gregory B. Northcraft y Margaret A. Neale, *Organizational Behavior: A Management Challenge,* 2a. ed. (Fort Worth, Tex: The Dryden Press, 1994), 626; y A. Carherine Higgs, "Executive Commentary" en McKinley, Sánchez y Schick, "Organizational Downsizing: Constraining, Cloning, Learning", 43-44.
85. Wayne Cascio, "Strategies for Responsible Restructuring", *Academy of Management Executive* 16, núm. 3 (2002), 80-91; James R. Morris, Wayne F. Cascio y Clifford E. Young, "Downsizing after All These Years: Questions and Answers about Who Did it, How Many Did it, and Who Benefited from it", *Organizational Dynamics* (invierno 1999), 78-86; Stephen Doerflein y James Atsaides, "Corporate Psychology: Making Downsizing on Workplace", *Electrical World* (septiembre-octubre 1999), 41-43; y Brett C. Luthans y Steven M. Sommer, "The Impact of Downsizing on Workplace Attitudes", *Group and Organization Management 2,* núm. 1 (1999), 46-70.
86. Estas técnicas están basadas en Bob Nelson, "The Care of the Un-Downsized", *Training and Development* (abril 1997), 40-43; Shari Caudron, "Teach Downsizing Survivors How to Thrive", *Personnel Journal* (enero 1999), 38; Joel Brockner, "Managing the Effects of Layoffs on Survivors", *California Management Review* (invierno 1992), 9-28; Ronald Henkoff, "Getting beyond Downsizing", *Fortune* (10 de enero, 1994), 58-64; Kim S. Cameron, "Strategies for Successful Organizational Downsizing", *Human Resource Management* 33, núm.

2 (verano 1994), 189-211 y Doerflein y Atsaides, "Corporate Psychology: Making Downsizing Work".
87. Matt Murray, "Stress Mounts as More Firms Announce Large Layoffs, But Don't Say Who or When" (columna Your Career Matters), *The Wall Street Journal* (13 de marzo, 2001), B1, Bl2.
88. Jena McGregor, "Rocky Mountain High", and sidebar, "Downsizing Decently", *Fast Company* (julio 2004), 58ff.
89. Caudron, "Teach Downsizing Survivors How to Thrive".
90. Betsy Morris, "When Bad Things Happen to Good Companies", *Fortune* (8 de diciembre, 2003), 78-88; y Wayne F. Cascio, "Strategies for Responsible Restructuring", *Academy of Management Executive* 16, núm. 3 (2002), 80-91.

PARTE 5

Administración de procesos dinámicos

10. Cultura organizacional y valores éticos
11. Innovación y cambio
12. Procesos de toma de decisiones
13. Conflicto, poder y política

10 Cultura organizacional y valores éticos

Cultura organizacional

¿Qué es cultura? • Surgimiento y propósito de la cultura • Interpretación de la cultura

Diseño y cultura organizacionales

La cultura de la adaptabilidad • La cultura de misión • La cultura del clan • Cultura burocrática • Fortaleza de la cultura y subculturas organizacionales

Cultura organizacional, aprendizaje y desempeño

Valores éticos y responsabilidad social

Fuentes de principios éticos individuales • Ética en los negocios y responsabilidad social • ¿Ser bueno, reditúa?

Fuentes de valores éticos en las organizaciones

Ética personal • Cultura organizacional • Sistemas organizacionales • Participantes externos

Cómo dan forma los líderes a la cultura y la ética

Liderazgo basado en valores • Estructura y sistemas formales

Cultura y ética corporativa en un entorno global

Resumen e interpretación

Una mirada al interior de

Boots Company PLC

Boots. Durante muchos años, los habitantes del Reino Unido no relacionaban este nombre con calzado varonil, sino con la farmacia local y estantes atractivos repletos con toda clase de artículos para la salud, cosméticos y artículos de tocador. Boots es la marca de una tienda de ventas al menudeo que goza del aprecio y la confianza de la gente del Reino Unido, pero cuando Richard Baker asumió el cargo de director general en 2003, la compañía parecía algo desgastada de las suelas. Baker se encontró a sí mismo frente a una de las tareas más arduas en el área de las ventas al menudeo, ya que tuvo que ayudar a la atribulada compañía a encontrar una forma de competir con el creciente poder de los supermercados como Tesco y Asda (donde Baker había trabajado con anterioridad).

De inmediato, Baker se dio cuenta de muchos de los problemas, como el caso de los sistemas obsoletos de tecnología de información (TI) y de distribución de información, los costos elevados y los procesos ineficientes, las tiendas desordenadas y el excesivo personal administrativo en las oficinas centrales. Pero pronto entendió que no habría remedios instantáneos, debido a que las raíces de los problemas de Boots eran muy profundas y estaban justo en el corazón de la organización. De hecho, era una lástima que los valores culturales que encontró en Boots Co. PLC, estuvieran desfasados con respecto al entorno competitivo y vertiginoso de la actualidad.

Baker llegó a Boots proveniente de Asda, una tienda que es propiedad del gigante estadounidense de descuentos, Wal-Mart. En Asda, él estaba acostumbrado a una cultura de apertura e innovación. Las ideas que pudieran promover un cambio útil eran alentadas e implementadas con rapidez. En Boots, por el contrario, el cambio era visto casi como un enemigo. Los años más grandes de éxito para Boots se habían producido en una era en que el mundo se movía de manera lenta y suave. En la empresa se había desarrollado una cultura de "servicio civil", con gente comprometida con tener una carrera en la empresa por el resto de su vida y que tenía la esperanza de gozar de un viaje confortable directo a la cima de la compañía. La cultura con un alto hermetismo implicaba que las ideas externas, así como los extraños no eran bienvenidos. Con directivos desarrollados en la misma compañía y una larga tradición de hacer las cosas de cierta forma, Boots había crecido con una impotencia cultural hacia los cambios. Por ejemplo, un expresidente afirmó que sus esfuerzos por alentar a Boots a concentrarse en aquellos aspectos del negocio que presentaban el mayor potencial de crecimiento fueron ignorados por un equipo de ejecutivos con larga trayectoria en la empresa que tendían a enfocarse en las utilidades actuales a expensas del futuro.

Desde hace algunos años, todos los altos directivos en Boots han cambiado y Baker ha realizado algunos avances que permitan mejorar la eficiencia, ordenar las tiendas y tener precios más competitivos. Sin embargo, la cadena de 1400 tiendas sigue pasando por momentos difíciles. Después de una temporada navideña prometedora en 2004, las ventas y las utilidades menguaron. El reto más grande de Baker es revertir años de mentalidad conservadora en cuanto a los gastos y ante los cambios. Los valores culturales no cambiaron de la noche la mañana y aún se desconoce si el nuevo líder podrá encontrar la receta adecuada para infundir nuevos valores y devolver el brillo a Boots.[1]

Toda organización, como Boots Co. PLC y Asda, tiene un conjunto de valores que caracteriza el comportamiento de la gente que trabaja en ellas y la forma en que la organización maneja sus negocios cotidianos. Algunas veces, estos valores no coinciden con el entorno y ocasionan problemas a la organización. Uno de los trabajos más importantes de los líderes organizacionales es infundir y promover la clase de valores necesarios para que la compañía prospere.

Los valores culturales sólidos tienen un impacto profundo en la compañía, éstos pueden ser positivos o negativos para la organización. Por ejemplo, en J. M. Smucker & Co., que en 2004 se convirtió en la primera compañía de manufactura en ganar el primer lugar en la lista de la revista *Fortune* de las "100 mejores empresas para trabajar", los fuertes valores de cooperación, el interés por los empleados y los clientes y una actitud de "todos para uno y uno para todos" permite que de manera regular la compañía logre sus metas de productividad, calidad y servicio al cliente en el entorno desafiante de la industria alimenticia.[2] Sin embargo, las normas culturales negativas pueden dañar a una compañía con tanta fuerza como las positivas pueden fortalecerla. Considere el caso de Enron Corp., donde la cultura corporativa promovió la presión de todo hasta llegar al límite: las prácticas de negocios, las reglas, el comportamiento personal y las leyes. Los ejecutivos conducían autos costosos, se retaba a los empleados a participar en un comportamiento competitivo riesgoso y con frecuencia se celebraban las grandes negociaciones en bares o en discotecas.[3]

Un concepto afín que hace referencia a la influencia de las normas y los valores en cuanto a la forma en que las personas trabajan en conjunto y cómo es el trato entre ellas y con los clientes se denomina *capital social.* El **capital social** se refiere a la calidad de las interacciones entre las personas y si éstas comparten una perspectiva común. En las organizaciones con un alto grado de capital social, las relaciones están basadas en la confianza, el entendimiento mutuo y las normas y valores compartidos que permiten a la gente cooperar y coordinar sus actividades para alcanzar las metas organizacionales.[4] Una organización puede tener un nivel alto o bajo de capital social. Una forma de concebir el capital social es como *buena voluntad,* es decir, cuando existen relaciones tanto dentro de la organización como con los clientes y las personas están dispuestas a cooperar para alcanzar beneficios mutuos. Un alto nivel de capital social permite que haya interacciones sociales sin fricciones e intercambios que faciliten un funcionamiento organizacional fluido.

Piense en eBay, la cual depende en gran medida de su capital social para conjuntar a millones de compradores y vendedores en su sitio Web, gracias a lo cual obtuvo en 2004 ganancias por $778 millones.[5] La compañía construye buena voluntad a través de mecanismos como sistemas de retroalimentación que permiten a los compradores y vendedores calificarse mutuamente, tableros de discusión que establecen un sentido de comunidad entre los usuarios del sitio y grupos de enfoque habituales que se conforman de compradores y vendedores representativos. Otro ejemplo de compañía con alto capital social es Microsoft UK. De los empleados encuestados por el *Sunday Times*, 89% reportó que "amaba trabajar ahí" y 93% sentía que la compañía "hacía una diferencia positiva en el mundo en que vivían". A pesar de que los empleados trabajan jornadas largas y arduas, Microsoft UK cuenta con un *departamento de personas y cultura* para centrarse en las características que crean y fortalecen el capital social. Por ejemplo, en 1998, Microsoft UK desarrolló una visión de largo plazo para una cultura que promoviera "la honestidad, la apertura, el espíritu emprendedor y el respeto al cliente".[6] Otras organizaciones también construyen su capital social al ser abiertas y honestas además de cultivar relaciones sociales positivas entre los empleados y los externos. Las relaciones basadas en una competencia feroz, el egoísmo y los subterfugios, como sucedió en el caso de Enron, pueden ser devastadoras para la compañía. El capital social se relaciona tanto con la cultura corporativa como con la ética en los negocios, los que son temas de este capítulo.

Propósito de este capítulo

Este capítulo explora ideas referentes a la cultura corporativa y a los valores éticos asociados así como la manera en la que éstos a su vez reciben influencia de parte de las organizaciones. La primera sección describe la naturaleza de la cultura corporativa, sus orígenes y propósito, la forma de identificar e interpretar la cultura a través de ceremonias, historias y símbolos. Después se examina la forma en que la cultura refuerza la estrategia y el diseño estructural que la organización necesita para ser efectiva en su entorno y analiza la importante función de la cultura en el aprendizaje organizacional y el alto desempeño. Después, el capítulo analiza los valores éticos y la responsabilidad social. Se considera la manera en la que los administradores implementan las estructuras y los sistemas que influyen en el comportamiento socialmente responsable y ético.

El capítulo también analiza la forma en la que los líderes dan forma a la cultura y los valores éticos y les dan una orientación adecuada para la estrategia y los resultados de desempeño. El capítulo cierra con una breve revisión de los temas culturales y éticos complejos que los administradores enfrentan en un entorno internacional.

Cultura organizacional

La popularidad del tema de la cultura organizacional origina varias preguntas. ¿Se pueden identificar las culturas? ¿Una cultura puede estar alineada con la estrategia? ¿Cómo se pueden administrar o transformar las culturas? La mejor forma de empezar es definir la cultura y explicar cómo puede identificarse dentro de las organizaciones.

¿Qué es cultura?

La **cultura** es el conjunto de valores, normas, creencias orientadoras y entendimientos compartidos por los miembros de una organización, mismo que se enseña a los nuevos miembros.[7] Representa la parte no escrita pero percibida de la organización. Todos participan en la cultura, pero, por lo general, la cultura pasa desapercibida. Sólo cuando las organizaciones intentan implementar nuevas estrategias o programas contrarios a las normas y valores culturales básicos, la empresa se enfrenta cara a cara con el poder de la cultura.

La cultura organizacional existe en dos niveles, como se ilustra en el cuadro 10.1. En la superficie se encuentran los artefactos visibles y los comportamientos observables, así como la forma en que la gente viste y actúa, y los símbolos, las historias y las ceremonias que los miembros de la organización comparten. No obstante, los elementos visibles de la cultura reflejan valores más profundos en la conciencia de los miembros de la organización. Estos valores subyacentes, suposiciones, creencias y procesos mentales son la verdadera cultura.[8] Por ejemplo, Steelcase Corp., construyó un nuevo centro de desarrollo corporativo en forma de pirámide con "estaciones de pensamiento" abiertas y dispersas con pizarrones blancos y artículos inspiradores de ideas. El edificio de seis pisos también tiene un atrio abierto desde la planta baja hasta el piso superior, con un péndulo gigante con sonido acompasado. El nuevo edificio es un símbolo visible; los valores subyacentes enfatizan la apertura, la colaboración, el trabajo en equipo, la innovación y el cambio constante.[9] Los atributos culturales se despliegan de muchas formas pero por lo general cambian poco a poco para convertirse en un conjunto estructurado de actividades realizadas a través de interacciones sociales.[10] Esos patrones pueden utilizarse para interpretar la cultura.

Surgimiento y propósito de la cultura

La cultura proporciona a los miembros un sentido de identidad organizacional y genera en ellos un compromiso con las creencias y valores que son más grandes que ellos mismos. Si bien, las ideas que se convierten en parte de la cultura pueden provenir de cualquier lado dentro de la organización, por lo general, la cultura organizacional comienza con un fundador o con un líder inicial que articula e implementa ideas y valores particulares a manera de una visión, una filosofía o una estrategia de negocios.

Cuando estas ideas y valores llevan al éxito, se institucionalizan, en consecuencia surge una cultura organizacional que refleja la visión y la estrategia del fundador o líder.[11] Por ejemplo, la cultura en Les Schwab Tire Centers está basada en valores y creencias simples pero útiles propias del fundador de 87 años de edad, Les Schwab, quien hace algunos años aún estaba totalmente preparado para trabajar varios días a la semana en su Jeep 1962. Schwab creció en un campo agreste y quedó huérfano a los 15. Piensa que la gente está en este mundo para ayudarse entre sí; los empleados de Schwab Tire Centers arreglan sin cobro llantas ponchadas y son conocidos porque en caso de

CUADRO 10.1
Niveles de cultura corporativa

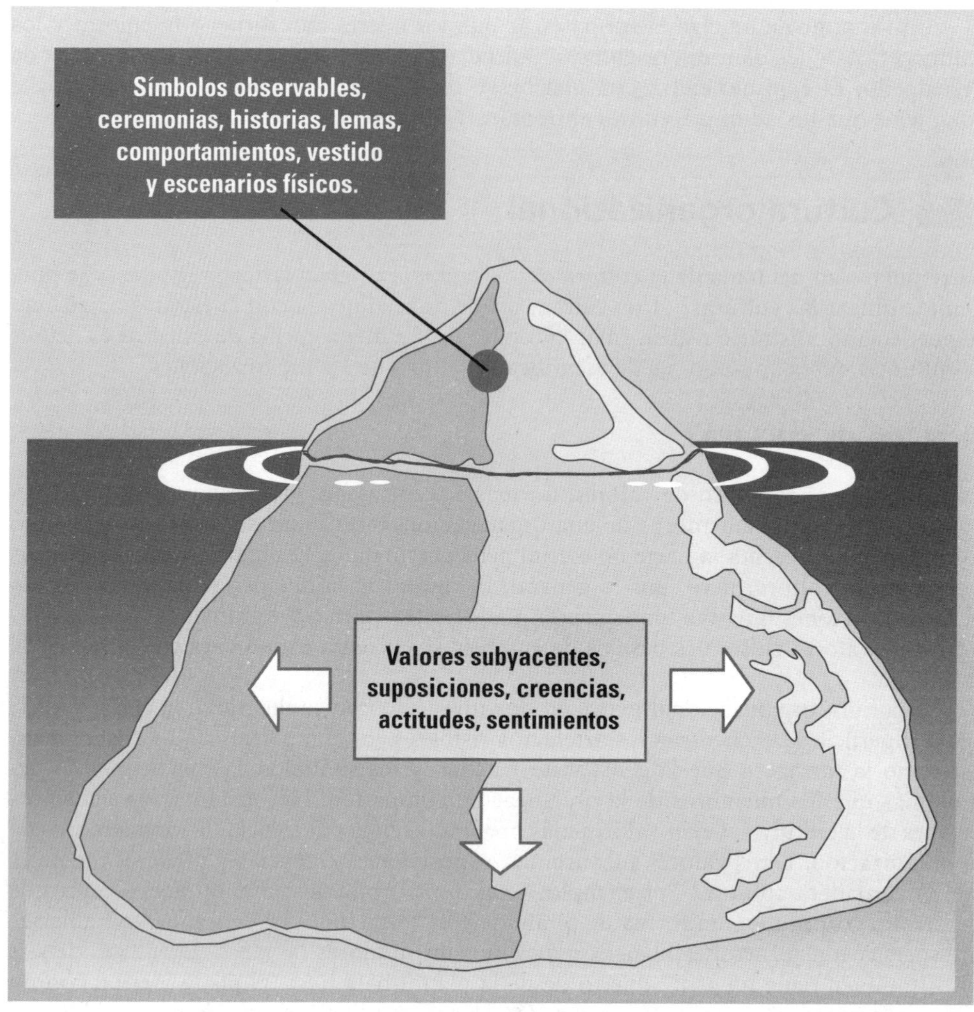

un viaje de emergencia pueden instalar llantas nuevas horas antes de abrir la tienda. En las tiendas de Oregon, marzo es "el mes de carne gratis", cuando todos los clientes que compran llantas nuevas obtienen un paquete gratuito de carne para asar .[12]

La cultura sirve a dos funciones críticas de las organizaciones: 1) integrar a los miembros de manera que sepan cómo relacionarse entre sí y 2) ayudar a la organización a adaptarse al entorno. La **integración interna** significa que los miembros desarrollan una identidad colectiva y saben cómo trabajar en conjunto de manera efectiva. Ésta es la cultura que guía las relaciones de trabajo cotidianas y determina la forma en que la gente se comunica con la organización, qué comportamiento es aceptable o no aceptable y cómo se distribuyen el poder y el estatus. La **adaptación externa** se refiere a la forma en que las organizaciones alcanzan sus metas y tratan a los externos. La cultura ayuda a guiar las actividades diarias de los trabajadores para alcanzar ciertas metas. Puede ayudar a la organización a responder con rapidez a las necesidades de los clientes o a los movimientos de un competidor. Como se analizó en el recuadro Marcador de libros de este capítulo, la cultura tiene una función vital en la transformación del desempeño organizacional que va de mediocre a grande en verdad.

La cultura organizacional también determina la toma de decisiones de los empleados en ausencia de reglas o políticas escritas.[13] Así, ambas funciones de la cultura están

CUADRO 10.2
Tipología de ritos organizacionales y sus consecuencias sociales

Tipo de rito	Ejemplo	Consecuencias sociales
Transición	Inducción y capacitación básica, armada de Estados Unidos.	Facilitar la transición de las personas a funciones y condiciones sociales nuevas para ellos.
Realce	Noche de premios anuales	Fomentar las identidades sociales y engrandecer el estatus de empleado.
Renovación	Actividades del desarrollo organizacional.	Reformar las estructuras sociales y mejorar el funcionamiento de la organización.
Integración	Fiesta de fin de año de la oficina.	Alentar y revivir los sentimientos comunes que vinculan a los miembros entre sí y comprometerlos con la organización.

Fuente: Adaptado de Harrison M. Trice y Janice M. Beyer, "Studying Organizational Cultures through Rites and Ceremonials", *Academy of Management Review* 9 (1984), 653-659. Usado con autorización.

relacionadas con la construcción del capital social de la organización, al promover relaciones o positivas o negativas tanto dentro de la organización como en el exterior.

Interpretación de la cultura

Para identificar e interpretar la cultura es necesario hacer inferencias basadas en artefactos observables. Éstos se pueden estudiar pero son difíciles de descifrar con precisión. Una ceremonia de premiación en una compañía puede tener un significado diferente para otra. Descifrar lo que en realidad está sucediendo en una organización requiere del trabajo detectivesco y quizá de cierta experiencia como interno. Algunos de los aspectos críticos e importantes que se pueden observar de la cultura son los ritos y ceremonias, las historias, los símbolos y el lenguaje.[14]

Portafolios

Como gerente de una organización, tenga en mente estos lineamientos:

Ponga atención a la cultura corporativa. Entienda los valores subyacentes, las suposiciones y creencias sobre los cuales está basada la cultura, así como también las manifestaciones observables. Evalúe la cultura corporativa con base en sus ritos y ceremonias, historias y héroes, símbolos y lenguaje.

Ritos y ceremonias. Los artefactos importantes para la cultura son los **ritos y ceremonias**, las actividades planeadas y elaboradas que constituyen un evento especial y muchas veces se realizan en beneficio de un público. Los directivos pueden llevar a cabo ritos y ceremonias que ofrezcan dramatizaciones de lo que una compañía valora. Constituyen ocasiones especiales en que se refuerzan valores específicos y se crea un lazo entre las personas para compartir un entendimiento importante. En estos eventos se celebran y proclaman héroes o heroínas que simbolizan las creencias y actividades importantes.[15]

Existen cuatro tipos de ritos que se presentan en las organizaciones y se resumen en el cuadro 10.2. Los *ritos de transición* facilitan el paso de los empleados hacia funciones sociales nuevas. Los *ritos de realce* crean identidades sociales más fuertes y engrandecen el estatus de empleado. Los *ritos de renovación* reflejan las actividades de capacitación y desarrollo que mejoran el funcionamiento organizacional. Los *ritos de integración* crean lazos comunes y buenos sentimientos entre los empleados e incrementan el compromiso que tienen con la organización. Los siguientes ejemplos ilustran la forma en que los altos directivos utilizan estos ritos y ceremonias para reforzar valores culturales significativos.

- En un banco importante, la elección de un directivo puede considerarse como un evento crucial en una carrera exitosa. Existe una serie de actividades que forman parte de cada promoción a directivo bancario, como notificárselo de manera especial, llevarlo por primera vez al comedor y que compre bebidas el viernes posterior a su notificación.[16] Éste constituye un rito de transición.

- Mary Kay Cosmetics Company realiza elaboradas ceremonias de premios, en las que regalan broches de oro y de diamantes, pieles y autos lujosos a los consultores de ventas con altos niveles de desempeño. Los consultores más exitosos se presentan por medio de fragmentos de películas, de la misma forma en que se presenta a los nominados a los premios en la industria del entretenimiento. Éste es un rito de realce.
- Un importante evento en Walt Disney es el "Show del gong". Tres veces al año, los ejecutivos llevan a cabo eventos en todo el país en los cuales todos los empleados,

Marcador de libros 10.0 (¿YA LEYÓ ESTE LIBRO?)

De bueno a grandioso: ¿Por qué algunas compañías dan el salto... y otras no?

Por Jim Collins

¿Por qué y cómo es que algunas compañías pasan de un desempeño meramente bueno a uno en realidad grandioso, mientras otras no pueden dar el salto, o si lo logran dar, lo podrán mantener? Ésta es la pregunta que Jim Collins pretende responder mediante un estudio de seis años que culminó en el libro *Good to Great: Why Some Companies Make the Leap...And Others Don't.* Collins identificó 11 compañías grandiosas: aquellas que promediaron ingresos 6.9 veces el mercado de acciones general durante un periodo de 15 años y las comparó con un grupo de compañías que tenían recursos similares pero que no pudieron dar el salto o mantenerlo.

CULTURA DE LA DISCIPLINA

Collins identifica varias características que definen a las compañías grandiosas en verdad. Un aspecto es la cultura de la disciplina, en la cual el entorno de toda la organización está enfocado en hacer lo que sea necesario para mantener el éxito de la compañía. ¿Cómo se construye la cultura de la disciplina? He aquí algunos factores esenciales:

- *Liderazgo de nivel 5.* Todas las compañías buenas-a-grandiosas comienzan con un líder de nivel superior que ejemplifica lo que Collins denomina como liderazgo de nivel 5. Los líderes del nivel 5 se caracterizan por una carencia casi completa de ego personal, aunada a una fuerte voluntad y ambición para lograr el éxito de la organización. Desarrollan sólidos cuerpos de líderes en toda la organización de manera que cuando ellos partan, la compañía pueda crecer incluso con más éxito. El egoísmo o la avaricia y la arrogancia no tienen lugar en una compañía grandiosa.
- *Los valores correctos.* Los líderes construyen una cultura basada en los valores individuales de libertad y responsabilidad, pero dentro de un marco de propósito, metas y sistemas organizacionales. La gente tiene la autonomía de hacer lo que sea necesario —dentro de límites bien definidos y lineamientos claros y congruentes— para hacer que la organización avance hacia el logro de sus metas y visión.
- *La gente correcta en los puestos correctos.* Los líderes de organizaciones buenas-a-grandiosas buscan gente autodisciplinada que encarne los valores que se adecuen a la cultura. Esta gente se puede describir mediante los términos determinación, diligencia, precisión, sistematización, coherencia, enfoque, responsabilidad y confiabilidad. Están dispuestas a caminar una milla extra para convertirse en lo mejor que puedan y ayudar a que la organización mejore de manera continua.
- *Saber hacia dónde ir.* Las compañías buenas-a-grandiosas basan su éxito en una comprensión profunda y completa de la organización con respecto a tres ideas esenciales conceptualizadas como tres círculos entrelazados: qué es lo que pueden hacer mejor en el mundo, qué les apasiona profundamente y qué parece razonable desde el punto de vista económico para la organización. Este entendimiento se traduce en una visión y estrategia que rige todas las acciones.

EL CONCEPTO DE LA RUEDA VOLANTE

Ninguna compañía da el salto de ser buena a grandiosa de un solo golpe. El proceso consiste en una acumulación seguida por un gran avance, similar a empujar una rueda volante gigante hacia una dirección, giro tras giro, mientras va almacenando la energía necesaria que le permita alcanzar un despunte. Una vez que los líderes han conseguido la gente adecuada, le han asignado los trabajos correctos, han promovido los valores adecuados y se han enfocado en las actividades que encajan dentro de los tres círculos entrelazados, la gente comienza a ver resultados positivos, lo cual impulsa la rueda volante hasta lograr acumular la energía suficiente. Así como el éxito brinda éxito, la organización puede dar el salto de ser buena a grandiosa.

Good to Great: Why Some Companies Make the Leap...And Others Don't por Jim Collins, publicado por HarperBusiness.

desde las secretarias, conserjes y personal de la sala de correo pueden enviar ideas de películas a los altos ejecutivos. El evento divertido es una forma de simbolizar y fomentar el compromiso de la compañía con la participación y la innovación de los empleados.[17] Éste es un rito de renovación.

- Siempre que un ejecutivo de Wal-Mart visita una de las tiendas, él o ella encabeza una porra con los empleados en el Wal-Mart: "¡Denme una W! ¡Denme una A! ¡Denme una L! ¡Denme un garabateado! (Todos hacen una versión del twist). ¡Denme una M! ¡Denme una A! ¡Denme una R! ¡Denme una T! ¿Qué dice? ¡Wal-Mart! ¿Quién es el número 1? ¡EL CLIENTE!" La porra fortalece los lazos entre los empleados y refuerza su compromiso con las metas.[18] Éste es un rito de integración.

Historias. Las historias son narraciones basadas en eventos reales, que con frecuencia comparten los empleados de la organización y las transmiten a los nuevos empleados para informarles de la organización. Muchas historias se refieren a los **héroes** de la compañía que sirven como modelos o ideales con el fin de fomentar las normas y valores culturales. Algunas historias se consideran **leyendas** debido a que los acontecimientos que narran son históricos y pueden haberse embellecido con detalles ficticios. Otras historias son **mitos**, los cuales son congruentes con los valores y las creencias de la organización pero no están respaldados por hechos.[19] Las historias mantienen con vida a los valores fundamentales de la organización y proporcionan una comprensión compartida entre los empleados. Ejemplos de cómo las historias han formado la cultura son los siguientes:

- En 3M Corp., se cuenta la historia de un vicepresidente que fue despedido al principio de su carrera por persistir con un nuevo producto incluso después de que su jefe le había pedido detenerse, porque pensaba que se trataba de una idea estúpida. Después de haber sido despedido, permaneció en una oficina desocupada y trabajó sin un salario en el nuevo producto. Con el tiempo fue recontratado y como el producto fue un éxito, fue promovido a vicepresidente. La historia simboliza el valor que da 3M a la persistencia en lo que uno cree.[20]
- Los empleados de IBM con frecuencia escuchan la historia acerca de un guardia de seguridad femenino que desafió a un presidente de IBM. A pesar de que ella sabía quién era, insistió en que el presidente no podía entrar a una determinada área debido a que no estaba portando la autorización de seguridad debida y en lugar de recibir una reprimenda o ser despedida, fue premiada por su diligencia y compromiso en mantener la seguridad de los edificios de IBM.[21] Cuando cuentan esta historia, los empleados enfatizan tanto la importancia de seguir las reglas y el valor de cada empleado desde el nivel más bajo hasta el más alto de la organización.

Símbolos. Otra herramienta para interpretar la cultura es el **símbolo**. Un símbolo es algo que representa otra cosa. En cierto sentido, las ceremonias, historias, eslóganes y ritos, todos son símbolos. Simbolizan los valores más profundos de la organización. Otro símbolo es un artefacto físico de la organización. Los símbolos físicos son poderosos debido a que centran la atención en una cuestión específica. Ejemplos de símbolos físicos son los siguientes:

- La tienda departamental Nordstrom simboliza la importancia de apoyar a los empleados de más bajo nivel mediante la creación del organigrama que se presenta en el cuadro 10.3. Nordstrom se ha vuelto famoso por su extraordinario servicio al cliente, y el organigrama simboliza que los directivos deben apoyar a los empleados que aporten el servicio en lugar de controlarlos.[22]
- Los símbolos también pueden representar elementos negativos de la cultura corporativa. En Enron, los mejores lugares de estacionamiento reservados eran símbolos del poder, riqueza y de ganar a toda costa. En la oficina que la compañía tiene en Londres, los ejecutivos enviaban licitaciones cerradas por correo electrónico para los

CUADRO 10.3
Organigrama de Nordstrom, Inc.
Fuente: Utilizado con autorización de Nordstrom, Inc.

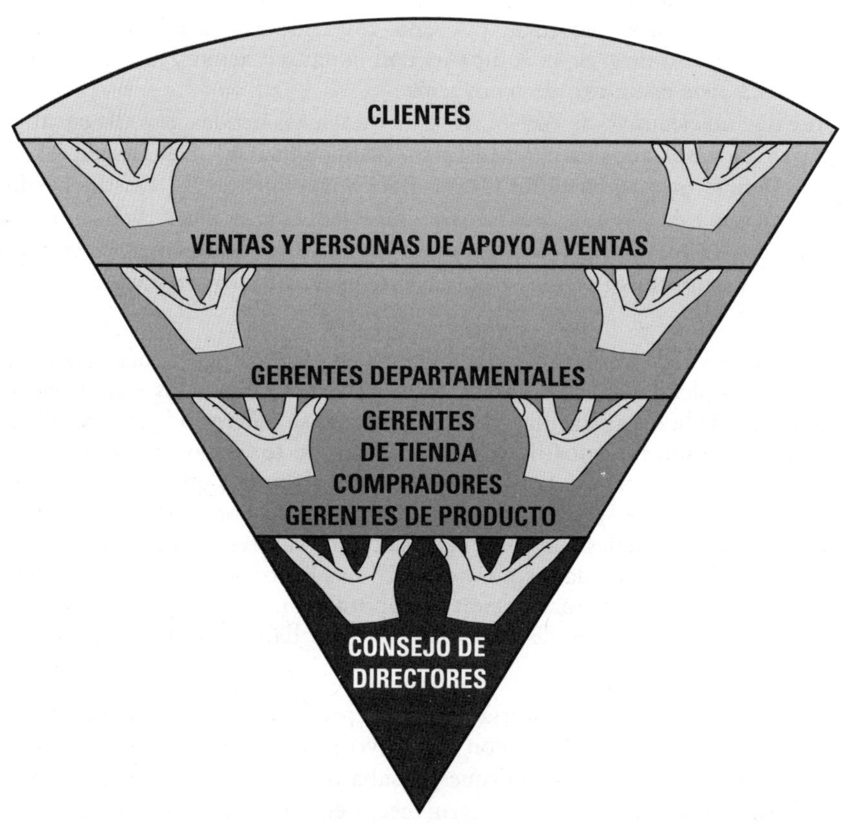

espacios limitados. Un alto directivo pagó más de $6000 para utilizar por un año un lugar de estacionamiento bien ubicado propiedad de la compañía.[23]

Lenguaje. La última técnica que ejerce una influencia sobre la cultura es el lenguaje. Muchas compañías utilizan una forma de hablar, eslóganes, metáforas o cualquier otra forma de lenguaje para transmitir un significado especial a los clientes. Los eslóganes pueden aprenderse con facilidad y ser repetidos por los empleados así como por los clientes de la compañía. El lema de Averitt Express, "nuestra fuerza motivadora es la gente", aplica tanto a los empleados como a los clientes. La cultura de la compañía transportadora enfatiza un trato a los trabajadores tan bueno como se espera que se trate a los clientes. Los conductores y los clientes, no los altos ejecutivos, son percibidos como la energía que alimenta el éxito de la compañía. Otros usos importantes del lenguaje para conformar la cultura se pueden ver en los siguientes ejemplos:

- Antes que fuera adquirida en una toma hostil por Oracle, PeopleSoft Inc., se enorgullecía por una cultura de unidad, parecida a la de una familia. Los empleados se llamaban entre sí PeoplePeople, hacían compras en PeopleStore y comían ruidosamente en PeopleSnacks, que era financiada por la compañía. El uso de este dialecto especial reforzó los valores culturales distintivos. La pérdida de la cultura ha sido dolorosa para los empleados, muchos de los cuales fueron despedidos después de la toma hostil. El fundador de PeopleSoft, Dave Duffield ha establecido un fondo para ayudar a los trabajadores despedidos.[24]
- Milacron Inc., el líder global en el procesamiento de plásticos y en las tecnologías de metalistería con sede en Cincinnati, utilizó el término "Wolfpack" para referirse a los equipos que rediseñarían las líneas de producto de herramientas de la compañía

CUADRO 10.4
Relación del entorno y la estrategia con la cultura corporativa
Fuente: Basado en Daniel R. Denison y Aneil K Mishra, "Toward a Theory of Organizational Culture and Effectiveness", *Organization Science* 6, núm. 2 (marzo-abril 1995), 204-223; R. Hooijberg y F. Petrock, "On Cultural Change: Using the Competing Values Framework to Help Leaders Execute a Transformational Strategy", *Human Resource Management* 32 (1993), 29-50; y R. E. Quinn, *Beyond Rational Management: Mastering the Paradoxes and Competing Demands of High Performance* (San Francisco: Jossey-Bass, 1988).

para mejorar la competencia en un entorno industrial cada vez más agresivo y hostil. La palabra ha demostrado ser un factor que implica tanta motivación como una metáfora para promover el cambio y la innovación.[25]

Recuerde que la cultura existe en dos niveles: los valores y las suposiciones subyacentes y los productos visibles y comportamientos observables. El lema, los símbolos y las ceremonias sólo son productos que reflejan los valores subyacentes de la compañía. Estos productos y comportamientos visibles pueden utilizarse por los directivos para dar forma a los valores organizacionales y fortalecer la cultura corporativa.

Diseño y cultura organizacional

La cultura corporativa debe reforzar la estrategia y el diseño estructural que la organización necesita para ser efectiva dentro de su entorno. Por ejemplo, si el entorno requiere flexibilidad y sensibilidad, como el entorno para las compañías basadas en Internet como eBay, la cultura debe fomentar la adaptabilidad. La relación correcta entre los valores culturales, la estrategia y la estructura de la organización y el entorno puede mejorar el desempeño organizacional.[26]

Es posible evaluar la cultura a lo largo de muchas dimensiones, como el grado de colaboración en comparación con el de aislamiento entre las personas y los departamentos, la importancia del control y dónde se concentra, o si la orientación temporal de la organización es de corto o de largo plazos.[27] Aquí, nos enfocaremos en dos dimensiones específicas: 1) el grado al cual el entorno competitivo requiere flexibilidad o estabilidad y 2) el grado al cual el enfoque estratégico y la fortaleza de la organización son internos o externos. Existen cuatro categorías culturales asociadas con estas diferencias, como se ilustra en el cuadro 10.4, éstas son la adaptabilidad, la misión, el clan y la burocracia.[28] Estas cuatro categorías se relacionan con la adecuación entre los valores culturales, la estrategia, la estructura y el entorno. Cada una de éstas puede ser exitosa, según sean las necesidades del entorno y del enfoque estratégico de la organización.

La cultura de la adaptabilidad

La cultura de la adaptabilidad se caracteriza por una estrategia que se enfoca en el entorno mediante la flexibilidad y el cambio para satisfacer las necesidades de los clientes. La cultura promueve los valores, las normas y las creencias empresariales que fomentan la capacidad organizacional para detectar, interpretar y traducir signos que provienen del entorno en cuanto a las nuevas respuestas conductuales. Sin embargo, este tipo de compañía no sólo reacciona con rapidez ante los cambios del entorno, sino que genera de manera activa esos cambios. La innovación, la creatividad y la toma de riesgos se consideran actitudes valiosas, mismas que se ven recompensadas.

Portafolios

Como gerente de una organización, tenga en mente estos lineamientos:

Asegúrese de que la cultura corporativa es consistente con la estrategia y el entorno. La cultura puede conformarse para adaptarse a las necesidades de ambos. Hay cuatro tipos de cultura: la cultura de adaptabilidad, la cultura de misión, la cultura de clan y la cultura burocrática.

Un ejemplo de cultura de la adaptabilidad lo presenta 3M, una compañía cuyos valores promueven la iniciativa individual y el espíritu emprendedor. Todos los empleados de ingreso reciente asisten a una clase acerca de riesgos, en donde se les enseña a luchar por sus ideas incluso si esto significa desafiar a sus supervisores. IBM ha estado adoptando una cultura de la adaptabilidad para apoyar a una nueva estrategia que requiere flexibilidad, velocidad e innovación. El director general, Sam Palmisano ha implementado prácticas y procedimientos que fomentan el trabajo en equipo, la igualdad y la creatividad, como el desmantelamiento de un comité de ejecutivos de 92 años de edad que antes controlaba la compañía y su reemplazo con tres equipos multidisciplinarios y de varias jerarquías para las áreas de estrategia, operaciones y tecnología. Quiso demostrar su compromiso con los nuevos valores al pedir al consejo directivo que redujera su bono del año 2003 y estableciera un fondo con su dinero de manera que se compartiera con el equipo de los altos ejecutivos. Escuchar tanto a los empleados como a los clientes se ha convertido en una prioridad para IBM. Palmisano cree que tener un enfoque en el exterior que a la vez enfatice la importancia del *empowerment* para el empleado, la flexibilidad y la iniciativa, es un elemento crucial para el éxito de IBM en las décadas próximas.[29] La mayor parte de las compañías de comercio electrónico, como eBay, Amazon y Google, así como las industrias relacionadas con el marketing, la electrónica y los cosméticos, utilizan este tipo de cultura debido a que deben responder con rapidez para satisfacer a sus clientes.

La cultura de misión

Una organización preocupada por atender a clientes específicos en el entorno, pero sin la necesidad de cambiar con rapidez, es idónea para adoptar la cultura de misión. La **cultura de misión** se caracteriza por el énfasis que la compañía tiene en una visión clara del propósito organizacional y del logro de metas, como el crecimiento de las ventas, la rentabilidad o la participación de mercado, lo cual repercutirá en el logro de dichos propósitos y metas. Los empleados como individuos pueden ser responsables de un nivel de desempeño específico y la organización les promete recompensas especiales a cambio. Los directivos moldean el comportamiento mediante la comunicación y visualización de un futuro deseado para la organización. Como el entorno es estable, pueden traducir su visión en metas cuantificables y evaluar el desempeño de los empleados para alcanzarlas. En algunos casos, las culturas de misión reflejan un alto nivel de competitividad y una orientación hacia fines lucrativos.

Un ejemplo de cultura de misión es Siebel Systems, la cual ha prosperado en una cultura intensa y ambiciosa. El profesionalismo y la agresividad son sus valores clave. Siebel mantiene a sus empleados concentrados en alcanzar ventas altas y niveles de rentabilidad sobresalientes y aquellos que logren las metas exigentes son recompensados con generosidad.[30] Otro ejemplo es J.C. Penney, donde un nuevo director general ha estado infundiendo los valores de una cultura de misión con el fin de que esta tienda departamental regrese al mapa de la moda.

En la práctica

J.C. Penney

Quizá usted no pueda imaginar a Britney Spears de compras en J.C. Penney, pero Allen Questrom está a punto de cambiar su forma de pensar. El nuevo director general ha firmado un contrato exclusivo con la diseñadora Michele Bohbot y su esposo encargado del marketing, Mark, para convertirse en el único distribuidor de la nación de la modernísima línea Bisou Bisou, una colección de ropa sexy que portan estrellas como Spears y Sharon Stone.

Questrom es el primer director externo en la historia de 103 años de J.C. Penney y ha estado reorganizando por completo las cosas en la antes aburrida tienda de ventas al menudeo. La visión de Questrom es convertir a J.C. Penney en un destino de compras para las mujeres de 25 a 35 años de edad, un grupo que gasta casi $15 mil millones al año en ropa. Para ello, Questrom está infundiendo valores de efectividad y competitividad en la compañía. En primer lugar, ha centralizado la operación de compras de la cadena en lugar de permitir que cada gerente de la tienda compre mercancía en su tienda de forma individual. El director general ha reclutado un grupo nuevo de altos directivos y establecido metas claras y una estricta rendición de cuentas. Muchos de los gerentes nuevos son jóvenes y agresivos, lo que refleja el cambio cultural que se está llevando a cabo en todos los niveles de la empresa. Los directivos simplemente no pueden continuar con el estado actual de las cosas; se requiere que tomen las medidas necesarias para que la cadena se dirija hacia esta visión nueva.

Aunque Questrom admite que J.C. Penney tiene un largo camino por andar, los resultados de los cambios han sido impresionantes. Gracias al énfasis que se tiene en una visión clara y en mantener a los directivos de todos los niveles enfocados en cumplir sus metas ambiciosas, Questrom ha comenzado una transformación que está incrementando las ventas y las utilidades.[31]

La cultura de clan

La **cultura del clan** se basa principalmente en la implicación y la participación de los miembros de la organización y en las expectativas que cambian en el entorno. Esta cultura es similar al control de clan que se explicó en el capítulo 9. Más que cualquier otra, esta cultura se enfoca en las necesidades de los empleados como la ruta que conducirá a un desempeño alto. La implicación y la participación crean un sentido de responsabilidad y propiedad y por lo tanto, un mayor compromiso con la organización.

En una cultura de clan, un valor importante es cuidar a los empleados y asegurarse de que tengan lo necesario para ayudarlos a sentirse satisfechos, así como productivos. Las compañías en las industrias de la moda y de las ventas al menudeo con frecuencia adoptan esta cultura debido a que libera la creatividad de los empleados para responder con rapidez a los gustos cambiantes. Wegmans, una cadena de supermercados con sede en Rochester, Nueva York, ha podido triunfar gracias a la cultura del clan. El compromiso de los empleados y su satisfacción se consideran como la clave de su éxito. Wegmans paga buenos salarios, envía a los empleados a viajes de aprendizaje y ofrece becas escolares para empleados, tanto de tiempo completo como de tiempo parcial. Los empleados están dotados de atribuciones para utilizar su propia iniciativa y creatividad a fin de atender mejor a los clientes.[32] El caso de Wegmans se describió con todo detalle en el recuadro de Liderazgo por diseño del capítulo 2.

Cultura burocrática

La **cultura burocrática** se enfoca en el aspecto interno y tiene una orientación en la consistencia para un entorno estable. Esta organización tiene una cultura que promueve un enfoque metódico para hacer negocios. Los símbolos, héroes y ceremonias fomentan la cooperación, tradición y seguimiento a las políticas y prácticas como forma de alcanzar metas. La participación personal es un poco baja aquí, pero se compensa mediante un alto nivel de congruencia, conformidad y colaboración entre los miembros. Esta organización alcanza el éxito gracias a la integración y la eficiencia elevadas.

En la actualidad la mayoría de los directivos se están alejando de las culturas burocráticas debido a la necesidad de mayor flexibilidad. Sin embargo, una nueva compañía floreciente, Pacific Edge Software, ha implementado con éxito algunos elementos de la cultura burocrática, con lo que ha logrado que sus proyectos estén a tiempo y dentro del presupuesto. El equipo que ha formado el matrimonio de Lisa Hjorten y Scott Fuller, implantó una cultura de orden, disciplina y control desde el momento en que fundaron la compañía. El énfasis en el orden y la concentración implica que los empleados por lo general se vayan a sus casas a las 6 P.M., en lugar de trabajar toda la noche para terminar un proyecto importante. Hjorten insiste en que la cultura de la organización no es rígida o estricta, sino simplemente *cuidadosa*. A pesar de que algunas veces ser cuidadoso significa ser lento, hasta ahora Pacific Edge se las ha arreglado para mantener el ritmo de las demandas del entorno.[33]

Fortaleza de la cultura y subculturas organizacionales

Una cultura organizacional fuerte tiene un impacto poderoso en el desempeño de una compañía. La **fortaleza cultural** se refiere al grado de acuerdo que hay entre los miembros de una organización acerca de la importancia de valores específicos. Si existe un consenso ampliamente difundido acerca de la importancia de esos valores, la cultura será cohesiva y sólida; si hay poco consenso, la cultura será débil.[34]

Una cultura fuerte por lo general está relacionada con el uso frecuente de ceremonias, símbolos, historias, héroes y eslóganes. Estos elementos incrementan el compromiso de los empleados con los valores y estrategias de una compañía. Además, los directivos que desean crear y mantener culturas corporativas sólidas muchas veces dan énfasis a la selección y socialización de los empleados.[35] TechTarget, una compañía de medios de comunicación interactivos con sede en Needham, Massachusetts, utiliza un proceso cuidadoso de contratación para encontrar la clase de empleados que estarán en armonía con los valores únicos de la compañía. TechTarget tiene una política de "partida abierta", es decir, que los empleados son libres de ir y venir a su gusto. La cultura enfatiza la autonomía individual y la responsabilidad personal; el fundador y director general, Greg Strakosch, intenta contratar a personas que sean independientes, orientadas hacia los logros, escrupulosos y capaces de administrar su propio tiempo.[36]

Sin embargo, la cultura no siempre es uniforme a través de toda la organización, en particular en las grandes compañías. Incluso en aquellas organizaciones que tienen culturas sólidas, existen muchos grupos de subculturas. Las **subculturas** se desarrollan para reflejar los problemas comunes, metas y experiencias que comparten los miembros de un equipo, departamento u otra unidad. Una oficina, sucursal o unidad de una compañía físicamente separada de las operaciones principales de la compañía puede adoptar una subcultura distintiva.

Por ejemplo, a pesar de que la cultura dominante de una organización puede ser una cultura de misión, varios departamentos pueden también reflejar las características de cultura de adaptabilidad, de clan o burocráticas. El departamento de manufactura de una gran organización puede florecer en un entorno que exalta el orden, la eficiencia y la obediencia hacia las reglas, mientras que el departamento de investigación y desarrollo puede estar caracterizado por el *empowerment* a los empleados, la flexibilidad y el enfoque en el cliente. Esto es similar al concepto de diferenciación que se explicó en el capítulo 4, donde los empleados en los departamentos de manufactura, ventas e investigación estudiados por Paul Lawrence y Jay Lorsch[37] desarrollaron diferentes valores con respecto al horizonte cronológico, las relaciones interpersonales y la formalidad, con el fin de desempeñar el trabajo de cada departamento en particular de manera más efectiva. La división de crédito de Pitney Bowes, una enorme corporación que fabrica medidores postales, copiadoras y otro equipo de oficina, desarrolló una subcultura distintiva para fomentar la innovación y la toma de riesgos.

En la práctica
Pitney Bowes Credit Corporation

Pitney Bowes, un fabricante de medidores postales y demás equipo de oficina, ha prosperado durante largo tiempo en un entorno de orden y certidumbre. Sus oficinas centrales reflejan un entorno típicamente corporativo y una cultura ordenada con sus paredes blancas y alfombras mullidas. Pero entrar al tercer piso del edificio de Pitney Bowes en Shelton, en Connecticut, lo hará pensar que se encuentra en otra compañía. El área de Pitney Bowes Credit Corporation (PBCC) se ve más como un parque temático interior, con alfombras con patrones de adoquín, lámparas falsas de gas, y un reloj de ornato al estilo de las plazas principales. También cuenta con un café tipo francés, un comedor estilo los años 50 y la "cocina craneana", donde los empleados se sientan en acogedores cubículos para navegar en Internet o ver videos de capacitación. Los vestíbulos acogedores incitan las conversaciones improvisadas, donde la gente puede intercambiar información y compartir ideas que de otra manera no compartirían.

PBCC tradicionalmente ha ayudado a los clientes a financiar sus negocios con la compañía matriz. Sin embargo, Matthew Kisner, presidente y director general de PBCC, ha trabajado con otros directivos para redefinir la división como un *creador* de servicios y no sólo como un proveedor de éstos. En lugar de sólo financiar las ventas y el arrendamiento de los productos existentes, PBCC ahora crea servicios nuevos para que sus clientes los adquieran. Por ejemplo, Purchase Power, es una línea revolvente de crédito que ayuda a las compañías a financiar sus costos postales. Durante algunos meses fue rentable, pero ahora tiene más de 400 000 clientes. Cuando PBCC redefinió su trabajo, comenzó a redefinir su subcultura para que compaginara, mediante el énfasis en los valores del trabajo en equipo, con la toma de riesgos y la creatividad. "Deseamos un espacio divertido que represente nuestra cultura", afirma Kisner. "Nada de líneas rectas, ni pensamiento lineal. Como somos una compañía de servicios financieros, nuestra ventaja más grande es la calidad de nuestras ideas." Hasta ahora, el nuevo enfoque de PBCC está funcionando. En años recientes, la división, cuyos 600 empleados representan menos de 2% de la fuerza laboral total de Pitney Bowes, generaron 36% de las utilidades netas de la compañía.[38]

Por lo general las subculturas incluyen los valores básicos de la cultura organizacional dominante además de los valores adicionales únicos de los miembros de la subcultura. No obstante, las diferencias subculturales algunas veces pueden generar conflictos entre los diversos departamentos, en especial en aquellas organizaciones que no tienen culturas corporativas generales sólidas. Cuando los valores subculturales se vuelven demasiado fuertes y sobrepasan a los valores culturales, es posible que surjan conflictos y dañen el desempeño de la organización. El conflicto se analizará con mayor detalle en el capítulo 13.

Cultura organizacional, aprendizaje y desempeño

La cultura puede tener una función importante en la creación de un clima organizacional que permita el aprendizaje y la respuesta innovadora ante los retos, las amenazas competitivas o las oportunidades nuevas. Una cultura fuerte que fomente la adaptación y el cambio, redundará en un mejor desempeño organizacional gracias a que infunde energía y motivación a los empleados, unifica a la gente en relación con las metas compartidas y a una misión más elevada, y da forma y orienta el comportamiento de los empleados de manera que las acciones de todos estén alineadas con prioridades estratégicas. Así, crear e influir en una cultura de adaptación es uno de los trabajos más importantes de los líderes organizacionales. La cultura correcta puede generar un alto desempeño.[39] El caso de JetBlue Airways que se describe en el recuadro de Liderazgo por diseño de este

Liderazgo por diseño

JetBlue Airways

La industria de las aerolíneas no es un lugar muy feliz en estos días. A menos que usted se encuentre en JetBlue Airways, el transportador nacional con más rápido crecimiento en Estados Unidos y la única aerolínea estadounidense, además de Southwest, que está haciendo dinero. JetBlue con sede en el aeropuerto JFK de Nueva York, incrementó sus ingresos más de tres veces durante sus primeros cuatro años. La compañía ahora opera casi 300 vuelos diarios a 29 destinos, entre los cuales se encuentran: Puerto Rico, República Dominicana y Bahamas. JetBlue encabezó las calificaciones de calidad de la aerolínea durante dos años seguidos (2004-2005) y se colocó como el número 1 en las calificaciones de satisfacción del cliente de J. D. Powers en 2005.

Gran parte del éxito de JetBlue puede atribuirse a su cultura. Desde el principio, JetBlue ha incorporado valores sólidos enfocados en el cliente que fomentan la adaptación continua. El fundador David Neeleman basó la cultura de JetBlue en valores que él desarrolló mientras trabajaba como misionero en las favelas brasileñas. La filosofía corporativa consiste en que la mayor satisfacción que una persona puede lograr proviene del servicio que brinda a los demás. En la actualidad, se les pide a todos los empleados nuevos que hagan un compromiso con los mandamientos corporativos básicos: la seguridad, el cuidado, la integridad, la diversión y la pasión. El departamento de personal de JetBlue analiza de manera activa a todos los solicitantes para ver qué tan bien se adaptan a los valores y después les proporciona una capacitación integral que les da las herramientas necesarias para tomar buenas decisiones y hacer lo correcto al atender a los clientes.

La respuesta de JetBlue a los ataques terroristas del 11 de septiembre de 2001 en Nueva York ilustra sus valores en acción. Cuando los empleados se dieron cuenta de que los aeropuertos serían cerrados y que los pasajeros estarían atrapados, de inmediato comenzaron a reservar autobuses y enlazar a la gente por medio de transportes públicos (incluso a algunos clientes de otras líneas aéreas) a hoteles, donde fueron hospedados por cuenta de JetBlue. Poco tiempo después de los ataques, JetBlue Airways fue la primera aerolínea en instalar en todas sus aeronaves puertas en las cabinas de los pilotos, mismas que cuentan con cerrojo automático a prueba de balas, incluso antes que la administración federal de aviación publicara una orden de hacerlo. En lugar de animar a los estadounidenses a despojarse del miedo a volar, los anuncios publicitarios de JetBlue expresan que está bien que la gente se tome el tiempo necesario para sanar. En vez de despedir a sus trabajadores y recortar las rutas durante el descenso en los viajes aéreos, JetBlue expandió su servicio y adquirió algunos de los nuevos mercados donde las líneas aéreas grandes se habían replegado.

JetBlue no cree en esperar a ver qué hacen los demás para determinar qué se necesita hacer; sino que los líderes asumen un enfoque productivo y se mueven con más rapidez para implementar cambios que puedan proporcionar a los clientes un mejor servicio, una mayor seguridad y una experiencia más feliz de vuelo. La compañía en un inicio se diferenció de las demás al ofrecer sólo una clase, proporcionar asientos asignados con más espacio para las piernas, e instalar televisiones vía satélite gratuitas en los respaldos de todos los asientos. Pero los líderes continúan presionando para tratar de dar a los clientes lo que necesitan, al explorar, por ejemplo, opciones como las comunicaciones de teléfono-a-avión y servicio de Internet.

Cuando por primera vez comenzó a volar en febrero 2000, los escépticos decían que estaba destinada al fracaso. Cinco años después, la cultura de adaptación y enfocada en el cliente de JetBlue Airways la han convertido en uno de los pocos puntos brillantes en la industria turbulenta de las aerolíneas.

Fuentes: Paul C. Judge, "How Will Your Company Adapt?" *Fast Company* (diciembre 2001), 128 ff; "Lessons from the Slums of Brazil: David Neeleman on the Origins of JetBlue's Culture", *Harvard Business Review* (marzo de 2005), reimpresión F0503K, *http://www.hbr.org*; Eve Tahmincioglu, "True Blue", *Workforce Management* (febrero de 2005), 47-40; y Ben Mutzabaugh, "JetBlue Tries to Make Flying Less of a Pain", *USA Today* (6 de abril, 2005), B3.

Portafolios

Como gerente de una organización, tenga en mente estos lineamientos:

Administre a conciencia la cultura para dirigir los valores hacia un alto desempeño y logro de metas.

capítulo, muestra que esta empresa ha logrado un éxito fenomenal en parte debido a su cultura de adaptación sólida.

Varios estudios han encontrado una relación positiva entre cultura y desempeño.[40] En su obra *Corporate Culture and Performance*, Kotter y Herskett proporcionan evidencia de que las compañías que administran de manera intencional los valores culturales superan a las compañías similares que no lo hacen. Algunas compañías han desarrollado formas sistemáticas de medir y administrar el impacto que tiene la cultura en el desempeño organizacional. En Caterpillar Inc., los líderes utilizaron una herramienta denominada proceso de evaluación cultural (CAP, por sus siglas en inglés), la cual proporciona a los altos ejecutivos datos concretos y reales que documentan millones de dólares en ahorros que podrían atribuirse directamente a los factores culturales.[41] Incluso el gobierno federal estadounidense está reconociendo la relación que existe entre la cultura y la efectividad. La oficina estadounidense de administración de personal creó la encuesta de evaluación organizacional como una forma en la que las agencias federales pudieran medir factores culturales y cambios en los valores para lograr un mejor desempeño.[42]

Sin embargo, los valores culturales que no fomentan la adaptación, pueden dañar a la organización. Un riesgo para muchas organizaciones exitosas es que la cultura se convierta en algo fijo y la compañía no pueda adaptarse a medida que el entorno cambia, como se vio en el ejemplo de apertura de capítulo de Boots Co PLC. Cuando las organizaciones son exitosas, los valores, las ideas y las prácticas que la ayudaron a lograr el éxito se institucionalizan, pero al cambiar el entorno, estos valores pueden ser dañinos para el desempeño futuro. Muchas organizaciones se convierten en víctimas de su propio éxito, debido a que están apegadas a valores y comportamientos pasados de moda e incluso destructivos. Así, el impacto de una cultura sólida no siempre es positivo. Por lo general, las culturas saludables no sólo proporcionan una integración interna fluida sino que también fomentan la adaptación al entorno. Las culturas sin capacidad de adaptación promueven la rigidez y estabilidad. Las culturas adaptables y sólidas muchas veces incorporan los siguientes valores:

Como gerente de una organización, tenga en mente estos lineamientos:

Para promover una orientación de aprendizaje, enfatice los valores culturales de apertura y colaboración, igualdad y confianza, mejora continua y toma de riesgos. Construya una cultura interna sólida que promueva la adaptación a las condiciones cambiantes del entorno.

1. *El todo es más importante que las partes y las fronteras entre las partes se reducen al mínimo*. La gente está consciente del sistema total, de la forma en que todo se integra y de las relaciones entre las diferentes partes de la organización. Todos los miembros consideran cómo pueden afectar sus acciones a otras partes y a la organización global. Este énfasis en el todo reduce las fronteras tanto dentro de la organización como entre otras compañías. Si bien son probables las subculturas, las actitudes y comportamientos esenciales de todos reflejan la cultura organizacional dominante. El flujo libre de gente y las ideas e información, permiten una acción coordinada y un aprendizaje continuo.
2. *La igualdad y la confianza son los valores básicos*. La cultura crea un sentido de comunidad y de respeto por los otros. La organización es un lugar para crear una red de relaciones que permite a la gente tomar riesgos y desarrollarse a su máxima capacidad. La importancia que se le confiere a tratar a todos con cuidado y respeto crea un clima de seguridad y confianza que permite la experimentación, los errores frecuentes y el aprendizaje. Los administradores enfatizan las comunicaciones honestas y abiertas como un medio para construir la confianza.
3. *La cultura fomenta la toma de riesgos, el cambio y la mejora*. Un valor básico es el cuestionamiento del estado existente de las cosas. Poner con frecuencia las suposiciones en tela de juicio abre las puertas a la creatividad y la mejora. La cultura recompensa y celebra a los creadores de nuevas ideas, productos y procesos de trabajo. Para simbolizar la importancia de la toma de riesgos, una cultura de adaptación puede también recompensar a aquellos que fracasen en aras del aprendizaje y el crecimiento.

Como se ilustró en el cuadro 10.5, las culturas corporativas adaptables tienen diferentes valores y patrones de comportamiento que aquellas que carecen de la capacidad de adaptación.[43] En las culturas de adaptación, los directivos se preocupan por los clientes y los empleados así como por los procesos internos y los procedimientos que provocan un cambio útil. El comportamiento es flexible y los directivos inician el cambio cuando es necesario, incluso cuando éste implique riesgos. En las culturas sin capacidad de adaptación, los administradores están más preocupados por sí mismos o por sus propios proyectos especiales y sus valores desalientan la toma de riesgos y el cambio. Así, las culturas saludables y sólidas, como las de las organizaciones que aprenden, ayudan a las empresas a adaptarse al entorno, mientras las culturas fuertes y no saludables pueden provocar que una organización marche con resolución hacia la dirección equivocada.

CUADRO 10.5
Culturas corporativas con capacidad de adaptación en comparación con las culturas corporativas sin capacidad de adaptación

	Culturas corporativas con capacidad de adaptación	Culturas corporativas sin capacidad de adaptación
Valores centrales	Los directivos se preocupan mucho por los clientes, accionistas y empleados. También valoran a la gente y los procesos que pueden crear un cambio útil (por ejemplo, las iniciativas de liderazgo en toda la escala de la jerarquía directiva).	Una preocupación fundamental de los directivos corresponde a sí mismos, su grupo de trabajo inmediato, o algún producto (o tecnología) asociado con ese grupo de trabajo. Valoran los procesos administrativos ordenados y con riesgos reducidos mucho más que las iniciativas de liderazgo.
Comportamiento común	Los directivos enfocan estrictamente su atención en todos sus constituyentes, en especial en los clientes, e inician el cambio cuando es necesario para atender sus intereses legítimos, incluso cuando éstos entrañen asumir algunos riesgos.	Los directivos tienden a estar un poco aislados, a ser políticos y burocráticos. Como resultado, no cambian con rapidez sus estrategias para ajustarse o aprovechar los cambios en sus entornos de negocio.

Fuente: Adaptado impreso con autorización de The Free Press, una división de Simon & Schuster Adult Publishing Group, de *Corporate Culture and Performace* por John P. Kotter y James L. Heskett. Copyright © 1992 por Kotter Associates, Inc. y James L. Heskett.

Valores éticos y responsabilidad social

De todos los valores que constituyen la cultura organizacional, los valores éticos se consideran ahora como los más importantes. Los escándalos contables corporativos ampliamente difundidos, las acusaciones referentes a que los altos directivos de algunas organizaciones han hecho uso personal de los fondos corporativos y que han explotado de forma ilegal la información, han cubierto los periódicos y las estaciones de radio en años recientes. Los altos directivos corporativos están bajo el escrutinio público como nunca antes, e incluso las compañías pequeñas se están enfrentando a la necesidad de poner un mayor énfasis en la ética para restaurar la confianza entre sus clientes y la comunidad.

Fuentes de principios éticos individuales

La **ética** es el código de principios morales y valores que gobiernan el comportamiento de una persona o grupo con respecto a lo que está bien o mal. Los valores éticos establecen estándares en lo que respecta a lo que está bien o mal en una conducta y en la toma de decisiones.[44] La ética es personal y particular de cada individuo, aunque en cualquier grupo determinado, organización o sociedad existan muchas áreas de consenso acerca de lo que constituye un comportamiento ético.[45] El cuadro 10.6 ilustra las diferentes fuentes de los principios éticos individuales. Cada persona es una creación de su tiempo y lugar en la historia. La cultura nacional, la herencia religiosa, los antecedentes históricos, etcétera, producen el desarrollo de la moralidad social o la visión de la sociedad de lo que está bien o mal. La moralidad social con frecuencia está reflejada en normas de comportamiento y valores acerca de lo que es sensato para una sociedad ordenada. Algunos principios están codificados en leyes y regulaciones, como leyes contra la conducción en estado de ebriedad, el robo o el asesinato.

Estas leyes, así como las normas y valores de la sociedad que no se han escrito, conforman el entorno local dentro del que cada individuo actúa, como la comunidad, familia y lugar de trabajo de la persona. Los individuos absorben las creencias y los valores

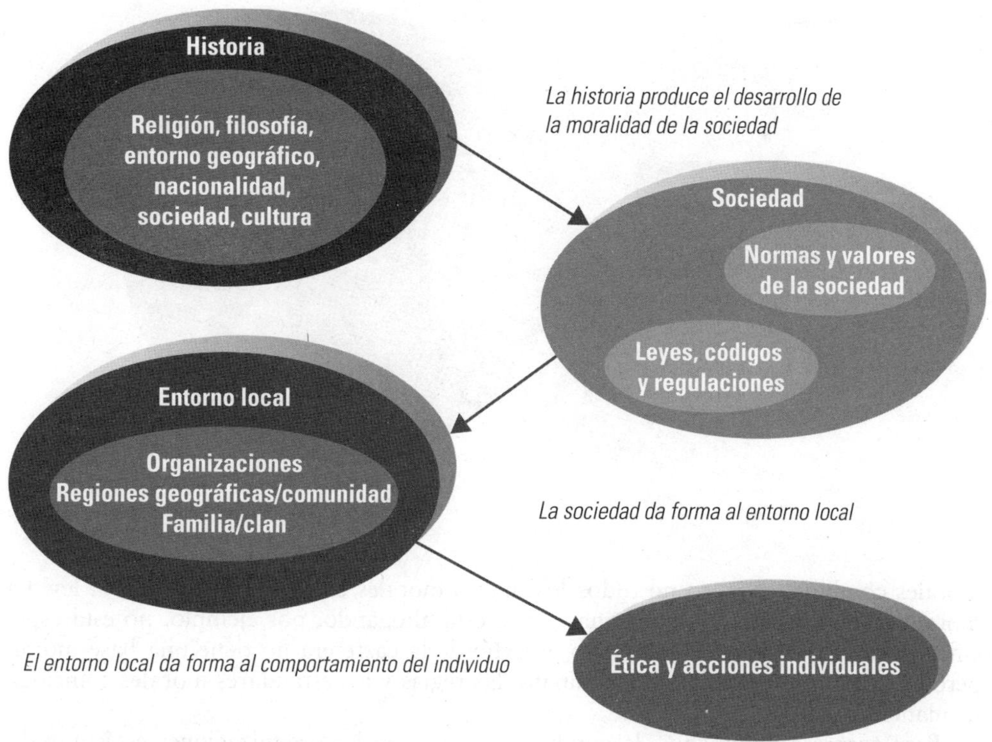

CUADRO 10.6
Fuentes de principios éticas y acciones individuales
Agradecemos a Susan H. Taft y Judith White por proporcionar este cuadro.

de su familia, la comunidad, la cultura, la sociedad, la comunidad religiosa y el entorno geográfico, por lo general, al descartar unos e incorporar otros a sus propios estándares éticos personales. Por lo tanto, la postura ética de cada persona es una mezcla de sus antecedentes e influencias históricas, culturales, sociales y familiares.

Es importante considerar la ética individual debido a que la ética siempre implica una acción individual, ya sea ésta una decisión para actuar o no actuar contra las fechorías de otros. En las organizaciones, las posturas éticas individuales pueden verse afectadas por los colegas, los subordinados y los supervisores, así como por la cultura organizacional. En muchas ocasiones, la cultura organizacional tiene una influencia profunda en las elecciones individuales y puede apoyar y fomentar las acciones éticas o promover un comportamiento no ético e irresponsable dentro de la sociedad.

Como gerente de una organización, tenga en mente estos lineamientos:

Asuma el control de los valores éticos en la organización. La ética no es lo mismo que cumplir con la ley. Las decisiones éticas están influidas por los antecedentes personales del directivo, por la cultura organizacional y por los sistemas organizacionales.

Ética en los negocios y responsabilidad social

Los sucesos recientes han demostrado la poderosa influencia que ejercen los estándares organizacionales en el comportamiento ético. Los estándares éticos estrictos se están convirtiendo en parte de las políticas formales y de las culturas informales de muchas organizaciones y en numerosas escuelas de negocios se están impartiendo cursos de ética. Varios de los escándalos recientes en las noticias tienen que ver con la gente y las corporaciones que infringen la ley. Pero es importante recordar que la ética va más allá de los comportamientos que rige la ley.[46] La **norma legal** surge de un conjunto de principios codificados y regulaciones que describen la forma en que la gente debe actuar, que por lo general es aceptada por la sociedad, y que se puede hacer cumplir en los tribunales.[47]

La relación entre los estándares éticos y los requerimientos legales se ilustra en el cuadro 10.7. Los estándares éticos en su mayor parte aplican al comportamiento no previsto por la ley y la norma legal es aplicable a los comportamientos que no prevén de forma necesaria los estándares éticos. Las leyes actuales muchas veces reflejan juicios

CUADRO 10.7
Relación entre imperio de la ley y estándares éticos
Fuente: LaRue Tone Hosmer, *The Ethics of Management*, 2a. edición. (Homewood, Ill.: Irwin, 1991).

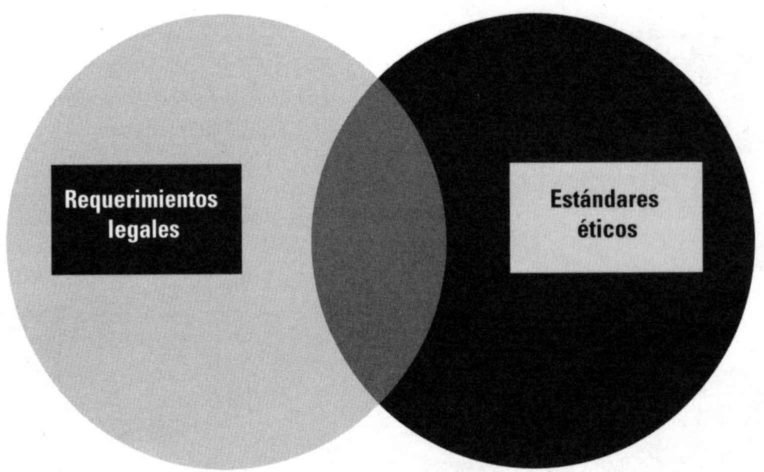

morales combinados, pero no todos los juicios morales están codificados en la ley. La moralidad de ayudar a una persona que se está ahogando, por ejemplo, no está especificada en la ley y manejar del lado derecho de la carretera no tiene una base moral; pero en actos como el robo o el asesinato, las reglas y los estándares morales coinciden de manera parcial.

Para sorpresa de muchos, la conducta no ética en las organizaciones está muy difundida. Más de 54% de los profesionales de recursos humanos que fueron encuestados por la Society for Human Resource Management y el Ethics Resource Center informó que habían observado a empleados mentir a sus supervisores o colaboradores, falsificar informes o registros, o ingerir con abuso drogas o alcohol mientras trabajaban.[48] Mucha gente cree que si no se está infringiendo la ley, entonces se tiene un comportamiento ético, pero esto no siempre es cierto. Numerosos comportamientos pueden no estar codificados y los directivos deben tener la sensibilidad acerca de las normas emergentes y contar con los valores relacionados con estos temas.

La **ética en los negocios** está conformada por principios que guían las decisiones y los comportamientos de los directivos con respecto a si están haciendo algo bien o mal. La noción de **responsabilidad social** es una extensión de esta idea y se refiere a la obligación de la dirección para hacer elecciones y actuar de manera que la organización contribuya al bienestar e interés de todos los participantes en la organización, como empleados, clientes, accionistas, la comunidad y la sociedad en general.[49]

Algunos ejemplos de la necesidad de la ética en los negocios son los siguientes:[50]

- Los altos directivos están considerando promover al director de ventas que ha aportado de manera ininterrumpida $70 millones al año y ha abierto nuevos mercados en lugares como Brasil y Turquía que son importantes para el crecimiento internacional de la organización. Sin embargo, algunas empleadas se han quejado durante años de que este director es verbalmente injurioso con ellas, hace chistes ofensivos y pierde los estribos cuando una empleada no hace exactamente lo que pide.
- Se le ha dicho a la gerente de una tienda de artículos de belleza que sus vendedores pueden recibir grandes bonos por vender un número específico de cajas de un nuevo producto, una solución para permanente de cabello que cuesta casi el doble del producto que por lo general utilizan los clientes del salón de belleza. Les ordena a los vendedores de la tienda que coloquen el antiguo producto atrás y digan a los clientes que ha habido un retraso en su entrega.
- El gerente de un proyecto de planeación de construcción no sabe si debe pasar por alto algunas cuestiones de planeación en su informe, debido a que la comunidad donde el complejo será construido puede objetar si descubre ciertos aspectos ambientales del proyecto.

- Se le pide a un fabricante estadounidense que opera en el extranjero que haga pagos en efectivo (un soborno) a funcionarios gubernamentales y se le dice que esto es una práctica común, a pesar de ser ilegal en Norteamérica.

Como lo ilustran estos ejemplos, la responsabilidad social y la ética están implicadas en la toma de decisiones. Todos los días, los directivos hacen elecciones relacionadas con ser honesto o deshonesto con los clientes, tratar a los empleados con respeto o desdén, o ser un ciudadano corporativo bueno o dañino. Algunos temas son muy difíciles de resolver y muchas veces suponen dilemas éticos. Un **dilema ético** surge en una situación concerniente a lo bueno y lo malo, en la cual los valores están en conflicto.[51] En estas situaciones lo bueno y lo malo no puede ser claramente identificado. Por ejemplo, para el vendedor en la tienda de artículos de belleza, el conflicto de valor está entre ser honesto con los clientes o adherirse a las expectativas de su jefa. El director de una empresa de manufactura puede no decidirse entre respetar y seguir las costumbres locales de un país extranjero o adherirse a las leyes estadounidenses concernientes a los sobornos. Algunas veces, todas las alternativas parecen indeseables.

Los dilemas éticos no son fáciles de resolver, pero los altos ejecutivos pueden ayudar al proceso mediante el establecimiento de valores organizacionales que proporcionen lineamientos a la gente para tomar la mejor decisión desde un punto de vista moral.

¿Ser bueno, reditúa?

La relación que tienen la ética en los negocios y la responsabilidad social con el desempeño organizacional ha inquietado tanto a directivos organizacionales como a académicos de esta área. Los estudios han proporcionado varios resultados, pero en términos generales han encontrado que hay una pequeña relación positiva entre la ética y el comportamiento socialmente responsable y los resultados financieros.[52] Por ejemplo, en un estudio reciente del desempeño financiero de corporaciones estadounidenses consideradas como los "mejores ciudadanos corporativos" se encontró que tenían reputaciones superiores y un mejor desempeño financiero.[53] De manera similar, Governance Metrics International, una agencia independiente encargada de calificar el control corporativo, encontró que las acciones y valores de las compañías administradas con base en los principios más desinteresados tenían un mejor rendimiento que los de aquellas administradas de una manera más egoísta. Las compañías con calificaciones más altas como Pfizer, Johnson Controls, y Sunoco también aventajaron a las empresas que habían tenido calificaciones más bajas en medidas como rendimiento sobre los activos, rendimiento sobre la inversión y rendimiento sobre el capital.[54]

Como se analizó antes en este capítulo, el éxito organizacional de largo plazo depende en gran parte del capital social, el cual implica la necesidad organizacional de construir una reputación de honestidad, justicia y rectitud. Los investigadores han encontrado que las personas prefieren trabajar en compañías que demuestran un alto nivel de responsabilidad social, de manera que estas compañías pueden atraer y retener empleados de alta calidad.[55] Por ejemplo, Timberland, proporciona a sus empleados 40 horas de permiso de ausencia al año sin remuneración para realizar algún trabajo comunitario voluntario y apoya a varias causas caritativas y con frecuencia ha sido calificada en la lista de la revista *Fortune* como una de las 100 mejores compañías para trabajar. Un vicepresidente afirmó que había rechazado ofertas lucrativas de otras compañías debido a que prefería trabajar en una compañía que coloca la ética y la responsabilidad social por encima de la obtención simple y llana de ingresos.[56]

También hay algo relacionado con los clientes. Un estudio de Walker Research indica que, cuando el precio y la calidad son iguales, dos tercios de las personas afirman que cambiarían de la marca que tan sólo hace negocio por una compañía con un alto compromiso ético.[57]

Las compañías que colocan a la ética en lugares secundarios por privilegiar el crecimiento rápido y las ganancias de corto plazo, tarde o temprano sufrirán las consecuencias. Para obtener y conservar la confianza de los empleados, clientes, inversionistas y público en general, las organizaciones deben colocar la ética ante todo. "Tan sólo decir que uno es ético, no sirve de mucho", afirma Charles O. Holliday, Jr., director general y presidente de DuPont Co. "Uno tiene que ganarse la confianza mediante lo que hace todos los días".[58]

Fuentes de valores éticos en las organizaciones

La ética en las organizaciones es un asunto tanto individual como organizacional. Los estándares para una conducta ética o socialmente responsable están representados por cada empleado así como por la organización misma. Además, los participantes externos pueden influir en los estándares de lo que se considera como ética y socialmente responsable. Las fuerzas inmediatas que afectan las decisiones éticas en las organizaciones se resumen en el cuadro 10.8. Las creencias y valores individuales, el marco de decisión ético de una persona y su desarrollo moral ejercen influencia sobre la ética personal. La cultura organizacional, como ya se analizó, moldea el marco general de valores de una organización. Además, los sistemas organizacionales formales comprenden los valores y los comportamientos de acuerdo con el marco de políticas y sistemas de recompensa organizacionales. Las compañías también responden a varios participantes en el proceso de identificación de lo que es correcto. Ellas consideran la forma en que los clientes, agencias gubernamentales, accionistas y comunidad en general, pueden percibir sus acciones; y también ponderan el impacto que cada curso alternativo de acción podría tener en los diferentes participantes. Todos estos factores se pueden analizar para entender las decisiones éticas y socialmente responsables de las organizaciones.[59]

Ética personal

Todos los individuos aportan una serie de creencias y valores personales a su lugar de trabajo. Los valores personales y el razonamiento moral que traducen estos valores en un comportamiento son aspectos importantes de la toma de decisiones éticas en las organizaciones.[60]

Como se analizó anteriormente, los antecedentes históricos, culturales, familiares, religiosos y comunitarios de los directivos dan forma a sus valores personales y proporcionan los principios a partir de los cuales administran el negocio. Además, la gente atraviesa etapas de desarrollo moral que afectan su capacidad de traducir valores en comportamiento. Por ejemplo, los niños tienen un bajo nivel de desarrollo moral, toman decisiones y se comportan para obtener recompensas y evitar el castigo físico. En un nivel intermedio de desarrollo, la gente aprende a avenirse a las expectativas de buen comportamiento tal como lo definen los colegas y la sociedad. La mayoría de los directivos están en este nivel, ellos cumplen de manera voluntaria con la ley y responden a las expectativas de la sociedad. En el nivel más alto de desarrollo moral están las personas que desarrollan un conjunto de estándares interno. Estos principios éticos que la persona elige son más importantes para las decisiones que las expectativas externas. Sólo pocas personas alcanzan este nivel elevado, el cual puede implicar incluso infringir las leyes si fuera necesario para defender a los principios morales más altos.[61]

El otro factor personal consiste en si los directivos han desarrollado un *marco ético* que guíe sus decisiones. Por ejemplo, la *teoría utilitaria* argumenta que las decisiones éticas se deben realizar para generar los beneficios más significativos para el mayor número de gente. Este marco muchas veces coincide con las decisiones de los negocios debido a que los costos y los beneficios se pueden calcular en dinero. El marco de la *libertad personal* argumenta que las decisiones se deben tomar a fin de asegurar el mayor grado posible de libertad de elección y autonomía para los individuos. Las libertades incluyen la libertad de actuar según la propia conciencia, la libertad de expresión, el derecho a un proceso justo y el derecho a la privacidad. El marco de la *justicia distributiva* sostiene que las decisiones morales son aquellas que promuevan la equidad, la justicia e imparcialidad con respecto a la distribución de recompensas y la administración de reglas, las cuales son esenciales para la cooperación social.[62]

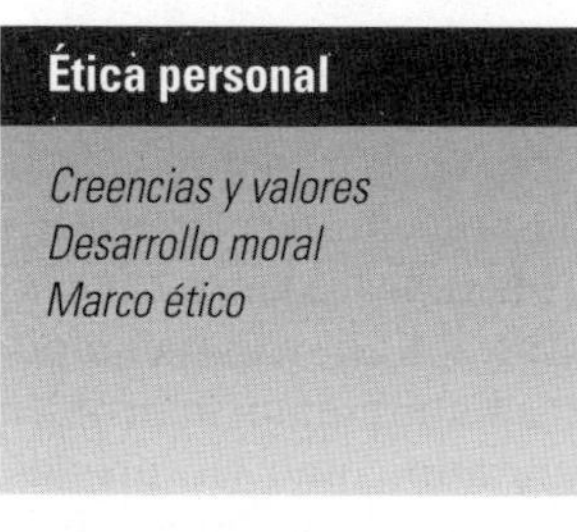

CUADRO 10.8
Fuerzas que moldean la ética en los negocios

Cultura organizacional

En raras ocasiones las prácticas de negocios éticas o no éticas pueden atribuirse por completo a la ética personal de un solo individuo. Las prácticas de negocio también reflejan los valores, actitudes y patrones de comportamiento de la cultura organizacional. Para promover un comportamiento ético en el lugar de trabajo, las compañías deben convertir la ética en una parte integral de la cultura organizacional. Kevin Kelly, que dirige Esmerald Packaging, un negocio familiar que comenzó el padre de Kelly en 1963, se esfuerza por continuar la tradición del negocio ético que hizo que su padre se ganara el apodo de "el honesto Jim". Kelly sabe que algunos de sus competidores tratan de asegurar la lealtad de sus clientes ofreciéndoles regalos costosos, pero la cultura de Esmerald enfatiza que la mejor forma de atraer y mantener clientes es ser honesto y tratarlos con justicia.[63]

La cultura organizacional tiene un impacto poderoso en la ética individual debido a que sirve de guía a los empleados para la toma de decisiones cotidiana. Cuando la cultura promueve las transgresiones, es fácil para los empleados individuales hacer lo mismo. Un empleado joven de Enron explicó cómo había caído en decisiones y prácticas no éticas en su trabajo: "Fue fácil meterse en esto 'y como todo el mundo lo estaba haciendo, quizá no estaba tan mal'".[64]

Sistemas organizacionales

La tercera categoría de influencia que conforma la ética directiva son los sistemas de organización formal. Éstos incluyen la arquitectura básica de la organización, como el hecho de si los valores éticos están considerados en las políticas y reglas; si los empleados tienen a su alcance un código de ética que se distribuye entre ellos; si las recompensas organizacionales, tales como: premios, concesiones y promociones están vinculados con el comportamiento ético; y si la ética es un factor de consideración en la elección y capacitación de los empleados. Estos esfuerzos formales pueden reforzar los valores éticos que existen en la cultura informal.

Muchas compañías han establecido programas éticos formales. Por ejemplo, después de haber sido difamado por la prensa nacional y perseguida por oficiales federales por prácticas contables cuestionables y fraude, Columbia/HCA Healthcare Corp., una gran cadena de hospitales con sede en Nashville, Tennessee, contrató a un nuevo equipo directivo para reparar el desastre y asegurar que nunca volvieran a presentarse problemas éticos y legales similares. Cuando Alan R. Yuspeh fue contratado como vicepresidente de ética, cumplimiento y responsabilidad corporativa, sólo encontró un programa rudimentario de obediencia y un conjunto de lineamientos éticos superficiales que nadie pudo entender. Yuspeh elaboró un borrador de código de conducta claro y conciso que enfatizaba los valores de compasión, honestidad, justicia, lealtad, respeto y amabilidad. Además, la oficina de Yuspeh desarrolló un programa ético general que incluía una capacitación integral para todos los empleados y una línea telefónica de asistencia ética que daba respuesta a alrededor de 1200 llamadas de empleados por año.[65]

Participantes externos

La ética directiva y la responsabilidad social también son influidas por una variedad de participantes externos, grupos ajenos a la organización que tienen interés en el desempeño corporativo. La toma de decisiones responsables desde el punto de vista ético y social reconoce que la organización es parte de una comunidad más grande y considera el impacto que una decisión o acción puede llegar a tener sobre todos los participantes.[66] Los participantes externos importantes son las agencias gubernamentales, los clientes, los grupos de interés especial, o las personas preocupadas por el entorno natural.

Las compañías deben operar dentro de los límites de ciertas regulaciones gubernamentales, como las leyes de seguridad, los requerimientos de protección ambiental y muchas otras leyes y reglamentaciones. Numerosas compañías entre las que se encuentran Global Crossing, WorldCom, Merrill Lynch y Xerox, han estado bajo el escrutinio de la comisión de la bolsa de valores (SEC, por sus siglas en inglés) estadounidense por supuestas violaciones a las leyes relacionadas con controles financieros y prácticas contables. Las compañías en la industria del cuidado de la salud tienen que cumplir con numerosas leyes y regulaciones, así como las organizaciones como escuelas y guarderías. Los clientes son otro grupo participante importante, ellos están preocupados principalmente por la calidad, seguridad y disponibilidad de bienes y servicios. Por ejemplo, McDonald's ha reducido los ácidos grasos trans en sus alimentos fritos como respuesta a la creciente inquietud de los clientes por posibles riesgos a la salud asociados con la dieta de la comida rápida.[67]

Los grupos de interés especial continúan siendo uno de los mayores problemas de parte de participantes externos que las compañías enfrentan. En la actualidad, aquellos que están interesados en la responsabilidad corporativa con el entorno natural son particularmente elocuentes. Así, el ambientalismo se está convirtiendo en una parte integral de la planeación organizacional y de la toma de decisiones para las compañías líderes. El concepto de *desarrollo sustentable*, el cual supone un interés dual tanto en el crecimiento económico como en la conservación del entorno, ha estado ganando adeptos entre muchos líderes de negocios. El público ya no está a gusto con las organizaciones que se enfocan sólo en la obtención de utilidades a expensas del entorno natural. La sustentabilidad ambiental —que significa que aquello que se obtiene del sistema ambiental para alimentos, vivienda, ropa, energía y otros usos humanos se restituya al sistema en forma de desperdicios que puedan reutilizarse— es una parte de la estrategia de algunas compañías como lo son: Monsanto, Interface, IKEA; Electrolux, Scandic Hotels y MacMillan-Bloedel. Interface, el líder multimillonario de la industria de recubrimientos de pisos, está instituyendo cambios que permitirán a la compañía fabricar sin contaminar o generar desperdicios o combustibles fósiles. Desde su taller, hasta su laboratorio de investigación y desarrollo, para Interface la sustentabilidad es una consideración tan importante como la rentabilidad. El énfasis en el ambientalismo no ha dañado a esta compañía. Durante un periodo de un año, las ventas se incrementaron de $800 millones a $1000 millones. Durante ese tiempo, la cantidad de materias primas utilizadas por la compañía descendió a casi 20% por dólar de ventas.[68]

Cómo dan forma los líderes a la cultura y la ética

En un estudio de políticas y práctica éticas realizado en compañías exitosas como Johnson & Johnson y General Mills, nada emergió con mayor claridad que la función de la alta dirección para proporcionar compromiso, liderazgo y ejemplos de comportamiento ético.[69] El director general y los altos directivos deben estar comprometidos con valores específicos y proporcionar un liderazgo constante para el cuidado y la renovación de valores. Los valores se pueden comunicar de varias formas: por medio de discursos, publicaciones corporativas, afirmaciones de políticas y, en especial, acciones personales. Los altos líderes son responsables de crear y promover una cultura que enfatice la importancia del comportamiento ético cotidiano de todos los empleados. Cuando un director general se involucra en prácticas no éticas o no lleva a cabo acciones firmes y decisivas en respuesta a prácticas no éticas por parte de los demás, esta actitud se infiltra a través de toda la organización. Los códigos de ética formales y los programas de capacitación son inútiles si los líderes no establecen y se mantienen a la altura de los estándares elevados de la conducta ética.[70]

Las siguientes secciones examinan la forma en que los directivos envían señales e implementan valores a través del liderazgo así como mediante sistemas corporativos formales.

Liderazgo basado en valores

El sistema de valor subyacente de una organización no puede administrarse de la forma tradicional. Designar a un directivo autoritario, por ejemplo, tiene poco o ningún impacto sobre el sistema de valor de una organización. Los valores organizacionales se desarrollan y fortalecen principalmente a través de un **liderazgo basado en valores**, una relación entre un líder y sus seguidores está basada en valores compartidos e interiorizados con solidez que el líder define y pone en práctica.[71]

Como gerente de una organización, tenga en mente estos lineamientos:

Actúe como líder de la cultura interna y los valores éticos que sean importantes para la organización. Influya en el sistema de valores mediante un liderazgo basado en éstos, por medio del uso de ceremonias, dilemas, símbolos e historias. Comunique valores importantes a los clientes para mejorar la efectividad organizacional y recuerde que las acciones dicen más que las palabras.

Los líderes ejercen una influencia sobre los valores culturales y éticos gracias a una visión bien articulada de los valores organizacionales en los que los empleados pueden creer, o bien, a la comunicación de la visión a través de toda la organización y a la institucionalización de la visión a través de su comportamiento cotidiano, los rituales, las ceremonias y los símbolos, así como por medio de los sistemas y las políticas organizacionales. Cuando Vic Sarni fue director general de PPG Industries muchas veces se llamaba a sí mismo el director general de ética. Sarni no creía en utilizar departamentos especiales para investigar las quejas con motivos éticos; en lugar de ello, en persona encabezaba el comité de ética de la empresa. Esto transmitió un mensaje simbólico muy poderoso acerca de qué tan importante era la ética en esa organización.[72]

Los directivos deben recordar que cada frase y acción tiene un impacto sobre la cultura y los valores. Por ejemplo, una encuesta de lectores de la revista *The Secretary* encontró que los empleados estaban muy conscientes de los errores éticos de sus jefes. Algo tan sencillo como que una secretaria certifique un documento sin cotejar la firma puede ser insignificante, pero comunica que el gerente no valora la honestidad.[73] Los empleados aprenden valores, creencias y metas al observar a sus directivos, tal como los estudiantes aprenden los temas que son importantes para un examen, lo que les agrada a los maestros y cómo obtener una buena calificación sólo al haber observado a sus profesores. Con frecuencia, para ser líderes efectivos basados en valores, los ejecutivos utilizan símbolos, ceremonias, discursos y eslóganes que corresponden a los valores. El nuevo director de Citigroup, Charles Prince, está dedicando una tremenda cantidad de tiempo a hablar acerca de los valores con los empleados y clientes. Prince sabe que para una compañía del tamaño de Citigroup, no basta con fortalecer reglas y sistemas. Para que la compañía "interiorice" un código de ética sólido en todo el mundo, Prince está realizando un compromiso visible con los valores a través de sus discursos, discursos en video y comunicación habitual.[74] Prince también afirma que no tendrá piedad con los directivos y empleados que no sigan las reglas. Las acciones hablan más fuerte que las palabras, así que los líderes basados en valores "practican lo que predican".[75]

Los líderes basados en valores engendran un alto nivel de confianza y respeto en los empleados, fundamentado no sólo en los valores expresados sino también en el valor, la determinación y la abnegación que demuestran para defenderlos. Los líderes pueden usar este respeto y confianza para incentivar a los empleados a lograr un nivel de desempeño alto y para que tengan como finalidad el logro de la visión organizacional. Cuando los líderes están dispuestos a realizar sacrificios personales en aras de los valores, también los empleados estarán más dispuestos a hacerlo. Este elemento de abnegación da una connotación un poco espiritual al proceso del liderazgo. De hecho, un escritor de teoría de la organización, Karl Weick, ha dicho que "el trabajo directivo puede concebirse como la administración de los mitos, los símbolos y las etiquetas...; ya que los directivos trafican con tanta frecuencia con imágenes, su función más adecuada podría ser la de un predicador y no la de un contador".[76]

John Tu y David Sun, cofundadores de Kingston Technology Co., proporcionan un ejemplo de liderazgo basado en valores.

En la práctica
Kingston Technology Co.

"Los negocios no tratan sólo de dinero", afirma David Sun, vicepresidente y director de operaciones de Kingston Technology Co., la cual fabrica dispositivos de memoria para computadoras personales, impresoras láser, cámaras digitales y otros productos. "Se trata de relaciones." Sun y su cofundador, el presidente John Tu, se esfuerzan por desarrollar relaciones profundas, amables y de confianza con los empleados. "Son parte del equipo", afirma un empleado de la sociedad de la que forman parte los empleados con los líderes en Kingston. "Ellos no son los dueños; son empleados. Y ese valioso sistema se transmite."

Sun y Tu piensan que todos en la compañía son un líder, de manera que comparten la riqueza con los empleados. Cuando los dos vendieron 80% de Kingston a Softbank Corp. de Japón por $1500 millones apartaron $100 millones de la operación para abonos de los empleados. La distribución inicial de $38 millones fue dirigida a los casi 550 empleados que estaban en la compañía en el momento de su venta. Otros $40 millones se han repartido desde entonces entre los 500 trabajadores actuales de la compañía. A Sun y Tu en verdad les desconcierta el asombro que causa a la gente que hayan dado $100 millones a sus empleados, porque para ellos esta acción sencillamente es lo justo.

A pesar de esta sorprendente generosidad, cuando la gente habla de por qué les gusta trabajar en Kingston, en raras ocasiones mencionan el dinero o las prestaciones. En lugar de ello, hablan acerca de los actos personales de gentileza o amabilidad que profieren los dos altos directivos. Hay muchas historias acerca de estos líderes y de sus ofertas discretas de dinero, tiempo y recursos, o tan sólo de su preocupación genuina por los problemas familiares o personales de los empleados. Este enfoque de liderazgo crea un lazo emocional con los empleados, mismo que a su vez construye confianza y respeto mutuos. Los empleados sienten que son parte de una familia cariñosa, y debido a que son tratados con gentileza, amabilidad y respeto, transmiten esa actitud en relaciones mutuas, con los clientes, los proveedores y otras personas externas. Los empleados están muy motivados para cumplir las metas organizacionales y mantener la reputación que tiene la compañía de hacer lo correcto. Alguien afirmó, "Intentamos conservar el buen nombre de la familia".[77]

Estructura y sistemas formales

Otro conjunto de herramientas que los líderes pueden utilizar para dar forma a los valores culturales y éticos es la estructura y los sistemas formales de la organización. Estos sistemas han sido en particular efectivos en años recientes para influir la ética en los negocios.

Estructura. Los directivos pueden asignar la responsabilidad de los valores éticos a un puesto específico. Esto no sólo asigna tiempo y energía de la organización al problema sino que simboliza para todos la importancia que tiene la ética en la empresa. Un ejemplo de esto es la creación de un comité de ética, el cual es un grupo interdisciplinario de ejecutivos que supervisan la ética corporativa. El comité proporciona reglas acerca de los temas éticos cuestionables y asume la responsabilidad de disciplinar a los transgresores. Mediante la asignación de ejecutivos de alto nivel para prestar sus servicios en el comité, la organización transmite a los demás la importancia de la ética.

En la actualidad, muchas organizaciones están estableciendo departamentos de ética que administran y coordinan todas las actividades relacionadas con la ética corporativa. Estos departamentos están encabezados por un **director general de ética**, un ejecutivo de alto nivel de la compañía que supervisa todos los aspectos éticos, entre los cuales se pueden mencionar el establecimiento y la comunicación de estándares éticos, la implementación de programas de capacitación ética, la supervisión de investigación acerca de los problemas éticos y la consultoría a los directivos acerca de los aspectos éticos de las decisiones corporativas.[78] Hace una década, casi nunca se escuchaba hablar del puesto de director general de ética, pero los problemas éticos y legales recientes han creado una demanda cada vez mayor de estos especialistas. Entre 1992 y principios de 2005, la membresía a organizaciones como la Ethics Officer Association, un grupo gremial, ascendió de sólo 12 compañías a más de 1000.[79]

Portafolios

Como gerente de una organización, tenga en mente estos lineamientos:

Utilice los sistemas formales de la organización para implementar los valores éticos y culturales deseados. Estos sistemas comprenden la conformación de un comité de ética, un director general de ética, mecanismos de denuncia, un código de ética, una declaración de misión y marcos para la capacitación en la toma de decisiones éticas.

Algunas veces las oficinas de ética también funcionan como centros de consejería para ayudar a los empleados a resolver dilemas éticos difíciles. Su tarea central consiste tanto en ayudar a los empleados a tomar decisiones correctas como disciplinar a los transgresores. La mayoría de las oficinas de ética tienen **líneas telefónicas confidenciales de ayuda ética** que los empleados pueden utilizar para pedir orientación así como informar acerca de comportamientos cuestionables. Una organización llama a su línea de ayuda "línea guía" para recalcar la función que ésta tiene como herramienta que permite tomar decisiones éticas, así como para reportar errores.[80] De acuerdo con Gary Edwards, presidente del Ethics Resource Center, entre 65 y 85% de las llamadas a las líneas de ayuda en las organizaciones que él asesora son llamadas para pedir consejo acerca de cuestiones éticas. La "línea abierta" de Northrup Grumman recibe alrededor de 1400 llamadas por año, de las cuales sólo un cuarto son informes de faltas éticas.[81]

Mecanismos de denuncia. Una línea de ayuda telefónica confidencial también puede ser un mecanismo importante para que los empleados puedan expresar sus inquietudes acerca de las prácticas éticas. La confiabilidad de las organizaciones depende en algún grado de aquellos individuos que estén dispuestos a hablar si sospechan de actividades ilegales, peligrosas o no éticas. Las organizaciones pueden establecer políticas y procedimientos para apoyar y proteger a los *denunciantes*. La **denuncia** es la revelación por parte de los empleados de prácticas ilegales, inmorales o ilegítimas de parte de la organización.[82] Un valor de la política corporativa es proteger a los denunciantes de manera que no sean transferidos a puestos de más bajo nivel o despedidos debido a sus inquietudes éticas. Una política también puede alentar a los denunciantes a permanecer en la organización: por ejemplo, transmitir con discreción la denuncia a los gerentes responsables.[83] Los denunciantes tienen la opción de detener las actividades organizacionales al acudir a reporteros de periódicos o de televisión, pero como último recurso. A medida que los problemas éticos aumentan en el mundo corporativo, muchas compañías están buscando formas de proteger a los denunciantes. Además, las peticiones de una protección legal más fuerte para aquellos que reportan unidades de negocio ilegales o poco éticas son cada vez más.[84] Cuando no existen medidas de protección, los denunciantes sufren y la compañía puede continuar con sus prácticas ilegales o corruptas.

Muchos denunciantes padecen pérdidas financieras y personales por defender sus estándares éticos individuales. Cuando Colleen Rowley del FBI escribió un memorando de 13 páginas al director del FBI, Robert Mueller, acerca de las fallas y errores de la agencia que pudieron haber contribuido a los ataques del 11 de septiembre de 2001, estaba muy consciente de los riesgos. "Debido a la franqueza con la que me he expresado", escribió Rowley, "espero que la permanencia en mi empleo en el FBI no sea puesta en peligro en forma alguna". Dado su temor a las recriminaciones y la preocupación de que la agencia suprimiera sus acusaciones, Rowley también envió una copia del memorando al comité de inteligencia del Senado.[85]

Las compañías bien informadas se esfuerzan por crear un clima y una cultura en los que los empleados se sientan libres de expresar sus problemas y los directivos lleven a cabo acciones prontas para solucionar los problemas causados por actividades ilegales o poco éticas. Las organizaciones pueden ver la denuncia como un beneficio para la compañía, que les ayuda a impedir la clase de desastres que han dañado a compañías como Enron, Arthur Andersen y WorldCom, por lo que deben esforzarse para apoyar y proteger a los denunciantes.

Código de ética. Una encuesta de *Fortune* a 1000 compañías encontró que 98% de éstas abordó cuestiones éticas y conducta de negocios en las políticas corporativas formales y 78% contaba con códigos de ética a parte que se distribuían a todos los empleados.[86] Un **código de ética** es una expresión formal de los valores de la compañía concernientes a la ética y a las responsabilidades sociales; esclarece a los empleados la postura de la compañía y la conducta que se espera de ellos. El código de ética en Lockheed Martin, por ejemplo, afirma que la organización "intenta establecer un estándar para la conducta ética" mediante la adherencia a los valores de honestidad, integridad, respeto, confianza, responsabilidad y ciudadanía. El código especifica el tipo de comportamientos que se espera respeten esos valores y alienta a los empleados a utilizar los recursos corporativos disponibles que los ayuden a realizar elecciones y tomar decisiones éticas.[87] Los códigos de ética pueden abarcar un gran rango de cuestiones, entre las que se encuentran la declaración de los valores directivos de la compañía, los lineamientos relacionados con cuestiones como la seguridad del lugar de trabajo, la seguridad de la información privada, o la privacidad del empleado; y los compromisos con la responsabilidad ambiental, la seguridad de producto y otras cuestiones concernientes a los participantes.

Algunas compañías utilizan declaraciones de valores más amplias dentro de las cuales la ética es una parte. Estas declaraciones definen los valores éticos así como la cultura corporativa y contienen un lenguaje acerca de la responsabilidad de la compañía, la calidad de producto y el tratamiento de los empleados. Una declaración de valores formal puede servir como documento fundamental que defina lo que la organización valora y legitime las elecciones basadas en los valores de los empleados.[88] Por ejemplo, Citigroup está implementando una nueva declaración de valores culturales y éticos después de haber estado envuelto en una serie de escándalos en Estados Unidos, Japón y Europa. El director general, Charles Prince, explica: "Nuestra meta es hacer explícito lo que es implícito. Todos los empleados, incluso yo mismo, tenemos la capacidad de reivindicar nuestra reputación y nuestra integridad".[89]

Los códigos de ética escritos son importantes debido a que clarifican y declaran formalmente los valores de la compañía y los comportamientos éticos esperados. Sin embargo, es esencial que los altos directivos apoyen y fortalezcan los códigos mediante sus acciones, incluyendo recompensas al cumplimiento y disciplina a los transgresores. De otra forma, un código de ética es tan sólo un trozo de papel. De hecho, un estudio encontró que las compañías con un código de ética escrito son iguales a aquellas que no contaban con códigos y que han sido encontradas culpables de actividades ilegales.[90] Muchas compañías que en la actualidad están teniendo problemas con la comisión de bolsa y valores estadounidense (SEC, por sus siglas en inglés), como Halliburton y Arthur Andersen, tenían códigos de ética bien desarrollados, pero los directivos no los hicieron cumplir ni fomentaron los valores éticos.

Programas de capacitación. Para asegurar que las cuestiones éticas estén consideradas en la toma de decisiones cotidiana, las compañías pueden complementar un código de ética escrito con programas de capacitación de empleados.[91] En Citigroup, el nuevo programa de capacitación ética en línea es obligatorio para los 300 000 empleados a nivel mundial.[92] Todos los empleados de Texas Instruments (TI) toman un curso de capacitación ética de ocho horas que incluye ejemplos de caso, lo cual da a la gente la oportunidad de enfrentarse a dilemas éticos. Además, TI incorpora un componente ético en todos los cursos de capacitación que ofrece.[93]

Como un avance importante, los programas éticos también incluyen modelos para la toma de decisiones ética, como el enfoque utilitario descrito al principio de este capítulo. Aprender en estos modelos ayudará a los directivos a actuar de manera autónoma y seguir pensando por cuenta propia cuando tienen que tomar una decisión difícil. En algunas compañías, también se enseña a los directivos las etapas del desarrollo moral, lo cual ayuda a brindarles un alto nivel ético en la toma de decisiones. Esta capacitación ha sido un catalizador importante para el establecimiento del comportamiento ético y la integridad como componentes críticos de la competitividad estratégica.[94]

Estos sistemas y estructuras formales pueden ser muy efectivos, sin embargo, aislados no son suficientes para construir y sostener una compañía ética. Los líderes deben integrar la ética a su cultura organizacional y promover y renovar los valores éticos a través de sus palabras y sus acciones. Jeffrey Immelt, presidente y director general de General Electric, está luchando por integrar los valores éticos y socialmente responsables en el centro de la gigantesca compañía industrial y de servicios financieros.

En la práctica

General Electric

Doscientos funcionarios corporativos de General Electric (GE), la compañía más admirada y más valiosa del mundo, escucharon al presidente y director general, Jeffrey Immelt, presentar cuatro elementos que llevarían a GE a la cima. Ellos ya habían escuchado la mayor parte de todo esto antes: la ejecución, el crecimiento y la gente sobresaliente. Pero Jeffrey Immelt sorprendió a algunos cuando agregó uno nuevo al principio de la lista: *virtud*. Además, insistió que la virtud no sólo son las acciones buenas que se deben llevar a cabo, sino un imperativo de los negocios. Él piensa que ser una compañía grande en la actualidad significa ser una compañía buena.

Jeffrey Immelt está ubicando los valores éticos en el centro de la toma de decisiones corporativas. El cambio está reflejado en la forma en que la compañía se maneja a sí misma y trata a los empleados, la clase de compañías con las que hace negocios y las nuevas tecnologías en las que invierte. Por ejemplo, Jeffrey Immelt designó en 2002 al primer vicepresidente de ciudadanía corporativa de GE. Parte del trabajo de este directivo es ayudar a Jeffrey Immelt a difundir el mensaje de la virtud a las vastas unidades de negocio de GE. La compañía ahora está auditando a los proveedores en los países en vías de desarrollo para asegurarse de que cumplan con los estándares de mano de obra, ambientales, de salud y de seguridad. Las políticas de recursos humanos se han revisado para incluir prestaciones sociales nacionales a las parejas y promover a más mujeres afroestadounidenses a puestos superiores. GE también está invirtiendo en tecnologías nuevas que no sean nocivas para el entorno, como un equipo de energía solar y negocios con base en la energía eólica. Está gastando $20 millones en un proyecto de cuidado de la salud para las áreas rurales de Ghana.

General Electric durante mucho tiempo ha tenido un programa ético sólido, que incluye una declaración de valores, una política ética, una política de integridad que todos los empleados firman, programas de capacitación, políticas de cumplimiento, etcétera. La gran diferencia que Jeffrey Immelt está aportando a la compañía es colocar los valores en el centro de los negocios y que todos pongan una atención cuidadosa en la forma en que GE se relaciona con el mundo que lo rodea. Jeffrey Immelt piensa que el enfoque es bueno para la compañía, la sociedad y los empleados. "La razón de que la gente venga a trabajar a GE es que desean ser parte de algo que es más grande que ellos mismos", afirma. "La gente desea... trabajar para una compañía que está haciendo cosas grandiosas en el mundo."[95]

Al integrar la ética y la responsabilidad social corporativa y colocarlas en el centro de la organización, Jeffrey Immelt esta haciendo que la integridad organizacional forme parte de los negocios cotidianos. Sólo cuando los empleados estén convencidos de que los valores éticos tienen una función crucial en todas las decisiones directivas y las acciones, podrán comprometerse a hacerlos parte de su comportamiento cotidiano. En una compañía del tamaño y la escala de GE, es un reto colosal mantener enraizados los valores éticos en la cultura. Otras organizaciones que operan a escala global también enfrentan retos relacionados con la cultura y la ética.

Cultura y ética corporativas en un entorno global

El informe, *Workforce 2020,* del Hudson Institute, afirma que "El resto del mundo importa a un grado nunca antes visto".[96] Los directivos están descubriendo la verdad en esto no sólo en términos económicos o cuestiones de recursos humanos, sino también en términos de los valores culturales y éticos. Las organizaciones que operan en las diferentes áreas del mundo, han tenido muchos problemas debido a los distintos factores culturales y de mercado que deben enfrentar. La mayor complejidad del entorno y del dominio organizacional crea un mayor potencial para los problemas éticos o los malos entendidos.[97] Considere, por ejemplo que en Europa, la privacidad ha sido definida como un derecho humano básico y que existen leyes que limitan la cantidad y clase de información que las compañías pueden recabar acerca de la vida personal del empleado y controlan cómo la deben utilizar. Por otro lado, en Estados Unidos las organizaciones recaban datos, los intercambian con sus socios, los utilizan para el marketing e incluso los venden, todo lo cual es una práctica común en ese país.[98] ¿Cómo pueden los directivos implementar las ideas para desarrollar culturas corporativas fuertes en un entorno global tan complejo? ¿Cómo desarrollar códigos de ética u otras estructuras y sistemas éticos que aborden temas complejos asociados con hacer negocios a escala mundial?

Con mucha frecuencia, la cultura corporativa y la cultura nacional están entretejidas y la diversidad global de muchas compañías contemporáneas supone un reto para los directivos que tratan de construir una cultura organizacional sólida. Es común que empleados que provienen de diferentes países tengan actitudes y creencias distintas que les dificulte establecer un sentido de comunidad y cohesión basado en la cultura corporativa. De hecho, algunas investigaciones han encontrado que la cultura nacional tiene un impacto mayor en los empleados que la cultura corporativa.[99] Por ejemplo, un estudio de efectividad y valores culturales en Rusia encontró que la flexibilidad y el colectivismo (trabajo en grupos), que son valores clave en la cultura nacional, son considerablemente más importantes para la efectividad organizacional que para la mayoría de las compañías con sede en Estados Unidos.[100] Cuando estos valores no están incorporados en la cultura organizacional, los empleados no se desempeñan tan bien. Otro estudio reciente halló que las diferencias entre los valores culturales nacionales y las preferencias también crearon una variación importante en las actitudes éticas en la gente que proviene de países diferentes.[101]

Algunas compañías han tenido éxito en el desarrollo de una perspectiva global amplia que se infiltre en la cultura organizacional integral. Por ejemplo, Omron, una compañía global con oficinas centrales en Tokio, Japón y con oficinas en seis continentes. Sin embargo, hasta hace algunos años, Omron siempre había asignado directivos japoneses a la cabeza de cada una de ellas. En la actualidad, ha comenzado a aprovechar la experiencia local de cada área geográfica y ha logrado mezclar las ideas y perspectivas de los directivos locales en un todo global. Se llevan a cabo juntas de planeación globales en oficinas de todo el mundo. Además, Omron estableció una base de datos global y estandarizó su software para asegurar un intercambio perfecto de información entre sus oficinas de todo el mundo. Aunque el desarrollo de una mentalidad cultural amplia y su difusión a través de toda la compañía, requiere mucho tiempo, las empresas como Omron tratan de aportar un enfoque multicultural a cualquier cuestión de negocios.[102]

Vijay Govindarajan, un profesor de negocios internacionales y director del programa de administración "liderazgo global 2020" en Dartmouth College, ofrece un tipo de orientación a los directivos que tratan de construir una cultura global. Su investigación indica que, aunque la cultura organizacional puede variar en alto grado, existen componentes específicos que caracterizan una cultura global. Éstos incluyen un énfasis en lo multicultural y no en los valores nacionales, basar el estatus en el mérito y no en la nacionalidad, estar abierto a nuevas ideas de otros países, mostrar emoción y no temor cuando se tiene contacto con nuevos entornos culturales y ser sensible a las diferencias culturales sin estar limitado por ellas.[103]

La ética global también está desafiando a las organizaciones contemporáneas a tener un criterio más amplio. Muchas están utilizando una variedad de mecanismos para promover y reforzar las iniciativas éticas a una escala global. Uno de los mecanismos más útiles para construir la ética global es la **auditoría social**, la cual mide e informa el impacto ético, social y ambiental de las operaciones de una compañía.[104] Los asuntos relacionados con prácticas y condiciones de trabajo de muchos proveedores extranjeros para las principales corporaciones estadounidenses en un principio incitaron a los organismos como el Council on Economics Priorities Accreditation Agency a proponer un conjunto de estándares sociales globales para manejar asuntos como la mano de obra infantil, los bajos salarios y las condiciones de trabajo inseguras. En la actualidad, el estándar SA 8000 o Social Accountability 8000, es el único estándar social en el mundo que se puede auditar. El sistema está diseñado para trabajar como el sistema de auditoría de calidad ISO 9000 de la International Standards Organization.

Muchas compañías como Avon, Eileen Fisher y Toys "R" Us, están actuando para asegurar que sus fábricas y proveedores cumplan con los estándares SA 8000. Eileen Fisher, una compañía de ropa, ha capacitado a todos sus proveedores e incluso pagado las auditorías SA 8000.[105] Las compañías también están pidiendo a las compañías externas que desarrollen auditorías sociales independientes para medir si la compañía está a la altura de los valores éticos y sociales y cuál es la percepción que tienen de ella los diferentes grupos participantes.

En los años venideros, las organizaciones continuarán desarrollando su capacidad para trabajar con diferentes culturas, combinarlas en un todo cohesivo, estar a la altura de las necesidades que plantean los estándares éticos y sociales a nivel mundial y lidiar con los conflictos que pudieran surgir cuando se trabaja en un entorno multicultural.

Resumen e interpretación

Este capítulo abarcó una variedad de material acerca de la cultura corporativa, la importancia de los valores éticos y culturales y las técnicas que los directivos pueden utilizar para ejercer su influencia sobre estos valores. Los valores éticos y culturales ayudan a determinar el capital social de una organización y los valores correctos pueden contribuir al éxito organizacional.

La cultura es el conjunto de valores, creencias y normas clave que comparten los miembros de una organización. Las culturas organizacionales tienen dos funciones de importancia crucial: integrar a los miembros de manera que sepan cómo relacionarse entre sí y ayudar a la organización a adaptarse al entorno. La cultura puede observarse e interpretarse a través de los ritos y las ceremonias, las historias y los héroes, los símbolos y el lenguaje.

La cultura organizacional debe reforzar la estrategia y la estructura que la organización necesita para ser exitosa en su entorno. Hay cuatro tipos de cultura que pueden existir en las organizaciones y son: la cultura de adaptabilidad, la cultura de misión, la cultura de clan y la cultura burocrática. Cuando existe un consenso difundido acerca de la importancia de valores específicos, la cultura organizacional es fuerte y cohesiva. Sin embargo, incluso en organizaciones con una cultura sólida, pueden emerger varios conjuntos de subculturas, en particular en las organizaciones de mayor tamaño. Las culturas fuertes pueden ser o de adaptación o no tener capacidad de adaptación. Las culturas de adaptación tienen diferentes valores y patrones de conducta en comparación con las culturas que carecen de la capacidad de adaptación. Las culturas sólidas pero no saludables pueden ser nocivas para las oportunidades de éxito de una compañía. Por otro lado, las culturas de adaptación fuertes pueden tener una función importante en el logro de un alto desempeño y respuesta innovadora ante los retos, las amenazas competitivas o las nuevas oportunidades.

Un aspecto importante de los valores organizacionales es la ética en los negocios, la cual es el conjunto de valores que rigen el comportamiento con respecto a lo que está bien o mal. La toma de decisiones éticas en las organizaciones está conformada por muchos factores: características personales, las cuales incluyen creencias personales, desarrollo moral y adopción de modelos éticos para la toma de decisiones; cultura organizacional, la cual es el grado al cual los valores, los héroes, las tradiciones y los símbolos refuerzan la toma de decisiones éticas; los sistemas organizacionales, los cuales pertenecen a la estructura formal, las políticas, los códigos de ética y los sistemas de recompensas que fortalecen las elecciones éticas o no éticas; y los intereses y preocupaciones de los participantes externos, los cuales están representados por agencias gubernamentales, clientes o grupos de interés especial.

En el capítulo también se analizó la forma en que los líderes puedan dar forma a la cultura y la ética. Una idea importante es el liderazgo basado en valores, el cual significa que los líderes definen una visión de los valores apropiados, la comunican a toda la organización y la institucionalizan por medio de su comportamiento cotidiano, rituales, ceremonias y símbolos. También se analizó cómo influyen los sistemas formales la conformación de valores éticos. Los sistemas formales incluyen un comité de ética, un departamento de ética, mecanismos de revelación para denunciantes, programas de capacitación ética y un código de ética o declaración de valores que especifique los valores éticos. A medida que con mayor frecuencia los negocios cruzan las fronteras culturales y geográficas, los líderes enfrentan retos difíciles para establecer valores éticos y culturales sólidos con los cuales los empleados se puedan identificar y estar de acuerdo. Las compañías que desarrollan culturas globales enfatizan los valores multiculturales, basan el estatus en el mérito y no en la nacionalidad, les atraen los nuevos entornos culturales, permanecen abiertos a ideas de otras culturas y son sensibles a los diferentes valores culturales sin estar limitados por ellos. Las auditorías sociales son herramientas importantes para las compañías que intentan mantener altos estándares éticos a nivel global.

Conceptos clave

adaptación externa
auditoría social
capital social
cultura
cultura burocrática
cultura de adaptabilidad
cultura de clan
cultura de misión
código de ética
comité de ética
denunciante
dilema ético
director general de ética
ética
ética en los negocios
fortaleza cultural
gobierno de la ley
héroes
historias
integración interna
lenguaje
leyenda
liderazgo basado en valores
líneas de atención telefónica ética
mitos
responsabilidad social
ritos y ceremonias
símbolo
subcultura

Preguntas para análisis

1. Describa los símbolos observables, ceremonias, vestimenta y otros aspectos de la cultura organizacional. ¿Qué valores subyacentes representan estos aspectos en una organización para la que usted haya trabajado?
2. ¿Cuáles serían algunas de las ventajas de tener varias subculturas dentro de una organización? ¿Las desventajas?
3. Explique el concepto de capital social. Nombre alguna organización que en la actualidad se dedique a las noticias económicas que parezca tener un alto grado de capital social y una que parezca tener uno bajo.
4. ¿Piensa que una cultura burocrática estaría menos orientada al cliente que una cultura de clan? Analice.

5. ¿Por qué el liderazgo basado en valores es tan importante para influir en la cultura? ¿Un acto simbólico comunica más acerca de los valores corporativos que una declaración explícita? Analice.
6. ¿Usted está consciente de una situación en la que ya sea usted o alguien que usted conozca haya estado confrontado por un dilema ético, como haber sido inducido a inflar una cuenta de gastos? ¿Piensa que su decisión personal haya sido afectada por el desarrollo moral individual o por los valores aceptados dentro de la compañía? Explique.
7. ¿Por qué la igualdad es un valor importante que promueve el aprendizaje y la innovación? Analice.
8. ¿Qué importancia atribuiría a las declaraciones de liderazgo y acciones para influir valores éticos y la toma de decisiones en una organización?
9. ¿De qué forma influyen los participantes externos en la toma de decisiones éticas en una organización? ¿Por qué la globalización ha contribuido a que las cuestiones éticas relacionadas con los participantes externos se hagan más complejas?
10. Los códigos de ética han sido criticados por transferir la responsabilidad del comportamiento organizacional ético al empleado individual. ¿Está usted de acuerdo? ¿Piensa que un código de ética es valioso para una organización?
11. Los altos ejecutivos en varias compañías tecnológicas, incluyendo AOL/Time Warner, Gateway, Sun Microsystems y Cisco, obtuvieron millones de dólares por las ventas de acciones durante los años de la burbuja especulativa de 1999 a 2001. Cuando esta burbuja estalló, los inversionistas ordinarios perdieron de 70 a 90% de sus capitales activos. ¿Usted ve algo malo en esto desde un punto de vista ético? ¿Piensa que esto afecte el capital social de las organizaciones?

Libro de trabajo del capítulo 10: Compre hasta que ya no pueda más: La cultura corporativa en el mundo de la venta minorista*

Para comprender mejor la cultura corporativa, visite dos tiendas de venta minorista y compárelas con base en diversos factores. Acuda a una tienda de descuento o de segmento bajo como Kmart o Wal-Mart y a una tienda de segmento alto, como Saks Fifth Avenue, Dayton/Hudson's, Goldwater's o Dillard's. No entreviste a los empleados, en lugar de ello conviértase en un observador o comprador. Después de sus visitas complete la siguiente tabla para cada tienda. Pase al menos dos horas en cada tienda en un día transitado y sea muy observador.

Elemento cultural	Tienda de descuento	Tienda departamental de segmento alto
1. Misión de la tienda: ¿Cuál es? ¿Es clara para los empleados?		
2. Iniciativa individual: ¿Se fomenta?		
3. Sistema de recompensa: ¿cómo se recompensa a los empleados?		
4. Trabajo en equipo: ¿El personal de un departamento o de varios trabaja en conjunto y se comunican?		
5. Lealtad a la empresa: ¿Existe evidencia de lealtad o de un entusiasmo por trabajar ahí?		

Continúa

Elemento cultural	Tienda de descuento	Tienda departamental de segmento alto
6 Vestimenta: ¿Existen uniformes? ¿Existe un código de vestimenta? ¿Qué tan riguroso es? ¿Cómo calificaría la apariencia personal de los empleados en general?		
7 Diversidad o concordancia de los empleados: ¿Existe una diversidad o concordancia en la edad, educación, raza, personalidad, etcétera?		
8 Orientación al servicio: ¿El cliente es valorado o tolerado?		
9 Desarrollo de recursos humanos: ¿Existe oportunidad de crecimiento y avance?		

Preguntas

1. ¿Cómo parece influir la cultura en el comportamiento de los empleados en cada tienda?
2. ¿Qué efecto tiene el comportamiento de los empleados sobre los clientes?
3. ¿Cuál tienda fue más agradable? ¿Cómo se relaciona ésta con la misión de la tienda?

Caso para el análisis: Implementación del cambio en National Industrial Products*

Curtis Simpson permanecía sentado observando por la ventana de su oficina. ¿Qué le diría a Tom Lawrence cuando se reunieran esa tarde? Tom claramente había cumplido el compromiso que Simpson había establecido cuando lo contrató como presidente de National Industrial Products (National) hace poco más de un año. Sin embargo la empresa parecía colapsarse. Como presidente y director ejecutivo de Industrias Simpson, la cual había adquirido a National hace varios años, Simpson se enfrentaba a la tarea de entender el problema y comunicar de forma clara sus ideas y convicciones a Lawrence.

National Industrial Products era un fabricante mediano de juntas mecánicas, bombas y otros productos de control de fluidos. Cuando Simpson Industries adquirió la empresa, ésta se encontraba bajo el liderazgo de Jim Carpenter, quien había sido director ejecutivo por casi tres décadas y era admirado por los empleados. Carpenter siempre había tratado a sus empleados como si fueran de la familia. Conocía a la mayoría de ellos por su nombre, con frecuencia los visitaba en sus hogares si se encontraban enfermos y pasaba una parte del día simplemente conversando con los trabajadores en el piso de la planta. National auspiciaba una fiesta anual de celebración para sus empleados, así como días de campo y otros eventos sociales varias veces al año y Carpenter siempre participaba. Él consideraba estas actividades tan importantes como sus visitas a los clientes o las negociaciones con los proveedores. Carpenter creía que era importante tratar de manera adecuada a las personas para que tuvieran un sentido de lealtad a la empresa. Si el negocio disminuía, encontraba algo más para que los empleados hicieran, incluso aunque fuera barrer el estacionamiento, en lugar de despedir personal. Consideraba que la empresa no podía perder trabajadores

*Basado en "Consolidated Products" de Gary Yukl, en *Leadership in Organizations*, 4a. Ed. (Englewood Cliffs, N.J.: Prentice-Hall, 1998), 66-67; John M. Champion y John H. James, "Implementing Strategic Change", en *Critical Incidents in Management: Decision and Policy Issues*, 6a. Ed. (Homewood, Ill.: Irwin, 1989), 138-140; y William C. Symonds, "Where Paternalism Equals Good Business", *BusinessWeek* (20 de julio, 1998), 16E4, 16E6.

capacitados que eran difíciles de reemplazar. "Si tratas bien a la gente", comentaba, "realizarán un buen trabajo para ti sin tener que presionarlos". Carpenter nunca había establecido objetivos ni estándares de desempeño para los diversos departamentos, y confiaba que sus directores dirigieran sus departamentos como mejor lo consideraran. Varias veces al año ofrecía programas de capacitación en comunicación y recursos humanos a los directores y líderes de equipos. El enfoque de Carpenter parecía haber funcionado bastante bien durante buena parte de la historia de National. Los empleados eran leales a Carpenter y a la empresa, y existían muchos casos en los que los trabajadores habían llegado más allá de sus obligaciones. Por ejemplo, cuando dos bombas de National que suministraban agua a un barco de la armada de Estados Unidos fallaron la noche de un sábado justo antes de la salida programada del barco, dos empleados trabajaron toda la noche para fabricar nuevas juntas y entregarlas para su instalación antes que el barco zarpara del puerto. La mayoría de los empleados y directivos habían estado en la empresa por muchos años y National ostentaba el menor índice de rotación de la industria.

Sin embargo, a medida que la industria comenzó a cambiar en años recientes, la competitividad de National empezó a descender. En fechas recientes, cuatro de los principales competidores de National se habían fusionado en dos grandes empresas que estaban mejor capacitadas para atender las necesidades de los clientes, lo que fue un factor que llevó a National a ser adquirida por Simpson Industries. Después de la adquisición, las ventas y utilidades de National continuaron descendiendo a la vez que los costos se incrementaban. Adicionalmente, a los altos ejecutivos de Simpson Industries les preocupaba la baja productividad en National. Aunque habían estado contentos de contar con Carpenter durante la transición, durante un año lo habían presionado sutilmente para que se retirara de forma anticipada. Algunos de los altos directivos creían que Carpenter toleraba el mal desempeño y la baja productividad con el objetivo de mantener una atmósfera amistosa. "En el mundo de hoy, simplemente no se puede hacer eso", comentó uno de ellos. "Debemos traer a alguien que pueda implementar el cambio y darle un giro rápido a la empresa o National irá a la bancarrota." Fue cuando ingresó al consejo Tom Lawrence, con la consigna de reducir los costos y mejorar la productividad y las utilidades.

Lawrence tenía una importante reputación como directivo joven y dinámico que podía llevar a cabo las cosas de una forma rápida. Rápidamente inició los cambios en National. Primero, redujo costos al descontinuar las actividades sociales patrocinadas por la empresa, e incluso no permitió las espontáneas celebraciones de cumpleaños que alguna vez fueron parte de la vida en National. Redujo los programas de capacitación en comunicación y recursos humanos, argumentando que eran una pérdida de dinero y tiempo. "No estamos aquí para hacer que la gente se sienta bien" les dijo a sus directores. "Si las personas no quieren trabajar, desháganse de ellas y busquen a alguien que si quiera." Con frecuencia se refería a los trabajadores que se quejaban de los cambios en National como "bebés llorones".

Lawrence estableció estrictos estándares de desempeño para sus vicepresidentes y directores de departamento y les ordenó hacer lo mismo con sus empleados. Sostuvo reuniones semanales con cada director para revisar el desempeño del departamento y analizar los problemas. Ahora, todos los empleados estaban sujetos a revisiones de desempeño regulares. Todo empleado que tuviera un desempeño por debajo del estándar recibía una advertencia y luego era despedido si el desempeño no mejoraba en dos semanas. Además, al tomar en cuenta que a los directores y representantes de ventas se les pagaba sobre una base de salario fijo, cuando la antigüedad era el único criterio para el crecimiento, Lawrence implantó un sistema modificado que los recompensaba al alcanzar las metas de productividad, ventas y utilidades. Para quienes cumplían los estándares, las recompensas eran generosas, incluían grandes bonos y prestaciones como autos de la empresa y viajes aéreos en primera clase a eventos de la industria. Para quienes se rezagaban, con frecuencia se les reprendía en frente de sus colegas para establecer un ejemplo y si no cumplían pronto, Lawrence no dudaba en despedirlos.

Para finales del primer año de Lawrence como presidente de National, los costos de producción habían descendido en casi 20 por ciento, mientras que la producción creció 10 por ciento y las ventas se incrementaron también en casi 10 por ciento. Sin embargo, tres respetados y experimentados directivos habían abandonado la empresa a cambio de puestos en la competencia y la rotación entre los trabajadores de producción se había incrementado de forma alarmante. En el estrecho mercado laboral, no era fácil encontrar reemplazos. Lo que más preocupaba a Simpson eran los resultados de una encuesta que había encargado a un consultor externo. Los resultados de la encuesta indicaban que el estado de ánimo en National se encontraba por los suelos. Los trabajadores veían a sus supervisores con antagonismo y un poco de miedo. Creían que los directores estaban obsesionados con las utilidades y cuotas, y no les importaban las necesidades y sentimientos de los empleados. También observaron que la atmósfera cordial y de colegas que había convertido a National en un gran lugar para trabajar había sido reemplazada por un entorno agresivo de competencia y desconfianza interna.

Simpson estaba complacido de que Lawrence hubiera incrementado las utilidades y productividad de National a los estándares que Simpson Industries esperaba. Sin embargo, le preocupaba que una baja moral y una alta rotación pudieran dañar de manera severa a la empresa en el largo plazo. ¿Estaba en lo correcto Lawrence en cuanto a que muchos de los empleados de National solo eran "bebés llorones"? ¿Estaban tan acostumbrados a ser mimados por Carpenter que no estaban dispuestos a emprender los cambios necesarios para mantener a la empresa competitiva? Por último, Simpson se preguntaba si puede coexistir un espíritu de competencia en una atmósfera de camaradería y cooperación como la que promovía Carpenter.

Caso para el análisis: ¿Esta malteada sabe divertida?*

George Stein, un estudiante universitario que trabajaba para Eastern Dairy durante el verano, de pronto se enfrentó a un dilema ético. George contaba con muy poco tiempo para pensar en sus opciones, menos de un minuto. Por un lado, podía hacer lo que Paul le indicó y podría llegar a casa a tiempo. Sin embargo, le resultó difícil deshacerse de la imagen mental de todos esos chicos inocentes que beberían malteadas contaminadas con larvas pulverizadas. Si elegía ir en contra de Paul, ¿qué dirían los muchachos? Prácticamente podía escuchar sus comentarios burlones "cobarde chico universitario...".

Antecedentes

George Stein había vivido toda su vida en varios suburbios de una importante ciudad en la costa este. El sueldo de su padre como gerente ofrecía a la familia un sólido estilo de vida de clase media. Su madre era un ama de casa. Los principales intereses de George en la vida eran el lugar de reunión juvenil local (una cafetería), los automóviles modificados y su novia Cathy. En realidad no había querido ir a la universidad, pero una fuerte presión de sus padres lo convenció a intentarlo por un año. Eligió ingeniería mecánica como su carrera, con la esperanza de que existiera una similitud entre ser un ingeniero mecánico y ser un mecánico. Sin embargo, después de un año en la escuela de ingeniería, aún no había encontrado similitud alguna. De nuevo este verano, sus padres le habían animado y comprometido para que aceptara regresar a la universidad en el otoño. Sus padres tuvieron éxito sólo cuando le prometieron que le darían su bendición para que se casara con Cathy después de su segundo año.

George había laborado en trabajos insignificantes en cada uno de los últimos cuatro veranos para satisfacer sus necesidades inmediatas de dinero para su noviazgo y su automóvil. Se las arregló para apartar un poco de este dinero para utilizarlo durante el año escolar. Había ahorrado muy poco para el día que él y Cathy iniciaran su vida juntos, pero planeaban que Cathy los apoyara con sus ingresos como representante de servicio a clientes hasta que George terminara o abandonara la universidad.

El día después de que George volvió a casa este verano, escuchó que Eastern Dairy contrataría trabajadores de verano. Él solicitó un puesto en la planta local al día siguiente. Eastern Dairy se encontraba sindicalizada y los salarios pagados representaban más del doble de lo que George había ganado en sus trabajos anteriores, de modo que se encontraba muy interesado en un puesto.

Eastern Dairy fabricaba mezclas de malteadas y helado para varios clientes en el área metropolitana. Vendía las mezclas de helado en contenedores de 5 y 10 galones a otras empresas, quienes luego añadían los ingredientes de sabor (por ejemplo, fresas o arándanos), empacaban y congelaban la mezcla y vendían el helado bajo sus propias marcas comerciales. Eastern Dairy vendía la mezcla de malteada en cajas de cartón, las cuales contenían un forro plástico. Estos empaques eran enviados a muchos restaurantes en el área. El empaque estaba diseñado para ajustarse a las máquinas automáticas de malteadas utilizadas en muchos tipos de restaurantes, incluyendo la mayoría de los restaurantes de comida rápida y cafeterías.

George estaba contento cuando recibió la llamada que le solicitaba se presentara en la planta el 8 de junio. Después de una breve visita al director de recursos humanos, en la cual George llenó las formas de empleo necesarias, se le indicó que se presentara a trabajar a las 11:00 PM esa misma noche. Se le había asignado al turno de la noche, con un horario de 11:00 PM a 7:00 AM, seis noches a la semana (de domingo a viernes). Con el sueldo regular pagado en Eastern Dairy, complementado por una vez y media la paga de ocho horas de trabajo extra garantizado a la semana, George consideró que podría ahorrar una buena suma antes de tener que regresar a la universidad al final de la primera semana de septiembre.

Cuando George se reportó para trabajar, descubrió que no existía ningún supervisor asignado al turno nocturno. La planta completa era manejada por un equipo de seis operadores. Un miembro de este equipo, un hombre joven llamado Paul Burnham, recibía las órdenes de producción para cada noche de parte del superintendente del turno vespertino cuando éste terminaba su jornada. A pesar de que el estatus de Paul no era distinto del de sus cinco colegas, los otros miembros del equipo acudían a él para orientación. Paul enviaba las órdenes de producción al mezclador (quien representaba el primer paso del proceso de producción) y mantenía los registros de producción para el turno.

El proceso de producción en realidad era bastante simple. Las mezclas se desplazaban entre diversos equipos (incluyendo contenedores de mezclado, pasteurizadores, enfriadores, homogeneizadores y máquinas de llenado) mediante conductos de acero inoxidable suspendidos del techo. Todos los conductos debían ser desensamblados, limpiados por completo y reinstalados al término del turno nocturno. Este proceso tomaba alrededor de una hora, de modo que toda la mezcla debía procesarse a las 6:00 AM para poder completar la limpieza a las 7:00 AM, la hora de salida. Paul y otro trabajador, Fred (el mezclador), limpiaban los contenedores gigantes de mezcla mientras que los otros cuatro integrantes del turno, incluyendo a George, limpiaban y reinstalaban los conductos y filtros.

George pronto comprendió que Paul tenía un sentimiento de responsabilidad de completar todo el trabajo asignado

* Este caso fue preparado por Roland B. Cousins, LaGrange College, y Linda E. Benitz, InterCel, Inc. como base para una discusión de clase y no para ilustrar la eficacia o ineficacia del manejo de una situación administrativa. Los nombres de la empresa y los individuos así como la ubicación involucrada han sido modificados para preservar su anonimato. La situación presentada es real. Los autores agradecen a Anne T. Lawrence por su apoyo para el desarrollo de este caso.

antes del término del turno. Sin embargo, siempre que este objetivo se alcanzara parecía no importarle lo que sucediera durante el turno. Lo común era que se presentara una buena cantidad de pláticas y juegos, pero el trabajo siempre era terminado a la hora de salida. George rápidamente disfrutó de la fácil camaradería del grupo de trabajo, de las fuertes bromas que se hacían entre sí e incluso del mismo trabajo.

La posición de George requería que se ubicara a un lado del transportador en un amplio cuarto de congelación. Él retiraba los contenedores de mezcla a medida que llegaban a la línea de producción y los colocaba en los lugares adecuados. De forma regular, Paul decidía que habían trabajado lo suficiente y apagaba la línea de producción por un momento de modo que pudieran participar en alguna actividad no laboral como contar chistes, esconder el almuerzo de alguien más o guerras de "globos". Los globos en realidad eran los forros flexibles de 5 galones para las cajas de cartón en las que se vendía la mezcla.

Aunque George no apreciaba ser golpeado por una bolsa en explosión que contuviera 5 galones de mezcla pesada, encontró gracioso lanzarlas a cada uno de sus compañeros. La pérdida de 10 a 40 galones de mezcla en un turno parecía no importarle a nadie, y estas guerras nunca eran restringidas. George comprendió con rapidez que la gerencia sólo tenía dos expectativas del turno nocturno. Primero, se esperaba que el turno terminara las órdenes de producción cada noche. En segundo lugar, la gerencia esperaba que el equipo, incluyendo los conductos, estuviera reluciente al término del turno. Paul comentó a George que ocasionalmente llegaban de forma inesperada inspectores del departamento de salud del condado al final del turno para inspeccionar los contenedores y conductos después de haberlos desensamblado y lavado. Paul también le dijo a George que la gerencia estaría muy molesta si los inspectores registraran alguna queja acerca de la limpieza.

George no se unió al sindicato pero encontró poca evidencia de su participación en las operaciones diarias de la planta. Las relaciones laborales parecían bastante amigables y George pensaba en el sindicato sólo cuando revisaba un recibo de pago y notaba las cuotas sindicales que habían sido deducidas de su salario bruto. La diferencia que George observaba al trabajar para Eastern Dairy en comparación con sus empleos anteriores no era la presencia del sindicato sino la ausencia de la gerencia.

La situación actual

Las cosas parecían ir bastante bien para George en el trabajo, hasta hace unos cuantos minutos. El problema apareció primero cuando la mezcla de malteada que estaba siendo procesada comenzó a derramarse de uno de los acoplamientos de la red de conductos superiores. Las bombas fueron detenidas mientras George desensambló el acoplamiento para ver cuál era el problema. George quitó la malla de filtrado del conducto en el acoplamiento con fuga y observó que se encontraba repleta de materia sólida. Una inspección más cercana reveló que eran larvas las culpables. George rápidamente llevó el filtro a Paul para mostrarle la obstrucción. Paul pareció no preocuparse y le indicó a George que limpiara el filtro y ensamblara de nuevo el acoplamiento. Cuando George preguntó cómo fue que esto sucedió, Paul le dijo que en ocasiones las larvas se introducen en las bolsas de ciertos ingredientes que se guardaban en un almacén en la parte trasera de la instalación. "Pero no debes preocuparte", comentó Paul. "Los filtros atraparán cualquier materia sólida."

Con más tranquilidad, George limpió el filtro y volvió a ensamblar el conducto, sin embargo, la imagen de larvas flotando en una malteada era difícil de sacudir. Y, desafortunadamente para George, esto no era el fin del episodio.

Poco después que se reiniciaron las bombas, la mezcla comenzó a derramarse en otro acoplamiento. Otra vez, un filtro saturado de larvas era la causa.

Por segunda vez, George lavó el filtro y volvió a armar la conexión. Esta vez Paul parecía un poco más preocupado al tiempo que observaba que apenas contaba con tiempo suficiente para procesar los últimos 500 galones que quedaban en los contenedores antes de que tuvieran que limpiar para prepararse para el término del turno.

Instantes después de que el equipo se reinició, otra conexión comenzó a derramar. Cuando se encontró que las larvas también habían obstruido este filtro, Paul llamó a George y le pidió que quitara los cinco filtros de la línea de producción de modo que los últimos 500 galones pudieran procesarse sin ningún filtro. Paul rió cuando observó el rostro impactado de George.

"George", dijo, "no olvides que todo esto pasa por un homogeneizador, de modo que cualquier materia sólida será pulverizada por completo. Y cuando se caliente en el proceso de pasteurización todas las bacterias serán eliminadas. Nadie sabrá esto, la empresa puede ahorrar bastante mezcla (que es dinero) y lo más importante, podremos procesar esto e irnos a casa a tiempo".

George sabía que nunca podrían empacar este lote si debían apagar cada minuto para limpiar los filtros y no había motivo para creer que esto no sería así por el resto del procesamiento. El producto había sido mezclado completamente en los contenedores de mezcla al inicio del proceso, lo que significaba que los contaminantes se habían distribuido de forma uniforme a los 500 galones. George también sabía que 500 galones de malteada eran muy caros. No creía que la gerencia simplemente quisiera tirarlos al drenaje.

Por último, definitivamente Paul está en lo correcto acerca de algo: la eliminación de los filtros, un trabajo a lo más de 10 minutos, aseguraría que todo estuviera limpio para salir a tiempo.

A medida que George se aproximaba a la primera conexión con filtro, sintió un nudo en el estómago y pensó en niños bebiendo la malteada que estaban por producir. Ya había decidido que no tomaría otra malteada por al menos un mes, para estar completamente seguro que este lote ya no fuera servido en los restaurantes. Después de todo, no sabía con exactitud cuáles eran los restaurantes que recibirían esta mezcla. A medida que tomó su llave inglesa y se aproximó al primer acoplamiento que contenía un filtro, todavía no podía decidirse si debía hacer o decir algo más.

NOTA: Este caso apareció en Paul F. Buller y Randall S. Schuler, *Managing Organizations and People*, South-Western © 2000.

Libro de trabajo del capítulo 10: El poder de la ética*

Este ejercicio le ayudará a comprender mejor el concepto de ética y lo que significa para usted.

1. Invierta 5 minutos para responder de forma individual las siguientes preguntas.
2. Divida en grupos de cuatro a seis miembros.
3. Haga que cada grupo intente alcanzar un consenso respecto a las respuestas a las cuatro preguntas. Para la pregunta 3, elija un escenario a analizar. Contará con 20 a 40 minutos para este ejercicio, dependiendo del instructor.
4. Haga que los grupos compartan sus respuestas con el resto de la clase, después de lo cual, el instructor dirigirá la discusión sobre ética y su poder en los negocios.

Preguntas

1. Con sus propias palabras, defina el concepto de ética en un o dos enunciados.
2. Si usted fuera un directivo, ¿cómo motivaría a sus empleados para que siguieran un comportamiento ético? Utilice no más de dos enunciados.
3. Describa una situación en la que usted enfrentó un dilema ético. ¿Cuál fue su decisión y comportamiento? ¿Cómo decidió hacer eso? ¿Puede relacionar su decisión con algún concepto del capítulo?
4. ¿Cuál considera que es un mensaje ético poderoso para los demás? ¿De donde lo obtuvo? ¿Cómo influirá en su comportamiento en el futuro?

*Adaptado por Dorothy Marcic a partir de "Ethical Management: An Excercise in Understanding Its Power" de Allayne Barrilleaux Pizzolatto, *Journal of Management Education* 17, número 1 (febrero 1993), 107-109.

Notas

1. Susanna Voyle "Encouraging an Ageing Colossus", *Financial Times* (13 de septiembre, 2003), 3; Susanna Voyle, "Baker's Challenge on Joining Boots", *Financial Times* (13 de septiembre, 2003) 3; Mickey Clark, "The Bad News is Behind bur Boots Still Faces Stiff Climb", *Evening Standard* (4 de abril, 2005), 62; y Patience Wheatcroft, "Back to Basics May Just Save Boots", *The Times* (2 de marzo, 2005), 49.
2. Julia Boorstin, "Secret Recipe: J. M. Smucker", *Fortune* (12 de enero, 2004), 58-59.
3. Anita Raghavan, Kathryn Kranhold, y Alexei Barrionuevo, "Full Speed Ahead: How Enron Bosses Created a Culture of Pushing Limits", *The Wall Street Journal* (26 de agosto, 2002), AI, A7.
4. Mark C. Bolino, William H. Turnley, y James M. Bloodgood, "Citizenship Behavior and the Creation of Social Capital in Organizations", *Academy of Management Review 27*, núm. 4 (2002), 505-522; y Don Cohen y Laurence Prusak, *In Good Company: How Social Capital Makes Organizations Work* (Boston, Mass.: Harvard Business School Press, 2001), 3-4.
5. "*Fortune* 1,000 Ranked within Industries", *Fortune* (abril 18, 2005), F-46-F-69; Erick Shonfeld, "eBay's Secret Ingredient", *Business 2.0* (marzo 2002), 52-58.
6. Joy Persaud, "Keep the Faithful", *People Management* (junio 2003), 37-38.
7. W. Jack Duncan, "Organizational Culture: 'Getting a Fix' on an Elusive Concept", *Academy of Management Executive 3* (1989), 229-236; Linda Smircich, "Concepts of Culture and Organizational Analysis", *Administrative Science Quarterly* 28 (1983), 339-358; y Andrew D. Brown y Ken Starkey, "The Effect of Organizational Culture on Communication and Information", *Journal of Management Studies* 31, núm 6 (noviembre 1994), 807-828.
8. Edgar H. Schein, "Organizational Culture", *American Psychologist* 45 (febrero 1990), 109-119.
9. James H. Higgins y Craig McAllaster, "Want Innovation: Then Use Cultural Artifacts That Support It", *Organizational Dynamics* 31, núm. 1 (2002), 74-84.
10. Harrison M. Trice y Janice M. Beyer, "Studying Organizational Cultures through Rites and Ceremonials", *Academy Management Review* 9 (1984), 653-669; Janice M. Beyer y Harrison M. Trice, "How an Organization's Rites Reveal Its Culture", *Organizational Dynamics* 15 (primavera 1987), 5-24; Steven P. Feldman, "Management in Context: An Essay on the Relevance of Culture to the Understanding of Organizational Change", *Journal of Management Studies* 23 (1986), 589-607; y Mary Jo Hatch, "The Dynamics Organizational Culture", *Academy of Management Review* 18 (1993), 657-693.
11. Este ensayo está basado en la obra de Edgar H. Schein, *Organizational Culture and Leadership*, 2a. ed. (Homewood, Ill.: Richard D. Irwin, 1992); y John P. Kotter y James L. Heskett, *Corporate Culture and Performance* (Nueva York: Free Press, 1992).
12. Cheryl Dahle, "Four Tires, Free Beef", *Fast Company* (septiembre 2003), 36.
13. Larry Mallak, "Understanding and Changing Your Organization's Culture", *Industrial Management* (marzo-abril 2001), 18-24.
14. Para una lista de los diferentes elementos que se pueden emplear para evaluar o interpretar la cultura corporativa, ver "10

Key Cultural Elements", marco recuadro en R. Kee, "Corporate Culture Makes a Fiscal Difference", *Industrial Management* (noviembre-diciembre 2003), 16-20.

15. Charlorte B. Sutton, "Richness Hierarchy of the Cultural Network: The Communication of Corporate Values" (manuscrito inédito, Texas A&M University, 1985); y Terrence E. Deal y Allan A. Kennedy, "Culture: A New Look through Old Lenses", *Journal of Applied Behavioral Science* 19 (1983), 498-505.
16. Thomas C. Dandridge, "Symbols at Work" (papel de trabajo, School of Business, State University of New York at Albany, 1978), 1.
17. Jennifer A. Chatman y Sandra Eunyoung Cha, "Leading by Leveraging Culture", *California Management Review 45,* núm. 4 (verano 2003), 20-34.
18. Don Hellriegel y John W. Slocum, Jr., *Management,* 7a. ed. (Cincinnati, Ohio: South-Western, 1996), 537.
19. Trice y Beyer, "Studying Organizational Cultures through Rites and Ceremonials."
20. Sutton, "Richness Hierarchy of the Cultural Network"; y Terrence E. Deal y Allan A. Kennedy, *Corporate Cultures: The Rites and Rituals of Corporate Life* (Reading, Mass.: Addison-Wesley, 1982).
21. Joanne Martin, *Organizational Culture: Mapping the Terrain* (Thousand Oaks, Calif.: Sage Publications, 2002), 71-72.
22. "FYI", *Inc.* (abril 1991), 14.
23. Raghavan, Kranhold, y Barrionuevo, "Full Speed Ahead".
24. David Bank, "Fund Helps PeopleSoft Ex-Workers", *The* Wall *Street Journal* (4 de abril, 2005), B4.
25. Higgins y McAllaster, "Want Innovation?"
26. Jennifer A. Chatman y Sandra Eunyoung Cha, "Leading by Leveraging Culture", *California Management Review* 45, núm. 4 (verano 2003), 20-34; y Abby Ghobadian y Nicholas O'Regan, "The Link between Culture, Strategy, y Performance in Manufacturing SMEs", *Journal of General Management* 28, núm. 1 (otoño 2002), 16-34.
27. James R. Detert, Roger G. Schroeder, y John J. Mauriel, "A Framework for Linking Culture and Improvement Initiatives in Organizations", *Academy of Management Review* 25, núm. 4 (2000), 850-863.
28. Basado en Daniel R. Denison, *Corporate Culture and Organizational Effectiveness* (Nueva York: Wiley, 1990), 11-15; Daniel R. Denison y Aneil K. Mishra, "Toward a Theory of Organizational Culture and Effectiveness", *Organization Science* 6, núm. 2 (marzo-abril 1995), 204-223; R. Hooijberg y F. Petrock, "On Cultural Change: Using the Competing Values Framework to Help Leaders Execute a Transformational Strategy", *Human Resource Management* 32 (1993), 29-50; y R. E. Quinn, *Beyond Rational Management: Mastering the Paradoxes and Competing Demands of High Performance* (San Francisco: Jossey-Bass, 1988).
29. Steve Lohr, "Big Blue's Big Ber: Less Tech, More Touch", *The New York Times* (25 de enero, 2004), Sec. 3, 1.
30. Melanie Warner, "Confessions of a Control Freak", *Fortune* (4 de septiembre, 2000), 130-140.
31. Cora Daniels, "J.C. Penney Dresses Up", *Fortune* (9 de junio, 2003), 127-130.
32. Matthew Boyle, "The Wegmans Way", *Fortune* (24 de enero, 2005), 62-68.
33. Rekha Balu, "Pacific Edge Projects Itself", *Fast Company* (octubre 2000), 371-381.
34. Bernard Arogyaswamy y Charles M. Byles, "Organizational Culture: Internal and External Fits", *Journal of Management* 13 (1987), 647-659.
35. Chatman y Cha, "Leading by Leveraging Culture".
36. Patrick J. Sauer, "Open-Door Management", *Inc.* (junio 2003), 44.
37. Paul R. Lawrence y Jay W. Lorsch, *Organization and Environment* (Homewood, Ill.: Irwin, 1969).
38. Scott Kirsner, "Designed for Innovation", *Fast Company* (noviembre 1998), 54, 56.
39. Chatman y Cha, "Leading by Leveraging Culture"; Jeff Rosenthal y Mary Ann Masarech, "High-Performance Cultures: How Values Can Drive Business Results", *Journal of Organizational Excellence* (primavera 2003), 3-18.
40. Ghobadian y O'Regan, "The Link between Culture, Strategy and Performance"; G. G. Gordon y N. DiTomaso, "Predicting Corporate Performance from Organizational Culture", *Journal of Management Studies* 29, núm. 6 (1992), 783-798; y G. A. Marcoulides y R. H. Heck, "Organizational Culture and Performance: Proposing and Testing a Model", *Organization Science* 4 (1993), 209-225.
41. Micah Kee, "Corporate Culture Makes a Fiscal Difference".
42. Tressie Wright Muldrow, Timothy Buckley, y Brigitte W. Schay, "Creating High-Performance Organizations in the Public Sector", *Human Resource Management* 41, núm. 3 (otoño 2002), 341-354.
43. John P. Kotter y James L. Heskett, *Corporate Culture and Performance* (Nueva York: The Free Press, 1992).
44. Gordon F. Shea, *Practical Ethics* (Nueva York: American Management Association, 1988); Linda K. Trevino, "Ethical Decision Making in Organizations: A Person-Situation Integrationist Model", *Academy of Management Review 11* (1986), 601-617; y Linda Klebe Trevino y Katherine A. Nelson, *Managing Business Ethics: Straight Talk about How to Do It Right,* 2a. ed. (Nueva York: John Wiley & Sons, Inc., 1999).
45. Agradecemos a Susan H. Taft, Kent State University, y Judith White, University of Redlands, por este resumen de las fuentes de la ética individual.
46. Dawn·Marie Driscoll, "Don't Confuse Legal and Ethical Standards", *Business Ethics* (julio-agosto 1996), 44.
47. LaRue Tone Hosmer, *The Ethics of Management,* 2a. ed. (Homewood, Ill.: Irwin, 1991).
48. Geanne Rosenberg, "Truth and Consequences", *Working Woman* (julio-agosto 1998), 79-80.
49. N. Craig Smith, "Corporate Social Responsibility: Whether or How?" *California Management Review* 45, núm. 4 (verano 2003), 52-76; y Eugene W. Szwajkowski, "The Myths and Realities of Research on Organizational Misconduct", en James E. Post, ed., *Research in Corporate Social Performance and Policy,* vol. 9 (Greenwich, Conn.: JAI Press, 1986), 103-122.
50. Algunos de estos incidentes están basados en Hosmer, *The Ethics of Management.*
51. Linda K. Treviño y Katherine A. Nelson, *Managing Business Ethics: Straight Talk about How to Do It Right* (Nueva York: John Wiley & Sons, Inc., 1995), 4.

52. Curtis C. Verschoor y Elizabeth A. Murphy, "The Financial Performance at Large U.S. Firms and Those with Global Prominence: How Do the Best Corporate Citizens Rate?" *Business and Society Review* 107, núm. 2 (otoño 2002), 371-381; Homer H. Johnson, "Does It Pay to Be Good? Social Responsibility and Financial Performance", *Business Horizons* (noviembre-diciembre 2003), 34-40; Quentin R. Skrabec, "Playing By the Rules: Why Ethics Are Profitable", *Business Horizons* (septiembre-octubre 2003), 15-18; Marc Gunther, "Tree Huggers, Soy Lovers, and Profits", *Fortune* (23 de junio, 2003), 98-104; Dale Kurschner, "5 Ways Ethical Business Creates Farrer Profits", *Business Ethics* (marzo-abril 1996), 20-23. También ver varios estudios en Lori Ioannou, "Corporate America's Social Conscience", *Fortune,* sección publicitaria especial (26 de mayo, 2003), SI-S10.
53. Verschoor y Murphy, "The Financial Performance of Large U.S. Firms".
54. Gretchen Morgenson, "Shares of Corporate Nice Guys Can Finish First", *The New York Times* (27 de abril, 2003), sección 3, 1.
55. Daniel W. Greening y Daniel B. Turban, "Corporate Social Performance as a Competitive Advantage in Attracting a Quality Workforce", *Business and Society* 39, núm. 3 (septiembre 2000), 254.
56. Christopher Marquis, "Doing Well and Doing Good", *The New York Times* (julio 13, 2003), sección 3, 2; y Joseph Pereira, "Career Journal: Doing Good and Doing Well at Timberland", *The Wall Street Journal* (9 de septiembre, 2003), B1.
57. "The Socially Correct Corporate Business", segmento en Leslie Holstrom y Simon Brady, "The Changing Face of Global Business", *Fortune,* sección publicitaria especial (24 de julio, 2000), SI-S38.
58. Carol Hymowitz, "CEOs Must Work Hard to Maintain Faith in the Corner Office" (en columna principal), *The Wall Street Journal* (9 de julio, 2002), B1.
59. Linda Klebe Treviño, "A Cultural Perspective on Changing and Developing Organizational Ethics", en Richard Woodman y William Pasmore, eds., *Research and Organizational Change and Development,* vol. 4 (Greenwich, Conn.: JAI Press, 1990); y Lynn Sharp Paine, "Managing for Organizational Integrity", *Harvard Business Review* (marzo/abril 1994), 106-117.
60. James Weber, "Exploring the Relationship between Personal Values and Moral Reasoning", *Human Relations* 46 (1993), 435-463.
61. L. Kohlberg, "Moral Stages and Moralization: The Cognitive-Developmental Approach", en T. Likona, ed., *Moral Development and Behavior: Theory, Research, and Social Issues* (Nueva York: Holt, Rinehart & Winston, 1976).
62. Hosmer, *The Ethics of Management.*
63. Kevin Kelly, "My Slithery Rivals", *FSB* (febrero 2005), 27-28.
64. John A. Byrne con Mike France y Wendy Zellner, "The Environment Was Ripe for Abuse", *Business Week* (25 de febrero, 2002), 118-120.
65. Jennifer Bresnahan, "For Goodness Sake", *CIO Enterprise,* sección 2 (15 de junio, 1999), 54-62.
66. David M. Messick y Max H. Bazerman, "Ethical Leadership and the Psychology of Decision Making", *Sloan Management Review* (invierno, 1996), 9-22; Dawn-Marie Driscoll, "Don't Confuse Legal and Ethical Standards", *Business Ethics* (julio-agosto 1996), 44; y Max B. E. Clarkson, "A Stakeholder Framework for Analyzing and Evaluating Corporate Social Performance", *Academy of Management Review* 20, núm. 1 (1995), 92-117.
67. Roger Parloff, "Is Fat the Next Tobacco?" *Fortune* (3 de febrero, 2003), 51-54.
68. Gwen Kinkead, "In the Future, People Like Me Will Go to Jail", *Fortune* (24 de mayo, 1999), 190-200.
69. *Corporate Ethics: A Prime Business Asset* (Nueva York: The Business Round Table, febrero 1988).
70. Andrew W. Singer, "The Ultimate Ethics Test", *Across the Board* (marzo 1992), 19-22; Ronald B. Morgan, "Self and Co-Worker Perceptions of Ethics and Their Relationships to Leadership and Salary", *Academy of Management Journal* 36, núm. 1 (febrero 1993), 200-214; y Joseph L. Badaracco, Jr., y Allen P. Webb, "Business Ethics: A View from the Trenches", *California Management Review* 37, núm. 2 (invierno 1995), 8-28.
71. Este análisis está basado en Robert J. House, Andre Delbecq y Toon W. Taris, "Value Based Leadership: An Integrated Theory and an Empirical Test" (borrador).
72. Treviño y Nelson, *Managing Business Ethics,* 201.
73. Michael Barrier, "Doing the Right Thing", *Nation's Business* (marzo 1998), 33-38.
74. Mirchell Pacelle, "Citigroup CEO Makes 'Value' a Key Focus", *The Wall Street Journal* (1 de octubre, 2004), C1.
75. Thomas J. Peters y Robert H. Waterman, Jr., *In Search of Excellence* (Nueva York: Harper & Row, 1982).
76. Karl E. Weick, "Cognitive Processes in Organizations", en B. M. Staw, ed., *Research in Organizations,* vol. 1 (Greenwich. Conn.: JAI Press, 1979), 42.
77. Richard Osborne, "Kingston's Family Values", *IndustryWeek* (13 de agosto, 2001), 51-54.
78. Alan Yuspeh, "Do the Right Thing", *CIO* (agosto 1, 2000). 56-58.
79. Información en Amy Zipkin, "Getting Religion on Corporate Ethics", *The New York Times* (ocrtubre 18, 2000), Cl, Cl0: y *http://www.eoa.org,* con acceso el 20 de abril, 2005.
80. Treviño y Nelson, *Managing Business Ethics, 212.*
81. Beverly Geber, "The Right and Wrong of Ethics Offices", *Training* (octubre, 1995), 102-118.
82. Janet P. Near y Marcia P. Miceli, "Effective Whistle-Blowing", *Academy of Management Review* 20, núm. 3 (1995), 679-708.
83. Richard P. Nielsen, "Changing Unethical Organizational Behavior", *Academy of Management Executive* 3 (1989), 123-130.
84. Jene G. James, "Whistle-Blowing: Its Moral Justification", en Peter Madsen y Jay M. Shafritz, eds., *Essentials of Business Ethics* (Nueva York: Meridian Books, 1990), 160-190; y Janet P. Near, Terry Morehead Dworkin, y Marcia P. Miceli, "Explaining the Whistle-Blowing Process: Suggestions from Power Theory and Justice Theory", *Organization Science* 4 (1993), 393-411.
85. Steven L. Schooner, "Badge of Courage", *Goverment Executive* (agosto 2002), 65.
86. Linda Klebe Treviño, Gary R. Weaver, David G. Gibson, y Barbara Ley Toffler, "Managing Ethics and Legal Compliance:

What Works and What Hurts?" *California Management Review* 41, núm. 2 (invierno 1999), 131-151.
87. "Setting the Standard", sitio Web de Lockheed Martin, *http://www.lockheedmartin.com/exeth/htmllcode/code.html* Visitado el 7 de agosto, 2001.
88. Carl Anderson, "Values-Based Management", *Academy of Management Executive* 11, núm. 4 (1997), 25-46.
89. "Citigroup Begins Implementing 5-Point Ethics Program", *Dow Jones Newswires,* 1 de marzo, 2005, *http://online.wsj.com.*
90. Ronald E. Berenbeim, *Corporate Ethics Practices* (Nueva York: The Conference Board, 1992).
91. James Weber, "Institutionalizing Ethics into Business Organizations: A Model and Research Agenda", *Business Ethics Quarterly* 3 (1993), 419-436.
92. Landon Thomas Jr. "On Wall Street, a Rise in Dismissals over Ethics", *The New York Times* (marzo 25, 2005), *http://www.nytimes.com.*
93. Mark Henricks, "Ethics in Action", *Management Review* (enero 1995), 53-55; Dorothy Marcic, *Management and the Wisdom of Love* (San Francisco: Jossey-Bass, 1997); y Beverly Geber, "The Right and Wrong of Ethics Offices", *Training* (octubre 1995), 102-118.
94. Susan J. Harrington, "What Corporate America Is Teaching about Ethics", *Academy of Management Executive* 5 (1991), 21-30.
95. Marc Gunther, "Money and Morals at GE", *Fortune* (15 de noviembre, 2004), 176-182.
96. Richard W. Judy y Carol D'Amico, *Workforce 2020: Work and Workers in the 21st Century* (Indianapolis, Ind.: Hudson Institute, 1997).
97. Jerry G. Kreuze, Zahida Luqmani, y Mushtaq Luqmani, "Shades of Gray", *Internal Auditor* (abril 2001), 48
98. David Scheer, "For Your Eyes Only; Europe's New HighTech Role: Playing Privacy Cop to the World", *The Wall Street Journal* (10 de octubre, 2003), AI, A16.
99. S. C. Schneider, "National vs. Corporate Culture: Implications for Human Resource Management", *Human Resource Management* (verano 1988), 239.
100. Carl F. Fey y Daniel R. Denison, "Organizational Culture and Effectiveness: Can American Theory Be Applied in Russia?" *Organization Science* 14, núm. 6 (noviembre-diciembre 2003), 686-706.
101. Terence Jackson, "Cultural Values and Management Ethics: A 10-Nation Study", *Human Relations* 54, núm. 10 (2001), 1267-1302.
102. Gail Dutton, "Building a Global Brain", *Management Review* (mayo 1999), 34-38.
103. Íbid.
104. Homer H. Johnson, "Corporate Social Audits-This Time Around", *Business Horizons* (mayo-junio 2001), 29-36.
105. Cassandra Kegler, "Holding Herself Accountable", *Working Woman* (mayo 2001), 13; Louisa Wah, "Treading the Sacred Ground", *Management Review* (julio-agosto 1998), 18-22.

11 Innovación y cambio

Una mirada al interior de

Toyota Motor Corporation

En la manufactura de automóviles, los japoneses están a la cabeza, y un fabricante los opaca a todos. Toyota reafirma cada vez más su dominio en el mercado automotriz global, y está a poca distancia de lograr su meta de dar alcance a General Motors (GE) como el fabricante de automóviles número 1 en el mundo. La base de la supremacía de Toyota radica en principio por su flujo estable de innovación tecnológica y de productos. Los ejecutivos de Toyota crearon la doctrina del *kaizen*, o mejora continua, que la compañía aplica de manera inexorable. Toyota transfiere la responsabilidad de la mejora continua a todos los empleados. Los trabajadores en el taller pueden recibir recompensas en efectivo por descubrir pequeñas fallas técnicas en la producción y encontrar formas de solucionarlas.

Si bien pensar en grande puede ser importante, Toyota sabe que interesarse por los detalles es por igual crucial para manejar la innovación. Considere el ejemplo siguiente: Años atrás, Toyota cambió sus líneas de producción a fin de que utilizaran un solo brazo maestro que sostuviera las estructuras de los automóviles mientras las demás partes se soldaban, en vez de las docenas de brazos que antes se empleaban en una fábrica de automóviles estándar. Esto parecía algo insignificante en el contexto del complejo sistema de fabricación; sin embargo, fue una innovación fundamental en el área de manufactura. Ese simple cambio, conocido ahora como el sistema Global Body Line, redujo 75% del costo de mejorar una línea de producción e hizo posible para Toyota producir diferentes modelos de automóviles mediante una línea única. El resultado se ha visto reflejado en miles de millones de dólares en ahorros de costos anuales.

Para desarrollar nuevos modelos, Toyota aplica el concepto *obeya* que literalmente significa "habitación grande". Para asegurarse de que todos los factores críticos estén considerados desde un principio, los equipos de desarrollo de producto compuestos por los ingenieros de producto y manufactura, los diseñadores, los distribuidores y los proveedores llevan a cabo sesiones creativas personalizadas. Por otro lado, los nuevos programas, incluido el software de administración del ciclo de vida del producto que se analizó en el capítulo 8, también han posibilitado que los equipos multidisciplinarios colaboren vía digital, lo que les permite percatarse de los cambios en el diseño de producto y los costos asociados. De esa forma, si el diseñador hace un cambio que se contrapone a las necesidades de manufactura o la capacidad del proveedor, este tipo de problemas puede advertirse y ajustarse de inmediato. Este proceso de colaboración creó el fuerte y pequeño camión de Toyota, Hilux, que se vende en su mayoría en los países en vías de desarrollo y es preferido por las compañías petroleras y otras organizaciones que trabajan en áreas donde una avería en la camioneta puede significar la vida o la muerte. Una nueva versión del Hilux constituye un punto clave en la estrategia de Toyota para superar a GM, ya que con esto logrará apoderarse de 15% del mercado automotriz mundial para 2010.[1]

En la actualidad, todas las compañías deben cambiar e innovar para sobrevivir. Los nuevos descubrimientos e inventos reemplazan con rapidez las formas estandarizadas de hacer las cosas. Organizaciones como Toyota, Microsoft, Nokia y Procter & Gamble están buscando cualquier ventaja innovadora que puedan encontrar. Algunas compañías, como 3M, el fabricante de los Post-it, el material aislante Thinsulate, las fibrasScotch-Brite, y miles de productos diferentes, son famosas por su innovación. La cultura de 3M promueve un espíritu emprendedor y la toma de riesgos, gracias a lo cual conserva su abundancia en nuevas ideas y nuevos productos. Sin embargo, para muchas compañías grandes y establecidas ha sido muy difícil conservar ese espíritu emprendedor y continuar en busca de formas con las que pueda alentar el cambio y la innovación para mantener el ritmo de los cambios del entorno.

El ritmo del cambio está reflejado en circunstancias tales como el que los padres de los estudiantes universitarios en la actualidad hayan crecido sin tarjetas de débito, videos a la carta, iPods, sistemas de cajas láser, teléfonos celulares, TiVo, mensajes instantáneos e Internet. La idea de comunicarse de manera instantánea con gente alrededor del mundo era inconcebible para muchas personas hace una década.

Propósito de este capítulo

Este capítulo analizará la forma en que las organizaciones cambian y en que los directivos administran los procesos de innovación y cambio. La siguiente sección describe la diferencia que hay entre un cambio cada vez mayor y uno radical, los cuatro tipos de cambio (tecnológico, de producto, de estructura, de gente) que ocurren en las organizaciones y cómo administrar el cambio de manera exitosa. También se estudiará la estructura organizacional y el enfoque directivo para facilitar cada tipo de cambio. Por otra parte, se analizarán las técnicas directivas para influir tanto en la creación como en la implementación del cambio.

Innovar o perecer: La función estratégica del cambio

Si ha habido alguna lección que haya surgido de los capítulos anteriores, es que las organizaciones deben funcionar con rapidez para mantener el ritmo de los cambios que están teniendo lugar alrededor de ellas. Las grandes organizaciones deben encontrar formas de actuar como si fuesen pequeñas y flexibles. Las empresas dedicadas a la manufactura necesitan entrar en contacto con la nueva tecnología de manufactura flexible y empresas de servicio para tener acceso a nueva tecnología de información (TI). Las organizaciones contemporáneas deben encontrar un equilibrio para innovar y cambiar, no sólo para prosperar sino para sobrevivir en un mundo de creciente competencia.[2] Como se ilustró en el cuadro 11.1, varias fuerzas del entorno motivan la necesidad de un cambio organizacional importante. Las fuerzas poderosas asociadas con el avance tecnológico, la integración económica internacional, la madurez de los mercados nacionales y el cambio al capitalismo en las regiones antes comunistas han generado una economía globalizada que afecta a todos los negocios, desde los más grandes hasta los más pequeños y crea más desafíos así como oportunidades. A fin de reconocer y manejar los primeros y aprovechar las segundas, las compañías contemporáneas están experimentando cambios radicales en todas las áreas de sus operaciones.

Como ya se ha estudiado en capítulos anteriores, muchas organizaciones están respondiendo a fuerzas globales mediante la adopción de estructuras horizontales con equipos autónomos que mejoran la comunicación y la colaboración, la agilización de canales de distribución y abasto y la superación de las barreras de tiempo y espacio a través de la tecnología de la información y los negocios electrónicos. Otras se han involucrado en empresas conjuntas o consorcios para explotar oportunidades y ampliar sus operaciones o mercados a nivel internacional. Algunas han implementado innovaciones estructurales como el enfoque de red virtual para concentrarse en sus competencias centrales mientras especialistas externos se encargan de otras actividades. Además, las organizaciones actuales se enfrentan a la necesidad de un cambio radical estratégico y cultural, y de adicionar innovaciones continuas y rápidas en áreas de tecnología, servicios, productos y procesos.

El cambio, no la estabilidad, es lo que hoy marca la pauta. Mientras los cambios alguna vez ocurrieron de manera paulatina y poco frecuente, en la actualidad son drásticos y constantes. Un elemento clave para el éxito de compañías como 3M Corporation, Starbucks Coffe e eBay ha sido su pasión para producir cambios.

Cambio paulatino en comparación con el cambio radical

Los cambios que se utilizan para adaptarse al entorno se pueden evaluar de acuerdo con su extensión, es decir, el grado al cual los cambios son paulatinos o radicales para la

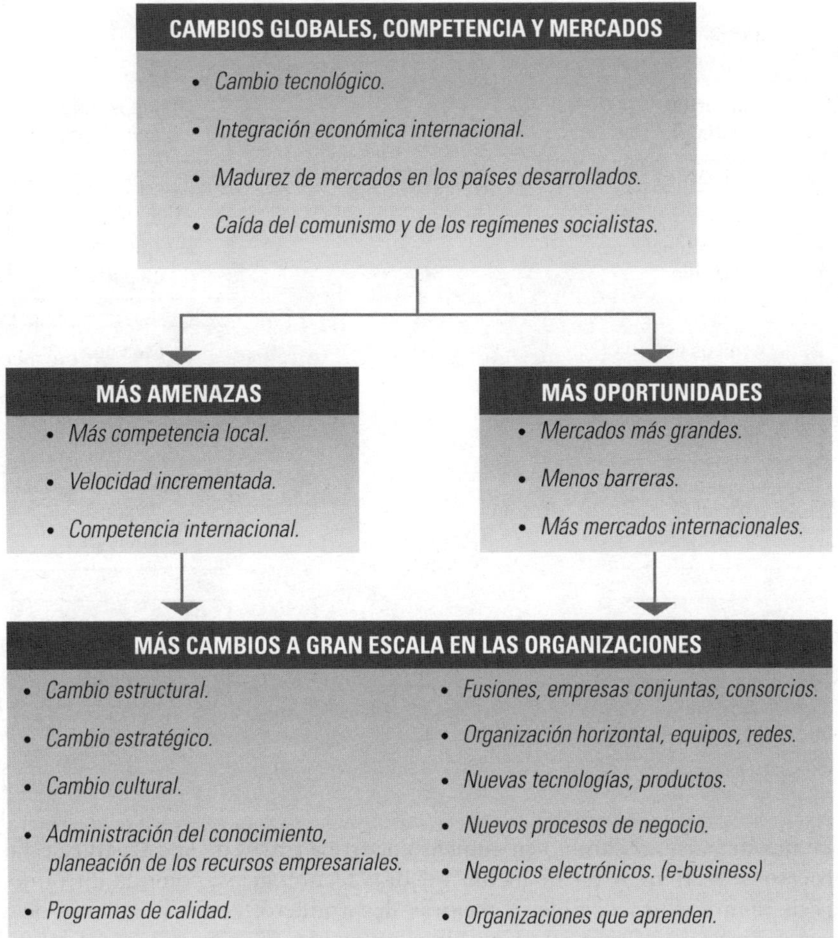

CUADRO 11.1
Fuerzas que conducen la necesidad de un cambio organizacional importante
Fuente: Basado en John P. Kotter, *The New Rules: How to Succeed in Today's Post-Corporate World* (Nueva York: The Free Pres, 1995).

organización.[3] Como se resumió en el cuadro 11.2, el **cambio paulatino** representa una serie de progresiones continuas que mantienen el equilibrio general de la organización y muchas veces afectan sólo una de sus partes. En contraste, el **cambio radical**, rompe el marco de referencia de la organización y con frecuencia la transforma por completo. Por ejemplo, un cambio paulatino sería la formación de equipos de venta en el departamento de marketing, mientras un cambio radical sería el cambio que se suscita en toda una organización vertical cuando se adopta una estructura horizontal, en la que todos los empleados que trabajaban en un proceso central específico y en diferentes departamentos funcionales como marketing, finanzas, producción, etcétera, se agrupan en equipos multidisciplinarios. Si bien, los cambios audaces con un alto potencial de transformación consiguen en una gran cantidad de atención y pueden ser poderosos para una organización, la investigación reciente indica que el cambio paulatino, es decir, la implementación progresiva de pequeñas ideas, como en Toyota, produce con mayor frecuencia una ventaja competitiva sostenible. Por ejemplo, en la sucursal danesa del fabricante textil Milliken & Co., un proveedor de máquinas descubrió que los telares de su compañía estaban funcionando cuatro veces más rápido y generaban productos más variados de lo que los ingenieros creían posible. Los avances fueron generados por la implementación de cientos de pequeños cambios sugeridos por los empleados de primera línea del fabricante textil.[4] La compañía dedicada a los buscadores de Internet, Google, con sede en Montain View, California, también ha prosperado en una cultura que fomenta el cambio paulatino continuo, como se describe en el recuadro de Liderazgo por diseño.

CUADRO 11.2
Cambio paulatino comparado con el cambio radical
Fuente: Basado en Alan D. Meyer, James B. Goes, y Geoffrey R. Brooks, "Organizations in Disequilibrium: Environmental Jolts and Industry Revolutions", en George Huber y William H. Glick, eds, *Organizational Change and Redesign* (Nueva York: Oxford University Press, 1992), 66-111; y Harry S. Dent, Jr. "Growth through New Product Development", *Small Business Reports* (noviembre 1990), 30-40.

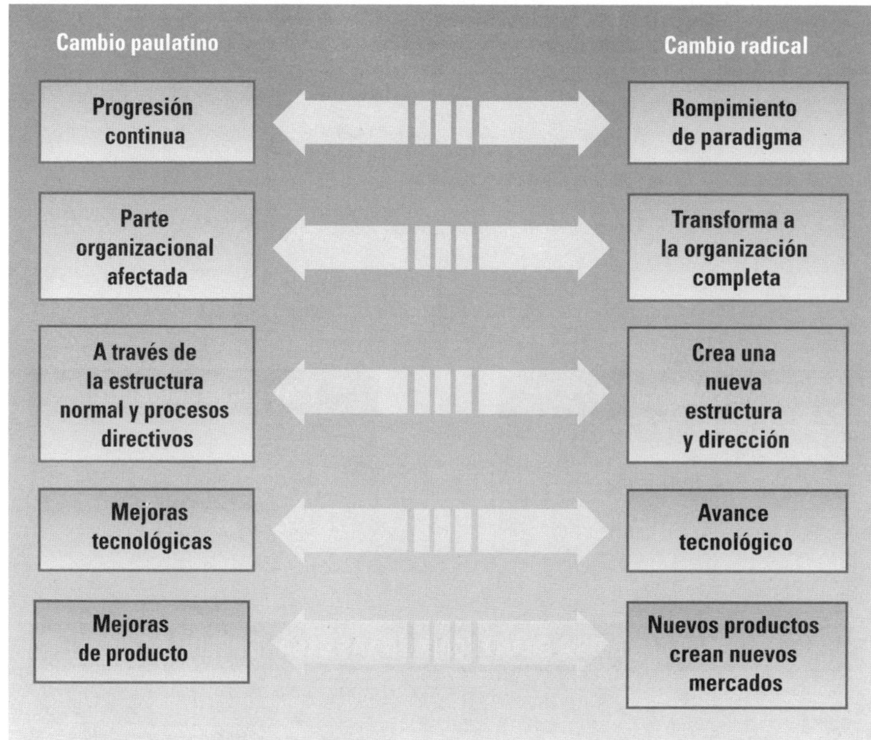

En su mayor parte, el cambio en aumento ocurre a través de la estructura establecida y los procesos directivos, y puede incluir mejoras tecnológicas, como la introducción de sistemas de manufactura flexible, o mejoras de producto, como la adición de agentes limpiadores que realizó Procter & Gamble al detergente Tide que protegen los colores y las telas. El cambio radical implica la creación de una nueva estructura y nuevos procesos directivos. Es probable que la tecnología represente un gran avance, así, los nuevos productos creados por esta razón establecerán nuevos mercados.

Como se analizó con anterioridad, existe un énfasis cada vez mayor en la necesidad de un cambio radical debido al turbulento e impredecible entorno actual.[5] Un ejemplo del cambio radical está representado por Apple Computer, que se ha transformado a sí misma de un fabricante de computadoras personales (PC) a una fuerza dominante en el negocio del entretenimiento digital. Con la creación del iPod y la tienda en línea iTunes, que ofrece a la gente un acceso fácil y legal a grandes cantidades de canciones, Apple ha cambiado las reglas del juego en el mercado de la electrónica de consumo, entretenimiento y software.[6] Las transformaciones y cambios radicales en las corporaciones, como el cambio integral de Allied Signal llevado a cabo por Larry Bossidy o la transformación que realizó Lou Gerstner en IBM, también se consideran cambios radicales. Los cambios radicales importantes implican transformaciones en todas las áreas de la organización, incluida la estructura, los sistemas directivos, la cultura, la tecnología y los productos o servicios.

Tipos de cambio estratégico

Los directivos pueden enfocarse en cuatro tipos de cambio dentro de las organizaciones para lograr una ventaja estratégica. Estos cuatro tipos se resumen en el cuadro 11.3 como los productos y los servicios, la estrategia y la estructura, la cultura, y la tecnología. En el capítulo 2 y en el capítulo que trata sobre la cultura corporativa se presentaron los temas del liderazgo global y de la estrategia organizacional. Estos factores propor-

Liderazgo por diseño

Google

Google se ha convertido con gran rapidez en el buscador más popular en Internet, gracias a su estrategia más veloz e inteligente para proporcionar a los usuarios lo que están buscando. Pero para conservar ese éxito, los directivos saben que la compañía necesita continuar su cambio de manera permanente.

La gerente de producción, Marissa Mayer, sugirió que la compañía averiguara nuevas ideas de la misma forma que su buscador indaga por todos los sitios de la red para ofrecer a los clientes la mejor búsqueda posible, Google explora por todas partes, mediante la investigación en miles de millones de documentos. Después, clasifica los resultados de la búsqueda por relevancia para presentarlos de forma instantánea al usuario. Esta idea del proceso de búsqueda corporativa funciona casi de la misma forma que lanzar una gran red a través de la organización. El proceso comienza con una intranet fácil de utilizar. Incluso los empleados con poca experiencia pueden llenar con rapidez una página con ideas. "Nunca decimos, este grupo debe innovar y el resto debe tan sólo hacer su trabajo", afirma Jonathan Rosenberg, vicepresidente de administración de producto. "Todos pasan una parte del día en investigación y desarrollo." La intranet también ha sacado a la luz más ideas provenientes de la sabiduría tecnológica de los empleados de Google quienes quizá no sean muy asertivos y elocuentes en las juntas. Mayer afirma que algunos ingenieros tienen gran cantidad de buenas ideas pero son tímidos por lo que no las presentan en las juntas abiertas. Ahora, los empleados pueden publicar sus ideas en la intranet y ver qué clase de respuesta obtienen.

Mayer navega en el sitio todo los días para ver cuales están generando más entusiasmo y comentarios. Una vez a la semana, se sienta con el equipo para recapitular las mismas y dar forma al menos a seis o siete que pueden ser desarrolladas con agilidad. Además del proceso de búsqueda interna, los usuarios ejercen una función clave en la innovación. Empleados de tiempo completo leen y responden los correos electrónicos de los usuarios y transmiten las ideas a los equipos de proyecto, quienes retocan en forma constante el servicio de Google. Los ingenieros trabajan en equipos de tres y tienen autoridad para realizar cualquier cambio que mejore la calidad de la experiencia del usuario y deshacerse de cualquier cosa que obstaculice el camino. Además, Google permite que su buscador sea integrado por cualquier desarrollador de software en sus propias aplicaciones. La descarga es fácil y la licencia es gratuita. Para algunas empresas esto en apariencia es una locura, pero Google afirma que se trata de "integrar al mundo al equipo de desarrollo de Google".

El enfoque orgánico de Google para la innovación ha sido muy exitoso. De hecho, la compañía ya no es tan sólo un buscador de éxito colosal, sino que ha evolucionado para convertirse en una compañía de software que está emergiendo como una amenaza importante para el dominio de Microsoft. Mientras Microsoft se ha esforzado por integrarse al juego de los buscadores, Google ha estado lanzando de manera discreta productos como la búsqueda de escritorio; el servicio de correo Gmail; software para administrar, editar y enviar fotos digitales; y programas para crear, editar y publicar documentos. La idea de que Google pueda algún día marginar el sistema operativo de Microsoft y crear atajos para esquivar las aplicaciones de Windows está siendo tomada muy en serio por los directivos de Microsoft, la cual es diez veces el tamaño de Google y tiene una abundancia de efectivo con el cual competir. Sin embargo, los líderes de Microsoft saben que, por ahora, gracias al proceso de investigación de Google, ésta tiene un ventaja. "Aquí Microsoft ha gastado $600 millones al año en investigación y desarrollo para el MSN, $1000 millones al año para Office y $1000 millones al año para Windows; mientras Google logró lanzar la búsqueda de escritorio antes que nosotros", afirma un ejecutivo de Microsoft. "Esto en realidad fue una llamada de alerta."

Fuente: Fara Warner, "How Google Searches Itself", *Fast Company* (julio 2002), 50-52; Fred Vogelstein, "Search and Destroy", *Fortune* (mayo 2, 2005), 72-82; y Keith H. Hammonds, "How Google Grows... and Grows... and Grows", *Fast Company* (abril 2003), 74.

Como gerente de una organización, tenga en mente estos lineamientos:

Reconozca que los cuatro tipos de cambio son interdependientes y que con frecuencia los cambios en un área requieren cambios en otras.

cionan un contexto general dentro del cual los cuatro tipos de cambio actúan como una pequeña diferencia competitiva para lograr una ventaja en el entorno internacional. Cada compañía tiene una configuración peculiar de productos y servicios, estrategia y estructura, cultura, o tecnología que puede encauzarse para el logro de un impacto máximo sobre los mercados elegidos por la compañía.[7]

Los **cambios tecnológicos** son los cambios en un proceso de producción dentro de una organización, lo que incluye su conocimiento y su base de habilidades, los cuales hacen posible una competencia distintiva. Estos cambios están diseñados para hacer que la producción sea más eficiente o para generar un volumen mayor. Los cambios tecnológicos suponen técnicas para generar productos y servicios. Éstas incluyen métodos de

CUADRO 11.3
Los cuatro tipos de cambio proporcionan una diferenciación competitiva estratégica
Fuente: Joseph E. McCann, "Design Principles for an Innovating Company", *Academy of Management Executive* 5 (mayo 1991), 76-93. Usado con autorización.

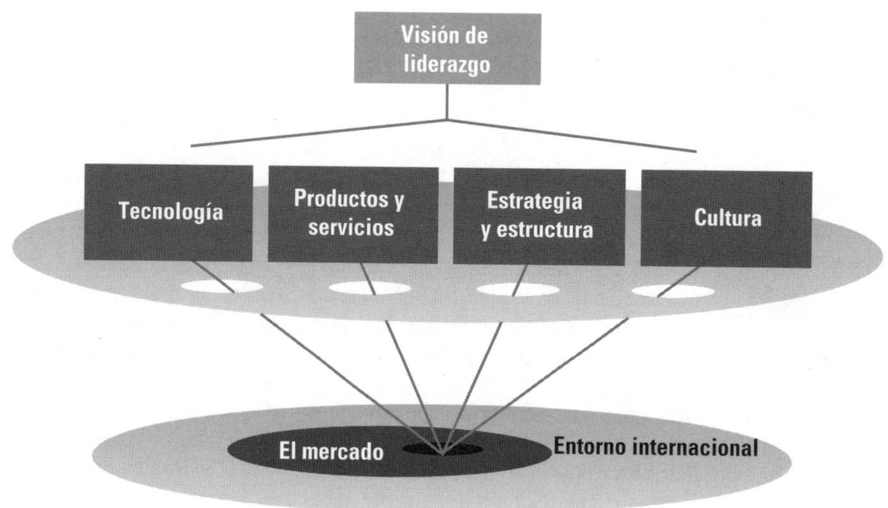

trabajo, equipo y flujo de trabajo. Por ejemplo, un cambio tecnológico en UPS fue la implementación del DIAD (dispositivo de adquisición de información de entrega). Cuando un cliente firma de conformidad la recepción de un paquete en un tablero computarizado, el dispositivo envía de manera automática la información al sitio Web, donde el emisor puede verificar que el paquete haya sido entregado, antes que el repartidor haya regresado a su camión.[8]

Los **cambios en los productos y los servicios** atañen a la generación de productos o servicios de una organización. Los nuevos productos suponen pequeñas adaptaciones a productos existentes o bien, líneas completas de nuevos productos. Por lo general, se diseñan nuevos productos y servicios para incrementar la participación de mercado o desarrollar nuevos mercados, clientes o compradores. El camión Hilux de Toyota es un nuevo producto diseñado para incrementar la participación de mercado, mientras el iPod de Apple es un nuevo producto que creó un mercado totalmente nuevo para la compañía. Un ejemplo de un nuevo servicio diseñado para buscar nuevos mercados y clientes son las cafeterías musicales que desarrolló Starbucks, donde la gente puede elegir entre cientos de miles de canciones y hacer discos compactos a su medida, por un dólar cada canción.[9]

Los **cambios en la estrategia y la estructura** pertenecen al dominio directivo de una organización. Éste implica la supervisión y administración de la organización. Estos cambios son en la estructura organizacional, la administración estratégica, las políticas, los sistemas de recompensa, las relaciones laborales, los dispositivos de coordinación, los sistemas de administración de información y control, y los sistemas de contabilidad y presupuestos. Por lo general, los cambios en la estructura y los sistemas son jerárquicos, es decir, corre por cuenta de los altos directivos decretarlos, mientras que los cambios en el producto o la tecnología quizá sea más frecuente que provengan de los niveles bajos a los más altos. Un cambio en un sistema instituido por la dirección en una universidad podría ser un nuevo plan de remuneración por méritos. La reducción de personal corporativo y la adopción de una organización horizontal por equipos, son otros ejemplos de cambios estructurales y jerárquicos.

Los **cambios culturales** se refieren a los que se dan en los valores, las actitudes, las expectativas, las creencias, las habilidades y el comportamiento de los empleados. Éstos se refieren a cambios en la forma de pensar de los empleados; es decir, son cambios en la mentalidad y no en la tecnología, la estructura o los productos.

Los cuatro tipos de cambios que se mencionaron en el cuadro 11.3 son interdependientes, en otras palabras, un cambio en un área con frecuencia implica un cambio en otra. Un nuevo producto puede requerir cambios en la tecnología de producción, o un cambio en la estructura puede requerir nuevas capacidades de los empleados. Por ejemplo, cuando Shenandoah Life Insurance Company adquirió nueva tecnología de cómputo para procesar reclamaciones, ésta no se utilizó por completo hasta que el personal de oficina fue agrupado en equipos de cinco a siete miembros que eran compatibles con dicha tecnología. El cambio estructural fue una consecuencia natural del tecnológico. Las organizaciones son sistemas interdependientes, y el cambio en una parte muchas veces repercute en otros elementos de la organización.

Elementos para el cambio exitoso

Sin importar el tipo o extensión del cambio, existen etapas identificables en la innovación, las cuales por lo general se presentan como una secuencia de acontecimientos, aunque las etapas del cambio pueden coincidir parcialmente.[10] En las investigaciones referentes a la innovación, el **cambio organizacional** se considera como la adopción de una nueva idea o comportamiento por parte de una organización.[11] En contraste, la **innovación organizacional**, es la adopción de una idea o comportamiento que es nuevo para la industria, mercado o entorno general de una organización.[12] La primera organización en generar un nuevo producto se considera la innovadora, y las organizaciones que la imitan se consideran los adoptantes de cambios. Sin embargo, para fines de administración del cambio, los términos *innovación* y *cambio* se utilizarán de manera indistinta debido a que el **proceso de cambio** dentro de las organizaciones tiende a ser idéntico sin importar si el cambio es prematuro o tardío con respecto a otras organizaciones en el entorno. Por lo general, las innovaciones se asimilan en una organización a través de una serie de etapas o elementos. En primer lugar, los miembros de una organización toman conciencia de una innovación, evalúan su idoneidad, y después califican y eligen la idea.[13] Los elementos requeridos para un cambio exitoso se resumen en el cuadro 11.4. Para que un cambio se implemente con éxito, los directivos deben asegurarse de que cada elemento esté presente en la organización. Si uno de los elementos falta, el proceso de cambio fracasará.

Como gerente de una organización, tenga en mente estos lineamientos:

Cerciórese de que todos los cambios emprendidos tengan definidos los siguientes elementos: Necesidad, idea, decisión de adopción, estrategia de implementación y recursos. Para no fracasar, no prosiga hasta que cada elemento esté presente.

1. *Ideas*. Ninguna compañía puede mantener su competitividad sin nuevas ideas; el cambio es la expresión en el entorno de las mismas.[14] Una idea es una nueva forma de hacer las cosas. Puede ser un nuevo producto o servicio, un nuevo concepto directivo, o un nuevo procedimiento para trabajar juntos en una organización. Las ideas pueden provenir de dentro o de fuera de la organización. La creatividad interna es un elemento esencial para el cambio organizacional. La **creatividad** es la generación de nuevas ideas que pueden satisfacer las necesidades percibidas o responder a las oportunidades. Un empleado en Boardroom Inc., una editorial de libros y revistas, tuvo la iniciativa de reducir las dimensiones de los libros de la compañía un cuarto de pulgada. Los directivos se dieron cuenta de que el tamaño pequeño reduciría las tarifas postales, y la implementación de este concepto generó ahorros anuales de más de $500 000.[15] Algunas técnicas para estimular la creatividad interna son el aumento de la diversidad dentro de la organización, asegurarse de que los empleados tengan una abundancia de oportunidades para interactuar con gente diferente a ellos mismos, ofrecer a los trabajadores tiempo y libertad para la experimentación, y apoyar la toma de riesgos y las equivocaciones.[16] Eli Lilly & Co., la compañía farmacéutica con sede en Indianápolis, realiza "fiestas de errores", para conmemorar el trabajo científico eficiente y brillante que a pesar de todo resultó en un fracaso. Los científicos de la compañía son alentados a asumir riesgos y buscar usos alternativos para los medicamentos fallidos. El medicamento para la osteoporosis Evista de Lilly había sido un fracaso como anticonceptivo. Strattera, que trata el desorden de déficit de atención/hiperactividad, era un antidepresivo poco exitoso. El medicamento para la impotencia con altísimas ventas, Viagra, se desarrolló en un principio para tratar dolores cardíacos severos.[17]

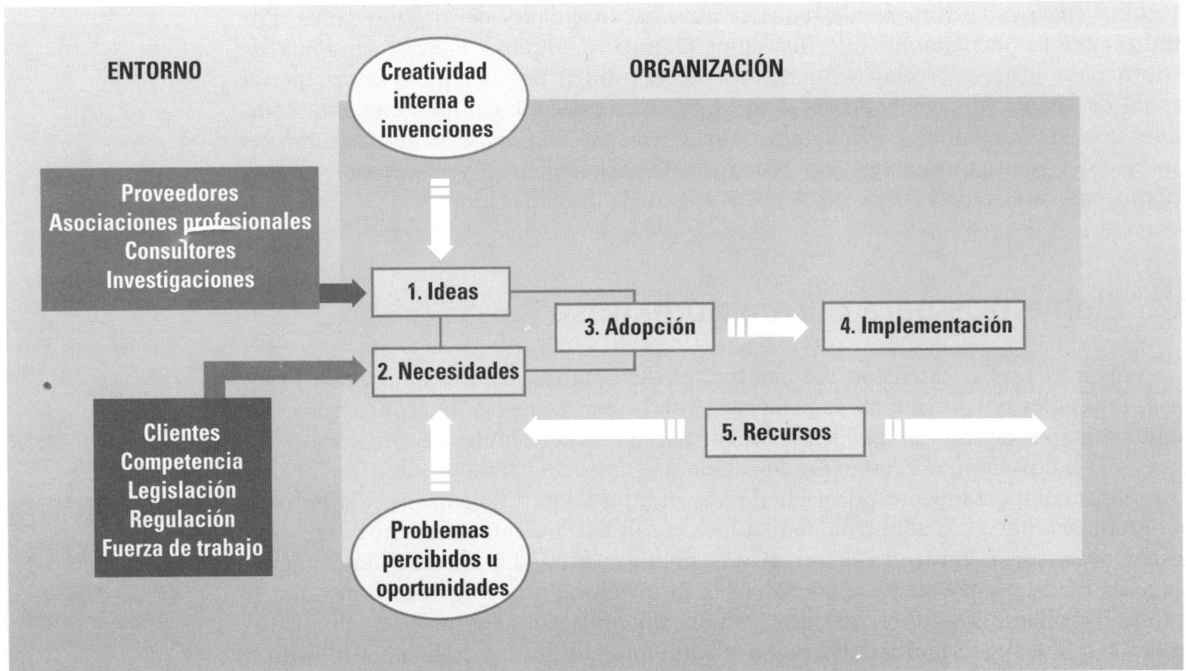

CUADRO 11.4
Secuencia de elementos para un cambio exitoso

2. *Necesidad.* Por lo común, las ideas no se consideran con seriedad a menos de que haya una necesidad de cambio percibida. Una necesidad de cambio percibida ocurre cuando los directores ven una brecha entre el desempeño real y el deseado en una organización. Los directivos tratan de infundir la sensación de urgencia de manera que otros puedan entender la necesidad de cambio. Algunas veces una crisis proporciona una sensación indudable de urgencia. No obstante, en muchos casos no existe crisis, de manera que los directivos tienen que reconocer una necesidad y comunicarla a los demás.[18] Un estudio sobre innovación realizado en las empresas industriales, por ejemplo, sugiere que las organizaciones que fomentan la atención cuidadosa a los clientes y a las condiciones del mercado y promueven la actividad empresarial, producen más ideas y son más innovadoras.[19] Jeffrey Immelt, el nuevo director general de General Electric (GE), justamente está tratando de crear estas condiciones en el gigante industrial con desarrollo incontrolado, que ha crecido en años recientes en gran parte debido a sus adquisiciones. Mediante una combinación de énfasis en el marketing, esfuerzo renovado en la investigación básica y concentración de toda la compañía en el aprendizaje y la transmisión de ideas, Immelt está transformando a GE en una empresa de innovación tecnológica, la cual exige una reinvención constante para generar un mayor crecimiento de sus operaciones internas.[20]
3. *Adopción.* La adopción ocurre cuando los encargados de la toma de decisiones optan por seguir adelante con una idea propuesta. Es necesario que haya un consenso entre directivos y empleados clave para apoyar el cambio. Para un cambio organizacional importante, la decisión puede requerir la firma de un documento legal de parte del consejo de administración. Para un cambio pequeño, la adopción puede ocurrir mediante la aprobación informal de un gerente medio.
4. *Implementación.* La implementación ocurre cuando los miembros de la organización ponen en práctica una nueva idea, técnica o comportamiento. Puede ser necesaria la adquisición de materiales y equipo, y los trabajadores pueden tener que capacitarse para utilizar la nueva idea. La implementación es una etapa muy importante debido a que sin ella, las etapas previas se habrían realizado en vano. La implementación del cambio con frecuencia es la parte más difícil del proceso. Hasta que la gente utilice la nueva idea, ningún cambio habrá tenido lugar en realidad.

5. *Recursos.* Se requieren la energía y la actividad humana para producir el cambio. El cambio no sucede por sí mismo; requiere tiempo y recursos, tanto para crear como para implementar una nueva idea. Los empleados tienen que proporcionar la energía necesaria para percibir la necesidad y concebir una idea para satisfacerla. Alguien debe desarrollar una propuesta y proporcionar el tiempo y el esfuerzo para implementarla. 3M tiene una regla no escrita pero que todos comprenden acerca de que 8300 investigadores pueden invertir hasta 15% de su tiempo y trabajar en cualquier idea que ellos elijan, sin la aprobación de su superior. La mayor parte de las innovaciones van más allá de las asignaciones ordinarias presupuestales y requieren un financiamiento especial. En 3M, las ideas que en forma excepcional son prometedoras se convierten en los "programas que marcan el ritmo" y reciben altos niveles de financiamiento para su desarrollo profundo.[21] Algunas compañías utilizan las fuerzas de tarea, descritas en el capítulo 3, para enfocar los recursos hacia la realización de un cambio. Otras establecen financiamientos semillas o de riesgo que los empleados con ideas prometedoras pueden explorar. En Eli Lilly, el "fondo de cielo azul" paga a los investigadores para trabajar en proyectos que en apariencia no suponen un beneficio comercial inmediato.[22]

Hay una cuestión en el cuadro 11.4 que es muy importante. Las ideas y las necesidades se listan de manera simultánea al principio de la secuencia de los cambios. Cualquiera puede ocurrir primero. Muchas organizaciones adoptaron por ejemplo, la computadora, debido a que parecía la forma más prometedora de mejorar la eficiencia. La búsqueda de una vacuna contra el virus del SIDA, por otro lado, fue estimulada por una necesidad severa. Ya sea que la necesidad o la idea lo que ocurra primero, para que el cambio se realice, se deben completar cada una de las etapas del cuadro 11.4.

Cambio tecnológico

En el mundo contemporáneo de los negocios, es probable que cualquier compañía que no se desarrolle, adquiera o adapte de manera continua a nuevas tecnologías, en pocos años salga del negocio. Sin embargo, las organizaciones enfrentan una contradicción cuando se trata de cambio tecnológico, debido a que, por lo general, las condiciones que promueven ideas nuevas no son las mejores para implementarlas para la producción rutinaria. Una organización innovadora está caracterizada por su flexibilidad y empleados con *empowerment* y la ausencia de reglas de trabajo rígidas.[23] Como se analizó con anterioridad en este libro, una organización orgánica con libre flujo en términos generales está asociada con el cambio y está considerada como la mejor forma organizacional para adaptarse a un entorno caótico.

La flexibilidad de una organización orgánica se atribuye a la libertad de la gente para ser creadora e introducir ideas nuevas. Las organizaciones orgánicas fomentan el proceso de innovación ascendente. Las ideas de los empleados de los niveles medios e inferiores rebosan debido a que tienen la libertad de proponerlas y de experimentarlas. Por el contrario, una estructura mecanicista ahoga la innovación con su énfasis en las reglas y regulaciones, pero muchas veces es la mejor estructura para generar de manera eficiente productos rutinarios. El reto para los directivos es crear condiciones orgánicas y mecanicistas dentro de las organizaciones para alcanzar tanto la innovación como la eficiencia. Para lograr ambos aspectos del cambio tecnológico, numerosas organizaciones utilizan el enfoque ambidiestro.

Facilite los cambios frecuentes en la tecnología interna mediante la adopción de una estructura organizacional orgánica. Proporcione al personal técnico libertad para analizar problemas y desarrollar soluciones o cree un departamento estructurado de manera orgánica e independiente o un grupo de riesgo para crear y proponer ideas nuevas.

Enfoque ambidiestro

Los recientes paradigmas han refinado la idea de las estructuras orgánicas en contraposición a las mecanicistas en lo que respecta a la creación de innovación frente a su utilización. Por ejemplo, a menudo una estructura orgánica genera ideas innovadoras pero no es la mejor estructura para utilizar tales propósitos.[24] En otras palabras, la ini-

CUADRO 11.5
División del trabajo en una organización ambidiestra

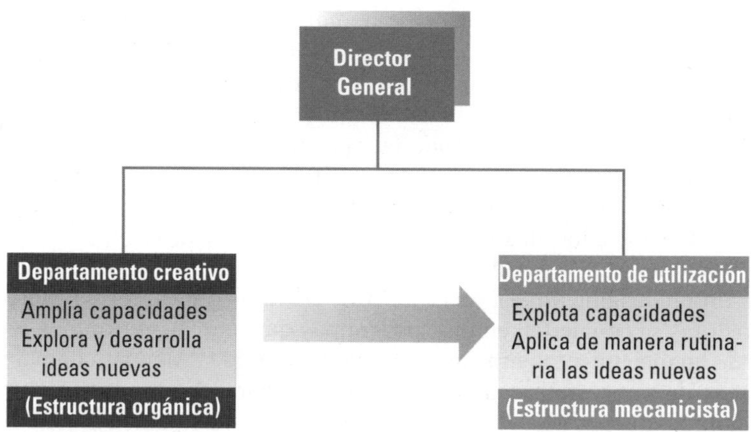

ciación y utilización del cambio tienen dos procesos distintos. Las características orgánicas como la descentralización y la libertad de los empleados son excelentes para iniciar ideas; pero estas mismas condiciones con frecuencia dificultan la implementación de un cambio debido a que es menos probable que el personal acceda a él. Los trabajadores pueden ignorar la innovación debido a la descentralización y a una estructura libre en términos generales.

¿Cómo resuelve una organización este dilema? Un remedio para la organización es utilizar un **enfoque ambidiestro**, es decir, incorporar estructuras y procesos directivos apropiados tanto para la creación como para la implementación de la innovación.[25] Otra forma de concebir el enfoque ambidiestro es observar los elementos de diseño organizacional importantes para *explorar* ideas nuevas en comparación con los elementos de diseño más adecuados para *explotar* las capacidades existentes. La exploración implica fomentar la creatividad y desarrollar ideas nuevas, mientras que la explotación entraña la implementación de esos propósitos para generar productos rutinarios. La organización puede ser diseñada para comportarse de una forma orgánica y explorar nuevas habilidades, o de una forma mecanicista para explotar y utilizarlas. El cuadro 11.5 ilustra la forma en que un departamento está estructurado de forma orgánica para explorar y desarrollar ideas nuevas y otro departamento estructurado de manera mecanicista para la implementación rutinaria de las innovaciones. La investigación ha demostrado que las organizaciones que utilizan un enfoque ambidiestro con un diseño para la exploración y explotación son mucho más exitosas en el lanzamiento de nuevos productos o servicios innovadores.[26]

Por ejemplo, un estudio de compañías japonesas de gran tradición como Honda y Canon que han tenido éxito en cambios muy avanzados, encontró que estas compañías utilizaban un enfoque ambidiestro.[27] Para desarrollar ideas relacionadas con una nueva tecnología, las compañías establecen equipos de miembros jóvenes que no están enraizados en la "vieja forma de hacer las cosas" para trabajar en el proyecto. Los equipos están liderados por un decano admirado y tienen el encargo de hacer cualquier cosa que sea necesaria para desarrollar ideas y productos nuevos, incluso si la implementación de estas ideas nuevas implica infringir reglas importantes para la organización en general.

Técnicas para fomentar el cambio tecnológico

Algunas técnicas utilizadas por las compañías para mantener un enfoque ambidiestro son: Las estructuras alternantes, los departamentos creativos independientes, los equipos de riesgo y el espíritu emprendedor corporativo.

Estructuras alternantes. Las **estructuras alternantes** suponen la creación de una estructura orgánica por parte de una organización cuando así lo requiere la iniciación de ideas nuevas.[28] Algunas formas en que las organizaciones tienen estructuras alternantes para lograr el enfoque ambidiestro son las siguientes:

- Philips Corporation, un productor de materiales de construcción con sede en Ohio, crea cada año hasta 150 grupos transitorios, compuestos por miembros de diferentes departamentos, para desarrollar ideas a fin de mejorar los productos y los métodos de trabajo de Philips. Después de cinco días de creación orgánica de ideas y resolución de problemas, la compañía regresa a una base más mecanicista para implementar los cambios.[29]
- Gardetto's, un negocio familiar de bocadillos, envía pequeños equipos de trabajadores a Eureka Ranch, donde participan en una batalla de armas de juguete de la marca Nerf, con el fin de establecer las bases de diversión y libertad para después participar en ejercicios de creación con el propósito de generar tantas ideas nuevas como sea posible para el final del día. Después de dos días y medio, el grupo regresa a su estructura organizacional acostumbrada para poner sus mejores ideas en acción.[30]
- La planta NUMMI, una sucursal de Toyota localizada en Fremont, California, crea una subunidad interdisciplinaria, independiente y organizada de manera orgánica, denominada Equipo Piloto, con el objetivo de diseñar procesos de producción para modelos nuevos de autos y camiones. Cuando el prototipo ingresa a producción, los trabajadores regresan a sus actividades habituales en el taller.[31]

Cada una de estas organizaciones han encontrado formas creativas de ser ambidiestro, mediante el establecimiento de condiciones orgánicas para desarrollar ideas nuevas en medio de condiciones más mecanicistas para implementarlas y utilizarlas.

Departamentos creativos. En muchas organizaciones grandes el comienzo de la innovación está asignado a los **departamentos creativos** independientes.[32] Departamentos staff, como el de investigación y desarrollo, el de ingeniería, el de diseño y el de análisis de sistemas, generan cambios para su adopción en otros departamentos. Los departamentos que inician el cambio tienen una estructura orgánica para facilitar la generación de nuevas ideas y técnicas. Los departamentos que utilizan tales innovaciones tienden a tener una estructura mecanicista más adecuada para la producción eficiente.

Un ejemplo de departamento creativo es el laboratorio de investigación en Oksuka Pharmaceutical Company. A pesar de que la mayoría de las empresas farmacéuticas más grandes en Estados Unidos han adoptado el uso de robots y otras herramientas de alta tecnología para llevar a cabo experimentos a gran escala, las compañías japonesas como Oksuka están logrando el éxito mediante el énfasis continuo en la creatividad humana. Para tener la clase de espíritu creativo que está dispuesto a intentar cosas nuevas y buscar lo inesperado, el presidente de Oksuka, Tatsuo Higuchi afirma que sus laboratorios de investigación "ponen un alto valor en la gente rara".[33] Sin embargo, en el departamento que fabrica los medicamentos, donde la rutina y la precisión son importantes, una compañía farmacéutica preferiría tener menos gente excéntrica y que esté dispuesta a seguir las reglas y procedimientos estandarizados.

Otro tipo de departamento creativo es la **incubadora de ideas**, una forma cada vez más popular de fomentar el desarrollo de ideas nuevas dentro de una organización. Una incubadora de ideas proporciona un puerto seguro donde las ideas de los empleados de toda la organización pueden desarrollarse sin la interferencia de la burocracia o políticas corporativas.[34] La incubadora proporciona a la gente de toda la organización un lugar al cual acudir en lugar de tener que vender una idea nueva por toda la compañía y esperar que a alguien le interese un poco. Compañías tan diversas como Boeing, Adobe Systems, Ziff-Davis, y United Parcel Service (UPS) están utilizando incubadoras para promover el desarrollo de planes nuevos.

Equipos de riesgo. Los **equipos de riesgo** son una técnica que se utiliza para dar rienda suelta a la creatividad dentro de las organizaciones. Muchas veces se les asigna a los equipos de riesgo un lugar e instalaciones separadas de manera que no estén limitados por los procedimientos organizacionales. Un equipo de riesgo es como una pequeña compañía dentro de una gran compañía. Existen numerosas organizaciones que han utilizado este concepto para liberar a la gente creativa de la burocracia que supone una corporación grande. En 3M un programa llamado *Aceleración 3M*, permite a un empleado que tiene una idea prometedora para una nueva tecnología o producto reclutar gente de toda la compañía para que trabaje en un nuevo equipo de riesgo. 3M proporciona el espacio, el financiamiento y la libertad que el equipo necesita para que la idea entre en un proceso acelerado y más adelante convertirla en un producto comerciable.[35] La mayor parte de las compañías establecidas con operaciones exitosas basadas en Internet han adoptado equipos de riesgo a fin de tener la libertad y autoridad para explorar y desarrollar la nueva tecnología. Por ejemplo, *USA Today*, a fin de establecer sus propios servicios en línea, dio a la nueva unidad encargada de ello, un lugar independiente y la libertad de establecer sus propios procesos directivos distintivos, estrategias de contratación, estructura y cultura. Al mismo tiempo, los líderes de alto nivel en la unidad en línea están bien integrados al negocio de impresión para lograr sinergia y colaboración entre las unidades.[36]

Un tipo de equipo de riesgo se denomina *equipo especial*.[37] Un **equipo especial** es un grupo independiente, pequeño, informal, altamente autónomo y con frecuencia, secreto, que se enfoca en ideas trascendentales para el negocio. El equipo especial original fue creado por Lockheed Martin hace más de 50 años y continúa en operación. El objetivo esencial del equipo especial es proporcionar el tiempo y la libertad a gente muy talentosa para permitir que impere la creatividad.

Una variación del concepto de equipo de riesgo es el **financiamiento para el nuevo riesgo**, el cual proporciona recursos financieros a empleados para desarrollar ideas, productos o negocios nuevos. Con el fin de explotar los impulsos empresariales de su personal, Lockheed Martin permite a sus empleados tomar hasta dos años sin goce de sueldo para explorar una idea nueva, utilizar los laboratorios y el equipo de la compañía y el pago de las tarifas corporativas del seguro de salud. Si la idea es exitosa, el financiamiento de riesgo corporativo invierte alrededor de $250 000 en la compañía que inicia. Una compañía incipiente exitosa es Genase, la cual creó una enzima que "lava a la piedra" la mezclilla.[38]

Espíritu emprendedor corporativo. El espíritu emprendedor corporativo intenta desarrollar un espíritu, una filosofía y una estructura de emprendedores que produzcan un número de innovaciones más alto que el promedio. El espíritu emprendedor corporativo puede implicar el uso de departamentos creativos y de nuevos equipos de riesgo, pero también intenta liberar la energía creativa de todos los empleados en la organización. Los directivos pueden crear sistemas y estructuras que fomenten el espíritu emprendedor. Por ejemplo, en la compañía petrolera gigante BP, los altos ejecutivos establecen contratos con los líderes de las unidades de negocio de BP. Luego, se proporciona a los directivos de unidades la libertad para cumplir con el contrato de cualquier forma que ellos crean conveniente, dentro de limitantes bien identificadas.[39]

Una consecuencia importante del espíritu emprendedor corporativo es el impulso a los **campeones de ideas**. Éstos tienen una gran cantidad de nombres, *como defensor, intrapreneur,* o *agente de cambio*. Ellos proporcionan el tiempo y la energía para hacer que las cosas sucedan. Luchan por superar la resistencia natural al cambio y convencer a los demás del mérito de una idea nueva.[40] Los campeones de ideas necesitan no estar dentro de la organización. Un método muy exitoso para algunas compañías es nombrar a los campeones de ideas entre los clientes habituales.[41] Un ejemplo es Anglian Water, donde todo proyecto de innovación tiene un patrocinador o campeón que es un cliente en busca de una solución a un problema específico.[42] La importancia del campeón de ideas está ejemplificado mediante un fascinante hecho descubierto por Texas Instruments (TI): Cuando TI realizó 50 proyectos técnicos exitosos y no exitosos, descubrió que todas las fallas estaban caracterizadas por la ausencia de un promotor voluntario. No había alguien que creyera apasionadamente en la idea, que la impulsara por encima de cualquier obstáculo para hacer que funcionara. TI tomó este hallazgo con tanta seriedad que ahora el criterio número uno para aprobar nuevos proyectos técnicos es la presencia de un campeón fervoroso.[43]

Los campeones de ideas por lo general se clasifican en dos tipos. El **campeón técnico**, o campeón de producto, es la persona que genera y desarrolla una idea o una innovación tecnológica y está dedicado a ella, incluso al grado de arriesgar su posición de prestigio. El **campeón de administración** actúa como defensor y patrocinador a fin de proteger y promover una idea dentro de la organización.[44] El campeón administrador busca la aplicación potencial y goza de prestigio y autoridad para hacer que la idea se escuche y que le sean asignados recursos. Los campeones técnicos y administrativos con frecuencia trabajan unidos debido a que la idea técnica tendrá una oportunidad mayor de éxito si el administrador puede encontrar un patrocinador para ella. Numerosos estudios han identificado la importancia de los campeones de ideas como factor de éxito en los nuevos productos.[45]

Las compañías fomentan la participación de los campeones de ideas al ofrecer libertad y periodos de poca actividad a la gente creativa. Compañías como IBM, General Electric y 3M permiten que los empleados desarrollen nuevas tecnologías sin la aprobación de la empresa. La investigación no autorizada, conocida como *contrabando*, con mucha frecuencia redunda en grandes dividendos. Como afirmó un ejecutivo de IBM, "nos hacemos de la vista gorda. Esto reditúa. Es sorprendente lo que un puñado de gente dedicada puede hacer cuando en realidad está inmerso en ello".[46] W. L. Gore también depende de los campeones de ideas para la innovación exitosa.

En la práctica

W. L. Gore

W. L. Gore, una compañía privada mejor conocida como el fabricante de la tela Gore-Tex, es tan buena innovadora que se ha convertido en un jugador importante en áreas tan diversas como cuerdas de guitarra, hilo dental, celdas de energía y dispositivos médicos. Todos en Gore esperan convertirse en un campeón de ideas en algún momento de su carrera dentro de la compañía. Gore proporciona el entorno para que esto suceda al permitir a los empleados averiguar qué es lo que desean hacer.

Los empleados de Gore, conocidos como asociados, no tienen títulos laborales o jefes. En lugar de asignárseles las tareas, la gente se compromete trabajar en proyectos donde piensan que pueden ofrecer su mejor contribución. Esto significa que los trabajadores tienden a ser "muy apasionados con lo que hacen", afirma el investigador Jeff Kolde. Kolde mismo es un excelente ejemplo de un campeón de ideas. Los investigadores de Gore han desarrollado y mejorado una clase de membrana que separa los iones positivos de los negativos, pero la compañía no estaba segura de qué hacer con ella. Kolde estaba muy entusiasmado por su uso potencial en la industria de las celdas combustibles y comenzó a enviar prototipos. La industria de las celdas combustibles también se entusiasmó. W. L. Gore se convirtió en el primer proveedor comercial de mecanismos membrana-electrón, una tecnología crucial para este tipo de industrias. Pero Kolde primero tuvo que convencer a los demás de que el proyecto valía su tiempo y esfuerzo, una tarea difícil en un área como la de las celdas combustibles. Su pasión por el proyecto le permitió reclutar a gente de toda la compañía, incluidos dos doctorados.

Los asociados investigadores de Gore pueden invertir 10% de su tiempo en "momentos de divagación", con el objeto de desarrollar sus propias ideas. Un colega de alto nivel funge como mentor y orientador; si la idea es prometedora y el asociado está entusiasmado con ella, el centro se convierte en un campeón administrador para asegurarse de que el proyecto obtenga la atención y recursos necesarios para llevarlo a cabo. Gore ha encontrado que el reclutamiento de asociados voluntarios para trabajar en los proyectos ha resultado ser un muy buen indicador del probable éxito de una innovación.[47]

Nuevos productos y servicios

A pesar de que las ideas que recién se analizaron son importantes para el producto y el servicio así como para los cambios tecnológicos, existen otros factores que se deben considerar. De muchas formas, los nuevos productos y servicios son un caso especial de innovación debido a que son utilizados por clientes externos a la organización. Dado que los nuevos productos se diseñan para su venta en el entorno, la incertidumbre acerca de la idoneidad y éxito de una innovación es muy alta.

Índice de éxito de un nuevo producto

La investigación ha explorado la enorme incertidumbre relacionada con el desarrollo y venta de nuevos productos.[48] Para entender lo que este riesgo puede implicar para las organizaciones, tan sólo considere fracasos como el reproductor de videodiscos de RCA, que perdió aproximadamente $500 millones, o *TV-Cable Week* de Time Incorporated, que perdió $47 millones. Pfizer Inc., invirtió más de $70 millones en el desarrollo y prueba de un medicamento para antienvejecimiento antes que fracasara en las etapas de prueba finales.[49] Desarrollar y elaborar productos que no funcionen es parte del negocio en todas las industrias. Las compañías de comida empacada gastan miles de millones de dólares en investigación y desarrollo de nuevos productos como Rip-Ums de Kraft, una botana de queso que se desmorona; las rebanadas P.B. de Kenedy Foods son la respuesta para hacer la mantequilla de maní fácil; o el pudín portátil Squeez'n Go de ConAgra, pero cada año cientos de nuevos productos alimenticios se pierden. Las organizaciones asumen riesgos debido a que la innovación de productos es una de las formas más importantes en que las compañías se adaptan a los cambios en los mercados, las tecnologías y la competencia.[50]

Los expertos estiman que aproximadamente 80% de los productos fracasa después de su introducción y otro 10% desaparezca en cinco años. Si se considera que puede costar $50 millones o más lanzar con éxito un nuevo producto el desarrollo del mismo es un juego riesgoso y que representa una alta inversión para las organizaciones. No obstante, cada año aparecen más de 25 000 nuevos productos, lo que incluye más de 5000 nuevos juguetes.[51]

Una encuesta de hace algunos años examinó 200 proyectos en 19 laboratorios químicos, farmacéuticos, electrónicos petrolíferos para comprender los índices de éxito.[52] Para ser triunfador, un nuevo producto tiene que atravesar tres etapas de desarrollo: El perfeccionamiento técnico, la comercialización y el éxito de mercado. Los hallazgos acerca de los índices de logro se presentan en la tabla de 11.6. En promedio, sólo 57% de todos los planes que se llevan a cabo en los laboratorios de investigación y desarrollo han alcanzado los objetivos técnicos, lo cual significa que todos los problemas se han resuelto y los proyectos entran a producción. De todos los que se comenzaron, menos de un tercio (31%) se lanzaron al mercado y comercializaron por completo. Varios de ellos fracasaron en esta etapa debido a que las estimaciones de producción o resultados de las pruebas de mercado fueron desfavorables.

Por último, sólo 12% de todos los proyectos que se emprendieron en un principio lograron un éxito económico. La mayor parte de los productos comercializados no obtuvieron los suficientes ingresos para cubrir el costo del desarrollo de su producción. Esto significa que sólo cerca de uno de cada ocho proyectos redundaron en ingresos para la compañía.

Razones para el éxito de los nuevos productos

La siguiente pregunta que la investigación debía responder fue, ¿por qué algunos productos son más exitosos que otros? ¿Por qué productos como Frappuccino y Mountain Dew Code Red triunfaron en el mercado mientras Miller Clear Beer y la limonada de Frito-Lay fracasaron? Estudios posteriores indicaron que el éxito de las innovaciones

CUADRO 11.6
Probabilidad de éxito de un nuevo producto

	Probabilidad
Perfeccionamiento técnico (objetivos técnicos alcanzados)	.57
Comercialización (marketing integral)	.31
Éxito de mercado (obtener un ingreso económico)	.12

Fuente: Basado en Edwin Mansfield, J. Rapaport, J. Schnee, S. Wagner y M. Hamburger, *Research and Innovation in Modern Corporations* (Nueva York: Norton, 1971). 57.

estaba relacionado con la colaboración entre los departamentos técnicos y de marketing. Los nuevos productos y servicios exitosos parecen ser convincentes desde el punto de vista tecnológico y también hechos con cuidado la medida de las necesidades del cliente.[53] Un estudio denominado proyecto SAPPHO examinó 17 pares de nuevas innovaciones de producto, con un éxito y un fracaso en cada par, concluyó lo siguiente:

1. Las compañías innovadoras exitosas tenían una mejor comprensión de las necesidades de sus clientes y ponían una mayor atención al marketing.
2. Estas negociaciones triunfadoras hacían un uso más efectivo de la tecnología y de las recomendaciones externas, aunque en forma interna llevarán a cabo más trabajo.
3. El apoyo de la alta dirección en estas empresas provenía de personas de mayor edad y con una mayor autoridad.

Por lo tanto, existe un patrón distintivo consistente en producir cambios a la medida de las necesidades del cliente, hacer uso efectivo de la tecnología, y tener altos directivos influyentes que apoyen el proyecto. Estas ideas en conjunto indican que el diseño efectivo de la innovación de un nuevo producto está asociado con la coordinación horizontal a través de departamentos.

Modelo de coordinación horizontal

Portafolios

Como gerente de una organización, tenga en mente estos lineamientos:

Aliente a los departamentos de marketing, de investigación y de producción a desarrollar vínculos entre sí y con sus entornos cuando se necesiten nuevos productos o servicios.

El diseño organizacional para alcanzar la innovación de nuevos productos implica tres componentes: La especialización departamental, la interconexión de fronteras y la coordinación horizontal. Estos componentes son similares a los mecanismos de coordinación horizontal analizados en el capítulo 3, como los equipos, la fuerza de tarea y los gerentes de proyectos, y a las ideas de diferenciación e integración analizadas en el capítulo 4. El cuadro 11.7 ilustra estos componentes en el **modelo de coordinación horizontal**.

Especialización. Los departamentos clave en el desarrollo del nuevo producto son el de investigación y desarrollo, el de marketing y el de producción. El componente de especialización implica que los trabajadores en los tres departamentos son muy competentes en sus propias tareas. Los tres se diferencian entre sí y tienen capacidades, metas y actitudes apropiadas para sus funciones especializadas.

Interconexión de fronteras. Este componente implica que cada departamento involucrado en los productos tiene una relación con sectores relevantes en el entorno. El personal de investigación y desarrollo está vinculado con asociaciones de profesionistas y con colegas en otros departamentos similares. Está al tanto de los recientes desarrollos científicos. El personal de marketing está muy vinculado con las necesidades del cliente. Escucha lo que ellos tienen que decir, y analiza los productos de la competencia y las sugerencias de los distribuidores. Por ejemplo, Kimberly-Clark ha tenido un éxito sorprendente con los calzoncillos desechables Huggies Pull-Ups debido a que los investigadores de mercados trabajaron muy vinculados con los clientes en sus propios hogares y reconocieron el atractivo emocional de los pañales de poner y quitar para los niños que

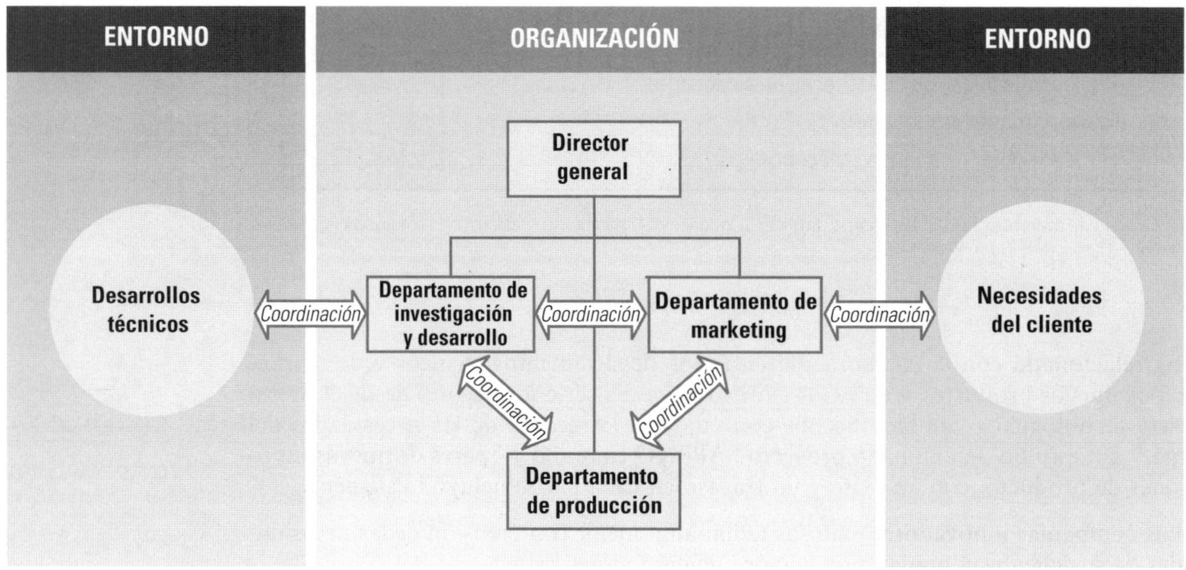

CUADRO 11.7
Modelo de coordinación horizontal para nuevos productos

empiezan a caminar. En el momento en que los competidores se dieron cuenta, Kimberly Clark estaba vendiendo $400 millones de Huggies al año.[54]

Coordinación horizontal. Este componente significa que la gente de producción, de marketing y la técnica comparten las ideas y la información. La gente de investigación informa al departamento de marketing sobre los nuevos desarrollos técnicos para saber si éstos se aplican a los clientes. La gente de marketing provee las quejas del cliente e información al departamento de investigación y desarrollo para que éste los use en el diseño de nuevos productos. La gente de ambos departamentos se coordina con la de fabricación, ya que los productos deben adecuarse a las capacidades de producción de manera que los costos no sean exorbitantes. La decisión de lanzar un nuevo producto es en última instancia una decisión conjunta de los tres departamentos. La coordinación horizontal, que utiliza mecanismos como equipos multidisciplinarios, incrementa la cantidad y la variedad de información para el desarrollo de nuevos productos, lo que permite su diseño para satisfacer las necesidades de los clientes y evitar problemas de manufactura y marketing.[55]

Recuerde el ejemplo de Toyota en la apertura de capítulo, el cual utiliza una técnica de desarrollo de producto llamada *obeya*. La idea detrás de *obeya* es cambiar la forma en que la gente piensa acerca de la innovación y el desarrollo de productos al cambiar la forma en que comparten información. "No hay tabús en *obeya*", explica Takeshi Yoshida, ingeniero en jefe del Corolla 2003. "Todos en esta habitación son expertos. Todos tienen una función en la construcción del automóvil".[56] La empresa de productos de consumo Procter & Gamble también está asumiendo un enérgico enfoque nuevo hacia la innovación.

Los hallazgos provenientes de la investigación muestran que la colaboración con otras empresas y clientes puede ser una fuente importante de innovación de productos, e incluso puede estimular una coordinación interna más sólida. La cooperación con partes externas requiere la participación de gente de diferentes áreas de la compañía, las cua-

En la práctica
Procter & Gamble

Hace algunos años, Procter & Gamble (P&G) era una compañía de productos de consumo aburrida que vendía marcas exitosas pero faltas de imaginación como Tide, Crest y Pampers. En la actualidad, la compañía de 169 años de edad ha resurgido como un constructor de marca magistral y una empresa con un crecimiento extraordinario, gracias en gran parte a un nuevo enfoque hacia la innovación iniciado por el director general, A.G. Lafley. Entre 2002 y 2004, P&G elevó su tasa de éxitos en dos productos de 70 a 90%. Productos como Olay Regenerist, plumeros Swiffer y Mr. Clean AutoDry han hecho que Procter & Gamble parezca una ágil compañía principiante.

Existen varios elementos clave de la maquinaria para la innovación de Lafley. Una, es la fuerte conexión con los clientes. En lugar de depender de grupos enfoque, los comerciantes de P&G ahora pasan su tiempo con personas dentro de sus hogares, ven como lavan sus trastes, trapean sus pisos y hacen preguntas acerca de sus hábitos y frustraciones con las tareas del hogar y la crianza de los niños. Otra clave es conjuntar a las personas de diferentes funciones y divisiones para intercambiar ideas y colaborar. Lafley realiza "revisiones de innovación" en cada unidad una vez al año y evalúa qué tan bien están compartiendo las ideas los comerciantes y los investigadores. Además de las oportunidades de las juntas personalizadas y de las exhibiciones de intercambios dentro de la empresa, un sitio Web interno llamado InnovationNet conecta a empleados de todas las divisiones y departamentos a nivel mundial. La gente de investigación y desarrollo de 20 instalaciones técnicas ubicadas en nueve países puede publicar una pregunta como "¿cómo puedes limpiar sin encuadrar?", y obtener sugerencias de los empleados de toda la compañía en todo el mundo. Las tecnologías que permiten a Mr. Clean AutoDry, una poderosa arma que deja su automóvil limpio y seco, provienen de la división Cascade de P&G, quien sabe cómo reducir el agua en los trastes, y de la unidad de filtrado de agua PuR, que tiene una tecnología para reducir los minerales en el agua.

La parte más revolucionaria del enfoque de Lafley es fomentar la colaboración con gente externa de otras empresas, incluso competidores. Por ejemplo, el Press'n Seal de Glad fue desarrollado en colaboración con Clorox, el cual compite ferozmente con P&G en trapeadores de piso y productos de purificación de agua. Lafley está presionando para que la mitad de las innovaciones de P&G se deriven de fuentes externas. "Los inventores están distribuidos de manera uniforme en la población", afirma, "y es tan probable que encontremos un invento en una cochera como en nuestros laboratorios".[57]

les a su vez necesitan que las organizaciones establezcan mecanismos de coordinación interna más poderosos.[58]

Compañías como Procter & Gamble, W. L. Gore y Boeing por lo general recurren a clientes y a otras organizaciones en busca de consejo. Gore trabajó con médicos para desarrollar su injerto torácico, y con cazadores para crear Supprescent, una tela pensada para eliminar los olores humanos.[59] Durante el desarrollo de nuevas aeronaves como Boeing 787, los ingenieros en Boeing trabajaron muy vinculados a los asistentes de vuelo, los pilotos, los ingenieros de las principales aerolíneas, los proveedores e incluso los bancos que financiaron la compra de aeronaves, a fin de asegurarse de que el avión estuviera diseñado para una funcionalidad máxima y compatibilidad con las capacidades de los proveedores y las necesidades de las aerolíneas.[60]

Estas empresas utilizan el concepto de coordinación horizontal para alcanzar la ventaja competitiva. Las famosas innovaciones fracasadas, como Arch Deluxe de McDonald's o Singles for Adults de la compañía de productos alimenticios para bebé, Gerber, por lo general violan el modelo de vinculación horizontal. Los empleados no pueden conectarse con las necesidades del cliente ni con las fuerzas del mercado o los departamentos internos no comparten de manera adecuada las necesidades ni se coordinan entre sí. Investigaciones recientes han confirmado que existe una relación entre la interconexión de fronteras efectivas que mantiene a la organización en contacto con las fuerzas de mercado, la coordinación fluida entre departamentos y el desarrollo de productos exitosos.[61]

Logro de la ventaja competitiva: La necesidad de velocidad

El rápido desarrollo de nuevos productos se está convirtiendo en un arma estratégica importante en el mercado internacional cambiante.[62] Para mantener su competitividad, las compañías están aprendiendo a desarrollar ideas y convertirlas en productos y servicios de una manera increíblemente rápida. No importa si el enfoque se denomina *modelo de vinculación horizontal, ingeniería concurrente, compañías sin muros, enfoque paralelo,* o *conexión simultánea de departamentos*, el punto esencial es el mismo: Lograr que la gente trabaje en conjunto en un proyecto de manera simultánea y no de forma secuencial. Muchas compañías están aprendiendo a lanzar nuevos productos al mercado a toda velocidad.

La competencia basada en el tiempo significa lanzar productos y servicios con más rapidez que la competencia, lo que da a las compañías una ventaja competitiva. Por ejemplo, Russell Stover logró que su línea de dulces bajos en carbohidratos, llamada Net Carb, ocupara los estantes de las tiendas sólo tres meses después de haber perfeccionado la receta, y no después de 12 meses que por lo general era el tiempo que tomaba a la compañía lanzar un nuevo producto al mercado. Esto le dio a Russell Stover una ventaja anticipada sobre las compañías dulceras nacionales y le permitió establecer un punto de apoyo sólido en el nuevo mercado de bocadillos bajos en carbohidratos. Algunas compañías utilizan lo que se llama *equipos de ciclo rápido* como una forma de promover los proyectos muy importantes y entregar productos y servicios con más rapidez que la competencia. Un equipo de ciclo rápido es multidisciplinario y algunas veces multinacional que trabaja con plazos de entrega muy restringidos y al que se le proporcionan altos niveles de recursos de la compañía y *empowerment* para poner en marcha un proyecto de desarrollo de productos acelerado.[63] Mediante el uso de Internet para colaborar en los nuevos diseños entre diferentes departamentos funcionales y con proveedores, los equipos de Moen pueden llevar a los almacenes una cocina o un grifo de baño a partir de su diseño en el tablero en sólo 16 meses. Los ahorros de tiempo significan que los equipos en Moen han podido triplicar su producción e introducir hasta 15 nuevos diseños por año para los clientes contemporáneos conscientes de la moda.[64] De manera similar, mediante la realidad virtual, el software de colaboración y procesos de diseño integrados y horizontales, GM ha reducido los tiempos que conlleva la formulación del concepto hasta la producción de un nuevo modelo de vehículo, a sólo 18 meses. Hace poco, el tiempo que necesitaba GM para completar este proceso, era de cuatro años. El nuevo enfoque para desarrollo de productos le ha dado a GM la ventaja de la velocidad sobre su competencia en cuanto al diseño y producción de nuevos modelos de automóviles extraordinarios que capitalizan las tendencias de la moda y captura de los compradores de automóviles más jóvenes del mercado.[65]

Otra cuestión crítica es el diseño de productos que pueden competir a una escala global y la comercialización exitosa de esos productos a nivel internacional. Las compañías como Quaker Oats, Häagen Dazs y Levi's están tratando de mejorar la comunicación horizontal y la colaboración en tres regiones geográficas, y reconocer que pueden recabar ideas de productos ganadores de los clientes de otros países. Por ejemplo el nuevo sabor de Häagen Dazs, *dulce de leche*, se desarrolló en principio para su venta en Argentina, pero rápido se convirtió en un favorito en Estados Unidos.[66]

Muchos equipos de desarrollo de nuevos productos en la actualidad son globales debido a que las organizaciones tienen que elaborarlos en forma tal que satisfagan las diversas necesidades de los clientes de todo el mundo.[67] El sistema de desarrollo de producto automatizado, y de colaboración de GM permite a los ingenieros y los proveedores de todo el mundo trabajar en conjunto sobre un proyecto. Ford Motor Company también utiliza una intranet y teleconferencias globales para vincular equipos de diseño en todo el mundo en un solo grupo unificado.[68] Cuando las compañías ingresan a la arena de la competencia internacional intensa, la coordinación horizontal a través de los países es esencial para el desarrollo de un nuevo producto.

Cambio de estrategia y estructura

El análisis anterior se enfocó en los nuevos procesos de producción y nuevos productos, los cuales están basados en la tecnología de una organización. La experiencia para tal innovación está basada en el centro técnico dentro del personal profesional, como el de investigación y de ingeniería. Esta sección examinará los cambios estratégicos y estructurales.

Todas las organizaciones requieren realizar de vez en cuando cambios en sus estrategias, sus estructuras y sus procedimientos administrativos. En el pasado, cuando el entorno era algo estable, la mayoría de las organizaciones se enfocaban en pequeños cambios paulatinos para resolver problemas inmediatos o aprovechar nuevas oportunidades. Sin embargo, durante la década pasada, las compañías de todo el mundo se han enfrentado a la necesidad de realizar cambios radicales en su estrategia, sus estructuras y sus procesos directivos para adaptarse a las nuevas demandas competitivas.[69] Muchas organizaciones están suprimiendo niveles gerenciales y descentralizando la toma de decisiones. Existe un cambio enérgico hacia las estructuras más horizontales, con equipos de trabajadores de línea de frente con *empowerment* para tomar decisiones y resolver problemas por su propia cuenta. Algunas compañías están alejándose por completo de las formas de organización tradicionales y adoptando estrategias y estructuras de redes virtuales. Muchas de ellas están reorganizando y cambiando sus estrategias a medida que la expansión de los nuevos negocios electrónicos cambia las reglas. Es probable que durante la siguiente década la competencia global y los rápidos cambios tecnológicos produzcan realineaciones aún mayores en la estrategia-estructura.

Este tipo de cambios son responsabilidad de los altos directivos de la organización, y, por lo general, el proceso global de cambio es diferente de los procesos de innovación en tecnología o nuevos productos.

Como gerente de una organización, tenga en mente estos lineamientos:

Facilite cambios en la estrategia y estructura mediante la implementación de un enfoque de arriba hacia abajo. Utilice una estructura mecanicista cuando la organización necesite adoptar cambios administrativos frecuentes de una forma jerárquica.

El enfoque de centro dual

El **enfoque de centro dual** para la innovación organizacional compara los cambios administrativos y técnicos. Los administrativos pertenecen al diseño y la estructura de la organización misma, lo que incluye la reestructuración, el *downsizing*, los equipos, los sistemas de control, los sistemas de información y la agrupación departamental. La investigación del cambio administrativo sugiere dos cosas: Primero, ocurren con menos frecuencia que los cambios técnicos. En segundo lugar, suceden como respuesta a diferentes sectores del entorno y siguen un proceso interno distinto al de los cambios tecnológicos.[70] El enfoque de centro dual para la innovación organizacional identifica los procesos únicos asociados con el cambio administrativo.[71]

Las organizaciones como las escuelas, los hospitales, los gobiernos ciudadanos, las agencias de bienestar social, las burocracias gubernamentales y muchas empresas de negocios, pueden conceptualizarse como poseedoras de dos centros: Un *centro técnico* y un *centro administrativo*. Cada uno tiene sus propios empleados, tareas y dominio del entorno. La innovación se puede originar en cualquier centro.

El centro administrativo está por encima del centro técnico en la jerarquía. La responsabilidad del centro administrativo incluye la estructura, el control y la coordinación de la organización misma y tiene que ver con los sectores del entorno del gobierno, de los recursos financieros, de las condiciones económicas, de los recursos humanos y de la competencia. El centro técnico está relacionado con las transformaciones en las materias

CUADRO 11.8
Enfoque de centro dual para el cambio organizacional

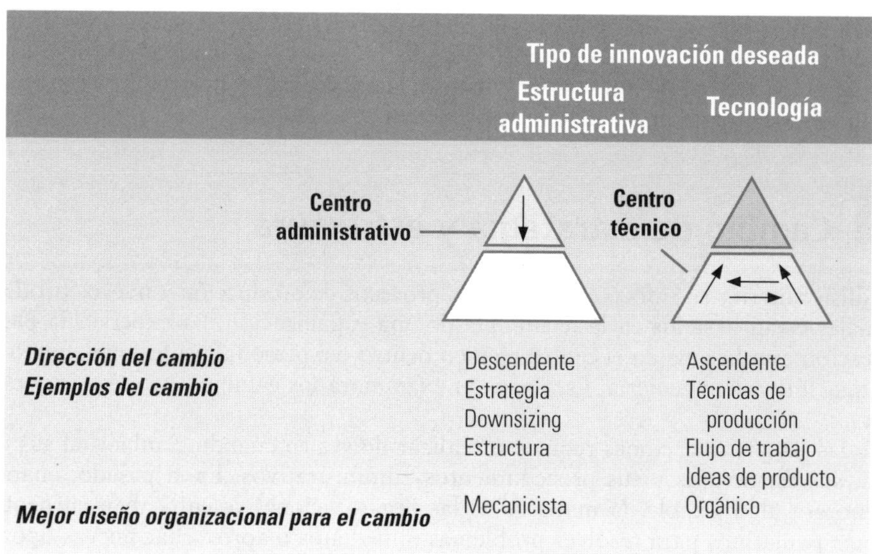

primas en productos y servicios organizacionales e implica a los sectores del entorno de clientes y tecnología.[72]

La esencia del enfoque del centro dual es que muchas organizaciones, en especial las que existen sin fines de lucro y gubernamentales, deben adoptar cambios frecuentes administrativos y necesitan estructurarse de manera diferente a las que dependen de cambios técnicos o de producto frecuentes para tener una ventaja competitiva.

Diseño organizacional para la implementación del cambio administrativo

Los hallazgos de las investigaciones que comparan el cambio administrativo con el técnico sugieren que una estructura organizacional mecanicista es la adecuada para cambios administrativos frecuentes, lo que incluye cambios en las metas, la estrategia, la estructura, los sistemas de control y el personal.[73] Los cambios administrativos en las políticas, las regulaciones o los sistemas de control son más críticos que los cambios de muchas organizaciones gubernamentales que están estructuradas de manera burocrática. Las organizaciones que adoptan con éxito numerosos cambios administrativos con frecuencia tienen una proporción de personal administrativo mayor, son más grandes en tamaño y están centralizadas y formalizadas en comparación con las que adoptan muchos cambios técnicos.[74] Esto se debe a la implementación jerárquica como respuesta a los cambios en los sectores gubernamentales, los financieros o los legales del entorno. Si una organización tiene una estructura orgánica, los empleados en los niveles menores se sentirán con mayor libertad y autonomía y, por tanto, pueden resistir las iniciativas jerárquicas.

Los enfoques para la innovación asociados con los cambios administrativos en comparación con los técnicos se resumen en el cuadro 11.8. El cambio técnico, como los que ocurren en las técnicas de producción y la tecnología de innovación para nuevos productos, se ve favorecido con una estructura orgánica, que permite que las ideas procedentes de los empleados de niveles más bajos y medios, lleguen a los niveles más altos. En contraste, las organizaciones que deben adoptar cambios administrativos frecuentes, tienden a utilizar procesos jerarquizados y una estructura mecanicista. Por ejemplo, los cambios en las políticas, como la adopción de prohibiciones para no fumar, reglas para el acoso sexual o nuevos procedimientos de seguridad, se ven facilitados por el enfoque de arriba hacia abajo. La reestructuración y el *downsizing* casi siempre son administradas en forma jerárquica, como cuando el presidente de Oracle Corp., dividió a la fuerza de ventas en dos equipos (uno enfocado a la venta del software de base de datos y otro a la venta de aplicaciones), suprimió dos niveles directivos y se colocó él mismo en forma directa a cargo de las ventas estadounidenses.[75]

Para organizaciones que deben adoptar cambios administrativos frecuentes, puede ser apropiada una estructura mecanicista. Las investigaciones sobre la reforma del servicio civil encontraron que la implementación de una innovación administrativa era muy difícil en organizaciones que tenían un centro tecnológico orgánico. Los empleados profesionales en una agencia descentralizada podrían resistirse a los cambios del servicio civil. En contraste, las organizaciones que se consideraban más burocráticas en el sentido de poseer una formalización y una centralización más altas adoptan con mayor facilidad los cambios.[76]

¿Y qué sucede con las organizaciones de negocios que por lo general son innovadoras desde el punto de vista tecnológico y de una manera ascendente, pero de pronto se enfrentan a una crisis y necesitan reorganizarse? O, ¿con una empresa de alta tecnología, innovadora que debe reorganizarse con frecuencia para adaptarse a los cambios en la tecnología de producción o del entorno? Estas empresas pueden tener que reestructurarse de improviso, reducir el número de empleados, alterar sus sistemas de pago, disolver equipos o conformar una nueva división.[77] La respuesta es utilizar un proceso de cambio jerárquico. La autoridad para el cambio estratégico y estructural depende de la alta dirección, la cual debe iniciar e implementar la nueva estrategia y estructura para cubrir las necesidades de las circunstancias del entorno. Puede requerirse la participación del empleado, pero los altos directivos tienen la responsabilidad de dirigir el cambio. Cuando Ed Breen asumió el cargo de presidente y director general de Tyco sabía que era necesario un cambio jerárquico enérgico y veloz para ayudar a la organización a recuperarse de la crisis y reactivarse.

En la práctica

Tyco International

El nombre de Tyco califica con Enon, WorldCom y HealthSouth como modelo de liderazgo corrupto y avaricia corporativa. Pero en lugar de enfocarse en el desastre, Ed Breen vio una oportunidad. Sabía que Tyco tenía "todos los atributos de lo que puede ser una gran compañía". Ésa fue la razón por la que dejó su acogedor trabajo como presidente y heredero forzoso de Motorola para asumir el reto de transformar a Tyco, en ese entonces acosado por el escándalo.

Breen comenzó a reformular la administración y dirección de Tyco desde cero. Estableció un equipo de personal de auditoría interna y una línea telefónica de asistencia confidencial donde los empleados podían reportar todo lo que percibieran como una trasgresión. Durante el primer año, Tyco realizó más de 1000 investigaciones, un cuarto de las cuales redundaron en acciones disciplinarias o cambios en las políticas y los procedimientos.

El siguiente reto importante de Breen fue limpiar los rangos directivos altos y medios, con el despido de 290 directivos del más alto nivel de Tyco en los siguientes meses. Debido a que era casi imposible determinar quién sabía lo que había realizado el anterior trasgresor en Tyco, Breen quiso comenzar con una pizarra limpia. También cambió la política de bonos, al establecer que ningún bono se pagaría hasta que los números en los que estaban basados estuvieran explicados con claridad y justificados. Otros cambios de arriba hacia abajo incluyeron la compra centralizada de las cinco divisiones de Tyco, el restablecimiento de procedimientos de tecnología de información y la reducción del número de proveedores con los que trataba la compañía.

El enérgico cambio jerárquico en Tyco cosechó resultados positivos. Los empleados e inversionistas se sentían mejor con la compañía, y esto se evidenció en una elevación de la moral y un repunte del precio de las acciones. Ahora el reto de Breen es desarrollar las estructuras y sistemas que podrán permitir a Tyco innovar en tecnologías y productos, y crecer nuevamente.[78]

A través de su carrera directiva, Breen ha demostrado que es un experto en lograr que las compañías salgan de sus dificultades mediante cambios jerárquicos implementados con firmeza y planeados con sumo cuidado. Algunos cambios de arriba hacia abajo, en particular aquellos relacionados con la reestructuración y el *downsizing*, pueden ser dolorosos para los empleados, de manera que los altos directivos deben actuar con rapidez y de manera autoritaria para realizarlos de la forma más humana posible.[79] Un estudio de transformaciones corporativas exitosas, las cuales con frecuencia implican cambios lamentables, encontró que los directivos llevaban a cabo un enfoque rápido y concentrado. Cuando los altos ejecutivos difunden cambios difíciles como el *downsizing* durante un largo periodo, la moral de los empleados sufre y es mucho menos probable que se generen resultados positivos.[80]

Los altos directivos también deben recordar que un cambio de arriba hacia abajo implica que la iniciación de la idea ocurra en los niveles superiores y que se implemente de manera descendente. Esto no significa que los empleados de bajo rango no estén informados acerca del cambio o que no se les permita participar en él.

Cambio cultural

Las organizaciones están compuestas por personas y por sus relaciones mutuas. Los cambios en la estrategia, la estructura, las tecnologías y los productos no suceden de manera aislada, y las transformaciones en cualquiera de estas áreas también implican a las personas. Los empleados deben aprender a utilizar las nuevas tecnologías, o comercializar nuevos productos, o trabajar de manera efectiva en una estructura basada en equipos. Algunas veces lograr una nueva forma de pensar requiere un cambio enfocado en los valores y normas culturales subyacentes de la organización. Cambiar la cultura corporativa transforma fundamentalmente la forma en que el trabajo se realiza dentro de una organización y por lo común genera un compromiso renovado y *empowerment* para los empleados, así como un lazo más sólido entre la compañía y sus clientes.[81]

Fuerzas para el cambio cultural

Existen varias tendencias recientes que han contribuido a la necesidad de transformación cultural en compañías como Electronic Data Systems (EDS), Alberto-Culver, Marriott e IBM. Algunos de los principales cambios que se requieren en la cultura y en la mentalidad de los empleados son la reingeniería y la adopción de formas horizontales de organización, una mayor diversidad de trabajadores y clientes y la transformación en una organización que aprende.

Organización horizontal y reingeniería. Como se analizó en el capítulo 3, la reingeniería implica el rediseño de una organización vertical con sus flujos de trabajo horizontales. Esto cambia la forma en que los directores y los empleados necesitan pensar acerca de cómo se realiza el trabajo y se requiere un enfoque mayor en el *empowerment* para el empleado, la colaboración, la transmisión de información y la satisfacción de las necesidades del cliente. En su libro, *The Reengineering Revolution*, Michael Hammer se refiere al cambio en las personas como "la parte más desconcertante, molesta, inquietante y confusa" de la reingeniería.[82] Los directivos pueden enfrentarse a poderosas emociones cuando los empleados reaccionan ante un cambio rápido y masivo con miedo o enojo.

En la organización horizontal, los directivos y los trabajadores de la línea de frente necesitan entender y adoptar los conceptos de trabajo en equipo *empowerment* y cooperación. Los directivos deben cambiar su forma de pensar para considerar a los trabajadores como colegas y no como los dientes de un engrane; los trabajadores aprenden a aceptar no sólo una mayor libertad y poder, sino el nivel de responsabilidad que esto conlleva. La confianza mutua, la toma de riesgos y la tolerancia ante los errores se convierten en valores culturales cruciales en la organización horizontal.

Diversidad. La diversidad es la dura realidad de las organizaciones contemporáneas, y muchas están implementando métodos de reclutamiento nuevos, de enseñanza y de promoción, programas de capacitación para la diversidad, políticas estrictas concernientes al acoso sexual y la discriminación racial, y nuevos programas de prestaciones que responden a una fuerza de trabajo más diversa. Sin embargo, si la cultura sobre la que se basa una organización no cambia, todos los demás esfuerzos que apoyen la diversidad fracasarán. Los directivos de Mitsubishi luchan con esta realidad. Aunque la compañía solucionó una demanda de acoso sexual interpuesta por una mujer de su planta en Normal, Illinois, estableció una política de cero tolerancia, y despidió a los trabajadores que fueron encontrados culpables de acoso sexual o racial flagrante, los empleados afirmaban que el entorno laboral en la planta todavía es profundamente hostil hacia las mujeres y las minorías. Los incidentes de acoso rampante declinaron, pero las mujeres y los trabajadores procedentes de grupos minoritarios todavía se sentían amenazados e indefensos debido a que la cultura que permitía que el acoso ocurriera, no había cambiado.[83]

La organización que aprende. La organización que aprende implica el derrumbe de fronteras tanto dentro como entre las organizaciones para crear compañías enfocadas en la transmisión de conocimiento y el aprendizaje continuo. Recuerde del capítulo 1, que la adopción de un modo de organización que aprende implica cambios en varias áreas. Por ejemplo, las estructuras se vuelven horizontales y entrañan equipos con *empowerment* que trabajen en forma directa con clientes. Existen menos reglas y procedimientos para desempeñar las tareas, y el conocimiento y control de las mismas son dominio de los empleados, no de los supervisores. La información se comparte de manera amplia en lugar de estar concentrada en la alta dirección. Además, los empleados, clientes, proveedores y socios ejercen una función en la determinación de la dirección estratégica organizacional. Por supuesto, todos estos cambios requieren nuevos valores, nuevas actitudes y nuevas formas de pensar y de trabajo en conjunto. Una organización que aprende no puede existir sin una cultura que fomente la apertura, la igualdad, la adaptabilidad y la participación de los empleados.

Una organización que ha experimentado un cambio cultural para fomentar una mayor participación, colaboración y adaptabilidad es X-Rite, una compañía dedicada a la tecnología del color con sede en Grandville, Michigan.

En la práctica

X-Rite Inc.

X-Rite proporciona productos que miden y siguen la trayectoria de los datos de color, lo que ayuda a sus clientes a asegurar la precisión cromática en productos tan diversos como paquetes de consumo, de pintura, de muebles para exteriores o de restauraciones dentales. Fundada en 1958, X-Rite disfrutó de años de éxito al aprovechar su capacidad superior para la ingeniería y la innovación. Pero para la década de 1990, la compañía se desenfocó, perdió el contacto con los clientes, y se volvió resistente a los cambios. El desarrollo de nuevos productos se había desacelerado a casi el punto del congelamiento; las ventas habían caído de manera precipitada, y la moral de los empleados era la peor. Cuando Michael Ferrara se unió a X-Rite como presidente en 2001, sabía que necesitaba hacer algo para lograr que se avanzara de nuevo.

Comenzó con un cuestionario que medía la cultura corporativa, el cual evaluó la capacidad de adaptación organizacional, su enfoque en una misión clara, su constancia para satisfacer las necesidades de los clientes y la participación activa de los empleados. Los resultados fueron aún peores de lo que Ferrara esperaba. "Fue como si alguien le dijera a uno que su bebé es feo", declaró. La desilusión y el daño pronto se convirtieron en acción. Comenzó con reenfocar a todos hacia una dirección clara. Con el paso de los años, X-Rite se había involucrado en tantos negocios que nadie sabía qué era lo que se suponía que estaban haciendo. Ferrara publicó un mensaje a toda la compañía que decía, "somos un negocio del color", que sirvió para señalar que X-Rite enfocaría sus energías en la generación hardware y software para promover la precisión cromática. También estableció un tema para la nueva cultura: *jugar para ganar*. Estos dos pasos, aunque simples, tuvieron un impacto profundo en los empleados.

Un paso más difícil fue derribar las fronteras de la compañía. Tenía un enfoque tan territorial, que los gerentes departamentales, ya no trabajaban juntos; en realidad lo hacían uno contra el otro. La crítica y las imputaciones constantes en la regla. Ferrara solicitó que las inculpaciones cesaran. Reunió a las directivos en una sesión de generación de ideas creativas para establecer "las reglas de compromiso" que dictaban los parámetros de convivencia entre la gente. Los directivos también elaboraron con esmero un proceso nuevo de desarrollo de producto que requirió la cooperación de los departamentos de ingeniería, de manufactura, de compras, y de marketing entre otros. El plan físico fue transformado de manera que todos los miembros del equipo directivo fueran ubicados en la misma área, para fomentar la comunicación y la colaboración. Los ejecutivos que no estaban comprometidos con la nueva cultura fueron despedidos, y los demás empleados fueron reasignados a nuevos puestos. A fin de que todos estuvieran más centrados en el cliente, se programaron almuerzos llamados "conozca a sus clientes". La gente pasó tiempo en contacto directo con clientes externos e internos y tuvo la oportunidad de participar en el desarrollo de propuestas para ganar nuevos negocios.

Cuando Ferrara y su equipo de alta administración hicieron una segunda encuesta de cultura, encontraron mejoras importantes, en particular en áreas de coordinación y de integración, de enfoque en el cliente y una clara dirección estratégica. En 2003, la empresa introdujo 22 nuevos productos, un incremento de 250% desde 2001, cuando la iniciativa de cambio cultural comenzó. Además, la cultura de *jugar para ganar* mejoró de manera importante la moral de los empleados. "Amo mi trabajo. Amo a mis clientes", afirma un empleado "En verdad, espero con ansias llegar a mi trabajo".[84]

Intervenciones de desarrollo organizacional para el cambio cultural

Portafolios

Como gerente de una organización, tenga en mente estos lineamientos:

Trabaje con consultores de desarrollo organizacional para cambios a gran escala en las actitudes, los valores o las capacidades de los empleados y cuando adopte una cultura de organización que aprenda.

Los directivos utilizan una variedad de enfoques y técnicas para transformar la cultura corporativa, algunos de los cuales ya se han analizado en el capítulo 10. Un método para producir con rapidez un cambio cultural se denomina **desarrollo organizacional** (DO), que se enfoca en los aspectos humanos y sociales de las organizaciones para lograr mejorar la capacidad organizacional de adaptarse y resolver problemas. El desarrollo organizacional enfatiza los valores y el desarrollo humano, la justicia, la apertura, la no sujeción a la coerción, y la autonomía individual que permite a los trabajadores realizar sus actividades como lo consideren necesario, dentro de las limitaciones organizacionales razonables.[85] En la década de 1970, el desarrollo organizacional evolucionó como un campo independiente que aplicaba las ciencias conductistas a un proceso de cambio planeado, con la meta de incrementar la efectividad. En la actualidad, el concepto se ha expandido para examinar cómo pueden cambiar la gente y los grupos para convertirse en una organización con una cultura de aprendizaje en un entorno complejo y turbulento. El desarrollo organizacional no es un procedimiento gradual para resolver un problema específico, sino un proceso de cambio fundamental en los sistemas sociales y humanos, entre los que se encuentra la cultura organizacional.[86]

El desarrollo organizacional emplea el conocimiento y las técnicas de las ciencias conductistas para crear un entorno de aprendizaje a través de un incremento en la confianza, una confrontación abierta ante los problemas, el *empowerment* al empleado y su participación activa, el conocimiento y transmisión de la información, el diseño de una labor significativa, la cooperación y la colaboración entre grupos y el uso integral del potencial humano.

Las intervenciones de desarrollo organizacional implican la capacitación de grupos específicos o de todos en una empresa. Para que las actuaciones sean exitosas, los altos directivos deben percibir la necesidad de desarrollo organizacional y apoyar con entusiasmo el cambio. las técnicas que utilizan muchas organizaciones para mejorar las capacidades de las personas a través del desarrollo organizacional incluyen lo siguiente.

Intervención para un grupo grande. La mayoría de las actividades de desarrollo organizacional iniciales implican a grupos pequeños y se enfocan en un cambio paulatino. Sin embargo, en años recientes, ha habido un creciente interés en la aplicación de las técnicas de desarrollo organizacional a grupos grandes, los cuales son más propicios para provocar un cambio radical o transformacional en organizaciones que operan en entornos complejos.[87] El enfoque de **intervención en grupo grande**[88] conjunta a participantes de todas partes de la organización, y muchas veces a participantes clave externos también, en un escenario fuera de la empresa para analizar los problemas, las oportunidades y planear el cambio. Una intervención en grupos grandes puede involucrar de 50 a 500 personas y tiene una duración de varios días. El escenario fuera de la empresa, exento de la interferencia y las distracciones, permite a los participantes enfocarse en nuevas formas de hacer las cosas. El programa "Desarrollo" de General Electric, un proceso continuo para resolver problemas, aprender y mejorar, comienza con reuniones de gran escala fuera de la empresa para lograr que la gente se comunique a través de las fronteras funcionales, jerárquicas y organizacionales. Los trabajadores asalariados y por hora provenientes de diferentes partes de la organización se reúnen con los clientes y los proveedores para analizar y resolver problemas específicos.[89] El proceso obliga a analizar con rapidez las ideas, crear soluciones y desarrollar un plan de implementación. A través del tiempo, el programa Desarrollo ha creado una cultura donde las ideas se traducen en acciones y resultados de negocio positivos.[90]

Formación de equipo. La **formación de equipo** promueve la idea de que la gente que trabaja en conjunto puede trabajar como un equipo. Lo que permite congregarse para analizar los conflictos, las metas y los procesos de toma de decisiones, la comunicación, la creatividad y el liderazgo. Se puede planear para superar los problemas y mejorar los resultados. Las actividades de formación de equipos también se utilizan en muchas compañías para capacitar a la fuerza de tarea, los comités y grupos de desarrollo de nuevos productos. Estas actividades mejoran la comunicación y la colaboración y fortalecen los lazos entre los grupos y equipos organizacionales.

Actividades interdepartamentales. Los representantes de los diferentes departamentos se unen en un lugar común para exponer los problemas o los conflictos, diagnosticar las causas y planear mejoras en la comunicación y la coordinación. Este tipo de intervención se ha aplicado a conflictos entre sindicatos y dirección, entre oficinas regionales y oficinas centrales, dificultades interdepartamentales, y las causadas por fusiones.[91] Un negocio de cajas de almacenamiento, que guarda registros archivados de otras compañías, se dio cuenta de que las reuniones interdepartamentales eran un medio clave para construir una cultura basada en el espíritu de equipo y el enfoque hacia el cliente. La gente de diferentes departamentos se reúne en sesiones de una hora de duración cada dos semanas, donde comparten sus problemas, cuentan sus éxitos y hablan acerca de las cosas que no han observado en la compañía. Las reuniones han ayudado a las personas a entender los problemas que enfrentan otros departamentos y advertir cómo todos son interdependientes para realizar con éxito sus labores.[92]

Un área existente en la cual el desarrollo organizacional puede producir una acción importante es en la valoración de la diversidad mediante el fomento de un cambio cultural.[93] Además, las organizaciones actuales se están adaptando de manera continua a la incertidumbre del entorno y a la creciente competencia global, y las intervenciones del desarrollo organizacional pueden responder a estas nuevas realidades a medida que las compañías luchan por crear una capacidad mayor de aprendizaje y crecimiento.[94]

Estrategias para la implementación del cambio

Los directivos y empleados pueden pensar en formas ingeniosas para mejorar la tecnología organizacional, las ideas creativas de nuevos productos y servicios, los enfoques frescos para las estrategias y las estructuras con planes para promover los valores culturales adaptables, pero si no son puestos en acción, nada es útil para la organización. La implementación es la parte crucial del proceso de innovación, y la más difícil. El cambio con frecuencia es perturbador y poco confortable para los directivos así como para los empleados. El marcador de libros explora cómo los directivos pueden mejo-

Marcador del libro 11.0 (¿YA LEYÓ ESTE LIBRO?)

El monstruo del cambio: Las fuerzas humanas que potencian o frustran la transformación y el cambio corporativo

por Jeanie Daniel Duck

El monstruo del cambio acecha en todas las organizaciones, tan sólo en espera del momento para devorar a los directores ingenuos que están esforzándose por implementar nuevas estrategias, lograr reorganizaciones o concretar fusiones. Jeanie Daniel Duck utiliza el término *monstruo del cambio* en su libro con el mismo nombre para referirse a todas las emociones humanas complejas y la dinámica social que emerge durante los esfuerzos de cambio importantes. Muchos directivos, afirman, simplifican o ignoran las cuestiones humanas del cambio, lo que representa una receta segura para el fracaso.

EL DOMINIO SOBRE LA CURVA DEL CAMBIO

Duck afirma que el principal cambio organizacional por lo general sigue una curva de cambio: Un paseo en montaña rusa que produce un gran número de emociones inesperadas y conflictivas.

- *Estancamiento*. Este es el periodo durante el cual la organización ha perdido la dirección o se está moviendo en la dirección equivocada. El monstruo del cambio es por lo general silencioso: La gente se siente confortable y segura. Sin embargo, es responsabilidad de los directivos reconocer el estancamiento y crear una situación en la que el cambio sea prioritario.
- *Preparación*. En esta etapa, afirma Duck, "el monstruo del cambio ha sido bruscamente despertado de su letargo de hibernación y se está desperezando, con lo que provoca todo tipo de estremecimientos emocionales". Este es el periodo durante el cual los líderes definen y depuran su visión del cambio y comienzan a involucrar a otros en el proceso de transformación. Las emociones varían desde el entusiasmo y la esperanza hasta la ansiedad y la deslealtad. Todos se encuentran nerviosos y perturbados.
- *Implementación*. Esta fase representa el arranque táctico real del proceso de transformación, y como tal es el más largo y, por lo común, el más penoso. En la organización se presenta una explosión de emociones, tanto negativas como positivas. Durante esta etapa, los empleados con frecuencia se sienten en el limbo. Todo es diferente, y a pesar de eso, los cambios no se han consolidado. Muchas personas sienten incertidumbre acerca de su capacidad para funcionar en el nuevo entorno.
- *Determinación*. Durante este periodo, afirma Duck, el monstruo del cambio está vagando por los pasillos, listo para inflingir su peor daño. Muchos directivos piensan que han logrado la transformación y vuelcan su atención a otra parte justo en el momento en que el refuerzo era más necesario. Con frecuencia, la gente muestra una *resistencia retroactiva*, una clase de fatiga por el cambio y un deseo de retorno a los patrones familiares antiguos.
- *Fructificación*. ¡Ah!...es la época en que todo el trabajo duro finalmente está rindiendo frutos. En esta fase, los cambios se han convertido en una parte de la forma aceptada de hacer las cosas. Quizá la organización entera se sienta nueva y diferente. Los empleados han recuperado la confianza y se encuentran optimistas y con energía. El monstruo del cambio ha sido acorralado.

ADVENIMIENTO DEL CÍRCULO COMPLETO

La meta de todas las iniciativas de cambio es lograr su fructificación. Pero Duck advierte que a la vuelta de la esquina está aguardando un nuevo periodo de estancamiento. Cuando una organización logra un cambio importante, la gente necesita tiempo para gozar del éxito. Los directivos deben estar alerta para que este goce no se convierta en letargo. Los directivos pueden enseñar a sus organizaciones a adaptarse de manera permanente y armarse de voluntad para hacerlo. "Cuando una organización se ve a sí misma como una cuadrilla enérgica de cazadores de monstruos, el síntoma de su victoria es que el cambio se vuelve un reto que están dispuestos a enfrentar y no una amenaza."

The Change Monster: The Human Forces That Fuel or Foil Corporate Transformation and Change, por Jeanie Daniel Duck, publicado por Crown Business.

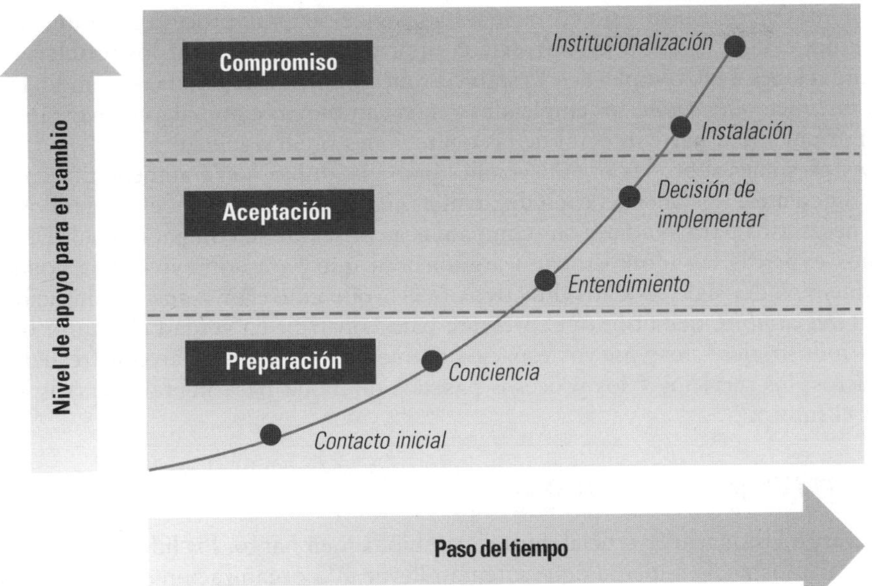

CUADRO 11.9
Etapas de compromiso con el cambio
Fuente: Adaptado de Daryl R. Conner, *Managing at the Speed of Change*, (Nueva York: Villard Books, 1992), 148. Usado con autorización.

rar la implementación del cambio al entender los aspectos emocionales del proceso de transformación. Lo que es complejo, dinámico y confuso, y su implementación requiere de un liderazgo fuerte y persistente. En esta última sección, se analizará brevemente la función que tiene el liderazgo en el cambio, algunas de las razones de la resistencia al cambio y técnicas que los directivos pueden utilizar para superarla e implementar el cambio de manera exitosa.

Liderazgo para el cambio

La necesidad de cambio dentro de las organizaciones y la exigencia de líderes que puedan dirigir con éxito el cambio, continúa en aumento. El estilo de liderazgo de los altos ejecutivos marca la pauta de cuán efectivas serán la adaptación e innovación continuas organizacionales. Un estilo, conocido como *liderazgo transformacional*, es el más adecuado para producir el cambio. Los líderes de alto nivel que utilizan el estilo de liderazgo transformacional mejoran la innovación organizacional en forma directa, mediante la creación de una percepción de apremio, e indirectamente, mediante la creación de un entorno que promueva la exploración, la experimentación, la toma de riesgos y la transmisión de ideas.[95]

El cambio exitoso puede suceder sólo cuando los empleados están dispuestos a dedicar el tiempo y la energía necesarios para lograr nuevas metas, así como para resistir la tensión y las dificultades posibles. Una visión comunicada con claridad que manifieste la flexibilidad y la apertura a nuevas ideas, los métodos y los estilos, marca la etapa de una organización orientada al cambio y ayuda a los empleados a manejar el caos y el nerviosismo asociados con el cambio.[96] Los líderes también establecen un compromiso en toda la organización al conducir a los empleados a través de las tres etapas del proceso de compromiso con el cambio, ilustrado en el cuadro 11.9.[97] En la primera etapa, *preparación*, los empleados escuchan acerca del cambio a través de memorandos, en juntas, con discursos o en contacto con el personal y se dan cuenta de que éste afectará directamente su trabajo. En la segunda etapa, *aceptación*, los líderes deben ayudar a los empleados a desarrollar una comprensión del impacto total del cambio y de los resultados positivos de realizarlo, la decisión para implementarlo ya está tomada. En la tercera etapa, el verdadero proceso de *compromiso* comienza. La etapa de compromiso implica los pasos para la instalación e institucionalización. La instalación es un proceso experimental para el cambio, el cual ofrece a los líderes una oportunidad de analizar los problemas y las preocupaciones de los empleados y establecer un compromiso para la acción. En la etapa final, *institucionalización*, los empleados ven el cambio no como algo nuevo, sino como algo normal y una parte integral de las operaciones organizacionales.

Las presiones sobre las organizaciones para el cambio quizá aumentarán en las décadas siguientes. Los líderes deben desarrollar cualidades, capacidades y métodos personales necesarios para ayudar a sus compañías a conservar su competitividad. De hecho, algunos expertos en administración argumentan que para sobrevivir a la conmoción de principios del siglo XXI, los directivos tienen que convertir a sus organizaciones en *líderes del cambio,* que utilizan el presente para construir en verdad el futuro: Infringir reglas industriales, crear nuevos espacios de mercado y abandonar con frecuencia los productos, los servicios y los procesos pasados de moda para liberar recursos a fin de forjar el futuro.[98]

Barreras para el cambio

El liderazgo visionario es crucial para el cambio; sin embargo, los líderes deben esperar encontrar resistencia a medida que intentan llevar a la organización a través de las tres etapas del proceso de compromiso con el cambio. Es natural para la gente resistirse al cambio, y existen muchas barreras para el cambio a nivel individual y organizacional.[99]

1. *Enfoque excesivo en los costos.* La dirección puede tener la mentalidad de que los costos son indispensables y quizá no puedan apreciar la importancia de un cambio que no esté enfocado en los costos; por ejemplo, un cambio para incrementar la motivación de los empleados o la satisfacción del cliente.
2. *No percibir los beneficios.* Cualquier cambio importante producirá tanto lecciones negativas como positivas. La educación puede ser necesaria para ayudar a los directivos y a los empleados a percibir más aspectos positivos que negativos. Además, si el sistema de recompensa de la organización desalienta la toma de decisiones, el proceso de transformación puede tambalearse debido a que los empleados piensan que el riesgo de cambiar es muy alto.
3. *Falta de coordinación y cooperación.* Con mucha frecuencia, la fragmentación organizacional y el conflicto son resultado de la falta de coordinación para la implementación del cambio. Además, en el caso de la nueva tecnología, los sistemas antiguos y nuevos deben ser compatibles.
4. *Rechazo a la incertidumbre.* A nivel individual, muchos empleados temen a la incertidumbre asociada con el cambio. La comunicación constante es necesaria de manera que los empleados sepan lo que está sucediendo y entender cómo se verá afectado su trabajo.
5. *Miedo a la pérdida.* Los directivos y los empleados pueden temer a la pérdida de poder o estatus, o incluso de sus empleos. En estos casos, la implementación debe ser cuidadosa y paulatina, y todos los empleados deben participar con tanto cuidado como sea posible en el proceso de cambio.

La implementación puede diseñarse en términos generales para superar muchas de las barreras organizacionales e individuales para el cambio.

Técnicas de implementación

Los líderes de alto nivel articulan la visión y marcan la pauta, pero los gerentes y los empleados de toda la organización son quienes participan en el proceso de cambio. Se pueden utilizar varias técnicas para implementarlo con éxito.[100]

1. *Establecer un carácter de urgencia para el cambio.* Una vez que los directivos identifican una verdadera necesidad de cambio, necesitan distender la resistencia mediante

la creación de una percepción de la necesidad urgente del cambio. Las crisis organizacionales pueden ayudar a movilizar a los empleados y a que estén dispuestos a invertir el tiempo y la energía necesarios para adoptar las nuevas técnicas o los procedimientos. Por ejemplo, American Airlines ha perdido miles de millones desde 2001, y los altos ejecutivos han emprendido un esfuerzo de cambio masivo para intentar salvar a la compañía. A pesar de que éstos pueden ser dolorosos, la crisis ha hecho a los empleados más receptivos a ellos debido a que de otra manera es probable que la organización no sobreviva.[101] Sin embargo, en muchos casos no existe una crisis pública y los directivos tienen que alertar a los demás de la necesidad del cambio.

2. *Establecer una coalición que guíe el cambio*. Los administradores del cambio deben construir una coalición de personas de toda la organización que tengan el suficiente poder e influencia para guiar el proceso de cambio. Para que la implementación sea exitosa, es necesario un compromiso compartido con la necesidad y las posibilidades. El apoyo de los altos directivos es crucial para cualquier proyecto importante, y la falta de apoyo de la alta dirección es una de las causas más frecuentes del fracaso de la implementación.[102] Además, en la coalición se debe involucrar a supervisores de bajo nivel y mandos medios a través de toda la organización. Para cambios más pequeños, es importante el apoyo de gerentes influyentes en los departamentos afectados.
3. *Crear una visión y estrategia para el cambio*. Los líderes que han llevado a su compañía a través de transformaciones exitosas importantes muchas veces tienen algo en común: Se centran en formular y articular una visión y una estrategia que guiará el proceso de cambio. Incluso para un pequeño cambio, una visión de cómo puede mejorarse el futuro y de los planes para llegar ahí son motivaciones importantes para la transformación.
4. *Encontrar una idea que se ajuste a la necesidad*. Encontrar la idea correcta muchas veces supone algunos procedimientos de búsqueda: Hablar con otros directivos, asignar una fuerza de tarea para investigar el problema, enviar una solicitud a los proveedores, o pedir a la gente creativa de la organización que desarrolle una solución. La realización de una nueva idea requiere condiciones orgánicas. Esta es una buena oportunidad para alentar a los empleados a participar, debido a que ellos necesitan libertad de pensar y explorar nuevas opciones.[103] ALLTEL estableció un programa denominado Enfoque de Equipo para recabar las participaciones de todos los empleados. En veinte reuniones de grupo durante un periodo de dos semanas, los directivos recabaron 2800 sugerencias, las cuales se redujeron a 170 asuntos críticos que abordaban sólo problemas que estaban afectando la moral y el desempeño de los trabajadores.[104]
5. *Desarrollar planes para superar la resistencia al cambio*. Muchas buenas ideas nunca son utilizadas debido a que los directivos no anticipan o no se preparan para la resistencia al cambio de parte de los consumidores, empleados y otros directivos. No importa qué tan impresionantes sean las características de desempeño de una innovación, si su implementación entra en conflicto con algunos intereses y pone en peligro algunas alianzas de la organización. Para incrementar la oportunidad de implementación exitosa, la dirección debe reconocer el conflicto, las amenazas y las pérdidas potenciales percibidas por los empleados. Los directivos pueden utilizar varias estrategias para superar los problemas de resistencia:
   - *Coordinación con las necesidades y metas de los usuarios*. La mejor estrategia para superar la resistencia es asegurarse de que el cambio satisfaga una necesidad real. Los empleados en el departamento de investigación y desarrollo con frecuencia tienen grandes ideas para resolver los problemas existentes. Esto sucede debido a que los iniciadores no consultan con los usuarios pretendidos. La resistencia puede ser frustrante para los directivos, pero cuando es moderada es buena para una organización. Ella proporciona una barrera protectora en contra de los cambios frívolos y en contra de sólo cambiar por cambiar. El proceso de

Como gerente de una organización, tenga en mente estos lineamientos:

Dirija a los empleados a través de las tres etapas de compromiso para el cambio: La preparación, la aceptación y el compromiso; y utilice técnicas para lograr la implementación con éxito. Éstas incluyen obtener el apoyo de la alta dirección, implementar el cambio en una serie de pasos, asignar equipos o promotores e ideas y superar la resistencia mediante la comunicación activa con los trabajadores y el fomento de su participación en el proceso.

superar la resistencia al cambio por lo general requiere que éste sea bueno para sus usuarios.

- *Comunicación y capacitación.* La comunicación significa informar a los usuarios acerca de la necesidad del cambio, las consecuencias de un cambio propuesto, y también implica impedir rumores, malos entendidos y resentimiento. En un estudio sobre esfuerzos de cambio, la razón del fracaso que se citó con más frecuencia fue que los empleados se enteraron del mismo por medio de terceras personas. Los altos directivos estaban concentrados en comunicarse con el público exterior y los participantes interesados pero no se comunicaron con la gente implicada más íntimamente y la más afectada por el cambio: Sus propios empleados.[105] La comunicación abierta con frecuencia ofrece a los directivos la oportunidad de explicar qué pasos se llevarán a cabo para asegurar que el cambio no tenga consecuencias adversas para los trabajadores. La capacitación también es necesaria para ayudar a los empleados a entender y manejar su función en el proceso de cambio.
- *Un entorno que ofrece seguridad psicológica.* La seguridad psicológica significa que la gente siente la confianza de que no será puesta en ridículo o rechazadas por otras en la organización. La gente necesita sentirse segura y capaz de realizar los cambios que se les pide que hagan.[106] El cambio requiere que la gente esté dispuesta a asumir riesgos y hacer las cosas de manera diferente, pero muchas personas temen intentar algo nuevo si piensan que pueden ser avergonzados en caso de que fallen o se equivoquen. Los directivos promueven la seguridad psicológica mediante la creación de un clima de confianza y respeto mutuo en la organización. "No temer a que alguien esté burlándose de uno ayuda a que se asuman riesgos genuinos", afirma Andy Law, uno de los fundadores de St. Luke, una agencia de publicidad con sede en Londres.[107]
- *Participación e implicación.* La participación amplia y prematura en un cambio debe ser parte de la implementación. La participación da a los implicados la sensación de control sobre la actividad de cambio. La entienden mejor y se comprometen con la implementación exitosa. Un estudio acerca de la implementación y adopción de sistemas tecnológicos en dos compañías mostró un proceso de innovación mucho más fluido en la compañía que introdujo la nueva tecnología mediante un enfoque de participación.[108] Las actividades de intervención en grupos grandes y la formación de equipos que se analizaron antes pueden ser métodos efectivos de involucrar a los empleados en un proceso de cambio.
- *Fuerza y coerción.* Como último recurso, los directivos pueden superar la resistencia a través de amenazas a los empleados con la pérdida de promociones o de empleos o despidos y transferencias. Es decir, el poder de los directivos se utiliza para avasallar a la resistencia. En la mayoría de los casos, este enfoque no es aconsejable debido a que genera en la gente rencor con los administradores del cambio y, por lo tanto, éste puede ser saboteado. Sin embargo, esta técnica puede ser necesaria cuando la rapidez es esencial, como en el caso de que la organización enfrente una crisis. También puede requerirse cuando se necesiten cambios administrativos implementados jerárquicamente, como la reducción del personal.[109]

6. *Crear equipos de cambio.* A través de este capítulo se ha analizado la necesidad de recursos y energía para hacer que el cambio suceda. Los departamentos creativos independientes, los nuevos grupos de riesgo y los equipos con fines específicos o fuerza de tarea son formas de enfocar la energía tanto en la creación como en la implementación. Un departamento separado tiene la libertad de crear una nueva tecnología que se ajuste a una necesidad preliminar. Una fuerza de tarea puede crearse para cerciorarse de que la implementación se cumpla. La fuerza de tarea puede ser responsable de la comunicación, la participación de los usuarios, la capacitación y otras actividades necesarias para el cambio.
7. *Impulsar a los campeones de ideas.* Una de las armas más efectivas en la batalla para el cambio es el campeón de ideas. El campeón de ideas más efectivo es un campeón

voluntario que esté profundamente comprometido con una nueva idea. El campeón de ideas revisa que todas las actividades técnicas sean correctas y completas. Un promotor adicional, como el patrocinador directivo, también puede ser necesario para persuadir a la gente acerca de la necesidad de la implementación, incluso mediante la coerción si fuera necesario.

Resumen e interpretación

Las organizaciones enfrentan un dilema. Los directivos prefieren organizar actividades cotidianas en una forma predecible y rutinaria. No obstante, el cambio —no la estabilidad— es el orden natural de las cosas en el entorno global de la actualidad. Así, las organizaciones necesitan basarse en el cambio así como en la estabilidad, para facilitar la innovación así como la eficiencia.

La mayor parte del cambio en las organizaciones es paulatino, pero existe un énfasis creciente en la necesidad de un cambio radical. Existen cuatro tipos de cambio: El tecnológico, el de productos y servicios, el de estrategia y estructura, y los culturales, que pueden dar a una organización una ventaja competitiva, y mediante ellos, los directivos pueden cerciorarse de que cada uno de los ingredientes necesarios para que el cambio esté presente.

En cuanto a la innovación técnica, la cual es de interés para la mayoría de las organizaciones, una estructura orgánica que fomente la autonomía de los empleados funciona mejor debido a que contribuye a un flujo de ideas de los niveles inferiores a los superiores de la empresa. Otros métodos son establecer un departamento separado encargado de la creación de nuevas ideas técnicas, establecer equipos de riesgo o incubadores de ideas e impulsar a los promotores de ideas. Por lo general, los nuevos productos y servicios requieren cooperación entre varios departamentos, de manera que la vinculación horizontal es una parte esencial del proceso de innovación.

Para cambios en la estrategia y la estructura, el enfoque jerarquizado comúnmente es el mejor. Estas innovaciones son del dominio de los altos directivos quienes tienen la responsabilidad de la reestructuración, el *downsizing* y el cambio de las políticas, metas y sistemas de control.

Los cambios culturales por lo general son responsabilidad de la alta dirección. Algunas tendencias recientes que pueden crear la necesidad de un cambio cultural a gran escala en la organización son la reingeniería, la adopción de formas organizacionales horizontales, la mayor diversidad organizacional y la organización que aprende. Todos estos cambios requieren transformaciones importantes en las actitudes directivas y de los empleados y las formas de trabajar en conjunto. Un método para producir este nivel del cambio cultural es el desarrollo organizacional (DO). Éste se enfoca en los aspectos sociales y humanos de la organización y utiliza los conocimientos de la ciencia conductista para producir cambios en las actitudes y relaciones.

Por último, la implementación del cambio puede ser difícil. Es necesario un liderazgo fuerte para guiar a los empleados a través de la turbulencia y de la incertidumbre y construir un compromiso en toda la organización con el cambio. Existe una gran cantidad de barreras para el cambio, que incluye el enfoque excesivo en los costos, el no percibir los beneficios, la falta de coordinación organizacional y el rechazo a la incertidumbre individual y el temor a la pérdida. Los directivos pueden planear de manera cuidadosa cómo se van a enfrentar a la resistencia para incrementar la probabilidad de éxito. Las técnicas que facilitarán la implementación son el establecimiento de un sentimiento de la necesidad urgente del cambio; crear una coalición poderosa que guíe el cambio; formular una visión y estrategia para alcanzar el cambio; superar la resistencia mediante la alineación con las necesidades y metas de los usuarios, incluir a los usuarios en el proceso del cambio, proporcionar seguridad psicológica, y, en casos excepcionales, forzar la innovación si fuera necesario. Los equipos de cambio y los promotores de ideas también son efectivos.

Conceptos clave

cambio organizacional
cambio paulatino
cambio radical
cambios culturales
cambios de estrategia y estructura
cambios de productos y servicios
cambios tecnológicos
campeón administrador
campeón técnico
competencia basada en el tiempo
creatividad
departamentos creativos
desarrollo organizacional
enfoque ambidiestro
enfoque del centro dual
equipos de riesgo
equipos especiales
estructuras alternantes
financiamiento de riesgo nuevo
formación de equipo
incubador de idea
innovación organizacional
intervención en grupo grande
modelo de coordinación horizontal
proceso de cambio
promotor de idea

Preguntas para análisis

1. ¿En qué difiere la administración del cambio radical de la administración del cambio paulatino?
2. ¿Cuáles son las características orgánicas relacionadas con los cambios tecnológicos? ¿Y las características relacionadas con los cambios administrativos?
3. Describa el enfoque de centro dual. ¿En qué difiere en términos generales el cambio administrativo del cambio tecnológico? Analice.
4. ¿Cómo pueden manejar las organizaciones el dilema de necesitar tanto estabilidad como cambio? Analice.
5. ¿Por qué las organizaciones experimentan resistencia al cambio? ¿Qué medidas pueden tomar los directivos para superar esta resistencia?
6. "Las burocracias no son innovadoras". Analice.
7. Un teórico organizacional connotado afirmó, "La presión para el cambio tiene su origen en el entorno; la presión para la estabilidad tiene su origen dentro de la organización". ¿Está de acuerdo? Analice.
8. De los cinco elementos requeridos para un cambio exitoso, ¿qué elemento piensa usted que sea más probable que los directivos pasen por alto? Analice.
9. ¿Cómo se comparan los valores esenciales del desarrollo organizacional con los valores esenciales de otros tipos de cambio? ¿Por qué los valores esenciales del desarrollo organizacional lo hacen particularmente útil para la transformación a una organización que aprende?
10. El director de investigación y desarrollo de una compañía farmacéutica afirma que sólo 5% de los nuevos productos de la compañía siempre alcanzan un éxito de mercado. También dijo que el promedio industrial es 10% y se pregunta cómo puede incrementar la organización su tasa de éxito. ¿Si usted fuera un consultor, que consejo le daría en lo referente a su estructura organizacional?
11. Revise las etapas de compromiso con el cambio ilustradas en el cuadro 11.9 y las siete técnicas para implementar el cambio, analizadas al final del capítulo. ¿En qué etapa del compromiso del cambio será más probable que cada una de las siete técnicas sea utilizada?

Libro de trabajo del capítulo 11: Clima de innovación*

Con el fin de examinar las diferencias en el nivel de fomento a la innovación de las organizaciones, se le pide que califique dos organizaciones. La primera debe ser una organización en la que usted haya trabajado, o universidad. La segunda debe

*Adaptado de Dorothy Marcic, de Susanne G. Scott y Reginald A. Bruce, "Determinants of Innovative Behavior: A Path Model of Individual Innovation in the Workplace", *Academy of Management Journal* 37, núm. 3 (1994), 580-607.

ser alguien más de su lugar de trabajo, un miembro de la familia, un amigo o conocido. Usted tendrá que entrevistar a esa persona para responder las preguntas siguientes. Tendrá que escribir sus respuestas en la columna A, las respuestas de su entrevistado en la columna B, y lo que usted piensa que sería el ideal en la columna C.

Medidas de innovación

Rubros de medición	**A Su organización**	**B Otra organización**	**C Su ideal**
Calificación de los rubros 1-5 en la siguiente escala: 1 = *en desacuerdo absoluto* 5 = *completamente de acuerdo*			
1. Ahí se fomenta la creatividad.†			
2. Se permite a la gente resolver los mismos problemas de diferentes formas.†			
3. Se me permite impulsar ideas creativas.‡			
4. La organización reconoce públicamente y también recompensa a aquellos que son innovadores.‡			
5. Nuestra organización es flexible y siempre está abierta al cambio.†			
Calificación de rubros 6-10 en la escala opuesta: 1 = *completamente de acuerdo a* 5 = *en completo desacuerdo*			
6. El principal trabajo de la gente aquí es seguir órdenes que de arriba.†			
7. La mejor forma de llevarse bien aquí es pensar y actuar como otros.†			
8. Este lugar parece que está más preocupado por el estado actual de las cosas que con el cambio.†			
9. A la gente se le recompensa más si no provocan cambios.‡			
10. Las nuevas ideas son grandiosas, pero no hay el suficiente personal o dinero para desarrollarlas.‡			

†Estos rubros indican el clima de innovación de la organización.
‡Estos rubros muestran el apoyo de recursos

Preguntas

1. ¿Qué comparaciones en términos de clima de innovación puede usted establecer entre estas dos organizaciones?
2. ¿En qué difiere la productividad en un clima que apoya la innovación y un clima que no lo hace?
3. ¿Dónde prefiere trabajar? ¿Por qué?

Caso para el análisis: Shoe Corporation of Illinois*

Shoe Corporation of Illinois (SCI) produce una línea de zapatos para dama que se vende en el mercado de más bajo precio de $27.99 a $29.99 el par. Los ingresos promediaban de 30 a 50 centavos por par hace 10 años, pero de acuerdo con el presidente y el contralor, los costos de la mano de obra y los materiales se han elevado tanto en el ínterin que las utilidades actualmente promedian sólo 25 a 30 centavos por par.

La producción en ambas plantas de la compañía es de un total de 12 500 pares al día. Las dos fábricas están ubicadas dentro de un radio de 60 millas de Chicago: Una en Centerville, la cual produce 4500 pares al día, y la otra en Meadowvale, que produce 8000 pares al día. Las oficinas centrales de la compañía están ubicadas en un edificio contiguo a la planta de Centerville.

Es difícil ofrecer un panorama preciso del número de artículos en la línea de producción de la compañía. El estilo de zapatos quizá cambia con más rapidez que cualquier otro producto, lo que incluye las prendas de vestir. Esto se debe a que es posible cambiar los procesos de producción con rapidez y debido, a que históricamente, cada compañía, en un intento por aventajar a sus competidores, realizaron cambios graduales en el estilo con mayor frecuencia. En la actualidad, al considerar los cambios tanto grandes como pequeños en el estilo, SCI ofrece cada año de 100 a 120 productos diferentes a los clientes.

En el cuadro 11.10 aparece un organigrama parcial que muestra los departamentos involucrados en este caso.

Estructura competitiva de la industria

Las tiendas zapateras muy grandes, como International y Brown, manejan una línea de zapatos de dama y son capaces de reducir los precios que SCI fija, debido sobre todo a la política en las compañías grandes de producir zapatos "estables", como mocasines y zapatos de lona. Ellas no intentan cambiar estilos con tanta rapidez como los competidores pequeños. Así, sin cambios constantes en los procesos de producción y presentaciones de venta, son capaces de mantener sus costos sustancialmente más bajos.

Charles F. Allison, presidente de SCI, siente que la única forma de que una compañía independiente sea competitiva es cambiar los estilos con frecuencia y aprovechar la flexibilidad de una pequeña organización para crear diseños que atraigan a los clientes. Así, se puede crear una demanda y establecer precios lo bastante altos para obtener utilidades. Allison, dicho sea de paso, parece tener un talento artístico para el diseño y una trayectoria de muchos años de elecciones exitosas para aprobar estilos de alto volumen.

Respecto a cómo difiere SCI de sus grandes competidores, Allison ha dicho:

¿Saben?, Brown e International Shoe Company producen cientos de miles de los mismos pares de zapatos. Los almacenan en el inventario de sus fábricas. Sus clientes, los grandes mayoristas y minoristas simplemente conocen su línea y solicitan pedidos. No tienen que cambiar los estilos con la frecuencia que nosotros lo hacemos. Algunas veces deseo que pudiéramos hacer eso, también. Esto hace posible un sistema mucho más estable y ordenado. También hay menos fricción entre la gente dentro de la compañía. El personal de ventas siempre sabe lo que están vendiendo; el personal de producción sabe lo que se espera de ellos. El personal de la planta no se ve conmocionado con tanta frecuencia por alguien que venga una mañana y manipule sus líneas de máquinas o sus itinerarios. El personal de diseño no está intranquilo con tanta frecuencia porque la planta pide, "no podemos hacer su nuevo estilo de la forma que desean".

Para ayudar a SCI a ser más competitiva que las empresas más grandes, Allison creó hace poco un departamento de comercio electrónico. Aunque su principal interés era el marketing en Internet, también esperaba que la nueva tecnología ayudara a reducir un poco de la fricción interna al dar a las personas una forma más fácil de comunicación. Invirtió en un sistema nuevo de cómputo sofisticado y contrató consultores para configurar una intranet corporativa y ofrecer algunos días de capacitación a los directivos superiores y medios. Katherine Olsen se nos unió como directora de comercio electrónico, y su tarea principal era la de la coordinación de marketing y ventas por Internet. Cuando tomó el trabajo, tenía la idea de que un día se ofreciera a los clientes la opción de diseños de zapatos hechos a la medida. Sin embargo, Olsen estaba un poco sorprendida al darse cuenta de que la mayoría de los empleados seguían renuentes a utilizar la intranet incluso para la comunicación y coordinación internas. El proceso de decidir los estilos nuevos, por ejemplo, no ha cambiado desde la década de 1970.

Principales cambios en el estilo

La decisión si ingresar a producción un nuevo estilo requiere información de diferentes personas. He aquí lo que por lo general sucede en la compañía. Puede ser útil seguir el organigrama (vea cuadro 11.10) para un seguimiento del procedimiento.

M. T. Lawson, el gerente de diseño, y su diseñador, John Flynn, producen la mayoría de las ideas sobre forma, tamaño del tacón, uso de suela plana o tacones y ornamentos (el término utilizado para los adornos que van pegados, pero que no son parte de los zapatos: Lazos, correas, etcétera). Ellos obtienen principalmente sus ideas de la lectura de revistas del gremio y de moda o de los diseñadores de alto nivel. Lawson tiene correspondencia con revistas y amigos de grandes tiendas en Nueva York, Roma y París para obtener fotografías y muestras de las innovaciones de estilo de último minuto. A pesar de que en ocasiones utiliza el correo electrónico, Lawson prefiere el contacto telefónico y recibir dibujos o muestras por correo nocturno. Después, él y Flynn analizan diferentes ideas y proponen opciones de diseño.

*Escrito por Charles E. Summer. Copyright 1978. Revisado con autorización.

CUADRO 11.10
Organigrama parcial de Shoe Corporation of Illinois

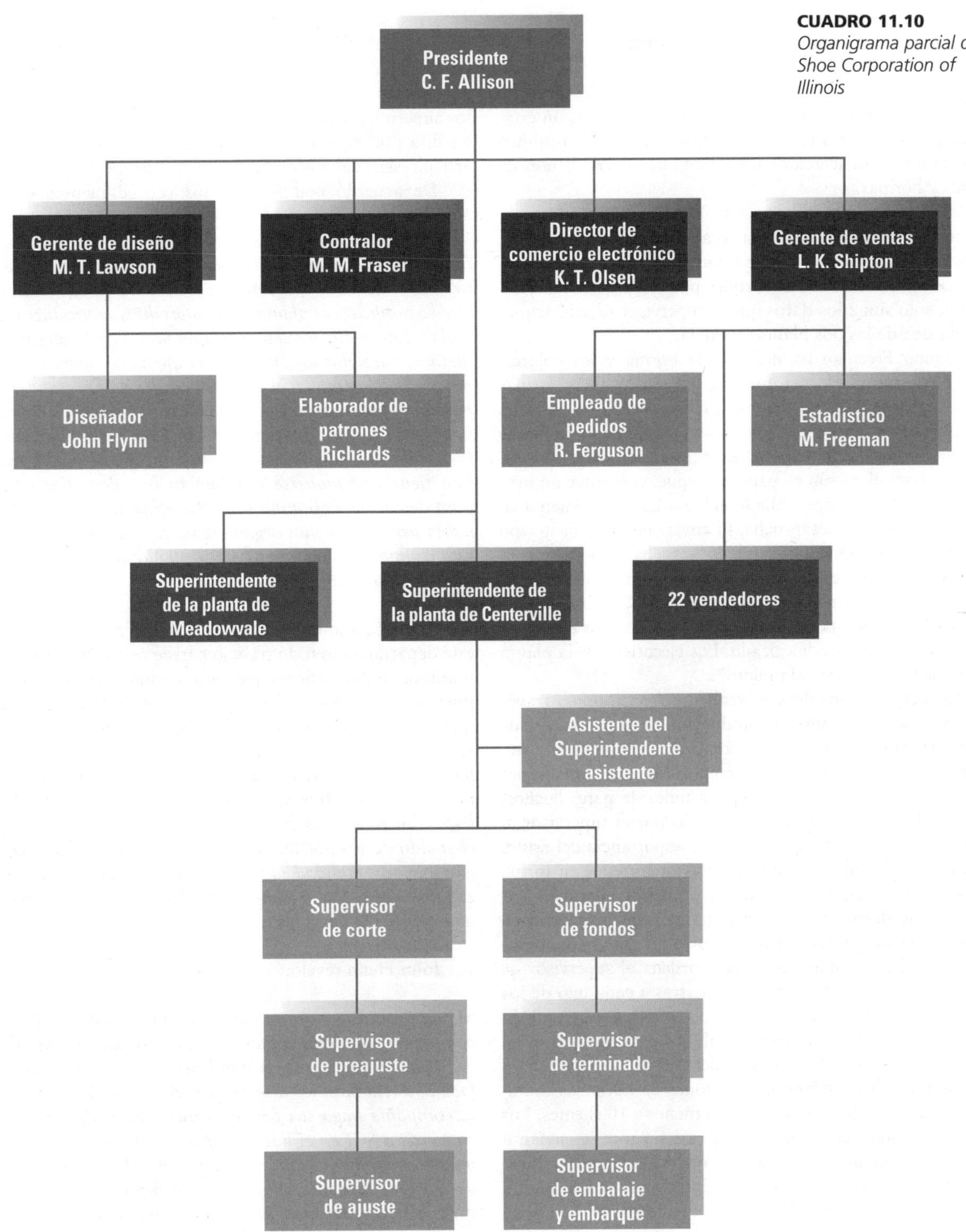

Cuando Lawson se decide por un diseño, lleva el boceto a Allison, quien lo aprueba o lo desaprueba. Si Allison lo aprueba, él (Allison) entonces pasa el bosquejo a Shipton, el gerente de ventas, para averiguar qué horma se debe elegir. Shipton a su vez, envía el diseño a Martin Freeman, un estadístico del departamento de ventas, que mantiene un resumen de la información acerca de las solicitudes de los clientes de colores y hormas.

Para recabar esta información, Freeman visita a los vendedores dos veces por año para recabar sus opiniones acerca de los colores y hormas que se están vendiendo mejor, mantiene los registros de los embarques por color y horma. Para este fin, sólo suma los datos que el supervisor de embarques en cada una de las dos plantas le envía.

Cuando Freeman ha decidido la horma y los colores, envía a Allison una forma que lista los colores y las hormas en los cuales se debe producir el zapato. Si Allison aprueba esta lista, envía la información a Lawson, quien la transmite a Jenna Richards, la experta en fabricación de patrones. Richards hace el patrón en papel y después construye un prototipo en piel y en papel. Ella lo envía a Lawson, quien a su vez lo aprueba o lo desaprueba. Él envía cualquier prototipo aprobado a Allison. Si, él también aprueba el prototipo lo notifica a Lawson, quien lleva el prototipo a Paul Robbins, asistente del superintendente de la planta de Centerville. Esta planta sólo produce pequeñas cantidades de nuevos zapatos o estilos experimentales de calzado. Los ejecutivos de la planta denominan a esto "corrida piloto".

Después, Robbins lleva en realidad el prototipo a través de los seis departamentos de producción de la planta: Desde el corte hasta el terminado, y lo analiza con cada supervisor, quien a su vez trabaja con los empleados en las máquinas para obtener una muestra de varios miles de pares hechos. Cuando el lote terminado es entregado por el supervisor al supervisor de embarques (debido a la importancia del estilo, Allison ha ordenado que cada supervisor entregue en forma personal los productos en proceso de diseño al supervisor del siguiente departamento), éste mantiene el inventario en almacén y envía un par a Allison y otro a Lawson. Si aprueban el producto terminado, Allison ordena al supervisor de embarques enviar por correo las muestras a cada uno de los 22 vendedores de la compañía en todo el país. Olsen también recibe las muestras, las fotos y los dibujos para publicarlos en la página Web y valorar el interés del cliente.

Los vendedores tienen instrucciones de llevar las muestras de inmediato (en una semana) al menos a 10 clientes. Los pedidos ya establecidos de zapatos casi siempre se envían a Ralph Ferguson, un empleado de la oficina de Shipton, quien los registra y los envía a los superintendentes de la planta para su producción. No obstante, los vendedores se han dado cuenta de que Freeman tiene un mayor interés en el éxito de los nuevos "intentos", de manera que apresura el envío de estos pedidos por correo nocturno para recibirlos él, y coloca los primeros pedidos de un nuevo estilo en el correo entre oficinas dirigido a los superintendentes de las plantas. Luego, despacha un duplicado del pedido, enviado por correo por los vendedores, a Ferguson para que lo ingrese a su registro estadístico de todos los pedidos recibidos por la compañía.

Tres semanas después de que los vendedores reciben las muestras, Allison le pide a Ferguson que le proporcione una tabla de los pedidos. En ese momento, él decide si los vendedores y la página Web deben promover el artículo y los superintendentes deben producir cantidades grandes, o si les dirá que aunque los pedidos existentes se producirán, el artículo será descontinuado en corto tiempo.

De acuerdo con Allison, los procedimientos descritos aquí han,

funcionado razonablemente bien, el tiempo promedio a partir del momento en que Lawson se decide por un diseño hasta que se notifica a la planta de Centerville que produzca la corrida piloto es de dos semanas a un mes. Por supuesto, si pudiéramos acelerar eso, provocaría que la compañía estuviera mucho más segura en el juego en contra de las grandes compañías y despojar de sus ventas a los competidores. Parece haber una disputa interminable entre la gente implicada en la fase de diseño del negocio. Eso es lo que se espera cuando uno tiene que moverse rápido: No hay demasiado tiempo para detenerse y observar todas las etiquetas sociales. Nunca había pensado que un organigrama formal fuera bueno para esta compañía, aquí hemos desarrollado un sistema rutinario que funciona bien.

M. T. Lawson, gerente de diseño, afirmó que dentro de este departamento todo trabajo parece realizarse en el tiempo mínimo; también afirmó que tanto Richards como Flynn eran buenos empleados y muy hábiles en su trabajo. Mencionó que Flynn había ido a verlo dos veces el año pasado

para preguntar acerca de su futuro en la compañía. Él (Flynn) tiene 33 años y tres niños. Yo sabía que estaba ansioso de hacer dinero, y le aseguré que con los años podíamos subirle el sueldo de los $60 000 que en ese entonces estábamos pagándole. En realidad, aprendió mucho acerca de estilos de zapatos desde que lo trajimos del departamento de diseño de una compañía textil hace seis años.

John Flynn reveló:

Me estaba sintiendo insatisfecho con este trabajo. Todas las compañías zapateras copiaban estilos, lo cual es una práctica generalmente aceptada en la industria. Pero he adquirido una facilidad real para los diseños, y varias veces he sugerido que la compañía haga sus propios estilos originales. Podríamos convertir a SCI en el líder del diseño y también incrementar nuestro volumen. Cuando le comento a M. T. Lawson acerca de esto, me dice que toma mucho tiempo al diseñador crear originales: que tenemos que hacer todo lo que podamos para investigar en las revistas del gremio y conservar los contratos que nos transmitan los resultados de los expertos. Además, dice que nuestros estilos han soportado la prueba del mercado.

Proyectos X y Y

Flynn también dijo que él y Freeman habían hablado muchas veces acerca del problema del diseño. Él sentía que

En realidad Allison era un gran presidente, y que la compañía seguramente se sentiría perdida sin él. Sin embargo, hemos visto ocasiones en que se pierde una gran cantidad de dinero por malas elecciones de estilos. No muchas veces, quizá seis o siete en los últimos 18 meses. También, por supuesto, está demasiado ocupado como presidente corporativo. Debe ocuparse de todo desde el financiamiento bancario hasta la negociación con los sindicatos. El resultado es que algunas veces no está disponible para hacer las aprobaciones en el estilo durante varios días, o incluso semanas. En un negocio como éste, esa clase de retardos pueden costar dinero. Y esto lo hace ponerse algo nervioso. Cuando tiene muchas cosas que hacer, observa con rapidez los estilos que le enviamos, con los prototipos que Richards hace, o incluso los zapatos terminados que le son enviados para su aprobación por el supervisor de embarques. Algunas veces me preocupo de que cometa dos clases de errores. Sólo sellar con sellos de goma lo que hemos hecho, lo cual significa que enviarle esta clase de cosas sea una pérdida de tiempo. Otras veces hace elecciones instantáneas, pasando por encima a aquellos de nosotros que hemos invertido mucho tiempo y habilidades en ese zapato. Pensamos que él tiene un buen criterio, pero él mismo ha dicho a veces que desearía tener más tiempo para concentrarse en el estilo y aprobar los prototipos y productos finales.

Flynn explicó además (y fue corroborado por Freeman) que los dos habían desarrollado dos planes, que denominaron como "proyecto X" y "proyecto Y". En el primero, Flynn creó un diseño original que no era copia de otros estilos existentes. Freeman entonces le dio una atención especial al color y a la última investigación del zapato y recomendó una línea de color que no se adecuaba con exactitud a los registros pasados de las compras de los clientes, pero era uno que Flynn había pensado que sería "muy atractivo para el cliente". Esta recomendación de diseño y color fue aceptada por M. T. Lawson y Allison; el zapato se fue a producción y fue uno de los tres más vendidos durante el año calendario. Los dos últimos hombres no sabían que el zapato fue diseñado de una forma diferente al procedimiento acostumbrado.

El resultado del segundo proyecto similar (Y) fue puesto en producción al año siguiente, pero esta vez las ventas se descontinuaron después de tres semanas.

El problema entre Lawson y Robbins

Con frecuencia, quizá 10 o 12 veces al año, surgían desacuerdos entre Lawson, gerente de diseño y Robbins, asistente del superintendente de la planta de Centerville. Robbins expresó,

El personal de diseño no entiende lo que significa producir un zapato en las cantidades en que nosotros lo hacemos, y hacer los cambios en la producción que tenemos que hacer. Inventar un estilo con rapidez, de la nada. No se dan cuenta de que tenemos una gran cantidad de máquinas que tienen que ser ajustadas y algunas veces su invento conlleva mucho más tiempo en ciertas máquinas que en otras, por lo tanto se crea un cuello de botella en la línea de producción. Si ellos pusieran un lazo o una cuerda en un lugar en vez de en otro, esto significaría que tendríamos que tener gente desocupada en las máquinas posteriores mientras se acumula el trabajo en las máquinas de tejido en las cuales esta pequeña operación complicada se desarrolla. Esto cuesta dinero a la planta. Además, hay veces en que nos traen el prototipo tarde, y el supervisor y yo debemos trabajar tiempos extra, para que la corrida de prueba salga a tiempo así como la producción de nuevos estilos, y para poder liberar la capacidad de la planta y producir los estilos viejos detenidos. Lawson no sabe mucho acerca de la producción, las ventas ni de la compañía entera. Pienso que todo lo que hace es traer zapatos a la planta, una clase de mensajero. ¿Por qué es tan difícil entender esto? No está ganando más de lo que me pagan a mí, y mi puesto en la planta es tan importante como el suyo.

A su vez, Lawson, afirma que ha sido difícil llevarse bien con Robbins:

Ha habido muchas veces en que Robbins es tan irracional. Le llevo prototipos cinco o seis veces al mes, y otros cambios menores en el estilo seis u ocho veces. Le he notificado de todas las veces en que se han presentado problemas para tener esto listo, pero a él sólo le interesa lo concerniente a la planta, y comunicarle este tipo de cosas parece no ayudar en nada. Cuando llegamos por primera vez a la compañía, iban bien las cosas, pero ha sido cada vez más difícil llevarse bien con él.

Otros problemas

Ralph Ferguson, el empleado del departamento de ventas que recibe los pedidos de los vendedores y envía los totales a los superintendentes de planta para que elaboren los itinerarios de producción, se ha quejado de que los vendedores y Freeman lo han pasado por alto en su práctica de enviar pedidos de zapatos experimentales a Freeman. Él insiste en que la descripción de su puesto (una de sólo dos descripciones escritas en la compañía) le da la responsabilidad de recibir todos los pedidos de toda la compañía y mantener estadísticas históricas de los embarques.

Tanto los vendedores como Freeman, por otro lado, afirmaron que antes que comenzara esta nueva práctica (es decir, cuando Ferguson recibía los pedidos de zapatos experimentales), habían al menos ocho o 10 casos al año en que éstos se retrasaron uno o tres días en el escritorio de Ferguson. Reportaron que Ferguson tan sólo no estaba interesado en los nuevos estilos, de manera que los vendedores "comenzaron simplemente a enviarlos a Freeman". Ferguson reconoció que habían habido retrasos cortos, pero afirmó que existían buenas razones para ello:

Ellos (los vendedores y Freeman) están tan interesados en los nuevos diseños, colores y hormas que no pudieron entender la importancia de un manejo sistemático del procedimiento completo de pedidos, lo que incluye los estilos nuevos y los modelos viejos de zapatos. Debía haber precisión. Por supuesto, le di alguna prioridad a los pedidos experimentales, pero algunas veces cuando los pedidos urgentes de los productos existentes de la compañía se estaban aglomerando, y cuando había una gran cantidad de planeación que tenía que hacerse para distribuir la producción entre Centerville y Meadowvale, decidí qué tenía que ir primero: procesar éstos, o procesar los pedidos de zapatos experimentales. Shipton es mi jefe, no los vendedores o Freeman. Voy a insistir en que estos pedidos lleguen a mí.

La presión por nueva tecnología

Olsen cree que muchos de sus problemas pueden ser resueltos a través de un uso mejor de la tecnología. Ella ha hablado muchas veces con Charles Allison acerca de la necesidad de utilizar más los sistemas de información computarizada costosos y sofisticados que él había instalado. A pesar de que Allison siempre concuerda con ella, casi no ha hecho nada para ayudar a resolver el problema. Olsen piensa que la nueva tecnología podría mejorar de manera radical la coordinación en SCI.

Todo mundo necesita estar trabajando con los mismos datos al mismo tiempo. Tan pronto como Lawson y Flynn lleguen con un nuevo diseño, éste debe ser publicado en la intranet de manera que todos nosotros podamos ser informados. Todos necesitamos acceso a información de ventas y pedidos, itinerarios de producción y fechas de entrega de embarques. Si todos —desde Allison hasta la gente en las plantas de producción— fuera mantenida al tanto de todo el proceso, no tendríamos esta confusión ni riñas. Pero nadie aquí desea ceder un poco de control: todos tienen sus propias pequeñas operaciones y no desean compartir información con nadie más. Por ejemplo, algunas veces ni siquiera sé si hay un estilo nuevo en proceso hasta que me llegan las muestras terminadas y las fotos. Nadie parece reconocer que una de las más grandes ventajas de Internet es ayudar a mantenerse a la vanguardia de los estilos cambiantes. Sé que Flynn tienen un buen sentido del diseño, y no estamos aprovechando sus capacidades. Pero también tengo información e ideas que podrían ayudar a esta compañía a mantenerse al tanto de los cambios y distinguirnos realmente en la multitud. No sé cuánto tiempo esperamos para ser todavía competitivos con este proceso lento y enredado y continuar con la producción de zapatos que ya están pasados de moda.

Caso para el análisis: Malestar sureño*

Jim Malesckowski recordó la llamada de dos semanas atrás cuando acababa de colgar el auricular del teléfono: "Acabo de leer tu análisis y deseo que llegues a México en seguida". Jack Ripon, su jefe y director general, le había gritado en el oído. "Tu sabes que no podemos hacer funcionar más la planta en Oconomo, los costos son demasiado altos. Así que ven aquí, verifica cuáles serían nuestros costos operativos si nos cambiáramos, y envíame un informe en una semana."

Como presidente de la división de productos de especialidad de Wisconsin en Lamprey, Inc., Jim conocía muy bien el reto que representaba manejar los costos tan altos de mano de obra en una planta de manufactura estadounidense, sindicalizada y de tercera generación. Y aunque él había elaborado el análisis que había provocado la respuesta instantánea de su jefe, la llamada todavía le impactaba. Había 520 personas que dependían de la planta de Lamprey en Oconomo, y si ésta cerraba, la mayoría de ellas no tendrían la oportunidad de encontrar otro trabajo en un pueblo de 9900 personas.

En comparación con el salario promedio por hora de $16 en la planta de Oconomo, los salarios que se pagaban a los trabajadores mexicanos —que vivían en un pueblo sin salubridad y con emanaciones increíblemente tóxicas provenientes de la contaminación industrial— sería el equivalente a $1.60 por hora en promedio. Esto representa ahorros de casi $15 millones al año para Lamprey, que serán contrarrestados por los costos crecientes de capacitación, transporte y otras cuestiones.

Después de 2 días de hablar con representantes del gobierno mexicano y con directivos de otras compañías en la ciudad, Jim había recabado información suficiente para desarrollar un conjunto de cifras comparativas de costos de producción y embarque. De camino a casa, comenzó a elaborar un borrador de su informe, pero él sabía muy bien, que a menos que un milagro ocurriera, tendría que enviar cartas de despido a toda aquella gente que había comenzado a apreciar.

La planta en Oconomo había estado en operación desde 1921, en ella se fabricaba vestimenta especial para personas que habían sufrido de lesiones u otros padecimientos. Jim había hablado con frecuencia con empleados que contaban historias acerca de sus padres o abuelos que habían trabajado en la misma planta de la compañía Lamprey: la última de las operaciones de manufactura originales en la ciudad.

Pero aparte de la amistad, los competidores ya habían aventajado a Lamprey en términos de precio y estaban muy cerca de superarlo en la calidad del producto. Aunque tanto Jim como el gerente de la planta habían intentado convencer al sindicato de aceptar salarios más bajos, los líderes se rehusaron. De hecho, en una ocasión cuando Jim y el gerente de la planta intentaron discutir un enfoque de manufactura con base en células, que capacitaría en múltiples disciplinas a los empleados para que desempeñaran hasta tres tareas diferentes, los líderes sindicales locales casi no pudieron contener su enojo. Jim pensó haber percibido un temor escondido, lo que significaba que los representantes del sindicato estaban conscientes por lo menos de algunos problemas, pero no había podido lograr que reconocieran esto y que accedieran a tener una discusión más abierta.

Transcurrió la semana y Jim acababa de enviar su informe a su jefe. Aunque no trajo a colación este punto, era evidente que Lamprey podía poner su inversión en dólares en un banco y recibir un rendimiento mejor del que su operación en Oconomo estaba produciendo.

*Doug Wallace, "What Would You Do?" *Business Ethics* (marzo/abril 1996), 52-53. Reimpreso con autorización de *Business Ethics*, PO Box 8439, Minneapolis, MN 55408, teléfono: 612-879-0695.

Al día siguiente, discutiría el informe con el director general. Jim no deseaba ser el responsable del desmantelamiento de la planta, y de un acto que él en forma personal creía que era erróneo mientras hubiera una oportunidad de hacer descender los costos. "Pero Ripon está en lo correcto", se dijo a sí mismo. "Los costos son demasiado altos, y el sindicato no está dispuesto a cooperar, y la compañía necesita obtener un mejor rendimiento sobre su inversión si desea continuar de algún modo. Suena bien, pero se siente mal. ¿Qué debo hacer?"

Notas

1. Robert D. Hof, "Building an Idea Factory", *BusinessWeek* (11 de octubre, 2004), 194-200; Brian Bremner y Chester Dawson, "Can Anything Stop Toyota?" *BusinessWeek* (17 de noviembre, 2003), 114-122; y Norihiko Shirouzu y Jathon Sapsford, "Heavy Load; For Toyota, a New Small Truck Carries Hopes for Topping GM", *The Wall Street Journal* (12 de mayo, 2005), A1, A6.
2. Basado en John P. Kotter, *Leading Change* (Boston, Mass.: Harvard Business School Press, 1996), 18-20.
3. David A. Nadler y Michael L. Tushman, "Organizational Frame Bending: Principles for Managing Reorientation", *Academy of Management Executive* 3 (1989), 194-204; y Michael L. Tushman y Charles A. O'Reilly III, "Ambidextrous Organizations: Managing Evolutionary and Revolutionary Change", *California Management Review* 38, núm. 4 (verano 1996), 8-30.
4. Alan G. Robinson y Dean M. Schroeder, *Ideas Are Free: How the Idea Revolution Is Liberating People and Transforming Organizations* (San Francisco: Berrett-Koehler, 2004), reportado en John Grossman, "Strategies: Thinking Small", *Inc. Magazine* (agosto 2004), 34-35.
5. William A. Davidow y Michael S. Malone, *The Virtual Corporation* (Nueva York: HarperBusiness, 1992); y Gregory G. Dess, Abdul M. A. Rasheed, Kevin J. McLaughlin, y Richard L. Priem, "The New Corporate Architecture", *Academy of Management Executive* 9, núm. 3 (1995), 7-20.
6. Brent Schlender, "How Big Can Apple Get?" *Fortune* (21 de febrero, 2005), 66-76.
7. Joseph E. McCann, "Design Principles for an Innovating Company", *Academy of Management Executive* 5 (mayo 1991), 76-93.
8. Kelly Barron, "Logistics in Brown", *Forbes* (10 de enero, 2000), 78-83; y Scott Kirsner, "Venture Vérité: United Parcel Service", *Wired* (septiembre 1999), 83-96.
9. Robert D. Hof, "Building an Idea Factory".
10. Richard A. Wolfe, "Organizational Innovation: Review, Critique and Suggested Research Directions", *Journal of Management Studies* 31, núm. 3 (mayo 1994), 405-431.
11. John L. Pierce y Andre L. Delbecq, "Organization Structure, Individual Attitudes and Innovation", *Academy of Management Review* 2 (1977), 27-37; y Michael Aiken y Jerald Hage, "The Organic Organization and Innovation", *Sociology* 5 (1971), 63-82.
12. Richard L. Daft, "Bureaucratic versus Non-bureaucratic Structure in the Process of Innovation and Change", en Samuel B. Bacharach, ed., *Perspectives in Organizational Sociology: Theory and Research* (Greenwich, Conn.: JAI Press, 1982), 129-166.
13. Alan D. Meyer y James B. Goes, "Organizational Assimilation of Innovations: A Multilevel Contextual Analysis", *Academy of Management Journal* 31 (1988), 897-923.
14. Richard W. Woodman, John E. Sawyer y Rick, y W. Griffin, "Toward a Theory of Organizational Creativity", *Academy of Management Review* 18 (1993), 293-321; y Alan Farnham, "How to Nurture Creative Sparks", *Fortune* (10 de enero, 1994), 94-100.
15. J. Grossman, "Strategies: Thinking Small".
16. Robert I. Sutton, "Weird Ideas That Spark Innovation", *MIT Sloan Management Review* (invierno 2002), 83-87; Robert Barker, "The Art of Brainstorming", *Business Week* (26 de agosto, 2002), 168-169; Gary A. Steiner, ed., *The Creative Organization* (Chicago, III.: University of Chicago Press, 1965), 16-18; y James Brian Quinn, "Managing Innovation: Controlled Chaos", *Harvard Business Review* (mayo-junio 1985), 73-84.
17. Thomas M. Burton, "Flop Factor: By Learning from Failures, Lilly Keeps Drug Pipeline Full", *The Wall Street Journal* (21 de abril, 2004), Al, A12.
18. Kotter, *Leading Change*, 20-25; y John P. Kotter, "Leading Change", *Harvard Business Review* (marzo-abril 1995), 59-67.
19. G. Tomas M. Hult, Robert F. Hurley, y Gary A. Knight, "Innovativeness: Its Antecedents and Impact on Business Performance", *Industrial Marketing Management* 33 (2004), 429-438.
20. Erick Schonfeld, "GE Sees the Light", *Business 2.0* (julio 2004), 80-86.
21. L. D. DiSimone, comentarios acerca de 3M en "How Can Big Companies Keep the Entrepreneurial Spirit Alive?" *Harvard Business Review* (noviembre-diciembre 1995), 184-185; y Thomas A. Stewart, "3M Fights Back", *Fortune* (febrero 1996), 94-99.
22. T. M. Burton, "Flop Factor".
23. D. Bruce Merrifield, "Intrapreneurial Corporate Renewal", *Journal of Business Venturing* 8 (septiembre 1993), 383-389; Linsu Kim, "Organizational Innovation and Structure", *Journal of Business Research* 8 (1980), 225-245; y Tom Burns y G. M. Stalker, *The Management of Innovation* (Londres: Tavistock Publications, 1961).
24. James Q. Wilson, "Innovation in Organization: Notes toward a Theory", en James D. Thompson, ed., *Approaches to Organizational Design* (Pittsburgh, Penn.: University of Pittsburgh Press, 1966), 193-218.
25. Charles A. O'Reilly III y Michael L. Tushman, "The Ambidextrous Organization", *Harvard Business Review* (abril 2004), 74-81; M. L. Tushman y C. A. O'Reilly III, "Building an Ambidextrous Organization: Forming Your Own 'Skunk Works'", *Health Forum Journal* 42, núm. 2 (marzo-abril 1999), 20-23; J. C. Spender y Eric H. Kessler, "Managing the Uncertainties of Innovation: Extending Thompson (1967)", *Human Relations* 48, núm. 1 (1995), 35-56; y Robert B. Duncan, "The Ambidextrous Organization: Designing Dual Structures for

Innovation", en Ralph H. Killman, Louis R. Pondy, y Dennis Slevin, eds., *The Management of Organization,* vol. 1 (Nueva York: Nonh-Holland, 1976), 167-188.

26. C. A. O'Reilly III y M. L. Tushman, "The Ambidextrous Organization".
27. Tushman y O'Reilly, "Building an Ambidextrous Organization".
28. Edward F. McDonough III y Richard Leifer, "Using Simultaneous Structures to Cope with Uncertainty", *Academy of Management Journal* 26 (1983), 727-735.
29. John McCormick y Bill Powell, "Management for the *1990s", Newsweek* (25 de abril, 1988), 47-48.
30. Todd Datz, "Romper Ranch", *CTO Enterprise* Section 2 (15 de mayo, 1999), 39-52.
31. Paul S. Adler, Barbara Goldoftas y David I. Levine, "Ergonomics, Employee Involvement, and the Toyota Production System: A Case Study of NUMMI's 1993 Model Introduction", *Industrial and Labor Relations Review* 50, núm. 3 (abril 1997), 416-437.
32. Judith R. Blau y William McKinley, "Ideas, Complexity, and Innovation", *Administrative Science Quarterly 24* (1979), 200-219.
33. Peter Landers, "Back to Basics; With Dry Pipelines, Big Drug Makers Stock Up in Japan", *The Wall Street Journal* (24 de noviembre, 2003), A1, A7.
34. Sherri Eng, "Hatching Schemes", *The Industry Standard* (27 de noviembre -4 de diciembre, 2000), 174-175.
35. Christine Canabou, "Fast Ideas for Slow Times", *Fast Company* (mayo 2003), 52.
36. O'Reilly y Tushman, "The Ambidextrous Organization".
37. Christopher Hoenig, "Skunk Works Secrets", *CIO* (1 de julio, 2000), 74-76.
38. Phaedra Hise, "New Recruitment Strategy: Ask Your Best Employees to Leave", *Inc.* (julio 1997), 2.
39. Daniel F. Jennings y James R. Lumpkin, "Functioning Modeling Corporate Entrepreneurship: An Empirical Integrative Analysis", *Journal of Management* 15 (1989), 485-502; y Julian Birkinshaw, "The Paradox of Corporate Entrepreneurship", *Strategy & Business,* número 30 (primavera 2003), 46-57.
40. Jane M. Howell y Christopher A. Higgins, "Champions of Technology Innovation", *Administrative Science Quarterly* 35 (1990), 317-341; y Jane M. Howell y Christopher A. Higgins, "Champions of Change: Identifying, Understanding, and Supporting Champions of Technology Innovations", *Organizational Dynamics* (verano 1990), 40-55.
41. Peter F. Drucker, "Change Leaders", *Inc.* (junio 1999), 65-72; y Peter F. Drucker, *Management Challenges for the 21st Century* (Nueva York: HarperBusiness, 1999).
42. Stuart Crainer y Des Dearlove, "Water Works", *Management Review* (mayo 1999), 39-43.
43. Thomas J. Peters y Robert H. Waterman, Jr., *In Search of Excellence* (Nueva York: Harper & Row, 1982).
44. Peter J. Frost y Carolyn P. Egri, "The Political Process of Innovation", en L. L. Cummings y Barry M. Staw, eds., *Research in Organizational Behavior,* vol. 13 (Nueva York: JAI Press, 1991), 229-295; Jay R. Galbraith, "Designing the Innovating Organization", *Organizational Dynamics* (invierno 1982), 5-25; y Marsha Sinatar, "Entrepreneurs, Chaos, and Creativity-Can Creative People Really Survive Large Company Structure?" *Sloan Management Review* (invierno 1985), 57-62.
45. Ver Lionel Roure, "Product Champion Characteristics in France and Germany", *Human Relations* 54, núm. 5 (2001), 663-682 para una lectura reciente de la investigaciones relacionadas con promotores de productos.
46. Ibíd., p. 205.
47. Ann Harrington, "Who's Afraid of a New Product?" *Fortune,* (10 de noviembre, 2003), 189-192.
48. Christopher Power con Kathleen Kerwin, Ronald Grover Keith Alexander y Robert D. Hof, "Flops", *BusinessWeek* (16 de agosto, 1993), 76-82; Modesto A. Maidique y Billie Jo Zirger, "A Study of Success and Failure in Product Innovation: The Case of the U.S. Electronics Industry", *IEEE Transactions in Engineering Management* 31 (noviembre 1984), 192-203.
49. Scott Hensley, "Bleeding Cash: Pfizer 'Youth Pill' Ate Up $71 Million Before It Flopped", *The Wall Street Journal* (2 de mayo, 2002), A1, A8.
50. Deborah Dougherty y Cynthia Hardy, "Sustained Proc Innovation in Large, Mature Organizations: Overcoming Innovation-to-Organization Problems", *Academy of Management Journal* 39, núm. 5 (1996), 1120-1153.
51. Cliff Edwards, "Many Products Have Gone Way of the Edsel", *Johnson City Press* (23 de mayo, 1999), 28, 30; Paul Lukas, "The Ghastliest Product Launches", *Fortune* (16 de marzo, 1998), 44; Robert McMath, *What Were They Thinking? Marketing Lessons I've Learned from Over* 80,000 *New Product Innovations and Idiocies* (Nueva York: Times Business, 1998).
52. Edwin Mansfield, J. Rapapon, J. Schnee, S. Wagner, y M. Hamburger, *Research and Innovation in Modern Corporations* (Nueva York: Norton, 1971); y Antonio J. Bailetti y Paul F. Litva, "Integrating Customer Requirements into Product Designs", *Journal of Product Innovation Management* 12 (1995), 3-15.
53. Shona L. Brown y Kathleen M. Eisenhardt, "Product Development: Past Research, Present Findings, and Future Directions", *Academy of Management Review* 20, núm.2 (1995), 343-378; F. Axel Johne y Patricia A. Snelson. "Success Factors in Product Innovation: A Selective Review of the Literature", *Journal of Product Innovation Management 5* (1988), 114-128; y Science Policy Research Unit, University of Sussex, *Success and Failure in Industrial Innovation* (Londres: Centre for the Study of Industrial Innovation, 1972).
54. Dorothy Leonard y Jeffrey F. Rayport, "Spark Innovation through Empathic Design", *Harvard Business Review* (noviembre-diciembre 1997), 102-113.
55. Brown y Eisenhardt, "Product Development"; Dan Dimancescu y Kemp Dwenger, "Smoothing the Product Development Path", *Management Review* (enero 1996), 36-41.
56. Fara Warner, "In a Word, Toyota Drives for Innovation". *Fast Company* (agosto 2002), 36-38.
57. Patricia Sellers, "P&G: Teaching an Old Dog New Tricks". *Fortune* (31 de mayo, 2004), 167-180; Robert D. Hof, "Building an Idea Factory"; y Bettina von Stamm, "Collaboration with Other Firms and Customers: Innovation's Secret Weapon", *Strategy & Leadership* 32, núm. 3 (2004), 16-20.
58. Bettina von Stamm, "Collaboration with Other Firms and Customers"; Bas Hillebrand y Wim G. Biemans, "Links between Internal and External Cooperation in Product Development: An Exploratory Study", *The Journal of Product innovation Management* 21 (2004), 110-122.
59. Ann Harrington, "Who's Afraid of a New Product?" *Fortune* (10 de noviembre, 2003), 189-192.
60. Melissa A. Schilling y Charles W. L. Hill, "Managing the New Product Development Process", *Academy of Management Executive* 12, núm. 3 (1998), 67-81; y J. Lynn Lunsford y Daniel Michaels, "New Orders; After Four Years in the Rear, Boeing

Is Set to Jet Past Airbus", *The Wall Street Journal* (10 de junio, 2005), A1, A5.

61. Kenneth B. Kahn, "Market Orientation, Interdepartmental Integration, and Product Development Performance", *The Journal of Product Innovation Management* 18 (2001), 314-323; y Ali E. Akgün, Gary S. Lynn y John C. Byrne, "Taking the Guesswork Our of New Product Development: How Successful High-Tech Companies Get That Way", *Journal of Business Strategy* 25, núm. 4 (2004), 41-46.
62. John A. Pearce II, "Speed Merchants", *Organizational Dynamics* 30, núm. 3 (2002), 191-205; Kathleen M. Eisenhardt y Behnam N. Tabrizi, "Accelerating Adaptive Processes: Product Innovation in the Global Computer Industry", *Administrative Science Quarterly* 40 (1995), 84-110; Dougherty y Hardy, "Sustained Product Innovation in Large, Mature Organizations"; y Kame Bronikowski, "Speeding New Products to Market", *Journal of Business Strategy* (septiembre-octubre 1990), 34-37.
63. V. K. Narayanan, Frank L. Douglas, Brock Guernsey y John Charnes, "How Top Management Steers Fast Cycle Teams to Success", *Strategy & Leadership* 30, núm. 3 (2002), 19-27.
64. Faith Keenan, "Opening the Spigot", *Business-Week e.biz* (4 de junio, 2001), EB17-EB20.
65. Steve Konicki, "Time Trials", *Information Week* (3 de junio, 2002), 36-44.
66. David Leonhardt, "It Was a Hit in Buenos Aires-So Why Not Boise?" *BusinessWeek* (7 de septiembre, 1998), 56, 58.
67. Edward F. McDonough III, Kenneth B. Kahn, y Gloria Barczak, "An Investigation of the Use of Global, Virtual, and Colocated New Product Development Teams", *The Journal of Product Innovation Management* 18 (2001), 110-120.
68. Dimancescu y Dwenger, "Smoothing the Product Development Path".
69. Raymond E. Miles, Henry. Coleman, Jr. y W. E. Douglas Creed, "Keys to Success in Corporate Redesign", *California Management Review* 37, núm. 3 (primavera 1995), 128-145.
70. Fariborz Damanpour y William M. Evan, "Organizational Innovation and Performance: The Problem of 'Organizational Lag,'" *Administrative Science Quarterly* 29 (1984), 392-409; David J. Teece, "The Diffusion of an Administrative Innovation", *Management Science* 26 (1980), 464-470; John R. Kimberly y Michael. Evaniski, "Organizational Innovation: The Influence of Individual, Organizational and Contextual Factors on Hospital Adoption of Technological and Administrative Innovation", *Academy of Management Journal* 24 (1981), 689-713; Michael K. Moch y Edward V. Morse, "Size, Centralization, and Organizational Adoption of Innovations", *American Sociological Review* 42 (1977), 716-725; y Mary L. Fennell, "Synergy, Influence, and Information in the Adoption of Administrative Innovation", *Academy of Management Journal* 27 (1984), 113-129.
71. Richard L. Daft, "A Dual-Core Model of Organizational Innovation", *Academy of Management Journal* 21 (1978), 193-210.
72. Daft, "Bureaucratic versus Nonbureaucratic Structure"; Robert W. Zmud, "Diffusion of Modern Software Practices: Influence of Centralization and Formalization", *Management Science* 28 (1982), 1421-1431.
73. Daft, "A Dual-Core Model of Organizational Innovation"; Zmud, "Diffusion of Modern Software Practices".
74. Fariborz Damanpour, "The Adoption of Technological, Administrative, and Ancillary Innovations: Impact of Organizational Factors", *Journal of Management* 13 (1987), 675-688.
75. Steve Hamm, "Is Oracle Finally Seeing Clearly?" *Business-Week* (3 de agosto, 1998), 86-88.
76. Gregory H. Gaertner, Karen N. Gaertner y David M. Akinnusi, "Environment, Strategy, and the Implementation of Administrative Change: The Case of Civil Service Reform", *Academy of Management Journal* 27 (1984), 525-543.
77. Claudia Bird Schoonhoven y Mariann Jelinek, "Dynamic Tension in Innovative, High Technology Firms: Managing Rapid Technology Change through Organization Structure", en Mary Ann Von Glinow y Susan Albers Mohrman, eds., *Managing Complexity in High Technology Organizations* (Nueva York: Oxford University Press, 1990), 90-118.
78. Shawn Tully, "Mr. CleanUp", *Fortune* (15 de noviembre, 2004), 151-163.
79. David Ulm y James K. Hickel, "What Happens after Restructuring?" *Journal of Business Strategy* (julio-agosto 1990), 37-41; y John L. Sprague, "Restructuring and Corporate Renewal: A Manager's Guide", *Management Review* (marzo 1989), 34-36.
80. Stan Pace, "Rip the Band-Aid Off Quickly", *Strategy & Leadership* 30, núm. 1 (2002), 4-9.
81. Benson L. Porter y Warrington S. Parker, Jr., "Culture Change", *Human Resource Management* 31 (primavera-verano 1992), 45-67.
82. Citado en Anne B. Fisher, "Making Change Stick", *Fortune* (17 de abril, 1995), 122.
83. Reed Abelson, "Can Respect Be Mandated? Maybe Not Here", *The New York Times* (10 de septiembre, 2000), sección 3, 1.
84. Patricia Carr, "Riding the Tiger of Culture Change", *TD* (agosto 2004), 33-41.
85. W. Warner Burke, "The New Agenda for Organization Development", en Wendell L. French, Cecil H. Bell, Jr., y Robert A. Zawacki, *Organization Development and Transformation: Managing Effective Change* (Burr Ridge, Ill.: Irwin McGraw-Hill, 2000), 523-535.
86. W. Warner Burke, *Organization Development: A Process of Learning and Changing*, 2a. ed. (Reading, Mass.: Addison-Wesley, 1994); y Wendell L. French y Cecil H. Bell, Jr., "A History of Organization Development", en French, Bell, y Zawacki, *Organization Development and Transformation*, 20-42.
87. French y Bell, "A History of Organization Development".
88. La información sobre la intervención en un grupo grande está basada en Kathleen D. Dannemiller y Robert W. Jacobs, "Changing the Way Organizations Change: A Revolution of Common Sense", *The Journal of Applied Behavioral Science 28*, núm. 4 (diciembre 1992), 480-498; Barbara B. Bunker y Billie T. Alban, "Conclusion: What Makes Large Group Interventions Effective?" *The Journal of Applied Behavioral Science* 28, núm. 4 (diciembre 1992), 570-591; y Marvin R. Weisbord, "Inventing the Future: Search Strategies for Whole System Improvements", en French, Bell, y Zawacki, *Organization Development and Transformation*, 242-250.
89. J. Quinn, "What a Workout!" *Performance* (noviembre 1994), 58-63; y Bunker y Alban, "Conclusion: What Makes Large Group Interventions Effective?".
90. Dave Ulrich, Steve Kerr, y Ron Ashkenas, con Debbie Burke y Patrice Murphy, *The* GE *Work Out: How to Implement GE's Revolutionary Method for Busting Bureaucracy and Attacking Organizational Problems-Fast!* (Nueva York: McGraw-Hill, 2002).
91. Paul F. Buller, "For Successful Strategic Change: Blend OD Practices with Strategic Management", *Organizational Dynamics* (invierno 1988), 42-55.
92. Norm Brodsky, "Everybody Sells", (columna Street Smarts), *Inc. Magazine* (junio 2004), 53-54.

93. Richard S. Allen y Kendyl A. Montgomery, "Applying an Organizational Development Approach to Creating Diversity", *Organizational Dynamics* 30, núm. 2 (2001), 149-161.
94. Jyotsna Sanzgiri y Jonathan Z. Gottlieb, "Philosophic and Pragmatic Influences on the Practice of Organization Development, 1950-2000", *Organizational Dynamics* (otoño 1992), 57-69.
95. Bernard M. Bass, "Theory of Transformational Leadership Redux", *Leadership Quarterly* 6, núm. 4 (1995), 463-478; y Dong I. Jung, Chee Chow, y Anne Wu, "The Role of Transformational Leadership in Enhancing Organizational Innovation: Hypotheses and Some Preliminary Findings", *The Leadership Quarterly* 14 (2003), 525-544.
96. Ronald Recardo, Kathleen Molloy, y James Pellegrino, "How the Learning Organization Manages Change", *National Productivity Review* (invierno 1995/96), 7-13.
97. Basado en Daryl R. Conner, *Managing at the Speed of Change* (Nueva York: Villard Books, 1992), 146-160.
98. Drucker, *Management Challenges for the 21st Century;* Tushman y O'Reilly, "Ambidextrous Organizations": Gary Hamel y C. K. Prahalad, "Seeing the Future First" *Fortune* (4 de septiembre, 1994), 64-70; y Linda Yates y Peter Skarzynski, "How Do Companies Get to the Future First?" *Management Review* (enero 1999), 16-22.
99. Basado en Carol A. Beatty y John R. M. Gordon, "Barriers to the Implementation of CAD/CAM Systems", *Sloan Management Review* (verano 1988), 25-33.
100. Estas técnicas están basadas en parte en el modelo de ocho etapas de John P. Kotter para el cambio organizacional, Kotter, *Leading Change,* 20-25.
101. Scott McCartney, "Clipped Wings: American Airlines to Retrench in Bid to Beat Discount Carriers", *The Wall Street Journal* (13 de agosto, 2002), A1, A8; y Christine Y. Chen, "American Airlines: Blastoff or Bust?" *Fortune* (28 de octubre, 2002), 37.
102. Everett M. Rogers y Floyd Shoemaker, *Communication: Innovations: A Cross Cultural Approach,* 2a. ed. (Nueva York, Free Press, 1971); Stratford P. Sherman, "Eight Big Masters of Innovation", *Fortune* (15 de ocrubre, 1984), 66-84.
103. Richard L. Daft y Selwyn W. Becker, *Innovation in Organizations* (Nueva York: Elsevier, 1978); y John P. Kotter y Leonard A. Schlesinger, "Choosing Strategies for Change", *Harvard Business Review* 57 (1979), 106-114.
104. Jim Cross, "Back to the Future", *Management Review* (febrero 1999), 50-54.
105. Peter Richardson y D. Keith Denton, "Communicating Change", *Human Resource Management* 35, núm 2 (verano 1996), 203-216.
106. Edgar H. Schein y Warren Bennis, *Personal and Organizational Change via Group Methods* (Nueva York: Wiley, 1965); y Amy Edmondson, "Psychological Safety and Learning Behavior in Work Teams", *Administrative Science Quarterly* 44 (1999), 350-383.
107. Diane L. Coutu, "Creating the Most Frightening Company on Earth; An Interview with Andy Law of St. Luke's", *Harvard Business Review* (septiembre-octubre 2000), 143-150
108. Philip H. Mirvis, Amy L. Sales, y Edward J. Hackett, "The Implementation and Adoption of New Technology in Organizations: The Impact on Work, People, and Culture", *Human Resource Management* 30 (primavera 1991), 113-139; Arthur E. Wallach, "System Changes Begin in the Training Department", *Personnel Journal* 58 (1979), 846-848, 872; y Paul R. Lawrence, "How to Deal with Resistance to Change", *Harvard Business Review* 47 (enero-febrero 1969), 4-12, 166-176.
109. Dexter C. Dunphy y Doug A. Stace, "Transformational and Coercive Strategies for Planned Organizational Change: Beyond the O.D. Model", *Organizational Studies* 9 (1988), 317-334; y Kotter y Schlesinger, "Choosing Stratrategies for Change".

12 Procesos de toma de decisiones

Definiciones

Toma de decisiones individual

Enfoque racional • Perspectiva de la racionalidad limitada

Toma de decisiones organizacionales

Enfoque de la ciencia administrativa • Modelo de Carnegie • Modelo del proceso incremental de decisión

La organización que aprende

Combinación de los modelos del proceso incremental y de Carnegie • Modelo del cesto de basura

Marco de contingencia para la toma de decisiones

Consenso respecto al problema • Conocimiento técnico de las soluciones • Marco de contingencia

Circunstancias especiales de decisión

Entornos de alta velocidad • Errores de decisión y aprendizaje • Compromiso progresivo

Resumen e interpretación

Una mirada al interior de

Maytag

En estos días, el técnico reparador no es el único que se siente solo en Maytag. Una vez considerado como el icono estadounidense de la fabricación de electrodomésticos de alta calidad, Maytag ha estado involucrado en problemas muy serios. Para fines de la década de 1990, los costos se habían estado saliendo poco a poco de control; rivales como Whirlpool, General Electric (GE) y Electrolux le habían arrebatado su participación de mercado, y sus acciones habían caído en picada. Y lo que era peor, la reputación de Maytag de calidad y confiabilidad había sido bastante dañada debido a los problemas de fugas que presentaba su nueva lavadora Neptune. Cuando Ralph Hake asumió el cargo de director general en 2001, sabía que tenía que implementar medidas drásticas para lograr que la empresa retornara a sus días de gloria. Hake rápidamente asumió el mando, se zambulló sin ton ni son en el desorden de Maytag y tomó varias decisiones trascendentales diseñadas para impulsar las ventas y lograr que la compañía volviera a ser rentable. Por ejemplo, la adquisición del fabricante de estufas y refrigeradores Amana ayudó a incrementar las ventas. Para reducir los costos, cerró almacenes, centralizó las operaciones de tecnología de información (TI), disminuyó el número de distribuidores, y redujo en forma drástica el presupuesto investigación y desarrollo (I&D). Por desgracia, algunas de las decisiones de Hake tan sólo exacerbaron los problemas más profundos que estaba experimentando la negociación. El severo recorte de costos amenazó los esfuerzos de control de calidad, lo que generó un continuo declive en la satisfacción del cliente. Para Maytag era común encabezar las listas de satisfacción del cliente, sin embargo, las encuestas indicaban que ahora estaba ocupando casi el último lugar. Además, al recortar el presupuesto de investigación y desarrollo, Hake obstruyó el desarrollo de nuevos productos. "Maytag se dio cuenta de esto demasiado tarde", afirma un veterano en la industria de los electrodomésticos, "pero la innovación es el nombre del juego en la actualidad". También se perdió el contacto con los clientes, y los pocos nuevos productos que había lanzado no habían tenido éxito. El tan anunciado centro de secado Neptune, por ejemplo, es tan grande que pocas personas podían ubicarlo en los cuartos de lavado que tenían.

Una nota positiva, Hake ha comenzado a invertir más en iniciativas de nuevos productos, lo que incluye un centro de investigación y desarrollo de lavado en Newton, Iowa. No obstante, esto podría resultar ser demasiado poco y muy tarde. A menos que la empresa pueda arreglar sus problemas de calidad, reparar su reputación y recuperar su participación de mercado, el cambio total que Hake vislumbró podría convertirse en un callejón sin salida.[1]

Todas las organizaciones crecen, prosperan o fracasan como resultado de las decisiones de sus directivos, y las mismas pueden ser arriesgadas e inciertas, sin una garantía de éxito. Algunas veces, la toma de decisiones es un proceso de prueba y error, en el cual los altos directivos continúan el estudio de las formas apropiadas para resolver problemas complejos. En Maytag, Ralph Hake y su equipo de alta dirección toman conciencia de los problemas corporativos y buscan las alternativas correctas para enmendarlos. La toma de decisiones se lleva a cabo entre factores que están en constante cambio, una información poco clara y puntos de vista que se encuentran en conflicto. La decisión de 2002 para fusionar Hewlett-Packard (H-P) y Compaq, por ejemplo fue muy controvertida. La antigua directora general Carly Fiorina y sus adeptos creyeron que era esencial para el éxito futuro de H-P, pero otros ejecutivos y miembros del consejo argumentaron que era una locura arriesgar el negocio de impresoras de H-P y adentrar aún más a la compañía al mundo muy competitivo del cómputo. El bando de Fiorina al final triunfó, pero los resultados han sido decepcionantes. El consejo de Hewlett-Packard expulsó a Fiorina en 2005, en parte debido a cuestiones relacionadas con la fusión con Compaq. Ahora el director general, Mark Hurd, enfrenta sus propios desafíos, con los puntos de vista diferentes y contrapuestos de directivos, consultores y observadores referentes a lo que es necesario para revivir a H-P.[2]

Muchas decisiones organizacionales se convierten en completos fracasos. Un ejemplo clásico es el lanzamiento en 1985 de la New Coke. Los ejecutivos de Coca-Cola estaban seguros de que este nuevo producto era la respuesta de la compañía para recuperar la participación de mercado que Pepsi había ganado. En tres meses, la compañía había recibido más de 400 000 cartas y llamadas telefónicas en tono colérico y la New Coke discretamente desapareció de los estantes de las tiendas.[3] Un ejemplo similar proviene de Interstate Bakeries, que fabrica el pan Wonder y los Twinkies. Cuando la empresa modificó en forma leve su receta para producir un pan con una vida más larga en los estantes, las ventas comenzaron a declinar. Los consumidores rechazaron los nuevos productos rancios y gomosos, lo que contribuyó a una pérdida neta de $25.7 millones en 2004. Interstate ahora está en quiebra.[4]

Incluso las compañías más exitosas algunas veces cometen grandes disparates. DreamWorks, el estudio que produjo *Shrek* 2, el éxito de taquilla más importante de 2004, invirtió decenas de millones en el marketing del lanzamiento del DVD del éxito del monstruo. Las ventas durante el periodo inicial tuvieron un gran auge, de manera que DreamWorks inundó el mercado. Pero los directivos quedaron pasmados cuando los minoristas comenzaron a devolver millones de copias que no habían podido vender. Con base en los patrones del pasado, DreamWorks supuso con error que las fuertes ventas anticipadas continuarían y quizá incluso crecerían.[5]

Sin embargo, los directivos también toman decisiones exitosas todos los días. Meg Whitman elaboró el modelo actual de eBay de lo que una compañía de Internet debía ser gracias a la clara conducción de esquemas hágase rico con rapidez y a mantener a la compañía enfocada en nutrir su comunidad de compradores y vendedores. La decisión de los directivos de Cadillac de desechar los patrocinios viciados del golf y del velerismo y probar suerte en las películas populares de Hollywood, ha estimulado las ventas y revivido la imagen de Cadillac. Y Carlos Ghosn implementó cambios estructurales, administrativos y de producto que transformaron a Nissan de una compañía sin dirección y acosada por las deudas, en uno de los fabricantes de automóviles más dinámicos y rentables del mundo.[6]

Propósito de este capítulo

En cualquier momento, una organización puede estar identificando problemas e implementando alternativas para cientos de decisiones. Los directivos y las organizaciones de alguna manera se confunden a través de estos procesos.[7] El propósito aquí es analizarlos para aprender qué toma de decisiones es en realidad idónea en los escenarios organizacionales. El desarrollo de toma de decisiones puede concebirse como el cerebro y el sistema nervioso de una organización. Las resoluciones son el uso final de los sistemas de control e información descritos en el capítulo 8. Las decisiones que se toman se refieren a la estrategia, estructura, innovación y adquisiciones organizacionales. Este capítulo explora la forma en que las organizaciones pueden y deben tomar decisiones acerca de estas cuestiones.

La primera sección define la toma de decisiones. La siguiente, examina de qué forma los directivos individuales las toman. Se analizan los diversos modelos de toma de decisiones. Cada modelo se utiliza en una situación organizacional diferente. La sección final de este capítulo combina los modelos en un solo marco que describe cuándo y cómo deben utilizarse y analiza cuestiones especiales, como los errores de decisión.

Definiciones

La toma de decisiones organizacionales se define de manera formal como el proceso de identificar y resolver problemas. El proceso tiene dos etapas importantes: En la **etapa de identificación del problema,** la información acerca de las condiciones organizacionales y del entorno se monitorea para determinar si el desempeño es satisfactorio y diagnosti-

Portafolios

Como gerente de una organización, tenga en mente estos lineamientos:

Adapte los procesos de decisión para que éstos se adapten a la situación organizacional. Comprenda cómo difieren los procesos para las decisiones programadas y no programadas.

car la causa de las anomalías. La etapa de **solución de problema** es aquella en la que se consideran los cursos de acción alternativos y se seleccionan e implementan.

Las decisiones organizacionales varían en cuanto a complejidad y pueden clasificarse como programadas o no.[8] Las **decisiones programadas** son repetitivas y están bien definidas, en ellas se cuenta con procedimientos para resolver el problema. Están bien estructuradas debido a que, por lo general, los criterios para ejercerlas son claros, se cuenta con buena información acerca del desempeño actual, los caminos a seguir se especifican fácilmente, y hay una certidumbre relativa de que la alternativa elegida será exitosa. Algunos ejemplos de decisiones programadas incluyen las reglas, como cuándo reemplazar una máquina fotocopiadora, cuándo reembolsar a los directivos sus gastos de viaje, o cuándo un solicitante de empleo cuenta con las calificaciones suficientes para un trabajo en la cadena de ensamble. Muchas compañías adoptan reglas con base en su experiencia en decisiones programadas. Por ejemplo, una norma en el servicio de banquetes proporcionado por grandes hoteles es permitir un empleado por cada 30 comensales en una función en la que éste deba estar sentado y un mesero por cada 40 comensales en un buffet.[9]

Las **decisiones no programadas** son nuevas y están definidas de manera deficiente, no existe ningún procedimiento para resolver el problema. Este tipo de decisiones se utiliza cuando una organización no se ha percatado con anterioridad del problema y quizá no sepa cómo responder ante él. No existe un criterio bien definido. Las alternativas son poco claras. Hay incertidumbre acerca de si la solución propuesta resolverá el problema. Por lo general, se pueden desarrollar pocas alternativas para una decisión no programada, de manera que se produce una solución a la medida de las necesidades que plantea el problema.

Muchas decisiones no programadas implican la planeación estratégica, debido a que la incertidumbre es grande y las decisiones complejas. Un ejemplo reciente de una decisión no programada proviene de Tupperware, el fabricante de productos únicos para el almacenamiento de alimentos y utensilios de cocina que por tradición son vendidos en las reuniones de Tupperware. Los directivos tuvieron un gran éxito al establecer pequeños quioscos en los centros comerciales y al lanzar las ventas en Internet. Así, el impulso adicional a la venta minorista al colocar a Tupperware en las tiendas Target, parecía estar destinado al éxito. Pero el ingreso a este centro comercial resultó ser uno de los más grandes desastres en la historia de Tupperware. Algunas de estas tiendas y muchos compradores no sabían cómo manejar el influjo de los vendedores de Tupperware, quienes terminaron por sentir que eran menospreciados y dejaron de participar de forma voluntaria en las tiendas. Las ventas eran bajas. Al mismo tiempo, la disponibilidad de Tupperware en estas tiendas disminuyó el interés en las reuniones en los hogares, lo que dañó aún más las ventas y alejó a los representantes. Aunque éstas en el extranjero siguieron siendo fuertes, en Norteamérica alcanzaron el tercer año a la baja y las utilidades se desplomaron a casi 50%. Los directivos en la actualidad están considerando nuevas opciones acerca de cómo componer las cosas.[10]

Por lo general, las decisiones no programadas en especial complejas se han denominado decisiones "perversas", debido a que la sola definición del problema puede convertirse en una tarea trascendental, lo que a su vez está asociado con conflictos entre los directivos en cuanto a objetivos y alternativas, circunstancias rápidamente cambiantes y vínculos poco claros entre elementos de decisión. Los ejecutivos que se enfrentan a una decisión perversa, pueden dar con una acción que tan sólo pruebe que fracasaron en definir desde un principio de manera correcta el problema.[11]

Los directivos y organizaciones en la actualidad están enfrentando un porcentaje más alto de decisiones no programadas debido al entorno de negocios que cambia con rapidez. Como se apuntó en el cuadro 12.1, el entorno actual se ha incrementado tanto como la complejidad de las decisiones que se tienen que tomar y ha creado la necesidad de nuevos procesos de toma de decisiones. Por ejemplo, los directivos en los departamentos de negocios electrónicos en constante transformación, muchas veces tienen que tomar decisiones rápidas con base en información muy limitada. Otro ejemplo es la globalización. La tendencia a trasladar la producción a países con salarios más bajos,

Entorno de actual negocios

- *Demanda cambios de mayor escala vía nuevas estrategias, reingeniería, reestructuración, fusiones, adquisiciones, downsizing, desarrollo de nuevos productos o de mercados, etcétera.*

Decisiones que se toman dentro de la organización

- *Están basadas en cuestiones mayores, más complejas y más cargadas emocionalmente.*
- *Se toman con mayor rapidez.*
- *Están hechas en un entorno menos cierto, con menos claridad acerca de los medios y resultados.*
- *Requiere mayor cooperación de parte de la gente implicada en la toma de desiciones y en su implementación.*

Un nuevo proceso de toma de decisiones

- *Se requiere debido a que ningún individuo tiene la información necesaria para tomar todas las decisiones importantes.*
- *Se requiere debido a que ningún individuo tiene el tiempo ni la credibilidad necesarias para convencer a miles de personas de implementar la decisión.*
- *Depende menos de datos reales y concretos como base para una buena decisión.*
- *Está orientada por una coalición poderosa que puede actuar con un equipo.*
- *Permite que las decisiones evolucionen a través de etapas incrementales y de prueba y error según sea necesario.*

CUADRO 12.1
Toma de decisiones en el entorno actual
Fuente: Reimpreso con permiso de Harvard Business School Press. De la obra *Leading Change* de John P. Kotter. Boston MA, 1996, p. 56. Copyright © 1996 por Harvard Business School Publishing Corporation, todos los derechos reservados.

ha ocasionado que los directivos de todas las corporaciones estadounidenses tengan que enfrentarse a decisiones éticas concernientes a las condiciones de trabajo en el tercer mundo y a la pérdida de empleos de manufactura en pequeñas comunidades estadounidenses. En una comunidad de Tennessee donde la tasa de desempleo es de 18%, 600 trabajadores perdieron su empleo debido a que la compañía decidió enviar sus funciones de manufactura de vestidos al extranjero.[12]

Toma de decisiones individual

La toma de decisiones individual hecha por los directivos se puede explicar de dos formas. En primer lugar está el **enfoque racional,** el cual sugiere de qué manera los directivos deben intentar tomar las decisiones. En segundo lugar se encuentra la **perspectiva de la racionalidad limitada,** la cual describe de qué manera se tienen que tomar en realidad las decisiones bajo severas restricciones de tiempo y recursos. El enfoque racional es un ideal que los directivos pueden esforzarse en conseguir pero que nunca logran.

Enfoque racional

El enfoque racional para la toma individual de decisiones enfatiza la necesidad del análisis sistemático de un problema seguido por la elección e implementación en una secuencia lógica y gradual. El enfoque racional fue desarrollado para guiar la toma individual de decisiones debido a que se observaba que muchos directivos no contaban con ningún sistema y tenían enfoques arbitrarios para las decisiones organizacionales.

CUADRO 12.2
Etapas en el enfoque racional para la toma de decisiones

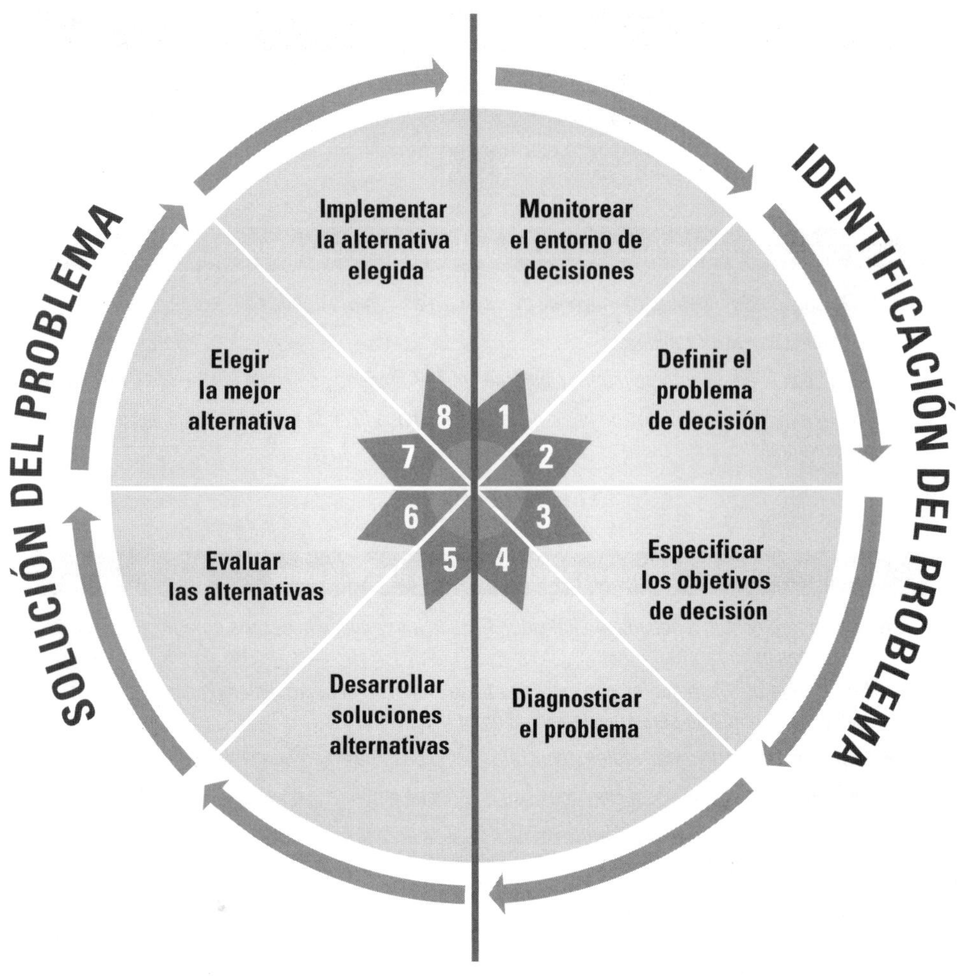

A pesar de que el modelo racional es un ideal que no se puede lograr por completo en el mundo real caracterizado por la incertidumbre, complejidad y los rápidos cambios que se presentan en el cuadro 12.1, el modelo ayuda a los directivos a pensar en las decisiones con más claridad y racionalidad. Siempre que sea posible, los ejecutivos deben utilizar procedimientos sistemáticos para tomar decisiones. Cuando ellos tienen una profunda comprensión del proceso de toma de decisiones racional, esto les puede ayudar a tomar un mejor camino incluso cuando hay una carencia de información clara. Los autores de un libro reciente acerca de este tema utilizaron el ejemplo de los infantes de marina estadounidenses, quienes son famosos por manejar problemas complejos de manera rápida y decisiva. Ellos están entrenados para realizar con rapidez una serie de rutinas mentales que les ayudan a analizar la situación y actuar.[13]

De acuerdo con el enfoque racional, la toma de decisiones se puede descomponer en ocho etapas, ilustradas en el cuadro 12.2 y ejemplificadas en el caso de la tienda departamental Marshall Field's.[14]

1. *Monitorear el entorno de decisiones*. En la primera etapa, el director monitorea la información interna y externa que indicará las desviaciones del comportamiento

aceptable planeado. Él o ella hablan con los colegas y revisan los estados financieros, las evaluaciones de desempeño, los índices industriales, las actividades de los competidores, etcétera. Por ejemplo, durante la presión característica de las cinco semanas de temporada navideña, Linda Koslow. directora general de la tienda Marshall Field's en Illinois, echa un vistazo a los competidores que se encuentran en el centro comercial, a fin de observar si están fijando precios de descuento a la mercancía. También verifica las listas impresas de las ventas del día anterior de su tienda para saber qué es lo que está o no funcionando.[15]

2. *Definir el problema de decisión.* El directivo responde a las desviaciones al identificar los detalles esenciales del problema: Dónde, cómo, cuándo, quién está implicado, quién fue afectado, de qué forma las actividades actuales se ven influidas. Para Koslow esto significa definir si las utilidades de la tienda son bajas debido a que las ventas generales son menores a lo esperado o es ocasionado a que ciertas líneas de mercancía no están respondiendo como se esperaba.
3. *Especificar los objetivos de decisión.* El directivo determina qué resultados de desempeño deben alcanzarse mediante una decisión.
4. *Diagnosticar el problema.* En esta fase, el directivo indaga más allá de lo aparente para analizar la causa del problema. Se pueden reunir datos adicionales para facilitar este diagnóstico. El tratamiento apropiado es resultado de la comprensión de las causas. Para Koslow en Marshall Field's, la causa de las ventas bajas pudo ser el descuento a las mercancías por parte de los competidores o pudo deberse a la falla de no exhibir los artículos más atractivos en una ubicación visible.
5. *Desarrollar soluciones alternativas.* Antes de que un directivo pueda avanzar con un plan de acción decisivo, él o ella deben tener una comprensión clara de las diferentes opciones factibles para alcanzar los objetivos deseados. Él puede buscar ideas y sugerencias que proporcionan otras personas. Las alternativas de Koslow para incrementar las utilidades pueden incluir comprar mercancía fresca, implementar una liquidación o reducir el número de empleados.
6. *Evaluar alternativas.* Esta fase puede implicar el uso de técnicas estadísticas o de experiencia personal para estimar la probabilidad de éxito. Los méritos de cada alternativa se evalúan, así como su probabilidad de alcanzar los objetivos deseados.
7. *Elegir la mejor alternativa.* Esta fase es el corazón del proceso de toma de decisiones. El directivo utiliza su análisis del problema, los objetivos y alternativas para elegir el camino que tenga la mejor oportunidad de éxito. En Marshall Field's, Koslow puede optar por reducir el número de personal como forma de lograr las metas de rentabilidad en lugar de incrementar la publicidad o las rebajas.
8. *Implementar la alternativa elegida.* Por último, el directivo utiliza sus capacidades administrativas, directivas y persuasivas, y proporciona la orientación para asegurar que la decisión se lleve a cabo. Tan pronto como la solución se pone en práctica, la actividad de monitoreo (etapa 1) comienza una vez más. Para Linda Koslow, el ciclo de decisión es un proceso continuo, con nuevas decisiones que se toman de manera cotidiana con base en el monitoreo de su entorno en busca de problemas y oportunidades.

Los primeros cuatro pasos en esta secuencia se refieren a la identificación del problema, y los siguientes cuatro a la etapa de solución para la toma de decisiones, como se indica en el cuadro 12.2. Un directivo por lo general pasa por las ocho etapas para tomar una decisión, aunque quizá cada etapa no sea un elemento distinto. Es probable que los ejecutivos sepan por experiencia con exactitud qué hacer en una situación, de manera que una o más etapas se minimicen. En el siguiente recuadro de En la práctica se ilustra la forma en que se utiliza el enfoque racional para tomar decisiones referentes al problema de personal.

En la práctica

Alberta Consulting

1. *Monitorear el entorno de decisión.* Es la mañana de lunes y Joe DeFoe, supervisor de cuentas por cobrar de Alberta, ha faltado otra vez.
2. *Definir el problema de decisión.* Es el cuarto lunes consecutivo en que DeFoe no se presenta a trabajar. La política de la compañía prohíbe las faltas injustificadas, y en las dos últimas ocasiones, DeFoe ha sido amonestado por sus ausencias excesivas. Una amonestación final está en espera, pero puede aplazarse si su ausentismo se llegara a justificar.
3. *Especificar los objetivos de decisión.* DeFoe debe asistir al trabajo con regularidad y establecer los niveles de cobranza de facturas que puede realizar. El periodo para resolver el problema es de dos semanas.
4. *Diagnosticar el problema.* Pláticas discretas con los compañeros de trabajo de DeFoe e información recabada acerca de él indican que éste tiene problemas de alcoholismo. En apariencia, utiliza los lunes para recuperarse de las juergas de fin de semana. Charlas con otras fuentes de la compañía confirman que él tiene un problema de alcoholismo.
5. *Desarrollar soluciones alternativas.* 1) Despedir a DeFoe. 2) Emitir una amonestación final sin un comentario. 3) Emitir una amonestación y acusar a DeFoe de ser alcohólico para hacerlo saber que la compañía tiene conocimiento de este problema. 4) Platicar con DeFoe para ver si hablará sobre su problema. Si admite que tiene un problema de alcoholismo, aplazar la amonestación final y sugerirle que se inscriba en el programa de asistencia a nuevos empleados de Alberta para ayudarle con sus problemas personales, lo que incluye el alcoholismo. 5) Hablar con DeFoe para ver si hablará de su problema de alcoholismo. Si no admite que tiene un problema con el alcohol, hacerle saber que la siguiente ausencia le costará el empleo.
6. *Evaluar alternativas.* El costo de capacitar a un reemplazo es el mismo para cada alternativa. La alternativa 1 ignora el costo y los otros criterios. Las alternativas 2 y 3 no se adhieren a la política de la compañía, la cual promueve la ayuda y la asesoría cuando sea apropiado. La alternativa 4 está diseñada para el beneficio tanto de DeFoe como de la compañía. Puede salvar a un buen empleado si DeFoe está dispuesto a buscar ayuda. La alternativa 5 principalmente es para el beneficio de la compañía. Una amonestación final podría proporcionar algún incentivo a DeFoe para admitir su problema de alcoholismo. Si es así, el despido se podría evitar, pero las ausencias posteriores ya no se tolerarían.
7. *Elección de la mejor alternativa.* DeFoe no admite que tiene un problema de alcoholismo. Elegir la alternativa 5.
8. *Implementar la alternativa elegida.* Redactar el caso y emitir la amonestación final.[16]

En el ejemplo precedente, emitir la amonestación final a Joe DeFoe fue una decisión programada. El estándar de comportamiento esperado estaba fijado con claridad, se contaba con la información acerca de la frecuencia y las causas de las ausencias de DeFoe, y se habían definido las alternativas y procedimientos aceptables. En muchos casos, el procedimiento racional funciona mejor cuando quien toma las decisiones tiene el tiempo suficiente para un proceso cuidadoso y ordenado. Además, Alberta Consulting contaba con mecanismos para implementar la decisión, una vez tomada.

Cuando las decisiones no están programadas, están mal definidas y se amontonan una encima de otra, el directivo individual debe intentar utilizar las fases del enfoque racional, pero él o ella con frecuencia tendrán que depender de las instituciones y la experiencia para facilitar y acortar el camino. Las desviaciones del enfoque racional se explican mediante la perspectiva de la racionalidad limitada.

Perspectiva de la racionalidad limitada

La esencia del enfoque racional es que los directivos deben intentar utilizar procedimientos sistemáticos para poder llegar a buenas decisiones. Cuando las organizaciones se enfrentan a poca competencia y manejan cuestiones bien entendidas, por lo general los

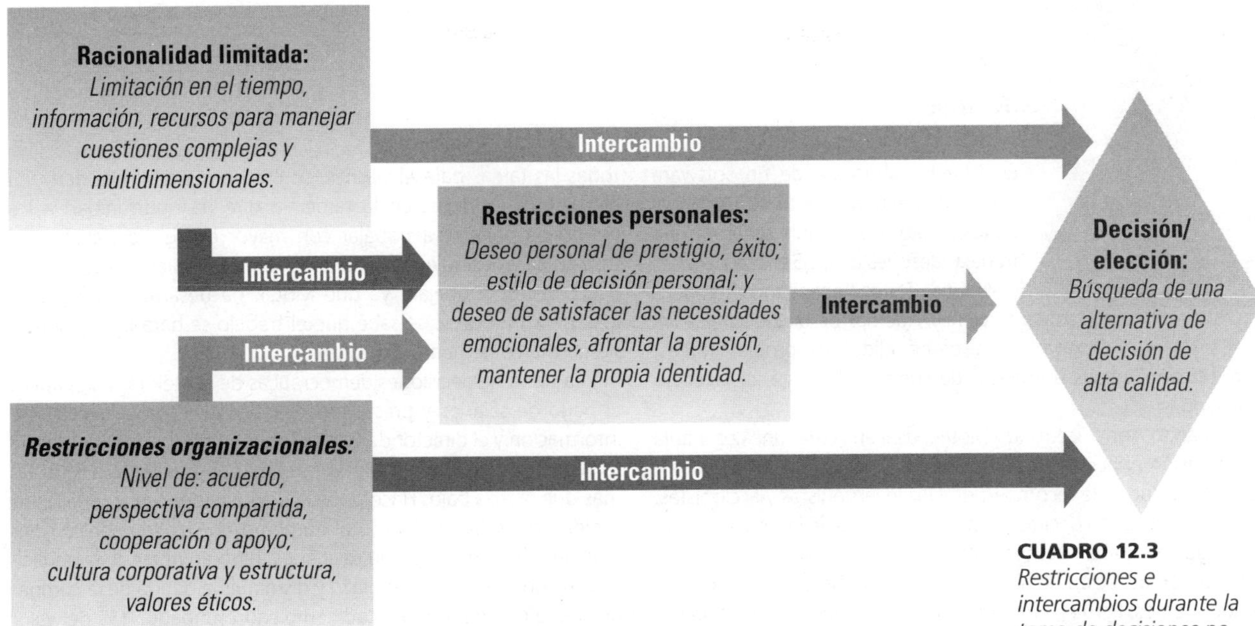

CUADRO 12.3
Restricciones e intercambios durante la toma de decisiones no programadas
Fuente: Adaptado de Irving L. Janis, *Crucial Decisions* (Nueva York: Free Press, 1989); y A. L. George, *Presidential Decision Making in Foreign Policy: The Effective Use of Information and Advice* (Boulder, Colo.: Westview Press, 1980).

directivos utilizan procedimientos racionales para tomar sus decisiones.[17] Sin embargo, la investigación de la toma de decisiones directivas muestra que los directivos muchas veces no pueden seguir un procedimiento ideal. Numerosas decisiones se deben tomar con gran rapidez. La presión del tiempo, un gran número de factores internos y externos que afectan, y la naturaleza mal definida de los problemas hacen que el análisis sistemático sea casi imposible. Los directivos sólo cuentan con una cantidad determinada de tiempo y capacidad mental y, por lo tanto, no pueden evaluar cada meta, problema o alternativa. La intención de ser racional está restringida (limitada) por la enorme complejidad de muchos problemas. Existe un límite en la racionalidad de los directivos. Por ejemplo, un ejecutivo con prisa puede elegir una corbata entre 15 que hay en su armario, pero tomará la primera o la segunda que combine con su traje. El ejecutivo no pondera con cuidado las 15 alternativas, esto sería abrumador debido a la poca cantidad de tiempo y al gran número de alternativas posibles. El directivo sólo elige la primera corbata que resuelve el problema y continúa con la siguiente tarea.

Como gerente de una organización, tenga en mente estos lineamientos:

Utilice los procesos de decisión racional cuando sea posible, pero reconozca que muchas restricciones pueden influir a las personas encargadas de la toma de decisiones e impedir una acción perfectamente racional. Aplique la perspectiva de racionalidad limitada y utilice la intuición cuando se confronte a decisiones mal definidas y no programadas.

Restricciones e intercambios. No sólo las decisiones organizacionales importantes demasiado complejas para ser completamente entendidas, sino muchas otras restricciones repercuten sobre quien toma las decisiones, como se ilustra en el cuadro 12.3. En numerosas ocasiones, las circunstancias son ambiguas, requieren el apoyo social, una perspectiva compartida de lo que sucede, y la aceptación y el acuerdo. Por ejemplo, considere la primera decisión estadounidense de disolver al ejército iraquí y los desacuerdos sobre cuál de las tres nuevas fuerzas de seguridad desarrollar. Estas circunstancias dejaron a Estados Unidos sin ninguna fuerza iraquí considerable para dominar la violencia creciente, lo que obligó al ejército estadounidense a volverse más visible y activo, por lo que se convirtió en blanco de ataques y críticas. Además, la falta de consenso entre los líderes estadounidenses para utilizar la fuerza militar a fin de detener los saqueos que se suscitaron cuando las tropas entraron a Irak por primera vez, ahuyentaron a muchos ciudadanos iraquíes, lo cual permitió a los insurgentes fortalecerse aún más y dificultar la implementación de la política y decisiones militares posteriores.[18]

La cultura corporativa y los valores éticos también influyen en la toma de decisiones, como se analiza en el capítulo 10. El recuadro de Liderazgo por diseño describe de qué forma la fundadora de la compañía de software Motek creó una cultura donde las

Liderazgo por diseño

Motek

En Motek, fabricante de un software rastreador del movimiento de los bienes en los almacenes, a nadie se le permite trabajar después de las 5 P.M. o los fines de semana. Todos tienen cinco semanas de vacaciones, además de diez días festivos pagados, la gente elige sus propias tareas, y el tamaño de sus aumentos de sueldo y bonos está sujeto a votación.

Cuando Ann Price fundó Motek, deseaba crear una compañía cuya misión principal fuera mejorar las vidas de sus empleados y clientes en lugar de recompensar a los inversionistas y accionistas. Desde el comienzo decidió asumir un enfoque de largo plazo para su negocio. "Sabemos que estamos revolucionando la industria de la automatización de almacenes", afirma Price. "Sabemos que lo lograremos. Pero en vez de hacer las cosas en cinco años, lo haremos en 10 y tenemos una vida entera por andar". Su énfasis en tratar a la gente ha guiado bien todas las decisiones importantes de su compañía a medida que Motek crece y cambia.

La toma de decisiones en Motek es un proceso democrático. Todos los lunes por la mañana, el personal técnico de la compañía se reúne para analizar las necesidades de la semana, y estudiar una lista de cientos de tareas que se deben realizar. En lugar de tener a un director para determinar qué personas deben llevar a cabo qué tareas, los voluntarios que provienen de varias áreas deciden entre ellos mismos la mejor manera de realizar todo el trabajo. "Nosotros decidimos qué sucede", explica el empleado Ran Ever-Hadani. "Las cosas pocas veces son decretadas desde arriba." Si alguien se da cuenta de que no se pueden completar todas las tareas para el viernes, se espera que él o ella den una alerta para el jueves en la tarde, lo que da oportunidad a los demás de ponerse a trabajar con mayor energía o transferir el trabajo para la siguiente semana e informar al cliente. Los clientes pocas veces se quejan, ya que Motek ha desarrollado lazos de lealtad tan fuertes que sabe que el trabajo se hará bien y dentro de un marco de tiempo aceptable.

La toma de decisiones democráticas de Motek también aplica al pago de salarios y prestaciones. Todos excepto el director de información y el director de ventas reciben uno de los tres tipos de salarios que se pagan en Motek, y el más alto es de sólo $30 000 más que el más bajo. Hace poco, los empleados tuvieron la oportunidad de votar en cuanto al aumento de sus compensaciones mediante la distribución de utilidades, pero en lugar de ello, decidieron considerar el largo plazo y disminuir la deuda de la compañía. Se le ha prometido a cada empleado fundador 1% del valor de Motek cuando ésta se venda a una compañía grande, lo cual Price cree que podría suceder dentro de algunos pocos años.

Price le ha concedido gran importancia a la contratación de la gente correcta, a familiarizarla con la cultura corporativa, proporcionarle información completa y después confiar en ella a fin de que tome sus propias decisiones. Ésta es una fórmula para la toma de decisiones que parece estar funcionando. A medida que Motek continúa su crecimiento, el reto de Price será mantener un entorno que impulse el tipo de decisiones que generan tanto empleados felices como una organización exitosa.

Fuente: Ellyn Spragins, "Is This the Best Company to Work for Anywhere?" *FBS* (noviembre 2002), 66-70.

decisiones se toman con base en la meta básica de mejorar las vidas de los empleados y los clientes. Con mucha frecuencia, los directivos también toman decisiones para intentar complacer a los directivos más altos, gente que se percibe tiene un gran poder dentro de la organización, o a otros que respetan y desean imitar.[19] Las restricciones personales —como el estilo de decisión, la presión del trabajo, el deseo de prestigio o sólo sentimientos de inseguridad— pueden limitar tanto la búsqueda de alternativas como la aceptación de un camino. Todos estos factores limitan un enfoque perfectamente racional que podría generar una elección obviamente ideal.[20] Aun las decisiones en apariencia sencillas, como la de los recién graduados universitarios de elegir un trabajo, puede convertirse con rapidez en una cuestión tan compleja que tienen que utilizar un enfoque de racionalidad limitada. Se sabe que los estudiantes a punto de graduarse buscan un trabajo hasta que tienen dos o tres ofertas de empleo aceptables, y en este punto su actividad de búsqueda disminuye con rapidez. Podrían hacer entrevistas en cientos de empresas, y dos o tres ofertas de trabajo son muy pocas en comparación con el número máximo que sería posible si los estudiantes tomaran la decisión con base en la racionalidad perfecta.

La función de la intuición. La perspectiva de la racionalidad limitada muchas veces está relacionada con los procesos intuitivos de decisión. En la **toma de decisiones intuitiva,** la experiencia y el juicio, y no la lógica secuencial o el razonamiento explícito, se utilizan para tomar las decisiones.[21] La intuición no es arbitraria o irracional debido a que está basada en años de práctica y experiencia activa, que muchas veces está almacenada en el subconsciente. Cuando los directivos utilizan su intuición basada en una larga experiencia en cuestiones organizacionales, perciben y entienden con mayor rapidez los problemas, y desarrollan una intuición o corazonada acerca de qué alternativa resolverá un problema, lo que acelera el proceso de toma de decisiones.[22] El valor de la intuición para la toma de decisiones efectiva está apoyado por un sistema creciente de investigación proveniente de disciplinas como la psicología, la ciencia organizacional y otras.[23] De hecho, muchas universidades están ofreciendo cursos sobre creatividad e intuición, de manera que los estudiantes de negocios puedan aprender a entender y a utilizar estos procesos.

En una situación de gran complejidad o ambigüedad, la experiencia y el juicio previos son necesarios para incorporar elementos tangibles a las etapas de identificación y de solución del problema.[24] Un estudio acerca de hallazgos de problemas directivos mostró que 30 de 33 problemas eran ambiguos y mal definidos.[25] Fragmentos y restos de información inconexa proveniente de fuentes informales generaron un patrón en la mente del directivo. Él no pudo demostrar que existía un problema sino que sabía por intuición que una cierta área necesitaba atención. Con frecuencia una visión demasiado simplista de un problema complejo está relacionada con el fracaso de las decisiones.[26] La visión tiene una función cada vez más importante en la identificación del problema en el entorno de negocios contemporáneo incierto y vertiginoso.

Los procesos de percepción también se utilizan en la fase de solución del problema. Los ejecutivos muchas veces toman decisiones sin una referencia explícita del impacto sobre las utilidades u otros resultados cuantificables.[27] Como se observó en el cuadro 12.3, muchos factores intangibles —como la preocupación de las personas por el apoyo de otros ejecutivos, el temor al fracaso, y las actitudes sociales— influyen en la selección de la mejor alternativa. Estos factores no se pueden cuantificar de una forma sistemática, de manera que la intuición guía la elección de una solución. Los directivos pueden tomar una decisión con base en lo que sienten que es correcto y no en lo que pueden documentar con datos concretos. Una encuesta entre directivos que se realizó en mayo de 2002 por una empresa de investigación ejecutiva llamada Christian & Timbers encontró que 45% de los ejecutivos corporativos afirmaron que dependían más del instinto que de otros factores y cifras para tomar decisiones de negocios.[28]

Howard Schultz convirtió a Starbucks en un éxito, por haber seguido su intuición de que el modelo de *cafetería* diseñada para una mezcla pausada de conversación y cafeína que había observado en Italia podía funcionar en Estados Unidos, a pesar de que la investigación de mercados indicó que los estadounidenses nunca pagarían $3 por una taza de café. Jerry Jones basó su decisión de comprar el equipo perdedor de los Vaqueros de Dallas en la percepción, después realizó una serie adicional de decisiones intuitivas que lograron convertir al equipo en un ganador una vez más. De manera similar, el vicepresidente de desarrollo de talento y selección de elenco en MTV dependió de su visión para crear el show de *The Osbournes*. "Nunca probamos el show", afirma. "Sólo sabíamos que podría ser un éxito en televisión."[29]

No obstante, también hay muchos ejemplos de decisiones intuitivas que resultaron en completos fracasos.[30] El Marcador del libro del capítulo analiza de qué forma los directivos pueden dar a su percepción una mejor oportunidad para generar decisiones exitosas.

Los directivos pueden caminar por una línea fina entre dos extremos: Por un lado, las decisiones arbitrarias sin un estudio cuidadoso, y por otro, depender demasiado de los análisis racionales y los números.[31] Recuerde que la perspectiva de la racionalidad limitada y el uso de la intuición aplican sobre todo a decisiones no programadas. Los aspectos nuevos, poco claros y complejos de las decisiones no programadas implican que no se cuente con los datos concretos y los procedimientos lógicos. Un estudio de la toma de decisiones ejecutiva encontró que los directivos no podían utilizar el enfoque racional para decisiones no programadas, como cuando se compra un escáner de tomografía computarizada para un hospital de osteopatía o si una ciudad tenía la necesidad y pudo adoptar de manera razonable un sistema de planeación de recursos empresariales.[32] En esos casos, los directivos tienen tiempo y recursos limitados y algunos factores de manera simple no se pueden medir y analizar. Intentar cuantificar tanta información podría provocar errores debido a que los criterios de decisión se pueden simplificar en exceso. La intuición también puede equilibrar y complementar el análisis racional para ayudar a los líderes organizacionales a tomar mejores decisiones. En Paramount Pictures, el equipo de la alta dirección combinó la intuición y el análisis para conservar la rentabilidad regular del estudio.

Marcador de libros 12.0 (¿YA LEYÓ ESTE LIBRO?)

Intermitencia: El poder de pensar sin pensar
por Malcolm Gladwell

Las decisiones instantáneas pueden ser tan buenas como —y algunas veces mejores que— las que se realizan de manera cautelosa y deliberada. Sin embargo, también pueden contener serias fallas o incluso ser bastante erróneas. Ésta es la premisa de la obra de Malcolm Gladwell, *Blink: The Power of Thinking without Thinking.* Gladwell explora la forma en que el "inconsciente versátil" puede llegar a decisiones complejas e importantes en un instante, y cómo nos podemos entrenar para tomar esas buenas decisiones.

AGUDIZAR LA INTUICIÓN

Aun cuando se piensa que la toma de decisiones es el resultado de un análisis cuidadoso y una consideración racional, Gladwell afirma que la mayor parte de este proceso sucede a nivel subconsciente en una fracción de segundo. Este proceso, al cual se refiere como "cognición rápida", da cabida tanto a una extraordinaria perspicacia como al error grave. He aquí algunas sugerencias para mejorar la cognición rápida:

- *Recuerde que más no es mejor.* Gladwell argumenta que proporcionar a la gente tantos datos e información obstaculiza su capacidad de tomar buenas decisiones. Cita un estudio que demuestra que los doctores de la sala de emergencias, quienes son los mejores para diagnosticar ataques al corazón, reúnen menos información de sus pacientes en comparación con otros doctores. En lugar de inundarse con información, busque las partes más significativas.
- *Practique el rebanado fino.* El proceso al cual Gladwell se refiere como *rebanado fino* es el que aprovecha el poder del inconsciente versátil y permite tomar decisiones inteligentes con información y tiempo mínimos. El rebanado fino implica enfocarse en una porción de datos muy fina o información pertinente y permite que su intuición haga el trabajo por usted. Gladwell cita un ejemplo de un juego de guerra del Pentágono, en el cual un equipo enemigo de traficantes de mercancías derrotó al ejército estadounidense que tenía "una cantidad sin precedentes de información e inteligencia" y que "había realizado un análisis bastante racional y riguroso que abarcaba toda contingencia concebible". Los traficantes de mercancías acostumbraban tomar miles de decisiones instantáneas por hora con base en información limitada. Los directivos pueden practicar la toma de decisiones espontánea hasta que ésta se convierta en su segunda naturaleza.
- *Conozca sus límites.* No todas las decisiones pueden estar basadas en la intuición. Cuando usted tenga un conocimiento y experiencia profundos en un área, podrá confiar más en sus corazonadas. Gladwell también advierte el peligro que suponen las predisposiciones que interfieren con la buena toma de decisiones. *Blink* sugiere que podemos enseñarnos a nosotros mismos a clasificar las primeras impresiones y a descifrar cuáles son importantes y cuáles están basadas en prejuicios inconscientes como estereotipos o carga emocional.

CONCLUSIÓN

Blink cuenta con una abundancia de anécdotas interesantes y enérgicas, como la forma en que los bomberos pueden "calmar un momento" y crear un entorno en el que pueda tener lugar la toma de decisiones. Gladwell afirma que una mejor comprensión del proceso de la toma de decisiones de una fracción de segundo puede ayudar a la gente a tomar mejores caminos en todas las áreas de sus vidas, así como ayudarlas a anticipar y evitar los errores de cálculo.

Blink: The Power of Thinking, por Malcolm Gladwell, publicado por Little, Brown.

En la práctica

Paramount Pictures

Cuando Shery Lansing presidía Paramount Pictures y su jefe, Jonathan Dolgen, director de Viacom Entertainment Group, formaron un poderoso equipo. A diferencia de muchos estudios que perdían dinero a pesar de sus películas taquilleras exitosas, Paramount en forma constante ha sido rentable todos los años desde que fueron puestos al mando Lansing y Dolgen.

Como antigua productora independiente, Lansing dependía de su experiencia e intuición para elegir buenos guiones y los actores correctos para hacerlos funcionar. Recuerde el caso de *Forrest Gump* de 1994. "Era una película acerca de un tipo sentado en una banca", dijo Lansing. "Fue una de las películas más arriesgadas que nunca se han hecho." Pero la intuición de Lansing le decía que Tom Hanks sentado en una banca donde hablaba de que su vida había sido "como una caja de chocolates" podía funcionar, y la película recabó $329 millones en taquilla. Éxitos más recientes bajo la batuta de Lansing y Dolgen incluyen *Along came a Spider, Vanilla Sky* y *Lara Croft: Tomb Raider*. Dolgen, un antiguo abogado, proporcionó el lado analítico de la sociedad. La inteligencia y la atención cuidadosa a los detalles de Dolgen ayudaron a Paramount a generar de manera regular buenos ingresos. Algunas veces, su análisis sugeriría que un riesgo no valía la pena de afrontarse, incluso cuando implicaba para el estudio el rechazo de un éxito fílmico potencial.

Lansing y Dolgen eran considerados uno de los equipos directivos más efectivos de Hollywood. Combinaron sus fortalezas naturales —una intuitiva y la otra analítica— para tomar buenas decisiones que conservaron la rentabilidad de Paramount en un negocio de alto riesgo, difícil e impredecible. Sin embargo, aunque Paramount ha producido una cadena de películas bien planeadas y confiables, los altos ejecutivos en Viacom están presionando al estudio a que asuman riesgos mayores y lancen algunos éxitos taquilleros. Hace poco, Lansing abandonó Paramount y un nuevo líder intentará probar suerte en el negocio de elegir películas exitosas. Sin embargo, al igual que Lansing, quizá dependerán más de la intuición. No hay una fórmula para predecir de manera precisa qué historias resonarán en la caprichosa audiencia cinéfila contemporánea.[33]

Toma de decisiones organizacionales

Las organizaciones están compuestas por directivos que toman decisiones mediante los procesos racionales y los intuitivos, pero los acuerdos a nivel organizacional por lo general no las toma un solo directivo. Numerosas decisiones organizacionales implican a varios de ellos. La identificación de problemas y su solución implican a muchos departamentos, a múltiples puntos de vista e incluso a otras organizaciones, quienes están más allá del alcance de un directivo individual.

El proceso por medio del cual las decisiones se toman en las organizaciones está influido por varios factores, en particular las propias estructuras internas y el grado de estabilidad o inestabilidad del entorno.[34] La investigación que se ha realizado de la toma de decisiones a nivel organizacional ha identificado cuatro tipos principales de procesos de toma de decisiones: El enfoque de ciencia directiva, el modelo de Carnegie, el modelo de proceso incremental de decisión y el modelo del cesto de basura.

Portafolios

Como gerente de una organización, tenga en mente estos lineamientos:

Utilice el enfoque de la decisión racional —ciencia computacional y administrativa— cuando la situación de un problema se comprenda bien.

Enfoque de la ciencia administrativa

El **enfoque de la ciencia administrativa** para la toma de decisiones organizacionales es análogo al enfoque racional de los directivos individuales. La ciencia administrativa surgió durante la Segunda Guerra Mundial.[35] En esa época, las técnicas matemáticas estadísticas se aplicaban a problemas militares urgentes y de gran escala que estaban más allá de la capacidad del individuo encargado de tomar la decisión.

Los investigadores de diferentes áreas como las matemáticas, la física y las operaciones utilizaron un análisis de sistemas para desarrollar las trayectorias de la artillería, las estrategias antisubmarinos, y los planes de acción de bombardeo como el *salvoing* (descargar municiones múltiples de manera simultánea). Considere el problema de una nave de guerra que intenta hundir a una nave enemiga que se encuentra a varias millas de distancia. El cálculo para dirigir las armas de la primera debe considerar la distancia, la velocidad del viento, el tamaño del cartucho, la velocidad y la dirección de ambas naves, la posición del misil de la nave disparadora y la curvatura de la tierra. Los métodos para desarrollar tales cálculos que utilizan la prueba y el error, y la intuición no son exactos, son muy lentos y quizá nunca alcanzan el éxito.

Aquí es donde la ciencia administrativa entra. Los analistas eran capaces de identificar las variables relevantes implicadas en la orientación del armamento de una nave y podían modelarlo con el uso de ecuaciones matemáticas. La distancia, la velocidad, la inclinación, el giro, el tamaño de las municiones, etcétera, podían calcularse e ingresarse a las ecuaciones. La respuesta era inmediata, y las armas podrían empezar a disparar. Los factores como la inclinación y que los giros se medían con rapidez de manera mecánica y se alimentaban directamente al dispositivo orientador. En la actualidad, el elemento humano se ha eliminado por completo del proceso. Los radares eligen el blanco, y la secuencia completa se computa de manera automática.

La ciencia administrativa ha producido éxitos extraordinarios para muchos problemas militares. Este enfoque para la toma de decisiones se ha difundido en las corporaciones y escuelas de negocios, donde los planes se estudian y elaboran. En la actualidad, muchas corporaciones han asignado departamentos para utilizar estas técnicas. El departamento de cómputo desarrolla datos cuantitativos para el análisis. Los de investigación de operaciones utilizan modelos matemáticos para cuantificar variables relevantes y desarrollar una representación cuantitativa de las soluciones alternativas y de la probabilidad de que cada una resuelva el problema. En estas áreas también se utilizan dispositivos tales como la programación lineal, la estadística Bayesiana, los diagramas PERT y las simulaciones por computadora.

La ciencia administrativa es un mecanismo excelente para la toma de decisiones organizacionales cuando los problemas se pueden analizar y cuando los escenarios son identificables y cuantificables. Los modelos matemáticos pueden contener miles o más variables, cada una o alguna de ellas puede ser relevante para el resultado final. Las técnicas de la ciencia administrativa se han utilizado de manera correcta para resolver problemas tan diversos como encontrar el punto exacto para un campamento eclesiástico, un programa de marketing para el primero de una familia de productos, la excavación para encontrar petróleo, y alterar en forma radical la distribución de los servicios de telecomunicaciones.[36] Otros problemas factibles para los métodos de la ciencia administrativa son la programación de los técnicos de ambulancias, los operadores telefónicos y los peajeros de autopistas.[37] El siguiente ejemplo describe la forma en que Continental Airlines utiliza las técnicas de la ciencia administrativa para optimizar las soluciones de recuperación de tripulación.

En la práctica

Continental Airlines

Las aerolíneas gastan una cantidad enorme de tiempo y energía en la planeación y la programación de sus operaciones; sin embargo, las alteraciones en el horario debido al mal clima, los acontecimientos inesperados, los problemas mecánicos o los miembros de la tripulación enfermos son inevitables. Esto redunda en el retraso de los vuelos y las cancelaciones, así como en la pérdida de ingresos para la aerolínea. Continental deseaba una forma de manejar los problemas de la tripulación en tiempo real, de manera que los pilotos y los auxiliares de vuelo pudieran reasignarse con rapidez y de forma rentable. Al reasignar a las tripulaciones en esta forma, las aerolíneas pueden evitar los retrasos y las cancelaciones adicionales, mejorar el rendimiento de manera oportuna, conservar la buena voluntad de los pasajeros, pero también ahorrar dinero.

Las asignaciones y las reasignaciones de la tripulación están limitadas por diversos factores relacionados con las aptitudes y las habilidades de los empleados, lo que incluye el tipo de aeronave que un piloto está capacitado para volar, las calificaciones para aterrizar en aeropuertos específicos, el conocimientos de idiomas extranjeros para los asistentes de vuelo en vuelos internacionales, las preferencias de calidad de vida de los empleados, etcétera. Además, también deben considerarse varias regulaciones y legislaciones gubernamentales y las reglas laborales contractuales, como el número de horas o los días consecutivos en los que un empleado puede trabajar. Sin un sistema de soporte computarizado para las decisiones, Continental tenía que generar soluciones de recuperación de manera manual, lo cual podía requerir días, aun para una perturbación moderada debido al número y la complejidad de factores que se tienen que considerar.

Los directivos de Continental y los coordinadores de tripulación trabajaron en conjunto con CALEB Technologies para desarrollar el CrewSolver, un sistema computarizado que considera todos los requerimientos legales y gubernamentales, las habilidades y las aptitudes de la tripulación, y las cuestiones de calidad de vida. Las formulaciones matemáticas generan hasta tres posibles soluciones. Continental estima que ahorró alrededor de $40 millones en 2001 como resultado directo de utilizar este sistema para recuperarse de cuatro importantes disturbios, como los ataques terroristas de septiembre. Después de estos hechos, el problema de recuperación implicó más cancelaciones y más tiempo en ventanilla de lo que Continental o CALEB habían imaginado. Sin embargo, el sistema arrojó soluciones óptimas en menos de 17 minutos. Esto le dio a la empresa una ventaja sobre otras aerolíneas importantes. Cuando el espacio aéreo fue reabierto, la compañía ofreció a los pasajeros un servicio más coherente y confiable debido a que sufrió pocos días de retrasos ocasionados por la no disponibilidad de la tripulación. Los ejecutivos de Continental creen que sin CrewSolve, la aerolínea quizá no se hubiera podido recuperar de los disturbios y de los cambios en los programas ocasionados por los eventos mencionados con anterioridad.[38]

Desde entonces, Continental ha utilizado la ciencia administrativa para mejorar la eficiencia, la confiabilidad y el servicio de las operaciones. Otras aerolíneas, lo que incluye a Southwest Airlines y Northwest Airlines, han implementado desde ese tiempo sus propias versiones hechas a la medida de CrewSolver para resolver de manera rápida y efectiva los problemas de itinerario que afectan a millones de personas cada día.

La ciencia administrativa puede resolver de manera precisa y rápida problemas que tienen demasiadas variables explícitas para ser procesadas por un humano. Este sistema es mejor cuando se aplica a cuestiones que se pueden analizar, medir y estructurar de una manera lógica. La tecnología de cómputo y sus sofisticados programas están permitiendo la expansión de la ciencia administrativa para cubrir un rango más amplio que nunca para la solución de inconvenientes. Por ejemplo, algunos minoristas, como Home Depot, Bloomingdale's y Gap, ahora utilizan software para analizar los datos de ventas actuales e históricas y determinar cuándo, dónde, cuánto reducir los precios. Los directivos en Harrah's Entertainment Inc., han convertido a la compañía en uno de los operadores más importantes de casinos gracias a la sorprendente cantidad de datos acerca de los clientes y al uso de sistemas sofisticados de cómputo para tomar decisiones acerca de casi todo, desde el diseño del casino hasta la fijación de precios a los cuartos del hotel. La tarifa para los cuartos, por ejemplo, está basada en una fórmula matemática compleja que considera cuánto tiempo dura por lo general la estancia de los clientes, qué juegos frecuentan y con cuánta regularidad, y otros detalles.[39]

La ciencia administrativa también ha producido muchos fracasos.[40] En años recientes, muchos bancos comenzaron a utilizar sistemas de puntaje computarizados para calificar aquellas personas que solicitaban un crédito, pero algunos argumentaron que el juicio humano era necesario para justificar las circunstancias atenuantes. En un caso, un miembro del Federal Reserve Board, la agencia que establece las tasas de interés y regula los bancos, negó a Toys "R" Us una tarjeta de crédito con base en su puntaje computarizado.[41]

Un problema con el enfoque de la ciencia administrativa es que los datos cuantitativos no son suficientes y no transmiten un conocimiento tácito, como se describe en el capítulo 8. Los directivos pueden percibir sobre una base más personal los indicios informales que muestran la existencia de problemas.[42] Los análisis matemáticos más sofisticados carecen de valor si los factores importantes no se pueden cuantificar e incluir en el modelo. Cuestiones tales como las reacciones del competidor, los gustos del cliente y la calidad del producto son dimensiones cualitativas. En estas situaciones, la función de la ciencia administrativa es complementar la toma de decisiones que realizan los directivos. Se puede ofrecer a ellos mismos resultados cuantitativos para su análisis e interpretación, aunados a sus opiniones, juicio e intuición informales. La decisión final incluye tanto factores cualitativos como cálculos cuantitativos.

Portafolios

Como gerente de una organización, tenga en mente estos lineamientos:

Utilice un enfoque de construcción de coalición cuando las metas organizacionales y las prioridades del problema son contradictorias. Cuando los directivos no estén de acuerdo en las prioridades o en la naturaleza real del problema, deben discutir y buscar un consenso referente a las prioridades.

Modelo de Carnegie

El **modelo de Carnegie** para la toma de decisiones organizacionales está basado en el trabajo de Richard Cyert, James March y Herbert Simon, quienes estaban asociados a la Carnegie-Mellon University.[43] Su investigación ayudó a formular el enfoque de racionalidad limitada para la toma de decisiones individuales, así como a proporcionar nuevas perspectivas acerca de la toma de decisiones organizacionales.

Hasta su trabajo, los estudios económicos asumían que las empresas de negocios tomaban decisiones como una sola entidad, como si toda la información relevante fuera canalizada a la persona de más alto rango encargada de tomarlas en cuanto a una elección. La investigación del grupo de Carnegie indicó que las decisiones a nivel organizacional implicaban a muchos directivos y que la elección final estaba basada en una coalición de estos ejecutivos. Una **coalición** es una alianza entre diversos directivos quienes están de acuerdo con las metas organizacionales y los problemas prioritarios.[44] Puede incluir a jefes de los departamentos de manufactura, los especialistas en recursos humanos e incluso grupos externos, como los clientes poderosos, los banqueros o los representantes sindicales.

Las coaliciones directivas son necesarias durante la toma de decisiones por dos razones: En primer lugar, las metas organizacionales muchas veces son ambiguas, y los objetivos operativos de los departamentos con frecuencia son poco consistentes. Cuando las metas son ambiguas e inconsistentes, los directivos no están de acuerdo con las prioridades del problema. Deben negociar los problemas y construir una coalición con base en la pregunta de qué problemas resolver.

La segunda razón de la creación de coaliciones es que los directivos individuales intentan ser racionales pero funcionan con limitaciones cognitivas humanas y otras restricciones, como se describió con anterioridad. Los ejecutivos no tienen el tiempo, los recursos o la capacidad mental para identificar todas las dimensiones y procesar toda la información relevante para tomar una decisión. Estas limitaciones generan un comportamiento de construcción de coaliciones. Los directivos se hablan entre sí e intercambian puntos de vista para reunir información y reducir la ambigüedad. Se consulta a las personas que tienen información relevante o un interés en el resultado de los planes. La construcción de una coalición producirá un acuerdo que estará apoyado por las partes interesadas.

El proceso de formación de coalición tiene varias implicaciones para el comportamiento de decisión organizacional. En primer lugar, la toma de decisiones se realiza para *satisfacer* y no para optimizar las soluciones a los problemas. Una **solución satisfactoria** significa que las organizaciones prefieren un recurso aceptable en lugar de un nivel de desempeño máximo, lo que les permite lograr varias metas de manera simultánea. En la toma de decisiones, la coalición aceptará una solución que se percibe como satisfactoria para todos los miembros de la coalición. En segundo lugar, los directivos están interesados en los problemas inmediatos y las soluciones de corto plazo. Ellos se involucran en lo que Cyert y March llamaron *"investigación relativa al problema"*.[45]

La **investigación relativa al problema** consiste en que los directivos buscan en su entorno inmediato una solución para resolver con rapidez un problema. Ellos no esperan un arreglo perfecto cuando la situación está mal definida y oprimida por el conflicto. Esto contrasta con el enfoque de la ciencia administrativa, el cual asume que los análisis pueden descubrir toda alternativa razonable. El modelo de Carnegie afirma que el comportamiento investigador es suficiente para producir una solución adecuada y que los directivos por lo general adoptan la primera que surge en forma satisfactoria. En tercer lugar, el análisis y la negociación son muy importantes en la etapa de identificación del problema de una toma de decisiones. A menos que los miembros de la coalición perciban un conflicto, no se emprenderá acción alguna.

El proceso de decisión descrito en el modelo de Carnegie está resumido en el cuadro 12.4, el cual señala que la construcción de un acuerdo por medio de una coalición administrativa es parte importante de la toma de decisiones organizacionales. Esto es válido en especial en los niveles administrativos más altos. El análisis y las negociaciones son procesos lentos, de manera que los procedimientos de investigación por lo general son simples y las alternativas elegidas son satisfactorias y no optimizan la solución. Cuando los problemas se programan —son claros y se han advertido desde antes— la

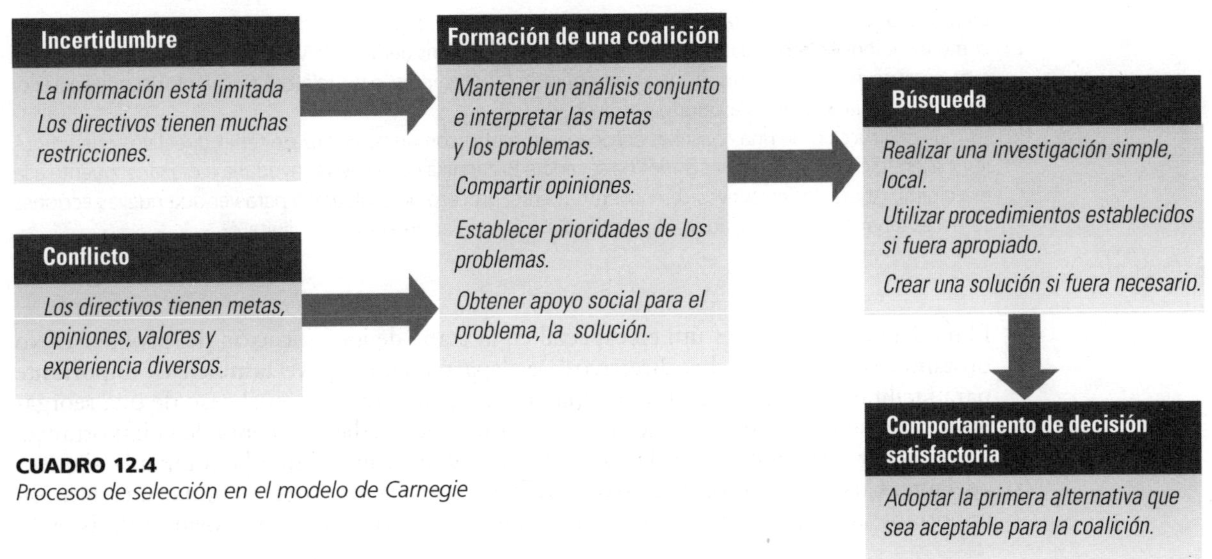

CUADRO 12.4
Procesos de selección en el modelo de Carnegie

organización dependerá de los procedimientos y las rutinas previos. Las reglas y los métodos evitan la necesidad de la formación de una coalición renovada y de las negociaciones políticas. No obstante, las decisiones no programadas requieren la resolución del conflicto y la negociación.

Las organizaciones son las afectadas cuando los directivos no son capaces de construir una colación basada en las metas y las prioridades de los problemas, como lo ilustra el caso de *Encyclopaedia Britannica.*

En la práctica

Encyclopaedia Britannica

Durante la mayor parte de sus 231 años de historia, la *Encyclopaedia Britannica* ha sido considerada como un depósito ilustre del conocimiento histórico y cultural; casi un tesoro nacional. Generaciones de estudiantes y bibliotecarios dependieron de la *Britannica,* pero esto fue antes que los discos compactos e Internet se convirtieran en las herramientas favoritas para estudiar. De pronto, la colección enciclopédica de 32 volúmenes, que se extendía a lo largo de cuatro pies en un librero y que costaba tanto como una computadora personal, parecía destinada a desaparecer de la historia.

Cuando el experto financiero asentado en Suiza, Joseph Safra compró Britannica, descubrió una de las razones. Durante casi una década, los directivos habían estado en desacuerdo acerca de las metas y las prioridades. Algunos de los altos ejecutivos creían que la compañía necesitaba invertir más en medios electrónicos, pero otros apoyaban la fuerza de ventas tradicional de casa en casa de Britannica. De manera eventual, la unidad Compton de la compañía, un pionero en CD-ROM, ahora utilizado por millones de clientes, fue vendida, lo que dejó a la compañía sin ninguna presencia en el nuevo mercado. En la década de 1980, Microsoft se había acercado a Britannica para desarrollar una enciclopedia en CD-ROM; cuando ésta no funcionó, Microsoft acudió a Funk & Wagnalls y elaboró la enciclopedia Encarta. Microsoft acordó que la Encarta fuera instalada en las PC, de manera que el CD-ROM fuera en esencia gratuito para los compradores de nuevas PC. No obstante, cuando Britannica lanzó por fin su versión de CD-ROM, su exorbitante precio fue de $1200. Las trifulcas entre los directivos, propietarios y editores acerca del desarrollo del producto, la fijación de precios, la distribución y otras decisiones importantes contribuyeron al declive de la compañía.

El primer paso de la estrategia de cambio total que Safra emprendió, fue instalar un nuevo equipo de alta dirección, encabezado por uno de sus más antiguos consejeros. El que se unificó de inmediato en torno al importante problema de establecer una presencia en el mundo de los medios electrónicos. Con esta meta en mente, la compañía aceleró la creación de un paquete de CD-ROM modernizado, de bajo costo y lanzó el sitio Web Britannica.com, el cual permite a los usuarios traer a la pantalla entradas en línea a la enciclopedia así como obtener una lista de vínculos a sitios Web relacionados. El equipo también creó una división separada de medios digitales para enfocarse en el desarrollo de nuevos productos, como tecnologías Web inalámbricas. Los directivos están considerando la Web inalámbrica como la mejor ruta para un futuro exitoso y trabajar en conjunto con empresas de telefonía inalámbrica y licenciar el contenido de la Britannica a otros sitios Web.

La construcción de una coalición enfocada en metas comunes, en vez de tener directivos que empujen y jalen hacia diferentes direcciones ha sacado a Britannica de la crisis al ayudarla a cruzar el puente a la era digital. Ahora, los ejecutivos se encuentran en el proceso de evaluación para ver qué nuevas acciones se necesitan realizar para ayudar a la compañía a prosperar en el mundo digital.[46]

El modelo de Carnegie es útil en especial en la etapa de identificación del problema. No obstante, una unión de los directivos de departamentos clave también es importante para facilitar la implementación de una decisión, en particular en el caso de una reorganización sustancial. Los altos ejecutivos en Britannica se dieron cuenta de la importancia de construir coaliciones para la toma de decisiones a fin de que la compañía siguiera adelante. Cuando los altos directivos perciben un problema o desean tomar una decisión importante, necesitan lograr un acuerdo con otros directivos para apoyar la decisión.[47]

Modelo del proceso incremental de decisión

Henry Mintzberg y sus asociados en McGill University en Montreal concibieron la toma de decisiones organizacionales desde una perspectiva diferente. Identificaron 25 decisiones realizadas en las organizaciones y rastrearon los eventos asociados con estas decisiones desde el principio hasta el final.[48] La investigación identificó cada etapa en la secuencia de los planes a seguir. Este enfoque para la toma de decisiones, denominado **modelo del proceso incremental de decisión**, concede menor importancia a los factores políticos y sociales descritos en el modelo de Carnegie, pero enfatiza la secuencia estructurada de actividades que se emprenden desde el descubrimiento de un problema hasta su solución.[49]

Asuma riesgos y haga progresar en forma paulatina a la compañía cuando un problema esté definido pero las soluciones sean inciertas. Intente arreglos paso por paso para saber si éstos están funcionando.

Las muestras de decisiones en la investigación de Mintzberg incluyeron la elección de qué aeronave tipo jet adquirir para una aerolínea regional, el desarrollo de un nuevo restaurante para cenas, el desarrollo de una estación de contenedores en un puerto, la identificación de un nuevo mercado para un desodorante, la instalación de un nuevo y controvertido tratamiento médico en un hospital, y el despido de un famoso anunciante de radio.[50] La magnitud y la importancia de estas decisiones están reflejadas en el tiempo que requirió completarlas. La mayor parte de estas decisiones requieren más de un año, y un tercio de ellas, más de dos. La mayoría no fue programada y precisó de soluciones diseñadas a la medida.

El descubrimiento de esta investigación es que las opciones de organizaciones importantes por lo general están conformadas por una serie de pequeñas elecciones que se combinan para generar la decisión más importante. Así, muchas decisiones organizacionales son una serie de pequeños fragmentos y no uno grande. Las organizaciones atraviesan varios puntos de decisión y pueden toparse con barreras en el camino. Mintzberg denominó a estas barreras *interrupciones de decisión.* Un impedimento puede significar que una organización tenga que retroceder a una decisión previa e intentar algo nuevo. Estas iteraciones de decisión o ciclos son una forma en que la organización aprende qué alternativas llevará a cabo. La solución última puede ser muy diferente de la que al principio se había anticipado.

El patrón de las etapas de decisión, descubierto por Mintzberg y sus asociados se exhibe en el cuadro 12.5. Cada recuadro indica una posible fase en la secuencia de decisiones. Se presentan en tres principales fases de decisión: La identificación, el desarrollo y la selección.

Fase de identificación. La fase de identificación comienza con el *reconocimiento.* Éste significa que uno o más directivos se han percatado de un problema y de la necesidad de tomar una decisión. Por lo general es estimulado por un problema o una oportunidad. Un problema existe cuando los elementos en el entorno cambian o cuando se tiene la percepción de que el desempeño interno está por debajo del estándar. En el caso del despido de un anunciante de radio, los comentarios acerca de su trabajo provienen de los radioescuchas, otros anunciantes y publicistas. Los directivos interpretan estos indicios hasta que surge un patrón que indica un problema que se tiene que afrontar.

La segunda fase es el *diagnóstico*, en la cual se reúne más información si fuera necesario para definir la situación del problema. El diagnóstico puede ser sistemático o informal, según la severidad del caso. Los conflictos graves no permiten que se dedique el tiempo suficiente para un diagnóstico extenso; la respuesta debe ser inmediata. Los problemas medianos por lo general se diagnostican de una forma más sistemática.

Fase de desarrollo. En esta etapa, se formula una solución para resolver el problema definido en la fase de identificación. El desarrollo de una solución sigue una de dos direcciones. En primer lugar, los procedimientos de investigación pueden utilizarse para *explorar* alternativas dentro del repertorio de soluciones organizacionales. Por ejemplo, en el caso del despido de un anunciante famoso, los directivos preguntaron qué había hecho la estación de radio la última vez que se tuvo un caso semejante. Para realizar la exploración, los participantes organizacionales pueden escudriñar entre sus propios recuerdos, hablar con otros directivos o examinar los procedimientos formales de la organización.

La segunda dirección de desarrollo es *diseñar* una solución hecha a la medida. Esto sucede cuando el problema es nuevo, de manera que la experiencia previa no tiene valor. Mintzberg encontró que en estos casos, las personas clave encargadas de tomar decisiones tienen sólo una idea vaga de la solución ideal. De manera paulatina, a través de un proceso de prueba y error, surgirá una alternativa diseñada a la medida. El desarrollo de una solución es un procedimiento grupal e incremental de construcción de una toma de acción paso por paso.

Fase de selección. Sucede en el momento en que se elige la solución. Esta fase no siempre es cuestión de realizar una elección clara entre las alternativas diferentes. En el caso de las soluciones hechas a la medida, la selección es más una evaluación de una sola alternativa que parece factible.

La evaluación y la elección pueden ser realizadas de tres formas. La forma de *juicio* para la selección se utiliza cuando la elección final recae sobre una sola persona encargada de tomar la decisión y esto implica el juicio basado en la experiencia. En el análisis se evalúan las alternativas sobre una base más sistemática, como las técnicas científicas de administración. Mintzberg encontró que la mayor parte de las decisiones no implicaban análisis sistemáticos y evaluación de alternativas. La *negociación* ocurre cuando la selección involucra a un grupo de personas encargadas de la toma de decisiones. Cada una de ellas puede tener un interés diferente en el resultado, y así es como surge el conflicto. Se presenta la discusión y la negociación hasta que se logra establecer una coalición, como en el modelo de Carnegie descrito con anterioridad.

Cuando una decisión es aceptada de manera formal por la organización, se presenta la *autorización*. La decisión puede transmitirse al nivel jerárquico responsable. Muchas veces la autorización es rutinaria debido a que la experiencia y el conocimiento dependen de los individuos encargados de la toma de decisiones a los rangos más bajos que identifican el problema y desarrollan la solución. Algunas decisiones son rechazadas debido a las implicaciones no anticipadas por los directivos de más bajo rango.

Factores dinámicos. La parte inferior del recuadro 12.5 muestra las líneas que regresan al principio del proceso de decisión, mismas que representan las iteraciones o ciclos que tienen lugar en el proceso. Las decisiones organizacionales no siguen una progresión ordenada que vaya del reconocimiento hasta la autorización, sino que surgen problemas menores que obligan a retroceder a una etapa anterior. Se trata de interrupciones

CUADRO 12.5

El modelo del proceso incremental de decisión

Fuente: Adaptado y reimpreso de "The Structure of Unstructured Decision Processes", por Henry Mintzberg, Duru Raisinghani, y André Théorêt, publicado en *Administrative Science Quarterly* 21, núm. 2 (1976), 266, con autorización de *The Administrative Science Quarterly*. Copyright © 1976 Cornell University.

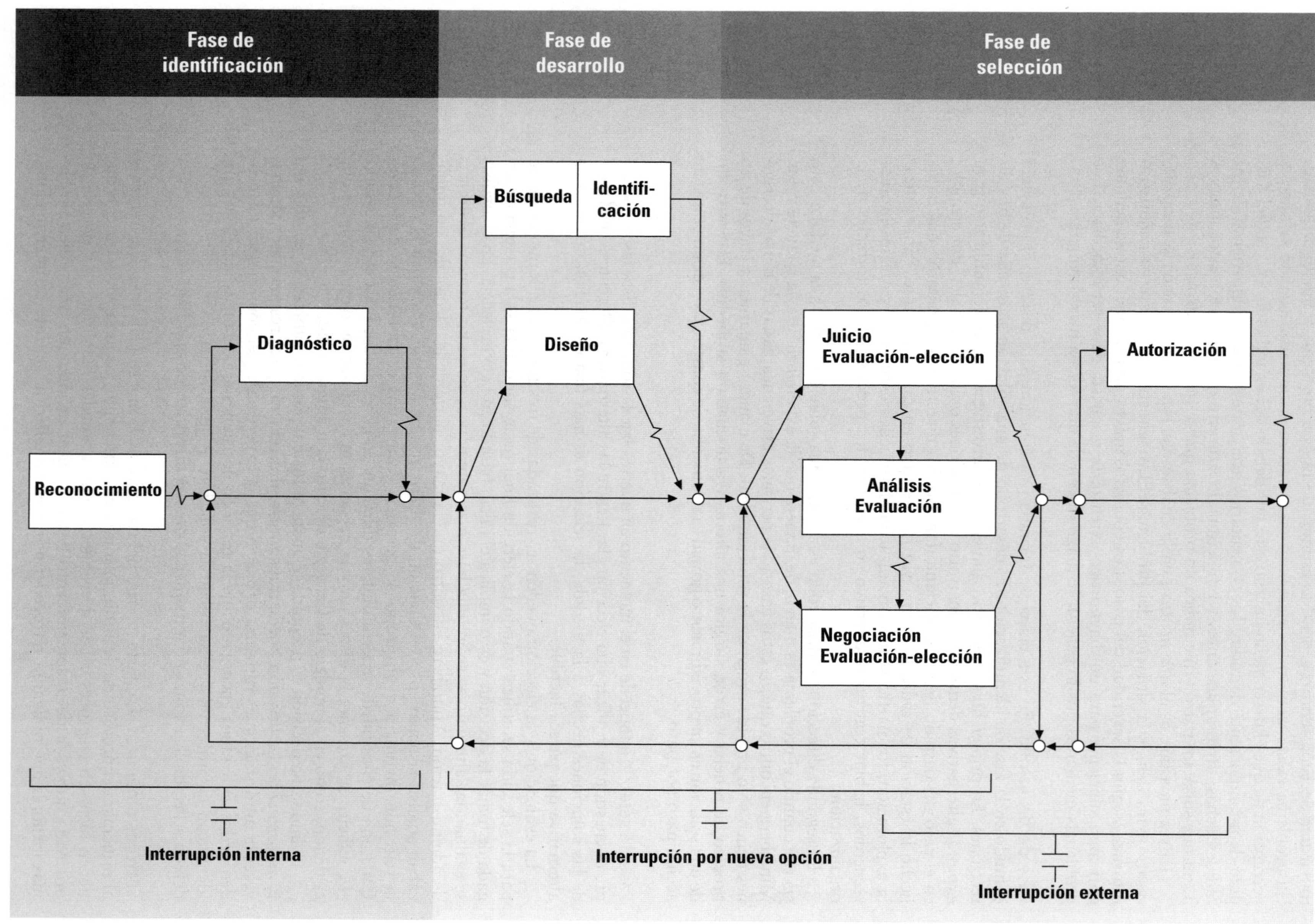

de decisión. Si una solución diseñada a la medida se percibe como insatisfactoria, la organización puede tener que retroceder hasta el inicio y reconsiderar si el problema en verdad vale la pena sea resuelto. Las iteraciones de retroalimentación pueden ser ocasionadas por problemas de oportunidad, las políticas, los desacuerdos entre los directivos, la incapacidad para identificar una solución factible, la rotación de ejecutivos o la repentina aparición de una nueva alternativa. Por ejemplo, cuando una pequeña aerolínea canadiense tomó la decisión de adquirir una aeronave, el consejo autorizó la decisión, pero poco después, ingresó un nuevo director general que canceló el contrato, con lo que el proceso de decisión retrocedió hasta la fase de identificación. Este directivo aceptó el diagnóstico del problema pero insistió en una nueva búsqueda de alternativas. Después dos aerolíneas salieron del negocio y pusieron a la venta a precio de rebaja dos aeronaves usadas. Esto presentó una opción inesperada, y el director general utilizó su propio criterio para autorizar la compra de la aeronave.[51]

Ya que la mayor parte de las decisiones tienen lugar durante un periodo ampliado, las circunstancias cambian. La toma de decisiones es un proceso dinámico que puede requerir varias iteraciones antes que el problema sea resuelto. Un ejemplo del proceso incremental y de las iteraciones que pueden presentarse está ilustrado en la decisión de Gillette de crear un nuevo rastrillo.

En la práctica

Gillette Company

Cuando Gillette Company utiliza la toma de decisiones incrementales para perfeccionar el diseño de rastrillos como el Sensor, el Mach3 o el M3Power. Considere el ejemplo que presenta el desarrollo del Mach3. Al estar buscando una nueva idea para incrementar las ventas en el mercado maduro de los rastrillos de Gillette, los investigadores en el laboratorio de la compañía británica idearon la creación de un rastrillo con tres navajas para producir una rasurada más al ras, suave y confortable (reconocimiento y diagnóstico). Diez años más tarde, el Mach3 ingresó al mercado, después de miles de pruebas de rasurado, numerosas modificaciones en el diseño y un costo de desarrollo y mecanización de $750 millones, a grandes rasgos el monto que una empresa farmacéutica invierte en el desarrollo de un medicamento muy vendido.

Las demandas técnicas que suponía construir un rastrillo con tres navajas que siguiera el contorno del rostro de un hombre y también fuera fácil de lavar tenían varios callejones sin salida. Los ingenieros en primer lugar trataron de encontrar procedimientos establecidos (búsqueda, examen), pero ninguno reunía las condiciones. En forma eventual se construyó (diseño) un prototipo denominado Manx, y en las pruebas de rasurado había vencido por mucho al Sensor Excel de Gillette, el rastrillo mejor vendido de la compañía en aquella época. Sin embargo, el director general de Gillette insistió que el rastrillo debía tener una navaja afilada radicalmente nueva, de manera que el rastrillo se pudiera utilizar con navajas más delgadas (interrupción interna), así que los ingenieros comenzaron a buscar una nueva tecnología que pudiera producir una navaja más fuerte (búsqueda, examen). Al final, el nuevo filo de la navaja, conocido como DLC (siglas en inglés de diamond-like carbon coating) debido al recubrimiento de carbón parecido al diamante, se aplicaría átomo por átomo con una tecnología utilizada en la elaboración de circuitos integrados (diseño).

El siguiente problema fue la fabricación (diagnóstico), la cual requirió un proceso por completo nuevo para manejar la complejidad del rastrillo de triple navaja (diseño). A pesar de que el consejo dio su aprobación para comenzar a desarrollar el equipo de manufactura (juicio, autorización), algunos miembros estaban preocupados por las nuevas navajas, las cuales eran tres veces más fuertes que el acero inoxidable, durarían más tiempo y ocasionarían que el mismo Gillette vendiera menos cartuchos (interrupción interna). El consejo eventualmente tomó la decisión de continuar con las nuevas cuchillas, las cuales tenían una banda indicadora azul que se volvía blanca, lo que mostraba que era tiempo de un reemplazo.

El consejo dio su aprobación final para que la producción del Mach3 comenzara en el otoño de 1997. El nuevo rastrillo fue presentado en el verano de 1998 y comenzó a venderse con facilidad. Gillette recuperó su enorme inversión en un tiempo récord. Poco después comenzó una vez más el proceso de búsqueda del siguiente descubrimiento para el rasurado, mediante una nueva tecnología que podía examinar una navaja de rastrillo a nivel atómico y un video de alta velocidad capaz de capturar el acto de cortar un solo bello de barba. La compañía ha progresado en incrementos y se espera que lance su próximo producto importante de rasurado en algún momento antes de finales de 2006.[52]

En Gillette, la fase de identificación ocurrió debido a que los ejecutivos estaban conscientes de la necesidad de un nuevo rastrillo y se percataron de la idea de utilizar tres navajas para producir un rasurado más al ras. La fase de desarrollo estaba caracterizada por el diseño a la medida a base de prueba y error que produjo el Mach3. Durante la fase de selección, ciertos enfoques se encontraron inaceptables, lo que ocasionó que Gillette retrocediera en el proceso y rediseñara el rastrillo, lo que incluyó el uso de navajas más delgadas y más fuertes. Cuando avanzó una vez más a la fase de selección, el Mach3 fue aprobado por los altos ejecutivos y los miembros del consejo, y se autorizaron de manera expedita los presupuestos de marketing y manufactura. La decisión llevó más de una década, pero al final logró su concreción en el verano de 1998.

La organización que aprende

Al principio de este capítulo se analizó la forma en que el entorno de negocios rápidamente cambiante está creando una incertidumbre mayor para las personas encargadas de tomar las decisiones. Algunas organizaciones se están viendo muy afectadas por esta tendencia y, por ello, están adoptando el concepto de organización que aprende. Estas organizaciones están marcadas por una tremenda cantidad de incertidumbre en las etapas tanto de identificación del problema como en la de su solución. Se han desarrollado dos enfoques para la toma de decisiones a fin de ayudar a los directivos a enfrentar esta incertidumbre y complejidad. Un enfoque es combinar los modelos del proceso incremental y de Carnegie que se acaban de analizar. El segundo es un enfoque único denominado el modelo del cesto de basura.

Combinación de los modelos del proceso incremental y de Carnegie

Como gerente de una organización, tenga en mente estos lineamientos:

Aplique tanto el modelo de Carnegie como el modelo de proceso incremental en una situación donde los problemas y soluciones sean bastante inciertos. La toma de decisiones también puede emplear los procedimientos del modelo del cesto de basura. Haga progresar a su organización hacia un mejor desempeño mediante la propuesta de nuevas ideas, la inversión del tiempo de trabajo en áreas importantes y la persistencia en soluciones potenciales.

La descripción del modelo de Carnegie referente a la construcción de coaliciones es en especial relevante en la etapa de identificación del problema. Cuando los temas son ambiguos, o si los directivos no están de acuerdo con la severidad del problema, se requiere el análisis, la negociación y la coalición. Una vez que se logra un acuerdo sobre el problema que se debe afrontar, el proceso gradual es una forma de intentar varias opciones para averiguar cuál funcionará. Cuando la solución del problema no es clara, se puede diseñar una de tanteo o de prueba y error. Por ejemplo, en 1999, los ejecutivos de las tres compañías musicales más grandes del mundo formaron una coalición para ofrecer a los consumidores en línea una alternativa legal a la piratería digital de servicios de intercambio de canciones por Internet. Sin embargo, convertir la empresa de riesgo MusicNet en una opción atractiva suponía todo un reto. Como en principio estaba concebido, el servicio no ofrecía a los amantes de la música las características que estaban buscando, de manera que los directivos adoptaron un enfoque incremental para intentar convertir a MusicNet en un método fácil de utilizar para el usuario. En la actualidad, al igual que el principal proveedor de servicios musicales en línea, MusicNet crea descargas a la medida y servicios de suscripción distribuidos a través de proveedores como Yahoo!, AOL y Virgin Digital. Los directivos han continuado con el uso de un enfoque paulatino a medida que la industria evoluciona con la introducción de iTunes de Apple y otros nuevos canales de distribución. Como un ejecutivo lo ha expresado "éste es un negocio de prueba y error".[53]

Los dos modelos no se contraponen entre sí. Describen la forma en que las organizaciones toman sus decisiones cuando la identificación del problema o su solución son inciertas. La explicación de ambos en las etapas en el proceso de decisión se ilustran en el cuadro 12.6. Cuando ambas partes del proceso de decisión tienen un alto grado de incertidumbre, lo que con frecuencia es el caso de las organizaciones que aprenden, la organización se encuentra en una posición muy difícil. Los procesos de decisión en esa situación pueden ser una combinación de los modelos de proceso incremental y de

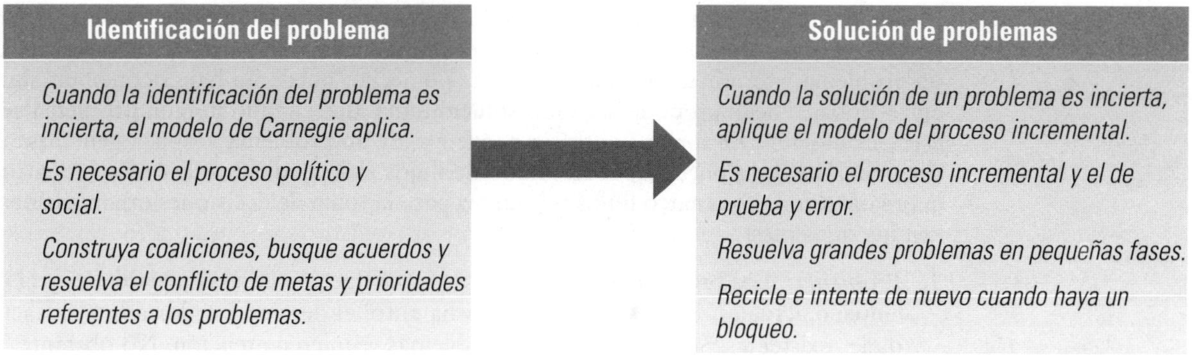

Identificación del problema		Solución de problemas
Cuando la identificación del problema es incierta, el modelo de Carnegie aplica.	→	*Cuando la solución de un problema es incierta, aplique el modelo del proceso incremental.*
Es necesario el proceso político y social.		*Es necesario el proceso incremental y el de prueba y error.*
Construya coaliciones, busque acuerdos y resuelva el conflicto de metas y prioridades referentes a los problemas.		*Resuelva grandes problemas en pequeñas fases.*
		Recicle e intente de nuevo cuando haya un bloqueo.

CUADRO 12.6
Proceso de decisión cuando la identificación y la solución del problema son inciertas

Carnegie, y su unión puede evolucionar a la situación descrita en el modelo del cesto de basura.

Modelo del cesto de basura

El modelo del cesto de basura es una de las descripciones más interesantes y recientes de los procesos de decisión organizacional. No es comparable con los modelos anteriores, debido a que el modelo del cesto de basura se ocupa de los patrones o flujos de múltiples decisiones dentro de las organizaciones, mientras que los modelos incremental y de Carnegie se enfocan en cómo se toma una sola decisión. El modelo del cesto de basura le ayudará a concebir a la organización de una forma integral y en las decisiones frecuentes que los directivos toman a lo largo del camino.

Anarquía organizada. El modelo del cesto de basura fue desarrollado para explicar el patrón de toma de decisiones en las organizaciones que experimentan una incertidumbre muy alta, como el crecimiento y el cambio requeridos en una organización que aprende. Michael Cohen, James March y Johan Olsen, creadores de este modelo, llamaron a las condiciones demasiado inciertas, **anarquía organizada**, la cual es una organización extremadamente orgánica.[54] Las anarquías organizadas no dependen de la jerarquía vertical normal de autoridad ni de las reglas de decisión burocráticas. Son el resultado de tres características:

1. *Preferencias problemáticas.* Las metas, los problemas, las alternativas y las soluciones están mal definidas. La ambigüedad caracteriza a cada fase de un proceso de decisión.
2. *Tecnología poco clara y mal entendida.* Las relaciones de causa y efecto dentro de la organización son difíciles de identificar. No se cuenta con una base de datos explícita aplicable a las decisiones.
3. *Rotación.* Las posiciones organizacionales experimentan la rotación de participantes. Además, los empleados están ocupados y cuentan sólo con una cantidad de tiempo limitada para destinarla a cualquier problema de decisión. La participación en cualquier decisión será fluida y limitada.

Una anarquía organizada está caracterizada por los rápidos cambios y un entorno colegiado, y no burocrático. Ninguna organización encaja todo el tiempo en esta situación en extremo orgánica, aunque las organizaciones que aprenden y las compañías contemporáneas basadas en Internet pueden experimentarla la gran parte del tiempo. Muchas organizaciones en ocasiones se encontrarán a sí mismas en situaciones problemáticas y poco claras de toma de decisiones. El modelo del cesto de basura es de gran utilidad para entender el patrón de estas decisiones.

Flujos de eventos. La característica exclusiva del modelo del cesto de basura es que el proceso de decisión no es concebido como una secuencia de pasos que comienzan con un problema y terminan con una solución. De hecho, puede no haber conexión alguna entre ambas. Puede proponerse como solución una idea cuando ningún problema se ha especificado aún. En forma contraria puede existir un problema y nunca generarse una solución. Las decisiones son el resultado de flujos independientes de eventos dentro de la organización. Los cuatro flujos relevantes para la toma de decisiones organizacionales son los siguientes:

1. *Problemas.* Los problemas son puntos de insatisfacción con las actividades y el desempeño actuales. Representan una brecha entre el desempeño deseado y las actividades existentes. Se percibe que los problemas requieren atención. No obstante, son distintos de las soluciones y las elecciones. Un problema puede generar una solución propuesta o puede no hacerlo. Cuando las soluciones se adoptan quizá no resuelvan el problema.
2. *Soluciones potenciales.* Una solución es una idea que alguien propone para su adopción. Tales reflexiones forman un flujo de soluciones alternativas a través de la organización. El personal nuevo puede aportar ideas a la organización o el personal existente puede inventar nuevas. Los participantes quizá simplemente estén atraídos por ciertas opciones y las impulsen como lógicas sin importar los problemas. La atracción por una idea puede ocasionar que un empleado busque un problema al cual aquélla pueda adecuarse, y por tanto, justificarla. El punto es que las soluciones existen en forma independiente de los problemas.
3. *Participantes.* Los participantes de la organización son empleados que entran y salen de la misma. La gente es contratada, reasignada o despedida. Los participantes varían mucho en cuanto a sus ideas, la percepción de los problemas, las experiencias, los valores y la capacitación. Los problemas y soluciones que un gerente reconoce diferirán de aquellos reconocidos por otro.
4. *Oportunidades de elección.* Las oportunidades de elección son las circunstancias en que una organización por lo general toma una decisión. Ocurren cuando se firman contratos, se contrata a gente o cuando se autoriza un nuevo producto. También cuando existe la mezcla correcta entre los participantes, las soluciones y los problemas. Así, un director que por casualidad aprendió de una buena idea quizá de pronto se dé cuenta de un problema al cual esa idea es aplicable, y por lo tanto, puede proporcionar a la organización una oportunidad de elección. La coordinación entre problemas y soluciones con frecuencia produce decisiones.

Con el concepto de las cuatro corrientes, el patrón general de toma de decisiones organizacionales adopta una calidad aleatoria. Los problemas, las soluciones, los participantes y las elecciones todos fluyen a través de la organización. En cierto sentido, la organización es como un gran cesto de basura en el cual todas estas corrientes desembocan, como se ilustra en el cuadro 12.7. Cuando da la casualidad de que un problema, una solución y un participante coincidan en un punto, la decisión se puede tomar y el problema puede ser resuelto; pero si la solución no encaja con el mismo, quizá no se resuelva.

Así, cuando se ve a la organización como un todo y se considera su alto nivel de incertidumbre, se ven surgir problemas que no se resuelven y se ponen a prueba soluciones que no funcionan. Las decisiones organizacionales son desordenadas y no el resultado de una secuencia lógica. Las circunstancias pueden estar mal definidas y tan complejas que las decisiones, los problemas y las soluciones actúan como sucesos independientes. Cuando coinciden, algunos problemas se resuelven, pero otros no.[55]

Consecuencias. Existen cuatro consecuencias específicas del proceso de decisión del cesto de basura para las organizaciones:

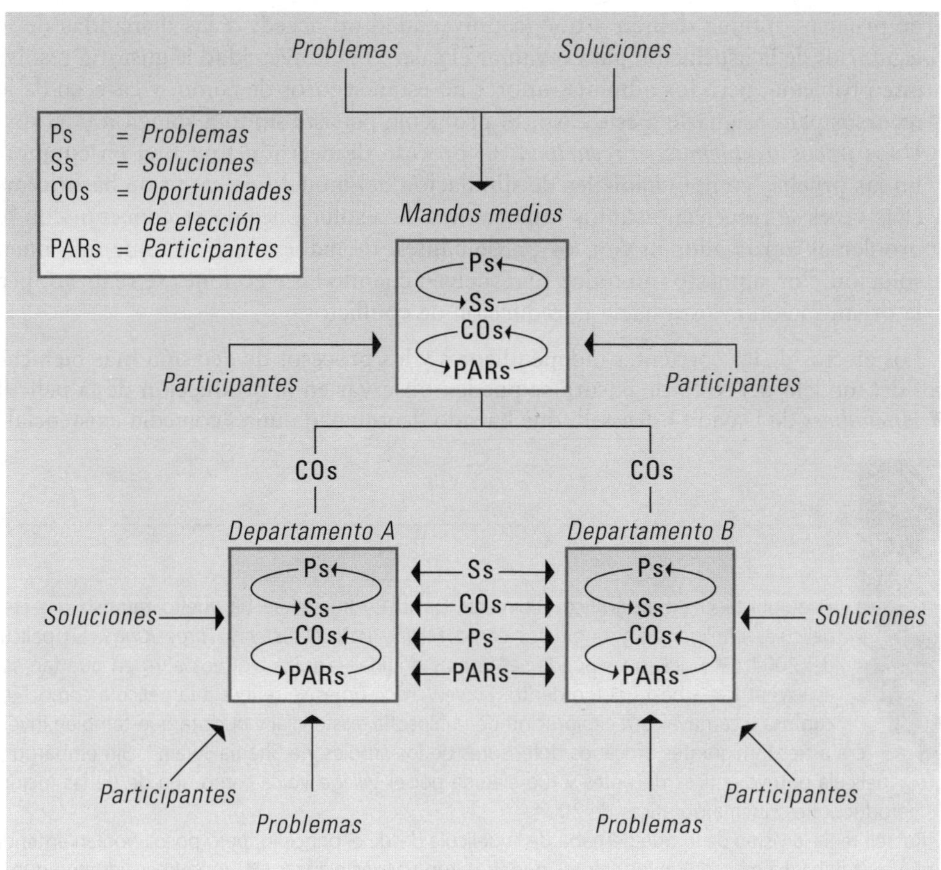

CUADRO 12.7
Ilustración de los flujos independientes de eventos en el modelo de toma de decisiones del cesto de basura

1. *Las soluciones pueden posponerse aun cuando los problemas no existan.* Un empleado puede estar convencido de una idea y puede tratar de venderla al resto de la organización. Un ejemplo fue la adopción de las computadoras por muchas organizaciones en la década de 1970. Esto era una solución excitante y fue impulsada tanto por los fabricantes de computadoras como por los analistas de sistemas que había dentro de las organizaciones. Lo que no resolvió ningún problema durante esas aplicaciones iniciales. De hecho en algunos casos se ocasionaron más problemas de los que resolvieron.
2. *Las elecciones se hacen aunque no resuelvan problemas.* Una elección como la creación de un nuevo departamento puede tomarse con la intención de resolver un problema; pero, bajo condiciones de alta incertidumbre, la elección puede ser incorrecta. Además, muchas de ellas simplemente aparentan ser incorrectas. Las personas deciden renunciar, el presupuesto organizacional se recorta, o se emite un nuevo boletín de políticas. Estas elecciones pueden estar orientadas a problemas pero no necesariamente los resuelven.
3. *Los problemas pueden persistir sin ser resueltos.* Los participantes organizacionales se acostumbran a ciertos problemas y se rinden en su intento de resolverlos; o quizá no saben cómo solucionarlos debido a que la tecnología es poco clara. Una Universidad en Canadá fue puesta en periodo de prueba por la asociación estadounidense de profesores universitarios debido a que le había negado a uno de ellos el contrato sin el debido proceso. El periodo de prueba fue una molestia que los administradores quisieron eliminar. Quince años después, el profesor sin contrato murió. El proceso

de prueba continúa debido a que la universidad no accede a las demandas de los legatarios de la asociación para revaluar el caso. A la universidad le gustaría resolver este problema, pero los administradores no están seguros de cómo, y carecen de los recursos para asignarle a este caso. El problema persiste sin una solución.

4. *Unos pocos problemas se resuelven.* El proceso de decisión funciona en conjunto. En las pruebas computacionales de simulación del modelo del cesto de basura, muchas veces se resuelven asuntos importantes. Las soluciones no se conectan con los problemas apropiados ni con los participantes, de manera que se tome una buena solución. Por supuesto, no todos se resuelven cuando las elecciones se realizan, pero la organización avanza hacia la reducción de conflictos.

Los efectos de las corrientes independientes y los procesos de decisión más bien caóticos del modelo del cesto de basura se pueden observar en la producción de la película *I ♥ Huckabees* de David O. Russell, que ha sido denominada una "comedia existencial".

En la práctica
I ♥ Huckabees

El guionista cinematográfico y director David O. Russell se ha vuelto famoso por crear películas inteligentes y originales como *Flirting with Disaster* y *Three Kings*. Su película del 2004 *I ♥ Huckabees* puede ser la más original —quizá algunos afirmen que tan sólo es excéntrica— hasta el momento. El *New York Times* se refiere a la película como "una confusa y carnavalesca exploración de la filosofía existencial y budista que también involucra a tres inmigrantes africanos defensores de los árboles y a Shania Twain". Sin embargo, la película obtuvo críticas decentes y fue elegida por el *Village Voice* como una de de las mejores producciones cinematográficas de 2004.

Russell tenía la visión de lo que deseaba de la película desde el principio, pero pocos podían entender de qué se trataba. La mayoría de los actores que firmaron para estelarizar *I ♥ Huckabees* admiten que en realidad no comprendieron el libreto, pero confiaron en la edición de la imaginación de David O. Russell. Dos de los actores más importantes en Hollywood, Jude Law y Gwyneth Paltrow, firmaron para interpretar empleados de una cadena de tiendas departamentales llamada Huckabees. Pero Paltrow cambió de parecer antes que la filmación comenzara. Nicole Kidman estaba interesada pero tuvo un problema. Jennifer Aniston se convirtió —y rápidamente dejó de serlo— en una posibilidad. Por último, Naomi Watts, quien había sido la primera opción de Russell para el papel, pudo liberarse de sus compromisos de itinerario para formar parte del filme. El reparto tampoco estaba decidido. Jude Law desistió por razones desconocidas, pero con la misma rapidez regresó.

La filmación fue caótica. Cuando los actores estaban ante las cámaras para decir los parlamentos que habían memorizado, Russell se encontraba a poca distancia e intervenía para dictarles nuevas líneas. En una escena, Law estaba tan frustrado y cansado que comenzó a golpear el pasto con sus puños y a gritar improperios. A Russell le encantó esta improvisación y la mantuvo en las cámaras cuando filmaban. Los actores no estaban seguros de cómo desarrollar sus caracterizaciones, de manera que hicieron lo que les pareció correcto en el momento, muchas veces basados en los esfuerzos de Russell por sacarlos de balance. Las escenas con frecuencia se filmaban sin ninguna idea de cómo se suponía que encajarían en la historia global.

Después de horas en el cuarto de edición, Russell logró que su película se convirtiera en algo muy diferente de lo que los actores pensaron que habían filmado. Algunas escenas importantes, incluida la que se suponía articulaba el tema de la película, referente a que todo está conectado, se suprimió por completo.

En forma sorprendente, y aun con el caos en el escenario, la película se realizó a tiempo y dentro del presupuesto. Sin embargo *I ♥ Huckabees* es emocional e intelectualmente densa, y no el tipo de película que recauda grandes cantidades en taquilla, el proceso fortuito funcionó para crear la película que David O. Russell deseaba hacer.[56]

La producción de *I ♥ Huckabees* no fue un proceso racional que comenzó con un problema claro y terminó con una solución lógica. Muchos eventos ocurrieron de manera casual y fueron entrelazados, lo cual caracteriza al modelo del cesto de basura. Todos, desde el director hasta los actores se agregaban de manera continua al flujo de nuevas ideas para la historia. Algunas soluciones se conectaron a problemas emergentes: Naomi Watts liberó su agenda justo a tiempo para tomar el papel después de que Gwyneth Paltrow lo rechazara, por ejemplo. Los actores (participantes) de continuo tomaban decisiones personales concernientes a la caracterización que probó ser correcta para la trama de la historia. Sin embargo, el modelo del cesto de basura no siempre funciona: en las películas como en las organizaciones. Un proceso fortuito similar durante la filmación de *Waterworld* produjo el filme más costoso de la historia hollywoodense y un fracaso de taquilla para Universal Pictures.[57]

Marco de contingencia para la toma de decisiones

Este capítulo ha cubierto varios enfoques para la toma de decisiones organizacionales, entre los cuales están la ciencia administrativa, el modelo de Carnegie, el modelo del proceso incremental de decisión, y el modelo del cesto de basura. También se ha analizado el proceso de decisión racional e intuitiva que utilizan los directivos individuales. Cada enfoque es una descripción relativamente exacta del proceso real de decisión, aunque todos difieren entre sí. Por ejemplo, la ciencia administrativa refleja un conjunto diferente de suposiciones y procedimientos relacionados con la decisión en comparación con el modelo del cesto de basura.

Una razón por la que se tienen diferentes enfoques es que éstos aparecen en diferentes situaciones organizacionales. El uso de cada proyecto es contingente según el escenario organizacional. Las dos características de las organizaciones que determinan el uso de los enfoques de decisión son 1) el consenso respecto al problema y 2) el conocimiento técnico de los medios para resolver los problemas.[58] El análisis de las organizaciones a partir de estas dos dimensiones sugiere qué enfoque se utilizará para tomar decisiones.

Consenso respecto al problema

El **consenso respecto al problema** se refiere al acuerdo entre los directivos acerca de la naturaleza de un problema u oportunidad y acerca de qué metas y resultados perseguir. Esta variable va de un completo acuerdo a un total desacuerdo. Cuando los directivos están de acuerdo, existe poca incertidumbre: los problemas y las metas de la organización son claros, y por lo tanto, también los estándares de desempeño. Cuando los directivos están en desacuerdo, el rumbo de la organización y las expectativas de desempeño se encuentran en disputa, lo que crea una situación de alta incertidumbre. Un ejemplo de incertidumbre del problema ocurrió en las tiendas Wal-Mart en lo concerniente al uso de patrullas en los estacionamientos. Algunos directivos presentaron evidencia de que los carros de golf patrulla reducían de manera importante el robo de autos, el asalto y otros delitos en los estacionamientos e incrementaba el negocio debido a que fomentaban las compras nocturnas. Estos directivos argumentaron que las patrullas se debían utilizar, pero otros creían que no eran necesarias y que eran demasiado costosas, y afirmaban que los delitos en el estacionamiento eran un problema social no un problema de las tiendas.[59]

El consenso respecto al problema tiende a ser bajo cuando las organizaciones están diferenciadas, como se describió en el capítulo 4. Recuerde que los entornos inciertos provocan que los departamentos se diferencien entre sí en cuanto a metas y actitudes para especializarse en sectores ambientales específicos. Esta diferenciación produce desacuerdo y conflicto, así que los directivos deben hacer un esfuerzo especial para construir coaliciones durante la toma de decisiones. Por ejemplo, la NASA ha sido criticada por no haber identificado los problemas del transbordador espacial *Columbia,* lo que pudo haber impedido el desastre de febrero de 2003. En parte se debió a una alta diferenciación y opiniones en conflicto entre los directivos de seguridad y los de programación, en los cuales las presiones para el lanzamiento a tiempo socavaron las preocupaciones de seguridad. Además, después del lanzamiento, los ingenieros pidieron tres veces —y se les negaron— mejores fotos para evaluar el daño que ocasionó una pieza de restos de espuma que golpeó el ala izquierda del transbordador justo segundos antes del lanzamiento. Los investigadores ahora indican que el daño causado por los desechos puede haber sido la principal causa física de la explosión. Los mecanismos para escuchar opiniones encontradas y construir condiciones pueden mejorar la toma de decisiones en la NASA y otras organizaciones que enfrentan problemas complejos.[60]

El consenso respecto al problema es muy importante en la fase de identificación del mismo para el proceso de toma de decisiones. Cuando los inconvenientes son claros y acordados, proporcionan estándares y expectativas confiables para el desempeño. Cuando no existe un consenso, la identificación del problema es incierta y la atención de la dirección debe enfocarse en obtener el acuerdo acerca de metas y prioridades.

Conocimiento técnico de las soluciones

El **conocimiento técnico** se refiere a la comprensión y el acuerdo acerca de cómo resolver problemas y lograr las metas organizacionales. Esta variable va desde el acuerdo completo y la certidumbre hasta el total desacuerdo e incertidumbre acerca de las relaciones causa-efecto que llevan a la solución del problema. Un ejemplo de conocimiento técnico deficiente ocurrió en la división de 7-Up en PepsiCo. Los directivos estaban de acuerdo en el problema a resolver: Deseaban incrementar la participación de mercado de 6 a 7%. Sin embargo, los medios para lograrlo no se conocían y no había un acuerdo sobre ellos. Algunos directivos deseaban utilizar la fijación de precios de descuento en los supermercados. Otros creían que debían incrementar el número de expendedores de bebidas gaseosas en restaurantes y cadenas de comida rápida. Otros directivos insistieron que el mejor enfoque era incrementar la publicidad a través de la radio y la televisión. Los directivos no sabían qué podría ocasionar un incremento en la participación de mercado. Al final, la opción de la publicidad prevaleció en 7-Up, pero no funcionó muy bien. El fracaso de su decisión se reflejó en el bajo conocimiento técnico de 7-Up acerca de cómo resolver el problema.

Cuando se comprenden bien los medios, se pueden identificar las alternativas apropiadas y calcular con algún grado de certidumbre. Cuando no se han entendido bien, las soluciones potenciales están mal definidas y son inciertas. La intuición, la opinión, y la prueba y el error se convierten en la base para las decisiones.

Marco de contingencia

El cuadro 12.8 describe el **marco de contingencia para la toma de decisiones,** el cual comprende las dos dimensiones de consenso con respecto al problema y el conocimiento técnico de las soluciones. Cada celda representa una situación organizacional apropiada para los enfoques de toma de decisiones descritos en este capítulo.

Celda 1. En la celda 1 del cuadro 12.8, los procesos racionales de decisión se utilizan debido a que hay un acuerdo con respecto al problema y se han comprendido bien las relaciones causa-efecto, así que hay poca incertidumbre. Las decisiones se pueden tomar de forma computacional. Se pueden identificar las alternativas y adoptar la mejor solución a través del análisis y el cálculo. Los modelos racionales descritos con anterioridad en este capítulo, tanto para los individuos como para las organizaciones, son apropiados cuando los problemas y los medios para resolverlos están bien definidos.

Celda 2. En la celda 2, existe una alta incertidumbre acerca de los problemas y prioridades, de manera que la negociación y el compromiso se utilizan para alcanzar el consenso. Abordar un problema puede significar que la organización deba posponer la

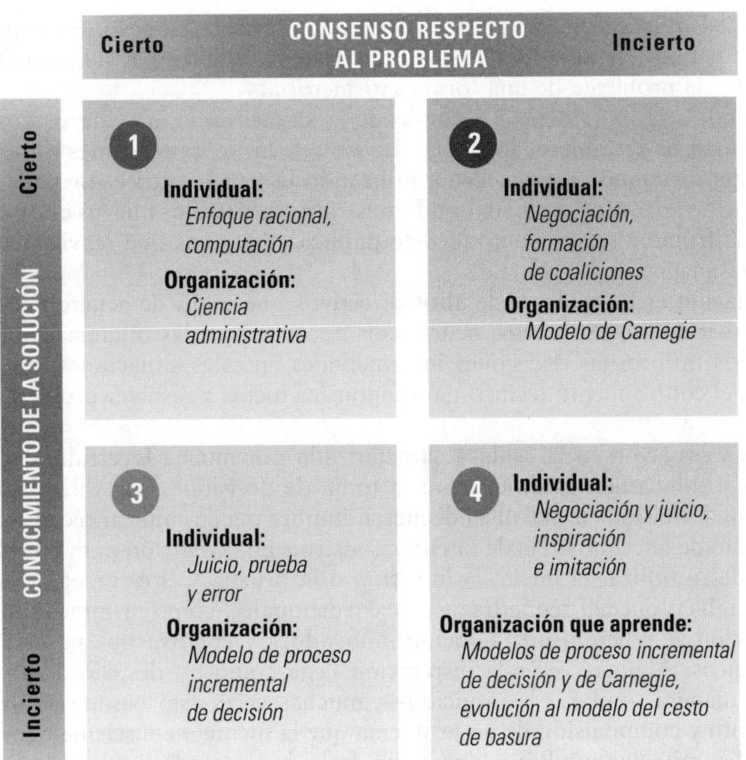

CUADRO 12.8
Marco de contingencia para el uso de modelos de decisión

acción en otros asuntos. Las prioridades que se conceden a los respectivos problemas se deciden a través de la discusión, el debate y la construcción de coaliciones.

Los directivos en esta situación deben fomentar una amplia participación para lograr el consenso en el proceso de decisión. Las opiniones deben sacarse a la luz y discutirse hasta que se logre algún compromiso. De otra manera, la organización no avanzará como una unidad integrada. En el caso de Wal-Mart, los directivos analizarán las opciones en conflicto acerca de los costos y beneficios de las patrullas en los estacionamientos.

El modelo de Carnegie es aplicable cuando existe un desacuerdo acerca de los problemas organizacionales. Cuando los grupos internos están en desacuerdo, o cuando la organización está en conflicto con sus constituyentes (los reguladores gubernamentales, los proveedores, los sindicatos), se requiere la negociación. La estrategia para negociar es en especial relevante en la etapa de identificación del problema. Una vez que se realiza el acuerdo, la organización apoyará un rumbo determinado.

Celda 3. En la situación de la celda 3, los problemas y estándares de desempeño son claros, pero las soluciones técnicas alternativas son vagas e inciertas. Los caminos para resolver un problema están mal definidos y no están bien comprendidos. Cuando el directivo individual se enfrenta con esta situación, la intuición será la directriz para la decisión. Él confiará en la experiencia y el juicio pasado para tomar una decisión. Los enfoques analíticos y racionales no son efectivos debido a que las alternativas no se pueden identificar ni calcular. No se cuenta con datos reales y concretos ni con información exacta.

El modelo del proceso incremental de decisión refleja la prueba y el error de parte de la organización. Una vez que el problema se identifica, una secuencia de pequeños pasos permitirá llegar a una solución. A medida que surgen nuevos problemas, la organización puede retroceder a un punto anterior y comenzar de nuevo. En forma eventual, durante un periodo de meses o años, la organización adquirirá la suficiente experiencia para resolver el problema de una forma satisfactoria.

McDonald's proporciona un ejemplo de la situación de la celda 3. Los directivos están en busca de restablecer las lánguidas ventas en los restaurantes estadounidenses de la cadena de comida rápida. Están utilizando la prueba y el error para contar con la combinación adecuada de cambios administrativos, artículos nuevos del menú como la ensalada de frutas y nuez, y enfoques de publicidad frescos que reaviven las ventas y renueven la imagen de McDonald's.

La situación en la celda 3, de altos directivos que están de acuerdo en problemas pero sin saber cómo resolverlos, ocurre con frecuencia en las organizaciones de negocios. Si ellos utilizan las decisiones incrementales en tales situaciones, eventualmente adquirirán el conocimiento técnico para lograr las metas y resolver problemas.

Celda 4. La situación en la celda 4 caracterizada por mucha incertidumbre acerca de problemas y soluciones, es difícil para la toma de decisiones. Un directivo individual que tomó una decisión en este nivel de incertidumbre puede emplear técnicas tanto de la celda 2 como de la celda 3. Puede intentar construir una coalición para establecer metas y prioridades y utilizar el juicio, la intuición o la prueba y el error para resolver problemas. También pueden requerirse técnicas adicionales, como inspiración e imitación. La **inspiración** se refiere a una solución innovadora y creativa que no se alcanza por medios lógicos. Algunas veces la inspiración llega como un destello de comprensión, pero —de manera similar a la intuición—, muchas veces está basada en un profundo conocimiento y comprensión de un problema que la mente inconsciente tiene tiempo de meditar.[61] La **imitación** implica adoptar una decisión intentada en alguna otra parte con la esperanza de que funcione en esta situación.

Por ejemplo, en una universidad, los profesores del área contable no estaban satisfechos con sus circunstancias actuales pero no podían decidir acerca del rumbo que el departamento debía tomar. Algunos profesores miembros deseaban una mayor orientación hacia la investigación, mientras otros deseaban una mayor orientación hacia las empresas de negocios y las aplicaciones contables. El desacuerdo sobre las metas estaba agravado debido a que ningún grupo estaba seguro de la mejor técnica para lograr sus metas. La solución final se obtuvo gracias a una inspiración del decano. Se estableció un centro de investigación con el financiamiento de las principales empresas contables. El dinero se utilizó para costear actividades de los profesores interesados en la investigación básica y en proporcionar contacto con las empresas de negocios para los demás. La solución ofreció una meta común y gente unificada dentro del departamento.

Cuando una organización entera está caracterizada por alta incertidumbre referente tanto a problemas como a soluciones, como en el caso de las organizaciones que aprenden, aparecerán los elementos del cesto de basura. Los directivos pueden intentar en primera instancia las técnicas de la celda 2 y 3, pero las secuencias lógicas de decisión que comienzan con la identificación del problema y terminan con su solución no ocurrirán. Las soluciones potenciales precederán a los problemas con tanta frecuencia como los problemas preceden a las soluciones. En esta situación, los directivos deben fomentar una discusión difundida de los conflictos y de las propuestas e ideas para facilitar la oportunidad de hacer elecciones. Eventualmente, a través de la prueba y el error, la organización resolverá algunos problemas.

La investigación ha demostrado que las decisiones que se toman según las prescripciones del marco de contingencia tienden a ser las más exitosas. Sin embargo, el estudio observó que cerca de 6 a 10 decisiones administrativas estratégicas no siguieron el marco, lo que produjo una situación en la cual la información faltante o equivocada disminuía la oportunidad de una elección de decisión efectiva.[62] Los directivos pueden utilizar el marco de contingencia del cuadro 12.8 para mejorar la probabilidad de decisiones organizacionales exitosas.

Circunstancias especiales de decisión

En un mundo muy competitivo asediado por la competencia global y el rápido cambio, pocas veces la toma de decisiones encaja en el modelo analítico y racional tradicional, los directivos contemporáneos tienen que tomar decisiones que entrañan altas inversiones con más frecuencia y con más rapidez que nunca antes en un entorno que cada vez es menos predecible. Por ejemplo, entrevistas con directivos generales en fábricas de tecnología bastante avanzada encontraron que luchan por utilizar algún tipo de proceso racional, pero la incertidumbre y el cambio en la industria muchas veces hacen que su enfoque sea poco exitoso. La forma en que éstos en realidad toman las decisiones es a través de una interacción compleja con otros ejecutivos, subordinados, factores del entorno y eventos organizacionales.[63]

Las tres cuestiones de interés particular para quienes toman las decisiones en la actualidad son: Enfrentarse a entornos de alta velocidad, aprender de los errores de decisión y evitar el compromiso progresivo.

Entornos de alta velocidad

En algunas industrias de la actualidad, la velocidad del cambio competitivo y tecnológico es tan extrema que los datos del mercado se vuelven obsoletos o no están disponibles, las ventanas estratégicas se abren y se cierran con rapidez, quizá en pocos meses, y el costo de las malas decisiones redunda en el fracaso de la organización. La investigación ha examinado cómo toman sus acuerdos las compañías exitosas en estos entornos de alta velocidad, en especial para entender si las organizaciones abandonan los enfoques racionales o tienen tiempo para la implementación incremental.[64]

Una comparación de decisiones exitosas no son exitosas en entornos de alta velocidad, encontró los siguientes patrones:

- Las personas triunfadoras encargadas de tomar decisiones rastrean la información en tiempo real para desarrollar una comprensión profunda e intuitiva del negocio. Es común que se lleven a cabo dos a tres juntas intensas a la semana con todos los participantes clave. Quienes toman el mando rastrean las estadísticas operativas acerca del efectivo, los residuos, la acumulación, el trabajo en proceso y los envíos para percibir de manera constante el pulso de lo que está sucediendo. Las firmas poco exitosas están más preocupadas por la planeación y la información futuras, y tienen poco control de los sucesos inmediatos.
- Durante una decisión importante, las compañías exitosas comienzan a construir de inmediato escenarios múltiples. La implementación de alternativas algunas veces corre en paralelo antes que se establezcan en una elección final. Las compañías que toman decisiones con lentitud desarrollan sólo una alternativa, y adoptan otras sólo después de que la primera falla.
- Las personas encargadas de la toma de decisiones rápidas y exitosas buscan consejo de todos y dependen en mayor medida de uno o dos colegas expertos y confiables como consejeros. Las compañías lentas no son capaces de construir confianza y consenso entre la mejor gente.
- Las compañías rápidas implican a todos en las decisiones e intentan lograr el consenso; pero si éste no surge, el alto directivo tomará la decisión y avanzará. Esperar a todos, crea más retrasos de los que garantiza. Las compañías lentas retrasan las decisiones para obtener un consenso uniforme.
- Las elecciones rápidas y exitosas están bien integradas con otras decisiones y con la dirección estratégica global de la compañía. Las elecciones menos exitosas consideraron a la decisión en forma independiente; ésta se tomó en lo abstracto.[65]

Cuando la velocidad importa, una decisión lenta es tan poco efectiva como una equivocada. Como se analizó en el capítulo 11, la velocidad es un instrumento crucial en

Portafolios

Como gerente de una organización, tenga en mente estos lineamientos:

Rastree información en tiempo real, construya múltiples alternativas de manera simultánea, intente involucrar a todos, pero de cualquier manera avance cuando tome decisiones en un entorno de alta velocidad.

un número creciente de industrias, y las compañías pueden aprender a tomar decisiones con rapidez. Para mejorar las oportunidades de que se tome buena decisión en condiciones de alta velocidad, algunas organizaciones estimularon el conflicto constructivo mediante una técnica denominada **punto contra punto,** la cual divide a los tomadores de decisiones en dos bandos y se les asignan diferentes responsabilidades, muchas veces en conflicto.[66] Los grupos desarrollan e intercambian propuestas y debaten opciones hasta que llegan a un conjunto común de entendimientos y recomendaciones. Muchas veces, ellos toman mejores decisiones debido a que se consideran opiniones diversas y múltiples. De cara a la complejidad de incertidumbre, cuanta más gente tenga que decir en una toma de decisiones, será mejor. En Intel Corp., el proceso de toma de decisiones por lo general involucra a gente de diferentes áreas y niveles de la jerarquía, "que debate entre sí acerca de las ventajas y desventajas de esto o lo otro", afirma el director general Craig Barret.[67]

En la toma de decisiones grupal, no siempre se alcanza un consenso, pero el ejercicio ofrece a todos la oportunidad de considerar las opciones y expresar sus opiniones, y a los altos directivos les proporciona una comprensión más amplia. Por lo general, las personas que participan apoyan la elección final. Sin embargo, si se requiere una decisión muy rápida, los altos directivos están dispuestos a tomarla y avanzar. Una vez que se ha tomado un acuerdo en Intel, por ejemplo, es responsabilidad de todos participar y comprometerse, incluso si están en desacuerdo. Como lo expresa Barrett, "no hay recriminaciones, ni críticas. Se tomó una decisión, y vamos hacia adelante".[68]

Errores de decisión y aprendizaje

Las decisiones organizacionales generan muchos errores, en especial cuando se toman en condiciones de alta incertidumbre. Los directivos simplemente no pueden determinar o predecir qué alternativa resolverá un problema. En estos casos, se debe tomar la decisión —y asumir el riesgo— muchas veces de la misma forma que un proceso de prueba y error. Si una alternativa fracasa, se puede aprender de ella e intentar otra que se adecue mejor a la situación. Cada falla proporciona nueva información y comprensión. Lo importante es avanzar con el proceso de decisión a pesar del potencial de errores. "La acción caótica es preferible a la inacción ordenada."[69]

En algunas organizaciones, se alienta a los directivos a infundir un clima de experimentación para facilitar la toma de decisiones creativas. Si una idea fracasa, otra debe intentarse. La derrota muchas veces sienta las bases para el éxito, como cuando los técnicos de 3M desarrollaron los Post-it basados en un producto deficiente: un pegamento sin la suficiente adherencia. Compañías como PepsiCo piensan que si todos sus nuevos productos tienen éxito, están haciendo algo mal, no están tomando los riesgos necesarios para desarrollar nuevos mercados.[70]

Sólo por medio de cometer errores los directivos y las organizaciones podrán pasar por el proceso de **aprendizaje de decisiones** y adquirir la suficiente experiencia y conocimiento para desempeñarse con más efectividad en el futuro. Robert Townsend, quien era presidente de Avis Corporation, da el siguiente consejo:

Admita sus errores abiertamente, y quizá hasta con alegría. Anime a sus asociados a hacer lo mismo pero simpatice con ellos, nunca los castigue. Los bebés aprenden a caminar cuando se caen. Si usted golpea a un bebé cada vez que cae, éste nunca tendrá seguridad al caminar.

Mi promedio de bateo en las decisiones en Avis no era mejor que .333. Dos de cada tres decisiones que tomaba eran erróneas. Pero mis errores fueron discutidos abiertamente y la mayoría de ellos corregidos con un poco de ayuda de mis amigos.[71]

Compromiso progresivo

Un error mucho más peligroso es persistir en un curso de acción cuando éste es defectuoso, una tendencia denominada **compromiso progresivo**. La investigación sugiere que las organizaciones con frecuencia invierten tiempo y dinero en una solución a pesar de la fuerte evidencia de que no está funcionando. Se dan dos explicaciones por las cuales los directivos progresan en su compromiso con una decisión defectuosa. La primera es que ellos bloquean o distorsionan la información negativa cuando son responsables por una decisión negativa y no saben cuándo detenerse. En algunos casos, tiran dinero bueno incluso cuando una estrategia parece incorrecta y las metas no se han alcanzado.[72]

Una segunda explicación para el compromiso progresivo con una decisión equivocada es que la constancia y persistencia son valiosas en la sociedad contemporánea. Los directivos que persisten son considerados mejores líderes que aquellos que van de un curso de acción a otro. Aunque las organizaciones aprenden a través de la prueba y el error, las normas valoran la tenacidad. Estas reglas pueden generar un curso de acción que se mantiene, recursos que se desperdician y aprendizaje inhibido. El énfasis en el liderazgo constante fue responsable en parte del rechazo de Long Island Lighting Company's (LILCO's) a cambiar de curso en la construcción de la planta de energía nuclear Shoreham, la cual fue al final abandonada —después de una inversión de más de $5 mil millones— sin siquiera haber empezado a funcionar. El costo de Shoreham estaba estimado en $75 millones cuando el proyecto se anunció en 1966, pero para el momento en que el permiso de construcción fue concedido, LILCO ya había gastado $77 millones. La oposición a la energía nuclear estaba en aumento, los críticos repudiaron de manera abierta las enormes sumas de dinero que se estaban invirtiendo en Shoreham. Los clientes se quejaron de que LILCO estaba menoscabando el servicio al cliente y el mantenimiento de sus operaciones existentes. Sin embargo, los funcionarios de Shoreham parecían estar convencidos de que triunfarían al final; y en respuesta a las inconformidades afirmaron, "si la gente tan sólo esperara hasta el final, se daría cuenta de que ésta es una inversión excelente".

El final llegó en 1989, cuando un acuerdo negociado con el estado de Nueva York decretó que LILCO abandonara la planta de $5500 millones a cambio de incrementos en sus tarifas y $2500 millones en deducciones fiscales. Para el tiempo en que el gobernador Mario Cuomo firmó un acuerdo con la compañía, LILCO había permanecido comprometida con un curso de acción destinado al fracaso durante más de 23 años.[73]

No admitir un error y adoptar un nuevo curso de acción es mucho peor que una actitud que tolera los fracasos y fomenta el aprendizaje. Con base en lo dicho acerca de la toma de decisiones en este capítulo, uno podría esperar que las compañías fueran al final exitosas en su toma de decisiones al adoptar un enfoque de aprendizaje para las soluciones. Cometerán errores en el camino, pero resolverán la incertidumbre a través del proceso de prueba y error.

Portafolios

Como gerente de una organización, tenga en mente estos lineamientos:

No persista en un curso de acción si éste está destinado al fracaso. Algunas acciones no funcionarán si la incertidumbre es alta, de manera que fomente el aprendizaje organizacional al intentar nuevas alternativas con facilidad. Busque información y evidencia que indique cuando un curso de acción sea endeble, y destine recursos a nuevas elecciones y no a riesgos infructuosos.

Resumen e interpretación

La idea más importante en este capítulo es que la mayoría de las decisiones organizacionales no se toman de una forma lógica y racional. La mayoría de las decisiones no comienzan con un análisis cuidadoso de un problema, seguido por un estudio sistemático de las alternativas y después por la implementación de una solución. Por el contrario, los procesos de decisión están caracterizados por el conflicto, la construcción de coaliciones, la prueba y el error, la velocidad y los errores. Los directivos operan bajo muchas restricciones que limitan la racionalidad; por lo tanto, la intuición y las corazonadas con gran frecuencia son los criterios para elegir.

Otra idea importante es que los individuos toman decisiones, pero no las toma un solo individuo. La toma de decisiones organizacionales es un proceso social. Sólo en raras circunstancias los directivos analizan los problemas y encuentran soluciones por ellos mismos. Muchos problemas no son claros, de manera que se producen la discusión difundida y la construcción de coaliciones. Una vez que se establecen las metas y las prioridades, pueden intentarse alternativas para lograr estas metas. Cuando un directivo no toma una decisión, muchas veces esto es una pequeña parte de un proceso más largo. Las organizaciones resuelven grandes problemas a través de una serie de pequeñas etapas. Un solo directivo puede iniciar una etapa pero debe estar consciente del proceso de decisión más grande al cual ésta pertenece.

La mayor cantidad de conflicto y de construcción de coaliciones ocurre cuando no existe un consenso acerca del problema. Se deben establecer prioridades para indicar qué metas son importantes y qué problemas se deben resolver primero. Si un ejecutivo atacó un problema y otras personas no estaban de acuerdo con esto, perderá el apoyo para que la solución sea implementada. Así, el tiempo y la actividad deben invertirse en la construcción de una coalición en la etapa de identificación del problema de la toma de decisiones. Entonces la organización podrá avanzar hacia la solución. Bajo condiciones de poco conocimiento técnico, la toma de decisiones se despliega como una serie de intentos incrementales que poco a poco producirán una solución global.

La descripción más reciente de la toma de decisiones es el modelo del cesto de basura. En él se describe la forma en que los procesos pueden parecer casi aleatorios en compañías altamente orgánicas como las organizaciones que aprenden. Las decisiones, los problemas, las ideas y la gente fluyen a través de la organización y se mezclan en diferentes combinaciones. A través de este proceso, la organización aprende de manera gradual. Algunos problemas quizá nunca se resuelvan, pero hay muchos, y en esta forma se avanzará hacia el mantenimiento y mejora del nivel de desempeño.

Por último, muchas veces se deben tomar las decisiones con presteza, lo que significa permanecer en contacto inmediato con las operaciones y el entorno. Además, en un mundo incierto, se cometerán errores, y deben alentarse las equivocaciones a través de mecanismos de prueba y error. Fomentar los procedimientos de prueba y error posibilita la existencia de la organización que aprende. Por otro lado, la poca voluntad de cambiar un curso de acción fallido puede tener consecuencias seriamente negativas. Las normas de constancia y el deseo del probar que la decisión que se ha tomado es la correcta, puede producir una inversión continua en un curso de acción inútil.

Conceptos clave

anarquía organizada
aprendizaje mediante la decisión
coalición
compromiso progresivo
conocimiento técnico
consenso respecto al problema
decisiones no programadas
decisiones programadas
entornos de alta velocidad
enfoque de la ciencia administrativa
enfoque racional
identificación del problema
imitación
inspiración
investigación del problema
marco de contingencia para la toma de decisiones
modelo de Carnegie
modelo del cesto de basura
modelo del proceso incremental de decisión
perspectiva racional limitada
punto-contra punto
solución del problema
solución satisfactoria
toma de decisiones organizacionales
toma de decisiones intuitiva

Preguntas para análisis

1. Cuando usted tiene que elegir entre diferentes opciones válidas, ¿cómo toma por lo general su decisión? ¿Cómo cree que los directivos eligen por lo general entre diferentes opciones? ¿Qué similitudes existen entre su proceso de decisión y lo que usted cree que ellos hacen?
2. Un economista profesional alguna vez dijo a su clase, "Una persona encargada de tomar las decisiones debe procesar toda la información relevante y elegir la alternativa racional desde el punto de vista económico". ¿Está usted de acuerdo? ¿Por qué?
3. ¿Piensa que la intuición es una forma válida de tomar decisiones importantes de negocios? ¿Por qué? ¿Cuándo ha utilizado usted su intuición para tomar una decisión?
4. El modelo de Carnegie enfatiza la necesidad de una coalición política en el proceso de toma de decisiones. ¿Cuándo y por qué son necesarias las coaliciones?
5. ¿Cuáles son las tres principales etapas del modelo de proceso incremental de decisión de Mintzberg? ¿Por qué una organización puede retroceder una o más fases en el modelo?
6. Un teórico de la organización alguna vez le dijo a su clase, "Las organizaciones nunca toman grandes decisiones, sino pequeñas decisiones que eventualmente se agregan a una gran decisión". Explique la lógica que sustenta esta afirmación.
7. ¿Cómo tomaría usted una decisión para elegir el sitio en que se debe construir una nueva planta de tratamiento de desechos en Filipinas? ¿Dónde comenzaría el proceso de esta decisión compleja, y qué pasos tomaría? Explique cuál modelo de decisión en el capítulo describe mejor su enfoque.
8. ¿Por qué los directivos en entornos de alta velocidad se preocupan más por el presente que por el futuro? Analice.
9. Describa cuatro corrientes de circunstancias en el modelo del cesto de basura para la toma de decisiones. ¿Piensa usted que estas corrientes son independientes entre sí? ¿Por qué?
10. ¿Por qué los errores de decisión por lo general son aceptados en organizaciones pero se penalizan en cursos académicos y exámenes que están diseñados para capacitar directivos?

Libro de trabajo del capítulo 12: Estilos de decisión*

Piense en algunas decisiones recientes que hayan tenido influencia en su vida. Elija dos decisiones importantes que haya tomado y dos decisiones que otra gente haya tomado. Complete la siguiente tabla mediante el cuadro 12.8 para determinar los estilos de decisión.

*Adaptado de Dorothy Marcic de "Action Assignment" en Jennifer M. Howard y Lawrence M. Miller, *Team Management* (Miller Consulting Group, 1994), 205.

Sus decisiones	Enfoque utilizado	Ventajas y desventajas	Su estilo de decisión recomendado
1.			
2.			
Decisiones de otros			
1.			
2.			

Preguntas

1. ¿Cómo puede un enfoque influir en el resultado de la decisión? ¿Qué sucede cuando el enfoque se adecua a la decisión y cuando no se adecua?
2. ¿Cómo podría usted saber cuál enfoque es el mejor?

Caso para el análisis: Descontrolado por el poder*

Harmon Davidson se quedó y miró con gran desánimo la figura que partía de su líder de equipo de encuesta administrativa. Su reunión no había salido bien. Davidson había comunicado a Al Pitcher las quejas acerca de su manejo de la encuesta. Pitcher había respondido con una inflexible negación y un desprecio evidente.

Davidson, director de administración de las oficinas centrales, estaba preparado para hacer caso omiso a las críticas y considerarlas como resentimiento por parte de intrusos que se entrometían con "la forma en que siempre hacemos negocios", y que estaban nerviosos por la turbulencia de la reorganización continua. Pero fue difícil para Davidson ignorar el caudal de quejas o el alto nivel de algunas de sus fuentes. "¿Habré estado ignorando las señales de alarma de Pitcher desde el principio?" se preguntó Davidson. "¿O sólo le estuve cediendo a un tipo que no conocía la oportunidad de una tarea inherentemente controvertida?"

Con su división diezmada en la última ronda de *downsizing* en el departamento de servicios técnicos (DST) al principio de ese año, se había pedido a Davidson que regresara a la oficina de la administración de las oficinas centrales después de una pausa de cinco años. El director, Walton Drummond, se había jubilado de manera prematura y abrupta.

Una de las primeras cosas que Davidson aprendió en su nuevo puesto era que él sería el responsable de una encuesta semestral de la estructura y procesos de la administración de las oficinas centrales. La secretaría de DST había prometido la encuesta a la Casa Blanca como preludio de la siguiente fase de reforma administrativa de la agencia. Drummond había elegido un equipo encuestador de cinco personas compuesto por dos analistas administrativos experimentados, un miembro prometedor más joven, un interno y Pitcher, el líder del equipo. Pitcher acababa de salir del Departamento del Tesoro, donde había participado en una encuesta similar. Pero después de su jubilación, Drummond partió a una expedición de escalada de montaña en Asia. Por lo tanto no podría explicar sus planes de encuesta o cualquier acuerdo al que hubiera llegado con Pitcher.

A Davidson lo había impresionado la energía y motivación de Pitcher. Trabajaba muchas horas, escribía mucho aunque con torpeza, y rebosaba en conocimientos sobre la teoría organizacional moderna. Sin embargo, Pitcher tenía otras características que eran intranquilizantes. Parecía poco interesado en la historia y cultura de DST y sentía desprecio hacia los altos directivos, y suponía que eran poco sofisticados y que no les interesaban los conceptos de la administración moderna.

Una serie de resúmenes informativos anteriores a la encuesta dirigida a los directivos de las oficinas centrales que realizaron Davidson y Pitcher parecía marchar a las mil maravillas. Pitcher prescindió de sus conocimientos en filosofía y limitó sus comentarios al programa y los procedimientos. Cerró su segmento con una nota amigable que decía, "Si encontramos oportunidades de mejora intentaremos proporcionar recomendaciones".

Pero la encuesta con trabajo cumplió una semana de edad cuando el director de administración recibió la primera llamada de un cliente indignado. Era la subsecretaria de asuntos públicos, Erin Dove, y no estaba llamando en su acostumbrado tono amable. "Su gente se las ha arreglado para molestar a todo mi personal de supervisión con comentarios acerca de cómo tendremos que cambiar nuestra organización y métodos", se quejó. "Creo que están realizando un trabajo de indagación de hechos. Este tipo, Pitcher, parece como si quisiera rehacer DST de la noche a la mañana. ¿Quién se cree que es?"

Cuando Davidson le preguntó acerca de su encuentro con asuntos públicos, Pitcher expresó su asombro de que unas pocas observaciones breves compartidas con los supervisores con el fin de "fomentar la retroalimentación informal" hubieran sido interpretadas con tales conclusiones molestas. "Les dije que les diríamos cómo arreglarlo", le volvió a asegurar a su supervisor.

"Escucha, Al" Davidson amonestó con gentileza. "Éstos son directivos muy competentes que no están acostumbrados a que se les pida que arreglen nada. Esta agencia ha estado en funciones por años, y la necesidad de reinvención aún no es bien recibida del todo. Debemos recabar y analizar la información y armar un discurso convincente para el cambio, o estaremos trabajando en vano. Pospongamos la retroalimentación hasta que ambos hayamos revisado esto juntos."

Pero dos semanas después, el director de desarrollo tecnológico, Phil Canseco, un antiguo y apreciado colega, estaba en las escaleras de la entrada de Davidson, tan enojado como Erin Dove había sonado por teléfono. "Harmon, amigo, pienso que tienes que poner orden en este equipo encuestador", afirmó. "Varios gerentes que tenían programadas entrevistas para la encuesta estuvieron trabajando una ronda de 24 horas para enviar un presupuesto de proyecto revisado al subcomité de apropiaciones ese día. Mi delegado dice que Pitcher molestaba a todos con posponer las entrevistas y preguntaba de malos modos si habíamos entendido las nuevas prioridades. ¿Está viviendo en el mundo real?"

Los comentarios de Canseco incitaron a Davidson a llamar a algunos de sus colegas respetados que habían tenido tratos con el equipo encuestador. Con varios grados de renuencia, todos criticaron a los líderes del equipo y, en algunos casos, a los miembros del equipo, como exasperantes y poco interesados en las razones de la estructura y procesos existentes que se les ofrecían.

*Este caso fue preparado por David Hornestay y apareció en *Goverment Executive*, agosto 1998, 45-46, como parte de una serie de estudios de caso que examinan los dilemas del lugar de trabajo que confrontan los directivos federales. Reimpreso con autorización de *Government Executive*.

Así, Davidson hizo acopio de toda su diplomacia para una revisión con el líder del equipo encuestador. Pero Pitcher no estaba de humor para la introspección o la consideración. Pensaba que había sido traído para encabezar una iniciativa de mejora administrativa inspirada en la Casa Blanca para una glamorosa agencia que nunca había considerado con seriedad la eficiencia. Recordó a Davidson que incluso él mismo había admitido que los directivos estaban atrasados en algunas materias. Pitcher no vio ninguna forma de cumplir con su fecha límite salvo apegarse a un programa riguroso, dado que estaba trabajando con directivos poco dispuestos a cooperar con un intruso que estaba impulsando un ejercicio impopular. Creía que la función de Davidson era defender sus objetivos contra críticas injustificadas de prima donnas que intentaban desacreditar la encuesta.

Muchas preguntas surgieron en la mente de Davidson acerca del plan de encuesta y la capacidad de su división de realizarlo. ¿Habían asumido una responsabilidad demasiado grande con muy pocos recursos? ¿Había elegido a la gente correcta para el equipo encuestador? ¿Los directivos y ejecutivos, e incluso el equipo, estaban preparados en forma adecuada para la encuesta?

Pero la pregunta más inmediata era si Al Pitcher le podía ayudar con estos problemas.

Caso para el análisis: El dilema de Aliesha State College: Competencia frente a necesidad*

Hasta la década de 1980, Aliesha era un célebre, aunque aletargado, colegio de maestros, ubicado a las afueras de una importante área metropolitana. Después de la rápida expansión en las matriculaciones a los colegios, el estado convirtió a Aliesha en un colegio estatal de estudios de cuatro años (y los planes demandaban que se convirtiera en una universidad estatal con estudios de licenciatura e incluso con una escuela de medicina a finales de la década de 1990). En 10 años, Aliesha creció de 1500 a 9000 estudiantes. Su presupuesto se expandió incluso con mayor rapidez que las matriculaciones, y durante ese periodo se cuadriplicó.

La única parte de Aliesha que no creció, fue la original, el colegio de maestros; ahí la matriculación en realidad declinó. Todo lo demás parecía florecer. Además de construir escuelas nuevas para el estudio en cuatro años de humanidades, negocios, medicina veterinaria y odontología, Aliesha desarrolló muchos programas de servicio a la comunidad. Entre ellos había un programa vespertino en rápido crecimiento, una clínica de salud mental y un centro de atención para niños con deficiencias de lenguaje: el único en el área. Incluso dentro de la educación creció un área: la escuela secundaria de demostración adyacente al antiguo colegio de maestros. A pesar de que la secundaria matriculó sólo a 300 estudiantes, sus profesores eran líderes expertos en la educación y era considerada la mejor secundaria en la zona.

Luego, en 1992, de pronto el presupuesto fue recortado drásticamente por la legislatura estatal. Al mismo tiempo los profesores demandaron y obtuvieron un importante incremento en su salario. Era claro que algo había que ceder: el déficit presupuestal era demasiado grande para ser cubierto por reducciones ordinarias de costos. Cuando el comité del profesorado se reunió con el presidente y consejo de albaceas, surgieron dos candidatos para la suspensión después de un largo y acalorado altercado: El programa de terapia de lenguaje y la escuela secundaria de demostración. Ambos costaban casi lo mismo, y eran muy costosos. Todos estaban de acuerdo en que la clínica de terapia de lenguaje atendía una necesidad real y de alta prioridad. Pero —y todos tuvieron que aceptarlo debido a la apabullante evidencia— no había realizado su trabajo. De hecho, hizo un trabajo tan deficiente, negligente y desorganizado que los pediatras, los psiquiatras y los psicólogos se rehusaban a remitir a sus pacientes a esta clínica. La razón era que la clínica era un programa de bachillerato que funcionaba para enseñar a los estudiantes de psicología y no ayudaba a los niños con serios impedimentos de lenguaje.

La crítica opuesta aplicó a la escuela secundaria. Nadie cuestionaba su excelencia y el impacto que había tenido en la educación de los estudiantes que asistían a sus clases y en muchos jóvenes maestros del área que habían venido como auditores. Pero, ¿qué necesidad satisfacía? Había una abundancia de secundarias bastante adecuadas en la zona.

"¿Cómo se puede justificar", preguntó uno de los psicólogos relacionados con la clínica del lenguaje, "manejar una secundaria innecesaria en la que cada niño cuesta tanto como un estudiante graduado de Harvard?".

"Pero, ¿cómo podemos justificar", preguntó el decano de la escuela de educación, y uno de los extraordinarios profesores de la escuela secundaria, "una clínica del leguaje que no da resultados aunque cada paciente le cuesta al estado tanto como uno de nuestros estudiantes de la escuela secundaria de demostración, o más?".

**"The Dilemma of Aliesha State College: Competence versus Need" (pp. 23-24), de *Management Cases* por Peter F. Drucker. Copyright © 1977 por Peter F. Drucker. Reimpreso con autorización del autor.

Notas

1. Michael V. Copeland, "Stuck in the Spin Cycle", *Business* 2.0 (mayo, 2005), 74-75.
2. Carol J. Loomis, "Why Carly's Big Bet Is Failing", *Fortune* (7 de febrero, 2005), 50-64; David Bank y Joann S. Lublin, "For H-P, No Shortage of Ideas; Turnaround Experts Offer Wide Range of Conflicting Strategies", *Asian* Wall *Street Journal* (14 de febrero, 2005), M5 y James B. Stewart, "Common Sense: Finding a New CEO Won't Help Unless H-P Finds New Products", *The* Wall *Street Journal* (23 de febero, 2005), D3.
3. Alex Markels, "10 Biggest Business Blunders", *U.S. News & World Report* (8 de noviembre, 2004), EE2-EE8.
4. Adam Horowitz, Mark Athitakis, Mark Lasswell y Owen Thomas, "101 Dumbest Moments in Business", *Business 2.0* (enero-febrero 2005), 103-112.
5. Merissa Marr, "Return of the Ogre; How Dream Works Misjudged DVD Sales of Its Monster Hit", *The* Wall *Street Journal* (31 de mayo, 2005), A1, A9.
6. Saul Hansell, "Meg Whitman and eBay, Net Survivors", *The New York Times* (5 de mayo , 2002), 17; Michael V. Copeland y Owen Thomas, "Hits (& Misses)", *Business 2.0* (enero-febrero, 2004), 126; Carlos Ghosn, "Saving the Business without Losing the Company", *Harvard Business Review* (enero 2002), 37-45.
7. Charles Lindblom, "The Science of 'Muddling Through,'" *Public Administration Review* 29 (1954), 79-88.
8. Herbert A. Simon, *The New Science of Management Decision* (Englewood Cliffs, N.J.: Prentice-Hall, 1960), 1-8.
9. Paul J. H. Schoemaker y J. Edward Russo, "A Pyramid of Decision Approaches", *California Management Review* (otoño, 1993), 9-31.
10. Rick Brooks, "Sealing Their Fate; A Deal with Target Put Lid on Revival at Tupperware", *The Wall Street Journal* (febrero 18, 2004), A1, A9.
11. Michael Pacanowsky, "Team Tools for Wicked Problems", *Organizational Dynamics* 23, núm. 3 (invierno, 1995), 36-51.
12. Doug Wallace, "What Would You Do? Southern Discomfort", *Business Ethics* (marzo/abril, 1996), 52-53; Renee Elder, "Apparel Plant Closings Rip Fabric of Community's Employment", *The Tennessean* (noviembre 3, 1996), 1E.
13. Karen Dillon, "The Perfect Decision" (entevista con John S. Hammond y Ralph L. Keeney), *Inc.* (octubre, 1998), 74-78; John S. Hammond y Ralph L. Keeney, *Smart Choices: A Practical Guide to Making Better Decisions* (Boston, Mass.: Harvard Business School Press, 1998).
14. Earnest R. Archer, "How to Make a Business Decision: An Analysis of Theory and Practice", *Management Review 69* (febrero 1980), 54-61; y Boris Blai, "Eight Steps to Successful Problem Solving", *Supervisory Management* (enero 1986), 7-9.
15. Francine Schwadel, "Christmas Sales' Lack of Momentum Test Store Managers' Mettle", *The Wall Street Journal* (16 de diciembre, 1987), 1.
16. Adaptado de Archer, "How to Make a Business Decision", 59-61.
17. James W. Dean, Jr., y Mark P. Sharfman, "Procedural Rationality in the Strategic Decision-Making Process", *Journal of Management Studies* 30 (1993), 587-610.
18. Farnaz Fassihi, Greg Jaffe, Yaroslav Trofimov, Carla Anne Robbins y Yochi J. Dreazen, "Winning the Peace; Early U. S. Decisions on Iraq Now Haunt American Efforts", *The Wall Street Journal* (19 de abril , 2004), A1, A14.
19. Art Kleiner, "Core Group Therapy", *Strategy & Business,* núm. 27 (segundo trimestre, 2002), 26-31.
20. Irving L. Janis, *Crucial Decisions: Leadership in Policymaking and Crisis Management* y (Nueva York, The Free Press, 1989); y Paul C. Nutt, "Flexible Decision Styles and the Choices of Top Executives", *Journal of Management Studies* 30 (1993), 695-721.
21. Herbert A. Simon, "Making Management Decisions: The Role of Intuition and Emotion", *Academy of Management Executive* 1 (febrero 1987), 57-64; y Daniel J. Eisenberg, "How Senior Managers Think", *Harvard Business Review* 62 (noviembre-diciembre 1984), 80-90.
22. Sefan Wally y J. Robert Baum, "Personal and Structural Determinants of the Pace of Strategic Decision Making", *Academy of Management Journal* 37, núm. 4 (1994), 932-956; y Orlando Behling y Norman L. Eckel, "Making Sense Out of Intuition", *Academy of Management Executive* 5, núm. 1 (1991), 46-54.
23. Gary Klein, *Intuition at Work: Why Developing Your Gut Instincts* Will *Make You Better at What You Do* (Nueva York: Doubleday, 2002); Milorad M. Novicevic, Thomas J. Hench, y Daniel A. Wren, "'Playing By Ear . . . In an Incessant Din of Reasons': Chester Barnard and the History of Intuition in Management Thought", *Management Decision* 40, núm. 10 (2002), 992-1002; Alden M. Hayashi, "When to Trust Your Gut", *Harvard Business Review* (febrero 2001), 59-65; Brian R. Reinwald, "Tactical Intuition", *Military Review* 80, núm. 5 (septiembre-octubre 2000), 78-88; Thomas A. Stewart, "How to Think with Your Gut", *Business* 2.0 (noviembre 2002), visitado en *http://www.business2.com/articles* el 7 de noviembre de 2002; Bill Breen, "What's Your Intuition?" *Fast Company* (septiembre 2000), 290-300; y Henry Mintzberg y Frances Westley, "Decision Making: It's Not What You Think", *MIT Sloan Management Review* (primavera 2001), 89-93.
24. Thomas F. Issack, "Intuition: An Ignored Dimension of Management", *Academy of Management Review* 3 (1978), 917-922.
25. Marjorie A. Lyles, "Defining Strategic Problems: Subjective Criteria of Executives", *Organizational Studies* 8 (1987), 263-280; y Marjorie A. Lyles y Ian I. Mitroff, "Organizational Problem Formulation: An Empirical Study", *Administrative Science Quarterly* 25 (1980), 102-119.
26. Marjorie A. Lyles y Howard Thomas, "Strategic Problem Formulation: Biases and Assumptions Embedded in Alternative Decision-Making Models", *Journal of Management Studies* 25 (1988), 131-145

27. Ross Stagner, "Corpotate Decision-Making: An Empirical Study", *Journal of Applied Psychology* 53 (1969), 1-13.
28. Reportado en la obra de Eric Bonabeau, "Don't Trust Your Gut", *Harvard Business Review* (mayo 2003), 116ff.
29. Thomas George, "Head Cowboy Gets Off His High Horse", *The New York Times* (21 de diciembre, 2003), sección 8, 1; Stewart, "How to Think with Your Gut."
30. Bonabeau, "Don't Trust Your Gut."
31. Ann Langley, "Between 'Paralysis by Analysis' and 'Extinction by Instinct,'" *Sloan Management Review* (primavera 1995), 63-76.
32. Paul C. Nutt, "Types of Organizational Decision Processes", *Administrative Science Quarterly* 29 (1984), 414-450.
33. Geraldine Fabrikant, "The Paramount Team Puts Profit Over Splash", *The New York Times* (30 de junio, 2002), 1, 15.
34. Nandini Rajagopalan, Abdul M. A. Rasheed y Deepak K. Datta, "Strategic Decision Processes: Critical Review and Future Decisions", *Journal of Management* 19 (1993), 349-384; Paul J. H. Schoemaker, "Strategic Decisions in Organizations: Rational and Behavioral Views", *Journal of Management Studies* 30 (1993), 107-129; Charles J. McMillan, "Qualitative Models of Organizational Decision Making", *Journal of Management Studies* 5 (1980), 22-39; y Paul C. Nutt, "Models for Decision Making in Organizations and Some Contextual Variables Which Stimulate Optimal Use", *Academy of Management Review* 1 (1976), 84-98.
35. Hugh J. Miser, "Operations Analysis in the Army Air Forces in World War II: Some Reminiscences", *Interfaces 23* (septiembre-octubre 1993), 47-49; Harold]. Leavitt, William R. Dill y Henry B. Eyring, *The Organizational World* (Nueva York: Harcourt Brace Jovanovich, 1973), capítulo 6.
36. Stephen J. Huxley, "Finding the Right Spot for a Church Camp in Spain", *Interfaces* 12 (octubre 1982), 108-114; James E. Hodder y Henry E. Riggs, "Pitfalls in Evaluating Risky Projects", *Harvard Business Review* (enero-febrero 1985), 128-135.
37. Edward Baker y Michael Fisher, "Computational Results for Very Large Air Crew Scheduling Problems", *Omega* 9 (1981), 613-618; Jean Aubin, "Scheduling Ambulances", *Interfaces* 22 (marzo-abril 1992), 1-10.
38. Gang Yu, Michael Argüello, Gao Song, Sandra M. McCowan, y Ana White, "A New Era for Crew Recovery at Continental Airlines", *Interfaces* 33, núm. 1 (enero-febrero 2003), 5-22.
39. Julie Schlosser," Markdown Lowdown", *Fortune* (12 de enero, 2004), 40; Christina Binkley, "Numbers Game; Taking Retailers' Cues, Harrah's Taps Into Science of Gambling", *The Wall Street Journal* (22 de noviembre, 2004), A1, A8.
40. Harold J. Leavitt, "Beyond the Analytic Manager", *California Management Review* 17 (1975), 5-12; y C. Jackson Grayson, Jr., "Management Science and Business Practice", *Harvard* Business *Review 51* (julio-agosto, 1973), 41-48.
41. David Wessel, "A Man Who Governs Credit Is Denied a Toys 'R' Us Card", *The Wall Street Journal* (14 de diciembre, 1995), B1.
42. Richard L. Daft y John C. Wiginton, "Language and Organization", *Academy of Management Review* (1979), 179-191.
43. Basado en Richard M. Cyert y James G. March, *A Behavioral Theory of the Firm* (Englewood Cliffs, N.J.: Prentice-Hall, 1963); y James G. March y Herbert A. Simon, *Organizations* (Nueva York: Wiley, 1958).
44. William B. Stevenson, Joan L. Pearce y Lyman W. Porter, "The Concept of 'Coalition' in Organization Theory and Research", *Academy of Management Review* 10 (1985), 256-268.
45. Cyert y March, *A Behavioral Theory of the Firm,* 120-222.
46. Pui-Wing Tam, "One for the History Books: The Tale of How Britannica Is Trying to Leap from the Old Economy Into the New One", *The Wall Street Journal* (11 de diciembre, 2000), R32; y Richard A. Melcher, "Dusting Off the *Britannica", BusinessWeek* (20 de octubre, 1997), 143-146.
47. Lawrence G. Hrebiniak, "Top-Management Agreement and Organizational Performance", *Human Relations* 35 (1982), 1139-1158; y Richard P. Nielsen, "Toward a Method for Building Consensus during Strategic Planning", *Sloan Management Review* (verano 1981), 29-40.
48. Basado en Henry Mintzberg, Duru Raisinghani y André Théorêt, "The Structure of 'Unstructured' Decision Processes", *Administrative Science Quarterly* 21 (1976), 246-275.
49. Lawrence T. Pinfield, "A Field Evaluation of Perspectives on Organizational Decision Making", *Administrative Science Quarterly* 31 (1986), 365-388.
50. Mintzberg *et al.*, "The Structure of 'Unstructured' Decision Processes."
51. Ibíd., 270.
52. William C. Symonds con Carol Matlack, "Gillette's Edge", *BusinessWeek* (19 de enero, 1998), 70-77; William C. Symonds, "Would You Spend $1.50 for a Razor Blade?" *BusinessWeek* (27 de abril, 1998), 46; y Peter J. Howe, "Innovative; For the Past Half Century, 'Cutting Edge' Has Meant More at Gillette Co. Than a Sharp Blade", Boston Globe (30 de enero, 2005), D1.
53. Anna Wilde Mathews, Martin Peers y Nick Wingfield, "Off-Key: The Music Industry is Finally Online, but Few Listen", *The Wall Street Journal* (7 de mayo, 2002), A1, A20 y *http://www.musicnet.com.*
54. Michael D. Cohen, James G. March y Johan P. Olsen, "A Garbage Can Model of Organizational Choice", *Administrative Science Quarterly* 17 (marzo 1972), 1-25; y Michael D. Cohen y James G. March, *Leadership and Ambiguity: The American College President* (Nueva York: McGraw-Hill, 1974).
55. Michael Masuch y Perry LaPotin, "Beyond Garbage Cans: An AI Model of Organizational Choice", *Administrative Science Quarterly* 34 (1989), 38-67.
56. Sharon Waxman, "The Nudist Buddhist Borderline-Abusive Love-In", *The New York Times* (19 de septiembre, 2004), sección 2, 1; y V. A. Musetto, "Crix Pick Best Pix", *The New York Post* (29 de mayo, 2005), 93.
57. Thomas R. King, "Why 'Waterworld ' with Costner in Fins Is Costliest Film Eyer", *The Wlall Street Journal* (31 de enero, 1995), A1.

58. Adaptado de James D. Thompson, *Organizations in Action* (Nueva York: McGraw-Hill, 1967), cap. 10; y McMillan, "Qualitative Models of Organizational Decision Making", 25.
59. Louise Lee, "Courts Begin to Award Damages to Victims of Parking-Area Crime", *The Wall Street Journal* (23 de abril, 1997), A1, A8.
60. Beth Dickey, "NASA's Next Step", *Government Executive* (15 de abril, 2004), 34ff; y Jena McGregor, "Gospels of Failure", *Fast Company* (febrero, 2005), 61-67.
61. Mintzberg y Wheatley, "Decision Making: It's Not What You Think."
62. Paul C. Nutt, "Selecting Decision Rules for Crucial Choices: An Investigation of the Thompson Framework", *The Journal of Applied Behavioral Science* 38, núm. 1 (marzo 2002), 99-131; y Paul C. Nutt, "Making Strategic Choices", *Journal of Management Studies* 39, núm. 1 (enero 2002), 67-95.
63. George T. Doran y Jack Gunn, "Decision Making in High-Tech Firms: Perspectives of Three Executives", *Business Horizons* (noviembre-diciembre 2002), 7-16.
64. L. J. Bourgeois III y Kathleen M. Eisenhardt, "Strategic Decision Processes in High Velocity Environments: Four Cases in the Microcomputer Industry", *Management Science* 34 (1988), 816-835.
65. Kathleen M. Eisenhardt, "Speed and Strategic Course: How Managers Accelerate Decision Making", *California Management Review* (primavera 1990), 39-54.
66. David A. Garvin y Michael A. Roberto, "What You Don't Know about Making Decisions", *Harvard Business Review* (septiembre 2001), 108-116.
67. Janes Surowiecki, *The Wisdom of Crowds: Why the* Many *Are Smarter Than the Few and How Collective Wisdom; Shapes Business, Economies, Societies, and Nations* (Nueva York: Doubleday, 2004); Doran y Gunn, "Decision Making in High-Tech Firms".
68. Doran y Gunn, "Decision Making in High-Tech Firms".
69. Karl Weick, *The Social Psychology of Organizing,* 2a. ed. (Reading, Mass.: Addison-Wesley, 1979), 243.
70. Christopher Power con Kathleen Kerwin, Ronald Grover, Keith Alexander y Robert D. Hof, "Flops", *BusinessWeek* (16 de agosto, 1993), 76-82.
71. Robert Townsend, *Up the Organization* (Nueva York: Knopf 1974), 115.
72. Helga Drummond, "Too Little Too Late: A Case Study of Escalation in Decision Making", *Organization Studies 15* núm. 4 (1994), 591-607; Joel Brockner, "The Escalation of Commitment to a Failing Course of Action: Toward Theoretical Progress", *Academy of Management Review* 17 (1992), 39-61; Barry M. Staw y Jerry Ross, "Knowing When to Pull the Plug", *Harvard Business Review* 65 (marzo-abril, 1987), 68-74; y Barry M. Staw, "The Escalation of Comitment to a Course of Action", *Academy of Management Review* 6 (1981), 577-587.
73. Jerry Ross y Barry M. Staw, "Organizational Escalation and Exit: Lessons from the Shoreham Nuclear Power Plant", *Academy of Management Journal* 36 (1993), 701-732.

13 Conflicto, poder y política

Una mirada al interior de

Morgan Stanley

"Es como la revista *People* para *Wall Street*", dice un observador. Otros se refieren a él como *Peyton Place*. Se estaban refiriendo al espectáculo en Morgan Stanley, una de las empresas de inversión en la Bolsa de Valores en *Wall Street*. En el verano de 2005, la empresa que alguna vez se preciaba de refinamiento y discreción estuvo involucrada por todos los frentes en una guerra que produjo titulares en las primeras planas. La fusión de Morgan Stanley con Dean Witter Discover & Co., en 1997 tenía la intención de crear una empresa descollante en el área de servicios financieros. Pero ambos lados chocaron por el escandalo desde un principio.

Los banqueros de Morgan Stanley, con una lista de clientes de primer nivel y con una tradición que data desde el siglo XIX, se consideraban como la elite de Wall Street. Dean Witter, en cambio, era un proveedor de tarjetas de crédito, cazador de ofertas, y conformado por agentes de bolsa para la clase media estadounidense. "Nos trataban como si fuéramos nuevos ricos", afirmó un gerente de Dean Witter. Las metas contrapuestas entre Morgan Stanley y Dean Witter fueron evidentes desde el principio, pero la discordia estalló y salió a la luz pública cuando un grupo de ocho accionistas, todos antiguos ejecutivos de Morgan Stanley, emprendieron una campaña pública en la que demandaban la salida del director y presidente Philip J. Purcell. Cuando Purcell, director de Dean Witter, asumió el puesto más alto en 1997, el arreglo fue que serviría durante cinco años y que después lo sucedería John Mack, del lado de Morgan Stanley. Pero Purcell realizó una serie de maniobras que obligaron efectivamente a Mack a salir de la compañía y obtener él un control casi total sobre los cambios y la nominación de sus directores. Purcell continuó y acumuló poder mediante la designación de aliados en el consejo y la colocación de directivos leales a Dean Witter en posiciones clave de la empresa. Cuando Morgan Stanley se dio cuenta de que sus responsabilidades y autoridad habían sido erosionadas, comenzó a salir de la empresa de manera multitudinaria. Una fuerte sacudida a principios de 2005, en la cual Purcell designó a dos personas leales a Dean Witter como copresidentes, provocó la salida de tres altos ejecutivos más de Morgan Stanley y estimuló las peticiones de la salida de Purcell.

Aunque Purcell cuenta con un fuerte apoyo entre los miembros del consejo, el antagonismo público combinado con un desempeño financiero débil y un precio decreciente en las acciones ha ocasionado que el consejo y Purcell mismo reconsideren. Se tomó la decisión conjunta de que Purcell abandonara la empresa. Un nuevo liderazgo podrá resolver la discordia y dirigir a Morgan Stanley a través de un curso más fluido con una visión unificada.[1]

Aunque el conflicto en Morgan Stanley es un ejemplo extremo, todas las organizaciones son una mezcla compuesta de individuos y grupos que persiguen diferentes metas e intereses. El desacuerdo es un resultado natural e inevitable de la interacción cercana de gente que puede tener diferentes opiniones y valores, van tras diferentes objetivos y tienen acceso diferente a la información y recursos que existen dentro de la organización. Los individuos y grupos usarán el poder y la actividad política para manejar sus diferencias y el conflicto.[2]

Demasiado conflicto puede ser dañino para una organización, como en el caso de Morgan Stanley. Sin embargo, puede ser una fuerza positiva debido a que desafía el *statu quo*, fomenta nuevas ideas y enfoques e incita el cambio.[3] En todas las relaciones humanas se presenta algún grado de conflicto: entre los amigos, las parejas sentimentales y los compañeros de equipo, así como entre los padres y los hijos, los maestros y los estudiantes, los jefes y los empleados. El desacuerdo no necesariamente es una fuerza negativa; es el resultado de la interacción normal entre intereses humanos diversos. Dentro de las organizaciones, los individuos y los grupos con frecuencia tienen intereses y metas diferentes que desean alcanzar a través de la misma organización. En las organizaciones que aprenden, las cuales fomentan la tensión democrática de ideas, pueden ser más evidentes las fuerzas en conflicto, el poder y la política. Por lo general, los directivos en todas las organizaciones manejan el conflicto y se enfrentan a decisiones acerca de cómo obtener lo máximo de los empleados, mejorar la satisfacción en el puesto y la identificación con el equipo, y lograr un alto desempeño organizacional.

Propósito de este capítulo

En este capítulo se analizará la naturaleza del conflicto y el uso del poder y las tácticas políticas para administrarlo y reducirlo entre los individuos y los grupos. La noción de conflicto ha aparecido en capítulos anteriores. En el capítulo 3, se habló acerca de los vínculos horizontales, como la fuerza de tareas y los equipos que fomentan la colaboración entre los departamentos funcionales. El capítulo 4 presentó el concepto de diferenciación, el cual significa que varios departamentos persiguen diferentes metas y pueden tener actitudes y valores disímiles. El capítulo 10 analizó el surgimiento de las subculturas y en el capítulo 12 se propuso la construcción de coaliciones como una forma de resolver los desacuerdos entre los departamentos.

Las primeras secciones de este capítulo exploran la naturaleza del conflicto intergrupal, las características de las organizaciones que contribuyen al mismo y el uso del modelo político comparado con el modelo racional de organización para manejar conflictos de intereses. Las secciones posteriores examinarán el poder individual y organizacional, las fuentes verticales y horizontales de poder para los directivos y otros empleados, y la forma en que el poder se utiliza para lograr metas organizacionales. La última parte del capítulo analiza la política, la cual es la aplicación del poder y la autoridad para alcanzar los resultados deseados. También se analizarán algunas prácticas que los directivos pueden utilizar para mejorar la colaboración entre las personas y los departamentos.

Conflicto intergrupal en las organizaciones

El conflicto intergrupal requiere tres ingredientes: Identificación del grupo, diferencias de grupo observables y la frustración. En primer lugar, los empleados tienen que percibirse a sí mismos como parte de un grupo o departamento identificable.[4] En segundo, debe existir alguna diferencia grupal observable de algún tipo. Tal vez los grupos estén ubicados en diferentes pisos del edificio, quizá los miembros tengan diferentes antecedentes sociales o educacionales, o quizá trabajen en diferentes departamentos. La capacidad de identificarse a sí mismo como parte de un grupo y de observar diferencias en relación con otros grupos es necesaria para que se suscite un conflicto.[5]

El tercer ingrediente es la frustración. La frustración implica que si un grupo logra su meta, el otro no lo hará; se bloqueará. Necesita no ser severa y sólo requiere anticiparse para encender el conflicto intergrupal, el cual aparecerá cuando un grupo intente mejorar su posición en relación con otros. El **conflicto intergrupal** se puede identificar como el comportamiento que ocurre entre grupos organizacionales cuando los participantes se identifican con un grupo y sienten que los demás pueden bloquear el logro de sus metas o de sus expectativas grupales.[6] En el ejemplo de apertura de este capítulo, los banqueros de Morgan Stanley se oponían a los movimientos de Purcell y de los ejecutivos de Dean Witter orientados a que la compañía ingresara a un amplio rango de mercados de consumo nuevos, ya que creían que la empresa debía enfocarse con mayor ahínco en sus negocios clave consistentes en la suscripción de acciones, fusiones y adquisiciones y banca de inversión. La dificultad implica que los grupos choquen de frente, y que estén en oposición fundamental. Es similar a la competencia, pero más severa. La **competencia** es una rivalidad entre grupos con el fin de obtener una recompensa común, mientras el conflicto presupone la interferencia directa para el logro de una meta.

El conflicto intergrupal dentro de las organizaciones puede ocurrir de manera horizontal a través de los departamentos, o vertical, entre diferentes niveles.[7] El departamento de producción de una compañía de manufactura puede tener conflictos con respecto al control de calidad debido a que los nuevos procedimientos de calidad reducen la eficiencia en la fabricación. Los compañeros de equipo pueden tener discusiones acerca de la mejor forma de lograr las metas y cumplir las tareas. Los trabajadores pueden chocar con los jefes por la implementación de nuevos métodos de trabajo, sistemas de recompensas o asignaciones de tareas. Otra área típica de conflicto se presenta entre grupos como los sindicatos y la dirección o los dueños de franquicias y las oficinas centrales. Por ejemplo, United Auto Workers (UAW) tiene conflictos con General Motors (GM) por demandas impuestas por la dirección por el motivo de que los trabajadores asalariados acepten una disminución en las prestaciones para aliviar los crecientes costos que supone la atención médica. Los dueños de franquicias de McDonald's, Taco Bell, Burger King y KFC han tenido conflictos con las oficinas centrales debido al aumento en el número de tiendas propiedad de la compañía en vecindarios que compiten directamente con las franquicias.[8]

El conflicto también puede ocurrir entre diferentes divisiones o unidades de negocios dentro de una organización, como entre las unidades de auditoría y consultoría de las grandes firmas como PricewaterhouseCoopers y Deloitte Touche.[9] En las organizaciones globales, son comunes los enfrentamientos entre directivos regionales y directivos de unidades de negocio, entre diferentes divisiones o divisiones y oficinas centrales, debido a las complejidades de los negocios internacionales, como se describió en el capítulo 6.

Como gerente de una organización, tenga en mente estos lineamientos:

Reconozca que un poco de conflicto interdepartamental es natural y puede ser benéfico para la organización. Asocie las características de diseño organizacional como la incompatibilidad de metas, la diferenciación, la interdependencia de tareas y la escasez de recursos con un mayor conflicto entre grupos. Dedique más tiempo y energía a resolver el conflicto en estas situaciones.

Fuentes del conflicto

Algunas características organizacionales pueden generar conflicto. Estas **fuentes de conflicto intergrupal** son: La incompatibilidad de metas, la diferenciación, la interdependencia de tareas y los recursos limitados. Los factores del contexto en el entorno, el tamaño, la tecnología, la estrategia, las metas, y la estructura, que se han analizado en capítulos anteriores, determinarán estas características de las relaciones organizacionales. Estas características, a su vez, ayudan a conformar el grado al cual se utiliza un modelo racional de comportamiento en comparación con un modelo de comportamiento político para lograr los objetivos.

Incompatibilidad de metas. Ésta quizá sea la mayor causa de conflicto intergrupal en las organizaciones.[10] Las metas de cada departamento reflejan los objetivos específicos que los miembros están tratando de lograr. El logro de la meta de un departamento muchas veces interfiere con las de otro. Por ejemplo, la policía universitaria tiene la meta de proporcionar seguridad al campus. Ellos pueden lograr su objetivo al cerrar todos los edificios durante las tardes y fines de semana, sin distribuir llaves. Sin embargo, sin un acceso fácil a los edificios, el progreso para el logro de las metas de investigación del departamento de ciencias se verá afectado. Por otro lado, si los científicos entran y salen a todas horas e ignoran la seguridad, las metas de la policía de seguridad nunca se alcanzarán. La incompatibilidad de metas arroja los departamentos a una situación de conflicto entre ellos.

El potencial de conflicto es quizá mayor cuando se presenta entre el departamento de marketing y el de manufactura que entre otros departamentos, debido a que con frecuencia las metas de ambos departamentos son divergentes. El cuadro 13.1 muestra los efectos de conflicto global entre los departamentos los que son típicos de marketing y manufactura. El departamento de marketing se esforzará por incrementar la amplitud de la línea de producto a fin de satisfacer los requerimientos de variedad del cliente. Una línea de producto amplia implica corridas de producción más cortas, de manera que el departamento de manufactura tiene que soportar costos mayores.[11] Otras áreas de conflicto son la calidad, el control de costos y los nuevos productos o los servicios.

CUADRO 13.1
Áreas de marketing y manufactura donde existe un conflicto potencial de metas

	MARKETING Frente a	MANUFACTURA
Meta en conflicto	La meta operativa es la satisfacción del cliente	La meta operativa es la eficiencia de la producción
Área en conflicto	**Comentario típico**	**Comentario típico**
1. Amplitud de la línea de productos	"Nuestros clientes demandan variedad."	"La línea de producto es demasiado amplia: todo lo que conseguimos son corridas más cortas y poco económicas."
2. Introducción de nuevo producto	"Los nuevos productos son nuestra razón de ser."	"Los cambios innecesarios y del diseño son prohibitivamente costosos."
3. Programación de productos	"Se necesita una respuesta más rápida. Nuestros tiempos de entrega al cliente son demasiado largos."	"Necesitamos compromisos realistas que no cambien según las circunstancias."
4. Distribución física	"¿Por qué nunca tenemos la mercancía correcta en inventario?"	"No podemos pagar el costo de mantener inventarios tan grandes."
5. Calidad	"¿Por qué no podemos tener una calidad razonable a un costo más bajo?	"¿Por qué debemos ofrecer opciones que son tan costosas y de poca utilidad para el cliente?"

Fuente: Basado en Benson S. Shapiro, "Can Marketing and Manufacturing Coexist?" *Harvard Business Review* 55 (septiembre-octubre, 1977), 104-114; y Victoria L. Crittenden, Lorraine R. Gardiner y Antonie Stam, "Reducing Conflict between Marketing and Manufacturing", *Industrial Marketing Management* 22 (1993), 299-309.

Por ejemplo, en Rockford Health Systems, el departamento de recursos humanos quiso implementar un sistema de autoservicio para el manejo de prestaciones que permitiera a los empleados administrarlas desde sus computadoras domésticas, pero el alto precio de las licencias de software entró en conflicto con la meta de control de costos del departamento de finanzas.[12] La incompatibilidad de metas entre departamentos se presenta en la mayoría de las organizaciones.

Diferenciación. Se definió en el capítulo 4 como "las diferencias en las orientaciones emocionales y cognitivas entre directivos en diversos departamentos funcionales". La especialización funcional requiere personal con educación, habilidades, actitudes y horizontes de tiempo específicos. Por ejemplo, la gente puede incorporarse al departamento de ventas debido a que tienen habilidades y actitudes congruentes con el trabajo de esta área. Después de convertirse en miembros de este departamento, son influidos por las normas y valores departamentales.

Con frecuencia, los departamentos o divisiones dentro de una organización difieren en valores, actitudes y estándares de comportamiento, y esta variedad cultural genera conflictos.[13] Considere un enfrentamiento entre el director de ventas y un científico del departamento de investigación y desarrollo, ocasionado por la creación de un nuevo producto:

El director de ventas puede ser extrovertido y preocuparse por mantener una relación cordial y amistosa con el científico. Tal vez pueda sentirse desanimado debido a que éste parece ser introvertido y poco interesado en hablar acerca de cualquier cosa que no sean los problemas que a él le interesan. También puede sentirse molesto de que parezca tener tanta libertad para elegir en lo que va a trabajar. Además, el científico probablemente llegue tarde a sus citas, lo cual, desde el punto de vista del vendedor, no es forma de

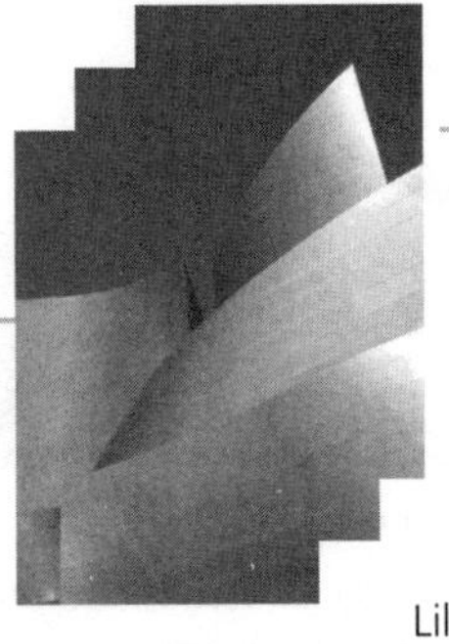

Liderazgo por diseño

Advanced Cardiovascular Systems

Advanced Cardiovascular Systems (ACS; ahora Guidant Corporation) ha sido la compañía consentida de la industria de los dispositivos médicos. Propiedad del gigante farmacéutico Eli Lilly, alcanzó los $100 millones en ventas después de 5 años de haber lanzado su primer producto y revolucionado el campo de la angioplastia al producir una innovación tras otra. Pero cuando Ginger Graham asumió el cargo de directora general del fabricante de dispositivos médicos, se percató de que las cosas estaban marchando muy mal. Si bien los altos directivos hacían alarde de que las sólidas relaciones internas y externas de ACS eran la clave del éxito de la compañía, la realidad era que estaban marcadas fuertemente por el conflicto y la discordia y no por la armonía y la cooperación.

En el primer discurso de Graham a la compañía, decidió decir la verdad: "Siempre he escuchado acerca de qué tan maravillosa compañía ACS", comenzó, "pero para hablar con franqueza, esto no es lo que he visto. Lo que he percibido es una moral en deterioro, clientes decepcionados y recriminaciones recíprocas. Veo un lugar donde los departamentos de investigación y desarrollo y de manufactura están casi siempre en guerra. Ustedes, los de ventas, culpan a manufactura. Investigación y desarrollo culpa a marketing. Estamos todos tan ocupados al culparnos unos a otros que nada más importa". La respuesta de los empleados —de pie y con una ovación por el discurso— confirmó las sospechas de Graham. La gente sólo quería que algún alto directivo supiera la verdad y tuviera el valor de admitirla. Desde ese momento, Graham comenzó a construir una cultura en ACS en la que todo el mundo tenga la libertad de decir la verdad sin temor de las consecuencias negativas.

ACS ha establecido varias prácticas que promueven las comunicaciones abiertas y honestas. Para comenzar, Graham revirtió la estructura comunicativa jerárquica de una forma que fue percibida de inmediato. A cada alto directivo se le asignó un coach proveniente de rangos más bajos de la organización. mismos que estaban capacitados para formular preguntas y reunir información específica referente a la apertura del directivo y sus habilidades para la comunicación honesta, de cualquier persona de la organización. Los directivos se reunían con sus coaches una vez cada trimestre. Gracias al apoyo de los altos niveles, el programa de coaching funcionó bien para cerrar la brecha de comunicación entre ejecutivos y empleados. Los jefes también comenzaron a compartir toda la información con los empleados —buena y mala— y a pedir su ayuda para resolver los problemas. Se reconoció y premió a los empleados que trabajaron más allá de lo que les dictaban sus obligaciones para alcanzar las metas.

El hecho de congregar a todos en torno de metas organizacionales, y no de metas departamentales, ayudó a aliviar gran parte de la tensión y conflicto entre departamentos. Sin embargo, la guerra entre investigación y desarrollo y manufactura estaba tan arraigada que fueron necesarios métodos más enérgicos.

Aunque le costó caro a la compañía, Graham suspendió por completo el desarrollo de productos, mientras los representantes de los departamentos de investigación y desarrollo, manufactura, clínico y marketing trabajaban con un moderador profesional a fin de confrontar los temas sin rodeos y planear un nuevo enfoque para el desarrollo de productos. El proceso implicaba que ningún nuevo producto saliera en los siguientes 18 meses, pero los resultados valieron la pena. Ahora, la compañía lanza numerosos nuevos productos innovadores cada año, puede producir lo suficiente para abastecer a todo el mercado en cuestión de semanas, realiza estudios clínicos en un tiempo récord y ha mejorado la calidad con costos más bajos.

Fuente: Ginger L. Graham, "If You Want Honesty, Break Some Rules", *Harvard Business Review* (abril 2002), 42-47.

manejar un negocio. Nuestro científico, por su parte, puede sentirse incómodo debido a que el vendedor parece estar obligando a que se le proporcionen respuestas inmediatas a cuestiones técnicas que conllevan a un periodo largo de investigación. Todas las molestias son manifestaciones concretas de diferencias relativamente profundas entre estos dos hombres con respecto a su forma de trabajar y de pensar.[14]

La falta de confianza dentro de la organización puede magnificar estas diferencias naturales e incrementar el potencial de conflicto entre departamentos y con los altos directivos, como lo descubrió la nueva directora general en Advanced Cardiovascular Systems. Su solución fue construir una nueva cultura de honestidad, como se analizó en el recuadro de Liderazgo por diseño de este capítulo.

Interdependencia de tareas. La interdependencia de tareas se refiere al grado de dependencia de materiales, recursos e información que le puede proporcionar otra. Como se describió en el capítulo 7, la *interdependencia mancomunada* implica que haya poca interacción; *la interdependencia secuencial* significa que la salida de un departamento está dirigida al siguiente departamento; y la *interdependencia recíproca* implica que los departamentos intercambien en forma mutua materiales e información.[15]

En general, a medida que la interdependencia aumenta, también lo hace el potencial de conflicto.[16] En el caso de la interdependencia mancomunada, las unidades tienen poca necesidad de interactuar, el conflicto es mínimo. La interdependencia secuencial y recíproca requiere que los empleados inviertan tiempo en la coordinación y transmisión de la información. Los empleados deben comunicarse con frecuencia y las diferencias en metas o actitudes saldrán a la luz. En particular es probable que el conflicto ocurra cuando no se ha alcanzado un acuerdo acerca de la coordinación y servicios mutuos. Una mayor interdependencia implica que los departamentos ejerzan con frecuencia presión para que se les proporcione una respuesta rápida, debido a que el trabajo departamental tiene que esperar a otros departamentos.[17]

Como gerente de una organización, tenga en mente estos lineamientos:

Utilice el modelo racional de organización cuando las alternativas sean claras, cuando las metas estén definidas y cuando los directivos puedan estimar los resultados con precisión. En estas circunstancias, la construcción de coaliciones, la cooptación y otras tácticas políticas no serán necesarias y no producirán decisiones efectivas.

Recursos limitados. Otra fuente importante de conflicto implica la competencia entre grupos respecto a lo que los miembros perciben como recursos limitados.[18] Las organizaciones cuentan con el dinero, las instalaciones físicas, los recursos administrativos y los recursos humanos limitados para compartir entre departamentos. En su afán por lograr las metas, los grupos desean incrementar sus recursos. Esto los arroja al conflicto. De manera que los directivos pueden desarrollar estrategias, como inflar los requerimientos presupuestales o trabajar de forma subrepticia para obtener el nivel de recursos deseado.

Asimismo, los medios simbolizan poder e influencia dentro de una organización. La capacidad de obtener recursos acentúa el prestigio. Los departamentos por lo general creen que tienen derecho a reclamarlos de manera adicional. No obstante, el ejercicio de tales solicitudes produce conflicto. Por ejemplo, en casi todas las organizaciones, el conflicto ocurre durante el ejercicio presupuestal de cada año, el cual con frecuencia crea actividad política

Modelo racional comparado con el modelo político

Las fuentes de conflicto intergrupal se enumeran en el cuadro 13.2. El grado de compatibilidad de metas, diferenciación, interdependencia y conflicto sobre recursos limitados determina si un modelo racional o político de comportamiento se utiliza dentro de la organización para lograr las metas.

Cuando las metas son compatibles, se presenta poca diferenciación, los departamentos están caracterizados por una interdependencia mancomunada y los recursos parecen ser abundantes, los directivos pueden utilizar el **modelo racional** de organización, como se indica en el cuadro 13.2. Como en el enfoque racional de toma de decisiones explicado en el capítulo 12, el modelo racional de organización es un ideal que no se logra por completo en el mundo real, aunque los directivos se esfuercen en utilizar los procesos racionales cuando es posible. En la organización racional, el comportamiento no es aleatorio o accidental. Las metas son claras y las elecciones se realizan de una manera lógica. Cuando una decisión es necesaria, se define la meta, se identifican las alternativas y se elige la opción con la más alta probabilidad de éxito. El modelo racional también está caracterizado porque el poder y el control están centralizados, los sistemas de información son grandes y por una orientación hacia la eficiencia.[19] La perspectiva opuesta del proceso organizacional es el **modelo político**, también descrito en el cuadro 13.2. Cuando las diferencias son grandes, los grupos organizacionales tienen intereses, metas y valores independientes. Son comunes el desacuerdo y el conflicto, de manera que se necesitan el poder e influencia para lograr tomar una decisión. Los grupos se implicarán en la atención del debate para tomar decisiones y alcanzar metas. La información es ambigua e incompleta. El modelo político se refiere de manera particular a las organizaciones que luchan por la participación democrática en la toma de decisiones mediante el *empowerment* a los empleados. Los procedimientos puramente racionales no funcionan en las organizaciones democráticas, como es el caso de las organizaciones que aprenden.

Fuentes del conflicto potencial intergrupal
• *Incompatibilidad de metas*
• *Diferenciación*
• *Interdependencia de tareas*
• *Recursos limitados*

Cuando el conflicto es bajo, el modelo racional describe la organización		Cuando el conflicto es alto, el modelo político describe a la organización
Congruentes entre participantes	*Metas*	*Incongruentes, pluralistas dentro de la organización*
Centralizados	*Poder y control*	*Descentralizados, coaliciones y grupos de interés cambiantes*
Ordenado, lógico, racional	*Proceso de decisión*	*Desordenado, resulta de la negociación y la interacción entre intereses*
Norma de eficiencia	*Reglas y normas*	*Libertad de acción de las fuerzas de mercado; el conflicto es esperado y es legítimo*
Extensa, sistemática, exacta	*Información*	*Ambigua; la información se utiliza y retiene con fines estratégicos*

CUADRO 13.2
Fuentes de conflicto y uso del modelo racional en comparación con el modelo político

Por lo general se utilizan en las organizaciones los procesos racionales y los políticos. En la mayoría de las organizaciones, ni el modelo racional ni el político son característicos, pero cada una las utilizará en algún momento. En Amazon.com, el fundador y director general Jeff Bezos siempre que es posible da prioridad al enfoque racional para la planeación y la toma de decisiones. "Lo mejor acerca de las decisiones basadas en hechos", afirma, "es que anulan la jerarquía. La persona de más bajo rango en la compañía puede ganar un argumento con la persona de más alto nivel con una decisión basada en la realidad". Sin embargo, para decisiones y situaciones complejas, mal definidas y controvertidas, Bezos utiliza un modelo político, analiza las cuestiones con la gente, busca consenso entre los ejecutivos de alto nivel y confía de su propio criterio.[20]

Los directivos pueden esforzarse en adoptar procedimientos racionales, pero se darán cuenta de que la política es necesaria para lograr sus objetivos. El modelo político implica que los directivos aprendan a adquirir, desarrollar y utilizar el poder para alcanzar sus propósitos.

Poder y organizaciones

El poder es una fuerza intangible en las organizaciones. No se ve, pero su efecto se siente. El *poder* con frecuencia se define como la capacidad de dominio en una persona (o departamento) para ejercer su influencia sobre otras personas (o departamentos) para que acaten órdenes[21] o para que hagan algo que de otra forma no habrían hecho.[22] Las demás definiciones afirman que es la capacidad de alcanzar las metas o resultados que desean los detentadores del poder.[23] La obtención de los resultados deseados es la base de la definición que se utiliza aquí: **Poder** es la capacidad de una persona o departamento en una organización para influir en otras personas a fin de que produzcan los resultados deseados. Es la posibilidad de influir en otros con el fin de alcanzar los resultados que los detentadores del poder desean.

El poder existe sólo en una relación entre dos o más personas, y puede ejercerse en direcciones verticales u horizontales. La fuente del poder muchas veces se deriva de una relación de intercambio en la cual un puesto o departamento proporciona recursos escasos o valiosos para otros departamentos. Cuando una persona depende de otra, surge una relación de poder en la cual la persona con recursos es la que ejerce el mando. [24]

Cuando existe poder en una relación, los detentadores del poder pueden lograr que sus deseos sean cumplidos. Los individuos poderosos muchas veces están en condiciones de conseguir presupuestos mayores para sus departamentos, programas de producción más favorables y mayor control sobre la agenda de la organización.[25]

Como ejemplo, considere cómo está cambiando de manos el poder en el juego de béisbol. Los líderes experimentados de equipos, quienes por lo general basan sus decisiones en el instinto y la experiencia, están perdiendo el poder a manos de directores generales que están implementando teorías de negocios y nuevas herramientas analíticas para idear puntos de referencia estadísticos y estándares de operación que creen que mejorarán el desempeño. Como resultado de este mayor dominio, algunos directivos ahora están sugiriendo la alineación de jugadores, eligiendo con cuidado a los entrenadores y asesorándolos en cómo manejar a los equipos.[26]

Poder individual comparado con poder organizacional

En la literatura popular, el poder con frecuencia se describe como una característica personal, y un tema frecuente es cómo puede una persona ejercer su domino o influencia sobre otra.[27] Quizá recuerde lo visto en algún curso anterior de administración o de comportamiento organizacional, acerca de que los directivos tienen cinco fuentes de poder personal.[28] El *poder legítimo* es la autoridad que le confiere la organización al puesto formal que un directivo detenta. El *poder de recompensa* radica en la capacidad de otorgar premios —una promoción, un aumento salarial, o felicitaciones— a otras personas. La autoridad de castigar o recomendar un castigo se denomina *poder coercitivo*. El *poder experto* deriva de una capacidad o conocimiento superiores de una persona en cuanto a las tareas que se están desarrollando. Por último, el *poder referente*, se deriva de las características personales: La gente desea ser como el director o identificarse con él debido al respeto y a la admiración. Los individuos dentro de las organizaciones pueden utilizar cada uno de estos recursos. Sin embargo, el poder en las organizaciones muchas veces es resultado de características estructurales.[29] Las organizaciones son sistemas grandes y complejos que contienen a cientos, e incluso miles, de personas. Estos sistemas poseen una jerarquía formal en la cual algunas tareas son más importantes sin tomar en cuenta quién las lleve a cabo. Además, algunos puestos tienen acceso a mayores recursos, o su contribución a la organización es más crítica. Así, los procesos importantes de poder en las organizaciones reflejan relaciones organizacionales más grandes, tanto horizontales como verticales.

Comparación entre poder y autoridad

Todos en una organización pueden ejercer el poder para obtener los resultados deseados. Cuando Discovery Channel quiso ampliar su marca más allá de la televisión por cable, Tom Hicks comenzó a presionar para que la empresa se enfocara en Internet. A pesar de que el director general de Discovery prefería la televisión interactiva, Hicks organizó una campaña desde los rangos menores de la empresa, que eventualmente convenció al director general de enfocarse en la publicidad por Web, lo que indicó el poder que Hicks tenía dentro de la organización. En la actualidad, Hicks maneja Discovery Channel Online.[30]

El concepto de autoridad formal está relacionado con el poder pero su ámbito es más limitado. La **autoridad** también es una fuerza para lograr la obtención de los resultados deseados, pero sólo está determinada por la jerarquía formal y las relaciones de subordinación. Existen tres propiedades que caracterizan a la autoridad:

1. *La autoridad se confiere a posiciones organizacionales.* La gente tiene autoridad debido a los puestos que detentan, no a sus características o recursos personales.

2. *La autoridad es aceptada por los subordinados.* Los subordinados cumplen debido a que creen que los detentadores del puesto tienen un derecho legítimo para ejercer la autoridad.[31] En la mayoría de las organizaciones estadounidenses, los empleados aceptan que sus supervisores les digan legítimamente a qué hora deben llegar al trabajo, las tareas que deben desempeñar mientras están ahí y a qué hora se pueden ir a sus hogares.
3. *La autoridad fluye de manera descendente en la jerarquía vertical.*[32] La autoridad existe con base en la cadena general de mando, y se concede a los puestos de la cima jerárquica una autoridad más formal que a los puestos en la base.

El poder organizacional se puede ejercer hacia arriba, hacia abajo y de manera horizontal en las organizaciones. La autoridad formal que se ejerce hacia abajo de la jerarquía es la misma que el poder legítimo. En las siguientes secciones, se examinarán las fuentes horizontales y verticales de poder para los empleados de la organización.

Fuentes verticales de poder

Todos los empleados a lo largo de la jerarquía vertical tienen acceso a algunas fuentes de poder. Aunque, por lo general, una gran parte de poder se asigna a los altos directivos por la estructura organizacional, con frecuencia algunos empleados obtienen un poder que no concuerda con sus puestos formales y pueden ejercer su influencia en una dirección ascendente, como lo hizo Tom Hicks en Discovery Channel. Existen cuatro fuentes importantes de poder vertical: Los puestos formales, los recursos, el control de premisas de decisión e información y centralidad en la red organizacional.[33]

Entienda y utilice las fuentes verticales de poder organizacional, lo que incluye el puesto formal, los recursos, el control de las premisas de decisión y de la información, y la centralidad en la red organizacional.

Puesto formal. Ciertos derechos, responsabilidades y prerrogativas se acumulan en la parte superior de la jerarquía. La gente de la organización acepta el derecho legítimo de los altos directivos a establecer metas, tomar decisiones y dirigir las actividades. Así, el poder que proviene de un puesto formal algunas veces se denomina *poder legítimo*.[34] Los altos directivos con frecuencia utilizan símbolos y lenguaje para exaltar su poder legítimo. Por ejemplo, el nuevo administrador en un hospital grande en el área de San Francisco simbolizó su poder formal al publicar un periódico con su foto en la portada y transmitir un video de 24 horas al día para dar la bienvenida de manera personal a los pacientes.[35]

La cantidad de poder que se confiere a los mandos medios directivos y a los participantes de rangos más bajos puede establecerse en el diseño estructural de la organización. La asignación del poder a los mandos medios y equipo administrativo es importante, debido a que el poder les permite a los empleados ser productivos. Cuando las tareas del trabajo no son rutinarias, cuando ellos participan en equipos autónomos y en fuerzas de tarea para la solución de problemas, se fomenta que ellos mismos sean flexibles y creativos y utilicen su propio criterio. Se hace posible que la gente tome sus propias decisiones e incremente su poder.

El poder también aumenta cuando un puesto fomenta el contacto con gente de alto nivel. El acceso a gente con poder y el desarrollo de una relación con ella proporciona una fuerte base de influencia.[36] Por ejemplo, en algunas organizaciones un asistente administrativo del presidente puede tener más poder que un director debido a que el asistente tiene un acceso diario al alto directivo.

La lógica del diseño de puestos para la obtención de más poder supone que una organización no tiene una cantidad ilimitada del mismo para asignar entre los empleados de alto y bajo rango. La cantidad total de poder en una organización se puede incrementar mediante el diseño de tareas e interacciones a lo largo de la jerarquía de manera que todos puedan ejercer mayor influencia. La directora general de eBay, Meg Whitman, por ejemplo encabeza la lista de la revista *Fortune* de las mujeres de negocios estadounidenses más poderosas. Sin embargo, Whitman cree si uno tiene poder, éste se tiene que ceder. Está segura de que los ejecutivos y los empleados en eBay tienen el poder y la autoridad necesarios para contribuir al extraordinario éxito de la compañía.[37] Si la distribución de poder está desequilibrada en su mayoría hacia la cima, la investigación sugiere que la organización será menos efectiva.[38]

Recursos. Las organizaciones asignan enormes cantidades de recursos. Se construyen edificios, se pagan salarios, y se compra equipo y provisiones. Cada año se asignan nuevos recursos en forma de presupuestos. Éstos son asignados por los altos directivos a los rangos menores. Los altos ejecutivos muchas veces poseen acciones, lo que les confiere derechos de propiedad sobre la asignación de medios. Sin embargo, en muchas organizaciones contemporáneas, los empleados también tienen participación en la propiedad, lo cual incrementa su poder.

En la mayoría de los casos, los altos directivos controlan los recursos y, por tanto, pueden determinar su distribución. Se pueden utilizar como recompensas y castigos, lo cual es una fuente de poder adicional. La asignación de recursos también crea una relación de dependencia. Los participantes de rangos menores dependen de los altos directivos para que éstos les proporcionen recursos financieros y físicos necesarios para desempeñar sus tareas. La alta dirección puede intercambiar recursos en forma de salarios y bonos, personal, promociones e instalaciones físicas para lograr los resultados que desea. Cuando fue director general de American International Group, Inc. (AIG), Hank Greenberg utilizó acciones preferenciales de una sociedad privada llamada C.V. Starr & Co., para recompensar a los ejecutivos por su trabajo y lealtad. Debido a la supuesta infracción en AIG, Greenberg y el programa de incentivos ahora se encuentran bajo investigación, pero por años la práctica le permitió obtener un tremendo poder sobre los ejecutivos de AIG, para quienes la admisión al "Club Starr" era emocionante y gratificante desde el punto de vista financiero.[39]

Control de las premisas de decisión y de la información. El control de las **premisas de decisión** significa que los altos directivos restringen las decisiones que se toman en niveles más bajos mediante la especificación de un marco de referencia y lineamientos. En cierto sentido, los altos directivos toman grandes decisiones, mientras los participantes de rangos más bajos toman pequeñas. La alta dirección decide las metas que deberá alcanzar la organización, como por ejemplo, una participación de mercado mayor. Entonces, los participantes de menor rango deciden cómo se va a alcanzar esa meta. En una compañía, la alta dirección designó un comité para elegir a un nuevo vicepresidente de marketing. Él proporcionó al comité las calificaciones detalladas que debía tener el nuevo vicepresidente. También eligió a las personas que formarían parte del comité. De esta forma, moldeó las premisas de decisión según las cuales se haría la elección de marketing. Las acciones y decisiones de la alta dirección como éstas limitan a los ejecutivos de rango menor y por lo tanto determinan el resultado de su toma de decisiones.[40]

El control de la información también puede ser una fuente de poder. Los directivos en las organizaciones contemporáneas reconocen que la información es un recurso vital en los negocios y que mediante el control de la información que se recaba, de su interpretación, y su transmisión, se puede influir en la forma en que se toman las decisiones.[41] En muchas compañías actuales, en especial en las organizaciones que aprenden, la información se comparte de manera abierta y abundante, lo cual incrementa el poder de la gente que la conforma.

No obstante, los altos directivos por lo general tienen acceso a mayor información que otros empleados. Misma que se puede liberar cuando es necesario para controlar los resultados de la decisión de otras personas. En una organización, Clark, Ltd., el director de tecnología de información controló la información que se le daba al consejo de administración, y por lo tanto influyó en la decisión del consejo para adquirir un sistema de cómputo sofisticado.[42] El consejo de administración tenía la autoridad formal para decidir a qué compañía se debía comprar el sistema. Se pidió al grupo de servicios ad-

CUADRO 13.3
Flujo de información para tomar una decisión de cómputo en Clark, Ltd.
Fuente: Andrew M. Pettigrew, *The Politics of Organizational Decision-Making* (Londres: Tavistock, 1973), 235, con autorización.

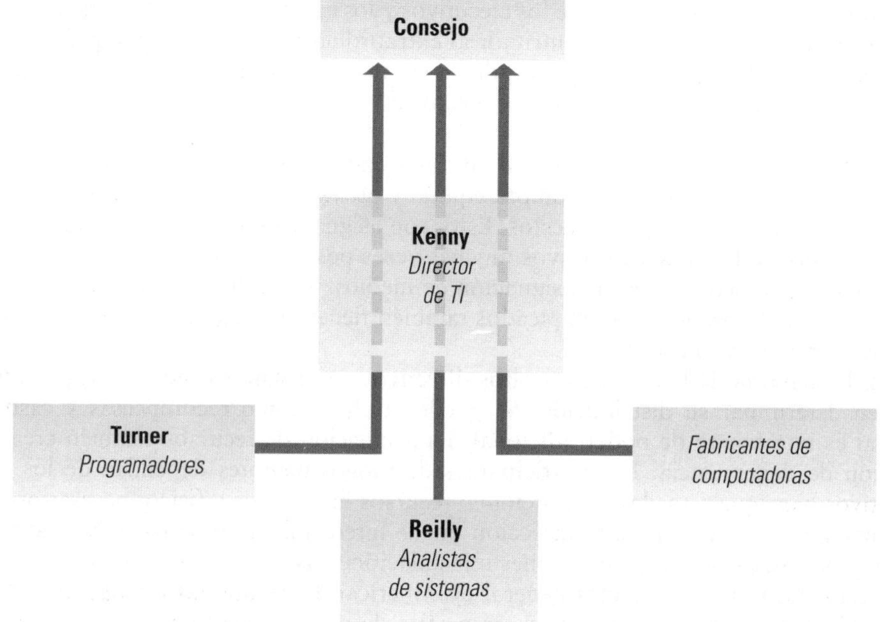

ministrativos que recomendara cuáles seis fabricantes de cómputo recibirían el pedido. Jim Kenny estaba a cargo del grupo de servicios administrativos, y no estaba de acuerdo con los directivos acerca de qué sistema comprar. Como se muestra en el cuadro 13.3, otros directivos tenían que acudir a Jim Kenny para hacer que sus puntos de vista fueran escuchados por el consejo. Jim Kenny pudo controlar la forma de pensar del consejo al presentarles el sistema que él prefería al manipular la información que les daba.

El control de la información puede también utilizarse para moldear decisiones para fines egoístas, no éticos y hasta ilegales. Por ejemplo, en Hollinger International Inc., la cual es propietaria de periódicos como el *Chicago Sun-Times* y *Jerusalem Post*, el consejo aprobó una serie de transacciones que permitían al director general, Lord Conrad Black y sus colegas sustraer de manera indebida millones de dólares de la compañía para su ganancia personal. Aunque el consejo ha sido criticado por su falta de gobierno, varios directores insistieron que sus decisiones estaban basadas en información falsa, tergiversada o errónea proporcionada por Lord Black.[43]

Los mandos gerenciales medios y los empleados de rangos menores quizá también tengan acceso a información que puede incrementar su poder. Una secretaria de un alto ejecutivo muchas veces puede tener control sobre la información que otras personas desean y por lo tanto ser capaz de ejercer influencia sobre esas personas. Los altos ejecutivos dependen de las personas de toda la organización para que les proporcionen información acerca de problemas y oportunidades. Los mandos medios o empleados en rangos menores pueden manipular la información que proporcionan a los altos directivos con el objetivo de influir los resultados de sus decisiones.

Centralidad en la red organizacional. La **centralidad en la red organizacional** significa estar localizado en el centro de la organización y tener acceso a la información y gente cruciales para el éxito de la compañía. Los altos ejecutivos son más eficientes cuando se ubican en el centro de una red de comunicación y construyen conexiones con gente de toda la compañía. Howards Stringer, el nuevo director general de Sony, es famoso por sus habilidades políticas corporativas que construyen confianza y alianzas a través de diferentes divisiones y niveles jerárquicos. Stringer ha sido valorado por su capacidad de construir redes casi con todos. Él necesitará esas habilidades políticas para poder entender el disperso imperio de Sony y lograr que las diferentes divisiones trabajen en conjunto. "Es la única persona que conozco que maneja el lado electrónico japonés y el lado del entretenimiento", afirma un antiguo directivo de Sony Pictures Entertainment.[44] Los gerentes de niveles medio y empleados de rango menor también pueden utilizar las ideas de la centralidad en la red organizacional. Por ejemplo, hace muchos años, en Xerox, Cindy Casselman, con poco poder formal, comenzó a vender su idea de un sitio intranet para los directivos de toda la compañía. Mediante el trabajo cauteloso, Casselman gradualmente obtuvo el poder que necesitaba para materializar su visión, además de una promoción.[45]

Los empleados también tienen más poder cuando sus puestos están relacionados con áreas problemáticas o de oportunidad. Cuando un puesto está relacionado con los problemas organizacionales más persistentes, el poder se acumula con facilidad. Por ejemplo, los directivos de todos los niveles con una crisis de liderazgo, han obtenido poder en el mundo contemporáneo gracias a alertas de terror, desastres naturales importantes e incertidumbre en general. Un directivo de comunicaciones en Empire Blue Cross y Blue Shield, por ejemplo, obtuvo su poder después de los ataques del 11 de septiembre de 2001 en Nueva York, debido a que actuó por su propia cuenta y trabajó a marchas forzadas a fin de restaurar las líneas telefónicas y el correo de voz.[46]

Los empleados incrementan su centralidad en la red organizacional al especializarse y volverse expertos en ciertas actividades o al asumir tareas difíciles y adquirir conocimiento especializado que los convierta en personas indispensables para sus directivos o supervisores. La gente que muestra iniciativa, trabaja más de lo que se espera, asume proyectos indeseables pero importantes, y muestra interés en aprender de la compañía y la industria, muchas veces obtiene influencia. El lugar físico también ayuda debido a que algunos sitios están en el centro de las cosas. Una ubicación central ayuda a la gente a que personas clave se fijen en ella y convertirse en parte importante de redes de interacción.

Gente. Los líderes de alto nivel muchas veces incrementan su poder al rodearse de un grupo de directivos leales.[47] Los directivos leales mantienen al líder informado y en contacto con los eventos y le avisan de alguna posible desobediencia o problemas organizacionales. Los altos ejecutivos pueden utilizar sus puestos centrales para construir alianzas y ejercer un poder sustancial cuando tienen un equipo administrativo que apoya de manera incondicional sus decisiones y acciones.

Esto funciona también en la forma contraria. La gente de niveles más bajos obtiene un poder mayor cuando tiene relaciones y conexiones positivas con los niveles más altos. Cuando son leales y apoyan a sus jefes, algunas veces los empleados logran un estatus favorable y ejercen una influencia mayor.

El ejemplo de apertura del capítulo ilustra cómo Philip Purcell obtuvo poder después de la fusión de Morgan Stanley con Dean Witter Discover & Co., al rodearse de aliados leales y anular a los ejecutivos de Morgan Stanley. Purcell no estaba solo de ninguna manera en el uso de esta táctica; un alto funcionario bancario de un competidor se refirió a la situación de Morgan Stanley de la siguiente manera, "¿Qué es lo que en realidad tenemos aquí? Un director general que es terriblemente popular, que se deshace de cualquier ejecutivo que no le es leal, que instala en el consejo a sus amigos, y una empresa en la que el rendimiento de las acciones de la compañía es mediocre. ¿Y qué? Es como la mayoría de las compañías en S&P 500".[48]

De hecho, muchos altos ejecutivos se esfuerzan en construir un cuadro de ejecutivos leales y de apoyo que les ayude a lograr sus metas organizacionales. Por ejemplo, el antiguo director de New York Exchange, Dick Grasso, colocó a sus amigos y aliados en

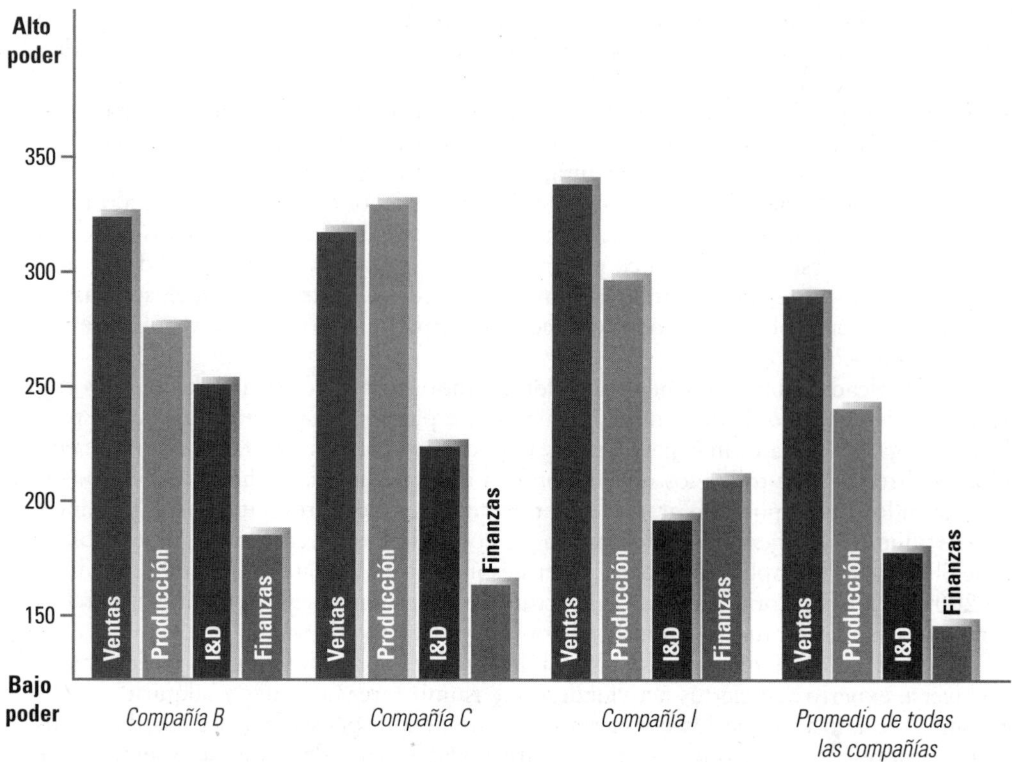

CUADRO 13.4
Calificaciones del poder entre departamentos en las empresas
Fuente: Charles Perrow, "Departamental Power and Perspective in Industrial Firms", en Mayer N. Zald, ed., *Power in Organizations* (Nashville, Tenn.: Vanderbilt University Press, 1970), 64.

puestos clave e impulsó a sus candidatos favoritos a puestos en el consejo. Como otro ejemplo, el gobierno estadounidense eligió a los consejeros y miembros del comité que influiría en las decisiones del gobierno interino iraquí.[49]

Fuentes horizontales de poder

El poder horizontal se refiere a las relaciones a través de departamentos o divisiones. Todos los vicepresidentes por lo general están al mismo nivel en el organigrama. ¿Esto significa que cada departamento tiene la misma cantidad de poder? No. El poder horizontal no está definido por la jerarquía formal del organigrama. Cada departamento hace una contribución única al éxito organizacional. Algunos departamentos tendrán una participación mayor y alcanzarán los resultados deseados, mientras otros no. Por ejemplo, Charles Perrow encuestó a directivos en diferentes empresas industriales.[50] Les preguntó sin rodeos, "¿qué departamento tiene el mayor poder?" entre cuatro departamentos importantes: Producción, ventas y marketing, recursos humanos, finanzas y contabilidad. Los resultados parciales de la encuesta se presentan en el cuadro 13.4.

En la mayoría de las empresas, las ventas tuvieron el mayor poder. En otras pocas, la producción fue también muy poderosa. En promedio, los departamentos de ventas y producción eran más poderosos que el de investigación y desarrollo y finanzas, aunque se presentó una variación sustancial. Con claridad salieron a la luz diferencias en la cantidad de poder horizontal en esas empresas. En la actualidad, los departamentos de tecnología de información tienen un poder cada vez mayor en muchas organizaciones.

El poder horizontal es difícil de cuantificar debido a que las diferencias del mismo no están definidas en el organigrama. No obstante, se han encontrado algunas explicaciones preliminares de diferencias de poder en los departamentos, como las que se

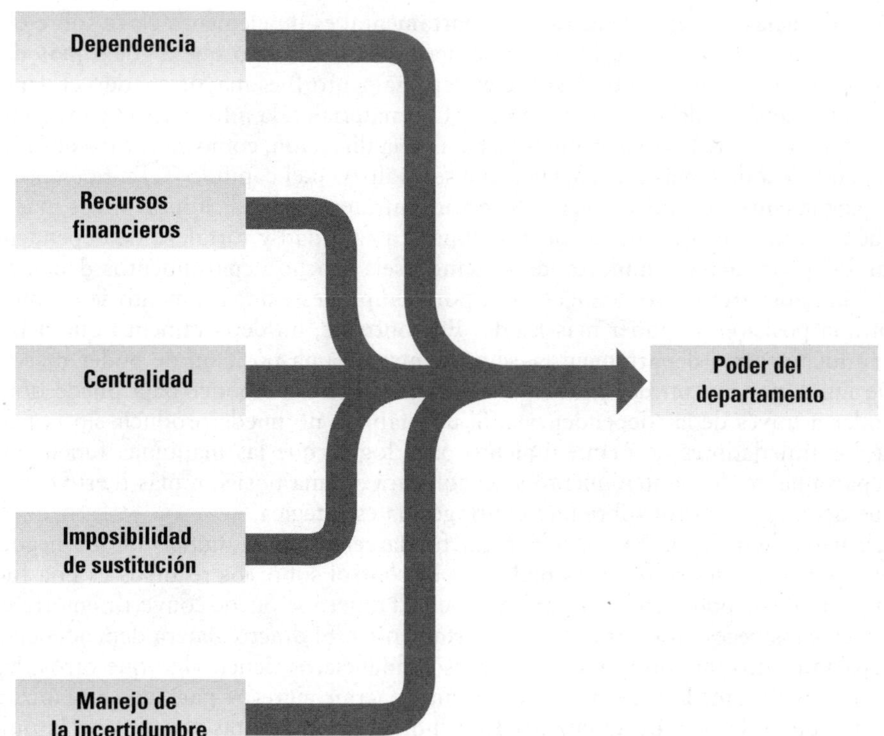

CUADRO 13.5
Contingencias estratégicas que repercuten en el poder horizontal entre los departamentos

exhiben en el cuadro 13.4. El concepto teórico que explica el poder relativo se denomina contingencias estratégicas.[51]

Contingencias estratégicas. Las **contingencias estratégicas** son acontecimientos y actividades tanto dentro como fuera de una organización, esenciales para el logro de las metas en la misma. Los departamentos involucrados en las contingencias estratégicas de una organización tienden a tener mayor poder. Las actividades departamentales son importantes cuando proporcionan un valor estratégico, ya que solucionan los problemas o las crisis. Por ejemplo, si una organización enfrenta fuertes amenazas de demandas y regulaciones es el departamento jurídico quien tendrá mayor poder e influencia sobre las decisiones debido a su importante función protectora contra esa amenaza. Si la innovación de productos es un tema estratégico clave, se esperará que el poder del área de investigación y desarrollo sea mayor.

El enfoque de las contingencias estratégicas para la obtención de poder es similar al modelo de dependencia de recursos que se analizó en los capítulos 4 y 5. Recuerde que las organizaciones intentan reducir la dependencia del entorno. El enfoque de las contingencias estratégicas para la acumulación del poder sugiere que los departamentos encargados de cuestiones de recursos clave y dependencias en el entorno se convertirán en los más poderosos.

Fuentes de poder. Jeffrey Pfeffer y Gerald Salancik, entre otros, han sido piezas fundamentales en la investigación de la teoría de la contingencia estratégica.[52] Sus hallazgos indican que un departamento evaluado como poderoso puede poseer una o más de las características ilustradas en el cuadro 13.5.[53] En algunas organizaciones estas cinco fuentes de poder se traslapan, pero cada una constituye una forma útil para evaluar las fuentes del poder horizontal.

1. **Dependencia.** La dependencia interdepartamental es un elemento clave sobre el que se basa el poder relativo. El poder se deriva de tener algo que alguien más desea. El poder del departamento A sobre el departamento B es mayor cuando el departamento B depende del departamento A.[54] Los materiales, la información y los recursos pueden fluir entre los departamentos hacia una dirección, como en el caso de la interdependencia de tareas secuenciales que se analizó en el capítulo 7. En tales casos, el departamento receptor de recursos se encuentra en una posición de poder más baja que el departamento que los proporciona. La cantidad y fortaleza de dependencias también son factores importantes. Cuando seis u ocho departamentos deben pedir ayuda al departamento de ingeniería, por ejemplo, este departamento se encontrará en una posición de poder más fuerte. En contraste, un departamento que depende de muchos otros departamentos, se encuentra en una posición de poder más baja. De igual manera, un departamento en otra posición de poder baja puede obtener poder a través de las dependencias. Si una fábrica no puede producir sin la pericia de los trabajadores de mantenimiento para lograr que las máquinas funcionen, el departamento de mantenimiento se encontrará en una posición más fuerte debido a que detenta el control sobre una contingencia estratégica.
2. **Recursos financieros.** Existe una regla fundamental en el mundo de los negocios: "La persona con oro hace las reglas".[55] El control sobre los recursos es una fuente importante de poder en las organizaciones. El dinero se puede convertir en otra clase de recursos necesarios para otros departamentos. El dinero genera dependencia; los departamentos que proporcionan recursos financieros tienen algo que otros departamentos desean. Los departamentos que generan ingresos para una organización tienen un poder mayor. El cuadro 13.4 indica que las ventas constituyen la unidad más poderosa en la mayoría de las empresas industriales. Esto se debe a que los vendedores encuentran a los clientes y traen el dinero, por tanto ayudan a mitigar un problema importante de la organización. La capacidad de proporcionar recursos financieros también explica por qué ciertos departamentos son poderosos en otras organizaciones, como las universidades.

En la práctica
University of Illinois

Uno podría esperar que el proceso de asignación presupuestal de recursos en una universidad estatal fuera sencillo. La necesidad de recursos financieros puede estar determinada por cuestiones tales como el número de estudiantes sin graduar, el número de estudiantes graduados y del profesorado en cada departamento.

De hecho, la asignación de recursos en la University of Illinois no está bien definida. Esta universidad tiene una entrada de recursos relativamente fija proveniente del gobierno estatal. Aparte de eso, una cantidad importante de recursos proviene de subvenciones para la investigación y de la calidad de estudiantes y profesores. Los departamentos universitarios por medio de los cuales la universidad recibe más recursos son los que detentan un poder mayor. Algunos departamentos tienen más poder debido a su contribución de recursos a la universidad. Los departamentos que reciben las subvenciones más importantes para la investigación son más poderosos debido a que parte importante de ellas se destina al pago de los gastos generales administrativos de la universidad. Este dinero paga una gran parte de las instalaciones y personal universitarios. La cantidad de graduados universitarios de un departamento y su prestigio a nivel nacional, también constituyen un factor que agrega poder. Los estudiantes graduados y el prestigio nacional constituyen recursos no financieros que son un valor agregado de reputación y efectividad para la universidad.

¿Cómo emplean los departamentos su poder? Por lo general lo usan para obtener aún más recursos del resto de la universidad. Los departamentos muy poderosos reciben recursos universitarios, como los provenientes de fraternidades de graduados, apoyo interno a la investigación y salarios para profesores de verano, los cuales exceden por mucho las necesidades básicas apoyadas en el número de estudiantes y profesores.[56]

Como se mostró en el ejemplo de la University of Illinois, el poder se acumula en los departamentos que proporcionan o consiguen recursos que son bastante valiosos para una organización. El poder permite a esos departamentos obtener una mayor parte de los recursos escasos que se distribuyen en la organización. "El poder derivado de la adquisición de recursos se utiliza para obtener más medios, lo cual a su vez se puede emplear para producir más poder: El rico se hace más rico."[57]

3. **Centralidad.** La centralidad refleja la función de un departamento en la actividad principal de una organización.[58] Una medición de centralidad es el grado al cual el trabajo del departamento afecta el resultado final de la organización. Por ejemplo, el departamento de producción es más central y por lo general tiene más poder que los grupos administrativos (en caso de no existir otras contingencias críticas). La centralidad está asociada con el poder debido a que refleja la contribución que se hace a la organización. El departamento de finanzas corporativas de un banco de inversión por lo general tendrá más poder que el departamento de investigación de acciones. En contraste, en las empresas de manufactura descritas en el cuadro 13.4, finanzas tiende a tener el menor grado de poder. Cuando el departamento de finanzas tiene la función limitada de registrar el dinero y los gastos, no será responsable de obtener recursos críticos o de generar los productos de la organización. Sin embargo, en la actualidad los departamentos de finanzas tienen un poder mayor en muchas organizaciones debido a la creciente necesidad de controlar los costos.
4. **Imposibilidad de sustitución.** El poder también se determina por la *imposibilidad de sustitución*, lo cual significa que la función del departamento no podrá ser reemplazable por otros recursos fácilmente disponibles. De manera similar, si un empleado no se puede sustituir con facilidad, su poder será mayor. Cuando una organización no tiene recursos alternativos de capacidad e información, el poder del departamento correspondiente será mayor. Éste puede ser el caso de la dirección que hace uso de consultores externos, los que pueden utilizarse como sustitutos del personal administrativo para reducir el poder de estos grupos.

   El impacto de la imposibilidad de sustitución en el poder fue estudiado en el caso de los programadores de los departamentos de cómputo.[59] Cuando las computadoras se introdujeron por primera vez, la programación era una ocupación rara y especializada. Los programadores controlaban el uso de computadoras organizacionales debido a que sólo ellos poseían el conocimiento para programarlas. Durante un periodo de alrededor de 10 años, la programación de computadoras se convirtió en una actividad común. Las personas se podían sustituir con facilidad, y el poder de los departamentos de programación decayó.
5. **Enfrentar a la incertidumbre.** Los elementos en el entorno pueden cambiar de manera repentina y ser impredecibles y complejos. De cara a la incertidumbre, hay poca información con la que los directivos pueden contar para tomar los cursos de acción apropiados. Los departamentos que reducen la incertidumbre de la organización incrementarán su poder.[60] Cuando el personal de investigación de mercados predice con exactitud los cambios en la demanda de nuevos productos, obtiene poder y prestigio debido a que ha reducido una incertidumbre crítica. Pero el pronóstico no es el único medio. Algunas veces las amenazas se pueden reducir al emprender una acción rápida y apropiada después de que ocurre un evento impredecible.

Como gerente de una organización, tenga en mente estos lineamientos:

Advierta las relaciones importantes de poder horizontal que provengan de la capacidad departamental para manejar las contingencias estratégicas que enfrenta la organización. Incremente el poder horizontal de un departamento al aumentar su participación activa en las contingencias estratégicas.

Los departamentos pueden manejar la incertidumbre crítica mediante 1) la obtención previa de información, 2) la prevención y 3) la absorción.[61] La *obtención previa de información* significa que un departamento puede reducir la incertidumbre de una organización al pronosticar una circunstancia. El departamento incrementa su poder a través de la *prevención* al predecir y anticiparse a circunstancias negativas. La *absorción* ocurre cuando un departamento emprende una acción después de un acontecimiento para reducir sus consecuencias negativas. Considere el siguiente caso proveniente de la industria del cuidado de la salud.

En la práctica

HCA y Aetna Inc.

No hace mucho tiempo, los aseguradores llamados disparos, obligaban a los hospitales a aceptar reembolsos más bajos, a renunciar al aumento de sus precios, y dar de alta a los pacientes con mayor rapidez. HCA, con sede en Nashville, Tennessee, asegura que en forma habitual firma contratos que apenas cubren sus costos. Pero HCA se ha convertido ahora en el dueño del hospital más grande en Estados Unidos y controla un porcentaje gigantesco del mercado hospitalario en las áreas metropolitanas más importantes como Denver, Las Vegas y Houston. Sin embargo, ahora tiene el suficiente poder para amedrentar a grandes compañías de seguros como Aetna Inc.

El departamento jurídico de HCA ha contribuido a amortiguar las incertidumbres críticas para la organización. Desde 1996, cuando salió a la luz el escándalo de Medicare, el departamento jurídico entró en acción para ayudar a la organización a soportar con éxito la crisis y desarrollar lineamientos claros y programas de cumplimiento para asegurarse de que problemas legales similares nunca sucedieran de nuevo. El departamento una vez más tuvo una función crucial en la negociación de una serie de fusiones y adquisiciones que permitieron a HCA crecer en tamaño y poder y así cambiarles el juego a las grandes aseguradoras. Por ejemplo, en Houston, HCA ahora opera 10 hospitales, es decir, un 22% de participación de mercado. En esa ciudad, los funcionarios de HCA comenzaron a advertir a los médicos que terminaría su contrato con Aetna, la aseguradora de salud más grande del país, a menos que HCA pagara sus incrementos en los precios.

A la vez, los hospitales enfrentan otra incertidumbre crítica concerniente a las prácticas de facturación que algunas veces implica que los pacientes no asegurados paguen tarifas muy altas. Un comité del Congreso ha estado investigando estas prácticas en HCA y otros hospitales grandes, y de nuevo se ha requerido la astuta participación del departamento jurídico. Siempre que las cuestiones legales representen una contingencia estratégica para HCA, el departamento jurídico será un poderoso motor dentro de la organización.[62]

Debido a que los hospitales deben lidiar con tantos asuntos legales y reglamentarios complejos, es probable que el departamento jurídico de sistemas como HCA y Tenet Healthcare por lo general se encuentre en una posición de poder más alta. En HCA, el departamento tuvo que enfrentar una incertidumbre crítica (prácticas de seguros médicos cuestionables) mediante la absorción. Emprendió una acción para reducir la incertidumbre después de que ésta apareció. Las relaciones de poder horizontal en las organizaciones cambian a medida que las contingencias estratégicas también lo hacen. En un hospital que maneja una crisis de salud importante, el departamento de relaciones públicas puede acumular poder, por ejemplo, al tranquilizar los miedos y mantener a la gente informada acerca de los esfuerzos del hospital para controlar el contagio de la enfermedad. Por ejemplo, los grandes minoristas como Wal-Mart y Home Depot que están intentando construir nuevas tiendas con gran frecuencia se enfrentan a retos presentados por activistas comunitarios que luchan en contra del crecimiento desorganizado de las ciudades. El departamento de relaciones públicas puede obtener poder al ayudar a presentar el lado positivo de la historia de la organización y contrarrestar los argumentos de los opositores. Los departamentos que ayudan a las organizaciones a luchar con cuestiones estratégicas obtendrán un poder mayor.

Procesos políticos en las organizaciones

La cuantificación de la política, al igual que la del poder, es intangible y difícil. Está oculta a la vista y es difícil de observar de una forma sistemática. Dos encuestas descubrieron las siguientes reacciones de directivos con respecto al comportamiento político.[63]

1. La mayoría de los directivos tienen una visión negativa con respecto a la política y cree que ésta daña más que ayudar a la organización para alcanzar sus metas.

2. Los directivos creen que el comportamiento político es común en casi todas las organizaciones.
3. La mayor parte de los directivos piensan que el comportamiento político ocurre con mayor frecuencia en los niveles altos que en los niveles bajos de las organizaciones.
4. El comportamiento político surge en ciertos ámbitos de decisión, como el cambio estructural, pero está ausente en otras cuestiones, como el manejo de las quejas de los empleados.

Con base en estas encuestas, parece que es más probable que la política ocurra en los niveles altos de una organización y en torno a ciertas cuestiones y decisiones. Además, los directivos no aprueban el comportamiento político. El resto de este capítulo explora con más profundidad lo que es éste en realidad, cuándo se debe utilizar, el tipo de cuestiones y decisiones que están asociadas con la política y algunas de sus prácticas que pueden ser efectivas.

Definición

Se ha definido al poder como la fuerza o potencial disponible para alcanzar los resultados deseados. La *política* es el uso del poder para ejercer una influencia sobre las decisiones con el fin de lograr estos resultados. El ejercicio del poder y la influencia ha producido dos formas de definir la política: como comportamiento egoísta o como un proceso de decisión organizacional natural. La primera definición enfatiza que la política es egoísta e implica actividades que no son sancionadas por la organización.[64]

De acuerdo con este punto de vista, la política implica la decepción y deshonestidad de propósitos con fines individuales y egoístas, y produce el conflicto y la falta de armonía en el ambiente de trabajo. Esta concepción oscura de la política es muy aceptada por la gente común, además la actividad política en realidad puede utilizarse de esta forma. Recientes estudios han mostrado que los trabajadores que perciben esta clase de actividad política dentro de sus compañías muchas veces tienen sentimientos relacionados con ansiedad e insatisfacción en el trabajo. Los estudios también apoyan la creencia de que el uso inapropiado de la política está relacionado con una moral baja del empleado, un desempeño organizacional inferior y una toma de decisiones deficiente.[65] Esta concepción de la política explica por qué los directivos en las encuestas mencionadas no aprueban el comportamiento político.

Aunque la política puede utilizarse de una forma negativa y egoísta, el uso adecuado del comportamiento político puede servir a las metas organizacionales.[66] La segunda concepción de la política la considera como un proceso natural para resolver diferencias entre grupos de interés organizacional.[67] La política es el proceso de negociación que se utiliza para superar conflictos y diferencias de opinión. Desde este punto de vista, la política es similar a los procesos de decisión de construcción de coaliciones que se definieron en el capítulo 12.

La perspectiva de la teoría organizacional concibe a la política como se describe en la segunda definición: Como un proceso normal de la toma de decisiones. La política es tan sólo la actividad a través de la cual se ejerce el poder en la resolución de conflictos e incertidumbre. La política es neutral y no necesariamente es dañina para la organización. La definición formal de política organizacional es la siguiente: La **política organizacional** implica actividades para adquirir, desarrollar y utilizar el poder y otros medios a fin de obtener el recurso preferido cuando existe incertidumbre o desacuerdo acerca de las opciones.[68]

El comportamiento político puede ser una fuerza positiva o negativa. La política es el uso del poder para hacer que las cosas se logren: cosas buenas o malas. La incertidumbre y el conflicto son naturales e inevitables, y la política es el mecanismo para lograr consensos. La política incluye las discusiones informales que permiten a los participantes llegar a acuerdos y tomar decisiones que de otra manera podrían ser insolubles o estar estancadas.

Portafolios

Como gerente de una organización, tenga en mente estos lineamientos:

Espere y permita el comportamiento político dentro de la organización. Lo que facilita la discusión y choque de intereses, necesarios para cristalizar los puntos de vista y llegar a una decisión. La construcción de coaliciones, la ampliación de redes, el control de las premisas de decisión, el realce a la legitimidad, y la elaboración de una solicitud directa, son factores que sirven para lograr los resultados deseados.

¿Cuándo se utiliza la actividad política?

La política es un mecanismo para lograr un consenso cuando la incertidumbre es alta y existe desacuerdo acerca de las metas o prioridades de problemas. Recuerde los modelos políticos comparados con los modelos racionales que se presentan en el cuadro 13.2. El modelo político está asociado con el conflicto de metas, coaliciones y grupos de interés cambiantes, información ambigua e incertidumbre. Así, la actividad política tiende a ser más visible cuando los directivos se enfrentan a decisiones no programadas, como se analizó en el capítulo 12, y está relacionada con el modelo de Carnegie para la toma de decisiones. La actividad política aparecerá en niveles superiores, ya que los directivos en el nivel jerárquico más alto de la organización por lo general manejan decisiones no programadas en relación con los gerentes en los niveles menores. Además, algunas cuestiones están relacionadas con el desacuerdo inherente. Por ejemplo, los recursos son fundamentales para la supervivencia y efectividad de los departamentos, de manera que la asignación de recursos por lo general se convierte en una cuestión política. Los modelos racionales de asignación no satisfacen a los participantes. Los tres **dominios de actividad política** (áreas en las cuales la política tiene una función importante) en la mayoría de las organizaciones son el cambio estructural, la sucesión en la administración y la asignación de recursos.

Las reorganizaciones estructurales atacan al corazón de las relaciones de poder y autoridad. Éstas, como las que se analizaron en el capítulo 3, cambian las responsabilidades y las tareas, lo cual también afecta el poder basado en las contingencias estratégicas. Por esta razón, una reorganización importante puede generar una explosión de la actividad política.[69] Los directivos pueden negociar de manera activa para conservar las responsabilidades y las bases de poder que poseen. Las fusiones y adquisiciones también crean con frecuencia actividad política, como se observó en el ejemplo de apertura del capítulo de Morgan Stanley.

Los cambios organizacionales, como la contratación de nuevos ejecutivos, las promociones y las transferencias tienen una trascendencia política mayor, en particular en los niveles organizacionales superiores donde la incertidumbre es alta y las redes de confianza, cooperación y comunicación entre los ejecutivos son importantes.[70] Las decisiones de contratación pueden generar incertidumbre, discusiones y desacuerdos, pero los directivos pueden utilizar estos medios para fortalecer las redes de alianzas y coaliciones al colocar a su propia gente en puestos prominentes.

Una tercera área de actividad política es la asignación de recursos. Las decisiones para establecer los presupuestos abarcan todos los recursos requeridos para el desempeño organizacional, incluidos los salarios, los presupuestos operativos, los empleados, las instalaciones de oficina, el equipo, el uso del avión corporativo, etcétera. Los recursos son tan vitales que existe el desacuerdo acerca de las prioridades: sin embargo, los procesos políticos ayudan a resolver estos dilemas.

Uso del poder, la política y la colaboración

Un tema de este capítulo ha sido que el poder en las organizaciones no es un fenómeno fundamentalmente individual, sino que está relacionado con el control de los recursos que tienen los departamentos, su función en una organización y las contingencias del entorno a las cuales se enfrentan. Los puestos y la responsabilidad, más que la personalidad y el estilo, determinarán la influencia que ejercerán los directivos sobre los resultados de la organización.

Sin embargo, el poder se ejerce a través del comportamiento político individual. Los directivos en forma individual buscan acuerdos acerca de una estrategia para alcanzar los resultados deseados por sus departamentos. Ellos negocian decisiones y adoptan prácticas que les permitirán adquirir y utilizar el poder. Además, desarrollan métodos para incrementar la cooperación y la colaboración dentro de la organización a fin de reducir los conflictos.

CUADRO 13.6
Poder y tácticas políticas en las organizaciones

Tácticas para el incremento de la base de poder	Tácticas políticas para el uso del poder	Tácticas para mejorar la colaboración
1. Ingresar en áreas de alta incertidumbre. 2. Crear dependencias. 3. Suministrar recursos escasos. 4. Cubrir las contingencias estratégicas. 5. Realizar una solicitud directa.	1. Construir coaliciones y expandir las redes. 2. Asignar gente leal en puestos clave. 3. Controlar las premisas de decisión. 4. Realzar la legitimidad y pericia profesional. 5. Crear metas superordenadas.	1. Crear dispositivos de integración. 2. Utilizar la confrontación y la negociación. 3. Programar una consulta intergrupal. 4. Rotar a los miembros.

Para entender por completo el uso del poder en las organizaciones, es importante observar los componentes estructurales y el comportamiento individual.[71] Aunque el poder provenga de formas y procesos organizacionales más amplios, el uso político del poder implica actividades a nivel individual. Por ejemplo, todos los directivos utilizan tácticas para ejercer su influencia, pero la investigación indica que los directivos en los departamentos de recursos humanos pueden utilizar enfoques más suaves y sutiles que los directivos en los departamentos de finanzas más poderosos. En un estudio, los directivos de recursos humanos, los cuales se percibe que no tienen una misión central en la empresa, asumen un enfoque de bajo perfil a fin de intentar influir en los demás, mientras que los ejecutivos de finanzas, que cuentan con una posición más central y poderosa, utilizan tácticas más fuertes y con influencia más directa.[72] Las siguientes secciones resumen brevemente diferentes tácticas que los directivos pueden utilizar para incrementar la base de poder de sus departamentos, las prácticas políticas que pueden utilizar para alcanzar los resultados deseados, y las estrategias para incrementar la colaboración. Estas tácticas se resumen en el cuadro 13.6.

Tácticas para incrementar el poder

Las cuatro **tácticas para incrementar el poder** de la organización son las siguientes:

1. *Ingresar en áreas de alta incertidumbre*. Una fuente de poder departamental es el manejo de las incertidumbres críticas.[73] Si los gerentes de departamento pueden identificar incertidumbres clave y tomar medidas para eliminarlas, la base del poder departamental se verá beneficiada. Las incertidumbres pueden surgir por cuellos de botella en las cadenas de ensamble, la solicitud de calidad de un nuevo producto, o de la incapacidad para pronosticar la demanda de nuevos servicios. Una vez que la incertidumbre se ha identificado, el departamento puede tomar cartas en el asunto para enfrentarla. Por su misma naturaleza, las tareas inciertas no se resolverán de inmediato, y será necesaria la prueba y el error, en beneficio del departamento. El proceso de prueba y error proporciona experiencia y especialización que otros departamentos no pueden duplicar con facilidad.
2. *Crear dependencias*. Las dependencias son otra fuente de poder.[74] Cuando la organización depende de un departamento en cuanto a información, materiales, conocimiento o habilidades, ese departamento ejercerá un poder sobre los demás. Este poder puede incrementarse mediante la adquisición de obligaciones. Hacer trabajo adicional que ayude a otros departamentos, los obliga a responder en el futuro. El poder acumulado mediante la creación de una dependencia se puede utilizar para resolver desacuerdos futuros a favor del departamento. Una estrategia efectiva y relacionada es reducir la dependencia de otros departamentos mediante la adqui-

sición de información o habilidades necesarias. Los departamentos de tecnología de la información han creado dependencias en muchas organizaciones debido a los rápidos cambios en esta área. Los empleados en otros departamentos dependen de la unidad de tecnología de información para que maneje los programas complejos de software, Internet y otros avances, a fin de conseguir la información necesaria para desempeñarse con eficiencia.

3. *Proporcionar recursos escasos.* Éstos siempre son importantes para la supervivencia organizacional, así que los departamentos que acumulan recursos y los suministran a una organización en forma de dinero, información e instalaciones, serán poderosos. En el recuadro En la práctica se describe cómo los departamentos universitarios con el mayor poder son aquellos que obtienen financiamiento externo para la investigación y contribuyen a sufragar los gastos generales universitarios. De igual manera, los departamentos de ventas son poderosos en las empresas industriales, ya que aportan recursos financieros.
4. *Satisfacer las contingencias estratégicas.* La teoría de las contingencias estratégicas afirma que algunos elementos en el entorno y dentro de la organización son especialmente importantes para el éxito de la misma. Una contingencia puede ser un evento crítico, una tarea para la cual no existan sustitutos, o una tarea central que tenga interdependencias con muchas otras en la organización. Un análisis de la organización y de su entorno cambiante revelará las contingencias estratégicas. En la medida en que las contingencias sean nuevas y no estén satisfechas, se tendrá la oportunidad para que un departamento se ocupe de esas áreas críticas e incremente su importancia y poder.

En resumen, la asignación de poder en una organización no es aleatoria. El poder es el resultado de los procesos que pueden entenderse y pronosticarse. La capacidad de reducir la incertidumbre, incrementar las necesidades que los demás departamentos tengan del propio, obtener recursos y luchar con las contingencias estratégicas, todas son formas de mejorar el poder departamental. Una vez que se ha obtenido el poder, el siguiente reto es usarlo para lograr resultados útiles.

Tácticas políticas para el uso del poder

El uso del poder en las organizaciones requiere la capacidad y la voluntad. Muchas decisiones se toman mediante procesos políticos debido a que los de decisión racional no son adecuados. La incertidumbre o los desacuerdos son altos. Las tácticas políticas para el uso del poder orientadas a influir los resultados de decisión son las siguientes:

1. *Construir coaliciones y expandir redes.* La construcción de coaliciones implica invertir tiempo para hablar con otros directivos a fin de persuadirlos de un determinado punto de vista.[75] Las decisiones más importantes se toman fuera de las reuniones formales. Los directivos analizan cuestiones entre sí y llegan a un consenso. Los directivos eficaces son aquellos que se reúnen, y forman grupos de dos o tres para resolver cuestiones clave.[76] Los directivos efectivos también construyen redes de relaciones a través de las fronteras funcionales y jerárquicas. Las redes se pueden expandir mediante 1) el acercamiento para establecer contacto con directivos adicionales y 2) la cooptación de los disidentes. Un reciente proyecto de investigación encontró que la capacidad para construir redes tiene un impacto positivo tanto en la percepción de los empleados de la efectividad del director como en la capacidad del director para influir en el desempeño.[77] El contacto con directivos adicionales implica la construcción de buenas relaciones interpersonales basadas en las conexiones, la confianza y el respeto. La confiabilidad y la motivación para trabajar, y no la explotación de los demás son parte tanto de la construcción de coaliciones como de redes.[78] El segundo método para expandir las redes, la cooptación, es el acto de incluir a un disidente en la propia red. Un ejemplo de cooptación lo constituye el comité universitario cuya

membresía está basada en las promociones y cargos. Varios profesores criticaron que los procesos de cargos y promociones fueran llevados a cabo por un comité. Una vez que formaban parte del proceso administrativo, podían entender el punto de vista del mismo. La cooptación los introdujo de manera efectiva en la red administrativa.[79]

2. *Asignar a gente leal en puestos clave.* Otra táctica política es asignar a gente leal y confiable en puestos clave de la organización o departamento. Los altos directivos así como los jefes de departamento muchas veces utilizan procesos de contratación, transferencia y promoción para colocar en puestos clave a gente que simpatice con los resultados del departamento, y por lo tanto, les ayude a alcanzar las metas departamentales.[80] Los altos líderes con frecuencia utilizan esta táctica, como se analizó con anterioridad. Por ejemplo, desde que Merrill Lynch & Co., Stan O'Neal se convirtió en el director general, se deshizo de una generación completa de grandes talentos y lo sustituyó por otros directivos que apoyaban su visión y metas organizacionales. Recientemente trajo de regreso a un popular ejecutivo retirado, sin importar las imputaciones de que habían estado abarrotando los rangos directivos con personas que no pondrían en tela de juicio su poder ni su autoridad.[81]
3. *Controlar las premisas de decisión.* Controlar las premisas de decisión significa restringir los límites de una decisión. Una técnica es elegir o limitar la información que proporcionan otros directivos. También es común sólo demostrar lo mejor del departamento, como presentar un criterio selectivamente favorable. Se puede reunir una variedad de estadísticas que apoye el punto de vista departamental. Un departamento universitario que está creciendo con rapidez y con un gran número de estudiantes puede demandar recursos adicionales mediante el énfasis en su crecimiento y gran tamaño. Tal criterio no siempre funciona, pero constituye un avance valioso. Las premisas de decisión pueden influirse aún más al limitar el proceso de decisión. Se puede ejercer algún control sobre las decisiones al planificar que se aborde cierto tipo de asuntos en una reunión importante o incluso programar la secuencia en la que se analizarán dichas cuestiones.[82] Los asuntos analizados al final, cuando el tiempo es corto y la gente desea irse, recibirán menos atención que las que se analizan al inicio. Llamar la atención sobre problemas específicos y sugerir alternativas también afecta los resultados. Enfatizar un problema específico —no problemas irrelevantes para su departamento— para ingresarlo en la agenda es un ejemplo de configuración de la agenda.
4. *Mejorar la legitimidad y el expertise.* Los directivos pueden ejercer una influencia mayor en las áreas en las cuales tienen legitimidad y experiencia reconocidas. Si una solicitud se encuentra en el dominio de tareas de los departamentos y es congruente con el interés de los mismos, otros departamentos tenderán a cumplir. Los miembros también pueden identificar a consultores externos u otros expertos dentro de la organización para que apoyen su causa.[83] Por ejemplo, un vicepresidente de finanzas en una empresa grande de ventas al menudeo deseaba despedir al director de administración de recursos humanos. Contrató a un consultor para que evaluara los proyectos de recursos humanos que hubiera realizado hasta la fecha. Un informe negativo de parte del consultor proporcionó la justificación suficiente para despedir al director, quien fue reemplazado por un director leal al vicepresidente de finanzas.
5. *Efectuar una solicitud directa.* Si los directivos no lo piden, en raras ocasiones recibirán. La actividad política es efectiva sólo cuando las metas y necesidades se expresan en forma explícita, de manera que la organización pueda responder. Los directivos deben negociar con agresividad y ser persuasivos. Una propuesta asertiva puede aceptarse debido a que otros directivos no tienen alternativas mejores. Además, una propuesta clara con frecuencia recibirá un tratamiento favorable debido a que otras alternativas son ambiguas y están menos definidas. El comportamiento político efectivo requiere la suficiente energía y toma de riesgos como para al menos pedir lo que se necesita a fin de alcanzar los resultados deseados.

No obstante, el uso del poder, no debe ser obvio.[84] Si usted hace uso formal de su base de poder en una reunión al declarar, "Mi departamento tiene más poder, así que el resto de ustedes deben actuar según mis deseos", su poder se verá disminuido. El poder funciona mejor cuando es utilizado con discreción. Llamar la atención respecto al poder significa perderlo. La gente sabe quién tiene poder. Las declaraciones explícitas con respecto al poder no son necesarias y pueden aun dañar la causa del departamento.

Cuando utilice cualquiera de las tácticas anteriores, recuerde que la mayoría de la gente piensa que el comportamiento egoísta daña y no ayuda a una organización. Si se

Marcador de libros 13.0 (¿YA LEYÓ ESTE LIBRO?)

Influencia: Ciencia y práctica

Por Robert B. Cialdini

Los directivos utilizan varias tácticas para influir en otros y producir los resultados deseados. En su obra *Influence: Science and Practice*, Robert Cialdini examina las presiones sociales y psicológicas que provocan que la gente responda de manera favorable a diferentes tácticas. A través de años de estudio, Cialdini, profesor de psicología en la Arizona State University, ha identificado algunos principios básicos de influencia, "que funcionan en varias situaciones, con diferentes practicantes, en diferentes temas y para una variedad de prospectos".

PRINCIPIOS DE INFLUENCIA

Contar con un conocimiento práctico del conjunto básico de herramientas de persuasión, puede ayudar a los directivos a predecir y ejercer su influencia sobre el comportamiento humano. Este conocimiento es de gran valor en la interacción con los colegas, los empleados, los clientes, los socios y hasta con los amigos. Algunos principios psicológicos básicos que rigen las tácticas de influencia exitosa son los siguientes:

- *Reciprocidad*. El principio de reciprocidad se refiere al sentido de obligación de corresponder por lo que se ha recibido. Por ejemplo, un directivo que hace favores a los demás crea en el equipo un sentimiento de obligación de corresponder en forma de favores futuros. Los directivos inteligentes encuentran formas de ser útiles a los demás, ya sea al ayudar a un colega a terminar un trabajo desagradable o al ofrecerle su compasión y su interés por los problemas personales de un subordinado.
- *Vinculación*. La gente dice sí con más frecuencia a la gente que le agrada. Las compañías como Tupperware Corp., desde hace mucho tiempo han comprendido que los rostros familiares y características agradables venden productos. Las reuniones hogareñas de Tupperware permiten que los clientes le compren a un amigo en lugar de a un vendedor desconocido. Los vendedores de todos tipos de compañías con frecuencia intentan utilizar este principio al buscar intereses comunes con los clientes como una forma de establecer buenas relaciones. En general, los directivos amables, pródigos en las alabanzas, cooperativos y que consideran los sentimientos de los demás, tienen una influencia mayor.
- *Autoridad creíble*. La autoridad legítima es una fuente importante de poder. Sin embargo, la investigación ha descubierto que una clave para el uso exitoso de la autoridad es ser conocedor, convincente y confiable. Los directivos que son conocidos por su experiencia, que son honestos, que actúan con claridad con los demás, y que inspiran confianza pueden ejercer una influencia mayor que quienes sólo dependen de una posición formal.
- *Validación social*. Una de las principales formas en que la gente decide qué hacer en cualquier situación es considerar lo que los demás están haciendo. Es decir, la gente examina las acciones de los demás para validar las elecciones correctas. Por ejemplo, cuando se mostró a los propietarios de casas una lista de vecinos que habían efectuado donaciones a la caridad local durante una actividad de recaudación de fondos, la frecuencia de contribuciones aumentó de manera considerable. Al demostrar, o incluso, sugerir, que los demás ya han cumplido con una solicitud, los directivos lograrán una cooperación mayor.

EL PROCESO DE LA INFLUENCIA SOCIAL

Como la principal función de un directivo implica influir en los demás, aprender a ser persuasivo de una manera genuina es una habilidad valiosa. La obra de Cialdini ayuda a los ejecutivos a entender las reglas psicológicas básicas de convencimiento: —cómo y por qué la gente está motivada a cambiar sus actitudes y comportamientos. Cuando los directivos utilizan esta comprensión de una forma honesta y ética, mejoran su efectividad y el éxito de sus organizaciones.

Influence: Science and Practice (4a. edición), por Robert B. Cialdini, publicada por Allyn & Bacon.

percibe que los directivos hacen alarde de su poder en toda la empresa o persiguen metas que son egoístas en lugar de ser benéficas, perderán el respeto obtenido. Por otro lado, ellos deben reconocer el aspecto relacional y político de su trabajo. No es suficiente ser racional y técnicamente competente, si no que es importante lograr consensos y la política es una forma de lograrlos. El Marcador de libros de este capítulo describe algunos principios psicológicos básicos sobre los que se fundamentan las prácticas exitosas de influencia política. Los directivos pueden utilizar esta comprensión para ejercer autoridad a fin de obtener resultados dentro de la organización. Cuando los altos mandos ignoran las tácticas políticas, pueden fracasar sin entender por qué. Ésta es en parte la razón por la que Tim Koogle fracasó en lograr una adquisición clave en Yahoo!

En la práctica

Yahoo!

A finales de marzo de 2000, Yahoo! inició las negociaciones para comprar al líder de subastas en línea eBay Inc., Tim Koogle, el director general de Yahoo! en esa época, apoyaba por completo la negociación, porque pensó que permitiría a la compañía aumentar sus ingresos provenientes del comercio electrónico y aportaría la sangre nueva necesaria para la cultura cada vez más aislada de Yahoo! Pero el trato nunca se materializó, y mientras las fortunas de Yahoo! menguaban, las ganancias e ingresos netos de eBay continuaban a la alza.

¿Qué sucedió? Jeffrey Mallett, presidente de Yahoo!, se oponía a la adquisición de eBay, y utilizó sus tácticas políticas para obstaculizarla. Koogle siempre había sido un director defensor del consenso. Creía que los altos directivos debían discutir las ventajas y desventajas de la adquisición y acordar la mejor decisión. Además, estaba seguro de que los méritos de la negociación con eBay triunfarían al final. Pero Mallet, del que se decía estaba dispuesto a apoderarse del puesto de director general, comenzó a cortejar a los cofundadores Jerry Yang y David Filo. Eventualmente los convenció de que la cultura de eBay no encajaba bien en la de Yahoo! Cuando Koogle perdió adeptos a su causa, la negociación se vino abajo. Un antiguo directivo de Yahoo! llamó a esta maniobra dirección por persuasión.

Al no poder construir coaliciones, Koogle permitió que Mallet tomara el poder sobre esta importante decisión. Esto sólo es un ejemplo de varias maniobras que al final ocasionaron que Koogle abandonara su puesto como director general. A pesar de los movimientos políticos de Mallett, él no fue considerado para asumir el alto cargo, mismo que fue conferido a una persona externa. Ya que los miembros del consejo sintieron que podría producir la recuperación de la complicada compañía, Koogle tomó con serenidad la decisión de buscar un nuevo director general y se culpó por no haber mantenido vigilado a Mallett.[85]

Tácticas para mejorar la colaboración

Las tácticas políticas y el poder son medios importantes para obtener los resultados deseados dentro de las empresas. La mayoría de las organizaciones contemporáneas enfrentan conflictos al menos moderados entre las unidades. Un método adicional en muchas de ellas para superar el conflicto es mediante el estímulo de la cooperación y la colaboración entre los diferentes departamentos a fin de promover el logro de las metas. Entre las **tácticas para mejorar la colaboración** se incluyen las siguientes:

1. *Crear dispositivos de integración.* Como se describió en el capítulo 3, los equipos, la fuerza de tarea y los gerentes de proyecto que interconectan las fronteras entre departamentos, pueden utilizarse como dispositivos de integración. Una forma efectiva de mejorar la colaboración es reunir a los representantes de los departamentos en conflicto en equipos para llegar a una solución conjunta de los problemas debido a que así los representantes logran entender el punto de vista de la otra persona.[86] Algunas veces se asigna un integrador de tiempo completo para lograr la cooperación

Portafolios

Como gerente de una organización, tenga en mente estos lineamientos:

Si el conflicto se torna demasiado serio, utilice tácticas para mejorar la colaboración incluídos los dispositivos de integración, la consulta intergrupal, la confrontación, la rotación de miembros y las metas superiores. Elija la técnica más adecuada para la organización y para resolver el conflicto.

y la colaboración por medio de reuniones con los miembros de los respectivos departamentos y el intercambio de información. Esta persona designada debe entender los problemas de cada grupo y ser capaz de hacer avanzar a los grupos hacia una solución que sea aceptable para ambas partes.[87]

La fuerza de tarea y los equipos reducen el conflicto y mejoran la cooperación debido a que integran a personas de diferentes departamentos. Los dispositivos de reunión también se pueden utilizar para mejorar la cooperación entre los obreros y los directivos, como lo ilustra el ejemplo de Aluminum Company of America e International Association of Machinists.

En la práctica

Aluminum Company of America/ International Association of Machinists

Cuando los representantes de la International Association of Machinists (IAM) se acercaron a David Groetsch, presidente de una división de Aluminum Company of America (Alcoa) y se ofrecieron para ayudarle a crear un nuevo sistema de trabajo, Groetsch de inmediato quiso hacer el intento. Los directivos de Alcoa se reunieron con líderes sindicales en un curso de una semana de duración en la escuela sindical en Maryland, donde aprendieron cómo establecer una sociedad entre el sindicato y la dirección para fomentar la productividad. Al trabajar en conjunto, el sindicato y la dirección estudiaron todo, desde la historia de los sistemas de alto rendimiento hasta nuevos métodos contables para medirlos. Después del curso, el sindicato envió gratuitamente expertos para ayudar a los líderes sindicales y directivos del departamento de manufactura hasta el departamento de marketing para crear equipos y consejos para así llegar a una toma de decisiones conjunta.

IAM se encuentra a la vanguardia de un cambio revolucionario en la relación entre sindicatos y dirección. Después de décadas de desconfianza en los equipos patrocinados por las compañías, muchos sindicatos ahora están aceptando con gusto el concepto de asociación. De acuerdo con Groetsch, las relaciones en los talleres de Alcoa han mejorado debido a que ambos lados entienden mejor los intereses de la otra parte. "Los días conflictivos al estilo de la década de los 50 aún no se han ido", afirma Arthur C. Coia, antiguo presidente del Sindicato Internacional de Obreros de Norteamérica, cuya asociación también participa en empresas de riesgo cooperativo.[88] No obstante, el uso de dispositivos de integración está mejorando de manera radical las relaciones cooperativas entre obreros y directores.

Los **equipos de empleados y directivos**, diseñados para incrementar la participación de los trabajadores y proporcionar un modelo cooperativo para la solución de problemas entre dirección y sindicato, se están utilizando con mayor frecuencia en compañías como Goodyear, Ford Motor Company y Xerox. En la industria del acero, compañías como USX y Wheeling-Pittsburgh Steel Corp., han establecido acuerdos para conceder a los representantes sindicales asientos en el consejo.[89] Si bien, los sindicatos continúan en su lucha por cuestiones tradicionales como los salarios, estos dispositivos de integración están creando un nivel de colaboración que muchos directivos no hubieran creído posible hace unos cuantos años.

2. *Usar la confrontación y la negociación*. La **confrontación** ocurre cuando las partes en conflicto se comprometen entre sí e intentan resolver sus diferencias. La **negociación** es el proceso de transacción que ocurre con frecuencia durante la confrontación y que permite que las partes de manera sistemática lleguen a una solución. Estas técnicas involucran a los representantes de los departamentos seleccionados, los cuales se reúnen para solucionar una disputa seria. Los representantes de United Auto Workers (UAW) y GM están utilizando la confrontación y la negociación para intentar resolver la cuestión del incremento en los costos de los cuidados médicos. UAW desea encontrar una forma de resolver el problema sin modificar el contrato existente, el cual expira en 2007, mientras la dirección de GM desea reabrir el contrato para negociaciones adicionales.[90]

CUADRO 13.7
Estrategias de negociación

Estrategia ganar-ganar	Estrategia ganar-perder
1. Definir el conflicto como un problema mutuo.	1. Definir el problema como situación ganar-perder.
2. Perseguir resultados conjuntos.	2. Perseguir los resultados beneficiosos para el propio grupo.
3. Encontrar acuerdos que satisfagan a ambos grupos.	3. Forzar la claudicación del otro grupo.
4. Ser abierto, honesto y preciso cuando se expresen las necesidades, metas y propuestas del grupo.	4. Ser deshonesto, impreciso y erróneo al comunicar las necesidades, metas y propuestas del grupo.
5. Evitar amenazas (a fin de reducir la actitud defensiva de la otra parte).	5. Usar amenazas (para forzar la claudicación).
6. Comunicar una posición de flexibilidad.	6. Comunicar un compromiso fuerte (rigidez) con respecto a la propia posición.

Fuente: Adaptado de David W Johnson y Frank P. Johnson, *Joining Together: Group Theory and Group Skills* (Englewood Cliffs, N.J.: Prentice-Hall, 1975), 182-183.

La confrontación y la negociación implican algún grado de riesgo. No hay garantía de que las discusiones se enfoquen en un conflicto o que se pierda el control sobre las emociones. Sin embargo, si los miembros son capaces de resolver los problemas con base en discusiones cara a cara, encontrarán una forma de respetarse entre sí y la colaboración futura se facilitará aún más. Los principios de cambio de actitud relativamente permanente son posibles gracias a la negociación directa.

La confrontación y la negociación son exitosas cuando los directivos se involucran en una *estrategia ganar-ganar*. Ésta implica que ambos lados adoptan una actitud positiva y se esfuerzan por resolver el conflicto de una forma que beneficie a todos.[91] Si las negociaciones se deterioran en una estrategia de ganar-perder (cada grupo desea derrotar al otro). La confrontación será poco efectiva. Las diferencias entre las estrategias ganar-ganar y ganar-perder de una negociación se muestran en el cuadro 13.7. En una estrategia ganar-ganar —la cual implica la definición del problema como mutuo, la comunicación abierta y evitar amenazas— se podrá lograr un entendimiento mientras que la disputa se resuelve.

Una clase de negociación que se utiliza para resolver un desacuerdo entre trabajadores y directivos se denomina **negociación colectiva.** Este proceso por lo general se lleva a cabo a través de un sindicato y produce un acuerdo que especifica las responsabilidades de cada una de las partes durante los siguientes dos o tres años, como en el contrato entre GM y UAW.

3. *Consulta intergrupal del programa.* Cuando el conflicto es intenso y perdurable, y los miembros de los departamentos se muestran desconfiados y poco cooperativos, los altos directivos pueden intervenir como terceras partes a fin de ayudar a resolver el problema, o traer a consultores que funjan como terceras partes de fuera de la organización.[92] Este proceso, que algunas veces se conoce como *mediación en el lugar de trabajo*, es una fuerte intervención para reducir el conflicto, debido a que implica conjuntar a las partes en disputa y permitir que cada una de ellas presente su propia versión de la situación. Esta técnica fue desarrollada por psicólogos como Robert Blake, Jane Mouton y Richard Walton.[93]

   Los miembros de los departamentos asisten a un taller de trabajo, el cual puede durar varios días, fuera de los problemas de la actividad cotidianos. Este enfoque es similar al del desarrollo organizacional (DO) que se analizó en el capítulo 11. Los grupos en conflicto se separan, y se invita a cada uno a analizar y a elaborar una lista de las percepciones de sí mismo y del otro grupo. Los representantes del grupo comparten en público estas percepciones y juntos analizan los resultados.

La consulta intergrupal puede ser muy demandante para todos los participantes. A pesar de que es muy fácil hacer que los grupos en conflicto enumeren las percepciones e identifiquen las discrepancias, lo más difícil es que exploren sus diferencias cara a cara y lleguen a un acuerdo para cambiar. Si se maneja de manera correcta, estas sesiones pueden ayudar a los empleados departamentales a entenderse mucho mejor entre sí, y producir actitudes y relaciones de trabajo para los años por venir.

4. *Practicar la rotación de puestos*. La que significa que se les pide a los empleados de un departamento que trabajen en otro por un tiempo o de modo permanente. La ventaja es que las personas se familiarizan con los valores, las actitudes, los problemas y las metas del otro departamento. Además, la gente puede explicar los problemas y las metas de sus departamentos originales a sus colegas nuevos. Esto permite un intercambio franco y exacto de los puntos de vista y de la información. La rotación funciona lentamente para reducir el conflicto pero es muy efectiva para cambiar las actitudes y las percepciones subyacentes que lo promueven.[94]
5. *Crear una visión compartida y metas superiores*. Otra estrategia para los altos directivos es crear una visión compartida y establecer metas superiores que requieren la cooperación entre departamentos.[95] Como se analizó en el capítulo 10, las organizaciones con culturas sólidas y adaptables, donde los empleados comparten una visión general de la compañía, tienen mayor probabilidad de contar con una fuerza de trabajo unida y participativa. Los estudios han mostrado que cuando los empleados que provienen de diferentes departamentos ven que sus metas están vinculadas, y comparten abiertamente recursos e información.[96] Para ser efectivas, las metas superiores deben ser sustanciales, y se debe otorgar a los empleados el tiempo y los incentivos para trabajar en conjunto a fin de lograr las metas superiores y no las submetas departamentales.

Resumen e interpretación

El mensaje central de este capítulo es que el conflicto, el poder y la política son resultados naturales de la organización. Las diferencias en las metas, los antecedentes y las tareas son necesarias para la excelencia organizacional, pero estas diferencias pueden generar conflicto entre los grupos. Los directivos utilizan el poder y la política para manejar y resolver los conflictos. Se presentaron dos puntos de vista de organización. El modelo racional asume que la organización tiene metas específicas y que los problemas se pueden resolver de manera lógica. El otro punto de vista, el modelo político, es la base de gran parte de este capítulo. Esta perspectiva asume que las metas de una organización no son específicas o acordadas. Los departamentos tienen diferentes valores e intereses, de manera que los directivos entran en conflicto. Las decisiones se toman con base en el poder y la influencia política. La negociación, la persuasión y la construcción de coaliciones deciden los resultados.

En este capítulo también se analizaron las fuentes horizontales y verticales de poder. Las fuentes verticales de poder incluyen la posición formal, los recursos, el control de premisas de decisión y centralidad en la red organizacional. En general, los directivos en la cima de la jerarquía organizacional tienen más poder que la gente en rangos menores. Sin embargo, los puestos a lo largo de la jerarquía se pueden diseñar para incrementar el poder de los empleados. A medida que las organizaciones se enfrentan a una mayor competencia e incertidumbre del entorno, los altos ejecutivos se están dando cuenta de que el incremento de poder para los mandos medios y los empleados de rangos menores puede ayudar a la empresa a ser más competitiva. La investigación de los procesos de poder horizontal ha revelado que ciertas características hacen que algunos departamentos sean más poderosos que otros. Algunos factores como la dependencia, los recursos, y la imposibilidad de sustitución determinan la influencia de los departamentos.

Los directivos pueden utilizar prácticas políticas como la construcción de coaliciones, las redes ampliadas y el control de las premisas de decisión a fin de ayudar a los departamentos a lograr los resultados deseados. Muchas personas desconfían del comportamiento político, ya que temen que se utilice con fines egoístas que beneficien al individuo pero no a la organización. Sin embargo, con frecuencia la política es necesaria para lograr metas legítimas de un departamento de la organización. Las tres áreas en las cuales los políticos con frecuencia ejercen una función son: El cambio estructural, la sucesión de la administración y la asignación de recursos, debido a que éstas son las áreas con mayor incertidumbre. A pesar de que el conflicto y el comportamiento político son naturales y se pueden utilizar para propósitos benéficos, los directivos también se esfuerzan por mejorar la colaboración de manera que el conflicto entre grupos no se fortalezca tanto. Las tácticas para mejorar la colaboración incluyen los dispositivos de integración, la confrontación y la negociación, la consulta intergrupal, la rotación de puestos y la misión compartida y metas superiores.

Conceptos clave

autoridad
centralidad
centralidad en la red organizacional
competencia
conflicto intergrupal
confrontación
contingencias estratégicas
dependencia
dominios de actividad política
equipos de empleados y directivos
fuentes de conflicto intergrupal
fuentes de poder
imposibilidad de sustitución
manejo de la incertidumbre
modelo político
modelo racional
negociación
negociación colectiva
poder
política organizacional
premisas de decisión
recursos financieros
tácticas para incrementar el poder
tácticas para mejorar la colaboración
tácticas políticas para utilizar el poder

Preguntas para análisis

1. Dé un ejemplo de su experiencia profesional acerca de la forma en que las diferencias en las tareas, los antecedentes personales y la capacitación pueden generar conflictos entre los grupos. ¿De qué forma la interdependencia de tareas puede influir ese conflicto?
2. Un experto organizacional connotado afirmó que un poco de conflicto es benéfico para las organizaciones. Analice.
3. En una organización rápidamente cambiante, ¿es más probable que las decisiones se tomen mediante el modelo racional o político de la organización? Analice.
4. ¿Cuál es la diferencia entre poder y autoridad? ¿Es posible para una persona tener autoridad formal pero no poder real? Analice.
5. Analice los medios por los que un departamento en una compañía de seguros puede ayudar a la organización a manejar el poder mayor de los grandes sistemas hospitalarios mediante la obtención previa de la información, la prevención o la absorción.
6. En el cuadro 13.4, el departamento de investigación y desarrollo tiene un mayor poder sobre la compañía B que en otras empresas. Analice las contingencias estratégicas posibles que confieren un mayor poder al departamento de investigación y desarrollo en esta empresa.
7. La Universidad estatal X recibe 90% de sus recursos financieros del estado y tiene sobrepoblación estudiantil. Está intentando aprobar las regulaciones para limitar la matriculación de estudiantes. La universidad privada Y recibe 90% de sus recursos financieros de la matrícula estudiantil y apenas tiene los suficientes estudiantes para salir adelante. Están reclutando activamente estudiantes para el siguiente año. ¿En qué universidad los estudiantes tendrán un poder mayor? ¿Qué implicaciones tendrá esto para los profesores y los administradores? Analice.

8. Un contador en HealthSouth Corp., el cual en la actualidad está implicado en un escándalo financiero, intentó por varios años exponer el fraude en el departamento contable de la organización, pero nadie prestó atención a sus protestas. ¿Cómo podría usted evaluar el poder de este empleado? ¿Qué podría hacer para incrementar su poder y destacar los problemas éticos y legales en la empresa?
9. El colegio de ingeniería en una universidad importante aporta tres veces la inversión en dólares para la investigación gubernamental que el resto de la universidad en su conjunto. El departamento de ingeniería aparenta ser más próspero y tiene muchos profesores en el estatus de investigador de tiempo completo. Sin embargo, cuando se asignan los fondos para la investigación, ingeniería obtiene una mayor participación del dinero, a pesar de que cuenta ya con fondos externos para la investigación. ¿Por qué sucede esto?
10. ¿Cuál método piensa usted que tenga un impacto mayor a largo plazo en las actitudes de los empleados hacia una colaboración creciente, la consulta intergrupal o la confrontación y la negociación? Analice.

Libro de trabajo del capitulo 13: ¿Cómo maneja usted el conflicto?*

Piense en algunos desacuerdos que haya tenido con algún amigo, pariente, director o colaborador. Después indique con cuánta frecuencia usted adopta cada uno de los siguientes comportamientos. No hay respuestas correctas o equivocadas. Responda a todas las preguntas mediante la siguiente escala del uno al siete:

*De "How Do You Handle Conflict?" en Robert E. Quinn *et al.*, *Becoming a Master Manager* (Nueva York: Wiley, 1990), 221-223. Copyright © 1990 por John Wiley & Sons, Inc. Este material es usado con autorización de John Wiley & Sons, Inc.

Escala

Siempre	Con mucha frecuencia	Con frecuencia	Algunas veces	Con poca frecuencia	Con muy poca frecuencia	Nunca
1	2	3	4	5	6	7

________ 1. Mezclo mis ideas para crear nuevas alternativas a fin de resolver un desacuerdo.
________ 2. Evito los temas que son fuentes de disputas.
________ 3. Opino aunque pueda provocar un desacuerdo.
________ 4. Sugiero soluciones que combinen con varios puntos de vista.
________ 5. Evito las situaciones desagradables.
________ 6. Cedo un poco en mis ideas cuando la otra persona también lo hace.
________ 7. Evito a la otra persona cuando sospecho que desea discutir sobre un desacuerdo.
________ 8. Integro argumentos en una solución para las cuestiones que surgen en una disputa.
________ 9. Llego a un punto medio para lograr un acuerdo.
________ 10. Elevo mi voz cuando estoy intentando que la otra persona acepte mi posición.
________ 11. Ofrezco soluciones creativas en discusiones sobre desacuerdos.
________ 12. Guardo silencio acerca de mis puntos de vista con el fin de evitar desacuerdos.
________ 13. Cedo si la otra persona también lo hace.
________ 14. Minimizó la importancia de un desacuerdo.
________ 15. Minimizo los desacuerdos haciéndolos parecer insignificantes.
________ 16. Encuentro un punto medio con la otra persona acerca de nuestras diferencias.
________ 17. Ejerzo mi opinión a la fuerza.
________ 18. Domino los argumentos hasta que la otra persona entiende mi posición.
________ 19. Sugiero que trabajemos juntos para crear soluciones a los acuerdos.
________ 20. Intento utilizar las ideas de la otra persona para generar soluciones a los problemas.
________ 21. Ofrezco concesiones para alcanzar soluciones a los desacuerdos.
________ 22. Argumento de manera insistente mi postura.
________ 23. Desisto cuando otra persona me confronta acerca de un tema controversial.
________ 24. Soslayo los desacuerdos cuando surgen.
________ 25. Trato de suavizar los desacuerdos al hacerlos parecer poco importantes.
________ 26. Insisto que mi posición sea aceptada durante un desacuerdo con la otra persona.
________ 27. Hago que nuestras diferencias parezcan menos serias.
________ 28. Me contengo en lugar de pelear con otra persona.
________ 29. Facilito el conflicto al expresar que nuestras diferencias son triviales.
________ 30. Permanezco firme al expresar mis puntos de vista durante un desacuerdo.

Puntaje e interpretación: Mediante este instrumento se pueden medir tres categorías de estrategias de manejo de conflicto: El orientado al conflicto, el no antagónico y el control. Al comparar sus calificaciones en las siguientes tres escalas, usted podrá ver cuál de las tres es su estrategia preferida para manejar conflictos.

Para calcular sus puntajes, sume los puntos de cada una de las preguntas y divídalas entre el número de ellas para medir la estrategia. Después reste cada uno de los tres puntajes promedio a siete.

Orientado a la solución: preguntas 1, 4, 6, 8, 9, 11, 13, 16, 19, 20, 21 (total = 11)

No antagónico: preguntas 2, 5, 7, 12, 14, 15, 23, 24, 25, 27, 28, 29 (total = 12)

Control: preguntas 3, 10, 17, 18, 22, 26, 30 (total = 7)

Las estrategias orientadas a la solución tienden a enfocarse en el problema y no en los individuos involucrados. Las soluciones alcanzadas muchas veces son benéficas para ambas partes, y ninguna parte se define a sí misma como ganadora y la otra parte como perdedora. *Las estrategias no antagónicas* tienden a enfocarse en evitar el conflicto ya sea al evitar a la otra parte o simplemente al permitir que la otra parte se salga con la suya. Estas estrategias se utilizan cuando hay más preocupación por evitar una confrontación que por el resultado real de la situación del problema.

Las estrategias de control tienden a enfocarse en ganar o lograr las metas de unos sin importar las necesidades o deseos de la otra parte. Los individuos que utilizan estas estrategias muchas veces dependen de reglas y regulaciones con el fin de ganar la batalla.

Preguntas

1. ¿Qué estrategia encontró más fácil de usar? ¿Más difícil? ¿Cuál utiliza con más frecuencia?
2. ¿Cómo diferirían sus respuestas si la otra persona fuera un amigo, miembro de la familia o colaborador?
3. ¿Qué cosa en la situación estrategia del conflicto le dice qué táctica utilizar al enfrentarse a un hecho conflictivo?

Caso para el análisis: The Daily Tribune*

El *Daily Tribune* es el único diario que atiende a una región de seis condados en el este de Tennessee. Si bien, el número de su personal es pequeño y atiende a una región conformada en su mayoría por pequeños pueblos y áreas rurales, el *Tribune* ha ganado numerosos premios por su cobertura noticiosa y periodismo fotografiado por parte de la Tennenssee Press Association y otras organizaciones.

Rick Arnold se convirtió en el editor de noticias hace 15 años. Ha pasado toda su carrera en el *Tribune* y está muy orgulloso de su reconocida integridad periodística y su cobertura equilibrada de problemas y acontecimientos. La empresa ha podido atraer a jóvenes escritores y fotógrafos talentosos y brillantes gracias en gran parte al compromiso de Rick y al apoyo que ha brindado al personal de noticias. En sus primeros años, la sala de prensa era un lugar dinámico y excitante para trabajar: los reporteros se alimentaban del rápido ritmo y de la probabilidad de publicar ocasionalmente una noticia antes que el principal diario en Knoxville.

Pero esos eran otros tiempos. Desde hace cinco años o más, el departamento de publicidad se ha mantenido en crecimiento constante, en términos tanto de personal como de presupuesto, mientras el de prensa se ha contraído. "La publicidad paga las cuentas", les recuerda a todos el editor John Freeman esa mañana en la junta mensual de directivos. "Hoy, los publicistas pueden recurrir al correo directo, a la televisión por cable, y hasta la Internet, si no les gusta lo que hacemos por ellos."

Rick se enfrenta con frecuencia con el departamento de publicidad debido a artículos noticiosos críticos sobre publicistas importantes, pero desde hace algunos años los conflictos han aumentado en gran medida. Ahora, Freeman está fomentando una mayor "colaboración horizontal", como él llama, y ha pedido a los gerentes del departamento de noticias y de publicidad que se consulten entre sí con respecto a cuestiones o historias que involucren la función de los anunciantes principales. El movimiento fue impulsado en parte por una creciente cantidad de quejas por parte de los anunciantes acerca de historias que consideraban injustas. "Nosotros imprimimos las noticias", afirma Freeman, "y pienso que en ocasiones hemos publicado cosas que a algunas personas no les gustan. Pero tenemos que encontrar la forma de ser más amigables. Si trabajamos juntos, podemos desarrollar estrategias que presenten una buena cobertura noticiosa y que sirvan para atraer más anunciantes".

Rick abandonó furibundo la junta, y no pudo ocultar su desprecio por el nuevo enfoque "amigable con el anunciante", cuando se encaminaba al vestíbulo para llegar a la sala de prensa; desprecio conocido por todos, incluido el gerente de publicidad, Fred Thomas. Lisa Lawrence, su jefa de redacción, coincidió de manera discreta con él pero le señaló que los anunciantes también eran lectores, y que el periódico tenía que tomar en cuenta a todos sus usuarios. "Si no manejamos con cuidado este asunto, tendremos a Freeman y a Thomas aquí para decirnos qué podemos escribir y qué no."

Lawrence ha trabajado con Rick desde que él llegó por primera vez al periódico, aunque ambos han tenido su dosis de conflicto, la relación ha estado basada principalmente en el respeto y la confianza. "Seamos cuidadosos" enfatizó. "hay que leer las historias relacionadas con los grandes anunciantes con más cuidado, para asegurarnos de que podemos

*Este caso fue inspirado por G. Pascal Zachary, "Many Journalists See a Growing Reluctance to Criticize Advertisers", *The Wall Street Journal* (6 de febrero, 1992), A1, A9; y G. Bruce Knecht, "Retail Chains Emerge as Advance Arbiters of Magazine Content", *The Wall Street Journal* (22 de octubre, 1997), A1, A13.

defender cualquier cosa que publiquemos, y todo marchará bien. Sé que borrar la línea entre la editorial y los anunciantes te saca de quicio, pero Thomas es un hombre razonable. Sólo necesitamos mantenerlo al tanto".

Más tarde, Rick recibió una historia por parte de uno de sus corresponsales que había estado trabajando un par de días. East Tennessee Healthcorp (ETH), que operaba una cadena de clínicas de salud en esa región, estaba cerrando tres de sus clínicas rurales debido a sus crecientes problemas financieros. La reportera, Elisabeth Fraley, que vivió en una de las comunidades, se había enterado de los cierres por uno de sus vecinos, que trabajaba como contador de ETH, antes de que el anuncio se hubiera hecho esa tarde. Fraley había escrito una historia fascinante y de interés humano acerca de la forma en que los cierres habían dejado a la gente de los dos condados sin acceso alguno a servicios médicos, mientras las clínicas en las ciudades más grandes y que no eran en realidad tan necesarias seguían abiertas. Había entrevistado cuidadosamente a los anteriores pacientes de las clínicas y a los empleados de ETH, lo que incluyó al director de una de las clínicas y a dos directivos de alto nivel en las oficinas corporativas, y había documentado con todo cuidado sus fuentes. Después de la junta de esa mañana, Rick sabía que debía consultar la historia con Lisa Lawrence, debido a que East Tenessee Healthcorp era uno de los más grandes anunciantes del *Tribune*, pero Lawrence se había ausentado ese día. Y él sólo no podría consultar con el departamento de publicidad –este absurdo político le correspondía a Lawrence manejarlo. Si él reservaba la historia para la aprobación de Lawrence, no podría formar parte de la edición dominical. Su única alternativa era escribir una breve historia en la que se reportaran tan sólo los cierres sin considerar los aspectos de interés humano. Rick estaba seguro de que los principales periódicos de Knoxville y otras ciudades cercanas darían a conocer la noticia en sus ediciones dominicales, pero ninguno de ellos tendría el tiempo para desarrollar una reseña tan completa e interesante como la que Fraley había presentado. Con algunas rápidas correcciones al papel para cambios mínimos, Rick mandó la historia a producción.

Cuando al siguiente día llegó a su trabajo, Rick fue llamado de inmediato a la oficina del editor. Sabía que se trataba de malas noticias sobre el artículo de Freeman en la edición dominical. Después de gritos y quejas generales, Rick supo que decenas de miles de copias de la edición dominical habían tenido que destruirse y que se había impreso una nueva edición. El gerente de publicidad había llamado a Freeman por la madrugada del domingo y le informó sobre la historia de ETH, la cual apareció el mismo día en que la compañía publicaba una página completa para recomendar sus servicios a las comunidades rurales y poblados pequeños del este de Tennessee.

"La historia es precisa, y supuse que ustedes querrían aprovechar la oportunidad de publicar una noticia antes que los grandes periódicos", Rick comenzó, pero Freeman lo atajó con su expresión favorita: "Cuando asumes", gritó, "tú y yo quedamos como tontos. Puedes informar los hechos básicos sin dar a entender que la compañía no se preocupa de la gente de esta región. La siguiente ocasión que algo así suceda, tú y tus reporteros estarán formando parte de las cifras de desempleados."

Rick ya había escuchado esto antes, pero de alguna manera esta vez iba en serio. "¿Qué sucedió con aquellas épocas en las que el principal propósito de un periódico era informar?" Rick murmulló. "Ahora, parece que tenemos que bailar al ritmo que nos toque el departamento de publicidad."

Caso para el análisis: Pierre Dux*

Pierre Dux se sentó en silencio en su oficina para reflexionar sobre las noticias. Se había anunciado una tercera designación para el director regional y, una vez más, se esperaba que la promoción se le diera a alguien más, no a él. Esta vez las explicaciones no eran suficientes. Por supuesto, esto señaló el fin de su carrera en INCO. Hace sólo un año, el presidente de la compañía había llegado a las instalaciones de Dux con una cobertura de la prensa nacional para publicar el éxito de sus innovaciones en las operaciones de administración de manufactura. Ese año había traído resultados de operaciones mejoradas y más publicidad positiva para la corporación, sin embargo, una cadena de decepciones personales para Pierre Dux.

Cuatro años antes, las instalaciones de fabricación de INCO habían sido unas de las menos productivas de las 13 que operaban en Europa. El ausentismo y la alta rotación de empleados eran síntomas de la baja moral entre el grupo de trabajo. Estos factores estaban reflejados en los niveles mediocres de producción y el peor registro de calidad de INCO. Pierre Dux había estado en su puesto actual durante un año y su única satisfacción provenía del hecho de que estos resultados deficientes podrían haber sido peores si no hubiera instituido reformas mínimas en la comunicación organizacional. Esto permitió a trabajadores y supervisores desahogar sus preocupaciones y frustraciones. A pesar de que nada sustancial había cambiado durante el primer año, los resultados operativos se habían estabilizado, con lo que terminó un periodo de rápido declive. La expectativa de un cambio importante estaba creciendo, en particular entre los trabajadores que habían expresado con claridad su insatisfacción y sugerido propuestas concretas para el cambio.

El proceso de cambio, que comenzó tres años antes, estaba centrado en un rediseño de operaciones de producción de una línea de ensamble que marchaba al ritmo de una

*Este caso fue preparado por Michael Brimm, profesor asociado de INSEAD, con la intención de ser utilizado como base para el análisis en el salón de clase, más que como una ilustración del manejo eficaz o ineficaz de una situación directiva. Copyright © 1983 INSEAD Foundation, Fountainebleau, France. Revisado en 1987.

sola máquina en varios equipos de fabricación autónomos. Aunque el cambio se denominaba "proyecto Volvo" INCO o "esfuerzo de INCO al estilo directivo japonés", en realidad no tenía nada de eso. Más bien, había sido la idea original de un grupo de directivos, encabezados por Dux, que creían que tanto la productividad como las condiciones de trabajo en la planta se podían mejorar a través de un esfuerzo único. Por supuesto, los miembros del grupo habían visitado otras instalaciones de producción presuntamente innovadora, pero los nuevos grupos de trabajo y las clasificaciones laborales habían sido diseñados con los productos y tecnología especiales pensados para INCO.

Después de largas discusiones entre el grupo directivo, dedicadas sobre todo a llegar a un consenso acerca de la dirección general que el nuevo proyecto tomaría, el diseño real comenzó a surgir. Parte del proceso implicó discusiones igual de largas (llamadas con frecuencia negociaciones) con miembros de la fuerza de trabajo, supervisores y representantes de los sindicatos locales. La primera reestructuración en grupos de trabajo más pequeños se intentó en un proyecto experimental que recibió la aprobación tentativa de la alta dirección en las oficinas centrales de INCO, mientras que el sindicato quiso esperar a ver los resultados finales para responder. La resistencia inicial más fuerte provenía de los ingenieros de fábrica. No confiaban ni en la nueva estructura ni en los procesos que involucraban a la fuerza de trabajo en el diseño del equipo operativo y métodos de producción. Antes, el grupo de ingenieros había desempeñado él mismo estas funciones, y sentía que los problemas existentes eran el resultado de la falta de habilidad de los empleados o de la poca disposición directiva de hacer que el sistema funcionara.

El personal que formaba parte del experimento consistía en voluntarios que estaban apoyados por unos pocos trabajadores mejor entrenados de la planta, los cuales eran necesarios para asegurar el arranque del nuevo equipo, que había sido modificado con base en la tecnología existente de la línea de ensamble.

El experimento inicial tuvo un éxito moderado. Aunque el grupo pudo alcanzar los niveles de productividad de la línea existente en sólo pocas semanas, los críticos del nuevo plan atribuyeron los bajos niveles de avance a la naturaleza poco representativa del grupo experimental o bien, a la novedad del equipo con el que estaban trabajando. No obstante, incluso este éxito limitado atrajo la Tención de mucha gente en las oficinas centrales de INCO y en otras plantas. Todos estaban interesados en ver el nuevo experimento. Las visitas pronto se convirtieron en una distracción importante, y Dux declaró un alto temporal a fin de permitir que el proyecto continuara, aunque esto produjo chismes en las oficinas centrales acerca de su comportamiento secreto y poco cooperativo.

Debido al logro del experimento, Dux y su equipo se prepararon para convertir a toda la operación de producción al nuevo sistema. El entusiasmo de los trabajadores en la planta creció a medida que continuaba la capacitación para la transición. De hecho, un grupo de trabajadores de producción pidió ayuda con la instalación del nuevo equipo como medio de aprender más acerca de su operación.

Dux y su equipo fueron sorprendidos por las dificultades con las que se toparon en esta fase. Las oficinas centrales parecían actuar con demora en la aprobación del financiamiento necesario para implementar el cambio. Incluso después de que se aprobó éste, se presentaron varios desafíos en partes pequeñas del plan. "¿Se podía suspender a los trabajadores durante la transición?" "¿Por qué hacer que los trabajadores tengan tiempo extra para implementar el cambio cuando se puede contratar personal temporal a más bajo costo?" Esto reflejaba una falta de comprensión de los principios operativos básicos del nuevo sistema, y Dux los rechazó.

La conversión de una línea de ensamble completa a grupos de trabajo se alcanzó finalmente con algunas concesiones del grupo directivo local con respecto a los planes establecidos. El cambio inicial y los primeros días de operación estuvieron repletos de crisis. El proceso de diseño no había anticipado muchos de los problemas que surgieron en las operaciones de escala completa. Sin embargo, Dux estaba complacido de ver a directivos, personal administrativo y obreros agrupados en las áreas problemáticas para perfeccionar el diseño cuando surgían los problemas. Justo cuando el inicio por fin parecía estar funcionando, un cambio hecho por el grupo de las oficinas centrales en las especificaciones del producto requirió cambios adicionales en el diseño del proceso de ensamble. Los nuevos cambios se implementaron con rapidez y entusiasmo por los trabajadores. Aquel periodo fue extenuante y parecía interminable para aquellos que se sentían responsables, el nuevo diseño sólo tomó seis meses para lograr los niveles de operación normal (1 año había sido pronosticado como el tiempo necesario para lograr ese nivel: sin contar la necesidad de cambiar las especificaciones del producto).

En un año, Dux tenía la certeza de que había en sus manos un éxito importante. Las medidas de calidad y productividad para la planta habían mejorado en forma significativa. En este periodo relativamente corto su planta había avanzado del peor nivel, de acuerdo con estos indicadores, al tercer nivel más productivo en el sistema INCO. El ausentismo había descendido sólo ligeramente, pero había habido un cambio radical en la mejora de la rotación. La moral no se midió formalmente, pero todos los miembros del equipo administrativo declararon que habían tenido una gran mejora. Ahora, después de tres años completos de operación, la planta se consideraba como la más productiva en el sistema total de INCO.

Dux se sorprendió un poco cuando ninguna otra fábrica de INCO iniciara un esfuerzo similar o le pidiera ayuda. Los incrementos en los primeros años se estabilizaron, con un repunte en la primera parte del tercer año. Ahora la fábrica parecía haber encontrado un nuevo equilibrio. La calma de operaciones fluidas ha sido un alivio bien recibido por muchos que habían trabajado con tanto esfuerzo para lanzar el nuevo diseño. A Dux le proporcionó el tiempo necesario para reflexionar en sus logros y pensar acerca del futuro de su carrera.

En este contexto él consideraba las noticias acerca de que una vez más había sido ignorado para una promoción al siguiente nivel en la jerarquía de INCO.

Notas

1. Bethany McLean y Andy Serwer, "Brahmins at the Gate", *Fortune* (2 de mayo, 2005), 59-68; Ann Davis y Anita Raghavan, "Fault Lines; Behind Morgan Stanley Turmoil: Competing Visions of Its Future", *The Wall Street Journal* (15 de abril, 2005), A1, A7; Ann Davis y Randall Smith, "Battle Ready; In Morgan Stanley Rebellion, Purcell Puts Up Tough Fight", *The Wall Street Journal* (4 de abril, 2005), A1, A10; Landon Thomas Jr., "High-Stakes Tit for Tat at Morgan Stanley", *The New York Times* (13 de abril, 2005), sección de negocios, página 1; y Ann Davis, "Closing Bell; How Tide Turned against Purcell in Struggle at Morgan Stanley", *The Wall Street Journal* (14 de junio, 2005), A1, A11.
2. Lee G. Bolman y Terrence E. Deal, *Reframing Organizations: Artistry, Choice, and Leadership* (San Francisco: Jossey-Bass, 1991).
3. Paul M. Terry, "Conflict Management", *The Journal of Leadership Studies* 3, núm. 2 (1996), 3-21; y Kathleen M. Eisenhardt, Jean L. Kahwajy y L. J. Bourgeois III, "How Management Teams Can Have a Good Fight", *Harvard Business Review* (julio-agosto 1997), 77-85.
4. Clayton T. Alderfer y Ken K. Smith, "Studying Intergroup Relations Imbedded in Organizations", *Administrative Science Quarterly* 27 (1982), 35-65.
5. Muzafer Sherif, "Experiments in Group Conflict", *Scientific American* 195 (1956), 54-58; y Edgar H. Schein, *Organizational Psychology*, 3a. ed. (Englewood Cliffs, N.J.: Prentice-Hall, 1980).
6. M. Afzalur Rahim, "A Strategy for Managing Conflict in Complex Organizations", *Human Relations* 38 (1985), 81-89; Kenneth Thomas, "Conflict and Conflict Management", en M.D. Dunnette, ed., *Handbook of Industrial and Organizational Psychology* (Chicago, Ill.: Rand McNally, 1976); y Stuart M. Schmidt y Thomas A. Kochan, "Conflict: Toward Conceptual Clarity", *Administrative Science Quarterly* 13 (1972), 359-370.
7. L. David Brown, "Managing Conflict among Groups", en David A. Kolb, Irwin M. Rubin y James M. McIntyre, eds., *Organizational Psychology: A Book of Readings* (Englewood Cliffs, N.J.: Prentice-Hall, 1979), 377-389; y Robert W. Ruekert y Orville C. Walker, Jr., "Interactions between Marketing and R&D Departments in Implementing Different Business Strategies", *Strategic Management Journal* 8 (1987), 233-248.
8. Joseph B. White, Lee Hawkins, Jr., y Karen Lundegaard, "UAW Is Facing Biggest Battles in Two Decades", *The Wall Street Journal* (10 de junio, 2005), B1; Amy Barrett, "Indigestion at Taco Bell", *BusinessWeek* (14 de diciembre, 1994), 66-67; Greg Burns, "Fast-Food Fight", *BusinessWeek* (2 de junio, 1997), 34-36.
9. Nanette Byrnes, con Mike McNamee, Ronald Grover, Joann Muller y Andrew Park, "Auditing Here, Consulting Over There", *BusinessWeek* (8 de abril, 2002), 34-36.
10. Thomas A. Kochan, George P. Huber y L. L. Cummings, "Determinants of Intraorganizational Conflict in Collective Bargaining in the Public Sector", *Administrative Science Quarterly* 20 (1975), 10-23.
11. Victoria L. Crittenden, Lorraine R. Gardiner, y Antonie Stam, "Reducing Conflict between Marketing and Manufacturing", *Industrial Marketing Management* 22 (1993), 299-309; y Benson S. Shapiro, "Can Marketing and Manufacturing Coexist?" *Harvard Business Review* 55 (septiembre-octubre 1977), 104-114.
12. Ben Worthen, "Cost-Cutting versus Innovation: Reconcilable Differences", *CIO* (1 de octubre, 2004), 89-94.
13. Eric H. Neilsen, "Understanding and Managing Intergroup Conflict", en Jay W. Lorsch y Paul R. Lawrence, eds., *Managing Group and Intergroup Relations* (Homewood, Ill.: Irwin y Dorsey, 1972), 329-343; y Richard E. Walton y John M. Dutton, "The Management of Interdepartmental Conflict: A Model and Review", *Administrative Science Quarterly* 14 (1969), 73-84.
14. Jay W. Lorsch, "Introduction to the Structural Design of Organizations", en Gene W. Dalton, Paul R. Lawrence y Jay W. Lorsch, eds., *Organization Structure and Design* (Homewood, Ill.: Irwin and Dorsey, 1970), 5.
15. James D. Thompson, *Organizations in Action* (Nueva York McGraw-Hill, 1967), 54-56.
16. Walton y Dutton, "The Management of Interdepartamental Conflict".
17. Joseph McCann y Jay R. Galbraith, "Interdepartmental Relations", en Paul C. Nystrom y William H. Starbuck. eds., *Handbook of Organizational Design*, vol. 2 (Nueva York: Oxford University Press, 1981), 60-84.
18. Roderick M. Cramer, "Intergroup Relations and Organizational Dilemmas: The Role of Categorization Processes", en L. L. Cummings y Barry M. Staw, eds., *Research in Organizational Behavior*, vol. 13 (Nueva York: JAI Press, 1991), 191-228; Neilsen, "Understanding and Managing Intergroup Conflict"; y Louis R. Pondy, "Organizational Conflict: Concepts and Models", *Administrative Science Quarterly* 12 (1968), 296-320.
19. Jeffrey Pfeffer, *Power in Organizations* (Marshfield, Mass.: Pitman, 1981).
20. Alan Deutschman, "The Mind of Jeff Bezos", *Fast Company*; (agosto 2004), 53-58.
21. Robert A. Dahl, "The Concept of Power", *Behavioral Science* 2 (1957), 201-215.
22. W. Graham Astley y Paramijit S. Sachdeva, "Structural Sources of Intraorganizational Power: A Theoretical Synthesis", *Academy of Management Review* 9 (1984), 104-113. Abraham Kaplan, "Power in Perspective", en Robert L. Kahn y Elise Boulding, eds., *Power and Conflict in Organizations* (Londres: Tavistock, 1964), 11-32.
23. Gerald R. Salancik y Jeffrey Pfeffer, "The Bases and Use of Power in Organizational Decision-Making: The Case of the University", *Administrative Science Quarterly* 19 (1974), 453-473.
24. Richard M. Emerson, "Power-Dependence Relations", *American Sociological Review* 27 (1962), 31-41.
25. Rosabeth Moss Kanter, "Power Failure in Management Circuits", *Harvard Business Review* (julio-agosto 1979), 65-75.
26. Sam Walker, "On Sports: Meet the Micro Manager", *The Wall Street Journal* (11 de julio 11,), W12.
27. Ejemplos son Robert Greene y Joost Elffers, *The 48 Laws of Power* (Nueva York: Viking, 1999); Jeffrey J. Fox, *How Become CEO* (Nueva York: Hyperion, 1999).
28. John R. P. French, Jr., y Bertram Raven, "The Bases of Social Power", en *Group Dynamics*, D. Cartwright y A. F. Zander, eds. (Evanston, Ill.: Row Peterson, 1960), 607-623.
29. Ran Lachman, "Power from What? A Reexamination of Its Relationships with Structural Conditions", *Administrative Science Quarterly* 34 (1989), 231-251; y Daniel J. Brass, "Being in the Right Place: A Structural Analysis of Individual Influ-

ence in an Organization", *Administrative Science Quarterly* 29 (1984), 518-539.
30. Michael Warshaw, "The Good Guy's Guide to Office Politics", *Fast Company* (abril-mayo 1998), 157-178.
31. A. J. Grimes, "Authority, Power, Influence, and Social Control: A Theoretical Synthesis", *Academy of Management Review* 3 (1978), 724-735.
32. Astley y Sachdeva, "Structural Sources of Intraorganizational Power".
33. Jeffrey Pfeffer, *Managing with Power: Politics and Influence in Organizations* (Boston, Mass.: Harvard Business School Press, 1992).
34. Robert L. Peabody, "Perceptions of Organizational Authority", *Administrative Science Quarterly* 6 (1962), 479.
35. Monica Langley, "Columbia Tells Doctors at Hospital to End Their Outside Practice", *The Wall Street Journal* (2 de mayo, 1997), A1, A6.
36. Richard S. Blackburn, "Lower Participant Power: Toward a Conceptual Integration", *Academy of Management Review* 6 (1981), 127-131.
37. Patricia Sellers, "eBay's Secret", *Fortune* (18 de octubre, 2004), 161-178.
38. Kanter, "Power Failure in Management Circuits", 70.
39. Ianthe Jeanne Dugan y George Anders, "Members Only; At AIG, Exclusive 'Club' Gave Greenberg Powerful Influence", *The Wall Street Journal* (11 de abril, 2005), A1, A10.
40. Pfeffer, *Power in Organizations*.
41. Erik W. Larson y Jonathan B. King, "The Systemic Distortion of Information: An Ongoing Challenge to Management", *Organizational Dynamics* 24, núm. 3 (invierno 1996), 49-61; y Thomas H. Davenport, Robert G. Eccles y Laurence Prusak, "Information Politics", *Sloan Management Review* (otoño 1992), 53-65.
42. Andrew M. Pettigrew, *The Politics of Organizational Decision-Making* (Londres: Tavistock, 1973).
43. Robert Frank y Elena Cherney, "Paper Tigers; Lord Black's Board: A-List Cast Played Acquiescent Role", *The Wall Street Journal* (27 de septiembre, 2004), A1.
44. Lorne Manly y Andrew Ross Sorkin, "At Sony, Diplomacy Trumps Technology", *The New York Times* (8 de marzo, 2005), http://www.nytimes.com.
45. Warshaw, "The Good Guy's Guide to Office Politics".
46. Carol Hymowitz, "Companies Experience Major Power Shifts as Crises Continue" (en primera plana), *The Wall Street Journal* (9 de octubre, 2001), B1.
47. Astley y Sachdeva, "Structural Sources of Intraorganizational Power"; y Noel M. Tichy y Charles Fombrun, "Network Analysis in Organizational Settings", *Human Relations* 32 (1979), 923-965.
48. McLean y Serwer, "Brahmins at the Gate".
49. Greg Ip, Kate Kelly, Susanne Craig, y Ianthe Jeanne Dugan, "A Bull's Marker; Dick Grasso's NYSE Legacy: Buffed Image, Shaky Foundation", *The Wall Street Journal* (30 de diciembre, 2003), A1, A6; Yochi J. Dreazen y Christopher Cooper, "Lingering Presence; Behind the Scenes, U.S. Tightens Grip on Iraq's Future", *The Wall Street Journal* (13 de mayo, 2004), A1.
50. Charles Perrow, "Departmental Power and Perspective in Industrial Firms", en Mayer N. Zald, ed., *Power in Organizations* (Nashville, Tenn.: Vanderbilt University Press, 1970), 59-89.
51. D. J. Hickson, C. R. Hinings, C. A. Lee, R. E. Schneck y J. M. Pennings, "A Strategic Contingencies Theory of Intraorganizational Power", *Administrative Science Quarterly* 16 (1971), 216-229; y Gerald R. Salancik y Jeffrey Pfeffer, "Who Gets Power-and How They Hold onto It: A Strategic-Contingency Model of Power", *Organizational Dynamics* (invierno 1977), 3-21.
52. Pfeffer, *Managing with Power*; Salancik y Pfeffer, "Who Gets Power"; C. R. Hinings, D. J. Hickson, J. M. Pennings, y R. E. Schneck, "Structural Conditions of Intraorganizational Power", *Administrative Science Quarterly* 19 (1974), 22-44.
53. Carol Stoak Saunders, "The Strategic Contingencies Theory of Power: Multiple Perspectives", *Journal of Management Studies* 27 (1990), 1-18; Warren Boeker, "The Development and Institutionalization of Sub-Unit Power in Organizations", *Administrative Science Quarterly* 34 (1989), 388-510; y Irit Cohen y Ran Lachman, "The Generality of the Strategic Contingencies Approach to Sub-Unit Power", *Organizational Studies* 9 (1988), 371-391.
54. Emerson, "Power-Dependence Relations".
55. Pfeffer, *Managing with Power.*
56. Jeffrey Pfeffer y Gerald Salancik, "Organizational Decision-Making as a Political Process: The Case of a University Budget", *Administrative Science Quarterly* (1974), 135-151.
57. Salancik y Pfeffer, "Bases and Use of Power in Organizational Decision-Making", 470.
58. Hickson *et al.*, "A Strategic Contingencies Theory".
59. Pettigrew, *The Politics of Organizational Decision-Making*.
60. Hickson *et al.*, "A Strategic Contingencies Theory".
61. Íbid.
62. Barbara Martinez, "Strong Medicine; With New Muscle, Hospitals Squeeze Insurers on Rates", *The Wall Street Journal* (12 de abril, 2002), A1; James V. DeLong, "Rule of Law: Just What Crime Did Columbia/HCA Commit?" *The Wall Street Journal* (20 de agosto, 1997), A15; y Lucette Lagnado, "House Panel Begins Inquiry into Hospital Billing Practices", *The Wall Street Journal* (17 de julio 17, 2003), B1.
63. Jeffrey Gantz y Victor V. Murray, "Experience of Workplace Politics", *Academy of Management Journal* 23 (1980), 237-251; y Dan L. Madison, Robert W. Allen, Lyman W. Porter, Patricia A. Renwick, y Bronston T. Mayes, "Organizational Politics: An Exploration of Managers' Perception", *Human Relations* 33 (1980), 79-100.
64. Gerald R. Ferris y K. Michele Kacmar, "Perceptions of Organizational Politics", *Journal of Management* 18 (1992), 93-116; Parmod Kumar y Rehana Ghadially, "Organizational Politics and Its Effects on Members of Organizations", *Human Relations* 42 (1989), 305-314; Donald J. Vredenburgh y John G. Maurer, "A Process Framework of Organizational Politics", *Human Relations* 37 (1984), 47-66; y Gerald R. Ferris, Dwight D. Frink, Maria Carmen Galang, Jing Zhou, Michele Kacmar, y Jack L. Howard, "Perceptions of Organizational Politics: Prediction, Stress-Related Implications, and Outcomes", *Human Relations* 49, núm. 2 (1996), 233-266.
65. Ferris *et al.*, "Perceptions of Organizational Politics: Prediction, Stress-Related Implications, and Outcomes"; John J. Voyer, "Coercive Organizational Politics and Organizational Outcomes: An Interpretive Study", *Organization Science* 5, núm. 1 (febrero 1994), 72-85; y James W. Dean, Jr., y Mark P. Sharfman, "Does Decision Process Matter? A Study of Strategic Decision-Making Effectiveness", *Academy of Management Journal* 39, núm. 2 (1996), 368-396.
66. Jeffrey Pfeffer, *Managing with Power: Politics and Influence in Organizations* (Boston, Mass.: Harvard Business School Press, 1992).
67. Amos Drory y Tsilia Romm, "The Definition of Organizational Politics: A Review", *Human Relations* 43 (1990), 1133-

1154; y Vredenburgh y Maurer, "A Process Framework of Organizational Politics"; y Lafe Low, "It's Politics, As Usual", *CIO* (1 de abril, 2004), 87-90.

68. Pfeffer, *Power in Organizations*, 70.
69. Madison *et al.*, "Organizational Politics"; Jay R. Galbraith, *Organizational Design* (Reading, Mass.: Addison-Wesley, 1977).
70. Gantz y Murray, "Experience of Workplace Politics"; Pfeffer, *Power in Organizations*.
71. Daniel J. Brass y Marlene E. Burkhardt, "Potential Power and Power Use: An Investigation of Structure and Behavior", *Academy of Management Journal* 38 (1993), 441-470.
72. Harvey G. Enns y Dean B. McFarlin, "When Executives Influence Peers, Does Function Matter?" *Human Resource Management* 4, núm. 2 (verano 2003), 125-142.
73. Hickson *et al.*, "A Strategic Contingencies Theory".
74. Pfeffer, *Power in Organizations*.
75. Ibíd.
76. V. Dallas Merrell, *Huddling: The Informal Way to Management Success* (Nueva York: AMACON, 1979).
77. Ceasar Douglas y Anthony P. Ammeter, "An Examination of Leader Political Skill and Its Effect on Ratings of Leader Effectiveness", *The Leadership Quarterly* 15 (2004), 537-550.
78. Vredenburgh y Maurer, "A Process Framework of Organizational Politics".
79. Pfeffer, *Power in Organizations*.
80. Íbid.
81. Ann Davis y Randall Smith, "Merrill Switch: Popular Veteran Is In, Not Out", *The Wall Street Journal* (13 de agosto, 2003), C1.
82. Pfeffer, *Power in Organizations*.
83. Ibíd.
84. Kanter, "Power Failure in Management Circuits"; Pfeffer, *Power in Organizations*.
85. Ben Elgin, "Inside Yahoo!" *BusinessWeek* (21 de mayo, 2001), 114-122.
86. Robert R. Blake y Jane S. Mouton, "Overcoming Group Warfare", *Harvard Business Review* (noviembre-diciembre 1984), 98-108.
87. Blake y Mouton, "Overcoming Group Warfare"; Paul R. Lawrence y Jay W. Lorsch, "New Management Job: The Integrator", *Harvard Business Review* 45 (noviembre-diciembre 1967), 142-151.
88. Aaron Bernstein, "Look Who's Pushing Productivity", *BusinessWeek* (7 de abril, 1997), 72-75.
89. Ibíd.
90. White, *et al.*, "UAW Is Facing Biggest Battles in Two Decades".
91. Robert R. Blake, Herbert A. Shepard, y Jane S. Mouton, *Managing Intergroup Conflict in Industry* (Houston: Gulf Publishing, 1964); Doug Stewart, "Expand the Pie before You Divvy It Up", *Smithsonian* (noviembre 1997), 78-90.
92. Patrick S. Nugent, "Managing Conflict: Third-Party Interventions for Managers", *Academy of Management Executive* 16, núm. 1 (2002), 139-155.
93. Blake y Mouton, "Overcoming Group Warfare"; Schein, *Organizational Psychology*; Blake, Shepard y Mouton, *Managing Intergroup Conflict in Industry*; y Richard E. Walton, *Interpersonal Peacemaking: Confrontation and Third-Party Consultations* (Reading, Mass.: Addison-Wesley, 1969).
94. Neilsen, "Understanding and Managing Intergroup Conflict"; McCann y Galbraith, "Interdepartmental Relations".
95. Neilsen, "Understanding and Managing Intergroup Conflict"; McCann y Galbraith, "Interdepartmental Relations"; Sherif *et al.*, *Intergroup Conflict and Cooperation*.
96. Dean Tjosvold, Valerie Dann y Choy Wong, "Managing Conflict between Departments to Serve Customers", *Human Relations* 45 (1992), 1035-1054.

Casos de integración

Caso integrador 1.0

No es tan simple: El cambio en la infraestructura en Royce Consulting*

1.0

Las luces de la ciudad brillaban fuera de la oficina en el doceavo piso de Ken Vincent. Después de nueve años de trabajar hasta altas horas de la tarde y en días festivos, ahora Ken ocupaba la suite ejecutiva con el rótulo "colaborador asociado" en la puerta. De este modo, las cosas debían ser más fáciles, pero los cambios propuestos en Royce Consulting habían sido más desafiantes de lo que había esperado. "No lo entiendo", pensó. "En Royce Consulting nuestros clientes, nuestra gente y nuestra reputación son lo que cuenta, entonces ¿por qué percibiré tanta tensión por parte de los directivos acerca de los cambios que se van a implementar en la oficina? Hemos analizado la razón que motiva los cambios. ¡Demonios!, hasta hemos traído a una persona externa para ayudarnos. El equipo de soporte administrativo está contento. Pero, ¿por qué los directivos no están entusiasmados? Todos sabemos cuál será la decisión en la junta de mañana: ¡Adelante! Entonces, todo habrá acabado, ¿o no?" Ken pensaba cuando apagaba las luces.

Antecedentes

Royce Consulting es una empresa de consultoría internacional cuyos clientes son grandes corporaciones, por lo general con contratos de largo plazo. Los empleados de Royce pasan semanas, meses, e incluso años trabajando por contrato en las instalaciones del cliente. Los servicios de los consultores de Royce se emplean para una gran variedad de industrias, desde manufactura, empresas de servicios públicos hasta negocios de servicios. La empresa tiene más de 160 oficinas consultoras ubicadas en 65 países. En este lugar, el personal de Royce comprendía 85 miembros del personal general, 22 directivos del sitio, 9 socios y colaboradores asociados, 6 personas de soporte administrativo, un profesional de recursos humanos y un persona de soporte financiero.

En su mayor parte, Royce Consulting contrató personal de nivel básico recién egresado del colegio e impulsado desde adentro. Los nuevos empleados contratados trabajaban en el equipo administrativo durante cinco o seis años, si lo hacían bien, eran promovidos a gerentes. Éstos eran responsables de conservar los contratos con los clientes y ayudar a los asociados en la elaboración de propuestas para compromisos futuros. Quienes no eran promovidos después de seis o siete años, por lo general abandonaban la compañía en busca de otros empleos.

A los gerentes recién promovidos se les asignaba una oficina, como una gratificación de su nueva condición. El año anterior algunos nuevos directivos se vieron obligados a compartir su oficina debido a las limitaciones de espacio. A fin de minimizar las fricciones que suponía compartir una oficina, se acostumbraba asignarle a uno de los gerentes un proyecto de largo plazo fuera de la ciudad. Así, prácticamente, cada gerente tenía su propia oficina.

Infraestructura y cambios propuestos

Royce estaba pensando instituir un sistema de hoteles de oficinas, también conocido como oficina "no territorial" u oficina "sin domicilio". Un sistema de hoteles de oficina pone a disposición de los gerentes oficinas por reservación o de manera temporal. Los gerentes no están asignados a una oficina permanente; en vez de ello, cualquier material o equipo que el gerente necesite se traslada a la oficina temporal. He aquí algunas de las características y ventajas de un sistema de oficinas de hoteles:

- No se asigna una oficina permanente.
- Las oficinas se programan mediante reservaciones.
- Es factible una programación de largo plazo para reservar una oficina.
- El espacio para el almacenamiento puede estar ubicado en una habitación separada.
- En cada oficina pueden mantenerse los manuales y provisiones estándar.
- El coordinador de hotelería es responsable del mantenimiento de las oficinas.
- Representa un cambio en "posesión del espacio".
- Elimina a dos o más gerentes asignados a la misma oficina.
- Permite a los gerentes mantener la misma oficina si lo desean.
- Los gerentes tendrían que traer cualquier archivo que necesiten durante su estancia.
- La información disponible sería estandarizada sin importar la oficina.
- Los directivos no tienen que preocuparse por "cuestiones de aseo".

La otra innovación que se consideró fue la necesidad de actualizar la tecnología de oficina de vanguardia electrónica. Todos los directivos recibirían una computadora portátil nueva con la capacidad de comunicaciones más avanzada a fin de utilizar el software integrado propiedad de Royce. También, como parte de la tecnología electrónica de oficina, se está considerando el uso de sistema de archivos electrónicos. El sistema de archivos electrónicos implica que la información concerniente a propuestas, registros de cliente, y materiales de promoción estarían disponibles electrónicamente en la red de Royce Consulting.

El personal de apoyo administrativo tenía poca experiencia en muchos de los paquetes de aplicaciones utilizados por los gerentes. Si bien, utilizaban ampliamente el procesador de palabras, tenían poca experiencia con las hojas de cálculo y paquetes de comunicaciones o gráficas. La empresa contaba con un departamento de elaboración de gráficas y los gerentes hacían la mayor parte de su propio trabajo, de manera que el personal administrativo no tenía que trabajar con ese software de aplicación.

*Presentado y aceptado por la Society for Case Research.

Este caso fue preparado por Sally Dresdow de la University of Wisconsin en Green Bay y Joy Benson de la University of Illinois en Springfield y tiene la intención de ser utilizado como base para el análisis en clase. Los puntos de vista presentados aquí sólo son los de los autores del caso y no necesariamente reflejan los puntos de vista de la SCR. Los puntos de vista de los autores están basados en sus propios juicios profesionales. Los nombres de la organización como individuos y lugares se han encubierto para preservar la solicitud de anonimato de la organización.

Patrones de trabajo

Royce Consulting estaba ubicada en el área central de una gran ciudad del medio oeste, pero era fácil llegar ella. Los directivos asignados a proyectos en la ciudad con frecuencia visitaban la oficina durante algunas horas varias veces al día. Los directivos que no estaban asignados a proyectos con clientes debían estar en la oficina a fin de apoyar los proyectos existentes o trabajar con los socios a fin de desarrollar propuestas para nuevos negocios.

En una firma consultora, los gerentes pasaban una importante parte de su tiempo en las instalaciones del cliente. Como resultado, la tasa de ocupación de las oficinas de Royce Consulting era aproximadamente de 40 a 60%. Esto significa que la empresa pagaba costos de arrendamiento por oficinas que estaban vacías aproximadamente la mitad del tiempo.

Los cambios propuestos requerirían que los gerentes y el equipo de soporte administrativo ajustaran sus patrones de tabajo. Además, si se adoptara un sistema de hoteles de oficinas, los directivos necesitarían guardar sus archivos en un espacio de archivos centralizado.

Cultura organizacional

Royce Consulting tenía una cultura organizacional sólida, y el personal directivo era muy efectivo para comunicarla a todos los empleados.

Estabilidad cultural

La cultura en Royce Consulting era estable. El liderazgo de la corporación tenía un panorama claro de quién y qué tipo de organización era. Royce Consulting se había posicionado a sí misma como líder en todas las áreas de la consultoría de grandes negocios. El director general de Royce Consulting articuló el compromiso de la empresa para estar centrado en el cliente. Todo lo que se había hecho en Royce Consulting se debía al cliente.

Capacitación

Las personas recién contratadas en Royce Consulting recibían una amplia capacitación en la cultura organizacional y en la metodología empleada en los proyectos de consultoría. Iniciaron con un programa estructurado de instrucción de aula y cursos asistidos por computadora que cubría las tecnologías que se utilizaban en diferentes industrias en las cuales la empresa estaba involucrada. Royce Consulting reclutó a la mejor gente joven, enérgica y dispuesta a hacer lo necesario para realizar el trabajo y construir un lazo común. Entre los recién contratados, la camaradería y la competencia eran valores que se fomentaban. Esta clase de comportamiento continuó cultivándose a través de los procesos de capacitación y promoción.

Relaciones de trabajo

Los empleados de Royce Consulting tenían una perspectiva extraordinariamente similar acerca de la organización. La aceptación de la cultura y las normas organizacionales constituían un asunto primordial para cada empleado. Las normas de Royce Consulting giraban en torno a las expectativas de alto desempeño y fuerte compromiso con el trabajo.

Para el momento en que la gente se convertía en gerente, estaban conscientes de qué tipo de comportamientos era aceptable. A los gerentes se les asignaba de manera formal el rol de coach de las personas más jóvenes del cuerpo administrativo y moldeaban el comportamiento aceptable. Las normas de comportamiento incluían cuestiones referentes a cómo comportarse al llegar a la oficina, hasta qué hora ir a casa y el tipo de comentarios que hacían unos de otros. Los gerentes invertían tiempo en la vigilancia de la gente del cuerpo administrativo y en las pláticas con ellos acerca de lo que estaban haciendo.

La norma de las relaciones era la del profesionalismo. Los gerentes sabían que tenían que hacer lo que les pedían los asociados y estar disponibles a toda hora. Una encuesta de normas y las pláticas revelaron que la gente en Royce Consulting estaba esperando ayudarse entre sí en problemas relacionados con el trabajo, pero los problemas personales estaban fuera del ámbito de las relaciones aprobadas. Los problemas personales no debían interferir con el desempeño laboral. Por ejemplo, las vacaciones y otro tipo de compromisos se podían aplazar si las condiciones de Royce Consulting así lo requerían.

Valores organizacionales

Tres cosas eran de la mayor importancia para la organización: sus clientes, su gente y su reputación. Había una filosofía fuerte y centrada en el cliente que se comunicaba y practicaba. Los miembros de la organización buscaban satisfacer y exceder las expectativas del cliente. Se enfatizaba el hecho de colocar a los clientes en primer lugar. La dirección de Royce Consulting escuchaba a sus clientes e implementaba los ajustes necesarios para satisfacerlos.

La reputación en Royce Consulting era importante para aquellos que lideraban la organización, quienes la protegían y la mejoraban a través de un enfoque en la calidad de servicios que su personal calificado ofrecía.

El énfasis en los clientes, personal de Royce Consulting, y la reputación de la empresa fueron cultivados mediante el desarrollo de un grupo de empleados altamente motivados, comprometidos y unidos.

Estilo de administración y estructura jerárquica

La organización de la compañía estaba caracterizada por un estilo directivo de administración. Los socios tenían la palabra final en todos los asuntos de importancia. Era común escuchar expresiones como "se espera que los directivos resuelvan los problemas y hagan lo que sea necesario para terminar el trabajo" y "haremos cualquier cosa que los socios deseen". Los socios aceptaban y pedían retroalimentación por parte de los gerentes en cuanto a los proyectos, pero en el análisis final, los socios eran quienes tomaban las decisiones.

Situación actual

Royce Consulting tenía un plan quinquenal agresivo que se basaba en un incremento continuo de los negocios. Se pronosticaba el incremento en el número total de socios, colaboradores asociados, gerentes y cuerpo administrativo, por lo que se tenía conocimiento de que se requeriría espacio adicional para oficinas a fin de responder al crecimiento en el cuerpo administrativo; que los costos de arrendamiento aumentarían en un tiempo en que los costos fijos y variables de Royce estaban a la alza.

1.0

Los socios, encabezados por el gerente asociado Donald Gray y el gerente asociado Ken Vincent, creían que algo se debía hacer para mejorar la utilización de espacios de productividad de los gerentes y cuerpo administrativo. Los socios aprobaron un estudio de factibilidad referente a las innovaciones y su impacto sobre la compañía.

Los encargados de la decisión final era el grupo de socios que tenía el poder de aprobar los conceptos y realizar la inversión financiera necesaria. Se integró un comité de planeación compuesto por Ken Vincent, el encargado de recursos humanos, el funcionario de finanzas y una consultora externa, Mary Schrean.

El estudio de factibilidad

Durante los dos días en que tuvo lugar la reunión inicial, todos los socios y gerentes recibieron un memorando en el que se anunciaba el estudio de factibilidad de hoteles de oficinas. El memorando incluía una breve descripción del concepto y expresaba que incluiría una entrevista con el cuerpo administrativo. En esa época, los socios y gerentes ya habían escuchado acerca de los posibles cambios y sabían que Gray se estaba informando acerca de los hoteles de oficinas.

Entrevistas con los socios

Se entrevistó a todos los socios. Una similitud en los comentarios consistió en que pensaban que el cambio a hoteles de oficinas era necesario pero que estaban complacidos porque esto no les afectaría a ellos. Tres socios expresaron su preocupación acerca de la aceptación de los gerentes de adoptar un sistema de hotelería. La conclusión de cada asociado fue que si Royce Consulting se mudara a hoteles de oficinas, con o sin tecnología electrónica, los gerentes aceptarían el cambio. La razón de tal aceptación dada por los asociados fue que los gerentes harían lo que los asociados quisieran.

Todos los asociados coincidieron en que la productividad se podría mejorar en todos los niveles de la organización: en su propio trabajo así como entre las secretarias y los gerentes. Los asociados reconocían que los niveles de tecnología de información existentes en Royce Consulting no apoyarían el traslado a los hoteles de oficinas y que los avances en tecnología electrónica de oficina necesitaban ser considerados.

Los asociados consideraban que todas las cuestiones de archivado eran secundarias tanto para el cambio de diseño de oficina como para la mejora tecnológica propuesta. Sin embargo, la conclusión final fue que la propiedad y control de los archivos era un asunto importante, y que la mayoría de los asociados y gerentes no deseaban que nada se centralizara.

Entrevistas con los gerentes

Las entrevistas con el personal se aplicaron a los 10 gerentes que estaban en oficinas. Durante las entrevistas, cuatro de los gerentes preguntaron a Schrean si el cambio a los hoteles de oficinas había sido su idea. Los gerentes hicieron pasar la pregunta como un chiste; sin embargo, esperaban una respuesta por parte de ella. Ella afirmó que estaba ahí como asesora, que no había generado la idea, y que no tomaría la decisión final concerniente a los cambios.

El periodo en el que estos gerentes habían estado en sus puestos actuales variaba de seis meses a cinco años. Ninguno de ellos expresó sentimientos positivos acerca del sistema de hotelería, y todos se refirieron a con cuánto ahínco tuvieron que trabajar para llegar a ser gerentes y obtener una oficina por sus propios méritos. Ocho gerentes hablaron del estatus que la oficina les daba y de la conveniencia de tener un lugar permanente para guardar su información y archivos. Dos de los gerentes afirmaron que no importaba tanto el estatus pero que estaban preocupados por la conveniencia. Un gerente dijo que iba a venir menos si no tenía una oficina propia. Los gerentes creyeron que un cambio a hoteles de oficinas disminuiría su productividad. Dos gerentes expresaron que no les importaba cuánto dinero ahorrara Royce Consulting en los costos de arrendamiento, que deseaban conservar sus oficinas.

Sin embargo, a pesar de todos los comentarios negativos, todos los gerentes acordaron que accederían a cualquier cosa que los asociados decidieran hacer. Un gerente afirmó que si Royce Consulting se mantenía ocupado con proyectos de clientes, tener una oficina asignada de manera permanente no era un problema tan grande.

Durante las entrevistas, todos los gerentes se mostraron entusiastas y apoyaron las nuevas herramientas de productividad, en particular la mejorada tecnología electrónica de oficina. Creían que las nuevas computadoras, el software integrado y las herramientas de productividad definitivamente mejorarían su productividad. La mitad de los gerentes expresaron que la tecnología actualizada haría que el cambio a las oficinas de hoteles fuera "menos terrible", y que deseaban que sus secretarias tuvieran el mismo software que ellos.

Las respuestas de los gerentes al problema de archivos fueron variadas. El volumen de archivos que los gerentes tenían estaba en proporción directa a su antigüedad en ese puesto: cuanto mayor tiempo tuviera una persona como gerente, más archivos tendría. En todos los casos, los gerentes se ocupaban de sus propios archivos, los almacenaban en sus oficinas y en cualquier archivo que estuviera a su disposición.

Como parte del proceso de platicar con los gerentes, se les preguntó a sus asistentes administrativos acerca de los cambios propuestos. Las seis personas pensaron que la actualización a oficina electrónica sería benéfica para los gerentes, aunque les inquietaba un poco lo que se podía esperar de ellos. En cuanto al traslado a los hoteles de oficinas, cada uno dijo que los gerentes odiarían el cambio, pero que estarían de acuerdo si los asociados deseaban avanzar en esa dirección.

Resultados de la encuesta

Se envió a todos los socios, colaboradores asociados y gerentes una encuesta desarrollada a partir de las entrevistas dos semanas después que éstas se realizaron. La encuesta completa fue devuelta por 6 de 9 socios y colaboradores asociados y por 16 de 22 gerentes. He aquí lo que la encuesta mostró.

Patrones de trabajo. De todos era conocido que los gerentes estaban fuera de sus oficinas la mayor parte del tiempo, pero que no había cifras que apoyaran esto, de manera que se pidió a los encuestados que proporcionaran datos acerca de dónde pasaban su tiempo. Los resultados de la encuesta indicaron que los socios pasaban 38% de su tiempo en la oficina; 54% en las instalaciones del cliente; 5% en el hogar y 3% en otros lugares, como aeropuertos. Los gerentes reportaron invertir 32% de su tiempo en la oficina, 63% en las instalaciones del cliente, 4% en el hogar y 1% en otros lugares.

Durante 15 días laborales, el equipo de planeación también inspeccionó 15 oficinas de gerentes cuatro veces al día: a las 9 A.M., 11 A.M., 2 P.M., y 4 P.M. Estos horarios se eligieron debido a que las observaciones iniciales indicaron que éstos serán los horarios pico de ocupación. Un promedio de seis oficinas (40% de todas las oficinas de gerentes) estaban vacías en cualquier momento; en otras palabras, había una tasa de ocupación de 60 por ciento.

Diseño alternativo de oficinas. Una de las alternativas diseñadas por el comité de planeación fue la continuación del uso y expansión de las oficinas compartidas. Once de los gerentes que respondieron la encuesta preferían compartir las oficinas a los hoteles de oficinas. Las ocasiones en que más de un gerente trabajaba simultáneamente en una misma oficina eran poco frecuentes. Ocho gerentes reportaron de cero a cinco conflictos de oficina por mes; tres gerentes reportaron de seis a diez conflictos de oficina por mes. El tipo de problemas que se encontraron en las oficinas compartidas incluían no tener el suficiente espacio para archivos, problemas en las llamadas telefónicas directas y la falta de privacidad.

Todos los gerentes estaban de acuerdo en que tener una oficina permanentemente asignada era un incentivo importante. La encuesta confirmó la información reunida en las entrevistas acerca de las actitudes gerenciales: todos menos dos gerentes preferían compartir sus oficinas que los hoteles, y los gerentes creían que sus productividad se vería afectada de manera negativa. Los retos a los que se enfrentaría Royce Consulting si se cambiaba a hoteles de oficinas giraban en torno a la tradición, expectativas gerenciales, accesibilidad de archivos y organización, cuestiones de seguridad y privacidad, programas de trabajo impredecibles y periodos de alta circulación.

Control de archivos personales. Debido a los comentarios que se realizaron durante las entrevistas personales, se pidió a los encuestados que calificaran la importancia de tener un control personal sobre sus archivos. Se utilizó una escala de cinco puntos, donde 5 era "fuertemente de acuerdo" y 1 "fuertemente en desacuerdo". Aquí se muestran las respuestas.

Tecnología electrónica. Royce Consulting tenía un sistema básico de red en la oficina que no se acoplaba a los gerentes que trabajaban en un sitio remoto. El equipo de soporte administrativo tenía una red separada, y los gerentes y el cuerpo administrativo no se podían comunicar por medios electrónicos. De los gerentes que respondieron la encuesta, 95% deseaba utilizar la red pero sólo 50% en realidad lo hacía.

Análisis de opciones

Un análisis financiero mostró que se habían presentado diferencias significativas en cuanto al costo entre las opciones en consideración:

Opción 1: *continuar con las oficinas privadas y compartirlas un poco.*

- Arrendar un piso adicional en el edificio existente; costo anual, $360 000.
- Construir un piso adicional (es decir, construir amueblar, y equipar oficinas y áreas de trabajo): costo a crédito, $600 000.

Opción 2: *mudarse a hoteles de oficinas con tecnología de oficina actualizada.*

- Actualizar la tecnología electrónica de oficina: costo a crédito, $190 000.

1.0

La opción 1 fue cara porque bajo los términos del arrendamiento actual, Royce tuvo que comprometer un piso completo si quería espacio adicional. Las oficina del hotel mostraron una ventaja financiera total de $360 000 por año y ahorros, al mismo tiempo, de $410 000 sobre las oficinas individuales o compartidas.

El reto

Vincent se reúne con Mary Schrean para discutir la próxima junta de socios y gerentes, donde se presentarán los resultados del estudio y una propuesta de acción. En el reporte están contemplados los diseños propuestos tanto de oficinas compartidas como de hoteles de oficinas. Vincent y Gray están planeando recomendar el sistema de hoteles de oficinas, el cual incluiría áreas de almacenamiento, tecnología electrónica de vanguardia para oficina a disposición de gerentes y cuerpo administrativo, y archivos centralizados. La razón de su decisión enfatizó la cantidad de tiempo que los gerentes estaban fuera de las oficinas y el alto costo de mantener la condición actual de las cosas, y estuvo basada en los siguientes puntos:

1. El negocio de Royce Consulting es diferente: las oficinas están vacías de 40 a 60% del tiempo.
2. Los costos de bienes raíces continúan a la alza.
3. Las proyecciones indican que habrá una necesidad cada vez mayor de oficinas y estrategias de control de costos a medida que el negocio evoluciona.
4. Royce Consulting tiene una función central que consiste en ayudar a las organizaciones a implementar la innovación.

"Todo está decidido", pensaba Vincent cuando él y los demás regresaban de un descanso. "Las cifras de costos lo apoyan y las cifras de crecimiento también. Es simple, ¿o no? La decisión es la parte fácil. ¿Y qué sucederá si Royce Consulting ayuda o entorpece su aceptación? En el largo plazo, espero que fortalezcamos nuestros procesos internos y no obstaculicemos nuestra efectividad con la implantación de estos simples cambios."

Encuestados	Muestra	Calificación
Asociados	6	4.3
Gerentes:		
0-1 año	5	4.6
2-3 años	5	3.6
4 o más años	5	4.3

Caso integrador 2.0

Custom Chip, Inc.*

2.0

Introducción

Eran las 7:50 de la mañana del lunes. Frank Questin, gerente de ingeniería de producto en Custom Chip, Inc., estaba sentado en su oficina elaborando una lista de pendientes del día. De 8:00 a 9:30 A.M., tendría su junta semanal con su equipo de ingenieros. Después de la junta, Frank pensó que empezaría a desarrollar una propuesta para resolver lo que llamaba "problema de documentación de la manufactura en Custom Chip, Inc.", es decir, la inadecuada recopilación de información técnica concerniente a los pasos de manufactura de muchos de los productos de la compañía. Antes que pudiera terminar su lista de pendientes, respondió una llamada telefónica del gerente de recursos humanos de Custom Chip, que le preguntó acerca del estado de dos evaluaciones de desempeño atrasadas y le recordó que ese día era el aniversario del quinto año de Bill Lazarus en la compañía. Después de esta llamada, Frank se alejó de prisa a su reunión matutina de lunes con su equipo.

Frank había sido gerente de ingeniería del producto en Custom Chip durante 14 meses. Éste era su primer puesto gerencial, y algunas veces se cuestionaba a sí mismo su efectividad como gerente. Eran muy frecuentes las ocasiones en que no podía completar las tareas que se establecía él mismo debido a interrupciones y problemas de otros que reclamaban su atención. Si bien, no se le había dicho con exactitud qué resultados se suponía que obtuviera, tenía un sentimiento incómodo de que debía haber logrado más en estos 14 meses. Por otro lado, pensó que su desempeño era muy bueno en algunas áreas de responsabilidad dada la complejidad de los problemas que su grupo manejaba y los cambios impredecibles en la industria de los semiconductores; cambios ocasionados no sólo por los rápidos avances en la tecnología, sino por la competencia extranjera creciente y la creciente disminución en la demanda.

Antecedentes de la compañía

Custom Chip, Inc., era un fabricante de semiconductores especializado en chips o circuitos integrados hechos a la medida, así como en componentes utilizados en radares, transmisores satelitales y otros dispositivos de radiofrecuencia. Su campaña había sido fundada en 1977 y había crecido con rapidez con ventas que excedían los $25 millones en 1986. La mayoría de los 300 empleados de la compañía estaban ubicados en la fábrica principal de Silicon Valley, pero las fábricas en Europa y el Lejano Oriente estaban creciendo en tamaño e importancia. Las plantas en el extranjero se encargaban del ensamblado de los productos menos complejos y de más alto volumen. Los nuevos productos y los más complejos se ensamblaban en la fábrica principal. Alrededor de una tercera parte de los empleados de ensamble se encontraban en las fábricas del extranjero.

Si bien, los productos especializados y los mercados de Custom Chip proporcionaban un nicho de mercado que hasta el momento había servido como protección para la compañía en contra de la principal baja en la industria de los semiconductores, el crecimiento se había congelado. Debido a esto, la reducción de costos se había transformado en una de las prioridades más apremiantes.

Proceso de manufactura

Los fabricantes de chips estándar tienen corridas de producción largas y pocos productos. Su costo por unidad es bajo y el control de costos es un determinante principal de su éxito. En contraste, los fabricantes de chips hechos a la medida tienen amplias líneas de producto y generan corridas de producción pequeñas de aplicaciones especiales. Por ejemplo, Custom Chip, Inc., había fabricado más de 2 000 productos diferentes en los últimos cinco años. En cualquier trimestre la compañía podía programar nuevas corridas de producción para diferentes productos, de los cuales hasta un tercio podían ser productos nuevos o modificados que la compañía no había fabricado antes. Debido a que deben ser eficientes en el diseño y fabricación de muchas líneas de productos, todos los fabricantes de chips a la medida dependen en gran medida de los ingenieros. A los clientes les preocupa principalmente que Custom Chip esté en condiciones de diseñar y fabricar el producto que requieren *del todo;* en segundo lugar, que puedan entregarlo a tiempo; y hasta el tercer lugar, el costo.

Después que se diseña un producto, hay dos fases en el proceso de manufactura (ver cuadro 1). La primera es la fabricación de la oblea de silicio. Este es un proceso complejo en el cual los circuitos se graban en varias capas agregadas a la oblea de silicio. El número de pasos por los que pasa una oblea más los problemas inherentes al control de los diferentes procesos químicos, hacen muy difícil satisfacer las especificaciones exactas que requiere una oblea terminada. Las obleas, las cuales por lo general tienen "sólo unas pocas" pulgadas de diámetro cuando el proceso de fabricación se ha completado, contienen cientos, y algunas veces, miles de diminutos troqueles idénticos. Una vez que la oblea se prueba y rebana para producir los dados, cada troquel se utilizará como un componente de circuito.

Si la oblea terminada pasa las diferentes pruebas de calidad, avanza a la fase de ensamble. En el ensamble, los cubos de obleas, cables muy pequeños y otros componentes se adhieren al circuito en una serie de operaciones precisas. El circuito terminado es el producto final de Custom Chip, Inc.

Cada producto atraviesa múltiples operaciones independientes y delicadas, y cada paso está sujeto a errores del operador o de las máquinas. Debido a la cantidad de pasos y pruebas implicadas, la fabricación de la oblea conlleva de 8 a 12 semanas y el proceso de ensamble conlleva de cuatro a seis semanas. Como las especificaciones son exactas, los productos son rechazados cuando se encuentra en ellos alguna

CUADRO 1
Proceso de manufactura

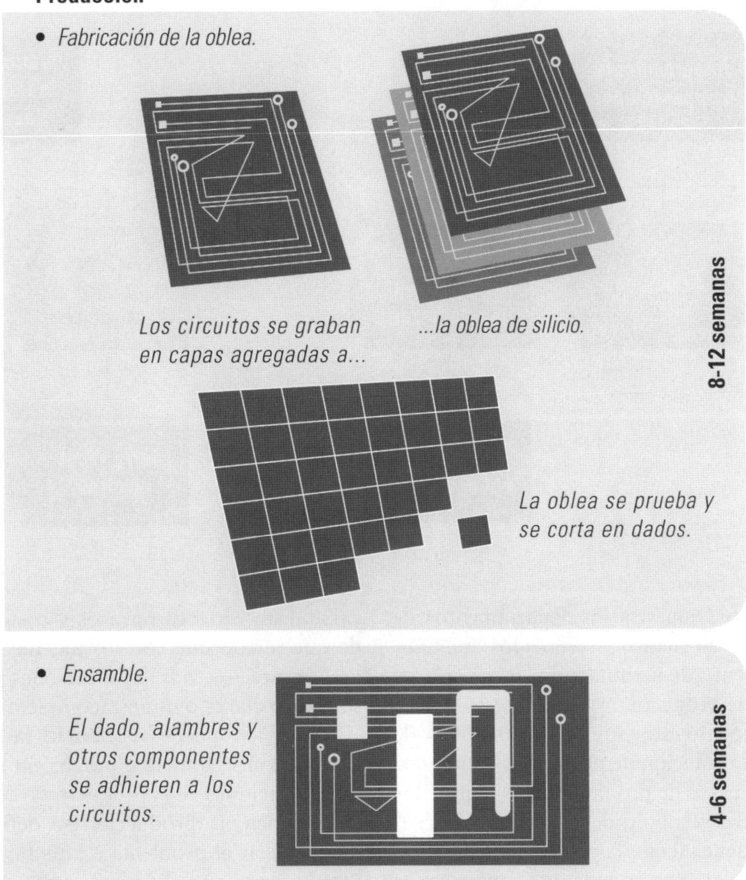

falla mínima. La probabilidad de que todos los productos que comienzan en la corrida pase por todo el proceso y sigan cumpliendo con las especificaciones, con frecuencia es muy baja. Para algunos productos, el rendimiento promedio[1] es tan poco como 40%, y los rendimientos actuales pueden variar considerablemente de una corrida a otra. En Custom Chip, el rendimiento promedio de todos los productos se encuentra en el rango de 60 a 70 por ciento.

Debido al largo tiempo que consume la elaboración de un chip hecho a la medida, es muy importante tener algún tipo de control sobre estos rendimientos. Por ejemplo, si un cliente hace un pedido de 1000 unidades de producto y los rendimientos típicos para ese producto promedian 50%, Custom Chip deberá programar un lote de arranque de 2200 unidades. Con este enfoque, aun si la producción es tan baja como 45.4% (el 45.4% de 2200 es 1000) la compañía seguirá en condiciones de satisfacer el pedido. Si el rendimiento real cae por debajo de 45.4%, el pedido no se podrá completar en esa corrida, y será necesaria una corrida muy pequeña y costosa del artículo para completarlo. La única forma en que la compañía puede controlar estos rendimientos y cumplir con el programa implica que los grupos de ingeniería y operaciones cooperen y coordinen sus esfuerzos de manera eficiente.

La función del ingeniero de producto

El trabajo del ingeniero de producto está definido por la relación entre los ingenieros de aplicaciones y los de operaciones. Los ingenieros de aplicaciones son responsables del diseño y desarrollo de prototipos cuando los pedidos entrantes consisten en productos nuevos o modificados. La función del ingeniero de producto es traducir el diseño del grupo de ingeniería de aplicaciones en un conjunto de instrucciones de manufactura y después trabajar en colaboración con manufactura para cerciorarse de que los problemas relacionados con ingeniería se resuelvan. A final de cuentas la efectividad de los ingenieros de producto se mide por su capacidad de controlar los rendimientos de sus productos asignados.

2.0

CUADRO 2
Custom Chip, Inc., Organigrama parcial

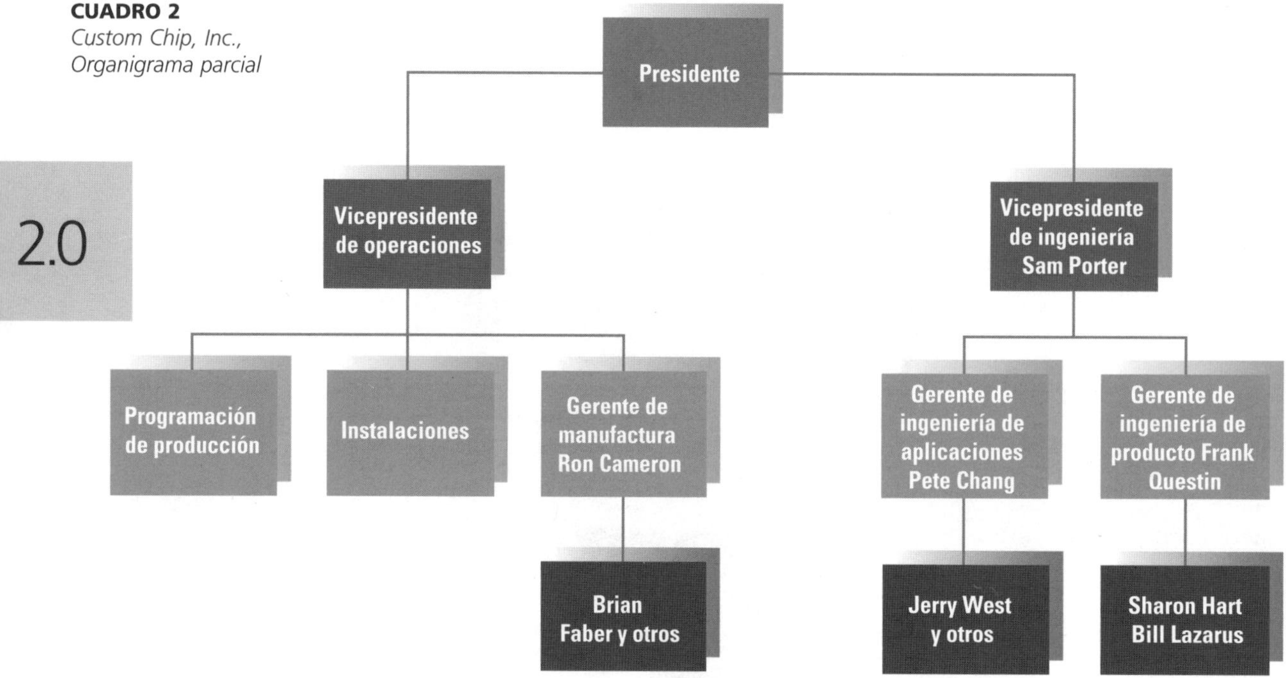

El organigrama del cuadro 2 muestra los departamentos de operaciones y de ingeniería. El cuadro 3 resume los objetivos y funciones del departamento de manufactura, ingeniería de aplicaciones e ingeniería de producto.

Los ingenieros de producto estiman que de 70 a 80% de su tiempo es invertido en la solución de problemas cotidianos de manufactura. Los ingenieros de producto tienen cubículos en una sala al otro lado del vestíbulo de la fábrica. Si el supervisor de manufactura tiene una duda concerniente a cómo construir un producto durante una corrida, ese supervisor le llamará al ingeniero asignado a ese producto. Si el ingeniero está disponible, él o ella acudirán al taller para ayudarles a resolver el problema. Si el ingeniero no está disponible, la corrida de producción puede detenerse y el producto aplazarse, de manera que los demás pedidos puedan terminar de fabricarse. Esto provoca retrasos y costos adicionales. Una razón de que se consulte con los ingenieros de producto es que la documentación, o las instrucciones para fabricar el producto, son poco claras o están incompletas.

También puede requerirse la ayuda del ingeniero de producto si se somete a prueba un producto y no cumple las especificaciones. Si el producto no cumple las especificaciones del examen, la producción se detiene, y el ingeniero debe diagnosticar el problema e intentar hallar una respuesta. De otra manera, el pedido para ese producto podrá completarse sólo parcialmente. Cuando un producto no pasa las pruebas, esto implica problemas muy serios, los cuales pueden generar incrementos sustanciales de costos y retrasos en el programa para los clientes. Los productos no pasan apropiadamente las pruebas por muchas razones, como errores de operador,

CUADRO 3
Funciones y objetivos departamentales

Departamento	Función	Objetivo primario
Ingeniería de aplicaciones	Diseña y desarrolla prototipos para productos nuevos o modificados.	Satisface las necesidades de los clientes a través de diseños innovadores.
Ingeniería de producto	Traduce diseños en instrucciones de manufactura y trabaja junto con manufactura para resolver problemas "relacionados con ingeniería".	Mantiene y controla los rendimientos sobre productos asignados.
Manufactura	Ejecuta diseños.	Cumple con los estándares de productividad y cronogramas.

materiales defectuosos, un diseño que es muy difícil de fabricar, un diseño que proporciona poco margen de error o una combinación de éstos.

En un día típico, el ingeniero de producto puede responder media docena de preguntas provenientes de la fábrica, y de dos a cuatro llamadas de las estaciones de prueba. Cuando se les entrevistó, los ingenieros expresaron su frustración con esta situación. Pensaron que pasaban demasiado tiempo resolviendo los problemas de corto plazo, y, en consecuencia, estaban descuidando otras partes importantes de su trabajo. En particular, sentían que tenían poco tiempo para:

- *Coordinarse con los ingenieros de aplicación durante la fase de diseño.* Los ingenieros de producto afirmaron que su conocimiento de manufactura podía proporcionar información valiosa al ingeniero de aplicaciones. Juntos, podrían mejorar la capacidad de manufactura y por lo tanto, los rendimientos de productos nuevos o mejorados.
- *Participar en la mejora de los proyectos.* Esto implicaría un estudio a profundidad de los procesos existentes para un producto específico junto con un análisis de las fallas anteriores de los productos.
- *Documentación precisa de los pasos de manufactura para sus productos asignados*, en especial para aquellos que tienden a tener pedidos grandes o repetidos. Ellos afirman que el estado actual de la documentación es deplorable. Los operadores muchas veces tienen que elaborar productos mediante el dibujo que muestra el circuito final, junto con algunas notas garabateadas en los márgenes. Si bien, los operadores y supervisores experimentados pueden ser capaces de trabajar con esta información, con frecuencia parten de suposiciones incorrectas. Los operadores con poca experiencia puede no ser capaces de continuar con la fabricación de ciertos productos debido a su documentación deficiente.

Reunión semanal

Como gerente del grupo de ingeniería de producto, Frank Questin tenía ocho ingenieros a su cargo, y cada uno era responsable de un conjunto diferente de productos de Custom Chip. De acuerdo con Frank:

En cuanto asumir el cargo de gerente, los ingenieros de producto no estaban integrados como un grupo. Se requería que llevaran a cabo problemas y operaciones con poca anticipación. Esto fue difícil de cumplir para el grupo completo debido a los constantes requerimientos de ayuda por parte del área de manufactura.

Pensé que mis ingenieros podrían ser de más ayuda y apoyo para cada uno si pasaran más tiempo juntos como grupo, de manera que una de mis primeras acciones como gerente fue la de instituir una junta semanal programada de manera regular. Hago saber a la gente de manufactura que mi equipo no responderá a sus solicitudes de asistencia durante la junta.

La junta matutina de ese lunes en particular siguió un patrón inusual. Frank habló acerca de los planes futuros de la compañía, proyectos y otras noticias que podían ser de interés para el grupo. Después, proporcionó datos acerca de los rendimientos actuales de cada producto y elogió a aquellos ingenieros que habían mantenido o mejorado los rendimientos en la mayor parte de sus productos. La fase inicial de la junta terminó alrededor de a las 8:30 A.M. El resto de la junta fue una divagación sin rumbo acerca de diferentes temas. Debido a que no había agenda, los ingenieros se sintieron cómodos hablando de cuestiones que les afectaban.

2.0

La charla comenzó cuando uno de los ingenieros tocó el tema de un problema técnico en el ensamble de uno de sus productos. Hizo algunas preguntas y se le dio consejo. Otro ingeniero habló de la necesidad de un nuevo equipo de pruebas y describió una unidad de pruebas que había visto en una exhibición reciente. Afirmó que los ahorros en mano de obra y rendimientos mejorados que esta máquina proporcionaría permitirían que se pagara sola en menos de nueve meses. De inmediato, Frank replicó que las limitaciones presupuestales hacían que esa compra fuera poco factible y la plática pasó a otro tema. Entre otras cuestiones, hablaron brevemente de la creciente inaccesibilidad de los ingenieros de aplicaciones.

El general, los ingenieros valoraban estas reuniones. Uno comentó que:

Las reuniones de los lunes me dan la oportunidad de escuchar lo que todo mundo tiene en mente, y de enterarme y hablar acerca de las noticias de toda la compañía. Es difícil llegar a alguna conclusión debido a que en la junta se habla sin un programa establecido, pero en realidad me agrada la atmósfera amistosa con mis colegas.

Coordinación con los ingenieros de aplicaciones

Después de la junta de esa mañana, se presentó un acontecimiento que puso en evidencia el tema de la inaccesibilidad de los ingenieros de aplicaciones. Un pedido de 300 unidades del chip hecho a la medida 1210A para un cliente importante ya estaba atrasado. Como el rendimiento de este producto era de 70%, debían comenzar una corrida de 500 unidades. Una prueba de las muestras en uno de los primeros puntos del ensamble indicó un problema importante en el desempeño que podría hacer caer la producción por debajo de 50%. Bill Lazarus, el ingeniero de producto asignado al 1210A, examinó la muestra y determinó que el problema se podía resolver mediante el rediseño del cableado. Jerry West, el ingeniero de aplicaciones asignado a esa categoría de producto, era responsable de realizar el diseño. Bill intentó contactar a Jerry, pero éste no estaba inmediatamente disponible, y no devolvió la llamada a Bill sino hasta más tarde ese día. Jerry explicó que tenía poco tiempo programado para terminar un diseño para un cliente que vendría a la ciudad en dos días, y que no podría ocuparse del "problema de Bill" por un tiempo.

La actitud de Jerry acerca de que el problema pertenecía a ingeniería del producto era típica de los ingenieros de aplicaciones. Desde su punto de vista, había varias razones por las que las necesidades de apoyo de los ingenieros de producto tenían una prioridad baja. En primer lugar, los ingenieros de aplicaciones fueron recompensados y reconocidos principalmente por satisfacer las necesidades del cliente a través del diseño de productos nuevos y modificados. Recibieron poco reconocimiento por resolver los problemas de manufactura. En segundo lugar, los ingenieros de aplicaciones eran percibidos como más glamorosos que los ingenieros de producto debido a las oportunidades de ser reconocidos por sus diseños innovadores y revolucionarios. Por último, el tamaño del grupo de los ingenieros de aplicaciones había disminuido durante el año pasado, lo que ocasionaba que la carga de trabajo para cada ingeniero aumentara considerablemente. Ahora, tenían menos tiempo para responder a las solicitudes de los ingenieros de producto.

Cuando Bill Lazarus le habló a Frank acerca de esta situación, Frank actuó con rapidez. Deseaba que este pedido estuviera nuevamente en proceso para el siguiente día, y sabía que manufactura estaba tratando también de cumplir esta meta. Caminó para encontrarse con Pete Chang, director de ingeniería de aplicaciones (ver el organigrama del cuadro 2). Las juntas como ésta con Pete para analizar y resolver cuestiones interdepartamentales eran comunes.

Frank encontró a Pete hablando en una banca con uno de sus ingenieros. Le preguntó si podía hablar con él en privado, y caminaron hacia la oficina de Pete.

Frank: *Tenemos un problema en manufactura para sacar un pedido de 1210A. Bill Lazarus está obteniendo muy poca o ninguna ayuda por parte de Jerry West. Espero que puedas hacer que Jerry ponga de su parte y ayude a Bill. Esto no debe tomar más de algunas pocas horas esta vez.*

Pete: *Tengo a Jerry muy controlado porque quiero que se mantenga enfocado en generar un diseño para Teletronics. No podemos permitir llegar sin nada a nuestra reunión con ellos en dos días.*

Frank: *Bien, vamos a acabar perdiendo a un cliente tratando de complacer a otro. ¿Podemos satisfacer a todos al mismo tiempo?*

Pete: *¿Tienes una idea?*

Frank: *¿Le puedes dar a Jerry un poco de ayuda adicional para el diseño de Teletronics?*

Pete: *Vamos a llamarle a Jerry para ver qué podemos hacer.*

Pete trajo a Jerry a la oficina y juntos analizaron las cuestiones y las soluciones posibles. Cuando Pete puso en claro a Jerry que él consideraba que el problema con las 1210As era una prioridad, Jerry se ofreció a trabajar en este problema con Bill. Él dijo, "esto significará que tendremos que permanecer aquí algunas horas después de las cinco de la tarde, pero haré lo que sea necesario para realizar el trabajo".

Frank estaba satisfecho de haber desarrollado una relación de colaboración con Pete. Siempre había considerado importante mantener a Pete informado acerca de las actividades en el grupo de ingeniería de producto que pudieran afectar a los ingenieros de aplicaciones. Además, con frecuencia platicaba con Pete de manera informal en el café o a la hora del almuerzo. Esta relación con Pete hizo el trabajo de Frank más fácil. Deseaba tener el mismo entendimiento mutuo con Rod Cameron, gerente de manufactura.

Coordinación con manufactura

Los ingenieros de producto trabajaron a diario estrechamente con los supervisores y trabajadores de manufactura. Los problemas entre estos dos grupos tenían sus raíces en un conflicto inherente entre sus objetivos (ver cuadro 3). El objetivo de los ingenieros de producto era mantener y mejorar los rendimientos. Tenían la autoridad de detener la producción de cualquier corrida que no pasara las pruebas de manera adecuada. Por otro lado, manufactura estaba intentando cumplir los estándares de productividad y sus plazos. Cuando un ingeniero de producto detenía una corrida de manufactura, él o ella posiblemente estaba impidiendo que el grupo de manufactura lograra sus objetivos.

Rod Cameron, el actual gerente de manufactura, había sido promovido a supervisor de manufactura un año atrás. Sus puntos de vista acerca de los ingenieros de producto son los siguientes:

Los ingenieros de producto son perfeccionistas. En el momento en el que un resultado de una prueba les parece un poco sospechoso, desean detener la fábrica. Hay una gran presión por sacar los productos. Si ellos generan $50 000 en pedidos de la línea cuando faltan pocos días para que se venza el plazo del envío, yo seré el responsable de la pérdida de $100 000 ese mes.

Además de eso, han hecho un terrible trabajo de documentación de los procedimientos de manufactura. Hemos tenido una rotación muy alta, y es necesario enseñar y mostrar a los nuevos operadores con exactitud qué hacer para cada producto. Las instrucciones para una gran parte de nuestros productos son ridículas.

Al principio, fue muy difícil para Frank tratar con Rod. Éste achacaba a los ingenieros de producto muchos de los problemas y algunas veces parecía ser agresivo con Frank cuando hablaban. Por ejemplo, Rod le podía decir a Frank "hazlo rápido; no tengo mucho tiempo". Frank trataba de no tomar el comportamiento de Rod de manera personal, y mediante la persistencia, fue capaz de desarrollar una relación más amistosa con él. De acuerdo con Frank:

Algunas veces, mi gente tendrá que detener el trabajo en un producto debido a que éste no cumple los resultados de pruebas en esa etapa de manufactura. Si estudiamos la situación, podríamos ser capaces de mantener los rendimientos o incluso ahorrar una corrida completa mediante el ajuste de los procesos de manufactura. Rod intenta intimidarme para que cambie las decisiones de mis ingenieros. Me grita o critica la incompetencia de mi gente, pero no permito que sus desvaríos o temperamento afecten mi buen juicio sobre una situación. Mi estrategia para lidiar con Rod es intentar no responder a la defensiva ante él. En algún momento se tranquiliza y podemos tener una plática razonable de la situación.

A pesar de esta estrategia, Frank no siempre resuelve sus problemas con Rod. En estas ocasiones, Frank comunica el asunto a su propio jefe, Sam Porter, el vicepresidente a cargo del departamento de ingeniería. No obstante, Frank no estaba satisfecho con el apoyo que había obtenido de Sam. Frank afirmó:

Sam evade las confrontaciones con el vicepresidente de operaciones. Él no tiene la influencia o autoridad con los otros vicepresidentes o con el presidente para hacer justicia a las necesidades de ingeniería en la organización.

Muy temprano esa mañana, Frank una vez más estaba intentando resolver el conflicto entre el departamento de ingeniería y manufactura. Sharon Hart, una de sus ingenieros de productos más efectivos, era responsable de una serie de productos utilizados en los radares: la serie 3805A-3808A. Hoy detuvo una larga corrida de 3806A. El supervisor de manufactura, Brian Faber, fue a quejarse con Rod Cameron del impacto de este bloqueo en su productividad. Brian pensó que los rendimientos eran bajos en ese producto particular debido a que las instrucciones de producción eran confusas para sus operadores, y que incluso con instrucciones más claras, sus operadores necesitarían una capacitación adicional para trabajar de manera satisfactoria. Destacó el hecho de que la responsabilidad del ingeniero de producto era documentar de manera adecuada las instrucciones de producción y proporcionar capacitación. Por estas razones, Brian sostuvo que era el departamento de ingeniería de producto, no el de manufactura, el responsable de la pérdida de productividad en el caso de estos 3806A.

Rod llamó a Frank a su oficina, que se unió a la discusión con Sharon, Brian y Rod. Después de escuchar los temas, Frank admitió que ingeniería de producto era responsable de la documentación y capacitación. También explicó que, aunque nadie fuera consciente de ello, el grupo de ingeniería de producto había estado operando con un personal reducido durante más de un año, de manera que la capacitación y la documentación eran prioridades menores. Debido a esta situación del personal, Frank sugirió que ingeniería de manufactura y producto trabajarán en conjunto y unieran sus recursos limitados para resolver el problema de la documentación y capacitación. Él estaba especialmente interesado en utilizar algunos trabajadores experimentados con mayor antigüedad para que le ayudaran a capacitar a nuevos empleados. Rod y Brian se opusieron a esta sugerencia. Ellos no deseaban sacar a los operadores experimentados de la línea debido a que esto disminuiría la productividad. La junta terminó con la exasperación de Brian, quien afirmó que era mejor que Sharon sacara adelante los 3806A y que pusiera todo en funcionamiento nuevamente esa mañana.

Frank estaba muy frustrado por este episodio con manufactura. Sabía a la perfección que su grupo tenía la responsabilidad principal de la documentación de los pasos de la manufactura de cada producto. Un año atrás, le había dicho a Sam Porter que los ingenieros de producto necesitaban actualizar y estandarizar toda la documentación para fabricar productos. En esa ocasión, Sam le respondió a Frank que apoyaría sus esfuerzos para desarrollar la documentación, pero no incrementaría su equipo. De hecho, Sam detuvo la autorización para llenar una vacante reciente de ingeniería de producto. Frank se rehusaba a presionar en cuanto a la cuestión de personal debido a la inflexibilidad de Sam en reducir los costos. "Quizá", pensó Frank, "si desarrollo una propuesta en la que muestre con claridad los beneficios de un programa de documentación en el departamento de manufactura, en el que se detallen los pasos y recursos requeridos para implementar un programa, tal vez pueda convencer a Sam de proporcionarnos más recursos". Pero Frank nunca tuvo tiempo para desarrollar esa propuesta. Por lo que seguía frustrado.

Más tarde en el día

Frank estaba reflexionando sobre la complejidad de su trabajo cuando Sharon llegó a su puerta para ver si tenía un momento para ella. Antes que pudiera decir "adelante", sonó el teléfono. Vio su reloj, eran las 4:10 P.M. Pete estaba en la otra línea con una idea que quería poner a prueba con Frank, de manera que éste le contestó que le devolvería más tarde la llamada. Sharon estaba molesta, y le dijo que está pensando en renunciar debido a que este trabajo no era satisfactorio para ella.

Sharon dijo que aunque ella disfrutaba mucho trabajando en proyectos de mejora de productividad, no tenía tiempo para eso. Estaba cansada de que los ingenieros de aplicaciones actuaran como "divos", tan ocupados como para ayudarle a resolver lo que les parecía eran problemas de manufactura mundanos y cotidianos. También pensaba que muchos de los problemas cotidianos que manejaba, no existirían si para empezar tuviera el tiempo suficiente para documentar los procedimientos de manufactura.

Frank no quería perder a Sharon, de manera que intentó sintonizarse con su estado de ánimo para poder comprenderla. La escuchó y le dijo que él podía entender su frustración en este caso. Le dijo que su situación cambiaría a medida que las condiciones de la industria mejoraran. También le dijo que estaba agradecido de que se sintiera cómoda desahogando sus frustraciones con él, y esperó que pudiera permanecer en Custom Chip.

Después que Sharon se fue, Frank recordó que le había dicho a Pete que le llamaría más tarde. Vio la lista de pendientes, que nunca había completado, y se dio cuenta de que no había invertido tiempo en su más alta prioridad: desarrollar una propuesta relacionada con la solución del problema de documentación en manufactura. Entonces, recordó que había olvidado reconocer el quinto aniversario de Bill Lazarus en la compañía. Pensó que su trabajo era como un paseo en la montaña rusa, y una vez más ponderó su efectividad como gerente.

Nota

1. Rendimiento se refiere a la tasa de productos terminados que cumplen con las especificaciones referentes al número que inicialmente ingresó al proceso de manufactura.

Caso integrador 3.0

Entrada de W. L. Gore & Associates, Inc. a 1998*

3.0

"Para hacer dinero y divertirse". W. L. Gore

El primer día en el trabajo

Rebosante de decisión, Jack Dougherty, un recién egresado de la maestría en administración de empresas del College of William and Mary, se presentó en su primer día de trabajo en W. L. Gore & Associates, era el 26 de julio de 1976. Se presentó ante Bill Gore, le dio un firme apretón de manos, lo miró a los ojos y le dijo que estaba listo para cualquier cosa.

Sin embargo, Jack no estaba listo para lo que iba a suceder después. Gore respondió, "Está bien Jack, bien. ¿Por qué no buscas a tu alrededor y encuentras algo que te gustaría hacer?" Tres frustrantes semanas después encontró algo: cambió su traje azul oscuro por unos jeans y comenzó a alimentar tela a la boca de una máquina que lamina la membrana patentada GORE-TEX®[1] para convertirla en tejido. Para 1982, Jack se había convertido en el responsable de toda la publicidad y marketing de la división de tejidos. Esta historia es parte de la tradición en W. L. Gore & Associates.

En la actualidad, el proceso está más estructurado. Sin importar el trabajo para el cual sean contratados, los nuevos asociados[2] dan un paseo por todo el negocio antes de establecerse en sus puestos. Un nuevo asociado en la división de tejidos podía pasar seis semanas visitando diferentes áreas antes de comenzar a concentrarse en ventas y marketing. Entre otras cosas, los recién llegados aprenden cómo se elabora la tela GORE-TEX, lo que puede hacer y lo que no, cómo maneja Gore las quejas de los clientes, y cómo toma sus decisiones de inversión.

Anita McBride relató su experiencia en W. L. Gore & Associates de esta forma: "Antes de llegar a Gore, había trabajado para una organización estructurada. Llegué aquí, y durante el primer mes todo estaba bien estructurado, pasé por un curso de capacitación en el que aprendí qué es lo que hacían aquí, y cómo era Gore y todo eso. Me dieron esa capacitación en Flagstaff. Después de un mes, llegué a Phoenix y mi promotor dijo, 'Bien, aquí está tu oficina; es una oficina maravillosa', y 'Aquí está tu escritorio', y se fue. Pensé 'y ahora, ¿qué hago?' Ya sabes, esperaba un memorando o algo así, o una descripción de mi puesto. Por último, después de otro mes estaba muy frustrada, y pensé '¿Cuándo me metí en esto?' Así que fui con mi patrocinador y le dije, '¿Qué demonios quieres de mí? Necesito algo de ti.' Y dijo, 'Si no sabes que se supone que debes hacer, examina tu compromiso y oportunidades'".

Antecedentes de la compañía

W. L. Gore & Associates fue fundado por el ya fallecido Wilbert L. Gore y su esposa en 1958. La idea del negocio surgió de sus experiencias personales, organizacionales y técnicas en E. I. DuPont de Nemours, y en particular, de su descubrimiento de un compuesto químico con propiedades únicas. El compuesto, que ahora se conoce como GORE-TEX, ha ubicado a W. L. Gore & Associates en una alta clasificación de la lista *Forbes* en 1998 de las 500 compañías privadas más grandes en Estados Unidos, con ingresos estimados de más de $1100 millones. La cultura vanguardista de la compañía y las prácticas directivas de la gente han provocado que W. L. Gore esté clasificado como la séptima mejor compañía para trabajar en Estados Unidos por la revista *Fortune* en un artículo de enero de 1998.

Wilbert Gore nació en Meridian, Idaho, cerca de Boise en 1912. Él contaba que a la edad de seis, era un ávido excursionista de las Wasatch Mountain Range en Utah. Ahí, en un campamento organizado por la iglesia, conoció a Genevieve, su futura esposa. En 1935, contrajeron matrimonio: para él, una sociedad. Él haría el desayuno y Vieve, como todos la llamaban, el almuerzo. Esta sociedad duró toda una vida.

Obtuvo una licenciatura en ingeniería química en 1933 y una maestría en ciencias quimicofísicas, en 1935 en la University of Utah. Comenzó su carrera profesional en American Smelting and Refining en 1936. Después, se contrató en Remington Arms Company en 1941 y luego en E. I. DuPont de Nemours en 1945. Fungió como supervisor de investigación y líder de investigación de operaciones. Cuando estuvo en DuPont, trabajó en un equipo para desarrollar aplicaciones para el politetrafluoroetileno, llamado PTFE en la comunidad científica y conocido como "Teflón" por los clientes de DuPont. (Los clientes lo conocen con los nombres de otras compañías). En este equipo, Wilbert Gore, a quien todos llamaban Bill, tenía la sensación de un compromiso emocionante, satisfacción personal e independencia. Siguió el desarrollo de computadoras y transistores y pensó que PTFE tenía las características aislantes ideales para utilizarse en tal equipo.

Intentó de muchas formas elaborar un cable plano recubierto con PTFE sin éxito. Pero mientas explicaba el problema a su hijo, Bob, de 19 años de edad, un gran avance se presentó en su laboratorio del sótano. El joven Gore vio una cinta de PTFE selladora de 3M y preguntó a su padre, "¿Por qué no intentas con esta cinta?" Bill le explicó que todos sabían que no se puede unir PTFE al mismo material. Bob se fue a dormir.

Bill Gore permaneció en laboratorio e intentó lo que todos sabían que no funcionaría. Aproximadamente a las 4 A.M., despertó a su hijo, ondeando un pequeño trozo de cable y diciendo emocionado: "Funcionó, funcionó". La noche siguiente padre e hijo regresaron al laboratorio del sótano para elaborar el cable plano con recubrimiento de PTFE. Debido a que la idea innovadora había provenido de Bob, la patente del cable fue expedida a nombre de Bob.

Durante los siguientes cuatro meses, Bill Gore intentó persuadir a DuPont de elaborar un nuevo producto: el cable

*Preparado por Frank Shipper, departamento de administración y marketing, Franklin P. Perdue School of Business, Salisbury State University y Charles C. Manz, Nirenberg, profesor de liderazgo de negocios, School of Management, University of Massachusetts. Utilizado con autorización.

plano recubierto de PTFE. En este punto de su carrera Bill Gore ya conocía a algunas personas encargadas de tomar las decisiones en DuPont. Después de hablar con varios de ellos, se dio cuenta de que DuPont deseaba seguir siendo un proveedor de materias primas y no un fabricante.

Bill y su esposa, Vieve, comenzaron a analizar la posibilidad de comenzar su propio negocio de cables y conexiones. El 1° de enero de 1958, su aniversario de bodas, fundaron W. L. Gore & Associates. El sótano de su hogar sirvió como su primera fábrica. Después de terminar de cenar aquella noche, Vieve se dirigió a su esposo, junto a quien había estado por durante 23 años, y le dijo, "Bien, lavemos la vajilla, bajemos, y comencemos a trabajar".

Bill Gore tenía 45 años de edad con cinco hijos que mantener cuando abandonó DuPont. Dejó a un lado una carrera de 17 años, y un salario bueno y seguro. Para financiar los primeros dos años del negocio, él y Vieve hipotecaron su casa y tomaron $4000 de sus ahorros. Todos sus amigos le decían que no lo hiciera.

Los primeros años fueron difíciles. En lugar de salario, algunos de sus empleados aceptaron una pensión completa en el hogar de Gore. Llegó un momento en que había 11 asociados viviendo y trabajando bajo un mismo techo. Una tarde, mientras tamizaba polvo de PTFE, Vieve recibió una llamada del departamento de agua de la ciudad de Denver. Quien le llamaba le indicó que estaba interesado en el cable plano, pero que tenía algunas dudas técnicas. Bill había salido a realizar algunos encargos. Quien llamó pidió que le comunicarán con el gerente de producto. Vieve le explicó que no estaba en ese momento. Después le pidió al gerente de ventas, y por último al presidente. Vieve le explicó que todos habían salido. La persona que llamó estaba indignada y vociferó, "¿Qué clase de compañía es esa?" Finalmente, con un poco de diplomacia, los Gore pudieron asegurar un pedido por $100 000. Este pedido puso a la compañía en una situación más rentable y comenzó a despuntar.

W. L. Gore & Associates continuaron creciendo y desarrollando nuevos productos, derivados principalmente del PTFE. Su producto mejor conocido es el tejido GORE-TEX. En 1986, Bill Gore murió mientras excursionaba en las Wind River Mountains de Wyoming. En ese entonces, era el presidente del consejo. Su hijo, Bob, continuó desempeñando el cargo de presidente. Vieve continuó como la única en el cargo de secretaria-tesorera que desempeñaba junto a su esposo.

Productos de la compañía

En 1998, W. L. Gore & Associates tenían una línea muy amplia de productos de alta tecnología que se utilizan en una variedad de aplicaciones, incluyendo electrónica, impermeabilización, filtración industrial, selladores y recubrimientos industriales.

Productos electrónicos y de cables

Los productos electrónicos de Gore han sido encontrados en lugares poco convencionales en los que los productos ordinarios no se pueden utilizar: por ejemplo, naves espaciales, donde el cable y los ensambles de cable de Gore soportan el calor del encendido y el frío del espacio. Además, se han encontrado en computadoras rápidas, que transmiten señales de hasta 93% de la velocidad de la luz. Incluso, los cables Gore se hallan en el subsuelo, en operaciones de explotación petrolera, y bajo la superficie marina, en submarinos que requieren un equipo de señal de microondas sin cables defectuosos que puedan soportar las altas presiones. La división de productos electrónicos de Gore es famosa por anticiparse a las necesidades futuras del cliente con productos innovadores. Los productos electrónicos de Gore han sido bien recibidos en la industria por su capacidad de soportar condiciones adversas. Por ejemplo, Gore se ha convertido, de acuerdo con Sally Gore, en líder de recursos humanos y comunicaciones, y en "uno de los más grandes fabricantes de cables de ultrasonido en el mundo, razón por la que la transmisión de los cables electrónicos de Gore sea tan exacta y de su flexibilidad, delgadez extrema y su larga vida. Lo que lo hace ideal para su uso en el ultrasonido y muchas aplicaciones electrónicas médicas".

Productos médicos

La división médica tuvo sus inicios en las pendientes para esquiar de Colorado. Bill estaba esquiando con un amigo, el Dr. Ben Eiseman del Denver General Hospital. La historia es como Bill Gore la contaba: "Estábamos comenzando una carrera cuando distraídamente saqué un pequeño pedazo tubular de GORE-TEX de mi bolsillo y lo miré. '¿Qué es esa cosa?' preguntó Bill. Así que le conté acerca de sus propiedades. 'Se siente bien', dijo. '¿Para qué lo usas?' 'No tengo idea' respondí. 'Bien, dámelo', dijo 'e intentaré utilizarlo en un injerto vascular de cerdo'. Dos semanas más tarde, me llamó. Ben estaba muy emocionado. 'Bill', dijo, 'lo puse en un cerdo y funcionó. ¿Qué hago ahora?' Le dije que nos reuniéramos con Pete Cooper en nuestra planta de Flagstaff, y dejáramos que ellos averiguaran". No mucho tiempo después, cientos de miles de personas en todo el mundo comenzaron a deambular con injertos vasculares a base de GORE-TEX.

El PTFE expandido de GORE-TEX demostró ser un reemplazo ideal de tejido humano en muchas situaciones. En pacientes que sufrían de alguna enfermedad vascular, la parte enferma de las arterias se reemplazaba por tubos de PTFE expandido: estructuras fuertes, biocompatibles, capaces de transportar sangre a presiones arteriales. Gore tiene una posición sólida en este segmento de producto. Otros productos médicos de Gore han incluido parches que pueden literalmente enmendar corazones rotos mediante selladores de aberturas, y suturas que permiten la adhesión de tejido y ofrecen al cirujano un manejo parecido a la seda aunado a una fortaleza extrema. En 1985, W. L. Gore & Associates ganó el Britain's Prince Philip Award for Polymers in the Service of Mankind. El premio reconoce especialmente los logros del equipo de productos médicos de Gore que salvan vidas.

Dos productos recientemente desarrollados por esta división son un nuevo material para parches que tiene la intención de incorporar más tejido al injerto con mayor rapidez y el GORE™ RideOn®[3] Cable System para bicicletas. De acuerdo con Amy LeGere de la división médica, "Los mejores ciclistas profesionales del mundo están usándolo. Fue lanzado justo hace un año y se ha convertido en una pauta para la industria". Este producto tuvo un flujo de fondos positivo poco después de su introducción. Algunos asociados que también eran entusiastas de los deportes al aire libre desarrollaron el producto y se dieron cuenta de que Gore podía fabricar un cable para bicicletas increíble que provocara 70% menos de fricción y no necesitara lubricantes. Los asociados sostuvieron que el desarrollo rentable, la producción y marketing de un nicho tan especializado de productos era posible debido a la falta de burocracia y gastos fijos adjuntos, el compromiso de los asociados y el uso de promotores de producto.

Productos industriales

Los artículos de la división de productos industriales han incluido selladores, bolsas de filtro, cartuchos, ropa y recubrimientos. Los productos para la filtración industrial, como las bolsas GORE-TEX, han reducido la contaminación del aire y recuperado sólidos valiosos de gases y líquidos de manera más completa que las alternativas, y lo han logrado de una forma muy económica. En el futuro, podrán hacer plantas de combustión de carbón completamente libres de humos, con lo que contribuirán a un medio ambiente más limpio. Las aplicaciones especializadas y críticas de esos productos, junto con la reputación de calidad de Gore, han tenido una fuerte influencia sobre los compradores industriales.

Esta división ha desarrollado un sellador acoplado único —un cordel flexible de PTFE poroso— que se puede aplicar como un empaque a las formas más complejas, el cual las sella para impedir el goteo de químicos corrosivos, incluso a temperatura y presión extremas. Las válvulas de vapor empacadas con GORE-TEX se venden con una garantía de por vida, a condición de que la válvula se haya utilizado de la manera apropiada. Además, esta división ha lanzado el primer producto de consumo de Gore —GLIDE®[4]— un hilo dental. "Éste era un producto que las personas ya conocían desde hacía tiempo y trataron de persuadir a los líderes de la industria de que lo promovieran, pero en realidad no lo impulsaron muy bien. De manera que casi por defecto, Gore decidió que no estaban haciendo las cosas bien, así que decidimos hacerlo nosotros mismos. Teníamos un promotor, John Spencer, que retomó esa cuestión, la promovió en consultorios dentales y se disparó hasta las nubes. Había mucha más gente en el equipo pero básicamente ese promotor fue quien se enfocó en ese producto y lo sacó a la luz. Le dijeron que 'no podrá ser', 'nunca va a funcionar', y pienso que eso era todo lo que él necesitaba oír. Lo hizo y funcionó", dijo Ray Wnenchak de la división de productos industriales. Amy LeGere agregó, "El promotor trabajaba muy estrechamente con la gente de la división médica para entender las cuestiones del mercado médico como reclamaciones y etiquetamiento de manera que cuando el producto saliera al mercado fuera congruente con nuestros productos médicos. Y ahí fue cuando cruzamos las fronteras entre divisiones, sabemos con quién trabajar y con quién combinar fuerzas, así que el resultado final toma las fortalezas de nuestros diferentes equipos". A partir de 1998, GLIDE ha capturado una parte importante del mercado de hilos dentales y el sabor menta es la variedad más vendida en el mercado estadounidense basado en volumen de dólares.

Productos textiles

La división de textiles Gore ha proporcionado laminados a fabricantes de ropa para mal tiempo, ropa para esquiar, trajes para correr, zapatos, guantes y prendas para cazar y pescar. Los bomberos y los pilotos de la marina estadounidense han portado vestimentas hechas a base del tejido GORE-TEX, así como algunos atletas olímpicos. La Armada de Estados Unidos adoptó un sistema total de vestimenta desarrollado con base en un componente textil GORE-TEX. Los empleados en los cuartos esterilizados de alta tecnología utilizan prendas hechas con GORE-TEX.

La membrana GORE-TEX tiene 9000 millones de poros distribuidos de manera aleatoria en cada pulgada cuadrada y es tan ligera como una pluma. Cada poro es 700 veces más grande que una molécula de vapor de agua, aunque miles de veces más pequeño que una gota de agua. El viento y el agua no pueden penetrar los poros, pero la transpiración puede escapar.

Como resultado, las telas entrelazadas a la membrana GORE-TEX son a prueba de agua, de viento y transpirables. Las telas laminadas aportan protección en contra de los elementos para varios productos: desde ropa de supervivencia hasta impermeables de alta costura. Otros fabricantes, incluyendo 3M, Burlington Industries, Akzo Nobel Fibers y DuPont, han lanzado productos para competir con las telas GORE.TEX. Al comienzo, la competencia más fuerte provenía de empresas que violaban las patentes de GORE-TEX. Gore los retó con éxito en los tribunales. En 1993, la patente básica para el proceso de manufactura se agotó. Sin embargo, como Sally Gore explica, "lo que sucede es que uno obtiene una patente de proceso inicial y después comienza a crear más productos con este proceso y a obtener patentes adicionales. Por ejemplo, tenemos patentes que protegen nuestro injerto vascular, diferentes patentes para proteger los parches GORE-TEX y otras patentes para los selladores industriales y material de filtración GORE-TEX. Uno de nuestros abogados de patentes dio recientemente una plática, hace casi un año, cuando la patente expiró y mucha gente estaba diciendo, ¡Caramba, vamos a estar en problemas! Estaríamos en problemas si no tuviéramos ninguna patente. Nuestro abogado representaba esto como un gran paraguas, un tipo de paracaídas, con Gore debajo de él. Después nos mostró muchas pequeñas sombrillas dispersas por todo el cielo. De la misma manera, uno protege ciertos nichos de mercado y áreas de nicho, pero de hecho, la competencia se incrementa cuando las patentes iniciales expiran". Sin embargo, Gore ha continuado al mando de la posición en el mercado de ropa deportiva.

Para cubrir una variedad de necesidades del cliente. Gore introdujo una nueva familia de telas en la década de 1990 (cuadro 1). La introducción presentó nuevos retos. De acuerdo con Bob Winterling, "hicimos un trabajo tan grandioso con la marca GORE-TEX que en realidad nos hemos hecho daño a nosotros mismos de muchas formas. Con esto quiero decir que ha sido muy difícil para nosotros generar nuevas marcas, debido a que mucha gente ni siquiera conoce Gore. Somos la compañía GORE-TEX. Una cosa que hemos decidido cambiar en la compañía hace cuatro o cinco años fue que en lugar de ser la compañía GORE-TEX deseábamos convertirnos en la compañía Gore y que debajo de la compañía Gore tuviéramos una generalidad de productos que fueran consecuencia de ser la grandiosa compañía Gore. Así que constituyó un cambio la forma en que posicionamos a GORE-TEX. En la actualidad, y de la forma en que ha resultado, GORE-TEX es más fuerte que nunca pero ahora nos hemos aventurado en productos como el tejido WindStopper®,[5] muy exitoso en el mercado del golf. Puede haber un suéter o una pieza de lana o incluso una camisa tejida con el WindStopper junto o cerca de su piel y lo que hace es detener el viento. No es a prueba de agua es resistente al agua. Lo que hemos intentado hacer es posicionar el nombre de Gore por debajo de todos los grandes productos de la compañía".

Enfoque de W. L. Gore & Associates para la organización y la estructura

Los asociados de W. L. Gore & Associates nunca han tenido títulos, jerarquía o cualquiera de las estructuras convencionales asociadas con las empresas de su tamaño. Los títulos de presidente y tesorero continúan utilizándose sólo debido a que así lo requieren las leyes de incorporación. Además, Gore nunca ha tenido una declaración de misión corporativa o código de ética, nunca, ni siquiera ha requerido o prohibido que las unidades de desarrollo generen tales declaraciones para ellas mismas. Así, los asociados de algunas unidades de negocio que han sentido la necesidad de tales declaraciones las han desarrollado por su propia cuenta. Cuando se les cuestionó acerca de este asunto, un asociado dijo lo siguiente, "la convicción de la compañía es que 1) sus cuatro principios operativos básicos cubren las prácticas éticas requeridas para la gente en el negocio; 2) no tolerará prácticas ilegales". El estilo directivo de Gore ha sido denominado como sin administración. La organización ha sido guiada por las experiencias de Bill en los equipos de DuPont y ha evolucionado según se ha requerido.

Por ejemplo, en 1965, W. L. Gore & Associates era una compañía floreciente con una fábrica en Paper Mill Road, Newark, Delaware. Un lunes de verano en la mañana, Bill Gore estaba dando su caminata acostumbrada a través de la fábrica. De pronto se dio cuenta que no conocía a todos en la fábrica. El equipo se había vuelto demasiado grande. Como resultado, estableció la práctica de limitar el tamaño de la fábrica a aproximadamente 200 asociados. Así fue como surgió en la política de expansión de "ser grande permaneciendo pequeños". El propósito de mantener fábricas pequeñas era acentuar la atmósfera de unión y fomentar la comunicación entre los asociados en una fábrica.

Al principio de 1998, W. L. Gore & Associates estaba compuesto por más de 45 fábricas en todo el mundo con aproximadamente 7000 asociados. En algunos casos, las fábricas se agruparon en el mismo sitio (como en Flagstaff, Arizona, con 10 fábricas). En el extranjero, las fábricas de Gore están ubicadas en Escocia, Alemania y China, y la compañía tiene dos empresas de riesgo conjunto en Japón (cuadro 2). Además, tiene instalaciones para ventas ubicadas en 15 diferentes países. Gore fabrica productos electrónicos, médicos, industriales y textiles. Además, cuenta con numerosas oficinas de ventas en todo el mundo, incluyendo oficinas en Europa del Este y Rusia.

CUADRO 1
Familia de telas de Gore

Nombre de marca	Actividad/condiciones	Respirabilidad	Protección contra agua	Protección contra viento
GORE-TEX ®	nieve, lluvia, frío, viento	muy respirable	a prueba de agua	a prueba de viento
Immersion™ technology	para pescar y deportes de remo	muy respirable	a prueba de agua	a prueba de viento
Ocean technology	para navegación costera y en alta mar	muy respirable	a prueba de agua	a prueba de viento
WindStopper ®	fresco/frío, ventoso	muy respirable	no resistente al agua	a prueba de viento
Gore Dryloft™	Frío, ventoso, precipitación ligera	extremadamente respirable	resistente al agua	a prueba de viento
Activent™	fresco/frío, ventoso, precipitación ligera	extremadamente respirable	resistente al agua	a prueba de viento

3.0

CUADRO 2
Ubicaciones internacionales de W. L. Gore & Associates

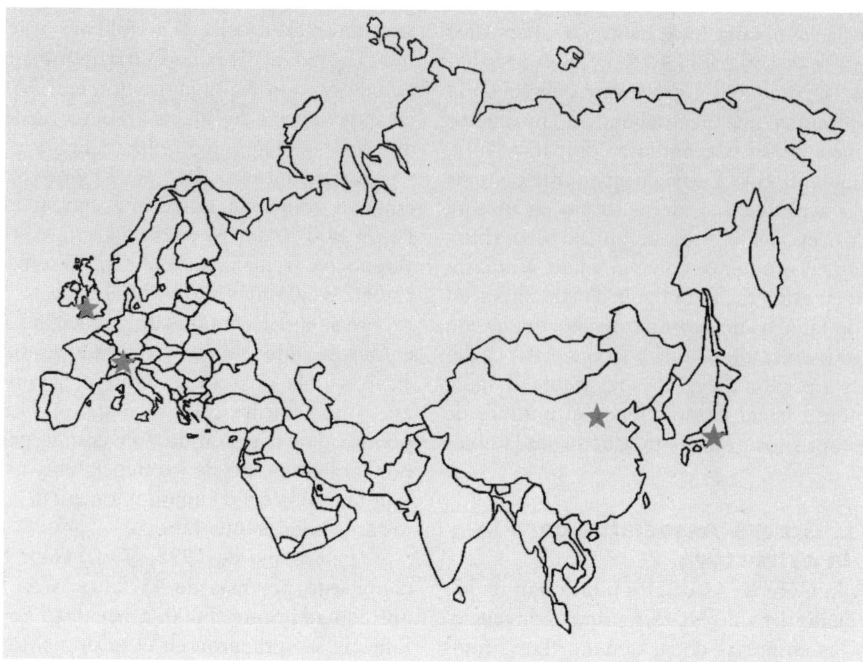

La organización en red

W. L. Gore & Associates ha sido descrita no sólo como sin administración, sino también sin estructura. Bill Gore se refería a la estructura como una organización en red (cuadro 3). Las características de esta estructura son:

1. Líneas directas de comunicación de persona a persona, es decir, sin intermediarios.
2. Sin autoridad fija o asignada.
3. Patrocinadores, no jefes.
4. Liderazgo natural definido por la adherencia de todos a un líder.
5. Objetivos establecidos por aquellos que deben "hacer que sucedan".
6. Las tareas y funciones están organizadas mediante compromisos.

La estructura dentro de la red es compleja y evoluciona a partir de las interacciones interpersonales, compromiso con las responsabilidades conocidas por el grupo, liderazgo natural y disciplina impuesta por el grupo. Bill Gore una vez explicó la estructura de esta forma: "Toda organización exitosa tiene una red fundamental. Es donde las noticias se difunden como la luz, donde la gente puede circular en la organización para obtener resultados". Una analogía puede ser la estructura de equipos interdisciplinarios constantes: el equivalente a los círculos de calidad en funcionamiento todo el tiempo. Cuando un entrevistador asombrado le dijo a Bill Gore que había tenido problemas para entender cómo funcionaba la planeación y la contabilidad, Bill le contestó con una sonrisa: "Igual yo. ¿Me preguntas cómo funciona? De cualquier forma".

La estructura en red ha tenido muchas críticas. Como lo ha expresado Bill Gore, "de vez en cuando me han dicho que una organización en red no puede enfrentar bien una crisis debido a que toma demasiado tiempo llegar a un consenso cuando no hay jefes. Pero esto no es cierto. En realidad, una red de esta naturaleza funciona particularmente bien en una crisis. Mucho esfuerzo inútil se evita debido a que no hay una jerarquía directiva rígida que se deba vencer antes de poder atacar un problema".

La red ha sido puesta a prueba en varias ocasiones. Por ejemplo, en 1975, el doctor Charles Campbell de la University of Pittsburgh informó que el injerto arterial GORE-TEX había desarrollado un aneurisma. Si la protuberancia parecida a una burbuja continuaba expandiéndose, podría explotar.

Por supuesto, esta situación que ponía en peligro la vida tenía que resolverse de una manera rápida y permanente. A sólo pocos días del primer informe del doctor Campbell, voló a Newark a presentar sus hallazgos a Bill y a Bob Gore y otros asociados. La junta duró dos horas. Dan Hubis, un antiguo policía que se había unido a Gore para desarrollar nuevos métodos de producción, tuvo una idea antes que terminara la junta. Regresó a su área de trabajo para intentar algunas técnicas de producción diferentes. Después de sólo tres horas y doce intentos, había desarrollado una solución permanente. En otras palabras, en tres horas, el problema potencialmente dañino tanto para pacientes como para la compañía se había resuelto. Además, el injerto rediseñado de Hubis obtuvo una aceptación muy difundida en la comunidad médica.

Eric Reynolds, fundador de Marmot Mountain Works Ltd. de Grand Junction, Colorado y un cliente importante de Gore, plantearon otro problema: "Pienso que la red tiene sus problemas en lo relacionado con el trabajo y los detalles cotidianos para obtener resultados listos y a tiempo. No pienso que Bill se dé cuenta de la forma en que el sistema en red afecta a los clientes. Quiero decir, después que uno ha

CUADRO 3
Estructura en red

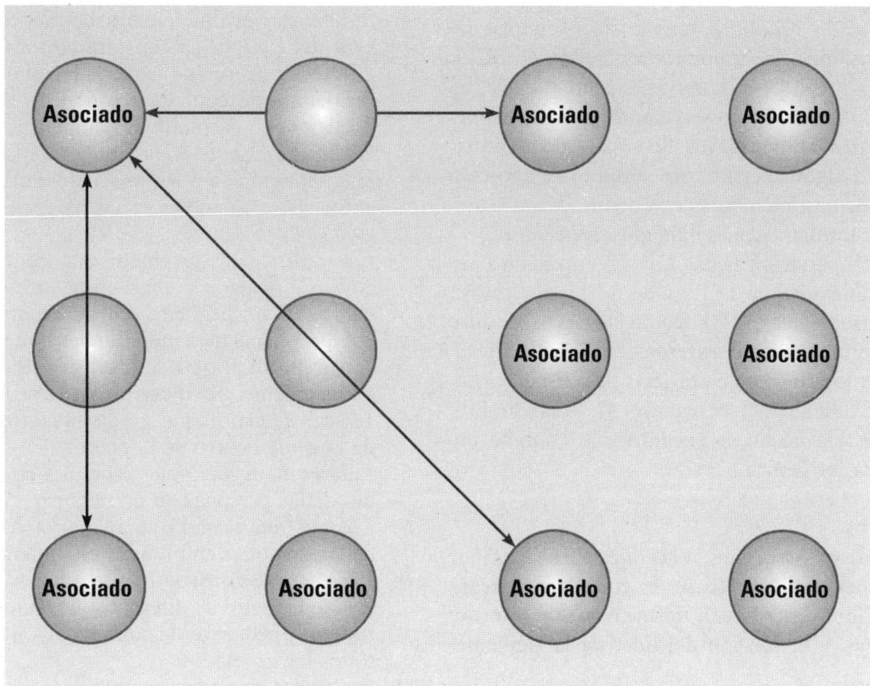

3.0

establecido una relación con alguien acerca de calidad del producto, puede telefonear un día y de pronto darse cuenta que alguien nuevo está manejando el problema de uno. Es frustrante encontrar una falta de continuidad". Y continuó diciendo: "pero tengo que admitir que yo personalmente he visto ejemplos extraordinarios en Gore de gente sobresaliente que no se sabe de dónde viene".

Cuando se le preguntó a Bill Gore si la estructura en red se podría utilizar en otras compañías, contestó: "No. Por ejemplo, sería muy difícil para las compañías establecidas utilizar la red. Demasiadas jerarquías serían destruidas. Todos estarían muy bien cuando se eliminaran títulos y puestos y se permitiera a la gente seguir a quienes deseen, pero sólo para aquellos diferentes a la persona al mando. La red funciona para nosotros, pero siempre está en evolución. Siempre estamos en espera de problemas". Él afirmaba que el sistema en red funciona mejor cuando se implementaba por personas dinámicas con espíritu empresarial en compañías incipientes.

No todos los asociados de Gore funcionan bien en este entorno de trabajo sin una estructura definida, en especial al inicio. Para aquellos que están acostumbrados a un entorno de trabajo más estructurado, puede haber problemas de ajuste. Como Bill Gore dice: "Todas las vidas de la mayoría de nosotros siempre se nos ha dicho qué hacer, y algunas personas no saben cómo responder cuando se les pide que hagan algo —y tienen la opción muy real de decir no— en su trabajo. Es responsabilidad del nuevo asociado decidir qué puede hacer para el bien de la operación". La vasta mayoría de nuevos asociados, después de algunos titubeos iniciales, se han adaptado con rapidez.

Otros, en especial aquellos que requieren condiciones de trabajo más estructuradas, han encontrado que el sistema laboral flexible de Gore no es para ellos. De acuerdo con Bill, para esos pocos, "es una situación desafortunada, tanto para el asociado como para su patrocinador. Si no hay contribución, no hay pago".

Como Anita McBride, asociada en Phoenix lo ha hecho notar: "No es para todos. La gente me pregunta que si tenemos rotación, y sí tenemos rotación. Lo que estás viendo parece una utopía, pero también parece extremo. Si finalmente se entiende el sistema, en realidad puede ser emocionante. Si no lo puedes manejar, te tendrás que ir. Quizá por propia elección, debido a que te sentirás frustrado". Sobre todo, aparentemente, los asociados responden de manera positiva al sistema de Gore sin administración y sin estructura. La organización en red de la compañía se ha demostrado a sí misma ser buena desde una perspectiva de resultados. Bill estimó el año anterior a su muerte que, "la ganancia por asociado es doble" de la de DuPont.

Características de la cultura de W. L. Gore

Las personas ajenas a la compañía han quedado impactadas por el grado de informalidad y humor de la organización Gore. Las juntas tienden a durar sólo lo necesario. Como lo dice Trish Hearn, un asociado en Newark, Delaware, "Nadie siente la necesidad de dar sermones". Palabras como "responsabilidades" y "compromiso" se escuchan comúnmente, mientras palabras como "empleado", "subordinado" y "directores" son un tabú en la cultura de Gore. Esta es una organización que siempre ha tomado lo que hace con seriedad, sin que los miembros se tomen en sí mismos con tanta seriedad.

Para una compañía de su tamaño, Gore siempre ha tenido una organización piramidal muy corta. A partir de 1995 la pirámide está compuesta por Bob Gore, el último hijo de Bill Gore, como presidente y Vieve, la viuda de Bill Gore, como secretaria tesorera. Él fue el director general por más de 20 años. Aún no se ha designado a algún sucesor o un segundo de abordo. Todos los demás miembros de la organización Gore fueron y continúan siendo llamados, asociados.

3.0

Algunas personas ajenas a la organización han tenido problemas con la idea de no tener títulos. Sarah Clifton, una asociada en la fábrica de Flagstaff, ha sido presionada por algunas personas externas en lo referente a su título. Ideó uno y lo imprimió en tarjetas de presentación: COMANDANTE SUPREMO (ver cuadro 4). Cuando Bill Gore supo lo que había hecho, le encantó y lo contaba en repetidas ocasiones a los demás.

Líderes, no directivos

Dentro de W. L. Gore & Associates, a las diferentes personas que asumen funciones de liderazgo se les considera líderes, no directores. Bill Gore describió en un memorando interno los tipos de liderazgo y la función del líder de la siguiente manera:

1. El asociado que es reconocido por un equipo como portador de un conocimiento o experiencia especial (por ejemplo, podría ser un experto en química, computación, un operador de maquinaria, vendedor, ingeniero, abogado). Esta clase de líder ofrece al equipo *orientación en un área especial.*
2. El asociado al que el equipo busca para coordinar las actividades individuales con el fin de alcanzar los objetivos acordados por el equipo. La función de este líder es persuadir a los miembros del equipo a que *establezcan los compromisos* necesarios para el éxito (buscador de compromisos).
3. El asociado que propone los objetivos y actividades necesarios, y busca el acuerdo y *consenso referente a los objetivos* de parte del equipo. Este líder es percibido por los miembros del equipo como poseedor de un buen entendimiento de la forma en que los objetivos del equipo encajan en el objetivo general de la empresa. Esta clase de líder muchas veces es el líder "buscador de compromisos".
4. El líder que evalúa la contribución relativa de los miembros del equipo (en consulta con otros patrocinadores), e informa acerca de las evaluaciones de contribución a un comité de compensación. Este líder puede también participar en el comité de compensación en lo referente a la contribución relativa a pagos y *reporta los cambios en la compensación* a los asociados individuales. Este líder entonces se convierte en un patrocinador de compensación.
5. *Especialistas de producto* que coordinan la investigación, fabricación y marketing de un tipo de producto dentro de un negocio, e interactúan con los líderes del equipo y asociados individuales que tienen compromisos con respecto al tipo de producto. Son respetados por su conocimiento y dedicación a sus productos.
6. *Líderes de planta* que ayudan a coordinar las actividades de la gente dentro de la planta.
7. *Líderes de negocio* que ayudan a coordinar las actividades de las personas en un negocio.
8. *Líderes funcionales* que ayudan a coordinar actividades de las personas en un área funcional.
9. *Líderes corporativos* que ayudan a coordinar actividades de la gente de diferentes negocios y funciones y que tratan de promover la comunicación y cooperación entre todos los asociados.
10. *Asociados con espíritu emprendedor* que organizan nuevos equipos para nuevos negocios, nuevos productos, nuevos procesos, nuevos dispositivos, los nuevos esfuerzos de marketing con mejores métodos de todos tipos. Estos líderes invitan a otros asociados a "inscribirse" a su proyecto.

Es claro que el liderazgo está muy difundido en nuestra organización en red y que continuamente está cambiando y evolucionando. La situación de que los líderes con frecuencia sean también promotores no implica que éstas sean actividades y responsabilidades diferentes.

Los líderes no son directores autoritarios de las personas, o supervisores que nos digan qué hacer o prohíban cosas; no son "padres" a quienes transferimos nuestra propia responsabilidad. Sin embargo, con frecuencia nos aconsejan acerca de las consecuencias de nuestras acciones que hemos realizado o nos proponemos realizar. Nuestras acciones generan contribuciones, o falta de contribución, para el éxito de nuestra empresa. Nuestro pago depende de la magnitud de nuestras contribuciones. Ésta es la disciplina básica de nuestra organización en red.

CUADRO 4
El comandante supremo

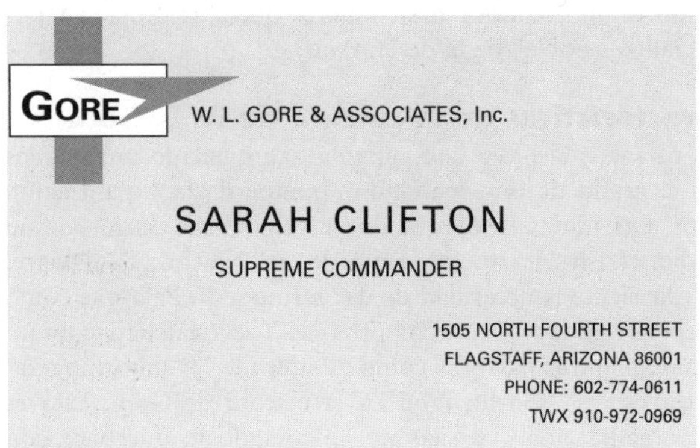

Igualitaria e innovadora

Otros aspectos de la cultura de Gore han tenido la intención de promover una atmósfera igualitaria, como lugares de estacionamiento sin espacios reservados, excepto para clientes y trabajadores o visitantes discapacitados al igual que las áreas del comedor —sólo una en cada fábrica— establecidas como puntos focales para la interacción de los asociados. Como lo explica Dave McCarter de Phoenix: "el diseño no es accidental. El comedor en Flagstaff tiene una chimenea en medio. Queremos que a la gente le guste estar ahí". La ubicación de la fábrica tampoco es accidental. Los sitios han sido elegidos con base en el acceso al transporte, la cercanía a una universidad, bellos alrededores y buen clima. El costo del terreno nunca ha sido una consideración importante. McCarter justificó la selección al decir: "expandirse no es costoso a largo plazo. La pérdida de dinero es resultado de bloquear a la gente en una caja".

Bob Gore es un promotor de la cultura de Gore. Como Sally Gore relata, "nos las hemos ingeniado sorprendentemente para conservar nuestro sentido de libertad y espíritu emprendedor. Pienso que lo que hemos encontrado es que hemos desarrollado nuevas formas de comunicarnos con los asociados debido a que tú no te puedes comunicar con 600 personas de la forma en que puedes comunicarte con 500. Simplemente no se puede. Así que hemos desarrollado un periódico que no teníamos antes. Uno de los más importantes medios de comunicación que hemos creado, y que fue idea de Bob Gore, es un intercambio digital de voces que hemos denominado nuestro Gorecom. Prácticamente todos tienen un correo y una contraseña. Muchas compañías han recurrido al correo electrónico y nosotros lo usamos, pero Bob tiene la fuerte sensación de que somos en gran parte una cultura oral y que hay una gran diferencia entre las culturas que son predominantemente orales y las predominantemente escritas. Las culturas orales fomentan la comunicación directa, lo cual, por supuesto, es algo que alentamos".

En raras ocasiones un asociado "ha intentado ser injusto", en las propias palabras de Bill. En un caso el problema fue un ausentismo crónico y en otro, un individuo fue sorprendido robando.

"Cuando esto sucede, todo se vuelve un caos", afirma Bill Gore. "Nos podemos volver condenadamente autoritarios cuando es necesario."

A través de los años, W. L. Gore & Associates ha enfrentado varias incitaciones a la sindicalización. La compañía nunca ha intentado disuadir a los asociados de asistir a las reuniones sindicales o ha tomado represalias cuando se han distribuido volantes. Desde 1995, ninguna de las fábricas se ha organizado en un sindicato. Bill cree que no ha sido necesaria una representación de una tercera parte debido a la estructura en red. Él formula la pregunta, "¿por qué los asociados se unirían a un sindicato cuando son propietarios de la compañía? Parece un absurdo".

El compromiso ha sido considerado durante mucho tiempo como recíproco. W. L. Gore & Associates ha intentado evitar los despidos. En lugar de recortar los pagos, lo cual en la cultura de Gore sería desastroso para la moral, la compañía ha utilizado un sistema de transferencias temporales dentro de una planta o grupo de plantas y despidos voluntarios. El cuadro 7 al final de este caso contiene extractos de entrevistas con dos asociados de Gore que indican con más profundidad la naturaleza de la cultura y del entorno laboral en W. L. Gore & Associates.

Programa de patrocinio en W. L. Gore & Associates

Bill Gore sabía que los productos por sí solos no conformarían una compañía. Deseaba evitar sofocar a la compañía entre gruesas capas de "administración" formal. Sentía que la jerarquía reprimiría la creatividad individual. A medida que la compañía crecía, sabía que tenía que encontrar una forma de ayudar a la gente nueva y de dar seguimiento a su progreso. Esto fue en especial importante cuando tuvo que ver con la compensación. W. L. Gore & Associates desarrolló su programa "patrocinador" para satisfacer estas necesidades.

Cuando la gente solicita entrar a Gore, inicialmente es seleccionada por los especialistas de personal. Para cada solicitante se pueden pedir hasta 10 referencias. Aquellos que cumplen con los criterios básicos son entrevistados por los asociados presentes. Las personas que han pasado por las entrevistas han considerado que se trata de un proceso riguroso. Antes que nadie sea contratado, un asociado debe estar de acuerdo con ser el patrocinador de él o ella. El patrocinador

CUADRO 5

Crecimiento de las ventas de Gore en comparación con el producto interno bruto

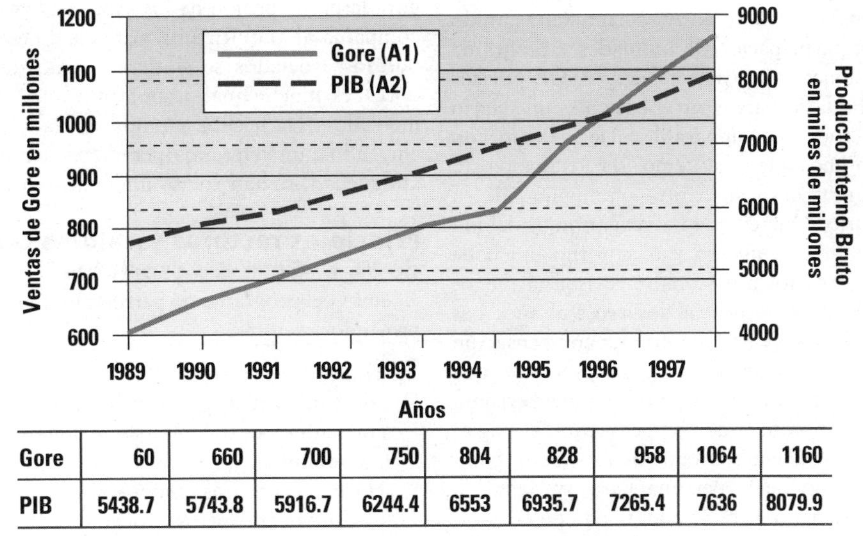

Gore	60	660	700	750	804	828	958	1064	1160
PIB	5438.7	5743.8	5916.7	6244.4	6553	6935.7	7265.4	7636	8079.9

asumirá un interés personal en las contribuciones, problemas y metas del nuevo asociado y actuará como entrenador y defensor. El patrocinador vigilará el progreso del nuevo asociado, le ayudará y lo alentará, trabajará con las debilidades y se concentrará en sus fortalezas. El patrocinio no es un compromiso a corto plazo. Todos los asociados tienen patrocinadores y muchos tienen más de uno. Cuando se contratan inicialmente, es probable que tengan un patrocinador inmediato en su área de trabajo. Si se mueven a otra área, quizá tengan un patrocinador más en esa área. A medida que los compromisos de los asociados cambian o crecen, quizá adquieran patrocinadores adicionales. Como el proceso de contratación ve más allá de las perspectivas convencionales de lo que hace a un buen asociado, se han presentado algunos casos excepcionales. Bill Gore cuenta con orgullo la historia de "un hombre muy joven" de 84 que entró, solicitó un puesto, y pasó cinco años muy buenos en la compañía. Antes de unirse a Gore, el individuo tenía 30 años de experiencia en la industria. Sus demás asociados no se opusieron a aceptarlo, pero la computadora personal sí. Insistía que su edad era de 48 años. Las historias individuales de éxito en Gore ha surgido de diversos ámbitos.

Un memorando interno emitido por Bill Gore describió tres funciones de los patrocinadores:

1. *Patrocinador de inicio:* un patrocinador que ayuda a los nuevos asociados a iniciarse en un nuevo trabajo, o un asociado presente que comienza en un nuevo trabajo.
2. *Patrocinador defensor:* un patrocinador que busca que los logros de un asociado se reconozcan.
3. *Patrocinador de compensación*: un patrocinador que busca que un asociado perciba un sueldo justo por sus contribuciones al éxito de la empresa.

Una sola persona puede desempeñar una o las tres clases de patrocinio. Con mucha frecuencia, un asociado patrocinador es un buen amigo y se han dado casos en que los asociados se patrocinan entre sí.

Prácticas de compensación

La compensación en W. L. Gore & Associates ha asumido tres formas: salario, participación de utilidades y programa de propiedad de acciones para los asociados (ASOP, por sus siglas en inglés).[6] El salario para el nivel básico es un salario promedio entre los trabajos comparables. De acuerdo con Sally Gore: "No sentimos que necesitemos ser los que pagan más. Nunca intentamos despojar a otras compañías de su personal por el salario. Queremos que vengan aquí debido a las oportunidades de crecimiento y al entorno único de trabajo". Los salarios de los asociados se revisan al menos una vez al año y con más frecuencia dos veces al año. Las revisiones se llevan a cabo por un equipo de compensación en cada fábrica, y los patrocinadores de los asociados que fungen como defensores durante el proceso de revisión. Antes de la junta con el comité de compensación, el patrocinador verifica con los clientes o con los asociados familiarizados con el trabajo de la persona para averiguar la contribución que el asociado ha realizado. El equipo de compensación depende en gran parte de esta información. Además, el equipo de compensación considera integralmente la capacidad de liderazgo del asociado y su disponibilidad para ayudar a los demás a desarrollarse.

La participación de utilidades sigue una fórmula basada en el valor económico agregado (EVA, por sus siglas en inglés). Sally Gore ha dicho lo siguiente acerca de la adopción de una fórmula: "Esto se ha vuelto más formalizado en cierto modo, y pienso que es desafortunado debido a que antes era una grata sorpresa recibir una participación de utilidades. Lo que pensó la gente como Bob Gore y otros líderes era que quizá no estábamos empleando esta prestación de la manera correcta ya que podía servir como un estímulo para la gente, pero se les debía ayudar a saber sobre la participación de utilidades y cómo tomamos las decisiones relacionadas. Lo divertido de esto antes era que la gente no sabía cuándo iba a llegar y de repente uno podía hacer algo creativo en la distribución de cheques. Era muy divertido y daba a la gente un momento maravilloso. La desventaja era que los asociados no se enfocaban mucho en esto, y no se preguntaban '¿qué tengo que hacer para crear otra participación de utilidades?' mediante el EVA como método de evaluación para nuestra participación de utilidades, sabemos el final de cada mes cuánto EVA se creó en ese periodo. Cuando hemos creado una cierta cantidad de EVA, tenemos otra participación de utilidades. Así que todo mundo sabe y dice, 'se hará en enero', y así se hace. Ahora los asociados se sienten más parte de lo que sucede en cuando obtienen resultados. ¿Qué es lo que has hecho? ¡Ve a hacer más llamadas de ventas, por favor! Hay muchas cosas que se pueden hacer para mejorar nuestro EVA y todo mundo tiene una responsabilidad en ello". Cada mes se calcula el EVA y se le informa a cada asociado. John Mosko de la división de productos electrónicos comentó, "... (EVA) nos permite saber que estamos en camino de tener una (una participación de utilidades). Esto es muy importante, cualquier asociado lo sabe".

Cada año, Gore compra acciones de la compañía equivalentes a un porcentaje fijo de los ingresos anuales de los asociados, y lo coloca en un fondo del retiro o ASOP. Así, un asociado puede convertirse en un accionista después de haber estado durante un año en Gore. El ASOP de Gore asegura la participación de los asociados en el crecimiento de la compañía al adquirir una propiedad de ella. Bill Gore quiso que los asociados se sintieran como dueños. Un asociado dijo, "es mucho más importante que una participación de mercado". De hecho, algunos asociados de largo plazo (incluyendo a un veterano operador de máquinas de 25 años de antigüedad) se han vuelto millonarios a causa del ASOP.

Principios rectores y valores centrales de W. L. Gore & Associates

Además del programa de patrocinio, Bill Gore articuló cuatro principios rectores:

1. Tratar de ser justo.
2. Alentar, ayudar y permitir a otros asociados crecer en conocimiento, habilidades, y ámbitos de actividad y responsabilidad.
3. Hacer sus propios compromisos, y cumplirlos.
4. Consultar con otros asociados antes de tomar acciones que puedan estar "debajo de la línea de flotación".

Los cuatro principios se han denominado como Justicia, Libertad, Compromiso y Línea de Flotación. La terminología de *línea de flotación* se derivó de una analogía con los barcos. Si alguien cava un agujero en un bote por encima de la línea de flotación, el barco estará en un peligro relativamente pequeño. Sin embargo, si alguien cava un orificio por debajo de la línea de flotación, el barco se encontrará en un peligro inminente de hundirse. Las cuestiones "de línea de flotación" se deben analizar con todos los equipos y fábricas antes de tomarse las decisiones.

Los principios operativos fueron puestos a prueba en 1978. Para entonces, las noticias acerca de la calidad del tejido GORE-TEX se habían difundido en todos los mercados de recreación y de deportes al aire libre. La producción y embarque habían comenzado a aumentar. Al principio, se escucharon algunas quejas y algunas prendas de vestir comenzaron a ser devueltas. Pero finalmente, la cantidad repuntó. La cualidad de ser a prueba de agua fue una de las principales propiedades responsables del éxito de la tela GORE-TEX. La reputación y la credibilidad de la compañía estaban siendo puestas en tela de juicio.

Peter W. Gilson, que encabeza la división de textiles de Gore, recuerda: "fue una crisis increíble para nosotros en esa época. Estábamos comenzando realmente a atraer la atención; estábamos prosperando, y después, esto". Los siguientes meses, Gilson y varios asociados tomaron varias decisiones de esas que estaban por debajo de la línea de flotación.

Primero, los investigadores determinaron que los aceites en el sudor humano eran los responsables de que se obstruyeran los poros del tejido GORE-TEX y alteraran la tensión superficial de la membrana. Así, el agua podía atravesarla. También descubrieron que una buena lavada podía restaurar la propiedad de resistencia al agua. Al principio, esta solución inicial conocida como "solución nieve de marfil", fue aceptada. Pero una sola carta de alguien llamado "Butch", un guía de montaña en las sierras, cambió la posición de la compañía. Butch describió lo que le sucedió mientras guiaba a un grupo: "mi chaqueta escurría y mi vida estaba en peligro". Como dijo Gilson, "esto nos asustó terriblemente. Era claro que nuestra solución no lo era en absoluto para alguien en la cima de una montaña". Todos los productos fueron retirados del mercado. Gilson recuerda: "volvimos a comprar, con nuestro propio dinero, una fortuna en material en trámite; todo el que estaba en las tiendas, con los fabricantes o en cualquier otro lado del proceso".

Mientras tanto, Bob Gore y otros asociados comenzaron a desarrollar un remedio permanente. Un mes más tarde, se había desarrollado una segunda generación de tejido GORE-TEX. Gilson, además, le dijo a los concesionarios que si alguna vez un cliente devolvía una chaqueta con fugas, la debían reemplazar y cobrarle a la compañía. Tan sólo el problema de reemplazo costó a Gore aproximadamente $4 millones.

La popularidad de las prendas de vestir deportivas GORE-TEX despegó. Ahora, muchos fabricantes producen numerosas piezas de vestir como chaquetas, guantes, botas, trajes para correr y rompevientos con el laminado de GORE-TEX. Algunas veces, cuando los clientes no están satisfechos con una prenda, la devuelven directamente a Gore, quien siempre ha respaldado cualquier producto hecho con la tela GORE-TEX. El análisis de las prendas que fueron devueltas, encontró que el problema con frecuencia no era atribuido al tejido GORE-TEX. El fabricante, "... había creado un diseño defectuoso de manera que el agua podría entrar allí o a través del cierre de la cremallera y encontró que cuando se suscitaba algo negativo, todo el mundo sabía que la prenda estaba hecha con GORE-TEX. Así que tuvimos que hacernos responsables de productos que no habíamos fabricado. Ahora, otorgamos una licencia a los fabricantes de todos nuestros productos textiles GORE-TEX. Ellos pagan una cuota a fin de obtener una licencia para fabricar productos con GORE-TEX. A cambio nosotros supervisamos sus procesos de manufactura y sólo les permitimos fabricar diseños que estamos seguros que garantizan mantenerlo seco, y que en realidad funcionarán. Por lo tanto, esto funciona para ellos y para nosotros: un método de ganar-ganar tanto para ellos como para nosotros", de acuerdo con Sally Gore.

Para asegurar aún más la calidad, W. L. Gore & Associates tiene su propia planta de pruebas que incluye un cuarto de lluvia para prendas hechas con GORE-TEX. Además de la prueba lluvia/tormenta, a todas las prendas que aprueban estos exámenes se les otorga una licencia para que porten etiquetas GORE-TEX.

Investigación y desarrollo

Como todo lo demás en Gore, investigación y desarrollo siempre ha sido un departamento carente de estructura. Aun sin un departamento formal de investigación y desarrollo, la compañía ha producido varias patentes, aunque la mayoría de los inventos han sido conservados como propiedad intelectual o secreto comercial. Por ejemplo, se permite a algunos pocos asociados ver cómo se fabrica GORE-TEX. Sin embargo, cualquier asociado puede solicitar un trazo de PTFE en bruto (conocido como gusano tonto) con el cual experimentar. Bill Gore creía que toda la gente tenía creatividad de manera inmanente.

Uno de los mejores ejemplos de la inventiva de Gore ocurrió en 1969. En esa época, la división de cables y alambres estaba enfrentando una creciente competencia. Bill Gore comenzó a buscar una manera de enderezar las moléculas de PTFE. Como él dijo, "supongo que si algún día desplegamos esas moléculas, y logramos que se estiren de forma ordenada, obtendremos un tipo extraordinario de nuevo material". Pensaba que si el PTFE se pudiera estirar, el aire podría entrar a su estructura molecular. El resultado sería un mayor volumen por libra de materia prima sin efecto alguno en el desempeño. Así, los costos de fabricación se reducirían y los márgenes de utilidad se incrementarían. Al ocuparse de esta investigación en forma científica, Bob Gore calentó barras de PTFE a diferentes temperaturas y después lentamente las estiró. Sin importar la temperatura o con cuánto cuidado las estirara, las barras se rompían.

Al trabajar solo a altas horas de la noche y después de incontables fracasos, en su frustración, Bob estiró una de las barras violentamente. Para su sorpresa, no se rompió. Intentó una y otra vez con los mismos resultados. A la mañana siguiente, Bob demostró su innovación a su padre, no sin algo de drama. Como Bill Gore recordaba: "Bob quería sorprenderme, así que tomó una barra y la estiró lentamente. Como era de esperarse, se rompió. Después fingió enojarse. Tomó otra barra y dijo, 'al diablo con esto', y le dio un tirón. No se rompió; lo había logrado". La nueva distribución de las moléculas no sólo cambió la división de cables y alambres, sino que originó el desarrollo del tejido GORE-TEX.

Bill y Vieve realizaron las pruebas de campo iniciales en el tejido GORE-TEX el verano de 1970. Vieve confeccionó una tienda de campaña cocida a mano a base de parches de tejido GORE-TEX. Se la llevaron a su viaje de acampado anual a Wind River Mountains, en Wyoming. La primera noche a campo abierto cayó una tormenta de granizo. El granizo hizo hoyos en la parte superior de la tienda, y ésta se inundó como tina de baño por la lluvia. El audaz Bill Gore, afirmó: "al menos supimos por toda el agua, que la tienda era a prueba de agua. Sólo necesitamos hacerla más fuerte, para que pudiera soportar el granizo".

Los asociados de Gore siempre han sido alentados a pensar, experimentar y dar seguimiento a una idea potencialmente rentable hasta su conclusión. En una planta en Newark, Delaware, Fred L. Eldreth, un asociado con una educación de tercer grado de primaria, diseñó una máquina capaz de envolver miles de pies de cable al día. El diseño se realizó durante un fin de semana. Muchos otros asociados han contribuido con sus ideas de innovaciones tanto de productos como de procesos.

Incluso sin un departamento de investigación y desarrollo, la innovación y la creatividad se desenvuelven a paso rápido en W. L. Gore & Associates. Un año antes de su muerte, Bill Gore afirmó que "la creatividad, el número de aplicaciones de patentes y los productos innovadores triplicaron" los de DuPont.

Desarrollo de los asociados de Gore

Ron Hill, un asociado en Newark, observó que Gore "trabajará con los asociados que desean mejorarse a sí mismos". Se les ha ofrecido a los asociados muchas oportunidades de capacitación dentro de la empresa, no sólo en áreas técnicas y de ingeniería sino también en el desarrollo de liderazgo. Además, la compañía ha establecido programas de educación cooperativos con universidades y proveedores externos, con la mayor parte de los costos por cuenta de Gore. El énfasis en el desarrollo de los asociados, como en muchas otras áreas de Gore, siempre ha sido que el asociado debe tomar la iniciativa.

Enfoques de marketing y estrategia

La filosofía de negocios de Gore incorpora tres creencias y principios: 1) que la compañía puede y debe ofrecer la mejor oferta de productos en los mercados y segmentos de mercado donde elige competir, 2) que los compradores en cada uno de estos mercados deben apreciar la categoría y desempeño de los artículos de fábrica y 3) que Gore se debe convertir en un líder con una experiencia única en cada una de las categorías de producto en las que compite. Para lograr estos resultados, el enfoque de la compañía en el marketing (aún no ha organizado de manera formal un departamento de marketing) está basado en los siguientes principios:

1. *El marketing de un producto requiere un líder o promotor de productos.* De acuerdo con Dave McCarter: "Uno casa su tecnología con los intereses de sus promotores, dado que se deben tener promotores para todos los productos a cualquier precio. Y este es el elemento clave en nuestra compañía. Sin un promotor de producto no se puede lograr mucho, así que esto está motivado individualmente. Si se tienen personas interesadas en un mercado o un producto en particular para un determinado mercado, entonces no habrá nada que los detenga". Bob Winterling de la división textil estudió con más profundidad la función y la importancia del promotor de producto.

   El promotor de producto es quizás el recurso más importante que tenemos en Gore para la introducción de nuevos productos. Por ejemplo el cable de bicicletas pudo provenir de muchas diferentes divisiones de Gore, pero en realidad sucedió debido a que uno o dos individuos dijeron, "Vean, esto puede funcionar. Crean en ello; siento pasión por esto; y deseo que dé resultados". Y lo mismo sucedió con el hilo dental GLIDE. Creo que John Spencer en este caso —aunque había un equipo que apoyaba a John, nunca olvidemos eso—, buscó a los expertos de toda la organización. Pero si John hubiera hecho que esto funcionara por su propia cuenta, el hilo dental GLIDE nunca hubiera rendido frutos. Comenzó con una pequeña cadena de farmacias aquí, Happy Harry's, creo, lo pusimos en algunas vitrinas y nosotros sólo rastreamos las ventas, y así fue como todo comenzó. Quién hubiera imaginado que podríamos aceptar lo que consideramos un producto de consumo como ese, y venderlo directamente a $3-$5 por unidad. Esto es muy diferente a lo que parece Gore, es increíble. Así que hacer que las cosas sucedan se reduce a la gente y se reduce al promotor de producto.

2. *Un promotor de producto es responsable del marketing del producto a través del establecimiento de compromisos con los representantes de ventas.* De nuevo, de acuerdo con Dave McCarter: "Tenemos un sistema de cuotas. Nuestra gente de marketing y de ventas hace sus propios compromisos según lo que han arrojado sus pronósticos. No hay una persona que ande rondando y les diga que el compromiso no es suficiente, que se tiene que incrementar 10% o cualquier cosa que alguien sienta necesaria. Se espera que la gente cumpla sus propios compromisos, lo cual constituye su pronóstico, pero nadie va a decirles que los cambien... no hay una cadena de mando implicada. Éstos son grupos de gente independiente que se reúne para realizar compromisos unificados a fin de lograr algo y algunas veces cuando no pueden cumplir esos acuerdos... quizá no hayan aprovechado un mercado... pero eso está bien, debido a que hay mucha más ventaja cuando el equipo está decidido a hacer algo".
3. *Los asociados de ventas perciben un salario, no una comisión.* Ellos son partícipes de las utilidades y de los planes de ASOP en los cuales cualquier otro asociado participa. En otras áreas de Gore, las historias de éxito individual provienen de diferentes lugares. Dave McCarter relata otro éxito de la compañía que confió en un promotor de producto:

   Un día entrevisté a Sam. Ni siquiera supe por qué lo estaba entrevistando en realidad. Sam era jubilado de AT&T. Después de 25 años, tomó su paquete de bene-

ficios y prestaciones para altos directivos retirados y se dirigió a Sun Lakes a jugar golf. Se dedicó a jugar golf durante algunos meses y se cansó de eso. Estaba vendiendo seguros de vida. Me senté a leer su solicitud; sus antecedentes técnicos me interesaron... había dirigido un departamento de ingeniería de 600 personas. Había dirigido fábricas de AT&T y tenía una gran riqueza de experiencias provenientes de esa compañía. Dijo, "Estoy jubilado, me gusta jugar golf pero simplemente no puedo hacer eso todo los días, así que deseo ser algo más. ¿Tienes algo por aquí que yo pueda hacer?" Mientras tanto me puse a pensar, "Ésta es una de esas personas que estoy seguro que me gustaría contratar pero no sé qué haría con él". Lo que me decidió fue el hecho de que dijo que vendía seguros y he aquí a un tipo con un alto grado de antecedentes técnicos vendiendo seguros. Tenía experiencia en marketing y experiencia en marketing internacional. Así que de pronto recordé que estábamos intentando lanzar un nuevo producto al mercado que era un cable de protección contra fugas de hidrocarburos. Lo podías enterrar y en cuestión de segundos, podía detectar un hidrocarburo como la gasolina. Tenía un par de personas trabajando en el producto, que no habían tenido mucho éxito en su marketing. Había sido muy difícil encontrar a un cliente. Bien, pensé, este tipo de producto se podía vender como un seguro. Si piensas en ello, ¿por qué debería uno proteger sus tanques? se trataba de una póliza de seguro que protegía los bienes contra fugas en el entorno. Esto tiene implicaciones, muy costosas. Así que, en realidad, dije, "¿por qué no regresa el lunes? Tengo algo justo para usted". Lo hizo. Lo contraté; comenzó a trabajar, un tipo con mucha energía. Ciertamente un promotor del producto, lo asimiló de inmediato y se puso a trabajar sin ayuda de nadie.

Ahora éste es un negocio en crecimiento y con seguridad es valioso también para el entorno. En la implementación de su estrategia de marketing, Gore se ha apoyado en la publicidad de boca en boca y cooperativa. La publicidad cooperativa se ha utilizado especialmente para promover los productos de tejido GORE-TEX. Estas campañas relucientes y de altas inversiones incluyen anuncios coloridos y los vendedores con prendas a base de GORE-TEX. Un eslogan reciente que se utilizó en las campañas publicitarias fue, "Si no dice GORE-TEX, no lo es". Algunos vendedores minoristas consideran estos esfuerzos de marketing y publicidad como los mejores. Leigh Gallagher, editor general de la revista *Sporting Goods Business*, describe la marketing de W. L. Gore & Associates como "imbatible".

Gore ha enfatizado la publicidad cooperativa debido a que los asociados creen que las experiencias positivas con cualquier otro producto se trasladarán a las compras y a otros y más productos de tejido GORE-TEX. En apariencia, esta estrategia ha rendido frutos. Cuando la Grandoe Corporation introdujo los guantes GORE-TEX, su presidente Richard Zuckerwar, observó: "Los deportistas han tenido el beneficio de los guantes GORE-TEX para proteger sus manos de los elementos... con esta atractiva colección de guantes... puedes tener manos calientes y secas sin sacrificar el estilo". Otros fabricantes de prendas de vestir y distribuidores que venden prendas GORE-TEX incluyen Apparel Technologies, Lands' End, Austin Reed, Hudson Trail Outfitters, Timberland, Woolrich, North Face, L.L. Bean y Michelle Jaffe.

El poder de estas técnicas de marketing va más allá de los productos de consumo. De acuerdo con Dave McCarter: "En el segmento técnico del negocio, la reputación de la compañía es lo más importante. Uno tiene que contar con una buena reputación corporativa". Continuó diciendo que sin una buena reputación, los productos de una compañía no serían considerados con seriedad por muchos clientes industriales. En otras palabras, con frecuencia la venta se realiza antes de las llamadas de los representantes. Mediante estas estrategias de marketing, Gore ha tenido mucho éxito en asegurar su posición de liderazgo en el mercado en varias áreas, que van desde las prendas de vestir para deportes al exterior a prueba de agua hasta injertos vasculares. Su participación de mercado de los tejidos respirables a prueba de agua se estima que es de 90 por ciento.

Adaptación a las fuerzas cambiantes del entorno

Cada una de las divisiones de Gore ha enfrentado de vez en cuando las fuerzas adversas del entorno. Por ejemplo, la división textil fue golpeada con dureza cuando la moda por los trajes para correr se colapsó a mediados de la década de 1980. La división textil se anotó otro éxito a partir de la recesión de 1989. La gente simplemente redujo las compras de costosas prendas de vestir atléticas. Para 1995, una vez más la división textil era la división de más rápido crecimiento de Gore.

La división electrónica fue golpeada con dureza cuando el negocio de las computadoras *mainframe* declinó a principios de la década de 1990. Para 1995, la división vivió parcialmente un resurgimiento de sus productos debido a que la división había desarrollado algunos productos electrónicos a partir de la industria médica. Como se puede ver, no todas las fuerzas han sido negativas. La población estadounidense en proceso de envejecimiento ha hecho que la demanda de servicios de atención a la salud aumente. Como resultado, Gore ha invertido en el desarrollo de productos médicos adicionales y la división médica está creciendo.

Desempeño financiero de W. L. Gore & Associates

Como una corporación privada, W. L. Gore & Associates ha mantenido su información financiera celosamente guardada, tal como la información intelectual sobre productos y procesos. Se ha estimado que los asociados que trabajan en Gore poseen 90% de las acciones. De acuerdo con Shanti Mehta, un asociado, los rendimientos sobre los activos y ventas de Gore constantemente la han ubicado entre el 10% de las principales 500 compañías de la revista *Fortune*. De acuerdo con otra fuente, W. L. Gore & Associates ha estado haciendo lo correcto de acuerdo con cualquier medición financiera. Durante 37 años seguidos (de 1961 a 1997), la compañía ha disfrutado de rentabilidad y rendimiento positivo sobre los activos. La tasa de crecimiento compuesto para los ingresos en W. L. Gore & Associates de 1969 a 1989 fue más de 18%, incluyendo el descuento de la inflación.[7] En 1969, las ventas totales fueron de aproximadamente $6 millones; para 1989, la cifra fue de $600 millones. Como se puede esperar por el incremento en tamaño, el aumento en el porcentaje de las ventas se ha desacelerado durante los últimos siete años (cuadro 6). La compañía proyecta que las ventas alcancen $1400 millones en 1998. Gore financió su crecimiento sin una deuda de largo plazo a menos que ésta fuera una medida lógica. Por ejemplo, "Acostumbramos tener algunos bonos de ingresos industriales según los cuales, en esencia, con el fin de construir plantas, el gobierno permite a los bancos que le presten a uno dinero libre de impuestos. Hasta hace un par de años hemos pedido prestado dinero a través de bonos de ingresos industriales. Aparte de eso, estamos totalmente libres de deudas. Nuestro dinero se genera de las operaciones de negocios, y francamente estamos buscando nuevas áreas en las cuales invertir. Yo sé que esto en la actualidad es un reto para todos nosotros", afirma Bob Winterling. La revista *Forbes* estima que los ingresos por operación de Gore para 1993, 1994, 1995, 1996 y 1997 fueron de $120, $140, $192, $213 y $230 millones, respectivamente (ver cuadro 6). Bob Gore ha pronosticado que la compañía alcanzará los $1000 millones en ventas para 2001.

Hace poco, la compañía compró Optical Concepts Inc., una compañía de tecnología de semiconductores láser, de Lompoc, California. Además, W. L. Gore & Associates está invirtiendo en pruebas de marketing para un nuevo producto, cuerdas de guitarra, que fueron desarrolladas por sus asociados.

Cuando preguntamos acerca del control de costos, Sally Gore afirmó lo siguiente:

Uno tiene que poner atención en el costo o no será un administrador efectivo del dinero de nadie, ni de uno ni de nadie más. Es interesante, pero comenzamos fabricando productos médicos en 1974 con el injerto vascular y partimos de ahí. El injerto vascular de Gore es el Cadillac, BMW o Rolls Royce de los negocios. Absolutamente no tenemos competencia. Y nuestra división de productos médicos se ha vuelto muy exitosa. La gente pensó que esto era la Meca. Nunca habíamos fabricado algo que fuera tan maravilloso. Nuestro negocio se expandió enormemente, y con rapidez por todas partes (Flagstaff, Arizona) y teníamos una gran cantidad de líderes jóvenes. Los cuales pensaron durante algún tiempo que no podían hacer nada mal y que cualquier cosa que tocaran se convertiría en oro.

Sin embargo, tuvieron algunos fuertes golpes a lo largo del camino y descubrieron que no era tan fácil como al principio habían pensado. Y eso probablemente fue un buen aprendizaje para todos en algún lugar del camino. Así no es como funcionan los negocios. Hay una gran verdad en el viejo que decía que uno aprende más de sus fracasos que de sus éxitos. Un fracaso puede ser de gran utilidad para poder triunfar.

Reconocimientos

Muchas fuentes fueron de gran ayuda para conjuntar el material de los antecedentes para este caso. Las fuentes más importantes de todas fueron los asociados de Gore, quienes generosamente compartieron su tiempo y puntos de vista acerca de la compañía. Nos ofrecieron muchos recursos, incluyendo documentos internos, y enriquecieron en gran

CUADRO 6
Ingresos operativos e ingresos netos de W. L. Gore & Associates

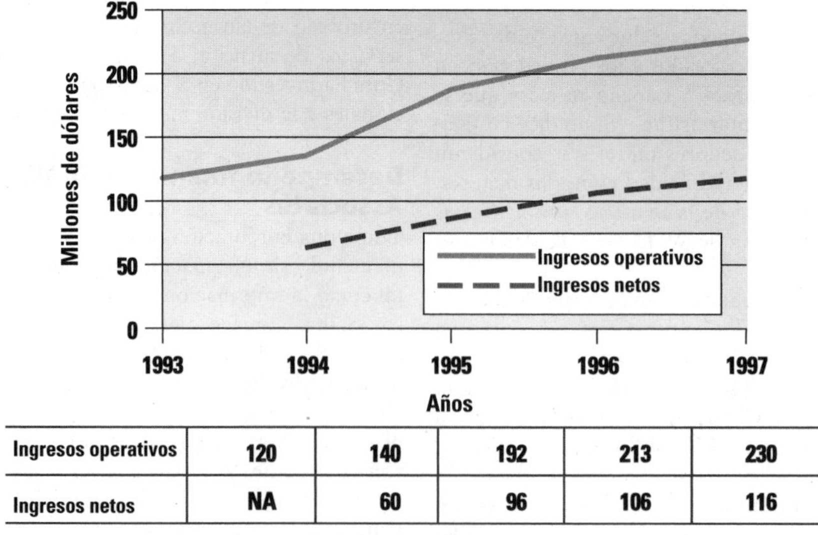

Ingresos operativos	120	140	192	213	230
Ingresos netos	NA	60	96	106	116

Datos del reporte anual de las 500 compañías privadas más grandes en Estados Unidos de la revista *Forbes*.

medida este caso al compartir sus experiencias personales, así como al asegurar que el caso reflejaba con precisión la cultura y a la compañía Gore.

Extractos de entrevistas con los asociados

El primer extracto es de un asociado que anteriormente trabajaba en IBM y había estado en Gore durante dos años:

P. ¿Cuál es la diferencia entre estar en IBM y estar en Gore?

R. Hace 24 años trabajé en IBM, y ahí todo era muy diferente. Aquí, en Gore, puedo ir 10 veces más rápido debido a la simplicidad de la organización en red. Permítame darle un ejemplo. Si desea comprar químicos en IBM (soy químico industrial), lo primero que tenía que hacer era obtener una aprobación del departamento de contabilidad, después necesitaba al menos dos aprobaciones de dos niveles gerenciales, después, una secretaria que introdujera al sistema mi pedido y que el pedido de compra se transfiriera al departamento de compras donde se le asignaría a un comprador. A veces se puede ahorrar tiempo si uno está dispuesto a "pasar por alto" el papeleo referente al proceso de aprobación, pero incluso después de haber computarizado el proceso, por lo general tomaría un mes a partir de que se iniciaba el requerimiento de compra hasta el momento en que llegaba el material. Aquí sólo tenemos una forma sencilla. Por lo general, obtengo los químicos al día siguiente y una copia de la orden de compra llega un día o dos después de eso. Esto sucede con mucha rapidez. A esto yo no estaba acostumbrado.

P. ¿Para usted es más agradable esto?

R. Sí, aquí uno es libre. Hay mucho menos burocracia lo que le permite a uno ser más productivo. Por ejemplo, el caso de la seguridad de laboratorios. En mi laboratorio en IBM, se nos amonestó que pegáramos apropiadamente con cinta el colirio de los ojos. La primera vez se nos amonestó por no tener un área suficientemente grande cubierta con cinta. La siguiente semana el mismo colirio fue la razón de la amonestación nuevamente, debido a que el área que no habíamos encintado era tres pulgadas demasiado pequeña en un lugar. La volvimos a encintar a la siguiente semana, y una vez más nos amonestaron porque lo habíamos hecho con el color de cinta incorrecta. Hay que tener en cuenta que una violación de este tipo era considerada tan seria como colocar una cubeta de gasolina cerca de un mechero de Bunsen. En otra ocasión, tuve el dudoso honor de haber sido elegido como representante de seguridad funcional a cargo de tener listos los laboratorios de funciones para una auditoría de seguridad corporativa. (La función estaba ubicada en el tercer nivel en la organización piramidal 1] departamento, 2] proyecto y 3] función). En esa época yo estaba trabajando en el desarrollo de un empaque de montaje en superficie. Como resultado de todo esto, no tuve tiempo para trabajar en el desarrollo, y la función requirió que invirtiera mucho tiempo y dinero para lograr que todo estuviera listo para los auditores corporativos que al final nunca se presentaron. No estoy restando importancia a la seguridad, pero en realidad, no se necesita toda la burocracia para lograr la seguridad.

La segunda entrevista se realizó a un asociado que era un recién graduado de ingeniería:

P. ¿Qué piensa de su transición al llegar aquí?

R. Aunque nunca hubiera esperado esto, he encontrado mi transición a Gore muy desafiante. Lo que me atrajo de la compañía fue la oportunidad de "ser mi propio jefe" y determinar mis propios compromisos. Estoy muy orientado hacia los objetivos, y disfruto cuando asumo un proyecto y lo hecho andar; todas las cosas que uno puede ser capaz de hacer y está alentado a hacer dentro de la cultura Gore. Así que pensé, era todo lo que yo necesitaba.

Sin embargo, como nuevo asociado, en realidad fue muy difícil para mí encontrar hacia dónde enfocar mis esfuerzos; estaba listo para hacer mis propios compromisos, ¿pero con qué? Tenía una fuerte necesidad de estar seguro de estar trabajando en algo que tenía valor, algo que en realidad necesitará ser hecho. Si bien no esperaba tener el proyecto "más importante", quería estar seguro de que estaba ayudando a la compañía a "hacer dinero" de alguna forma.

En esa época, sin embargo, estaba trabajando para una planta muy parecida a lo que Gore era cuando originalmente se fundó; después de mi primer proyecto (el cual fue diseñado para "ganar rápido": un proyecto con significado, pero que tenía un final definido), se me dijo, "Bien encuentra algo en qué trabajar". Si bien podía haber encontrado algo, ¡quería encontrar algo con al menos un mínimo grado de prioridad! Así, el proceso completo de encontrar un proyecto fue muy frustrante para mí; no sentía que tuviera la perspectiva necesaria para hacer tal elección y acababa en muchas pláticas con mi patrocinador acerca de lo que sería valioso...

Al final, por supuesto, encontré ese proyecto; y en realidad resultó ser una buena inversión para Gore. No obstante, el proceso para llegar ahí, definitivamente fue arduo para alguien tan inexperto como yo lo era: habría ganado mucho si me hubieran sugerido algunos proyectos y permitido elegir entre ellos.

Sin embargo, lo que es en verdad perfecto en todo esto, es que mi experiencia ha hecho realmente una diferencia. Debido en parte a mis frustraciones, mi planta ahora ofrece a los graduados de escuelas técnicas más guía en cuanto a sus primeros proyectos. (Obviamente, esta guía se vuelve cada vez menos crítica a medida que cada asociado crece dentro de Gore.) Los asociados siguen eligiendo sus propios compromisos, pero ahora lo hacen desde una perspectiva más amplia, y con el conocimiento de que están haciendo una contribución a Gore, lo cual es algo importante dentro de nuestra cultura. Como dije, sin embargo, fue definitivamente gratificante ver que la compañía era tan sensible, y sentir que había ayudado a dar forma a la transición de alguien más.

3.0

Notas

1. GORE-TEX es una marca registrada de W. L. Gore & Associates.
2. En este caso, la palabra asociados se utiliza y se escribe con mayúscula debido a que en la literatura de W. L. Gore & Associates la palabra siempre se emplea en lugar de empleados. De hecho, se les ha explicado a los escritores de los casos que Gore "nunca ha tenido empleados, siempre Asociados".
3. GORE RideOn es una marca registrada de W. L. Gore & Associates.
4. Glide es una marca registrada de W. L. Gore & Associates.
5. WindStopper es una marca registrada de W. L. Gore & Associates.
6. Desde el punto de vista legal, es similar a un ESOP (Plan de Titularidad de Acciones para los Empleados). Una vez más, Gore nunca ha permitido la palabra empleados en ninguna parte de su documentación.
7. En comparación, sólo 11 de las 200 compañías más grandes en las 500 de la revista *Fortune* han tenido un ROI positivo cada año desde 1970 a 1988 y sólo otras dos compañías no lo tuvieron un año. La tasa de crecimiento de ingresos para estas 13 compañías fue de 5.4%, en comparación con 2.5% de las 500 de *Fortune*.

Referencias

Aburdene, Patricia y John Nasbitt. *Re-inventing the Corporation* (Nueva York: Warner Books, 1985).

Angrist, S. W. "Classless Capitalists", *Forbes* (mayo 9, 1983), 123-124.

Franlesca, L. "Dry and Cool", *Forbes* (agosto 27, 1984), 126.

Hoerr, J. "A Company Where Everybody Is the Boss", *BusinessWeek* (abril 15, 1985), 98.

Levering, Robert. *The 100 Best Companies to Work for in America*. Ver el capítulo acerca de W. L. Gore & Associates, Inc. (Nueva York: Signet, 1985).

McKendrick, Joseph. "The Employees as Entrepreneur", *Management World* (enero 1985), 12-13.

Milne, M. J. "The Gorey Details", *Management Review* (marzo 1985), 16-17.

Posner, B. G. "The First Day on the Job", *Inc.* (junio 1986), 73-75.

Price, Debbie M. "GORE-TEX style", *Baltimore Sun* (abril 20, 1997), 1D & 4D.

Price, Kathy. "Firm Thrives Without Boss", *AZ Republic* (febrero 2, 1986).

Rhodes, Lucien. "The Un-manager", Inc. (agosto 1982), 34.

Simmons, J. "People Managing Themselves: Un-management at W.L. Gore Inc.", *The Journal for Quality and Participation* (diciembre 1987), 14-19.

"The Future Workplace", *Management Review* (julio 1986), 22-23.

Trachtenberg, J. A. "Give Them Stormy Weather", *Forbes* (marzo 24, 1986), 172-174.

Ward, Alex. "An All-Weather Idea", *The New York Times Magazine* (noviembre 10, 1985), sección 6.

Weber Joseph. "No Bosses. And Even 'Leaders' Cant't Give Orders", *BusinessWeek* (diciembre 10, 1990), 196-197.

"Wilber L. Gore", *IndustryWeek* (ocubre 17, 1983), 48-49.

Caso integrador 4.0

XEL Communications, Inc. (C): Formación de una Asociación Estratégica *

En el otoño de 1995, Bill Sanko, presidente de XEL Communications, Inc., caminó alrededor de las instalaciones nuevas de aproximadamente 115 000 pies cuadrados, con sus espaciosas salas de juntas y centro de capacitación de habilidades de cómputo, a las que apenas se acababa de mudar la compañía. Sus antiguas instalaciones habían sido un edificio de 53000 pies cuadrados que no era suficiente para el crecimiento de XEL. Durante la siguiente ronda de sesiones de planeación estratégica, Bill se preguntaba cómo harían XEL y su equipo administrativo para lidiar con la espada de dos filos que representaba el rápido crecimiento. ¿Sería posible para XEL mantener su cultura emprendedora mientras experimentaba un rápido crecimiento? ¿Encontraría los recursos necesarios para sostener el crecimiento sin dañar su cultura? ¿De dónde los obtendría?

XEL Communications, Inc.

XEL Communications, Inc.[1] —ubicada en las afueras de Denver, Colorado— diseñó y fabricó diversos productos de telecomunicación para cierto número de compañías, en particular grandes empresas telefónicas estadounidenses. En un principio, una división dentro de GTE dirigida por Bill Sanko, estaba en el proceso de ser cerrada cuando Bill y otros miembros del grupo de administradores convencieron a GTE que les vendiera la división. En julio de 1984, Sanko y sus compañeros firmaron un memorando de acuerdo de compra para adquirir la división de GTE. Dos meses después, se firmó el contrato de compraventa y XEL Communications se volvió una compañía independiente. Irónicamente, GTE siguió siendo una de las principales cuentas de clientes de XEL.

En términos de un desempeño financiero general, XEL era redituable. Sus ganancias crecieron de $16.8 millones en 1992 a $23.6 millones en 1993 y 52.3 millones en 1994, más de un incremento triplicado en tres años. En 1996, XEL empleaba a casi 300 personas.

XEL diseñaba y fabricaba más de 300 productos individuales que permitían a los operadores de red mejorar las infraestructuras existentes y con base en una eficacia de costos fomentar la velocidad y funcionalidad de sus redes a la vez que se reducen los costos de operación y los costos indirectos. Los productos de la empresa proporcionaban acceso a los servicios de telecomunicación y automatizaban el monitoreo y el mantenimiento del desempeño de la red, al mismo tiempo que extendían la distancia desde la cual los operadores de la red podían ofrecer sus servicios.[2] Por ejemplo, XEL producía equipo que "acondicionaba" las líneas existentes para hacerlas aceptables para el uso empresarial y los productos vendidos facilitaban la transmisión de datos e información por medio de las líneas telefónicas. El interés más importante para el impulso de la necesidad de los productos de XEL era la transferencia electrónica de datos: "Los negocios dependen cada vez más de la transferencia de información", observó Bill Sanko. Además, más negocios, XEL entre ellos, funcionaban al tomar y llenar pedidos por medio de intercambios electrónicos de datos. En lugar de llamarles por teléfono a los vendedores, las empresas tienen acceso directo a sus bases de datos.

Una de las fortalezas de XEL era la habilidad de adaptar el equipo de un fabricante con el de otro. XEL proporcionaba los bits y las piezas de equipo de telecomunicaciones a la "red", lo que permite una integración sencilla de piezas de transmisión dispares. XEL también vendía equipo de transmisión central para oficina con una amplia gama de dispositivos mecánicos, aparatos especializados, suministros de energía y anaqueles.

En 1995, XEL comenzó a desarrollar una fibra híbrida/módem de ancho de banda por cable para su uso con las compañías de televisión por cable que buscaban proporcionar servicios de comunicación mejorados por medio de sus instalaciones de redes. Los módems por cable fueron uno de los productos nuevos más impactantes en las telecomunicaciones. Los dispositivos permiten a las computadoras enviar y recibir información aproximadamente cien veces más rápido que los módems estándar que emplean las líneas telefónicas. Dado que 34 millones de hogares contaban con computadoras personales, los módems por cable eran considerados como una forma segura de explotar el impacto de la computadora personal (PC) y la continua convergencia de las computadoras y la televisión. El análisis de medios estimaba que el número de usuarios del módem por cable se elevaría a 11.8 millones para finales de 2005, desde apenas unos cuantos que había en 1996.[3]

"Las empresas cliente y sus necesidades cambiantes de telecomunicaciones guiaban la demanda de los productos de XEL. Eso, en consecuencia, representa un reto para la compañía", dijo Sanko. Sanko se refirió al flujo constante de los nuevos productos desarrollados por XEL, alrededor de dos cada mes, como el impulso detrás del crecimiento. A todo lo largo de la industria, los periodos del ciclo de vida del producto se acortaban aún más. Antes de la quiebra de Bell System en 1984, los interruptores de transmisión y otros dispositivos electrónicos tenían un ciclo de vida de treinta o cuarenta años. En 1995, con el avance precipitado de la tecnología, los productos de XEL gozaban de un ciclo de vida de tres o cuatro años.

XEL vendía productos a todas las Compañías de Operación Regional de Bell (RBOC, por sus siglas en inglés), así como a GTE y Centel. Las empresas ferroviarias con sus propias redes de comunicaciones también eran clientes. Además de sus negocios nacionales los productos se vendían en Canadá, México, Centro y Sudamérica.[4] Los representantes

*Este caso fue preparado por los profesores Robert P. McGowan y Cynthia V. Fukami del Daniels College of Business, como fundamento de una discusión en el salón de clases, en lugar de ilustrar la administración eficaz o ineficaz en una situación determinada.

Para obtener más información acerca de éste y otros casos de CaseNet*, por favor visite CaseNet en Internet* *http://casenet.thomson.com*

de campo de XEL trabajaban con los ingenieros con el fin de satisfacer las solicitudes del cliente para cubrir servicios en particular. Durante algún tiempo, el personal de ventas desarrolló un entendimiento mutuo con estos ingenieros, lo que proporcionó a XEL con nuevos productos líderes.

Con todas las consolidaciones y empresas comerciales en telecomunicaciones, los observadores de la industria con frecuencia consideraban que el mercado en general sería cada vez más difícil. Sin embargo, Sanko creía "que la oportunidad proviene del cambio. El peor escenario corresponde a una situación estática. De esta forma, una empresa pequeña tiene mayor posibilidad de responder con rapidez a las necesidades del consumidor y de capitalizarse en nichos pequeños de mercado, características que corresponden, una empresa grande como AT&T olvidará participativos en mercado más pequeño en el que XEL podrá desplazarse. De la misma manera, el tamaño de XEL también le permite diseñar un proyecto en periodos cortos."

Sanko verificaba el cumplimiento absoluto de las legislaciones federales. La Ley de Federal de Telecomunicaciones de 1996 que eliminaba numerosas barreras a la competencia, había cambiado por completo las reglas del juego. En consecuencia, dijo Sanko, "necesitamos ampliar nuestro mercado y estar listos para vender a los demás conforme se modifique el ambiente legal". La empresa de riesgo entre Time Warner y US West también señaló que las compañías telefónicas de televisión por cable unirían sus recursos para proporcionar una gama más amplia servicios de información. En cuanto al futuro, Sanko vislumbró "muchas oportunidades que todavía hoy no podemos imaginar".

La visión de XEL

Una característica que diferenció a XEL de las demás compañías fue su cultura corporativa sólida y saludable. El desarrollo de una cultura de innovación y de toma de decisiones en equipo fue un instrumento para la obtención de los buenos resultados de los que XEL se enorgullecía.[5] Un primer intento por definir la cultura dirigida desde arriba hacia abajo fue menos exitoso de lo que los administradores habían esperado,[6] de manera que el equipo emprendió un segundo intento para determinar sus valores centrales y cómo deseaban que se viera la compañía dentro de cinco años. El equipo se retiró por algunos días y terminaron la Declaración de Visión de XEL (cuadro 1). Para el verano de 1987, la declaración había sido firmada por los miembros del equipo directivo y ésta había sido colocada en el tablón de anuncios. No se pidió a los empleados que firmaran la declaración, pero tenían la libertad de hacerlo cuando fuera que se sintiesen listos para ello.

Julie Rich, vicepresidente de recursos humanos, describió a la metodología del equipo de directivos como una manera de que el resto de la organización entendiera y se sintiera cómoda con la visión de XEL: "Con frecuencia, las organizaciones adoptan una combinación de una metodología que funciona de arriba hacia abajo o de abajo hacia arriba al instituir cambios culturales. Es decir, que el nivel superior desarrollará una visión acerca de los valores y una visión general. Entonces lo comunicarán a los niveles inferiores y los resultados se filtrarán desde arriba hacia los niveles intermedios. Sin embargo, con regularidad es el nivel intermedio de la administración el más escéptico, y se resiste al cambio. Decidimos adoptar una metodología en 'cascada'en la que el proceso comienza desde arriba y gradualmente recae de un nivel al otro a manera de cascada de manera que los jugadores críticos se aclimatan con lentitud en el proceso. También hicimos algunas otras cosas, mandar una copia de la Declaración de Visión a los hogares de los empleados y dedicar una sección del boletín informativo de la compañía para comunicar cuál de las secciones fundamentales de la visión significaba un punto crítico para los administradores y los empleados".

La declaración de visión se volvió símbolo viviente de la cultura de XEL y del grado al que XEL facultaba a sus empleados. Cuando los equipos o administradores tomaban alguna decisión, de manera regular traían a la luz el documento de la Visión de XEL de manera que los trabajadores pudieran consultar las diversas partes del documento para ayudarles en la guía y en la dirección de las decisiones. Según Julie, la declaración se usaba para ayudar a evaluar nuevos productos, enfatizar la calidad (un objetivo estratégico y específico de XEL era ser el proveedor con mayor calidad para cada uno de sus productos), apoyar a los equipos y llevar a cabo el proceso de evaluación del desempeño.

La visión de XEL se implementó con éxito como un primer paso fundamental; pero estaba lejos de ser un documento estático. Los principales administradores de XEL revisaban continuamente la declaración para asegurarse de que reflejara hacia dónde querían llegar, y no en dónde habían estado. Julie creía que esta evaluación regular era un factor importante para el éxito de la visión. "Nuestros valores son la clave", explicó Julie. "Son sólidos, son en verdad valores centrales, y se cree firmemente en ellos." Junto con el proceso de compra, los trabajadores también observaron que los administradores experimentaron con la declaración, la que reflejaba la sólida naturaleza emprendedora de los fundadores de XEL, un lazo común que todos ellos compartían. No tenían miedo al riesgo, o al fracaso, y ese espíritu se veía reforzado en todos los empleados y en la visión por sí misma, así como en el proceso anual de revisión de dicha visión. Una vez al año, Bill Sanko, se sentaba con todos los empleados y directamente retaba (escuchaba también los retos que le llegaban de manera directa) a la visión de XEL. De 1987 a 1995, sólo dos incorporaciones menores habían alterado la declaración original.

Qué curso elegir

Cuando inició el proceso estratégico anual de 1995, XEL se encontraba en buena forma en cualquiera de los múltiples indicadores. Las ganancias crecían, se desarrollaban nuevos productos, la cultura y la visión de la compañía eran sólidas, la moral de los empleados era alta, y los equipos de trabajo autodirigidos estaban alcanzando calidad excepcional.[7] No obstante, el crecimiento rápido también representaba un reto. ¿Sería posible para XEL mantener su cultura empresarial en cara al crecimiento rápido? ¿Podrían sostener su crecimiento sin dañar a su cultura? ¿Encontrarían los recursos necesarios para sostener el crecimiento? ¿De dónde los obtendrían?

Conforme progresó la retirada de la planeación estratégica, tres eran las opciones aparentes para el equipo. Primero, ellos conservarían el curso y seguirían siendo propiedad privada. En segundo lugar, iniciarían una oferta pública de acciones. Después, ellos podrían buscar una sociedad estratégica. ¿Cuál sería la opción adecuada para XEL?

CUADRO 1
La visión de XEL

XEL será un líder en nuestros mercados de telecomunicaciones seleccionados, por medio de la innovación en los productos y los servicios. Cada producto y servicio de XEL será considerado el Número Uno por parte de los clientes.

XEL establecerá los estándares por los que nuestros competidores serán juzgados. Seremos los mejores, los más innovadores, los que ofrezcan un diseño más receptivo, fabricante y productor de mercancía y servicios de alta calidad desde el punto de vista de clientes, empleados, competidores y proveedores.*

Insistiremos en que todos ofrezcan la calidad más alta en cada actividad.

Seremos una organización en la que cada uno de nosotros sea su propio gerente quien:

- iniciará la acción, se comprometerá y actuará de manera responsable al cumplir sus objetivos,
- será responsable por el desempeño de XEL,
- tendrá la responsabilidad de la calidad de los resultados individuales y grupales, e
- invitará a los miembros del equipo a contribuir con base en la experiencia, los conocimientos y la capacidad.

Nosotros:

- seremos éticos y honestos en todas las relaciones,
- construiremos un ambiente en el que se fomente la creatividad y la toma de riesgos,
- realizaremos un trabajo que represente un reto y sea satisfactorio,
- aseguraremos un ambiente de dignidad y respeto para todos,
- confiaremos en un trabajo en equipo interdepartamental, en las comunicaciones y la solución cooperativa de problemas para alcanzar las metas en común,**
- ofreceremos oportunidades para el crecimiento profesional y personal,
- reconoceremos y premiaremos la contribución y el logro individual,
- proporcionaremos las herramientas y los servicios para fomentar la productividad y
- mantendremos un ambiente de trabajo seguro y sano.

XEL será redituable y **crecerá** con el fin de proporcionar rendimientos a nuestros inversionistas y recompensas a los miembros de los equipos.

XEL será un lugar apasionante y en el que se disfrute trabajar mientras se logra el éxito

4.0

* El grado de reacción de los clientes a las necesidades de los nuevos productos además de responder a los requerimientos de emergencia de entrega por parte de los clientes han sido definidos como fortalezas estratégicas clave. Por lo tanto, la declaración de la visión ha sido actualizada para que reconozca este elemento tan importante.
** La importancia de la cooperación y la comunicación ha sido enfatizada con esta actualización de la Declaración de Visión.

Mantener el curso

La opción más obvia era hacer nada. Bill Sanko indicó que el equipo de administración no favorecería el mantener el curso y permanecer siendo propiedad privada. "Teníamos un aventurado socio capitalista quien, después de estar con nosotros por diez años, deseaba abandonarnos. Además, los fundadores, es decir nosotros mismos, también deseábamos abandonar la empresa desde un punto de vista financiero. Usted también tiene que comprender que uno de nuestros fundadores originales, Don Donnelly, había fallecido; y los herederos de su patrimonio deseaban que la inversión fuera más líquida. De esta manera, estábamos lidiando con muchas cosas al mismo tiempo."

Una vez que se había determinado que no permanecería como propiedad privada, Bill mencionó que la decisión surgió a partir de dos vías: XEL haría una oferta pública inicial y se volvería pública, o encontraría un socio estratégico. "Para guiarnos en este proceso, decidimos conservar los servicios de una parte externa; hablamos con alrededor de una docena de casas de inversión. En octubre de 1994, decidimos contratar a Alex Brown, una casa de inversiones que tenía mucha experiencia y que estaba ubicada en Baltimore. Lo que les gustó de esta compañía es que ellos tenían experiencia en ambas opciones: volverse una empresa pública, o encontrar un socio."

Volverse pública

Una vía abierta para XEL consistía en iniciar una oferta pública de las acciones. Alex Brown les comentó las ventajas y las desventajas de esta opción. Sanko también revisó sus recomendaciones:

La ventaja de que XEL hiciera una oferta pública inicial era que la tecnología estaba en boga en ese momento (octubre de 1994). Además sentíamos que XEL sería evaluada muy alto en el mercado. La desventaja de hacer una oferta pública era que XEL en realidad no era una empresa muy grande, y los inversionistas institucionales por lo regular hacen ofertas por empresas que generan más de 100 millones en utilidades. Otra desventaja era que se tenía que lidiar con los analistas, y sus proyecciones se volvían un plan, lo que en realidad me decepcionaba. También, los accionistas querían contar con una tasa de rendimiento predecible y constante. Las acciones de la tecnología no son constantes, existen frecuentes alzas y bajas en este mercado ocasionadas por diversos factores, tales como, el que una compañía grande de telecomunicaciones decida no mejorar sus equipos en el último momento, o que el Congreso considere eliminar todos los cambios regulatorios. Por último, Alex Brown sentía que las acciones deberían negociarse con mayor sutileza. Esto, aunado con las restricciones por parte de la Comisión de Bolsa y Valores de los Estados Unidos en cuanto a las restricciones de comercialización, hacían que la opción de una oferta pública fuera menos deseable.

Asociación estratégica

Después de considerar estos factores, Sanko dijo:

... hemos optado por ese camino y buscar a un socio potencial. Pero si usted tiene que hacer esto, considere que también siempre estuvo disponible la primera opción común: una válvula de escape. También podíamos hacer nada y permanecer como estábamos; esto es lo bonito de todo este asunto. No estábamos bajo presión alguna para hacer una oferta pública o para buscar un socio. También podíamos esperar y hacer alguna de estas cosas poco después. Entonces, nos podíamos dar el lujo de tomar nuestro tiempo.

En términos de encontrar un socio potencial, había ciertas cuestiones fundamentales que queríamos que Alex Brown considerara para ayudarnos en este proceso. Lo primero era que nosotros, la administración, queríamos permanecer con XEL. En verdad hemos visto crecer a XEL como un negocio y no estamos interesados en hacer cualquier otra cosa. La segunda cuestión fundamental era que no estábamos interesados en ser adquiridos por alguien que estuviera a su vez interesado en consolidar nuestras operaciones con las suyas, cerrar estas instalaciones y desplazar las funciones de acá hacia allá. Para nosotros, esto destruiría la esencia de XEL. La tercera cuestión es que nosotros queríamos a un socio que trajera algo a la mesa pero que no intentara micro administrar nuestro negocio.

El caso en contra de una asociación estratégica

En la década de 1990, una "manía de fusiones" arrasó en los Estados Unidos. En los primeros nueve meses de 1995, el valor de todas las fusiones y adquisiciones anunciadas alcanzó los $248.5 miles de millones, y se sobrepasó el volumen registrado por todo el año de 1988. Este volumen se presentó en vista de la fuerte evidencia de que durante los últimos 35 años, las fusiones y adquisiciones habían dañado a las organizaciones más de lo que las habían ayudado.[8] Entre las razones para el fracaso en las fusiones e inquisiciones se encuentran las siguientes:

- Diligencia inadecuada.
- Falta de razonamiento estratégico.
- Expectativas poco realistas sobre las posibles sinergias.
- Pagos excesivos.
- Culturas corporativas en conflicto.
- Fracaso para desplazarse rápidamente en la mezcla de ambas compañías.

Sin embargo, hubo fusiones y adquisiciones exitosas. De manera más notable, los tratos entre empresas pequeñas y de tamaño mediano habían tenido mejor oportunidad de éxito. Michael Porter decía que las mejores adquisiciones eran "las que llenaban el hueco", es decir, un trato en el que una compañía compraba otra para fortalecer su línea de productos, extender su territorio, incluyendo los aspectos globales. Anslinger y Copeland comentaron que las adquisiciones exitosas tenían mayor probabilidad cuando los miembros del equipo de administración previo a la fusión conservaban sus puestos, se ofrecían incentivos grandes a los ejecutivos de alto nivel, de manera que sus valores empresariales permanecerán vigentes y la compañía adquirida conservara una estructura plana (es decir, que el negocio se mantuviera separado de otras unidades operativas y conservara un grado elevado de autonomía).[9]

Sin embargo, con mayor frecuencia, el trato se ganaba o se perdía después que éste se cerraba. Una planeación deficiente para el periodo posterior a la fusión y una mala integración podían echar a perder la adquisición. "Mientras que con toda claridad exista un papel importante para las fusiones bien pensadas y concebidas en los negocios estadounidenses, no todas ellas se pueden describir como tal.[10]"

Elección de un socio

"Con estas cuestiones en mente, Alex Brown tuvo la capacidad de evaluar a los posibles candidatos", dijo Sanko. "En enero de 1995 este plan fue presentado al consejo de administración para su aprobación, y para febrero, habíamos desarrollado el manual sobre XEL que habría de ser presentado a estos candidatos. Después tuvimos una serie de reuniones con los candidatos en la sala de juntas de nuestras instalaciones. El aspecto interesante de estas reuniones fue que con frecuencia, la administración superior de alguna de estas empresas no sabía cuáles piezas de su negocio aún conservaban o de cuáles de ellas se habían deshecho. No veíamos que esto fuera una buena señal."

Una de las empresas con las que XEL se reunió fue Gilbert Associates, ubicada en Reading, Pennsylvania. Gilbert Associates fue fundada en la década de 1940 como una empresa de ingeniería y construcción, principalmente en el área de plantas eléctricas. Ellos se embarcaron en una estrategia para reinventarse a sí mismos y han dividido a sus compañías relacionadas con la energía y transformarse en una empresa matriz cuyas subsidiarias operaban en mercados de alto crecimiento de las telecomunicaciones y de los servicios técnicos. Gilbert también poseía una subsidiaria de administración y desarrollo de bienes raíces. Después de las debidas diligencia y deliberación, Gilbert fue elegida por el equipo de administración de XEL como su socio estratégico. La carta de intención fue firmada el 5 de octubre de 1995 y el trato se cerró el 27 de octubre de 1995. Gilbert pagó 30 millones en efectivo.[11]

¿Por qué se eligió a Gilbert como socio de entre seis o siete candidatos posibles? No porque hubieran hecho la mejor oferta. XEL se vio atraída hacia Gilbert por tres factores: 1) La estrategia a largo plazo de Gilbert para entrar a la industria de telecomunicaciones; 2) su intención de mantener a

XEL como una empresa autónoma y separada, y 3) su disponibilidad para pagar en efectivo (en comparación con un pago en acciones o en deuda). "Era un trato limpio", dijo Sanko.

El trato fue también atractivo porque estaba estructurado en un potencial dirigido hacia arriba. XEL recibió objetivos de desempeño realistas para los siguientes tres años. Si se alcanzaban esos objetivos, y Sanko tenía toda la fe puesta en ello, se ganarían aproximadamente de $6 a $8 millones. Gilbert no detendría el desarrollo.

En vista del atractivo paquete financiero, se necesitaba aún más para sellar el trato. "Al final del día", dijo Sanko, "la cultura, la comodidad y la confianza, eran mucho más importantes que el dinero". Era importante para el consejo de administración de XEL que Gilbert presentara un buen ajuste. Sanko se vio motivado porque se sentía a gusto con el director ejecutivo de XEL. La vicepresidente de Recursos Humanos, Julie Rich también observó, "El equipo de administración habría quedar intacto. Gilbert reconoció que la visión de XEL era parte de nuestro éxito y fortaleza. Ellos querían que siguiera así".

A manera de obtener confianza en Gilbert, Bill Sanko habló personalmente con los directores generales de otras compañías que Gilbert había adquirido recientemente. En estas conversaciones, a Sanko se le aseguró que Gilbert respetaba sus promesas.

Timothy S. Cobb, presidente y director general de Gilbert Associates, comentó en el momento de la adquisición: "Esta transacción representó el primer paso claro hacia el logro de la estrategia a largo plazo que se enfoca en áreas marginales más elevadas de las telecomunicaciones y de los servicios técnicos. La excelente reputación de XEL en términos de calidad en toda la industria, su diseño innovador y sus capacidades de manufactura, así como su enfoque de los productos dirigidos hacia los mercados emergentes de las autopistas de información, nos servirá bien en nuestra búsqueda para penetrar aún más en este importante segmento del vasto mercado de las telecomunicaciones."[12]

Cobb continuó, "Observamos oportunidades en todo el mundo de crecimiento a largo plazo para los productos de la marca Original Equipment Manufacturer (OEM), propiedad de XEL, así como a los importantes productos nuevos que se están desarrollando. Estos productos se clasifican en dos familias: 1) interfases para redes de fibra óptica diseñadas específicamente para satisfacer las necesidades de las compañías telefónicas, transportadores de intercambio (por ejemplo, AT&T, Sprint, MCI), y transportadores de red especializados en el montaje de instalaciones de fibra óptica y 2) un módem de ancho de banda híbrido de cable/fibra para su uso por parte de las empresas de televisión que buscan proporcionar servicios mejorados de comunicación de datos a través de sus instalaciones de red. Más adelante, esperamos establecer un equilibrio entre las relaciones y conocimiento de Gilbert con la Compañía Bell de Operación Regional (RBOC, por sus siglas en inglés) de manera que se incrementen significativamente las ventas para dichos clientes, a la vez que se utiliza nuestra organización subsidiaria de ventas internacionales, GAI-Tronics para penetrar más a fondo las vastas oportunidades globales que existen. Como resultado, las utilidades del creciente segmento de telecomunicaciones de Gilbert Associates, podría representar más de la mitad de nuestras utilidades totales para finales de 1996".

Antes de ser nombrado director general de Gilbert, Timothy Cobb había llegado a Gilbert desde Ameritech, y RBOC, misma que cubría el medio oeste de los Estados Unidos. Había sido presidente de GAI-Tronics Corporation, un proveedor internacional de equipo industrial de comunicación, una subsidiaria de Gilbert.

4.0

Bill Sanko ofreció: "Cuando todo el polvo se había asentado, la única compañía por la cual en realidad nos sentíamos atraídos era Gilbert. Gilbert tiene en sí una historia interesante. Irónicamente, ellos nos habían contactado en agosto de 1994 con base en la recomendación de su consultor quien había leído acerca de nosotros en un artículo de la revista *Inc.* Desafortunadamente, en ese momento, ellos no tenían el efectivo para adquirirnos debido a que estaban en el proceso de vender una de sus divisiones. Durante el periodo de entrevistas, Gilbert Associates, se deshizo de una de sus compañías Gilbert/Commonwealth. Esta venta le proporcionó los fondos necesarios para la adquisición de XEL".

Una vez que Sanko tuvo la confianza necesaria en que este trato se llevaría a cabo, pero antes que se firmara la carta de intención, la adquisición pendiente fue anunciada al equipo de administración, y se hizo una junta plenaria con todos los empleados. Las regulaciones de la Comisión de la Bolsa de Valores de los Estados Unidos prohibía compartir información en particular (y el sentido común secundada esta directiva), pero Sanko y sus asociados sentían que era importante mantener informados a los empleados antes que se firmara la carta de intención.

Durante la reunión, Sanko dijo a los empleados que el consejo estaba "considerando seriamente" una oferta. Él aseguró a los empleados que el posible candidato no era un competidor, y que sentía que se ajustaba a la cultura y los valores de la empresa. Sanko reiteró que esta sociedad proporcionaría a XEL los recursos que necesitaba para crecer. No se permitió que se hicieran preguntas debido a las regulaciones de la Comisión de Bolsa y de Valores de los Estados Unidos. Al salir de la junta los empleados se sentían preocupados y un tanto nerviosos, pero los miembros del equipo de administración y Julie Rich estaban en el público y estaban dispuestos a conversar.

Durante el cierre del trato, Sanko sostuvo otra junta plenaria, a la que asistió Timothy Cobb y en donde se compartió información más detallada con los empleados. Los administradores habían sido informados en una junta previa de manera que estuvieran preparados para reunirse directamente con sus equipos después de la junta general.

Los empleados deseaban saber acerca de Gilbert. Querían obtener información simple, como en dónde se ubicaba Gilbert y en qué tipo de negocios estaba involucrado. También querían conocer planes estratégicos, como si Gilbert tenía planes para consolidar sus funciones de manufactura. Finalmente, querían saber acerca del futuro próximo de XEL: deseaban saber si sus prestaciones cambiarían, si aún tendrían bono por reparto de utilidades, y si el equipo de administradores permanecería en sus puestos. "Siempre hemos tenido una política de apertura", dice Sanko. "Las buenas y malas noticias siempre se han compartido. Esta historia reduce muchos de los rumores."

En las siguientes semanas, Tim Cobb, regresó a sostener diversas reuniones con el equipo de administración y con grupos de enfoque de treinta empleados que representaban una mezcla de los empleados de la organización. Cobb también se reunió con los administradores y sus cónyuges en una recepción informal. Sanko deseaba facilitar al equipo de administración la idea de que ahora pertenecían a un equipo más grande junto con Gilbert. Pidió a Cobb que hiciera la misma presentación a XEL, que hiciera a los accionistas a todo lo largo del país: una presentación que enfatizaba la función que desempeñaría XEL en la estrategia a largo plazo de Gilbert.

Seguir adelante

Los sistemas de recursos humanos permanecieron en su lugar, sin cambios. El sistema de bonos de administración cambiaría ligeramente debido a que incluía opciones de acciones, los que ya no estarían disponibles. El consejo de consultoría interna de XEL, el "equipo de administración" permanecía intacto, pero el consejo de consultoría externa se dispersaría. Bill Sanko reportaría al presidente de Gilbert.

El plan estratégico de XEL consistía en seguir el proceso que ya llevaba a cabo y que no era distinto al de Gilbert. El ciclo no cambió: Gilbert esperaba el siguiente plan estratégico de XEL en noviembre de 1996.

Los objetivos estratégicos de XEL siguieron iguales. Nada había que ponerse en espera. Las plantas seguían en su lugar para penetrar los mercados de Brasil, México y Sudamérica.[13] Sanko tenía la esperanza de capitalizar las sinergias de la red internacional de distribución de Gilbert. XEL se reunió con los representantes internacionales de Gilbert para ver si ésta era una vía para que XEL obtuviera una presencia más rápida en Sudamérica. Finalmente, XEL estaba planeando avanzar hacia la ingeniería y manufactura de radio frecuencia (RF), lo que sería una apertura potencial hacia el apoyo inalámbrico.

Si XEL habría de crecer dependía del éxito de estas nuevas asociaciones estratégicas. En 1996, se pronosticó un ligero crecimiento. Pero si estos mercados realmente despegaban, Julie Rich estaba preocupada acerca de la contratación de las suficientes personas en Colorado cuando el mercado de trabajo se estaba aproximando al empleo total. Ella consideraba formas más creativas para atraer a las nuevas contrataciones: por ejemplo, ofrecerles un horario más flexible, o contratar a empleados no capacitados y entrenarlos de manera interna. El nuevo departamento de educación de Estados Unidos había establecido sistemas novedosos de capacitación, por medio de computadoras. Sin embargo, en 1996, el empleo era sólido en el área metropolitana de Denver y la emigración hacia Colorado había disminuido. Sería un reto contratar al suficiente personal para XEL si el crecimiento alto habría de ser una estrategia de negocios.

Aproximadamente 6 semanas después de la adquisición, Sanko observó que se habían presentado algunos cambios. Ahora que eran una empresa pública, había un mayor interés por cumplir con las cifras trimestrales. "Si ha habido cambio alguno", dice Sanko "ha habido más atención a las cifras". Julie Rich observó que no había habido más rotación de personal en el periodo de las seis semanas que siguió a la adquisición. Ella tomó esta calma en la fuerza de trabajo como una señal de que las cosas iban bien hasta ahora.

Otra razón por la que las cosas iban bien es que el equipo de administración había trabajado para GTE antes del giro de XEL. Habiendo trabajado para una empresa pública grande, ellos no experimentaron un terrible choque cultural cuando la adquisición de Gilbert ocurrió. El tiempo diría si el resto de los empleados de XEL se sentiría igual.

Mientras Sanko esperaba la siguiente visita de Cobb, él se preguntaba cómo prepararse para el suceso y para el año siguiente. Él se preguntaba si XEL intentaría realizar nuevas alianzas estratégicas en cuanto a la tecnología de RF, o cómo planearía el progreso de módem de banda ancha de fibra/cable. Se preguntaba si la experiencia en ventas de Gilbert en Sudamérica sería valiosa para la estrategia internacional de XEL. Además él se preguntaba cómo podría motivar a XEL y a sus empleados para formar parte del "equipo" de Gilbert. ¿Sobreviviría la visión de XEL a la nueva sociedad?

Finalmente, de acuerdo a un estudio de rotación de directores generales después de la adquisición, 80% de los directores generales adquiridos abandonaban sus compañías al sexto año de la adquisición, pero 87% de aquellos que se iban, lo hacían dentro de los dos primeros años. El factor fundamental en la rotación de personal era la autonomía posterior a la adquisición.[14] Después de casi 12 años como capitán de su propio barco, Sanko se preguntaba acerca de su propio futuro y del futuro del equipo de administración de XEL.

Notas

1. Para obtener información adicional de XEL Communications, Inc., y las cuestiones estratégicas fundamentales que enfrentaba XEL, vea Robert P. McGowan y Cynthia V. Fukami, "XEL Communications, Inc. (A)" Daniels College of Business, University of Denver © 1995, publicado por Suth-Western Publishing.
2. *PR Newsletter* (5 de octubre, 1995).
3. Bill Menezes "Modern Times", *Rocky Mountain News*, (28 de abril, 1996).
4. *PR Newswire* (5 de octubre, 1995).
5. John Sheridan, "America's Best Plants: XEL Communications". *Industry Week* (6 de octubre, 1995).
6. Vea McGowan y Fukami, "XEL Communications, Inc. (A)," para una mayor discusión acerca de la cultura corporativa en XEL.
7. Sheridan, "America's Best Plants".
8. Philip Zweig "The Case Against Mergers", *Business Week* (30 de octubre, 1995).
9. Patricia Anslinger y Thomas Copeland, "Growth Through Acquisitions: A Fresh Look", *Harvard Business Review* (enero-febrero, 1996)
10. Zweig, "The Case Against Mergers".
11. Dina Bunn "XEL to be Sold in $30 Million Deal", *Rocky Mountain News* (27 de octubre, 1995)
12. *PR Newswire* (5 de octubre, 1995)
13. Para obtener mayor información acerca de la penetración global de XEL, vea McGowan y Allen, "XEL Communication, Inc. (B): Going Global".
14. Kim A. Stewart, "After the Acquisition: A Study of Turnover of Chief Executives of Target Companies", disertación de doctorado, University of Houston, 1992.

Caso integrador 5.0

Empire Plastics*

Un proyecto para recordar

En junio de 1991, **Ian Jones** un gerente de producción en **Empire Plastics Northern** (**EPN**) estaba reflexionando acerca del último proyecto para incrementar la producción de ácido oleico. Éste era el tercer proyecto en 6 años que iba dirigido a la mejora de la planta de ácido oleico y era resultado de una política de seguridad seguida por el grupo de directores. Lo que tenía el fin de identificar plantas rentables e invertir en el perfeccionamiento de su productividad y rentabilidad, y con ello evitar la necesidad de invertir en nuevas instalaciones.

La instalación del "lado húmedo" marchó bien y sin ningún problema. Sin embargo, el "lado seco" tuvo un destino muy diferente; no estaba funcionando prácticamente después de un año de haber sido terminado, salvo de un modo intermitente y aún se le seguían aplicando cambios. Jones sabía muy bien desde el principio que la tecnología que se iba a implementar en el lado seco era relativamente nueva y que podía ser algo problemática, pero el departamento de compras en **Empire Consultants**, con base en lo que sabían, recomendó su uso, y por ende, envió a un par de personas a Italia con el fin de que vieran algunas plantas similares primero.

Jones elaboró un organigrama y empezó un examen de las cuestiones clave surgidas de este proyecto (cuadro 1), ya que había sido nombrado gerente comisionado al inicio del proyecto. Recordó algunas de las pesadillas que experimentaron sus colegas durante dos proyectos anteriores de ácido oleico, y ahora estaba firmemente determinado a proceder de manera diferente. Este proyecto iba a ser "suyo" hasta su culminación, e iba a hacer sentir su presencia desde el principio.

La ejecución del proyecto había sido supervisada por el área de ingeniería del grupo, **Empire Consultants** (**EC**), encabezada por **Henry Holdsworth** como el gerente de proyecto en la planta y **John Marshall** como el ingeniero de construcción. Era un buen equipo. El proyecto era ambicioso y desde el inicio, había varios signos de progreso. Sin embargo, lo que le causaba perplejidad era la aparente falta de entusiasmo de Marshall.

Holdsworth describió el proyecto como un contrato de doble administración, y en este aspecto era un proyecto fuera de lo normal. Por lo regular, Empire Consultants asumía la función de contacto administrativo, por lo cual organizaba directamente a los contratistas comerciales y disciplinaba a los consultores. No obstante, los tiempos estaban cambiando y tanto Holdsworth como Marshall habían comentado acerca de la frecuencia cada vez mayor con la que los proyectos se estaban licitando como paquetes completos a los contratistas administradores externos. Éste fue el primer proyecto que implicaba a dos contratistas administradores de manera simultánea, y ni Marshall ni Holdsworth estaban conformes. Su propia participación no estaba definida de manera clara. **Western Construction** tenía un contrato de £3.1 millones para el "lado húmedo" y **Teknibuild** un contrato de £6.0 millones para el "lado seco". Ambos contratistas proporcionaban todo el esfuerzo de diseño y administración durante el proyecto. La función de EC se redujo a ser un simple vigilante de construcción que verificaba que el diseño y la construcción se llevaran a cabo de acuerdo con el diagrama del diseño original y las exigencias de control de proceso de EPN, y que se observaran los requerimientos de seguridad.

El hecho de elegir a los contratistas administrativos se prolongó demasiado, y Holdsworth, alentado por Jones, continuó y ordenó los reactores para el lado húmedo y un secador de cama fluidizada para el lado seco. El pedido de más de 50% de los requerimientos totales de material ya había sido realizado, antes de haberse elegido a cualquier contratista. Jones tenía la confianza de que al hacerlo podría recortar la duración del proyecto por varios meses, pero nadie le había pedido a Marshall su opinión.

El conflicto por delante

Los primeros cambios se presentaron en octubre de 1988. Las operaciones de la planta fueron supervisadas por Marshall y los gerentes de la planta contratista: **Bob Weald** de Western y **Vic Mason** de Teknibuild.

Como ingeniero de construcción, Marshall estaba familiarizado con las maniobras de los clientes y sus representantes, en especial en lo concerniente a su tendencia a intentar realizar cambios. Comentó:

¡Los clientes siempre intentan cambiar cosas y lo logran! Cuando ven el trabajo tal y como es dicen "¡Ah, necesitamos que pavimenten más por aquí, o que coloquen barandales adicionales allá!" Pero si no lo pidieran desde el comienzo, no lo obtendrían. Si desean 100 metros adicionales de pavimento, tienen que pagarlo. En este proyecto teníamos apartados £500k destinados a contingencias, es decir, eventualidades imprevistas que excedieran el precio fijado con los contratistas administradores. En caso de que esto no se gastara al final del contrato, como en este caso, entonces podríamos dar a los clientes algunos elementos adicionales.

Jones recordó que para junio de 1989 las relaciones no estaban marchando tan bien en el lado seco. EC había adquirido una secadora de cama fluidizada, un congelador y más de 300 partes asociadas, y, como los compradores de

*Este caso fue preparado por el Dr. Paul D. Gardiner, Departamento de Organización de Negocios, Heriot-Watt University, Edimburgo. Tiene la intención de ser utilizado como base para el análisis en el salón de clase, y no para ilustrar su manejo efectivo o no funcional de una situación de negocios.

Este caso fue posible por la cooperación de una organización que desea permanecer bajo el anonimato.

5.0

CUADRO 1
Relaciones organizacionales y contractuales

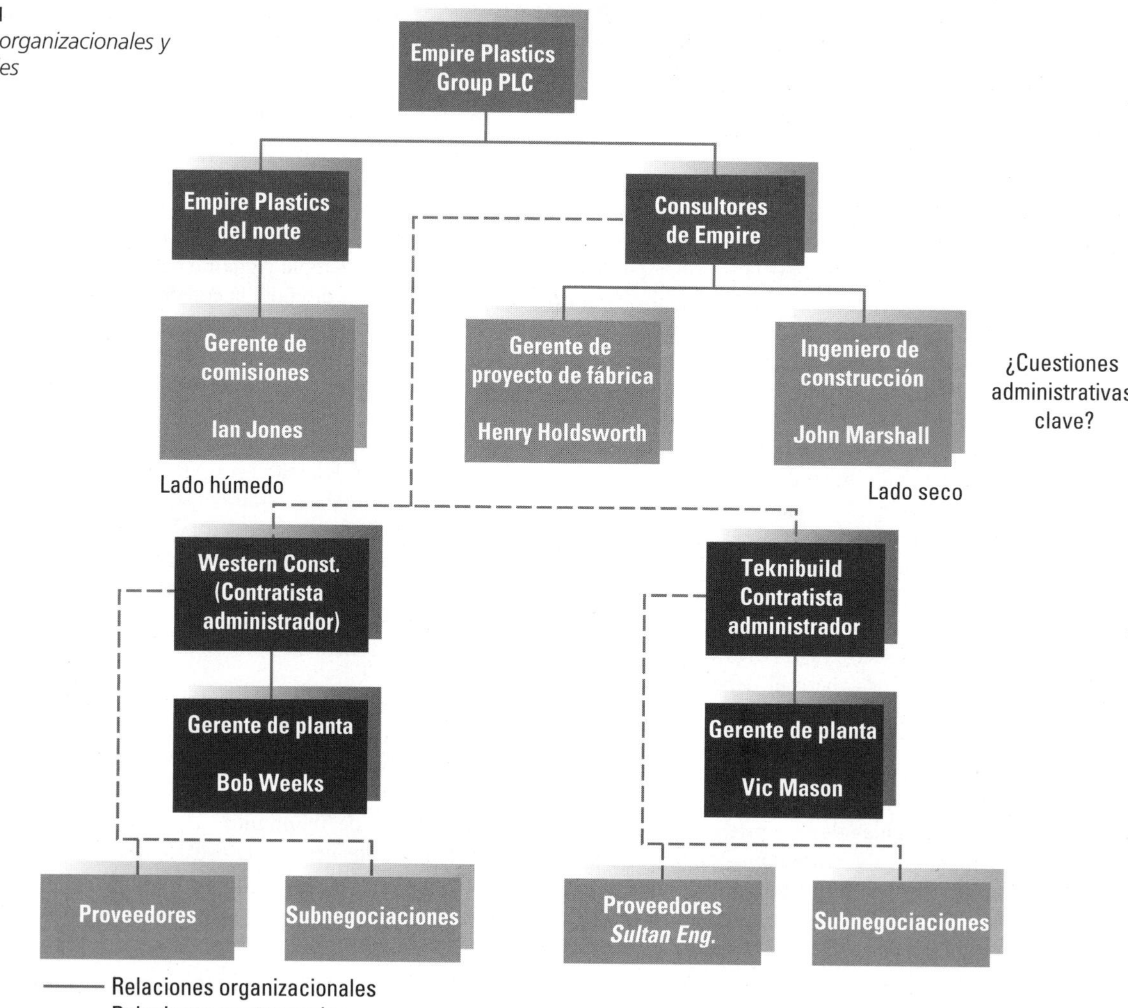

este equipo, estaban los responsables de pedir los dibujos de diseño al proveedor, **Sultan Engineering**.

Por desgracia, Teknibuild, quien, como contratista administrador, se suponía estaba a cargo del diseño y construcción de la planta, tenía problemas para recabar la información necesaria de Sultan para el diseño del trabajo acerado y los cimientos. Como Marshall había observado antes:

Ellos (Teknibuild) estaban ejerciendo presión en busca de más información. Parecían no tener los suficientes datos para realizar el diseño de manera apropiada, lo cual desencadenó un conflicto desde el comienzo. Comenzamos mal y ese sentimiento se llevó hasta que se terminó el trabajo. Pienso que en todas las áreas tuvimos problemas con Teknibuild. Nuestros ingenieros contra los suyos.

La única excepción a esto se presentó en el trabajo eléctrico y de instrumentación (E & I). Marshall había transferido esta tarea al subcontratista de E & I quien llegó al final del atascamiento de información, por lo que le concedió más tiempo para hacer bien las cosas.

Mientras esto sucedía, Jones se sentía cada vez más frustrado. En su opinión se había desperdiciado mucho tiempo entre Teknibuild y EC en tonterías. Estaba seguro de que Teknibuild tenía información más que suficiente para hacer su trabajo.

Cuando fue confrontado por Jones, Marshall enfatizó que tal vez la verdad estuviera en alguna parte, pero agregó que él estaba *"particularmente desanimado ante la poca voluntad de Teknibuild de invertir horas-hombre en el diseño hasta que tuvieran una definición del 100% por parte de Sultan Engineering"*, casi al punto en que ellos supieran todo absolutamente de las cosas más básicas. En verdad era un desastre... y Marshall no iba a aceptar ninguna parte de la culpa.

Por otro lado, las cosas marchaban bien con Western Construction. Su enfoque era mucho más relajado; tenían una oficina de diseño en el lugar con costos generales muy bajos, mientras Teknibuild trabajaba desde la oficina central con costos generales muy altos.

En una ocasión, Marshall le pidió al planeador de Teknibuild que viniera y tomara algunas mediciones del sitio. La respuesta que recibió no fue muy constructiva: "*No sé si podré hacer eso, hago al menos dos horas en llegar allá*". Holdsworth estuvo de acuerdo en que Teknibuild de manera constante estaba vigilando sus horas-hombre:

En todo momento se siente que a ellos sólo les interesan las ganancias y no el intento de lograr resultados. Incluso el encargado de la construcción, Vic Mason, tuvo conflictos internos con sus propios diseñadores. Pero con Western es todo lo contrario, en verdad uno siente que están buscando causar una buena impresión.

Jones pensó que quizá la comunicación con Western había sido buena debido a su gente de diseño y construcción que trabajaba lado a lado, la comunicación era directa; mientras que para los hombres de Teknibuild era difícil obtener respuestas de su oficina central. Marshall siempre había sostenido que los trabajos que mejor funcionaban eran aquellos en los que había una buena relación diseño-construcción, en particular cuando se tenía a los diseñadores cerca.

Fracaso...hacia adelante

Jones consideró que en el futuro podría ser una buena idea insistir en que los contratistas administradores establecieran un equipo de diseño local en el sitio. La práctica actual era dejar esta tarea al contratista, pero en aquel tiempo EC contaba con pocos diseñadores para ayudar.

Llegó a la conclusión de que el problema con los contratistas administradores, es que uno crea un vínculo extra en la cadena de comunicación: que se puede romper con mucha facilidad y desde su punto de vista, se había roto.

Las relaciones habían sido mejores en el lado seco, pensaba, debido a que Marshall y Weald habían trabajado juntos antes. Marshall conocía a Weald, sabía cómo trabajaba y de dónde venía. Podían confiar el uno en el otro.

5.0

En el lado de Teknibuild, Vic Mason, su gerente de sitio, ocasionaba que un conflicto sin fin. Era un poco beligerante; pensaba que sabía más, que todo lo había hecho antes y no se le podía pedir nada. En realidad, nunca se salía de control...tan sólo a veces estaba un poco irritado. Al final del día, Marshall afirmaba que las intenciones de Mason se resumían, a final de cuentas, en lograr que el trabajo se hiciera. Pero Jones seguía impasible, incluso cuando el principal problema de Mason eran sus propios diseñadores y proveedores.

Al conducir hacia su casa, Jones se preguntaba el efecto de la nueva política corporativa de administración de proyectos sobre gente como Harry Holdsworth y John Marshall. No podía evitar recordar que Marshall había hablado sobre Teknibuild y Western de manera independiente y había establecido sus propias preguntas y licitado de manera separada; todo parecía ser redundante: quizá Marshall estaba en lo correcto al ver el nuevo sistema como "*una forma muy ineficiente de hacer proyectos*".

Caso de integración 6.0

El zoológico Audubon, 1993*

6.0

El zoológico Audubon fue centro de interés nacional a principios de los años setenta, debido a historias bien documentadas acerca de animales que se mantenían en condiciones que varias personas denominaron como un "ghetto animal",[1] "el antiacuario de Nuevo Orleáns", e incluso como "un campo de concentración animal".[2] En 1971, la Oficina de Investigación Gubernamental recomendó un plan de $5.6 millones de dólares para mejora del zoológico a la Comisión del Parque Audubon y al Consejo de la Ciudad de Nueva Orleáns. El periódico local *Times Picayune* comentó acerca del zoológico: "No será como la situación del Planeta de los Simios en la que éstos enjaulen y estudien a los seres humanos, pero será algo similar en términos generales".[3] El nuevo zoológico limitaba a las personas a puentes y pasillos, mientras que los animales se desplazaban con toda libertad en medio de pasto, arbustos, árboles, piscinas y rocas falsas. Los senderos con curvas elegantes, trazados de forma generosa con plantaciones lujosas, proporcionaban al visitante la sensación de encontrarse solo en la selva, aunque una multitud de visitantes se encontrara sólo a unos metros de distancia.

La decisión

La Comisión del Parque Audubon emprendió un programa de desarrollo de $5.6 millones, con base en el plan para el zoológico de la Oficina de Investigación Gubernamental, en marzo de 1972. El 7 de noviembre del mismo año, se propuso a los electores que una emisión de bonos y un impuesto sobre la propiedad se destinaran al zoológico. Cuando éstos fueron aprobados por una amplia mayoría, dio inicio el análisis de lo que debía hacerse. La Comisión de Planeación de la Ciudad de Nueva Orleáns, aprobó el plan maestro para el Zoológico del Parque Audubon en septiembre de 1973, sin embargo, la implantación del plan maestro no fue nada sencilla.

El problema del zoológico se hace público

Cerca de dos docenas de intereses especiales se encontraban involucrados en la elección de renovar/ampliar las instalaciones actuales o desplazarse a otro sitio. La expansión se volvió una cuestión polémica en la comunidad. Algunos residentes se oponían a la ampliación del zoológico, ya que temían un "pérdida de áreas verdes" que afectaría el carácter apartado del vecindario. Otros se oponían a la desaparición de lo que veían como una instalación atractiva y educativa.

La mayor parte de oponentes provenía de los vecinos más acaudalados del zoológico. El director del zoológico John Moore atribuía las críticas a "algunas personas que cuentan con el dinero y poder suficiente para hacer bastante ruido". Comentaba, "el principal elemento detrás del problema es que los vecinos que viven alrededor de los límites del parque tienen una egoísta preocupación ya que desean que el parque continúe como su patio trasero privado". Las batallas legales sobre los planes de expansión continuaron hasta principios de 1976. En esa fecha, el cuarto Tribunal de Apelaciones de Circuito dictaminó que la expansión era legal.[4] Un acuerdo fuera de los tribunales con los vecinos del zoológico (la Asociación Superior de Audubon) se presentó poco después.

Instalaciones físicas

La ampliación del Parque Zoológico Audubon fue de catorce a cincuenta y ocho acres. El zoológico se dividió en secciones geográficas: El Dominio Asiático, Mundo de Primates, Praderas del Mundo, Sabana, Pradera norteamericana, Pampas sudamericanas y Pantanos de Louisiana, conforme al plan maestro del zoológico desarrollado por la Oficina de Investigación Gubernamental. Las exposiciones adicionales incluían al Zoológico Discovery Wisner, la exhibición de leones marinos y la jaula de vuelo. En el cuadro 1 se presenta un mapa del nuevo zoológico.

Propósito del zoológico

El principal objetivo externo del Parque Zoológico Audubon era el entretenimiento. Muchos de los esfuerzos de promoción del zoológico estaban dirigidos a la creación de una imagen del zoológico como un lugar de entretenimiento para acudir. Obviamente, era necesaria una campaña como esa para atraer visitantes al zoológico. Entre bastidores, el zoológico además mantenía y reproducía muchas especies animales, realizaba investigaciones e impartía educación al público. La declaración de misión del Instituto Audubon se presenta en el cuadro 2.

Nuevas instrucciones

En el cuadro 3 se presenta una cronología de los principales eventos en la vida del Zoológico Audubon. Uno de los primeros cambios importantes fue establecer una cuota de admisión en 1972. El ingreso al zoológico había sido libre antes de la adopción del plan de renovación. En apariencia, el propósito inicial detrás del establecimiento de una cuota de admisión era evitar el vandalismo,[5] sin embargo la necesidad de contar con un ingreso adicional también era evidente. A pesar de la institución e incremento de las cuotas de admisión, la concurrencia se incrementó de forma importante (cuadro 4).

Operaciones

Amigos del zoológico

Amigos del Zoológico se fundó en 1974 y se constituyó legalmente en 1975 con cuatrocientos miembros. El objetivo del grupo establecido era incrementar el apoyo y la sensibilización del Parque Zoológico Audubon. Al principio, los Amigos del Zoológico intentaron incrementar el interés y el compromiso con el zoológico, sin embargo, sus actividades

*Por Claire J. Anderson, Old Dominion University, y Caroline Fisher, Loyola University, Nueva Orleáns. Este caso fue diseñado sólo para análisis en clases, no para reflejar un manejo efectivo o inefectivo de situaciones administrativas.

CUADRO 1
El Parque Zoológico Audubon

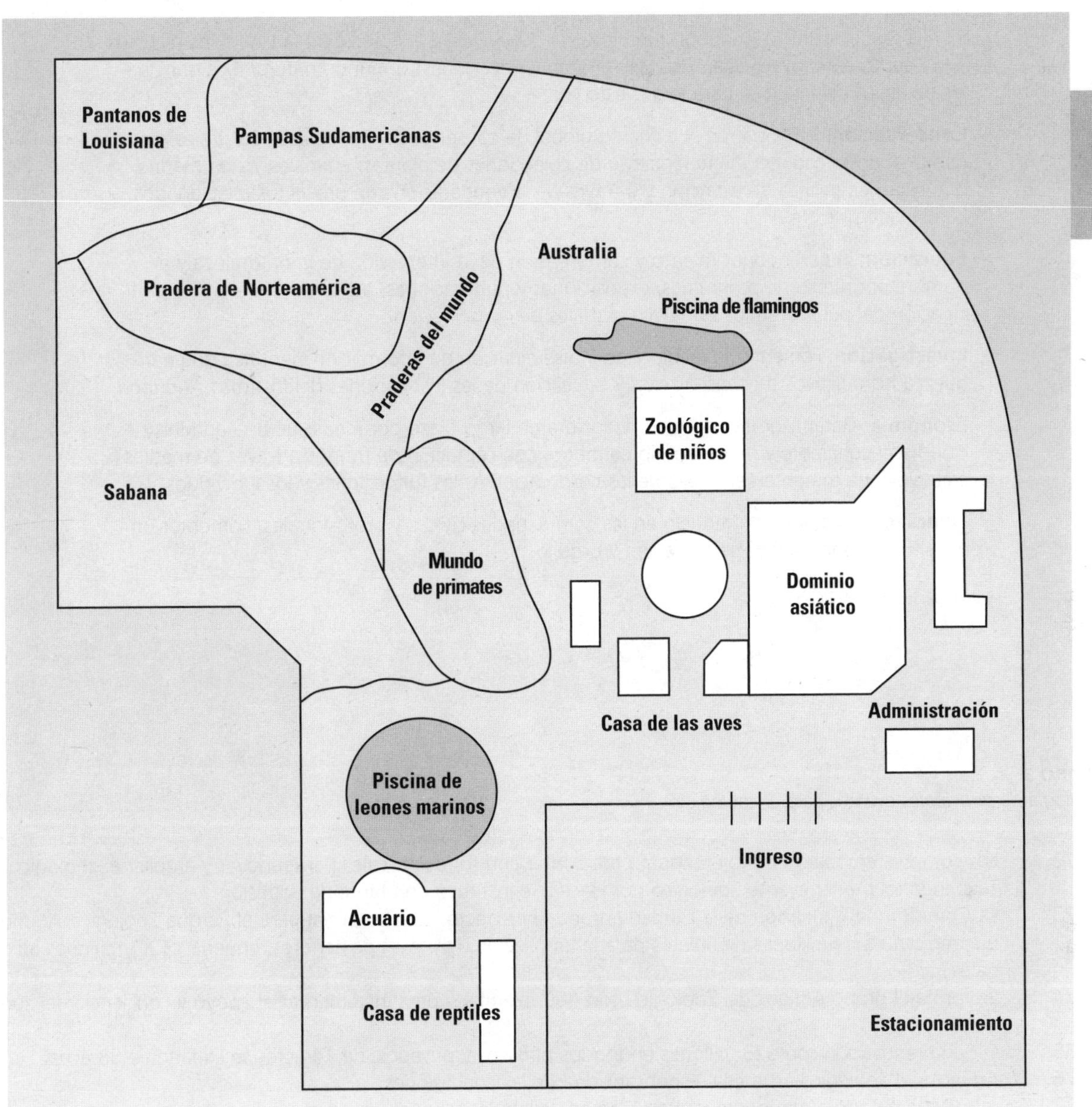

aumentaron de forma importante durante los siguientes años al grado de participar en el financiamiento, operación y dirección del zoológico.

Amigos del Zoológico contaba con una junta de gobierno de 24 miembros. Se realizaban elecciones anuales para seis de ellos, quienes cumplían por periodos de cuatro años. La junta supervisaba las políticas del zoológico y establecía directrices para miembros, concesiones, recaudación de fondos y marketing. Sin embargo, la creación de políticas y las operaciones eran controladas por la Comisión del Parque Audubon, quien establecía los horarios del zoológico, las cuotas de admisión, etcétera.

Mediante su programa de voluntarios, Amigos del Zoológico proporcionaban el personal para muchos de los programas. Miembros de Amigos del Zoológico actuaban como "educadores del zoológico", voluntarios capacitados especialmente para conducir programas educativos interpretativos y "Patrulleros de Área del Zoológico" quienes ofrecían información general en el mismo y colaboraban con el control de los visitantes. Otros voluntarios apoyaban en la comisaría, el Centro de Cuidado de Salud Animal, y la Rehabilitación de Aves Salvajes o ayudaban con las membresías, las relaciones públicas, las gráficas, el trabajo administrativo, la investigación y la horticultura.

6.0

CUADRO 2
Declaración de misión del Instituto Audubon

La misión del Instituto Audubon es cultivar la conciencia y el aprecio de la vida y los recursos de la tierra, así como ayudar a conservar y enriquecer nuestro mundo natural. Los principales objetivos del Instituto para lograr esto son:

Conservación: Participar en el esfuerzo global de conservación de recursos naturales mediante el desarrollo y el mantenimiento de colecciones de plantas, animales y vida marina que están en peligro de extinción y a través de la cooperación con proyectos relacionados con la vida silvestre.

Educación: Impartir conocimiento y comprensión de la interacción de la naturaleza y el hombre por medio de programas, exposiciones y publicaciones, así como fomentar la participación del público en los esfuerzos globales de conservación.

Investigación: Fomentar la recolección y diseminación de información científica que enriquezca los objetivos de conservación y educación de las instalaciones del Instituto Audubon.

Economía: Garantizar la seguridad financiera de largo plazo por medio de una administración fiscal coherente y un desarrollo continuo, con captación de fondos a través de medios creativos que fomenten el apoyo de las corporaciones, las fundaciones y los individuos.

Liderazgo: Actuar como modelo en las comunidades cívicas y profesionales. Fomentar un espíritu de cooperación, participación y orgullo.

Fuente: El Instituto Audubon

CUADRO 3
Cronología de principales eventos para el zoológico

1972	Los votantes aprobaron un referéndum para contar con fondos fiscales para renovar y ampliar el zoológico. Tuvo lugar el primer evento Zoológico por Hacer. Se instituyó una tarifa de admisión.
1973	La Comisión de Planeación de la Ciudad aprobó el proyecto maestro inicial para el Parque Zoológico Audubon que requería \$3.4 millones de dólares para la ampliación. Las fases posteriores requerían \$2.1 millones adicionales.
1974	Se forma el grupo Amigos del Zoológico con 400 miembros para incrementar el apoyo y conciencia del zoológico.
1975	Inicia la renovación con \$25 millones en fondos públicos y privados; de 14 acres se expande a 58 acres.
1976	Amigos del Zoológico asume la responsabilidad de las concesiones.
1977	John Moore parte a Albuquerque; Ron Forman asume la responsabilidad como director del parque y del zoológico.
1980	El primer grupo de empleados educativos de tiempo completo inicia labores en el zoológico.
1981	Un contrato firmado permite a la compañía New Orleans Steamboat Company llevar pasajeros del centro de la ciudad al parque.
1981	Delegados de la Asociación Norteamericana de Parques Zoológicos y Acuarios calificaron al Zoológico Audubon como uno de los tres mejores zoológicos de su tamaño en Norteamérica.
1981	El zoológico es certificado.
1982	La Comisión del Parque Audubon se reorganiza bajo la ley 352, que exige a la Comisión realizar un contrato con una organización no lucrativa para la administración diaria del parque.
1985	El zoológico fue declarado como un Centro de Rescate para Plantas en Peligro de Extinción.
1986	Los electores aprobaron la emisión de un bono por \$25 millones para el acuario.
1988	Amigos del Zoológico se convierte en el Instituto Audubon.
1990	El Acuario de las Américas se abre en septiembre.

Fuente: El Instituto Audubon

CUADRO 4
Tarifas de admisión

Tarifas de admisión		
Año	**Adulto**	**Niño**
1972	$0.75	$0.25
1978	1.00	0.50
1979	1.50	0.75
1980	2.00	1.00
1981	2.50	1.25
1982	3.00	1.50
1983	3.50	1.75
1984	4.00	2.00
1985	4.50	2.00
1986	5.00	2.50
1987	5.50	2.50
1988	5.50	2.50
1989	6.00	3.00
1990	6.50	3.00
1991	7.00	3.25
Entradas		
Año	**Número de entradas pagadas**	**Número de entradas de miembros**
1972	163000	
1973	310000	
1974	345000	
1975	324000	
1976	381000	
1977	502000	
1978	456000	
1979	561000	
1980	707000	
1981	741000	
1982	740339	78950
1983	835044	118665
1984	813025	128538
1985	856064	145020
1986	916865	187119
1987	902744	193926
1988	899181	173313
1989	711709	239718
1990	725469	219668

Fuente: El Instituto Audubon

En 1988, la denominación de Amigos del Zoológico se cambió a Instituto Audubon para reflejar su creciente interés más allá de las actividades del zoológico. Planeaba promover el desarrollo de otras instalaciones y administrarlas una vez que las mismas fueran una realidad.

Recaudación de fondos. El Parque Zoológico Audubon y los Amigos del Zoológico recaudaban fondos mediante cinco tipos principales de actividades: La membresía Amigos del Zoológico, las concesiones, el programa "adopte un animal", el programa "Zoológico por hacer" y los juegos para recaudar fondos. Los directores de zoológicos de todo el país venían al Parque Zoológico de Audubon para obtener consejos sobre la recaudación de fondos.

Membresía. La membresía de Amigos del Zoológico se encontraba abierta a todo mundo. Las tarifas de la membresía se incrementaron con el tiempo como se muestra en el cuadro 5; sin embargo, el número de miembros aumentó de forma constante, de los 400 miembros originales en 1974 a 38 000 miembros en 1990, aunque disminuyó a 28 000 en 1992. La membresía permitía la libre entrada al parque zoológico Audubon así como a muchos otros zoológicos en los Estados Unidos. La participación en las reuniones anuales exclusivas para los miembros así como en los muchos programas voluntarios descritos antes, eran otros beneficios de la membresía.

La expansión de la membresía exigía un enfoque especial de marketing del zoológico. Chip Weigand, director de marketing, expresó:

...E[n] la comercialización de las membresías intentamos fomentar la repetición de las visitas, la sensación de que uno puede asistir tan seguido como se desee, la idea de que el zoológico cambia de una visita a otra y el hecho de que existen buenas razones para realizar una inversión importante o donación para una tarjeta de membresía, en lugar de pagar por cada visita... [E]l factor determinante es contar con un buen zoológico que la gente desee visitar con frecuencia, de modo que la membresía tenga un sentido económico.

Los resultados de una investigación de los visitantes al zoológico se presentan en los cuadros 6 y 7.

En 1985, el zoológico anunció una nueva membresía diseñada para las empresas, el Club de Guardianes del Zoológico Audubon, con cuatro categorías de membresía: La bronce, $250; la plata, $500; la oro, $1 000; y la platino, $2 500 y más.

Concesiones Los Amigos del Zoológico se encargaron de las concesiones del Parque Zoológico Audubon para bebidas y regalos en 1976 mediante un proceso público de licitación. Las concesiones eran administradas por miembros voluntarios de Amigos del Zoológico y todas las utilidades eran para el zoológico. Antes de 1976, las rentas de las concesiones proporcionaban $1 500 en un buen año. Las utilidades de la operación de concesiones de Amigos del Zoológico proporcionaron $400 000 por año para 1980 y casi $700 000 en utilidades para 1988. En 1993, Amigos del Zoológico consideraba arrendar las concesiones a un proveedor externo.

Adopte un animal. El grupo Padres del Zoológico pagaban una cuota para "adoptar" un animal, la cual variaba según el animal elegido. Los nombres de los Padres del Zoológico se presentaban en un amplio señalamiento dentro del mismo. Además, tenían su propia celebración anual, el Día de los Padres del Zoológico.

Zoológico por hacer. Zoológico por hacer era un evento formal de etiqueta que se llevaba a cabo de forma anual con música en vivo, comida y bebida, y con recuerdos originales de alto nivel como carteles o collares de cerámica. Los boletos de entrada estaban limitados a 3 000 por año y tenían precios que iban desde $100 por persona. Se realizaba una rifa de gran variedad de artículos en conjunto con el evento. desde una oportunidad para ser guardián del zoológico por

CUADRO 5
Membresías y cuotas de membresía

Año	Cuota de membresía familiar	Cuota de membresía individual	Número de membresías
1979	$20	$10	1 000
1980	20	10	7 000
1981	20	10	1 100
1982	25	15	18 000
1983	30	15	22 000
1984	35	20	26 000
1985	40	20	27 000
1986	45	25	28 616
1987	45	25	29 318
1988	45	25	33 314
1989	49	29	36 935
1990	49	29	38 154

Fuente: El Instituto Audubon.

CUADRO 6

Características de entrevistados de visitantes del zoológico de acuerdo a frecuencia de visitas (en %)

Características del encuestado	Número de visitas durante los últimos dos años: Cuatro o más	Dos o tres	Una o dos	Nunca ha visitado
Edad				
Menor a 27	26	35	31	9
De 27 a 35	55	27	15	3
De 36 a 45	48	32	11	9
De 46 a 55	18	20	37	25
Mayor a 55	27	29	30	14
Estado civil				
Casado	41	28	20	11
Soltero	30	34	24	13
Hijos				
Sí	46	30	15	9
No	34	28	27	12
Interesados en visitar Acuario de Nueva Orleáns				
Bastante, énfasis	47	26	18	9
Bastante, sin énfasis	45	24	23	12
Un poco	28	37	14	11
Muy poco	19	32	27	22
Miembro de Amigos del Zoológico				
Sí	67	24	6	4
No, pero había escuchado	35	30	24	12
Nunca había escuchado	25	28	35	13
¿Estaría dispuesto a unirse a Amigos del Zoológico (sólo para no miembros)?				
Muy dispuesto/algo dispuesto	50	28	14	8
Nada dispuesto/no sabe	33	29	26	12

Fuente: El Instituto Audubon.

un día, hasta el uso de un Mercedes-Benz por un año. A pesar de su alto precio, el Zoológico por hacer era un evento popular cada año. Los restaurantes locales y otros negocios donaban la mayor parte de las provisiones necesarias, lo que disminuía el costo del evento. En 1985, el Zoológico por hacer recaudó casi $500 000 en una noche, más dinero que cualquier otra organización no médica de recaudación de fondos en el condado.[6]

Publicidad

El Zoológico Audubon lanzó impresionantes campañas publicitarias en los años ochentas y recibió premios ADDY de parte del Club de Publicidad de Nueva Orleáns año con año.[7] En 1986, la cinta *Urban Eden*, producida por Alford Advertising y Buckholtz Productions, Inc. en Nueva Orleáns, obtuvo el primer lugar entre cincuenta participantes de la categoría "cintas documentales, relaciones públicas" del octavo Festival Anual de Cine Internacional de Houston. El reconocimiento dorado de primer lugar reconoció a la cinta por reflejar intensamente al Zoológico Audubon como un entorno de conservación en lugar de uno de confinación.

En el mismo año, subsidiarias locales de televisión de ABC, CBS y NBC produjeron anuncios independientes de televisión al utilizar el tema: "Uno de los mejores zoológicos del mundo se encuentra en su propio patio trasero... ¡Zoológico Audubon!" Junto con algunas innovadoras tomas del Zoológico Audubon que se encontraban en el "patio" de alguien, famosas personalidades locales del mundo noticioso disfrutaban "convivir" con los animales, y el zoológico disfrutaba una exposición gratis.[8]

6.0

CUADRO 7
Importancia relativa de los siete motivos por los cuales los encuestados no visitaban al zoológico más seguido (en %)

Motivo (limitado)	Muy importante, con énfasis	Muy importante, sin énfasis	Algo importante	Sin importancia
La distancia del zoológico a su lugar de residencia	7	11	21	60
El costo de una visita al zoológico	4	8	22	66
No se encuentra interesado en los animales del zoológico	2	12	18	67
Los problemas de estacionamiento los fines de semana	7	11	19	62
La idea de que se cansa de ver las mismas muestras una y otra vez	5	18	28	49
Es demasiado caluroso durante los meses de verano	25	23	22	30
No se le había ocurrido la idea	8	19	26	48

Fuente: El Instituto Audubon

En 1993, el presupuesto de marketing fue de $800 000, lo que incluye las ventas de grupo, las relaciones públicas, la publicidad y los eventos especiales. No se incluían en este presupuesto las membresías ni la recaudación de fondos. En el cuadro 8 se puede observar el desglose porcentual del presupuesto de marketing.

La Asociación Norteamericana de Parques Zoológicos y Acuarios informó que la mayor parte de los zoológicos descubren que la mayoría de sus visitantes viven en un solo centro urbano cercano al parque.[9] De este modo, para mantener la concurrencia con los años, los zoológicos deben atraer a los mismos visitantes de forma repetida. Un gran número de

CUADRO 8
Presupuesto de marketing para 1991

Marketing	
General y administrativo	$ 30 900
Ventas	96 300
Relaciones Públicas	109 250
Publicidad	304 800
Eventos especiales	157 900
TOTAL	$699 150

Relaciones Públicas	
Educación, viajes y suscripciones	$5 200
Impresión y copias	64 000
Servicios profesionales	15 000
Entrega y franqueo	3 000
Teléfono	1 250
Entretenimiento	2 000
Suministros	16 600
Varios	2 200
TOTAL	$109 250

Publicidad	
Medios	$244 000
Producción	50 000
Servicio de cuentas	10 800
TOTAL	$304 800

Eventos especiales	
General y administrativo	$-27 900
Festival del pantano de LA	35 000
Festival de la tierra	25 000
Desayuno Tortugas Ninja	20 000
Sondeo de jazz	15 000
Fiesta latina	10 000
Evento felino de media luna	10 000
Otros eventos	15 000
TOTAL	$157 900

Fuente: El Instituto Audubon

CUADRO 9
Algunos programas promocionales del Parque Zoológico Audubon

Mes	Actividad
Marzo	**Festival de herencia cultural negra de Louisiana.** Celebración de dos días de la historia cultural negra de Louisiana así como de sus aportaciones por medio de la comida, la música, las artes y las manualidades.
Marzo	**Festival de la Tierra.** El medio ambiente y nuestro planeta son el centro de este evento educativo y entretenido, con presentaciones de actividades de reciclaje, exhibiciones de conservación y despliegue de marionetas.
Abril	**Sondeo de jazz.** Esta serie de entretenimiento está dirigida a encontrar nuevos talentos; los ganadores se presentan en el Festival de Jazz y Cultura de Nueva Orleáns.
Abril	**Zoológico por hacer para niños.** Esta versión "pequeña" del Zoológico por hacer, ofrece diversión y juegos para niños.
Mayo	**Zoológico por hacer.** Evento anual de gala para la recaudación de fondos que presenta a cerca de 100 de los mejores restaurantes de Nueva Orleáns y tres presentaciones musicales.
Mayo	**Concierto del día de las madres de Irma Thomas.** Celebración anual del día de las madres acompañada de un buffet.
Agosto	**Invitación de Lego.** Las empresas de arquitectura convierten miles de piezas de Lego en creaciones originales.
Septiembre	**Fiesta latina.** Experimente lo mejor que la comunidad hispana ofrece a través de la música, la cocina, las artes y las manualidades.
Octubre	**Festival del Pantano de Louisiana.** La comida tipo cajun, la música y las artesanías dan realce a este evento de cuatro días del condado del río de Louisiana; ofrece contacto directo con animales vivos del pantano.
Octubre	**Boo en el Zoo.** Esta producción anual de noche de brujas presenta juegos, entretenimiento especial, trato o truco, una casa encantada y el tren fantasmagórico del zoológico.

Fuente: El Instituto Audubon

6.0

programas promocionales y eventos especiales están dirigidos a lograr esto.

El progreso fue lento fuera de la comunidad local. Por ejemplo, Simon & Schuster, una respetable empresa editora, en su *Guía de Nuevo Orleáns 1983-1984* de 218 páginas, sólo presenta una referencia de tres palabras sobre "un zoológico agradable". Un estudio de 1984 encontró que sólo 36% de los visitantes eran turistas, e incluso esta cifra pudo verse influida en cierto grado debido a un exceso de gente proveniente de la Feria Mundial.

Programas promocionales

El Parque Zoológico Audubon y los Amigos del Zoológico realizaban un gran número de exitosos programas promocionales. La intención era mantener las celebraciones y las fiestas de forma continua, para atraer una variedad de gente al zoológico (y obtener ingresos adicionales). El cuadro 9 presenta los principales programas promocionales anuales que realizaba el zoológico.

Además de estas promociones anuales, el zoológico programaba conciertos con reconocidos músicos, como Irma Thomas, Pete Fountain, The Monkees y Manhattan Transfer, así como otros eventos especiales durante el año. Como resultado de esto, cada mes se presentaba una variedad de eventos.

Durante todo el año se realizaban muchas actividades educativas, las cuales incluían 1) un programa de guardián infantil de zoológico para escolares de séptimo y octavo grado; 2) un programa de internado para estudiantes de preparatoria y universidad, y 3) un zoológico móvil que llevaba animales vivos a ubicaciones tales como clases de educación especial, los hospitales y los hogares de reposo.

Políticas de admisión

La comisión recomendó a la institución una cuota de admisión. Los argumentos generalmente presentados contra un cobro de este tipo sostenían que ocasionaría una disminución general de la asistencia y una reducción en los ingresos fuera de taquilla. Quienes lo apoyaban sostenían que los cobros de taquilla controlaban el vandalismo, generaban mayores ingresos y ocasionaban una mayor conciencia pública y aprecio de las instalaciones. A principios de los años setenta, ningún zoológico internacional importante cobraba la admisión, y 73% de los 125 zoológicos en los Estados Unidos no cobraban admisión.

La comisión argumentaba que no existía tal cosa como un zoológico gratis; alguien debía pagar. Si el zoológico era financiado por los impuestos, entonces los habitantes locales cargarían con una parte desproporcionada del costo. En esa época, el vecino Jefferson Parish crecía irregularmente y seguramente atraería una amplia comunidad sin pagar al zoológico. Además, dado que la mayor parte de los zoológicos representan atracciones turísticas, los turistas debían pagar, dado que contribuyen muy poco con los ingresos fiscales locales.

La asistencia anual promedio para un zoológico podía estimarse mediante cifras proyectadas de población multiplicadas por un "factor de generación de visitantes". El factor promedio de generación de visitantes de catorce zoológicos de tamaño y clima similar al Zoológico Audubon era de 1.34, con un amplio rango desde un nivel de 0.58 en las ciudades de Phoenix y Miami hasta un nivel de 2.80 en Jackson, Mississippi.

Atracción de más turistas y otros visitantes

Un paseo en bote en el romántico barco de vapor con paletas *Cotton Blossom* llevaba a los visitantes desde el centro de la ciudad de Nueva Orleáns hasta el zoológico. Originalmente, el recorrido iniciaba en un muelle en el barrio francés, pero posteriormente fue movido a un muelle colindante con la atracción más novedosa de Nueva Orleáns, el Riverwalk, un desarrollo de Rouse, en el sitio donde se realizó la Exposición Mundial de Louisiana de 1984. El paseo en bote no sólo era divertido, también atraía a los turistas y participantes de convenciones desde las atracciones del centro del barrio francés y el nuevo Riverwalk hasta el zoológico, unas seis millas corriente arriba. Otro atractivo del paseo en bote era un viaje de regreso al centro en el tranvía de Nueva Orleáns, uno de los pocos tranvías restantes en los Estados Unidos. El crucero al zoológico no solo llevó más visitantes sino que también generó ingresos adicionales a través de las tarifas de desembarque pagadas por la empresa New Orleans Steamboat Company y ayudó a desplazar el tráfico fuera del centro de Nueva Orleáns.[10]

Financiamiento

La capacidad del zoológico de generar fondos operativos se atribuyó a la dedicación de los Amigos del Zoológico, al continuo incremento en las entradas, así como a los eventos y programas especiales. Con una historia de fondos operativos adecuados el zoológico podía garantizar a los contribuyentes de capital que sus donaciones serían utilizadas para construir y mantener exposiciones de primera calidad. En el cuadro 10 se presenta una comparación de los estados de resultados de 1989 y 1990 para el Instituto Audubon.

Impulsores de los fondos de financiamiento

El Fondo para el desarrollo del Zoológico Audubon se estableció en 1973. El apoyo corporativo/industrial del zoológico ha sido muy importante, muchas empresas han financiado la construcción de exhibiciones e instalaciones del zoológico. En el cuadro 11 se presenta una lista parcial de los principales patrocinadores corporativos. Se considera que un patrocinio dura el periodo de la exhibición. El departamento de desa-

CUADRO 10

Instituto Audubon, Inc. Estados de resultados del Parque Audubon y Jardín Zoológico.

	1989	1990 (Zoológico)	1990 (Acuario)
Ingreso Operativo			
Entradas	$2952000	$3587000	$3664000
Operaciones de alimentos y regalos	2706000	3495500	711000
Membresías	1476000	1932000	2318000
Programas recreativos	410000	396000	0
Servicios al visitante	246000	218000	0
Otros	410000	32000	650000
INGRESOS TOTALES	$8200000	$9660500	$7343000
Gastos operativos			
Mantenimiento	$1394000	$1444000	$1316000
Educación/gestión	2296000	2527500	2783000
Operaciones de alimentos y regalos	1804000	2375000	483000
Membresías	574000	840000	631000
Recreación	328000	358000	362000
Marketing	410000	633000	593000
Servicios al visitante	574000	373000	125000
Administración	820000	1110000	1050000
GASTOS TOTALES	$8200000	$9660500	$7343000

Fuente: El Instituto Audubon

CUADRO 11
Principales patrocinadores corporativos

Amoco Foundation	Louisiana Coca-Cola Bottling Company, Ltd.
American Express	Louisiana Land and Exploration Company
Anheuser-Busch, Inc.	Martin Marietta Manned Space Systems
Arthur Andersen and Company	McDonald's Operators of New Orleans
J. Aron Charitable Foundation, Inc.	Mobil Foundation, Inc.
Bell South Corporation	National Endowment for the Arts
BP America	National Science Foundation
Chevron USA, Inc.	Ozone Spring Water
Conoco, Inc.	Pan American Life Insurance Company
Consolidated Natural Gas Corporation	Philip Morris Companies Inc.
Entergy Corporation	Shell Companies Foundation, Inc.
Exxon Company, USA	Tenneco, Inc.
Freeport-McMoRan, Inc.	Texaco USA
Host International, Inc.	USF&G Corporation
Kentwood Spring Water	Wendy's of New Orleans, Inc.

Fuente: El Instituto Audubon

rrollo operaba sobre una tasa de gastos generales de 12%, lo que significaba que 88 centavos de cada dólar obtenido, iban a los proyectos. En 1989, el plan maestro para el desarrollo se encontraba en 75% terminado. El objetivo de recaudación de fondos del zoológico para 1989 fue de $1 500 000.

Administración

El director del zoológico

A Ron Forman, el director del Zoológico Audubon, se le consideraba como un "extraordinario maestro del zoológico" y era descrito por la prensa como una "mezcla entre el Doctor Doolittle y el Mago de Oz", como un "visionario práctico", y como "una persona seria pero con sentido del humor". [11] Nativo de Nueva Orleáns, Forman abandonó un programa de maestría en dirección de empresas para unirse al gobierno de la ciudad como asistente administrativo y se encontró con la realización de un proyecto de análisis de negocio sobre el Parque Audubon. Una vez que la ciudad se comprometió con el nuevo zoológico, Forman fue colocado en una junta como asistente del director del zoológico, John Moore. A principios de 1977, Moore abandonó la batalla entre "gente animal" y "gente gente",[12] y Forman tomó el control como director del parque y del zoológico.

Se dijo que Forman había introducido un estilo de maestría en dirección aplicado al zoológico, que era responsable de transformarlo de una carga pública a en la práctica una operación autosuficiente. El resultado no sólo benefició a los residentes de la población sino que también añadió una importante atracción turística a la ciudad que se encontraba en apuros económicos en los años ochenta.

Personal

El zoológico empleaba dos tipos de trabajadores, de servicio civil mediante la Comisión del Parque Audubon y de servicio no civil. Los empleados de servicio civil incluían a los guardianes y cuidadores del zoológico. Estas personas caían dentro de la jurisdicción del sistema de servicio civil de la ciudad pero eran remunerados a partir del presupuesto de Amigos del Zoológico. Los empleados que trabajaban en las relaciones públicas, la publicidad, las concesiones, la recaudación de fondos, etcétera, eran contratados por medio de Amigos del Zoológico y no eran parte del sistema de servicio social. Vea el cuadro 12 para una mayor información sobre los patrones de personal.

CUADRO 12
Estructura de empleados

Año	Número de empleados contratados	Número de voluntarios
1972	36	
1973	49	
1974	69	
1975	90	
1976	143	
1977	193	
1978	184	
1979	189	
1980	198	
1981	245	
1982	305	
1983	302	56
1984	419	120
1985	454	126
1986	426	250
1987	431	300
1988	462	310
1989	300	270
1990	450	350

Fuente: El Instituto Audubon

El zoológico a finales de la década de 1980

Todo visitante del nuevo Parque Zoológico Audubon rápidamente podía observar por qué los residentes de Nueva Orleáns se sentían tan orgullosos de su zoológico. En una ciudad conocida como una de las más sucias de la nación, el zoológico se encontraba en la práctica inmaculado. Esto era resultado de una selección adecuada del personal y del evidente orgullo tanto de quienes trabajaban ahí como de quienes lo visitaban. Una de las primeras indicaciones que daban los voluntarios que guiaban grupos escolares era que cualquiera que viera un trozo de basura en el piso, debía recogerlo.[13] Una encuesta de la ciudad de 1986 mostró que 93% de los residentes encuestados otorgaron al zoológico una alta calificación de aprobación, un resultado demasiado alto para cualquier dependencia pública.

6.0

El prestigio también provino de grupos externos al área local. Delegados de la Asociación Norteamericana de Parques Zoológicos y Acuarios calificaron al Parque Zoológico Audubon como uno de los tres mejores zoológicos de su tamaño en América. En 1982, la Asociación Norteamericana de Viveros otorgó al zoológico un Premio Especial de los jueces debido a su utilización de materiales orgánicos. En 1985, el Parque Zoológico Audubon recibió el Reconocimiento Phoenix de parte de la Sociedad Norteamericana de Reporteros de Viajes por sus logros en conservación, preservación y embellecimiento.

Para 1987, el zoológico ya casi era autosuficiente. La pequeña cantidad de fondos que se recibían de parte de las subvenciones del gobierno correspondían a menos del 10% del presupuesto. El plan maestro para el desarrollo del zoológico se encontraba al 75% de avance, y la exhibición de reptiles estaba programada para terminarse en el otoño. La organización se había extendido con un cuadro completo de profesionales y administradores (vea el cuadro 13 para la estructura organizacional del zoológico).

A pesar de que el zoológico realizó grandes progresos en quince años, no todo estuvo tranquilo en la parte política. En una batalla legal, la ciudad venció al estado en el asunto de quien ejercía la última autoridad sobre el parque y zoológico Audubon. Efectivamente, el zoológico se benefició de tres amables alcaldes consecutivos, primero con Moon Landrieu, quien abogó por el nuevo zoológico, Ernest "Dutch" Morial, hasta Sydney Barthelemy quien dio su apoyo tanto a la propuesta de acuario como del zoológico dirigida por Ron Forman.

El futuro

Nuevo sentido del zoológico

El director del zoológico Ron Forman demostró que los zoológicos cuentan con un potencial casi ilimitado. El artículo de una revista de 1980 de Nueva Orleáns citó algunas de las ideas de Forman, que iban desde un tren de safari hasta un centro de reproducción para animales exóticos; este último cuenta con la atracción adicional de ser un potencial generador de recursos dado que un cachorro de león asiático, por ejemplo, se vende aproximadamente en $10 000. Esta abundancia de ideas era importante debido a que se requiere una expansión de instalaciones y programas para mantener la asistencia de cualquier atracción pública. La idea más ambiciosa de Forman era localizar un acuario y un parque de rivera al pie del Canal Street.

A pesar de que el zoológico disfrutaba de un apoyo político en 1992, Nueva Orleáns todavía sufría de una alta tasa de desempleo y de una economía general en depresión, resultado de la caída de la industria petrolera. Algunos economistas predijeron el inicio de un cambio gradual en las condiciones para 1988, pero cualquier mejora importante en la economía se pronosticaba todavía lejana en 1993 (en el cuadro 14 se presentan algunos datos relevantes de Nueva Orleáns). Además, el zoológico operaba en una ciudad en la que diversas atracciones competían por los dólares destinados al esparcimiento de los residentes y visitantes. El Jardín Zoológico Audubon debía competir contra el Barrio Francés, el jazz de Dixieland, el Superdomo, e incluso contra la atracción más grande de la ciudad, el Mardi Gras.

El acuario de Nueva Orleáns

En 1986, Forman y un grupo de benefactores propusieron el desarrollo de un acuario y un parque de ribera al Consejo de la Ciudad de Nueva Orleáns. En noviembre de 1986, el electorado votó por subvencionar un acuario y parque de ribera por un margen de 70% (uno de los márgenes más grandes que la ciudad ha otorgado a alguna propuesta impositiva). Forman[14] elogió este voto de confianza de los residentes como un mandato para construir un acuario de clase mundial que generaría nuevos empleos, estimularía la economía local y crearía un recurso educativo para los niños de la ciudad.

El Acuario de las Américas abrió sus puertas en septiembre de 1990. El proyecto del acuario de $40 millones se concretó cuando se colocó una vía peatonal para los visitantes entre las principales atracciones del Riverwalk y el Jax Brewery, un centro comercial en el barrio francés.

La administración del acuario se estableció bajo el Instituto Audubon, la misma organización que manejaba el Zoológico Audubon. Un estudio de factibilidad preparado por Harrison Price Company[15] proyectó una cantidad probable de visitantes de 863 000 para el año de 1990, con 75% de los visitantes externos al área metropolitana. La cifra de asistencia se alcanzó en tan sólo cuatro meses y seis días a partir de la gran apertura. La asistencia permaneció alta durante todo 1992, después de una ligera caída desde las cifras de la gran apertura inicial.

Mientras tanto, el zoológico debía planear su propio futuro. Las nuevas instalaciones físicas y de cuidado profesional reportaban atractivos beneficios en forma de una mayor asistencia y de nuevos nacimientos de animales. Sin embargo, el zoológico no podía extenderse en su ubicación actual debido a una falta de terrenos en la ciudad. Forman y el zoológico consideraron varias alternativas. Una era contar con pequeños zoológicos "vecinales" por toda la ciudad. Otra era un centro de supervivencia especial, un área especial de reproducción independiente ubicada fuera de los límites de la ciudad donde existían terrenos disponibles.

Forman presentó los planes para un proyecto denominado Riverfront 2000, que incluía la expansión del acuario, del Parque Woldenberg Riverfront, un centro de supervivencia de especies, un jardín botánico, un museo de insectos, un museo de historia natural y una ampliación del zoológico. Con el zoológico en operación de forma consistente, parecía que el personal requería nuevos retos a superar, y se necesitaban nuevas instalaciones o programas para continuar el incremento de la asistencia.

6.0

CUADRO 13
Comisión del Parque Audubon

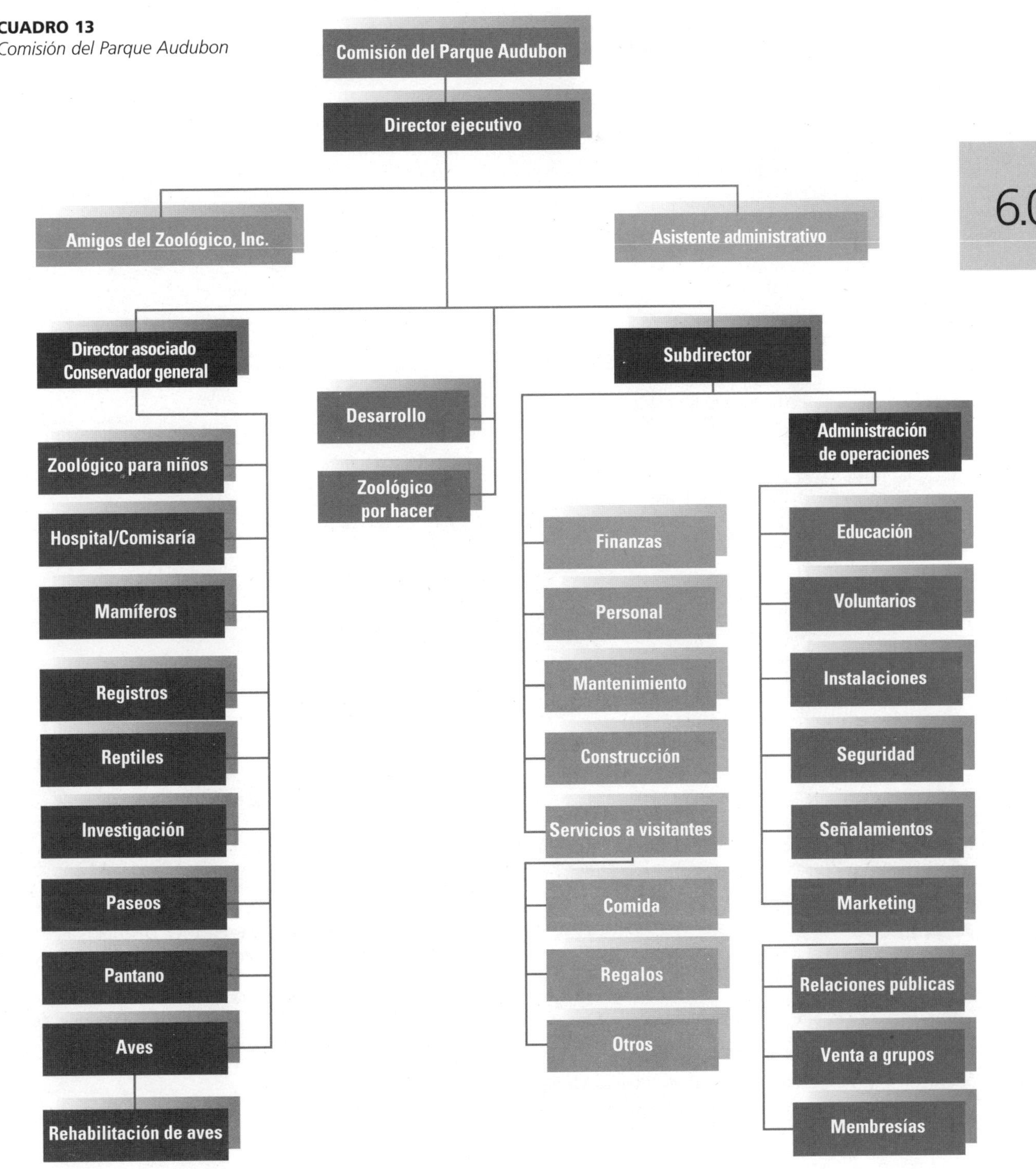

6.0

CUADRO 14
Algunos datos relevantes del área estadística metropolitana de Nueva Orleáns

Población	1 324 400
Hogares	489 900
Edad promedio	30.8 años
Ingreso promedio efectivo para compras por hogar	$29 130
Temperatura promedio	70° F
Precipitación anual promedio	63 pulgadas
Elevación promedio	5 pies debajo del nivel del mar
Área	363.5 millas cuadradas
	199.4 millas cuadradas de tierra
Principales actividades económicas	
Turismo (5 millones de visitantes por año)	
Industria del gas y petróleo	
El Puerto de Nueva Orleáns (170 millones de toneladas de cargamentos/año)	
Impuestos	
Impuesto estatal a las ventas	4.0%
Impuesto municipal (condado) a las ventas	5.0% (Orleáns)
impuesto estatal a los ingresos	2.1%-2.6% en los primeros $20 000
	3.0%-3.5% en los siguientes $30 000
	6.0% sobre $51 000 y más
El impuesto municipal sobre la propiedad de 126.15 millones (Orleáns) está basado en el 10% de valor estimado en $75 000 de la exención de hacienda.	

Fuente: Sales and Marketing Management. South Central Bell Yellow Pages, 1991.

Notas

1. Millie Ball, "The New Zoo of 82", *Dixie Magazine, Sunday Times Picayune* (24 de junio, 1979).
2. Merikaye Presley, "Neighbors Objecting to Audubon Zoo Expansion Project in Midst of Work", *Times Picayune* (30 de marzo, 1975), A3.
3. "Zoo Expansion is Ruled Illegal", *Times Picayune* (20 de enero, 1976).
4. Íbid.
5. "Society Seeks Change at Zoo", *Times Picayune* (29 de abril, 1972), D25.
6. "Zoo Thrives Despite Tough Times in New Orleans", *Jefferson Business* (agosto 1985), A1.
7. Íbid.
8. Sharon Donovan, "New Orleans Affiliates Monkey Around for Zoo", *Advertising Age* (17 de marzo, 1986).
9. Karen Sausmann, ed., *Zoological Park and Aquarium Fundamentals* (Wheeling, W. Va.: American Association of Zoological Parks and Aquariums, 1982), 111.
10. Diane Loupe, "Riverboat Rides to Zoo Are Planned", *Times Picayune* (30 de noviembre, 1981), A17.
11. Steve Brooks, "Don't say 'No Can Do' to Audubon Zoo Chief", *Jefferson Business* (5 de mayo, 1986), 1.
12. Ross Yuchey, "No Longer is Heard a Discouraging Word at the Audubon Zoo", *New Orleans* (agosto 1980), 53.
13. Íbid, 49.
14. "At the Zoo" (invierno 1987).
15. "Feasibility Analysis and Conceptual Planning for a Major Aquarium Attraction", preparado para la ciudad de Nueva Orleáns (marzo 1985).

Referencias

Ball, Millie. "The New Zoo of 82", *Dixie Magazine, Sunday Times Picayune* (24 de junio, 1978).

Beaulieu, Lovell. "It's All Happening at the Zoo", *Sunday Times Picayune* (28 de enero, 1978).

Brooks, Steve. "Don't say 'No Can Do' to Audubon Zoo Chief", *Jefferson Business* (5 de mayo, 1986).

Oficina de Investigación Gubernamental, Ciudad de Nueva Orleáns, "Audubon Park Zoo Study, Part I, Zoo Improvement Plan" (Nueva Orleans, La.: Oficina de Investigación Gubernamental, agosto 1971)

Oficina de Investigación Gubernamental, Ciudad de Nueva Orleáns, "Audubon Park Zoo Study, Part II, An Operational Analysis" (Nueva Orleans, La.: Oficina de Investigación Gubernamental, agosto 1971)

Donovan, S. "The Audubon Zoo: A Dream Come True", *Nueva Orleans* (mayo 1986), 52-66.

"Feasibility Analysis and Conceptual Planning for a Major Aquarium Attraction", preparado para la ciudad de Nueva Orleáns (marzo 1985).

Forman, R. J. Logsdon y J. Wilds, "Audubon Park: An Urban Eden" (Nueva Orleans, La.; Los Amigos del Zoológico, 1985).

Poole Susan. *Frommer's 1983-1984 Guide to New Orleans*, (Nueva York: Simon & Schuster, 1983).

Sausmann, Karen, ed., *Zoological Park and Aquarium Fundamentals* (Wheeling, WVa.: American Association of Zoological Parks and Aquariums, 1982).

Yuchey Ross "No Longer is Heard a Discouraging Word at the Audubon Zoo", *Nueva Orleáns* (agosto 1980), 49-60.

Zuckerman, S., ed. *Great Zoos of the World* (Boulder, Co.: Westview Press, 1980).

Caso integrador 7.0

Moss Adams, LLP

7.0

En enero de 2001, Jeff Gutsch, director de Moss Adams, LLP, un despacho contable ubicado en Santa Rosa, California, se reunió con su equipo para analizar el progreso de una nueva iniciativa para el desarrollo de algunos métodos contables del despacho para atender a clientes de la industria vitivinícola del norte de California. En la reunión, Gutsch y su equipo del nicho vitivinícola revisaron el plan estratégico para el año entrante (cuadro 1).

CUADRO 1
Plan estratégico para el nicho vitivinícola de Moss Adams, 2001

Moss Adams, LLP
Oficina de Santa Rosa
Consultores para la industria vitivinícola
Plan estratégico 2001

Declaración de misión

Nuestra meta es convertirnos en el despacho dominante de consultoría de negocios y contable para atender a la industria vitivinícola, mediante el ofrecimiento de servicios superiores y de valor agregado que se ajusten a las necesidades de los viñedos y bodegas del mundo del norte de California, así como convertirnos en expertos en este ámbito industrial.

- Esperamos alcanzar esta meta para el 31 de diciembre de 2004.

Visión a cinco años

Somos reconocidos como la primera firma de consultoría de negocios y contable en los condados de Sonoma, Mendocino y Napa. Somos los líderes en el grupo industrial vitivinícola de toda la empresa Moss Adams, y ayudamos a posicionar a Moss Adams como la empresa dominante en las regiones vitivinícolas de Washington y Oregon. Hemos capacitado y desarrollado expertos reconocidos en la industria en las áreas fiscales, contables y de consultoría de negocios. Nuestro equipo es entusiasta y consagrado al nicho.

El mercado

- Un objetivo de toda la empresa es incrementar el tamaño promedio de nuestros clientes de negocios. Esperamos administrar el nicho vitivinícola con ese objetivo en mente. No obstante, durante los primeros dos a tres años, intentaremos dedicarnos a viñedos y bodegas vitivinícolas más pequeñas que los nichos más maduros de la empresa. Cuando este nicho sea más maduro incrementaremos el tamaño mínimo de los clientes potenciales. Esta estrategia nos ayudará a obtener experiencia y forjar la confianza en Moss Adams dentro de la industria, ya que se trata de una industria que intenta buscar empresas que estén bien establecidas en la industria vitivinícola.
- Existen aproximadamente 122 bodegas vitivinícolas en el condado de Sonoma, 168 en el condado de Napa y 25 en el condado de Mendocino. De éstas, alrededor de 55% tiene ventas que exceden a $1 millón, y hasta un tercio tiene ventas que exceden los $10 millones. Además de esto, hay más de 450 viñedos dentro de los mismos tres condados.
- La industria vitivinícola aparenta ser extremadamente provincial. Esto aunado al hecho de que la mayoría de nuestros competidores más fuertes (ver "competencia" en la siguiente página) se encuentran en el condado de Napa, consideramos que el condado de Sonoma es nuestro principal mercado geográfico. Sin embargo, el condado de Mendocino tiene una industria vitivinícola creciente, y sin lugar a dudas no dejaremos pasar las oportunidades en Napa y otros condados en 2001.

Nuestras fortalezas

Las fortalezas que Moss Adams tiene en esta industria son:

- Somos lo bastante grandes para proporcionar los servicios específicos que demanda esta industria.
- Nuestro énfasis empresarial se encuentra en el modelo de negocios de mercado intermedio, mientras las cinco empresas más importantes están incrementando de manera continua el tamaño

CUADRO 1
Plan estratégico para el nicho vitivinícola de Moss Adams, 2001 (continuación)

promedio de su clientela. La mayoría de la industria vitivinícola está compuesta por compañías del mercado intermedio. Esta tendencia de los "cinco principales" incrementará nuestro mercado cada año.

- No intentamos ofrecer todo tipo de servicios para toda la gente. Enfocamos nuestros esfuerzos en industrias/nichos especializados, con la meta de finalmente convertirnos en la empresa dominante en estas industrias.
- Enfatizamos los servicios de valor agregado, los cuales crean una mayor satisfacción para el cliente, la lealtad y el reconocimiento de nombre.
- Tenemos oficinas ubicadas en toda la región vitivinícola de la Costa Oeste.
- Contamos con individuos dentro de la empresa con gran experiencia en la industria vitivinícola, en áreas como la fiscal, la contable y la consultoría. También tenemos expertos en industrias muy relacionadas como huertas, y fábricas de alimentos y bebidas.
- Dentro de California, tenemos algunos clientes de alto perfil en la industria vitivinícola.
- La mayoría de nuestros miembros de nicho están radicados en el condado de Sonoma, lo que es importante para las bodegas de vino y los cultivadores de uva de este condado.
- Nuestro grupo está comprometido con el éxito y en última instancia a dominar la industria en los condados de Sonoma, Napa y Mendocino.

Retos

- Nuestra experiencia y credibilidad en la industria vitivinícola son bajas en comparación con otras empresas.
- La percepción que existe en el área del condado de Sonoma es que no somos originarios del área. A medida que continuemos en crecimiento y seamos más conocidos, esto no debe representar un problema.

Si podemos minimizar nuestras debilidades mediante el énfasis en nuestras fortalezas, tendremos éxito en la comercialización de la industria vitivinícola, lo que nos permitirá alcanzar nuestra meta final de convertirnos en la empresa dominante en la industria.

Competencia

Existen varios despachos de contadores públicos acreditados en California del Norte que prestan sus servicios en viñedos y bodegas vitivinícolas. Las cinco firmas principales por lo general están consideradas como nuestros competidores más grandes en muchas industrias que atendemos, y algunos tienen varios clientes vitivinicultores. Como se observó antes, su enfoque parece estar dirigido a clientes más grandes, lo que ha disminuido su capacidad de competir en esta industria. De las firmas con prácticas industriales y vitivinícolas importantes, las siguientes firmas parecen ser nuestros competidores más importantes:

- Motto Kryla & Fisher. Esta firma es un líder consolidado en la industria vitivinícola, y la mayor parte de su base de clientes está ubicada en el condado de Napa, aunque tienen muchos clientes en el condado de Sonoma. Se están alejando de la contabilidad tradicional y de los servicios para pagos de impuestos, y han optado por concentrar sus esfuerzos en el área de la consultoría y los proyectos de investigación. Esto, y el hecho de que muchos en esta industria tienen la percepción de que se están entrometiendo demasiado y ganando participación de mercado, representa una ventaja para nosotros.
- Dal Pagetto & Company. Esta firma se separó de Deloitte & Touche hace muchos años. Están ubicados en Santa Rosa, y tienen como clientes a varios viñedos y bodegas de vino. En la actualidad, quizá sean nuestro principal competidor en el condado de Sonoma. Sin embargo, tal vez sean demasiado pequeños para competir una vez que cobremos fuerza.
- Otras firmas que tienen prácticas importantes en la industria vitivinícola contra las que competiremos son G & J Seiberlich & Co., Brotemarkle Davis & Co., Zainer Reinhart & Clarke, Pisenti & Brinker, Deloitte & Touche y PriceWaterhouseCoopers. Las primeras dos son especialistas en la industria del vino con sede en el condado de Napa, y aunque son muy competitivas ahí, no parecen tener una base de clientes importante en el condado de Sonoma. Las siguientes dos son empresas que prestan servicios generales a varios clientes de la industria vitivinícola. No obstante, cada una de estas firmas ha tenido dificultades para mantenerse unida en años recientes, y no aparentan tener prácticas bien coordinadas en la industria del vino. Las últimas dos firmas que se

(continúa)

CUADRO 1
Plan estratégico para el nicho vitivinícola de Moss Adams, 2001 (continuación)

enumeraron antes son de las cinco firmas principales que se enfocan fundamentalmente en las grandes bodegas vitivinícolas.

Plan de marketing anual

Nuestra estrategia de marketing estará fundamentada en los cimientos que hemos establecido durante los dos años anteriores.

Hemos determinado los siguientes puntos como nuestro plan de marketing:

- Incrementar y desarrollar el conocimiento y la experiencia en la industria:
  1. Trabajar con otras oficinas de Moss Adams, en particular Stockton, para obtener más conocimiento y experiencia de su personal experimentado. Además, trabajar con Stockton para asignar al personal del nicho vitivinícola de Santa Rosa a dos de sus procesos de auditoría de bodegas de vino.
  2. Asistir a los cursos de educación profesional continua, lo que incluye el simposio de viñedos, el simposio industrial del vino, la California State Society of CPAs que patrocina conferencias de la industria vitivinícola en Napa y San Luis Obispo, y cursos seleccionados de la Sonoma State University y el colegio UC David. Quisiéramos ocho horas de cursos de educación profesional continua para cada nivel de altos ejecutivos y altos miembros de la comisión del nicho vitivinícola. Jeff dará la aprobación final acerca de quién asistirá y a qué cursos.
  3. Continuar nuestra relación con la Sonoma State University (SSU). Nuestro nicho vitivinícola accedió a ser sujeto de un caso de estudio elaborado por la SSU acerca del desarrollo de las prácticas en la industria del vino de un despacho de contadores públicos certificados. También buscaremos involucrarnos más en el programa educativo de la industria del vino que imparte la SSU al proporcionar conferencistas invitados en el aula dos veces por año.
  4. Atraer y contratar personal con experiencia en la industria vitivinícola. Los candidatos que hayan obtenido un grado a través del programa de negocios y vitivinícola de la SSU, tendrán una sólida ventaja. También debemos trabajar para reclutar personal dentro de la oficina que tenga interés en la industria.
- Continuar en la formación de alianzas con expertos industriales tanto dentro como fuera del despacho. También estamos construyendo relaciones con Ray Blatt de la oficina de Moss Adams con sede en Los Ángeles que tiene experiencia en cuestiones de gravámenes fiscales e impuesto sobre la renta. Cheryl Mead de la oficina de Santa Rosa se ha desarrollado como un especialista en desagregación de costos con una experiencia significativa en la industria vitivinícola.
- Desarrollar y utilizar relaciones con fuentes industriales relacionadas:
  1. Banqueros y abogados especialistas en la industria del vino. De estos banqueros y abogados, nos gustaría tener tres pistas de negocios nuevos al año.
  2. La sociedad con otras firmas de contadores públicos certificados en la industria. Las firmas más pequeñas quizá necesiten contratar los servicios de una firma más grande con un rango más amplio de servicios, mientras las cinco firmas principales quizá deseen utilizar una firma más pequeña que les ayude en proyectos que estén por debajo de su tamaño de facturación por el tipo de actividad. Obtendremos al menos dos proyectos por año mediante este enfoque.
  3. La explotación de relaciones con las que ya contamos para obtener cinco referencias y presentaciones a otros prospectos industriales y vitivinícolas al año.
  4. Mantendremos una matriz de bodegas y viñedos en los condados de Sonoma, Mendocino y Napa, lo que incluye las direcciones, los contralores o los altos directivos de finanzas, los contadores públicos certificados actuales y las relaciones bancarias. A los contactos que proporciona esta matriz, les enviaremos al menos un correo al año.
- Incrementar nuestra participación en las siguientes asociaciones comerciales de la industria mediante la asistencia regular a las juntas y familiarización con sus miembros. En una de las siguientes asociaciones, cada miembro del comité de nicho buscará obtener una posición en el consejo u despacho:

CUADRO 1
Plan estratégico para el nicho vitivinícola de Moss Adams, 2001 (continuación)

1. Sonoma County Wineries Association
2. Sonoma County Grape Growers Association
3. Sonoma State University Wine Business Program
4. Zinfandel Advocates and Producers
5. Women for Winesense
6. California Association of Winegrape Growers
7. Wine Institute

- Establecer un entorno dentro del nicho que promueva y practique el concepto de PILAR. Fomentar en el personal dentro del nicho la creatividad y la lucha por ser mejor. Proporcionar proyectos y sucesos interesantes para el nicho a fin de hacer de la participación algo más emocionante.
- Utilizar los servicios existentes de Moss Adams para promover a la empresa, los cuales incluyen:
  1. BOSS
  2. Evaluaciones de negocios
  3. Segregación de costos
  4. SCORE!
  5. SALT
  6. Servicios de auditorías empresariales
  7. Servicios de cumplimiento del pago del impuesto sobre la renta
- Hacer uso de los recursos de la empresa
  1. Utilizar el sistema InfoEdge de Moss Adams (sistema de administración de documentos) para compartir y remitirse a propuestas relacionadas de la industria y materiales de marketing.
     a. Todas las propuestas del nicho vitivinícola serán ingresadas y actualizadas en InfoEdge cuando sean completadas.
     b. Todas las cartas de marketing del nicho vitivinícola serán ingresadas a InfoEdge cuando sean creadas.
- Continuar cada mes las reuniones con los participantes en el nicho de la industria vitivinícola. Se revisará el progreso de este plan en nuestras reuniones de nicho de marzo, abril y septiembre. Dentro de nuestro nicho debemos enfocar nuestros esfuerzos de marketing en el condado de Sonoma, y concentrarnos en pequeños prospectos con los que podamos crecer, lo cual nos permitirá incrementar el tamaño de nuestros clientes prospectivos a través del tiempo. Nos gustaría estar en condiciones de atraer a las bodegas vitivinícolas más grandes en la industria para 2004.
- Establecer un grupo de discusión trimestral con el contralor y el director de finanzas, en el cual el grupo industrial vitivinícola Moss Adams funja como moderador. El grupo estará establecido y la primera reunión se sostendrá en el verano.
- De manera trimestral, en nuestras juntas de nicho, se verificará el progreso en las metas cuantificables que se establezcan en este plan estratégico.

Resumen

En 2001, una de nuestras metas es agregar un mínimo de tres clientes vitivinícola a nuestra base de clientes. Sentimos que esto es un propósito razonable siempre y cuando continuemos nuestro plan como está escrito.

Creemos que podemos convertir el nicho de la industria vitivinícola en un nicho sólido en el despacho de Santa Rosa. Este despacho define el dominio del nicho como tener un mínimo de $500 000 en facturas, una participación de mercado entre 20 y 40% de los servicios proporcionados en códigos de servicio de valor agregado. Esperamos convertirnos en la fuerza dominante de la industria en los condados de Sonoma, Mendocino y Napa para 2004.

También deseamos ayudar a otras oficinas dentro de la compañía a establecer nichos de la industria del vino, lo que eventualmente producirá un nicho maduro dentro de la empresa. Creemos que con el esfuerzo apropiado podemos cumplir cada una de estas metas.

La junta tuvo lugar justo antes del auge de la temporada de auditorías fiscales. Gutsch, de 39, se había estado concentrando en los clientes de la compañía con nichos en la industria de la construcción. No había realizado grandes avances en el desarrollo de nuevos negocios con clientes del sector vitivinícola como había esperado y comenzó la reunión con lo siguiente:

Pienso que el problema con el que nos estamos enfrentando todos es cómo penetrar en un nicho maduro ya consolidado. ¿Utilizamos los descuentos de tarifas? Si es así, ¿es ésta nuestra posición deseada para atender a la industria vitivinícola? ¿Utilizamos la publicidad? Todo parece apuntar a que se requiere un gran compromiso para algo que no estamos seguros que producirá resultados. ¿Hemos accedido a todos los paneles que hemos podido y hemos establecido tantas alianzas como hemos podido? Yo sigo con el propósito de encontrar la fórmula correcta.

Chris Pritchard, un gerente contable que había trabajado con Gutsch durante dos años en desarrollo del nicho vitivinícola dijo:

Lo siento, Jeff. He estado muy ocupado con trabajo en el área del cuidado de la salud. Ésta está despegando, así que cuento con un tiempo muy limitado para invertirlo en el área del vino. Hay algo que está faltando, una suerte de chispa en este nicho. No hay tanta ansiedad por salir y en realidad cerrar un trato, o al menos salir y conocer a alguien importante en la industria. Pienso que justo ahora ésta es la razón por la que no hemos tenido éxito. Creo que tenemos todas las herramientas necesarias, pero no una naturaleza agresiva para salir y comenzar a establecer alianzas y buscar negocios. Estamos haciendo todo, excepto buscar negocios. No lo seguimos de cerca.

Neysa Sloan, una contadora de alto nivel, asentía con la cabeza:

Personalmente no creo que estemos logrando los objetivos de reunir 20% de la participación del mercado en la industria vitivinícola regional durante los tres a los cinco años siguientes. Nuestras tácticas de marketing no están a la altura del reto. Necesitamos observar con seriedad lo que hemos hecho en el último o dos últimos años, lo que hemos dicho en realidad, y lo que estamos proponiendo en lo que respecta a marketing. Si vemos estos factores con objetividad, veríamos que no hemos ganado mucho terreno en el pasado mediante nuestras tácticas actuales: ¿Por qué funcionarían ahora? Si se permite que más individuos comercialicen y participen de manera activa, quizá podamos llegar a algún lado.

Cherry Mead, una alta directiva cuya especialidad es la conducción del estudio de la segregación de costos (la segregación de costos es un proceso de desglose de un activo grande en sus componentes más pequeños de manera que la depreciación pueda considerarse sobre una base acelerada), comentó:

Cada vez más bodegas vitivinícolas están buscando ayuda. Necesitamos enfocarnos en las bodegas vitivinícolas que están expandiendo sus instalaciones y después crecer con su negocio. Los servicios de valor agregado como la segregación de costos podrían representar tanto como un 40% de nuestra práctica en la industria del vino. Si queremos ingresar, tenemos que lograr un mayor sistema de redes, marketing y presentaciones. El reto para nosotros aquí en Santa Rosa es cómo administrar los recursos. Las elecciones de carrera están cambiando; no se puede ser un generalista más. Necesitamos gente bien relacionada, pero también habilidades técnicas, y por lo general esto no viene junto. Necesitamos a alguien famoso en el área, una persona de la elite en la industria contable vitivinícola.

Claire Calderón, también un alto directivo fiscal, le dijo al equipo:

Se trata de nicho difícil para ingresar, Jeff. Lleva un largo periodo desarrollar relaciones en industrias específicas. Podría llevar a un par de años. Primero uno encuentra foros para conocer gente, reunirse con ella, intentar familiarizarse, conseguir gente que confíe en uno y después obtener una oportunidad para trabajar en un proyecto y hacer un buen trabajo. Esto toma algún tiempo. Nuestra meta es convertirnos en un consejero confiable y esto no sucede de la noche la mañana.

Gutsch contestó:

Mientras la consolidación se está dando en la industria vitivinícola, muchas de las bodegas a las que nos estamos orientando son propiedad privada. Cuando uno está tratando con negocios de propiedad privada se trata de una cuestión mucho más personal que con las compañías públicas.

Calderón agregó:

Eso podría explicar parte del problema, Jeff, pero la realidad es que hay otros nichos nuevos que están teniendo mucho impacto y que están desempeñándose bien. ¡Este nicho ha tenido un arranque muy lento!

Barbara Korte, una contadora de alto nivel, lo confortó:

Jeff, has estado muy enfocado, tu participación en este proyecto ha sido muy entusiasta. Has invertido una gran cantidad de tiempo en él. Como líder, pienso que en realidad eres un buen directivo.

La oportunidad de generar ingresos importantes incrementales en las tarifas de los clientes era lo que estaba en juego. Más de 600 productores vitivinicultores y viñedos (agricultores de uva) pertenecían a la región vitivinícola del norte de California que abarcaba los condados de Napa, Sonoma y Mendocino. De acuerdo con la publicación del verano de 2000 de *Marketplace*, había 168 productores vitivinícolas y 228 viñedos en Napa; 122 productores y 196 viñedos en Sonoma, y 25 productores y 61 viñedos en Mendocino. Algunas de estas operaciones eran grandes, de acuerdo con *Marketplace*. Napa y Sonoma tenían 14 productores de vino, cada una, que arrojaban más de $10 millones en ventas, y Mendocino, sólo uno.

Antecedentes de la compañía

Moss Adams era un despacho contable regional, y contaba con cuatro centros regionales: California del Sur, California del Norte, Washington y Oregon. Para finales de 2000, Moss Adams se había convertido en una de las 15 firmas contables más grandes en Estados Unidos, con 150 socios,

CUADRO 2
Organigrama de Moss Adams

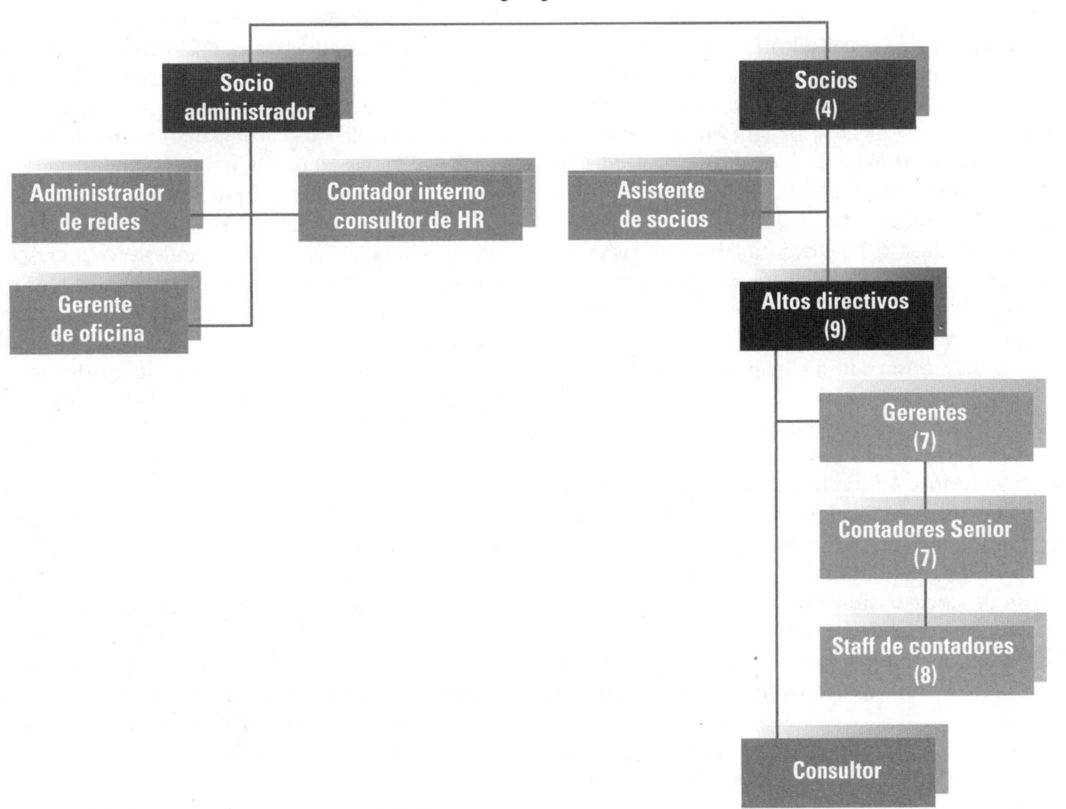

740 contadores públicos certificados y 1200 empleados. Fundada en 1913 y con sus oficinas centrales en Seattle, la empresa de servicios completos se especializó en compañías del mercado intermedio, con ingresos anuales de entre $10 y $200 millones.

Cada oficina tenía un socio administrador. Art King era el socio administrativo de la oficina de Santa Rosa (cuadro 2). La empresa estaba considerada como de tamaño medio y su base de clientes tendía a reflejar ese tamaño. King reflexionó acerca de las ventajas de tamaño y ubicación de Moss Adams:

... es una ventaja ser una empresa regional con una presencia local fuerte. Por una cosa, no hay tantas empresas regionales, en especial aquí en la Costa Oeste. De hecho, pienso que somos la única empresa regional de la Costa Oeste. Esto nos da acceso a una cantidad tremenda de recursos que las empresas grandes tienen. Tenemos la ventaja agregada de radicar en gran parte en el condado de Sonoma. Las compañías del condado de Sonoma desean el mismo tipo de servicios que pueden obtener de las cinco compañías principales que operan en lugares como San Francisco, pero también les gusta tratar con empresas locales activas en la comunidad. Nuestro equipo es activo en los rotarios, 20-30, en las cámaras locales de comercio, etcétera, y esto implica relaciones con una gran cantidad de gente de negocios en el área. Las compañías del condado de Sonoma van a San Francisco en busca de servicios profesionales, pero sólo si es necesario, así que les ofrecemos lo mejor de dos mundos.

Cada oficina dentro de la empresa estaba diferenciada. Una oficina como Santa Rosa tenía la capacidad de ser fuerte en más nichos debido a que era una de las empresas dominantes en el área. Moss Adams no había competido directamente con las cinco principales firmas contables debido a que ellas no están interesadas en proporcionar servicios a empresas pequeñas y medianas. Dado que es una firma regional, Moss Adams podía ofrecer una profundidad de servicios que la mayor parte de las firmas locales no estaban dispuestas a proporcionar. Esto le dio a Moss Adams una ventaja competitiva cuando vendía servicios a las compañías que pertenecían al segmento del mercado intermedio.

Moss Adams proporcionó servicios en cuatro áreas principales de experiencia: Auditoría de negocios, servicios fiscales, negocios internacionales y servicios de consultoría. La auditoría abarcaba aproximadamente de 35 a 40% de las actividades de Moss Adams, lo restante se dividía entre el trabajo fiscal en corporaciones, las sociedades, los fideicomisos y los bienes raíces, así como en servicios para impuestos individuales. En su oficina de Santa Rosa, Moss Adams atendía a negocios corporativos y a individuos acaudalados.

Del lado internacional, Moss Adams era miembro de Moores Rowland International, una asociación de firmas contables a nivel mundial. Moss Adams trabajaba principalmente con compañías locales que hacían negocios en el extranjero o que deseaban establecerse en el extranjero. También realizó una gran cantidad de trabajo en compañías locales que tenían empresas subsidiarias ubicadas en otros países.

En el área de la consultoría, Moss Adams tenía aproximadamente 80 consultores de tiempo completo, y esta línea de negocio representada probablemente del 15 al 20% de su ejercicio total. Una gran parte del trabajo de consultoría realizado por Moss Adams se basaba en las fusiones y adquisiciones. Su división de fusiones y adquisiciones ayudaba a las compañías del mercado intermedio, las cuales constituían la mayor parte de sus clientes, a desarrollar una estrategia coherente y consistente, si estaban planeando vender el negocio y necesitaban encontrar un comprador apropiado o estaban buscando un buen objetivo de adquisición.

Las seis principales firmas contables (las cinco principales en 2000) habían desarrollado sus estrategias de nicho en la década de 1980, y Moss Adams había sido una de las primeras empresas contables de nivel intermedio en la nación en identificar nichos como una estrategia. La adopción de una estrategia de nicho había permitido a Moss Adams orientar en una canasta de servicios a una industria particular de importancia regional. A medida que cada práctica desarrollaba un nicho, también identificaba "gente famosa" en ese nicho. Esta gente se convirtió en "comandante", es decir, los líderes de ese nicho.

El sector de alta tecnología representaba una de las partes de más rápido crecimiento del negocio de Moss Adams. De acuerdo con King:

Ésta es grande en el área de Seattle (donde Moss Adams tiene sus oficinas centrales) y con el desarrollo de Telecom Valley, verdaderamente se está convirtiendo en una compañía importante en el condado de Sonoma. Estamos dándonos cuenta de que una gran parte de nuestro trabajo está proviniendo de compañías derivadas de otras grandes compañías de alta tecnología en el área. Las instituciones financieras representan otro grupo de clientes que está creciendo con rapidez como el área de cuidado de la salud. Con todos los cambios en las áreas de cuidado de la salud y médica, se ha suscitado una gran cantidad de confusión. Tenemos mucha experiencia en áreas médicas y de cuidado de la salud, así que es un gran mercado para nosotros. ¿Que si he visto alguna disminución? No, en realidad. Lo interesante acerca de la industria contable es que incluso cuando hay una desaceleración en la economía, sigue habiendo una gran cantidad de trabajo para una empresa de contadores públicos certificados. Quizá no se presenten los proyectos grandes y especiales que hay cuando la economía en verdad está repuntando, pero el trabajo no se detiene.

La industria y el mercado

La contabilidad fue una industria de servicios relativamente estable y grande, de acuerdo con *The Journal of Accountancy*, la publicación de negocios más leída en la industria. Las cinco principales firmas contables (Andersen Worldwidse, PriceWaterhouseCoopers, Ernst & Young, Deloitte & Touche y KPMG) dominaron el mercado global en 1998 con un ingreso global combinado que excedía los $58 mil millones, mucho más de la mitad del ingreso total de la industria. Las cinco principales firmas reportaron una tasa de crecimiento de dos dígitos en 1998. Sin embargo, el crecimiento más espectacular fue alcanzado por las firmas diferentes a las principales 10, algunas de las cuales registraron incrementos por casi un 60% por encima de los ingresos en 1997. Noventa de las 100 principales firmas tuvieron incrementos en sus ingresos y 58% de ellas lograron ganancias de doble dígito.

En 1999, las facturaciones de las industrias contables excedieron los $65 mil millones. La industria empleó a más de 632 000 personas. Sin embargo, se esperaba que la industria registrara un crecimiento más modesto en ingresos y empleos en el siglo XXI. Las principales estrategias de crecimiento para las compañías en la industria eran: Encontrar mercados nicho, diversificar sus servicios y atender a mercados globales. Las grandes firmas internacionales, lo que incluye a las cinco principales, se habían diversificado para abarcar los servicios de consultoría de negocios a finales de la década de 1980 y principios de la de 1990.

Las firmas contables y los contadores públicos certificados de toda la nación comenzaron a ofrecer una gran variedad de servicios además de los contables tradicionales, las auditorías y los registros contables. Esta tendencia fue una respuesta parcial a la solicitud por parte de los clientes de "compras integrales" para todas sus necesidades de servicios profesionales. Otra causa fue el crecimiento relativamente plano en la demanda de servicios de contabilidad y auditoría a través de los pasados 10 años, así como el deseo de los contadores públicos certificados de desarrollar servicios con mayor valor agregado. La adición de los servicios de consultoría, los jurídicos y otras profesiones a la mezcla de servicios de redes contables grandes nacionales transformó a la industria.

Muchas firmas comenzaron ofrecer consultoría tecnológica debido a la creciente necesidad de los clientes por servicios de Internet y comercio electrónico. La encuesta de 1999 de *Accountings Today* a los clientes de contadores públicos certificados indicó que mantener el ritmo de la tecnología era *la* cuestión estratégica de más alta prioridad, seguida por el reclutamiento y la recapacitación de personal, la competencia con firmas más grandes, la planeación de la sucesión ejecutiva y la maximización de la productividad.

Sin embargo, de acuerdo con *The CPA Journal*, las tarifas de consultoría que eran atractivas habían provocado que muchas empresas ignoraran los conflictos potenciales de intereses que suponía el atender como auditor y como consultor administrativo al mismo cliente. Los estándares profesionales podían ponerse en juego por la entrada de socios que no fueran contadores públicos certificados y dueños de empresas contables influyentes. Muchas compañías que enfrentaron estos problemas dividieron sus operaciones en un área de consultoría en administración y otra contable. En enero de 2001, Arthur Andersen derivó de sus operaciones su división de consultoría y la nombró "Accenture" para evitar las acusaciones de improcedencia.

Aun así, se podía esperar que los despachos de contadores públicos continuaran con el desarrollo de sus capacidades y/o alianzas estratégicas para satisfacer las demandas de sus clientes. Algunas otras áreas de expansión entre las firmas contables, como la de los servicios administrativos, los servicios de planeación de inversiones y financieros, los servicios de administración general, la administración de gobierno, los recursos humanos, las operaciones internacionales, la consultoría de tecnología de información y sistemas de cómputo, el apoyo a litigios, la administración de manufactura, el marketing y el área de investigación y desarrollo. Muchas pequeñas firmas independientes de tamaño medio están fusionándose o formando alianzas con compañías de servicios grandes como American Express, H&R Block y Century Business Services.

Para finales de la década de 1990, se puso en marcha una tendencia hacia la consolidación en la industria contable. Varios factores estaban impulsando la orientación hacia la consolidación. Quizá los grandes incrementos en los ingresos en los 100 principales despachos contables entre 1997 y 1998 habían sido atribuidos en parte a esta tendencia hacia la consolidación. Los consolidados deseaban tener acceso a un volumen de negocios mayor, que en ese momento se estaban llevando a cabo por contadores públicos independientes. La confianza que los pequeños negocios y los individuos tenían en sus contadores públicos era considerada muy valiosa, y los artífices de las consolidaciones desearon aprovechar el potencial de la integridad de una empresa individual para expandir su propio negocio. La consolidación ocasionó una disminución en el número de despachos contables independientes que ofrecían sólo servicios contables y fiscales. La New York State Society of CPAs estimó que había una gran posibilidad de que hasta 50 de los despachos contables más grandes en Estados Unidos se disolvieran o fusionaran con otras entidades para finales del año 2000. En el área de la bahía de San Francisco, por ejemplo, los cinco principales despachos dominaban en la industria (cuadro 3).

El nicho de la industria vitivinícola

El ejercicio contable en la industria vitivinícola representaba un nuevo nicho para la oficina de Santa Rosa, así como para Moss Adams en general. Moss Adams permitió que cualquier empleado propusiera un nicho. Todos los despachos contables facturaban según las tarifas estándar, de manera que cuanto más negocios se generaran, mayor sería la ganancia. Moss Adams sintió que sería benéfico a largo plazo permitir a los empleados enfocarse en áreas en las que estuvieran interesados. La empresa se podría beneficiar de los ingresos generados, pero lo importante era que sería más probable que los empleados permanecieran en una firma que les permitiera un grado mayor de libertad personal y promoviera su crecimiento profesional.

Gutsch y Pritchard habían comenzado este nicho a mediados de 1998 por varias razones. En primer lugar, ambos tenían interés en la industria. En segundo, los condados de Sonoma y Napa tenían 200 bodegas vitivinícolas y numerosas operaciones de viñedos. En tercer lugar, Moss Adams tenía experiencia en líneas de negocios similares o relacionados como huertos, así como una experiencia muy relacionada en el suministro de servicios al sector de manufactura. Por último, la industria del vino había sido atendida históricamente ya sea por grandes despachos a los cuales consideraban a la bodega vitivinícola típica como un cliente pequeño, o por despachos más pequeños que no eran capaces de ofrecer el nivel de servicios que Moss Adams podía proporcionar.

Sara Rogers, una contadora de alto nivel y miembro del equipo del nicho vitivinícola, recordó:

Esto comenzó con Jeff Gutsch y Chris Pritchard y otro alto directivo, que estuvo en nuestro despacho hasta noviembre de 1999. De todas formas, pienso que su motivación fue lo que en realidad puso en marcha al grupo. Los tres estaban haciendo todo para construir el nicho. Cuando este alto directivo se fue, durante un tiempo esto no tuvo el efecto deseado, incluso pienso que se estancó. Casi nadie dijo nada acerca de ello hasta el verano pasado, cuando Jeff comenzó a reorganizar el nicho de nuevo y trajo a más personas, y después se acercó a gente que deseaba que trabajara en él.

Gutsch sintió que Moss Adams estaba en posición de avanzar para que del nicho de la industria vitivinícola sea sólido tanto en el despacho de Santa Rosa y eventualmente en el despacho como un todo. Estaba comprometido con esa meta y esperaba alcanzarla en cinco años. Gutsch veía al nicho como su puerta a una asociación futura. La estrategia de marketing de Moss Adams incluyó lo siguiente:

1. Desarrollar materiales de marketing de la industria que comunicaran las fortalezas y el compromiso de Moss Adams.
2. Desarrollar un logotipo distintivo para utilizarlo en la industria.
3. Crear una guía informativa similar a la del grupo de la industria de la construcción del despacho.
4. Crear hojas informativas de los servicios de la industria, como el ciclo de vida del negocio, el crédito para la investigación y exploración, el cumplimiento fiscal y los servicios de sucesión de propiedad en los negocios.
5. Desarrollar relaciones con las fuentes industriales de referencia (por ejemplo, los banqueros y los abogados especializados en la industria del vino o los clientes actuales que atendían o tenían contactos en la industria).
6. Unirse y participar de manera activa en las asociaciones comerciales de la industria.
7. Utilizar las relaciones existentes con los contactos industriales para obtener las relaciones necesarias que lleven a los clientes potenciales en viñedos y en bodegas vitivinícolas.
8. Utilizar los servicios existentes que Moss Adams ofrecía para comercializar la empresa, en particular en segregación de costos.
9. Enfocar los esfuerzos en el condado de Sonoma, así como en regiones adyacentes productoras de vino, las cuales podrían permitir a Moss Adams incrementar el tamaño de sus prospectos a través del tiempo.

Pritchard reflexionó sobre ello unos días antes:

Lo primero que hicimos fue desarrollar una base de datos de bodegas de vino en la región a las que les enviamos una carta de presentación. Otra cosa que hicimos fue desarrollar materiales de marketing. Jeff desarrolló un logotipo. Utilizamos un enfoque piramidal descendente para la carta de presentación, en la que se comenzó con enunciados generales y después se explicaban las fases de acción y se finalizaba con la exhortación a llamarnos. Así, utilizamos eso primero.

CUADRO 3

Principales 20 firmas contables en el área de la Bahía de San Francisco, clasificadas por el número de contadores públicos certificados en el área de la Bahía, junio de 2000.

Lugar en la clasificación	Lugar en 1999	Compañía	Número de contadores públicos en la bahía	Número de contadores públicos en la compañía	Número de empleados en el área de la bahía	Facturación en el área de la bahía en 1999	Número de socios en el área de la bahía	Número de socios en la compañía	Cierre de año fiscal	Ingreso neto estadounidense	Cambio con respecto al año anterior
1	2	Deloitte & Touche LLP	439	8380	1437	NR	172	2066	May 99	$5336.00	24.2
2	1	PricewaterhouseCoopers LLP	430	430	2000	NR	138	9000	Sep. 99	6956.00	18.7
3	3	KPMG Peat Marwick LLP	316	NR	1778	NR	157	6800	Jun. 99	4112.00	21.5
4	4	Arthur Andersen**	312	6161	821	NR	63	3059	Ago. 99	3300.00	17.9
5	5	Ernst & Young LLP	300	NR	850	NR	77	2465	Sep. 99	6100.00	10.0
6	6	BDO Seldman LLP	72	1650	122	NR	15	360	Jun. 00	408.00	36.9
7	14	Seiler & Co. LLP	44	44	110	NR	12	12	NR	NR	NR
8	7	Frank, Runerman & Co. LLP	43	51	76	NR	12	13	May 99	17.23	9.2
9	9	Hood & Strong LLP	42	42	89	NR	12	12	NR	NR	NR
10*	10	Harb, Levy & Weiland LLP	38	38	80	NR	13	13	NR	NR	NR
10*	13	Ireland San Filippo LLP	38	38	81	12.7M	13	17	Abr. 00	12.71	15.8
12	15	Burr, Pilger & Mayer	35	35	110	NR	10	10	NR	NR	NR
13	11	Armanino McKenna LLP	34	34	87	NR	13	13	NR	NR	NR
14	14	Novogradac & Co. LLP	31	36	80	NR	6	8	NR	NR	NR
15	12	RINA Accountancy Corp.	26	29	59	7.3M	13	14	NR	NR	NR
16*	16	Grant Thornton LLP	25	1300	90	NR	10	300	Jul. 00	416.00	10.9
16*	18	Shea Labagh Dobberstein	25	25	35	NR	3	3	NR	NR	NR
18	18	Moss Adams LLP	24	800	39	NR	7	144	Dec. 99	109.00	31.3
19	16	Lindquist, von Husen & Joyce	23	23	47	NR	5	5	NR	NR	NR
20	21	Lautze & Lautze	21	28	39	NR	9	11	NR	NR	NR

Fuentes: Viva Chan, *San Francisco Business Times*, 14, 146, 16 de junio de 2000, p. 28; Strafford Publications, *Public Accounting Reports*, vol. XXIV, junio de 2000. NR = No reportado.

*Indica empate en la clasificación.

**Excluye la consultoría.

En general, hemos obtenido alrededor de 2% de respuesta, lo cual es bueno, de las 300 cartas o de cualquier cosa que enviamos.

Sin embargo, de acuerdo con King, el principal problema en hacer crecer nuestra práctica en la industria vitivinícola fue la venta:

El problema que supone la venta de la contabilidad pública es que se debe tener una gran cantidad de confianza en lo que uno hace y puede hacer por el cliente. Tienes que tener la confianza de que sabes algo acerca de la industria. Si vas a una reunión de marketing, o a una de propuestas, dices, "Bien, contamos con un par de bodegas vitivinícolas pero en realidad deseamos tener más y ser mejores en ello", no vas a obtener el trabajo. Uno obtiene la confianza cuando sabe cómo hablar el lenguaje, conoce los clichés de la industria y se conocen a los jugadores en ella. Uno va a una junta, y de pronto está en las mismas condiciones que ellos. Desde el punto de vista de la confianza, esto es importantísimo. No es posible vender servicios contables públicos a menos de que tenga la confianza en uno mismo, en su despacho y en la gente que va a hacer el trabajo. Durante los últimos dos años, Jeff ha ido a las clases, a las juntas y su nivel de confianza es mucho más alto que un año atrás. Cuando él va a esas juntas lo hace a un nivel donde no necesita excusarse por no tener una gran cantidad de clientes vitivinícolas, debido a que tenemos una gran cantidad de actividad en las industrias del ramo y en las de procesamiento de bebidas. Por ende, pienso que eso nos va ayudar mucho. Ahí es donde él va a tener más éxito debido a que ahora nos toca batear, tan sólo tenemos que lanzar algunos disparos.

Una de las funciones del socio administrador era la de guiar a los socios potenciales y ayudarles a lograr la función de socio. En lo que respecta al proceso de capacitación, que incluía la marketing y la ayuda a construir una práctica, King afirma:

Cuando hablamos con los altos directivos, les explico qué necesitan hacer para llegar al siguiente nivel. Tuve esta conversación con Jeff debido a que su principal enfoque cuando llegó aquí era, "Necesito formar un despacho grande, nada más importa". Él ahora confía en el sistema. Ha transferido a algunos clientes a otros y recibe más clientes. Uno tiene que trabajar bien con la gente, capacitarla, debes tener algunas responsabilidades y llevarte bien con tus colegas.

La filosofía del despacho era alentar a la gente a disfrutar realmente lo que hacía. A todos se les permitía proponer un nicho, *incluso* a los altos directivos. Pritchard explicó:

Bien, parte de la forma en que nuestra empresa trabaja consiste en lo siguiente: Hay un nivel de "cuatro compartimentos" para convertirse en socio. Uno de los compartimientos supone volverse una persona famosa y es la forma más rápida que si uno fuera un generalista. Jeff es un alto directivo, así que ahora está tratando de descifrar una forma de convertirse en socio. Yo trabajé en Bonny Doon Winery. Tengo un cliente en crecimiento en Kenwood, así que tengo un poco de experiencia en esto. También me gusta el vino debido a que lo elaboro. El condado de Sonoma es un mercado inexplorado para nuestro despacho. Así que ambos teníamos algo que ofrecer: Yo tenía el espíritu emprendedor para arrancar y Jeff tenía la necesidad.

King describió a detalle el sistema de evaluación de "cuatro compartimentos" en Moss Adams:

7.0

Tenemos cuatro criterios que los socios y el comité de compensaciones evalúan en una escala de uno a diez. Todos tienen un peso igual: 25%, con una posibilidad de 40 puntos. El primero es el financiero. Tomamos las responsabilidades financieras del socio potencial, cuáles son sus facturaciones, cuáles son sus ajustes de tarifa, cuáles son sus obras de cobro. He transferido muchos clientes a la gente del despacho, y así ayudo a que los demás crezcan en sus profesiones. Soy el responsable de algunos de sus clientes, debido a que soy quien los trajo y por tanto el contacto principal. Mis números de facturación pueden ser éstos, pero mi responsabilidad financiera global puede ser mayor. Ésta es una medida objetiva debido a que observamos los números, y por lo tanto las tendencias.

La segunda es la responsabilidad. El socio administrador de una gran oficina obtiene menos puntos que el socio administrador de una oficina pequeña, quien a cambio obtiene más puntos que una persona a cargo de un nicho, quien a su vez obtiene más puntos que un socio de línea. Alguien que es socio y responsable del departamento de impuestos, digamos, puede obtener un punto extra o medio punto, siempre que alguien a cargo del nicho pueda obtener un punto extra. Si están a cargo de una oficina obtienen más puntos.

El tercero es el personal. El personal es una iniciativa muy importante en Moss Adams. Las evaluaciones de flujo ascendente o descendente son llevadas a cabo por nuestro personal de Recursos Humanos en cada oficina, que realiza las mediciones de retención de personal y calidad de nuestro programa de mentoring. Cada socio también es evaluado hacia arriba y hacia abajo según las puntuaciones de las calificaciones por parte de una oficina general. Por ejemplo, nuestra oficina puede obtener un "siete", pero yo puedo tener un "ocho" debido a que soy en realidad bueno con la gente. Alguien que verdaderamente es difícil con las personas podría obtener una calificación más baja.

El cuarto y último compartimento es la evaluación de los colegas. Tenemos tres diferentes socios que evalúan a cada uno. Ellos evalúan al socio en cuanto a la de capacitación, el mentoring, el marketing y la participación en su comunidad. Entonces, el comité de compensaciones usa las evaluaciones a fin de revisar la compensación individual del socio. También se utilizan para las sesiones de consejería de socios.

King también aseguró un "aterrizaje suave" a los participantes de los equipos de nicho. Esto significa que si un nicho no funciona, él aseguraría a los individuos que se encontraría otro nicho para ellos. Esto, se esperaba, promovería el comportamiento de espíritu emprendedor. De acuerdo con King:

Un nivel alto de responsabilidad práctica para un socio sería \$1 millón en esta oficina. El rango es de \$600 000 a \$1 millón *en facturaciones al año. El panorama general es donde intentamos que la gente participe en al menos dos nichos en la oficina. Hasta que un nicho se vuelva lo suficiente grande que uno pueda invertir el tiempo completo en él. El punto potencial superior del nicho vitivinícola sería una práctica de $500 000 a $1 millón con sede en Sonoma y quizá en algunas compañías vitivinícolas de Napa. Así, el punto superior es un nicho muy maduro y rentable que se ajusta a nuestro modelo de otros diferentes nichos de compañías de mercado medio que tienen la necesidad, no sólo de servicios al cliente, sino de nuestros servicios de valor agregado.*

Si por alguna razón el nicho vitivinícola no despega, Jeff se involucrará más en el nicho de manufactura; bien, de cualquier forma el vino es manufactura, pero tan sólo es un subconjunto de la manufactura. Esto puede detener su camino para convertirse en socio. Podría resultar que de pronto Jeff obtenga nuestras mejores referencias en el nicho de manufactura este año, construya esta gran experiencia en manufactura y como resultado tenga menos tiempo para el nicho vitivinícola. El punto en contra es que hemos invertido alguna cantidad de dinero en marketing, y Jeff ha invertido su tiempo en ello cuando podía haberlo hecho en otra cosa. Entonces, abandonamos el proyecto. Si esto sucede, entonces el tiempo de Jeff estaría disponible, y el dinero también, para ir en busca de otra iniciativa u otra cosa que ya hayamos estado haciendo para alguna iniciativa nueva. Nadie va a perder su trabajo en esto. Tampoco hemos perdido una gran cantidad de dinero con ello.

Las consecuencias

Después de la junta de enero de 2000, Gutsch estaba ponderando cómo debía proceder para superar algunos de los principales obstáculos para construir su equipo. King habló por separado con Gutsch para aconsejarlo:

... orientarnos a las industrias vitivinícolas de $10 millones o por debajo de $20 millones para quienes podemos proporcionar un rango completo de servicios. No hay nadie más con nuestro rango de servicios que en realidad haga un buen trabajo en esa área. Existe un mercado mal atendido para esas compañías del mercado intermedio. Cuando comenzaste, supe que tomaría de dos a tres años para hacer que en verdad todo esto funcionara. Éste realmente va a ser tu año, Jeff. Si no lo es, bien, lo reevaluaremos al final del año. Nuestro presupuesto global de marketing en el área probablemente sea de 1.5 a 2% de las facturaciones totales del cliente. En 1999, el primer año de las industrias vitivinícolas, quizá gastamos en alguna parte del vecindario de $5000 a $8000, lo cual no fue mucho pero te uniste a algunas organizaciones y tuviste algún tipo de capacitación. El último año probablemente gastamos de $10 000 a $12 000. Ahora, Jeff, sé que algunas de nuestras demás oficinas gastaron mucho más en marketing si comparamos. Tenemos que decidir: ¿Éste es el mejor uso de nuestro tiempo? ¿Es el mejor uso de nuestros recursos intentar perseguir una industria en la que hemos intentado durante tres años y no hemos incursionado bien?

La decisión de desarrollar un nicho ha estado basada en la intuición. Moss Adams no utilizó ninguna prueba con un solo indicador o a una tasa de rendimiento mínimo para identificar los posibles nichos. Esto fue debido a que, a excepción de las organizaciones sin fines de lucro, muchos clientes tenían tasas de realización de tarifas similares. Moss Adams buscó el volumen potencial de negocio y determinó si podía manejar ese volumen. Sin embargo, Moss Adams es todavía un desconocido en la industria vitivinícola. El tiempo está corriendo.

Este caso de estudio fue preparado por los profesores Armand Gilinsky, Jr. y Sherri Anderson en Sonoma State University como base para la discusión en el salón de clase y no como ilustrar el manejo efectivo o no de una situación administrativa. Este caso se presentó primero en la reunión de 2001 de North American Case Research Association en Memphis, Tenn. Los autores agradecen el apoyo de Moss Adams PLC y el Wine Business Program en Sonoma State University por su ayuda en la preparación de este caso.

Caso integrador 8.1

Littleton Manufacturing (A)*

Regla #1 para las organizaciones de negocios: La gente, no la estructura, hace que un negocio funcione o fracase. Seguir ciegamente los conceptos organizacionales que han funcionado en alguna otra parte es una forma segura de desperdiciar el talento y obtener resultados deficientes. El cambio organizacional por sí mismo no logra nada, mientras la gente dedicada puede hacer que cualquier estructura funcione. Esto no significa que los cambios organizacionales no deban presentarse, sino que es necesario diseñar cualquier cambio para aprovechar al máximo a las personas en las circunstancias únicas de la compañía. Los altos directivos nunca deben dictar el cambio como una cura absoluta para evitar enfrentarse a los problemas fundamentales.

Cita de Harvard Business Review *(título y autor no citados) publicado en la pared de Bill Larson, director de fábrica de Littleton Manufacturing*

El 21 de junio de 1990, Paul Winslow, director de Recursos Humanos en Littleton Manufacturing le pidió a su jefe, Bill Larson, que conjuntara un equipo de empleados para atender diversos asuntos que Larson pensaba que estaban afectando los resultados finales de Littleton. La tarea de Winslow era resultado de una presentación que hizo acerca de esos problemas a Larson. Después, Larson se había reunido con su equipo ejecutivo, él y Winslow después habían acudido al comité de control de calidad para analizar qué hacer. Cuando decidieron formar un equipo de mejora de procesos de Recursos Humanos (EMP) para priorizar los problemas y proponer un curso de acción correctivo. Larson le había pedido a Winslow que había estado en la planta durante 17 años, que encabezara el EMP.

El comité de control de calidad decidió que el EMP debía incluir a dos representantes de cada departamento entre los que se encontraban el de ventas y marketing, y el de fabricación de componentes. Los dos directivos de cada una de estas áreas serían electos, lo que incluye a Dan Gordon, el gerente de manufactura del área de fabricación y Phil Hanson, el gerente de manufactura del área de componentes. En el equipo no había supervisores o empleados remunerados por hora.

En la primera junta, el EMP analizó las 6 áreas problemáticas reconocidas con amplitud y que Winslow había referido a Larson. La tarea de cada miembro para la siguiente reunión, el 28 de junio, era priorizar los problemas y proponer un plan de acción.

Los problemas

Lo que desencadenó los eventos que llevaron a la formación del EMP de Recursos Humanos, fue un curso en administración y estudios organizacionales para los estudiantes en un colegio técnico cercano. A finales de 1989, Winslow fue buscado por un catedrático de un colegio técnico local quien estaba interesado en utilizar a Littleton como un sitio para un curso de proyecto de campo. Debido a las preocupaciones existentes acerca de la comunicación en la planta en todos los niveles, Winslow pidió a los estudiantes que evaluaran la comunicación organizacional en Littleton. Larson dio su aprobación, y en el invierno de 1990 los estudiantes llevaron a cabo el proyecto, realizaron entrevistas individuales y de grupo a los empleados de todos los niveles de la planta.

Winslow y su equipo combinaron los resultados de la evaluación de los estudiantes con los de una encuesta interna que se había realizado varios años atrás. El resultado fue la identificación de 6 áreas problemáticas que pensaban eran críticas y requerían la atención de la planta:

- Falta de unidad organizacional
- Falta de coherencia en hacer cumplir las reglas y los procedimientos
- Función del supervisor percibida de manera deficiente
- Enfoque insuficiente hacia las prioridades de Littleton
- Cambio administrativo de manera deficiente
- Falta de un enfoque sistemático hacia la capacitación

La compañía

Littleton Manufacturing, ubicada en el área rural de Minnesota, fue fundada en 1925. En 1942, Littleton fue adquirida por Brooks Industries, un fabricante importante de aparatos domésticos y componentes. En esa época, Littleton fabricaba componentes de metales especiales hechos a la medida y labrados mediante una máquina de precisión para una variedad de industrias.

En 1983, mediante la compra de un competidor más grande, Frühling, Inc., Brooks pudo incrementar su participación de mercado interno de 8% a aproximadamente 25%. Brooks entonces decidió tener sólo una instalación para producir los componentes que se utilizaban en la mayor parte de los productos que fabricaba en Estados Unidos. El sitio seleccionado fue Littleton Manufacturing. Para hacer esto, Brooks agregó un negocio por completo nuevo (componentes) a la actividad tradicional de Littleton. Para dar espacio a la nueva línea, se agregó un edificio de 80 000 ft² a la vieja planta de Littleton, lo que daba un total de 220 000 ft² de espacio. Debido a la adición de este nuevo negocio, Littleton creció de 150 empleados en 1984 a 600 en 1986. A mediados de la década de 1990, había alrededor de 500 empleados.

*Por David E. Whiteside, consultor de desarrollo organizacional. Este caso fue escrito en Lewiston-Auburn College de la Univeristy of Southern Maine con la cooperación de la dirección, únicamente con el fin de estimular el análisis en los estudiantes. Los datos están basados en una investigación de campo; todos los eventos son reales, a pesar de que los nombres de las organizaciones, lugares e individuos se han ocultado. Se anima a los catedráticos en las instituciones sin fines de lucro a reproducir este caso para su distribución entre sus estudiantes sin cargo alguno o autorización por escrito.

La parte más antigua de la planta (el área de fabricación) fabricaba sus productos hechos a la medida y los vendía a una diversidad de clientes industriales. También abastecía al área más nueva de la planta (el área de componentes) con una variedad de partes que se procesaban aún más y se utilizaban para fabricar componentes eléctricos. Estos componentes eran utilizados por todas las demás plantas de Brooks en el ensamble de aparatos electrodomésticos que se vendían en todo el mundo. Cerca de 95% de los productos que se elaboraban en el área de componentes de la planta se originaban en el área de fabricación.

8.1

La planta también era la oficina central del departamento de marketing y ventas de Brooks Industries conocido como "grupo comercial", el cual tenía la responsabilidad de las ventas a nivel mundial de productos elaborados en el área de fabricación. Éstos incluían ventas nacionales e internacionales de productos dirigidos a varias industrias, lo que incluye la de semiconductores, electrónicos de consumo y la industria de hornos nucleares. Este grupo comercializaba productos hechos no sólo en Littleton Manufacturing sino aquellos fabricados por las otras 14 plantas de Brooks, todas ubicadas en Estados Unidos.

Bill Larson, el gerente de planta, estaba subordinado al vicepresidente ejecutivo de fabricación de Brooks, cuya oficina corporativa se encontraba en Chicago, Illinois. Larson se reunía una vez al mes con su jefe y otros jefes de planta. A Larson le reportaban en forma directa seis gerentes de línea funcionales y el gerente del sistema de mejora de calidad (SMC). Este grupo de siete gerentes, conocido como el "equipo", se reunía cada semana para planear y analizar qué cosas se iban a ser. (Ver el organigrama en el cuadro 1).

En diciembre de 1989, en la planta había 343 empleados por hora y 125 asalariados. Aproximadamente 80% de la fuerza de trabajo tenía menos de 45 años. setenta y siete por ciento eran hombres y 23% mujeres. 66% habían estado en la planta durante 10 años o menos. Todos los trabajadores por hora estaban representados por el sindicato Teamsters.

Panorama financiero

Brooks Industries

Brooks fue el segundo productor más grande de aparatos domésticos en Estados Unidos. Sus tres principales unidades de negocio eran la comercial/industrial, la de consumo y la fabricación de equipo original. Los principales competidores estadounidenses para sus aparatos domésticos eran Eagleton, Inc., y Universal Appliances, Inc. En Estados Unidos, la participación de mercado de Eagleton era de 47%; Brooks tenía aproximadamente 23%; y Universal Appliances y otras compañías pequeñas tenían el restante 30%. Sin embargo, los fabricantes estadounidenses estaban enfrentando una competencia creciente, en principio basada en precios más bajos, por parte de compañías en Asia y Europa del Este.

En 1989, las ventas de Brooks declinaron 4%, y en 1990, declinaron otro 5%, a $647 millones. El informe anual de 1989 contenía la siguiente declaración acerca de la condición financiera de la compañía: "Había una competencia feroz... lo cual provocó una disminución en nuestra participación de mercado estáble y una caída en los precios, y por ende, un nivel de ventas más bajo... Con el volumen de ventas que mostraba un crecimiento más lento, no pudimos reducir nuestros costos de manera proporcional y se presentó una subutilización de nuestra capacidad". En mayo de 1990, después de anunciar las pérdidas inesperadas del primer trimestre, Brooks implementó una iniciativa de eficiencia en toda la corporación, que incluían recortes planeados de 16% en su fuerza de trabajo, una reestructuración corporativa y un énfasis renovado en la contabilidad administrativa para los resultados netos.

Debido a la decadencia de la condición financiera, durante algunos años Brooks había reducido los recursos disponibles para Littleton. Por ejemplo, el presupuesto de Larson

CUADRO 1
Organigrama de Littleton Manufacturing

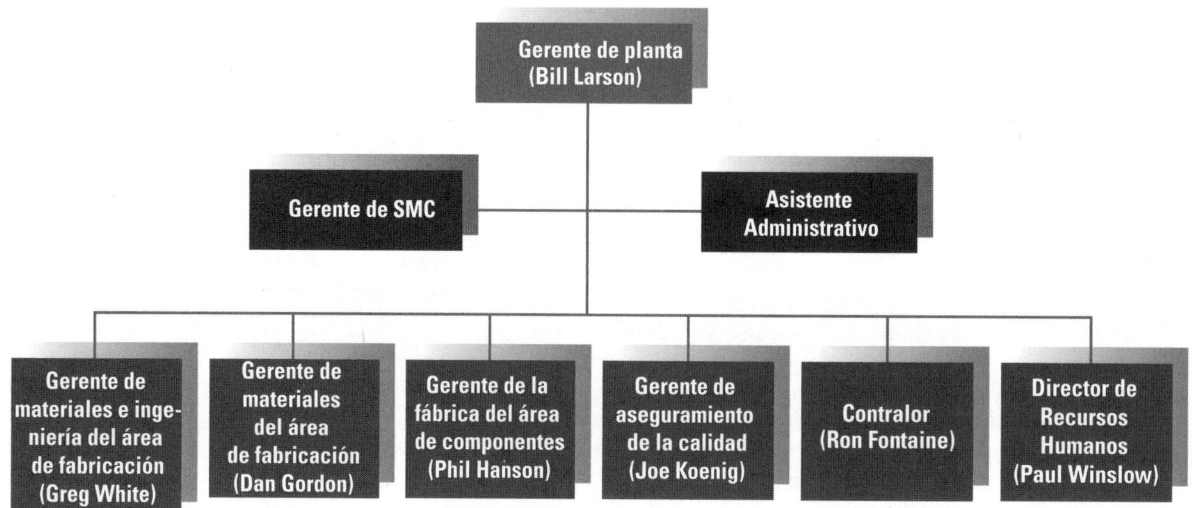

para los salarios se había incrementado sólo 4% cada año durante mucho tiempo. Como resultado, los supervisores y los mandos medios gerenciales se quejaron con energía por que los recientes incrementos salariales habían sido demasiado pequeños y de que los salarios de la planta eran demasiado bajos. También sentían que el sistema de evaluación de desempeño de distribución forzada que la planta utilizaba, el cual estaba basado en una curva de campana, no recompensaba de manera adecuada el buen desempeño. Un gerente de rango medio comentó: "Todo lo que ahora obtenemos por un buen desempeño es una tarjeta de felicitación y un pavo". En abril de 1990, la compañía recortó el presupuesto de Littleton a la mitad y estipuló que cualquier nuevo proyecto que involucrara artículos no esenciales tenía que tener un periodo de recuperación de gastos de un año.

Además, tanto en 1988 como en 1989 Brooks había cargado a la planta de Littleton alrededor de $300 000 por diversos servicios proporcionados, como apoyo técnico, pero en 1990 este cargo fue incrementado a $1 millón. Muchos de los gerentes de planta de Littleton sentían que esto se había hecho para ayudar a compensar la condición financiera en deterioro de Brooks, y estaban frustrados por ello. Para indicar que él pensaba que Brooks estaba utilizando a Littleton como una vaca de ordeña, un miembro del equipo dijo, "Cuanto más rentables nos volvamos, más gastos corporativos nos cargarán".

Muchos gerentes, en especial aquellos que se encontraban en el área de fabricación, sentían que aunque habían hecho dinero en beneficio de la planta, el incremento en los cargos corporativos nulificaba su éxito y su arduo trabajo. Varios gerentes en el área de fabricación también temían que si su operación no tenía un buen desempeño financiero, quizá la compañía cerrara.

Al analizar la creciente falta de recursos disponibles por parte del corporativo y el declive en utilidades de la misma planta, Larson afirmó: "Es necesario que haya un cambio en la forma en que la gente de aquí piensa acerca de los recursos. Tienen que pensar más en términos de eficiencia". Él estaba orgulloso de que la compañía había alcanzado su meta de reducir los costos estándares un 1% en cada uno de los pasados tres años, y que en 1990 las reducciones en costos serían iguales a 5% del valor de producción. Pensar que si la compañía reducía el número de repeticiones de procesos, los costos podrían descender en otro 20 a 30 por ciento.

Littleton Manufacturing

Las operaciones de fabricación y componentes en Littleton Manufacturing fueron administradas como centros de costos por Brooks, mientras que el grupo comercial se manejaba como centro de utilidades. (Un centro de utilidades es parte de una organización que es responsable de acumular ingresos así como costos. Un centro de costos es una división o unidad organizacional de actividad en la cual se mantienen las cuentas con costos directos respecto de los cuales el director del centro es responsable.) En 1989 y 1990, el lado de fabricación de Littleton había tenido un buen desempeño en términos de costos presupuestados, mientras que el lado de componentes había incurrido en pérdidas importantes durante ambos años.

El activo neto de Littleton se incrementó de $319 000 en 1989 a $3 094 000 en 1990 debido a la adición de un nuevo producto en el área de fabricación que se vendió en el mercado externo y no había requerido activos o recursos adicionales.

En 1990, las ventas de la planta global fueron de $41 196 000, con una utilidad de operación de 3.7%, en comparación con 7.3% de 1989. Larson estimó que la recesión actual, que estaba dañando a la compañía, disminuiría las ventas en 1991 en un 10%. El cuadro 2 presenta un estado de resultados operativo para Littleton Manufacturing de 1988 a 1990.

El sistema de mejora de la calidad

En 1985, el corporativo estableció un esfuerzo de administración de calidad total, el sistema de mejora de calidad (SMC), el cual reemplazó los círculos de calidad que la planta había instituido en 1980. En toda la planta se publicó una declaración de calidad, que había sido desarrollada por Larson y su equipo, la cual establecía:

En Littleton Manufacturing estamos dedicados a alcanzar la calidad perdurable. Esto significa que cada uno de nosotros debemos entender y satisfacer los requerimientos de nuestros clientes y colaboradores. Todos debemos luchar siempre por mejorar y por lograr un trabajo libre de errores en todo lo que hacemos: en cualquier trabajo ... a tiempo...todo el tiempo.

Bill Larson estaba muy entusiasmado por el SMC. Él veía esta medida como un enfoque para la calidad total que afectaba no sólo a los productos sino a todos los procesos de la planta, éste requeriría un esfuerzo de largo plazo para cambiar la cultura en la planta. Sentía que SMC ya había cosechado los beneficios en términos de mejoras significativas en la calidad, y que el sistema había ayudado en gran medida a la comunicación en la planta.

En el SMC todos los empleados estaban obligados a participar en equipos de calidad departamental (ECD) de 6 a 12 personas que se reunían cada dos semanas, durante al menos una hora, para identificar formas de mejorar la calidad. La mayor parte de los empleados por hora estaban no sólo en un ECD; los gerentes de rango medio estaban, en promedio, en tres ECD. Algunos gerentes estaban hasta en seis. Los resultados de los esfuerzos de cada equipo se exhibían en gráficas y diagramas por su área de trabajo y se actualizaban cada mes. Había cerca de 60 equipos en la planta.

El líder de cada equipo de calidad departamental, un voluntario, fungía también como miembro del equipo de mejora de calidad (EMC), cuyo objetivo era apoyar a los ECD y ayudarles a vincular sus metas con las metas de la compañía. Los EMC estaban compuestos por seis u ocho personas; cada uno estaba encabezado por un miembro del equipo ejecutivo. Estos miembros del equipo ejecutivo junto con Bill Larson, conformaban el comité de vigilancia de la calidad (CVC) para la planta. El trabajo del CVC era supervisar la dirección e implementación del sistema de mejora de la calidad para la planta y coordinar los programas de mejora a la calidad corporativa. El comité algunas veces también conformaba

8.1

CUADRO 2
Estado de resultados operativo de Littleton Manufacturing

	1988	1989	1990
Fabricación			
Ventas	$16929	$18321	$19640
Costos directos	11551	11642	11701
Margen de contribución	5378	6679	7939
Porcentaje de las ventas	31.8%	36.5%	40.4%
Todos los demás costos operativos	4501	4377	4443
Utilidad de operación	877	2301	3496
Porcentaje de las ventas	5.2%	12.6%	17.8%
Componentes			
Ventas	$20468	$15590	$21556
Costos directos	16049	10612	18916
Margen de contribución	4419	4978	2640
Porcentaje de las ventas	21.6%	31.9%	12.2%
Todos los demás costos operativos	4824	4797	4628
Utilidad de operación	(405)	180	(1988)
Porcentaje de las ventas	−2.0%	1.2%	−9.2%
Total de Littleton Manufacturing			
Ventas	$37397	$33911	$41196
Costos directos	27599	22254	30617
Margen de contribución	9798	11657	10579
Porcentaje de las ventas	26.2%	34.4%	25.7%
Todos los demás costos operativos	9326	9175	9071
Utilidad de operación	472	2482	1508
Porcentaje de las ventas	1.3%	7.3%	3.7%

Nota: Los cambios en la utilidad de operación de cada año están asentados en la cuenta de ingresos retenidos (activos netos) en la hoja de balance corporativo. Sin embargo, se debe hacer notar que las cifras del balance incluyen el impacto de las oficinas centrales, los cambios en la organización nacional y el ingreso extraordinario proveniente de otras operaciones, los cuales no se ven reflejados en el estado de operaciones que se muestra arriba.
Fuente: Contralor de Littleton Manufacturing.

equipos de acción correctiva para trabajar en proyectos especiales. A diferencia de los ECD, los cuales estaban compuestos por empleados de un solo departamento o área de trabajo, los equipos de acción correctiva tenían miembros de diferentes departamentos o funciones. Para 1986, había nueve equipos de acción correctiva, pero para 1989, ninguno estaba en funcionamiento. Cuando se le preguntó acerca de ellos, Winslow dijo, "No estoy seguro de qué es lo que sucedió con ellos simplemente se extinguieron".

Larson pensaba en que el SMC había mejorado la calidad. En la mayoría de sus productos de fabricación, la compañía competía con base en la calidad y servicio al cliente, y el vicepresidente de ventas y marketing pensaban que su calidad era la mejor en la industria. De 1988 a 1989, la planta obtuvo varios premios de Brooks por su calidad y fue citada públicamente por varios clientes dada la calidad de sus productos.

Los empleados por hora en general también pensaban que el SMC había mejorado la calidad, aunque se mostraban menos entusiastas acerca del sistema que la administración. Varios empleados por hora se quejaron de que dado que la participación era obligatoria, muchos grupos eran retrasados por miembros poco motivados. Pensaban que la participación debía ser voluntaria. Otra queja fue que la capacitación era poco adecuada para los líderes del grupo, y ocasionaba que algunos grupos no fueran productivos.

En la primavera de 1990, la compañía decidió que el esfuerzo de SMC estaba "estancándose" y que los ECD se llamarían equipos de calidad interdepartamental (ECI). Los ECI fueron programados para comenzar en noviembre de 1990. Además, la compañía decidió comenzar los equipos de mejora de procesos (EMP), los cuales se enfocarían en diferentes procesos existentes en la planta, como el de presupuesto y administración de inventarios. Un EMP, compuesto por gerentes con diferentes funciones, no sería continuo, sino que sólo duraría por el tiempo que le tomara alcanzar sus metas particulares.

Cómo perciben los diferentes niveles los problemas

Con el fin de elegir las cuestiones que se debían afrontar primero y diseñar un plan tentativo para abordarlas, Winslow reflexionó acerca de la información de los antecedentes que tenía en 6 áreas problemáticas que él y su equipo habían identificado con base en su propio análisis y en la evaluación de los estudiantes acerca de la comunicación organizacional.

Falta de unidad organizacional

Muchas veces, la gente habla acerca de "este lado de la pared y aquel lado de la pared" para describir a la planta. Se están refiriendo a la pared que les separa del área de componentes, que es más nueva, y el área de fabricación, la más antigua de la planta. (Algunas partes del área de fabricación habían sido construidas en la década de 1920). El área de los componentes era más brillante, más limpia y más abierta y, en verano, más fría y fresca. Cuando se comparaban ambos lados, un gerente afirmó, "Cuando el cambio de turno en el área de fabricación termina, sales y sientes como si hubieras pasado por un exprimidor de ropa". En líneas generales, el equipo del área de componentes era también más nuevo, en su mayoría databa de las décadas de 1970 y 1980 y alguna parte de su maquinaria de vanguardia había sido desarrollada en la planta. Gran parte del equipo del área de fabricación databa de la décadas de 1950 y 1960. Estas diferencias en edad implicaban que, en general, la maquinaria del área de fabricación requiriera más mantenimiento.

Por todos era aceptado que las labores en el área de componentes eran más limpias y fáciles, y que permitían una mayor interacción social. En el área de fabricación muchas de las máquinas podían funcionar sólo dos o tres horas antes de necesitar atención, mientras que en el área de componentes podían funcionar durante días sin la intervención de algún obrero. En el área de fabricación, debido a la colocación de las máquinas y la necesidad de frecuente mantenimiento, la gente tendía a trabajar más de manera individual y a estar ocupada todo el tiempo. No era poco común que los empleados de alto nivel que trabajaban por horas en el departamento de fabricación pidieran su transferencia al área de componentes.

Los trabajadores por hora se referían al área de componentes como "un club campestre" en comparación con el área de fabricación. Muchos atribuyeron esto a la forma en que las diferentes áreas eran administradas. El cumplimiento de las reglas era más flexible en el lado de componentes. Por ejemplo, las reglas que requerían zapatos y gafas de seguridad no se hacían cumplir de manera estricta, y a algunos operadores se les permitía comer en el trabajo.

Un miembro del equipo de Recursos Humanos describió a los supervisores del departamento de componentes como "despreocupados en cuanto al cumplimiento de las reglas", en cambio los del departamento de fabricación fueron definidos como "sargentos". Ellos consideraban al gerente de manufactura del departamento de fabricación, Dan Gordon, como poseedor de una visión clara de lo que deseaba para el área de fabricación y de un plan definido acerca de cómo llegar a lograr sus metas. También percibían a Gordon como alguien que mantenía un control estricto sobre sus supervisores y les exigía una rendición de cuentas. El mismo empleado de Recursos Humanos se refirió al gerente de fabricación del departamento de componentes, Phil Hanson, como alguien que manejaba las cosas conforme iban llegando; es decir, como más reactivo. Hanson permitía que sus supervisores tuvieran más libertad y no se involucraba en el taller a menos que hubiera un problema. No obstante, cuando esto sucedía reaccionaba con firmeza y rapidez. Por ejemplo, para combatir la tendencia creciente de los empleados a tomar descansos extendidos, había comenzado a asignar supervisores fuera de los baños justo antes y después de los descansos programados.

Bill Larson atribuía las diferencias en ambas áreas "a las diferentes necesidades de desempeño y rendición de cuentas que las actividades del negocio y la oficina corporativa dictaban". El departamento de componentes cumplía las necesidades internas de producción de Brooks al proveer a todas las demás plantas de la compañía de un producto que ellos, a su vez, usaban para fabricar un utensilio doméstico que se vendía por millones cada año. No obstante, el área de fabricación tenía que satisfacer las necesidades de una variedad de clientes industriales mientras competía en el mercado abierto.

Larson sentía que el departamento de fabricación debía tener una ética con un espíritu más emprendedor que el departamento de componentes debido a que "el departamento de fabricación vivía o moría según la manera en que ellos tratan a sus clientes; tenía que cortejar a los clientes e interactuar bien con ellos", mientras que el departamento de componentes tenía un mercado listo para consumir sus productos.

Larson también pensaba que algunas de las diferencias eran debido al hecho de que la planta era "rehén de lo que sucedía en el corporativo". A pesar de que la oficina corporativa establecía los objetivos financieros para ambas partes de la planta, ejercía un control más enérgico sobre las metas financieras y de productividad del departamento de componentes debido a que ninguna otra planta de Brooks estaba en el negocio de fabricación y Brooks pensaba que el negocio de componentes era mucho mejor. Además, el corporativo dependía del área de componentes ya que ésta le proveía partes estandarizadas; principalmente bobinas de alambre, utilizadas en muchos de sus productos terminados. El departamento de componentes producía hasta 2 millones de algunas de esas pequeñas partes al día.

Larson también indicó que los requerimientos para el número de trabajadores en ambas áreas de la planta eran diferentes. Por ejemplo, dependía del negocio que fuera probable para cada área, los requerimientos de horas extra podían variar. Los empleados a los que se les pagaba por hora en el área de la planta que tenía más tiempos extra, sentían que el área que trabajaba menos estaba obteniendo un trato más "cómodo". Larson sabía que la disparidad de tiempos extra era debido a la necesidad, no al tratamiento preferencial de un área sobre la otra, pero él lo ponía de esta manera: "Tú puedes hablar y hablar, pero no lograrás darles una explicación satisfactoria. Así que esto provoca una gran frustración entre los diferentes niveles de aquí".

El gerente de EMC rastreó las diferencias entre el área de fabricación y la de componentes hasta la consolidación

8.1

en Littleton de toda la producción de bobinas de alambre de Brooks necesarias para sus aparatos electrodomésticos después de que Brooks adquirió Frühling en 1984. La gran parte de los altos directivos contratados para comenzar el negocio de componentes fueron traídos de Frühling y, como él lo planteó, "Tenían una forma diferente de hacer las cosas. No era un barco fácil de navegar". Dijo que algunos de los antiguos gerentes en la planta se cuestionaban acerca de la pertinencia de haber traído gerentes de una compañía que no había sido exitosa. La gente preguntaba. "¿Por qué los utilizan aquí? Quizá tuvieron parte de la culpa de lo que estaba mal." Un gerente de manufactura agregó que el gerente que había sido traído para echar andar el negocio de componentes, Bob Halperin, tenía la visión de: "Vamos a empezar un nuevo negocio aquí y hacer lo que sea necesario para hacerlo funcionar y al diablo con las políticas de Littleton Manufacturing". También, cuando el nuevo negocio de componentes comenzó, su director reportaba en forma directa a la oficina corporativa de Brooks y no al gerente de la planta. En 1986, la estructura cambió de manera que el gerente de fábrica del departamento de componentes reportaba al gerente de planta de Littleton Manufacturing.

Un representante sindical en la planta atribuyó algunas de las diferencias entre ambas áreas al hecho de que la fuerza de trabajo en el área de componentes tendía a ser más joven y a tener más mujeres con niños pequeños (67% de las mujeres que trabajaban por hora en la planta lo hacía en el departamento de componentes). La necesidad de cuidar niños, pensaba, ocasionan que las mujeres necesiten tomarse más tiempo libre durante el trabajo. Uno de los supervisores del departamento de fabricación pensó que dado que los supervisores en el departamento de componentes eran más jóvenes, esperaban más de la dirección y eran más francos, en especial acerca de cuánto más debían recibir por cada hora de trabajo. Una parte importante de estos supervisores también había sido traída de Frühling, y no eran originarios de Littleton.

Falta de consistencia en el cumplimiento de reglas y procedimientos

Una queja importante tanto de los trabajadores asalariados como los que trabajaban por hora era la aplicación incongruente de políticas y procedimientos. Aunque la mayor parte de la gente mencionó las diferencias de un lado de la planta con respecto del otro, también había diferencias de un departamento al otro. El representante sindical en jefe lo planteó de esta manera, "Éste es el problema número uno aquí: ¡Nada es equitativo!", algunos supervisores del departamento de componentes estaban permitiendo a la gente tomar descansos más largos y acudir a sus descansos más temprano de lo que se suponía se debía hacer. Algunos supervisores permitían a los empleados por hora que pasearan y hablaran durante un rato antes de arrancar sus máquinas. En algunos departamentos del área de componentes, los empleados tenían permitido reunirse en los baños y "pasar el rato" de 5 a 20 minutos antes de irse. El representante en jefe citó un ejemplo en que, contrario a la política previa, se permitía a algunos trabajadores en el área de componentes tener radios. "Cuando la gente en el área de fabricación se dio cuenta", dijo, "se puso furiosa".

Algunos otros ejemplos de las incongruencias citadas por los empleados son las siguientes:

1. Las peleas en la planta dan como resultado necesario el despido automático, pero el gerente de Recursos Humanos recordó dos incidentes de peleas donde la gente involucrada no fue disciplinada.
2. Otro incidente que dio mucho qué decir en toda la planta involucró a un empleado que fue "atrapado en una nube de humo de marihuana" por su supervisor. Dado que el supervisor no observó al hombre fumando sino con el olor a la marihuana, la persona tan sólo recibió una advertencia por escrito. Un gerente dijo, "Necesitamos adoptar una postura respecto a estas cosas. Es necesario establecer una declaración. De esta forma podremos obtener un poco de respeto". Al describir el mismo incidente, otro gerente afirmó, "Esto nos lleva a pensar que les estamos dando (a los empleados que trabajan por hora) el control".
3. Muchas personas también mencionaron el caso de una madre que alegaba que sus ausencias repetidas al trabajo se debían a las citas de los médicos para revisar a sus hijos y fue suspendida durante tres días, lo que compararon con el caso de un operador que faltó a trabajar varias veces, sospechoso de abusar de drogas o alcohol, pero no fue disciplinado.

Al analizar las diferencias en la manera de hacer cumplir las regulaciones de seguridad en toda la planta, el gerente de seguridad de la planta afirmó que cuando él confrontaba a una persona que estaba calzando zapatos deportivos, muchas veces ésta contestaba que había olvidado ponerse sus zapatos de seguridad. Dijo, "Si tengo que castigar a todos, castigaría a 50 o 100 personas al día".

También había diferencias en el ausentismo en las dos áreas de la planta. El ausentismo en el área de componentes era de alrededor de 2.2%, mientras era ligeramente menor al 1% en el área de fabricación. Algunos atribuían esto a una aplicación de las regulaciones que regían el ausentismo más flexible por parte de los supervisores del área de componentes.

Winslow había intentado estimar el costo anual del fracaso en la aplicación de las reglas que regían el encendido e interrupción del trabajo. Su estimación fue que la planta estaba perdiendo $2237.50 al día, lo que daba un total de $529 400 al año. El memorando de Winslow en el que se detallaba cómo había llegado a esta estimación general había sido parte de su presentación a Larson; éste se incluye en el cuadro 3. Aunque Winslow no lo había incluido en el memorando, después calculó que 70% de la pérdida total era responsabilidad del área de componentes de la planta.

Los supervisores se quejaron de que cuando intentaron disciplinar a los subordinados, muchas veces no sentían un respaldo por parte de la gerencia. Relataron incidentes donde habían disciplinado a los empleados por hora sólo para que sus decisiones fueran cambiadas por la gerencia o el departamento de Recursos Humanos. Un supervisor habló de un incidente en el cual él había intentado despedir a alguien de acuerdo con lo que él pensaba que era una política de la compañía, pero el despido fue cambiado por una suspensión. Se

CUADRO 3
Memorando de Paul Winslow a Bill Larson

MEMORÁNDUM

De: Paul Winslow, director de Recursos Humanos
A: Bill Larson
Asunto: costo estimado de la pérdida de tiempo de manufactura
Fecha: 18/6/90

Pérdida de tiempo de manufactura*
(Basada en 348 empleados que trabajan por hora)

Retraso al comienzo del cambio de turno	10 minutos × 25% (87)	=	14.50 horas
Aseo antes del descanso matutino	5 minutos × 75% (261)	=	21.75 horas
Retraso al regreso del descanso	10 minutos × 50% (174)	=	29.00 horas
Tiempo promedio del aseo anticipado para el almuerzo	avg. 10 minutos × 50% (174)	=	29.00 horas
Retraso en el regreso del almuerzo	10 minutos × 25% (87)	=	14.50 horas
Aseo antes del descanso vespertino	5 minutos × 75% (261)	=	21.75 horas
Retraso en el regreso del descanso	10 minutos × 50% (174)	=	29.00 horas
Aseo anticipado al final del turno	5 minutos × 75% (261)	=	65.25 horas
	Total	=	224.75 horas/día

Costo: 224.75 × avg. $10 hr. = $2 247.50/día
240 días × $2 247.50 = $539 400.00/año

*1. No incluye prestaciones.
2. No incluye abusos de horas extra.
3. No incluye los casos de los empleados que salen del edificio y han registrado su hora de entrada.

le dijo que había sido demasiado. En un evento posterior otra decisión suya fue cambiada, se le dijo que había sido demasiado indulgente. Afirmó, "sentimos que estamos atados de manos; no estamos seguros de qué es lo que podemos hacer". Las decisiones de los supervisores que fueron cambiadas por lo general eran comunicadas directamente al sindicato por el departamento de Recursos Humanos. En estos casos, los supervisores sentían que estaban siendo ofendidos "con cara de tontos"

Winslow atribuyó algunos de estos problemas a la falta de comunicación concerniente a las políticas y procedimientos de la compañía. Pensaban que si los supervisores entendían la política de la compañía mejor, sus decisiones no necesitarían cambiarse con tanta frecuencia. No había un manual de políticas de Recursos Humanos, por ejemplo, aunque las reglas laborales estuvieran contenidas en el contrato sindical.

Dan Gordon no estaba de acuerdo con el punto de vista de que estos problemas fueran resultado de la falta de comprensión por parte de los supervisores acerca de las políticas y procedimientos de la planta. Él afirmó: "99% de los supervisores conocen las políticas pero carecen de las habilidades y la voluntad para hacerlas cumplir. Tal como un oficial de policía necesita ser capacitado para leerle sus derechos a un prisionero, los supervisores necesitan ser instruidos a fin de estar en condiciones de realizar sus trabajos". Pensó que en algunos de los casos donde una decisión de un supervisor era cambiada, el supervisor se había equivocado en seguir el procedimiento disciplinario apropiado. Por lo tanto, cuando la decisión del supervisor se anulaba y no se proporcionaba explicación alguna, se dejaba al supervisor con su propio punto de vista errado de lo que había sucedido.

El gerente de Recursos Humanos pensaba que algunos de los supervisores estaban renuentes a disciplinar o confrontar al personal debido a que "temían dañar los sentimientos de las personas y deseaban ser aceptados por ellas".

La función del supervisor es mal percibida

En el primer turno en el área de fabricación había aproximadamente 70 trabajadores por hora y 7 supervisores, y en el área de componentes había aproximadamente 140 trabajadores por hora y 11 supervisores. Los supervisores eran asistidos por líderes de grupo, empleados por hora designados por la compañía y quienes recibían un extra de hasta 10 centavos la hora.

En todos los niveles en la planta había una inquietud acerca de la función de los supervisores. "Los supervisores se sienten como si fueran nada", afirma un alto directivo. En la evaluación de la comunicación organizacional que realizaron los estudiantes, los empleados por hora, los gerentes de rangos medios y los supervisores reportaron que los supervisores tenían demasiadas tareas y que esto limitaba su efectividad.

Una observación típica que hizo un empleado por hora fue: "Los supervisores no pueden estar en el taller debido a sus juntas y papeleo. Tienen una cantidad tremenda de cosas en la mente... el supervisor se ha convertido en un repartidor de diarios, lo cual le impide hacer su trabajo". Cuando se habló acerca de cuán ocupados estaban los supervisores y cómo responderían a las sugerencias hechas por los empleados por hora, otras personas que trabajaban por horas afirmaron: "La expresión favorita del supervisor es, lo olvidé".

Los supervisores también desean participar más en la toma de decisiones. "¡Harás esto! ¡Harás esto! ¡Harás esto!" es la forma en que un supervisor caracterizó el estilo dominante de toma de decisiones de los gerentes en la planta. Él pensaba que la mayoría de los gerentes esperaban que los supervisores hicieran justo lo que ellos les decían. "Tenemos una gran cantidad de responsabilidad pero poca autoridad", fue como otro supervisor lo planteó. Muchos supervisores sienten que los gerentes les ordenan hacer cosas, pero cuando algo marcha mal, ellos son los culpables.

Otro factor que contribuyó a la baja moral de los supervisores fue una falta percibida de recursos que sentían eran necesarios para realizar un buen trabajo. Varios se quejaron de que muchas veces se les decía que no había dinero para hacer cambios o mejorar cosas. También se quejaron de la poca cantidad de personal de ingeniería, de limpieza y de mantenimiento. Algunos supervisores pensaron que había muy pocos supervisores en los segundos y terceros cambios de turno. Pensaron que esto dio origen a una supervisión inadecuada y permitió que algunos trabajadores por hora perdieran el tiempo haciendo tonterías, ya que los empleados sabían en qué momento estos pocos supervisores andaban por ahí.

La combinación de estos factores —sobrecarga de trabajo, demasiado papeleo, falta de autoridad, participación insuficiente en la toma de decisiones, falta de recursos para hacer cambios, capacitación inadecuada y pocas recompensas— hicieron difícil encontrar a gente por hora en la planta que aceptara una oferta para convertirse en supervisor.

Al analizar el papel de los supervisores, Larson afirmó, "No hicimos un buen trabajo de capacitación con los supervisores. Les decimos lo que queremos y queremos que nos rindan cuentas, pero no les damos las herramientas personales para hacer lo que queremos que hagan. Necesitan esa confianza y la capacidad para manejar a la gente y responsabilizar a la gente sin hacerla sentir mal". Continuó con su halago a un supervisor que pensaba que estaba haciendo un buen trabajo. En particular, Larson sentía que los subordinados de este supervisor sabían qué esperar de él. Esta persona había sido un oficial de marina durante muchos años, y Larson pensaba que esto le había ayudado a sentirse confortable haciendo cumplir las reglas. Mientras reflexionaba en esto, afirmó, "Quizá debamos buscar sólo a gente con antecedentes militares para ser supervisores".

Enfoque insuficiente en las prioridades de Littleton

La frase "Enfoque insuficiente en las prioridades de Littleton" reflejaba dos preocupaciones expresadas por los empleados. En primer lugar había una falta de comprensión de las metas de Littleton. En segundo lugar, había un compromiso cuestionable de la planta con estas metas. Sin embargo, los diferentes niveles percibían estas cuestiones de manera diferente.

Aunque la planta no contaba con una declaración de misión, los altos directivos afirmaron que pensaban que entendían las prioridades de Littleton. La descripción típica de un alto directivo de las metas de la planta era "Proporcionar a los clientes productos de calidad a tiempo al costo más bajo posible con el fin de obtener utilidades".

Cada año, Larson y el equipo ejecutivo desarrollaban un plan estratégico de cuatro años para Littleton. Las ventas y el marketing proyectarían primero las cantidades y tipos de productos que pensaban que podían vender. Después, el departamento de manufactura buscaría las capacidades de mano de obra y maquinaria para la planta. Entonces, las proyecciones de ventas y las capacidades se ajustarían según fuera necesario. A través del proceso, las metas se establecían para mejorar la calidad y reducir los costos. Larson entonces llevó el plan a Brooks para su revisión y/o aprobación. Después, Larson convirtió las metas que detallaba el plan estratégico en objetivos específicos para cada departamento. Éstos se utilizaron a fin de establecer objetivos cuantificables para cada miembro del equipo y luego conformaron la base para la estimación del desempeño anual. Debido a este proceso, todo el personal del equipo sentía que sabían qué era lo que se esperaba de ellos y cómo su trabajo contribuiría al logro de las metas organizacionales.

Al mismo tiempo, tanto los gerentes de rangos medios como altos pensaron que había una comunicación insuficiente y apoyo por parte de las oficinas corporativas. Mencionaron que no sabían lo suficiente acerca de los planes de largo plazo del corporativo para la compañía. Varios gerentes del área de fabricación se preguntaban acerca del compromiso del corporativo con el negocio de fabricación. Pensaban que si su operación no se desempeñaba bien desde el punto de vista financiero, quizá la compañía podría llegar a su fin. Al analizar el estado del área de fabricación de la planta, Gordon afirmó que Brooks consideraba que aquél era un "negocio periférico". El gerente de aseguramiento de la calidad sentía que el corporativo no estaba proporcionando el apoyo suficiente y la dirección de largo plazo para el sistema de mejora de calidad. Winslow estaba preocupado por la falta de congruencia en las políticas de Recursos Humanos que proporcionaba el corporativo y sentía que su palabra no tenía el suficiente peso en los esfuerzos de planeación de Recursos Humanos del corporativo.

Todos los niveles por debajo del equipo directivo se quejaron de que no comprendían bien las metas de largo alcance en el propio Littleton. Algunos gerentes de nivel medio pensaron que había un plan escrito y de largo alcance para la compañía, pero otros no estaban de acuerdo. Un miembro del equipo ejecutivo informó que hasta donde él sabía, el plan estratégico completo sólo lo conocía el personal directivo, aunque algunos gerentes conocían porciones que están relacionadas con sus departamentos. También informó que el plan estratégico nunca fue analizado en las reuniones de revisión de operaciones. La mayor parte de los empleados que trabajaban por hora afirmó que dependían de los rumores para enterarse de la información acerca del "panorama general". Al discutir el flujo de información en la planta, un representante sindical afirmó, "Las cosas se pierden a través de la cadena de mando". Afirmó que obtuvo más de 80% de su información de los chismes en el taller.

El mecanismo principal que se utilizaba para comunicar las metas de Littleton y la condición de la planta con respecto a su logro, era la junta de revisión de operaciones que se llevaba a cabo una vez al mes a cargo del gerente de planta, a la cual todos los empleados asalariados eran ostensiblemente invitados. En estas reuniones, a las que por lo general asistían aproximadamente 18 personas, el gerente de planta informaba las cifras acerca de qué tan cerca había estado la planta de los indicadores de negocios seleccionados. En una típica junta reciente, por ejemplo, el gerente de sistemas de mejora de calidad describió varios esfuerzos en la planta para mejorar la calidad. Bill Larson entonces revisó los números. Representó los datos acerca de la producción real en comparación con la presupuestada, las variaciones entre los costos de manufactura reales y los presupuestados, los ingresos, los principales diez productos en ventas, los márgenes estándares en diversos productos, los embarques de productos, la información acerca de retrasos y los 10 clientes principales.[1] Cuando pidió preguntas al final de su presentación, no hubo ninguna.

La evaluación organizacional por parte de los estudiantes arrojó que en todos los niveles se apreciaba el intento de las juntas de revisión de operaciones, pero había varias inquietudes. Todos los entrevistados deseaban una comunicación de doble vía, sin embargo, el tamaño y formato de las juntas inhibían la discusión. Los gerentes de rangos medios se enfocaban demasiado en lo que estaba sucediendo y no lo suficiente en el futuro. Como un gerente afirmó: "Es como ver a Lubbock por el espejo retrovisor. Deseamos saber a dónde vamos, no dónde hemos estado. Queremos saber qué es lo que va a suceder y cómo va a afectar a nuestro departamento, qué podemos hacer para ayudar". Otros, lo que incluye a algunos del equipo directivo, se quejaron acerca de la dificultad de comprender la terminología financiera. Algunos empleados que trabajaban por horas y que fueron entrevistados ignoraban que hubiera juntas de revisión de operaciones, y otros no sabían qué se discutía en ellas.

Varios gerentes de rango medio y de manufactura pensaron que sostener juntas departamentales regulares mejoraría la comunicación dentro de sus departamentos. También dijeron que les gustaría ver las minutas de las juntas del equipo ejecutivo.

Cuando fueron entrevistados por los estudiantes para la evaluación de la comunicación organizacional, varios gerentes de rango medio, supervisores y trabajadores por hora en toda la compañía no estaban practicando lo que predicaban con respecto a las metas establecidas. Se suponía que un objetivo importante fuera el producto de calidad; sin embargo, reportaron que había demasiado énfasis en alcanzar las cifras, u obtener el número requerido de productos en el mercado, aunque tuviera defectos. Afirmaron que esto ocurría en particular hacia el fin del mes cuando se enviaban los reportes de producción. El comentario de un trabajador reflejó las opiniones que tenían muchos empleados por hora: "Algunos jefes de trabajo le piden a la gente que terminen productos que no tienen buena calidad. Esto transmite el problema de un departamento a otro y al final lo que resulta es un producto desastroso. Parecen muy interesados en alcanzar la cuota y en lograr que el pedido salga a tiempo y no en tener un producto de calidad. Se trata de un gran problema debido a que los trabajadores por hora creen que la calidad no es importante, y han comenzado a no preocuparse en su trabajo. Lo transfieren a la siguiente persona, y ésta se enfurece".

La percepción de varios trabajadores por hora acerca de que sus sugerencias para mejorar la calidad no eran respondidas debido a la falta de dinero también generó su cuestionamiento acerca del compromiso de la compañía con la calidad.

El cambio está administrado de manera deficiente

La mayoría los empleados entrevistados por los estudiantes pensaba que no había demasiados cambios en la planta y que muchos de ellos provocaron confusión.

1. El sistema de mejora de la calidad se inició en 1985.
2. En 1986, 100 empleados por hora fueron despedidos.
3. En 1984, había 150 gerentes; en 1990, 87 gerentes.
4. En 1989, el corporativo inició una reestructuración que cambió las relaciones de subordinación de varios altos directivos.
5. El 1989, como parte del sistema de mejora de la calidad, la planta comenzó a utilizar técnicas de control estadístico de procesos y también inició esfuerzos para obtener la certificación ISO (ISO es una certificación de excelencia reconocida a nivel internacional.)
6. En 1989, se introdujo un nuevo sistema de control de inventarios y producción, con la ayuda de un equipo externo de consultores que estuvo en la planta durante casi un año y estudió sus operaciones.
7. En 1990, el área de componentes reorganizó su flujo de producción.

El efecto de todos los cambios suscitó varias quejas. La gente sentía que algunas funciones y responsabilidades no eran claras. Había una creencia difundida de que las razones de los cambios no estaban comunicados muy bien y la gente encontraba que los mismos los afectaban demasiado tarde. Además, había mucha incertidumbre acerca de por cuánto tiempo, un nuevo programa, una vez iniciado, continuaría. Larson pensó que muchos empleados por hora estaban renuentes a los cambios que se estaban implementando debido a que creían que éstos requerirían más trabajo por parte de ellos y que ya estaban "corriendo todo el tiempo". Un representante sindical observó, "Nunca hay un aligeramiento gradual de las cosas aquí". Un gerente de rango medio afirmó: "Estamos obligados a ser veloces. Estamos orgullosos de ir rápido. Nos apresuramos hoy para ver las cosas listas para mañana".

Larson pensó que la cultura de la planta estaba cambiando de manera gradual debido a la implementación del SMC, pero observó que se había invertido demasiado tiempo dando a los empleados razones de los cambios.

Dan Gordon pensó que la planta necesitaba "comunicar el cambio mediante una sola voz". Afirmó que el estilo de Larson era dejar que el equipo comunicara a los demás los cambios siguientes. Él comentó, "Cuando la información llega a la última persona, se pierde algo". Sentía que Larson necesitaba comunicar en forma personal los cambios a aquellos que se encontraban en los niveles más bajos.

8.1

El gerente de sistemas de mejora de calidad pensó que Brooks no proporcionaba los suficientes recursos y apoyo para los cambios en la planta. Cuando explicó su visión del enfoque corporativo hacia el cambio, dijo, "El paso uno es no dar mucho. El paso dos es no dar nada. El paso tres es que ellos se llevan lo que resta". Otro gerente de rango medio comentó, "Siempre se nos está pidiendo hacer más con menos, pero los requerimientos del corporativo no menguan".

Un ejemplo mencionado con frecuencia acerca del cambio que resultaba frustrante para tantas personas era la introducción del Sistema de Control de Inventario y Producción Asistida (MAPICS por sus siglas en inglés Assisted Production and Inventory Control System) en 1989. MAPIC era un sistema automatizado que se suponía mantendría el control de los materiales, la productividad y la eficiencia de la mano de obra. En teoría, daba seguimiento de los pedidos desde el momento de ingreso hasta el pago de las facturas, con posibilidad de conocer dónde se encontraba un pedido en cualquier punto del sistema al consultarlo en una computadora. Sin embargo, el sistema consumía mucho tiempo (la información debía ser ingresada de forma manual por parte de los supervisores) y no se ajustaba tan bien a la sección de Fabricación de la planta como a la sección de Componentes, donde la producción se encontraba más estandarizada. Un alto directivo comentó, "MAPICS se vendió como el salvador de los supervisores, y se suponía que la empresa obtendría toda la información que necesitara, sin embargo, esto nunca sucedió. Se encuentra parcialmente instalado y existen problemas del sistema y en la captura". En fechas recientes, se ha cuestionado si MAPICS proporcionaba un conteo de inventario preciso.

Los empleados que laboran por hora se sentían molestos por la forma como se llevaban a cabo los cambios. Una persona comentó, "Primero a todos nos indican que debemos monitorear el desperdicio y luego de repente nos indican que dejemos de hacerlo". Otro dijo, "Un día el cuarto de MAPICS se encuentra aquí, y al siguiente día está por allá. Además colocaron un nuevo sistema en el almacén, y nosotros no sabíamos nada de él". Muchas personas resintieron la entrada de los consultores externos por parte del corporativo, reportaron que no sabían por qué habían sido llevados ni lo que hacían. Temían que las recomendaciones de los consultores ocasionaran despidos.

El personal que labora por hora sintió que mucha de la información sobre los cambios venideros provenía de rumores, "Los rumores corren como pólvora", fue la forma como un trabajador de este grupo describió la comunicación en la planta. Otro dijo, "Los directivos no visitan mucho la planta. Sólo los vemos cuando las cosas andan mal".

Al analizar la comunicación sobre los cambios, un gerente medio comentó: "Es un motivo constante de broma. El personal que labora por hora conoce lo que sucederá antes que nosotros". Un representante expresó, "Muchas veces, le dices a los supervisores lo que sucederá y ellos se sorprenden. Esto ocasiona problemas en la moral y genera condiciones de trabajo inestables. Aunque nueve de diez veces resulta verdadero".

Los empleados por hora también sienten que no participan lo suficiente en las decisiones administrativas sobre los cambios que se llevarán a cabo. Un trabajador de este grupo expresó, "No nos solicitan nuestra opinión. Nosotros podríamos decirles si algo no funcionará. Deberían mantenernos informados. No somos idiotas".

Falta de un enfoque sistemático para la capacitación

La empresa había llevado a cabo un esfuerzo de capacitación bien estructurado cuando los empleados fueron contratados para comenzar a laborar en la sección de Componentes de la planta cuando inició el programa QIS. Adicionalmente, cada dos años todos los empleados participaban en una capacitación de actualización del QIS. No existía otra capacitación formal o desarrollo de carrera en la planta.

Los empleados que laboran por hora y los supervisores en particular se quejaban de la falta de capacitación. Un empleado de este grupo expresó la idea compartida de forma general: "Cuando comienzas a trabajar aquí, se convierte en una cuestión de nadar o hundirse". Al analizar la promoción de los supervisores, el representante sindical en jefe dijo que no sabía cómo la gente llegaba a ser supervisor y hasta donde él conocía, no existía una capacitación necesaria para acceder a este puesto".

Cuando eran contratados, empleados asalariados y trabajadores por hora participaban en una sesión de orientación en la que se les informaba acerca de las prestaciones, las políticas de asistencia, los horarios de trabajo, las regulaciones de estacionamiento y los aspectos de seguridad. Después de la sesión de orientación, la posterior capacitación de los nuevos empleados asalariados era responsabilidad de los departamentos individuales. La práctica común era que el supervisor del departamento asignara al personal que labora por horas a un operador de este grupo con experiencia para una capacitación personal por dos semanas. Winslow expresaba parte de sus dudas con este método al comentar: "No se sabe si el departamento está asignando a la mejor persona para capacitar al nuevo empleado o si siempre utilizan a la misma persona para la capacitación".

El departamento de Recursos Humanos no contaba con un presupuesto independiente para capacitación, sin embargo, los departamentos individuales, en ocasiones utilizan sus recursos para ello y registraban el dinero utilizado como una variación de sus metas presupuestadas. La capacitación continua que se presentaba por lo general era técnica para el personal de mantenimiento.

Cuando se le solicitó explicar por qué no existía más entrenamiento, Winslow respondió, "Quisiéramos contar con más capacitación pero no lo hemos logrado debido al costo y a problemas de personal". Por ejemplo, en 1986 el puesto de Winslow era gerente de capacitación y desarrollo, y había sido responsable del programa de entrenamiento de los nuevos empleados contratados para integrarse en la unidad de Componentes. Después de finalizar la capacitación inicial, solicitó que la planta proporcionara una continua para los operadores de Componentes, sin embargo, su solicitud la rechazó Larson, quien no quiso gastar el dinero necesario. Winslow también recordó las cerca de 160 horas que había invertido el año anterior en el desarrollo de un programa de capacitación por video para los empleados que laboran por hora en una parte de la sección de Componentes de la planta. Comentó que el programa había sido puesto a prueba, pero cuando llegó el momento de enviar a la gente al curso, la gerencia de producción no estuvo dispuesta a dejar que la gente se ausentara del piso de planta.

Winslow también citó la falta de apoyo del corporativo como un factor de los esporádicos esfuerzos de capacitación de la planta. En un tiempo Brooks había contratado a un director de capacitación para sus plantas, pero en 1987, esta persona renunció y la empresa nunca contrató a nadie para reemplazarlo. En la actualidad, Brooks no contaba con un departamento especial para esto; se esperaba que cada planta proporcionara su propio entrenamiento. La capacitación que Brooks ofrecía, de acuerdo con Winslow, era para el "gerente prometedor" y era adquirida de un proveedor externo.

Alta Dirección

Al tomar asiento en su oficina pensando en lo que podía hacer, Winslow sabía que cualquier plan debía parecerle aceptable tanto a Larson, como a Gordon y a Hanson (el gerente de planta y los dos gerentes de fábrica) pasó un momento y pensó en sus estilos directivos.

Bill Larson tenía cuarenta y tantos años, con una licenciatura en ingeniería mecánica y había ingresado a Littleton en 1970. Había sido gerente de planta desde 1983. Sus subalternos lo consideraban brillante, analítico y práctico. Cuando se le preguntó una vez cómo se describiría a sí mismo a alguien que no lo conociera, respondió "Mantengo fuera mis emociones, recuerdo cuando estuve en el ejército, de pie y a la orden frente a la Tumba del Soldado Desconocido, la gente se acercaba y me veía a los ojos para hacerme pestañear. Pero yo era capaz de salirme de ahí, a tal grado que ni siquiera los veía". Añadió que había construido la mayor parte de su casa y reparado su propio equipo, que incluía los motores de un crucero de cabina que poseía. Al haber sido educado en una granja en el medio oeste rural, decía que había aprendido a temprana edad la forma de reparar equipo con alambre de embalaje para mantenerlo en funcionamiento.

A pesar de que Larson era considerado accesible por parte del personal ejecutivo, en raras ocasiones salía al piso de planta para conversar con la gente. Muchos directivos lo consideraban una persona de "números" quien muy pronto matizaba su conversación sobre la planta con información cuantitativa sobre indicadores de negocio, varianzas, costos presupuestados, etcétera. Al referirse a su incomodidad para discutir asuntos personales, en broma alguna vez dijo de sí mismo: "Puedo conversar en el teléfono durante treinta y cinco segundos, y luego no puedo hablar más".

Al describir su propio estilo directivo, Larson comentó, "Me gusta apoyar a la gente y hacer que se involucre. Me agrada dejarles saber lo que pienso y lo que deben lograr. Dejo que las ideas salgan de ellos, me interesa que me proporcionen recomendaciones y si creo que son correctas, no las cambiaré. El personal debe ser confiable, pero no deseo que sientan que estoy detrás de ellos todo el tiempo, no deseo impedir su motivación". Estimó que 40% de su responsabilidad laboral estaba compuesto por la administración del cambio.

Dan Gordon, quien contaba con 38 años de edad, había trabajado en Littleton durante quince años y había sido gerente de manufactura de la sección de fabricación por siete años. Al describirse a sí mismo, comentó, "soy un detallista y detesto el mal desempeño. Mis superiores dicen que soy un directivo de Teoría X y que cuento con una personalidad fuerte (que puedo intimidar a la gente)".

Al comentar acerca de su nivel de comunicación con los empleados que laboran por hora, Gordon señaló que no era lo suficiente, y agregó que "nuestras jornadas están tan cargadas, que no pasamos el tiempo suficiente en contacto con la gente como debiéramos". Comentó que pocas veces recorría la planta y que nunca conversaba de forma individual con el personal que laboraba por horas. Aunque una vez al año se reunía de manera formal con estos empleados de la sección de fabricación para llevar a cabo una reunión de revisión de operaciones del mismo modo que se presentaba con el personal asalariado, para analizar lo que hacía la planta, las utilidades, los nuevos productos, etcétera. "Al personal que labora por horas les encanta", reportó.

Al responder acerca del motivo por el cual no se comunicaba más con este personal, Gordon comentó, "dado que la información del departamento contable depende, en parte, de nuestra recopilación de información, una buena parte de mi tiempo se consume en esto. Quizá estoy demasiado ocupado con actividades burocráticas como para ser más visible". Basaba sus decisiones administrativas en información documentada y con frecuencia estudiaba los reportes financieros y de productividad emitidos por el departamento contable. Comentaba que le gustaría ver a los supervisores pasearse en las mañanas sólo para conversar con la gente, pero reconoció que tenían demasiados reportes por llenar y demasiadas reuniones por atender.

Cuando se le solicitó explicar lo que se debía hacer para tener éxito como gerente en Littleton, Gordon respondió: "Debes hacer las cosas. Bill Larson desea que se hagan ciertas cosas en determinado intervalo de tiempo. Si haces esto, tendrás éxito".

Phil Hanson, que apenas alcanzaba los cincuenta años, había trabajado para Littleton durante siete años. Fue contratado como gerente de materiales para la sección de componentes y fue promovido como gerente de Componentes de la misma a mediados de 1989. Phil estimaba que ocupaba el 50 por ciento de su tiempo en el piso de la planta en contacto con la gente. Sentía que esto le proporcionaba una mejor visión de lo que sucedía en la planta y a la vez generaba confianza. Consideraba que demasiados gerentes de la planta eran "espíritus de oficina" (creían que correspondía a sus subalternos conversar con los trabajadores que laboraban por hora). Ante los demás gerentes parecía que Hanson con frecuencia tomaba decisiones con base en lo aprendido en conversaciones informales con los empleados que laboraban por hora. Intentaba delegar lo más posible a sus supervisores. Cuando se le preguntaba qué era lo que debía hacer un gerente para tener éxito, respondía, "debes ser un emprendedor y hacer que las cosas sucedan".

Winslow recordaba hace algunos años cuando él era gerente de capacitación y desarrollo, el personal ejecutivo había acudido a uno de esos talleres de desarrollo directivo, donde se aprende acerca del estilo directivo de cada uno. Todo el personal había resultado con calificaciones altas en el extremo autoritario de la escala.

Esto disparó el recuerdo de un debate reciente en el que él había pasado una sugerencia de su equipo al personal ejecutivo para que "se hiciera algo agradable para los trabajadores de la planta". Para conmemorar la llegada del verano, su equipo deseaba que la empresa pagara la compra de hamburguesas, hot dogs y bebidas, de modo que los trabajadores pudieran tener una comida de festejo durante su almuerzo. Aquellos del personal ejecutivo que se opusieron a la idea citaban la "teoría de administración del caramelo". Como lo explicó un directivo, "si se le ofrece a un oso hambriento un caramelo, podrás mantenerlo contento y hacer que haga lo que tu deseas. Pero ten cuidado cuando se te terminen los caramelos. ¡Tendrás que hacer frente a un oso extraordinariamente furioso!". El argumento del caramelo dominó el día y la comida de festejo no se llevó a cabo.

Momento de la recomendación

A medida que Winslow volteaba a su computadora para redactar sus recomendaciones respecto a las seis áreas problemáticas, recordaba la forma en que Larson había reaccionado cuando los estudiantes realizaron su presentación acerca de la comunicación organizacional en Littleton. Después de reconocer el esfuerzo de los estudiantes, Larson había comentado de una forma espontánea, "Esto sólo confirma lo que ya sabíamos. La mayor parte de esto no resulta una sorpresa". Winslow esperaba que ahora, algunos de estos problemas estuvieran resueltos.

Él sabía que un punto en potencia complicado, era la necesidad de contar con reuniones para analizar los problemas y planear una estrategia. La gente ya se encontraba escasa de tiempo y se quejaba del número de reuniones. Sin embargo, a menos que tomaran el tiempo suficiente para retroceder y observar lo que hacían, nada cambiaría.

En una nota más optimista, recordó que Larson había quedado impresionado cuando el personal de Recursos Humanos enfatizó en su presentación que estos problemas estaban afectando las utilidades de Littleton. Winslow sentía que la disminución de las ventas y utilidades en Brooks, la mayor competencia nacional y extranjera, la recesión actual y la disminución de la moral de los empleados hacían más importante la solución de estos problemas. La gente de todos los niveles de la planta comenzaba a preocuparse acerca de la posibilidad de sufrir más despidos.

Nota

1. En Littleton, los departamentos de manufactura, ingeniería y contabilidad estimaron los costos estándar de mano de obra para fabricar cada uno de los productos de la planta y se preparó un presupuesto con base en estos estimados. Los costos presupuestados se convirtieron en los objetivos de la planta. Una varianza es la diferencia entre los costos reales y los estándares. Una varianza podía ser positiva (menor que) o negativa (mayor que) respecto a los costos presupuestados.

Caso integrador 8.2

Littleton Manufacturing (B)*

8.2

Winslow se reunió con su personal para desarrollar una lista de acciones correctivas propuestas. El cuadro 1 presenta la nota que Winslow envió, en junio de 1990, al Equipo de Mejora de Procesos (EMP) de Recursos Humanos, donde señaló las acciones correctivas sugeridas (las medidas no fueron priorizadas).

El EMP se reunió para analizar lo que debía hacerse acerca de los seis problemas identificados por el departamento de Recursos Humanos hasta mediados del mes de septiembre. El primer problema que el EMP decidió atender fue la aplicación inconsistente de políticas y procedimientos disciplinarios. Eligieron primero este problema porque consideraron que si podía resolverse, muchos otros de los demás problemas también se resolverían.

El EMP decidió primero averiguar qué tan bien comprendían los supervisores las reglas de trabajo y el grado de interpretaciones distintas que tenían de ellas. Para realizar esto desarrollaron un cuestionario que cubría las veintiocho reglas de trabajo de Littleton y se lo entregaron a todos los supervisores. Una pregunta, por ejemplo, era "Si usted encuentra que un empleado se ha quedado dormido en su estación de trabajo, ¿qué haría?" El supervisor debía elegir de varias alternativas. A esta pregunta le seguía, "Si usted llega y encuentra a un empleado lejos de su trabajo y dormido encima de material de empaque, ¿qué haría?". Nuevamente, se presentaban algunas opciones de respuesta. Después de responder el examen, se analizaban las respuestas, y Winslow y el personal de Recursos Humanos explicaban la respuesta correcta. Los resultados indicaron al EMP que existía mucho menor conocimiento de las reglas y de su forma de aplicación de lo que la dirección había esperado.

El EMP luego dedujo que varios supervisores no se sentían cómodos al confrontar a los empleados acerca de sus faltas para seguir las políticas y procedimientos de la empresa, especialmente en cuanto al uso de zapatos y lentes de seguridad. Decidieron buscar ayuda de un consultor externo para ayudarles a desarrollar un programa de entrenamiento para los supervisores. Sin embargo, el 1° de septiembre de 1991, como una continuación de su "dirección por eficiencia", Brooks había impuesto la congelación de los salarios y una reducción en los viajes, y prohibió el uso de consultores externos en todas sus plantas. Cuando Winslow solicitó a Bill Larson aprobación para contratar al consultor, se le recordó que debido al congelamiento debería llevar a cabo la capacitación de forma interna.

Como consecuencia de esto, Winslow inició una serie de reuniones con los representantes sindicales y los supervisores denominadas reuniones de "sup y rep", para analizar cuáles eran las reglas de trabajo, las distintas interpretaciones de ellas y la forma como debían manejarse las violaciones a las reglas de trabajo. Por motivos de horario, se planearon de forma que la mitad de los supervisores y los representantes participaran en cada reunión. Estas juntas se llevaron a cabo de forma bisemanal durante un año. Winslow creía que las reuniones ayudaban a aclarar y apoyar el papel de los supervisores y comenzaban a presentar un efecto positivo sobre la vigilancia y control de las políticas y los procedimientos.

En 1991, debido a que las plantas que adquirían las bobinas de alambre fabricadas por la sección de componentes presentaban un exceso de inventario de bienes terminados, Brooks las cerró un mes durante las festividades navideñas, lo que llevó a Littleton a eliminar 125 puestos de la sección de componentes para el mismo mes, para reducir la producción. "Si no lo hubiéramos hecho" comentó Winslow, "habríamos tenido una espantosa cantidad de inventario". Los empleados que ocupaban esas posiciones tenían, en general, menos antigüedad que sus contrapartes de la sección de fabricación, y ningún empleado de esta sección fue despedido. Algunos de los empleados con mayor antigüedad de la sección de componentes fueron contratados para trabajar en la sección de fabricación. En el momento de los despidos, el negocio de la sección de fabricación estaba en auge. En enero, la planta comenzó a recontratar a los empleados despedidos, y para finales de junio, todos habían sido recontratados.

En noviembre de 1991, Bill Larson supo que tenía cáncer, y en junio de 1992 falleció. Debido a la enfermedad de Larson, a la falta de recursos y a las presiones de tiempo, no existía ningún esfuerzo formal por solventar los problemas identificados por Winslow además de la aplicación inconsistente de las políticas y procedimientos.

El nuevo director de planta, Bob Halperin, asumió su función el otoño de 1992. Halperin había sido director de otra planta de Brooks en el sur por tres años. Uno de los motivos por los que fue elegido fue por su familiaridad con Littleton. Había trabajado en Littleton como ingeniero industrial de 1973 a 1980, cuando partió para dirigir otra instalación. En 1984 regresó a Littleton para arrancar y dirigir la sección de componentes. Mantuvo esta posición por cuatro años antes de partir para dirigir la planta del sur de Estados Unidos.

Poco tiempo después de que Halperin llegó, Winslow le presentó las áreas de problema definidas el año anterior, con una copia del caso A, y se reunió con él para analizar los problemas. Al mismo tiempo, aunque Winslow sentía que se había alcanzado un progreso en contar con una ejecución más consistente de las políticas y los procedimientos de una sección de la planta a la otra, no sentía que hubiera cambiado mucho respecto a los otros problemas. Con excepción de las juntas de sup y rep, ninguna de las acciones específicas recomendadas por su grupo y por él había sido implementada.

* Elaborado por David E. Whiteside, consultor de desarrollo organizacional. Este caso fue elaborado en Lewiston-Auburn College de la Universidad de Southern Maine con la colaboración de la dirección, con el único propósito de estimular el análisis de los estudiantes. La información está basada en investigación de campo, todos los eventos son reales, aunque los nombres de las organizaciones, ubicaciones e individuos han sido modificados.

8.2

CUADRO 1
Comunicado de parte de Paul Winslow a Recursos Humanos.

MEMORÁNDUM

De: Paul Winslow, director de Recursos Humanos
Para: Equipo de mejora de procesos de Recursos Humanos
Asunto: Acciones correctivas propuestas
Fecha: 14/6/90

Falta de unidad organizacional

1. Uso de emulación de puestos o rotación para ayudar al personal a comprender el trabajo de los demás, por ejemplo, a nivel interdisciplinario.
2. Dar nuevo formato a las reuniones de revisión de operaciones, por ejemplo, contar con un comité de programa.
3. Contar con un foro más pequeño para grupos, por ejemplo, hacer que supervisores de las dos secciones se reúnan.
4. Proporcionar capacitación de trabajo en equipo a los empleados asalariados.

Falta de congruencia para hacer cumplir las reglas y los procedimientos

1. Sostener reuniones con directores y supervisores de departamento para analizar la forma de hacer cumplir las políticas y los procedimientos. Hacer que estas reuniones las dirija Bill Larson.
2. Desarrollar un sistema de revisión y monitoreo de políticas y procedimientos.

Función del supervisor mal entendida

1. Hacer que los directores de departamento se reúnan con los supervisores para determinar prioridades o conflictos entre prioridades.
2. Contar con capacitación de supervisores a todos los supervisores de manufactura.
3. Evaluación de tiempos (¿cómo se invierte el tiempo?)

Enfoque insuficiente en las prioridades de Littleton

1. Utilizar el periódico interno para comunicar las prioridades.
2. Desarrollar una hoja de noticias internas.
3. Contar con un buzón de preguntas por contestar en las reuniones de revisión de operaciones.
4. Realizar una reestructura del propósito de Littleton (en la revisión de operaciones).
5. Llevar a cabo una revisión de operaciones para trabajadores que laboran por hora.
6. Utilizar los recibos de nómina para comunicar información sobre los objetivos.
7. Sostener reuniones departamentales, el director del departamento facilitará la reunión.

El cambio se maneja de forma inadecuada

1. Proporcionar capacitación en la administración del cambio.
2. Comunicar los cambios.

Falta de enfoque sistemático en la capacitación

1. Establecer objetivos de capacitación anuales por departamento.
2. Vincular los objetivos de capacitación con las prioridades organizacionales.
3. Contar con un método sistemático de capacitación para la fuerza de trabajo que labora por hora.
4. Contar con un plan de capacitación para cada empleado asalariado.
5. Tener un presupuesto de capacitación anual.

Departamento de Recursos Humanos
6/90

Glosario

A

adaptación externa forma en la cual una organización cumple sus metas y trata con las personas externas a la organización.

administración científica enfoque clásico que afirma que las decisiones acerca del diseño organizacional y de puestos deben basarse en procedimientos científicos precisos.

administración de relaciones con el cliente sistemas que ayudan a las compañías a mantener un registro de las interacciones del cliente con la empresa y permiten a los empleados tener presentes las ventas pasadas del cliente, registros de servicio, pedidos pendientes o problemas no resueltos.

administración del conocimiento esfuerzos para encontrar, organizar y hacer asequible de manera sistemática el capital intelectual de una organización, y para promover una cultura de aprendizaje continuo y transmisión del conocimiento de manera que esas actividades organizacionales aprovechen el conocimiento existente.

agrupamiento de red virtual organización que es un grupo de componentes separados conectado libremente.

agrupamiento departamental una estructura en la cual los empleados comparten un supervisor y recursos comunes, son responsables conjuntos del desempeño, y tienden a identificarse y colaborar entre sí.

agrupamiento divisional un agrupamiento en el cual las personas están organizadas de acuerdo con lo que la organización produce.

agrupamiento funcional la colocación cercana de empleados que desempeñan funciones o procesos de trabajo similares o que proporcionan conocimiento y habilidades afines que desempeñar.

agrupamiento horizontal la organización de empleados basada en procesos de trabajo centrales y no en funciones, producto o geografía.

agrupamiento multienfocado estructura en la cual una organización adopta alternativas de agrupamiento estructural de manera simultánea.

almacenamiento de datos el uso de una base de datos gigantesca que combina toda la información de una organización y permite a los usuarios tener acceso directo a los datos, crear informes y obtener respuestas a preguntas de posibles escenarios.

ampliación del puesto diseño de la posición para expandir el número de tareas diferentes que desempeñará un empleado.

analizadora estrategia de negocios que busca mantener la estabilidad del negocio mientras innova en la periferia.

anarquía organizada organizaciones extremadamente orgánicas, caracterizadas por condiciones de alta incertidumbre.

aprendizaje basado en las decisiones proceso de reconocimiento y admisión de errores que permite a los directivos y organizaciones adquirir experiencia y conocimiento para tener un desempeño más efectivo en el futuro.

auditoría social mediciones y reportes del impacto ético, social y ambiental de las operaciones de una compañía.

autoridad carismática está basada en la devoción al carácter o heroísmo ejemplar de un individuo y al orden definido por él o ella.

autoridad fuerza para alcanzar los resultados deseados, representada por la jerarquía formal y las relaciones de subordinación.

autoridad racional-legal basada en la creencia de los empleados en la legalidad de las reglas y en el derecho de aquellos con autoridad para emitir órdenes.

autoridad tradicional basada en la creencia en las tradiciones y legitimidad del estatus de la gente que ejerce la autoridad a través de esas tradiciones.

B

balanced scorecard (cuadro de mando integral) sistema integral de control administrativo que equilibra las mediciones financieras y las operativas concernientes a los factores críticos de éxito en una organización.

benchmarking proceso en el que las compañías buscan la forma en que otras compañías logran un mejor desempeño, y con base en este hallazgo tratan de imitarlas o mejorarlas.

burocracia marco organizacional caracterizado por reglas y procedimientos, especialización y división del trabajo, autoridad jerárquica, personal técnicamente calificado, puesto y responsabilidad independientes y comunicaciones escritas y registros.

C

cambio incremental una serie de progresiones continuas que mantiene el equilibrio general de la organización y muchas veces afecta sólo una de sus partes.
cambio organizacional adopción por parte de una organización de una nueva idea o comportamiento.
cambio radical ruptura del marco de referencia para una organización; muchas veces crea un nuevo equilibrio debido a que la organización entera se transforma.
cambios culturales cambios en los valores, actitudes, expectativas, creencias, habilidades y comportamiento de los empleados.
cambios de producto y servicio cambios en las salidas de productos o servicios de una organización.
cambios estratégicos y estructurales cambios en el dominio administrativo de una organización, incluyendo estructura, políticas, sistemas de recompensa, relaciones de trabajo, dispositivos de coordinación, sistemas de control de información administrativa y contabilidad y presupuesto.
cambios tecnológicos cambios en el proceso de producción de una organización, incluyendo su conocimiento y base de habilidades que le permiten tener una competencia distintiva.
campeón de administración un director que actúa como partidario y patrocinador de un promotor técnico para proteger y promover una idea dentro de la organización.
campeón técnico una persona que genera o adopta y desarrolla una idea para una innovación tecnológica y se dedica a ella, a pesar de poner en juego su posición o prestigio; también se conoce como *promotor técnico o de producto*.
campeones de ideas miembros de la organización que proporcionan el tiempo y la energía para hacer que las cosas sucedan; algunas veces son llamados *abogados, emprendedores internos* y *agentes de cambio*.
capital intelectual la suma del conocimiento, experiencia, comprensión, procesos, innovaciones y descubrimientos de una organización.
capital social la calidad de interacciones entre la gente, que se ve afectada en caso de compartir una perspectiva común.
centralidad característica de un departamento cuya función corresponde a la actividad principal de la organización.
centralidad de red los altos directivos incrementan su poder al ubicarse a sí mismos en el centro de una organización y rodearse de subordinados leales.
centralización se refiere al nivel de la jerarquía con autoridad para tomar decisiones.
ciclo de vida perspectiva acerca del crecimiento y cambio organizacional que sugiere que las organizaciones nacen, maduran y finalmente mueren.
coalición alianza entre numerosos directivos que llegan a un consenso a través de la negociación acerca de las metas organizacionales y problemas prioritarios.
código de ética una declaración formal de los valores de la organización concernientes a la ética y a la responsabilidad social.
comité de ética un grupo de ejecutivos designados para vigilar la ética de una organización.
compañía global compañía que ya no se considera a sí misma como perteneciente a un solo país de origen.
compañía multinacional compañía que maneja cuestiones competitivas en cada país, independientemente de otros países.
competencia basada en el tiempo la entrega de productos y servicios con mayor rapidez que los competidores, lo que da a las compañías una ventaja competitiva.
competencia rivalidad entre grupos en la búsqueda de un premio común.
complejidad técnica el nivel de mecanización en el proceso de manufactura.
comportamiento organizacional micro enfoque para el estudio de las organizaciones que se centra en los individuos dentro de las mismas como las unidades relevantes de análisis.
compromiso progresivo la persistencia en un curso de acción aun cuando éste es erróneo; ocurre debido a que los directivos se bloquean o distorsionan la información negativa, o a que la constancia y persistencia son valiosas en la sociedad contemporánea.
conflicto intergrupal comportamiento que ocurre entre grupos organizacionales cuando los participantes se identifican con un grupo y perciben que los demás grupos pueden bloquear el logro de sus metas o sus expectativas grupales.
confrontación una situación en la cual las partes en conflicto se comprometen directamente entre sí e intentan trabajar para solucionar sus diferencias.
conocimiento conclusión basada en la información que ha estado vinculada a otra información y comparada con lo que ya se sabe.
conocimiento explícito conocimiento sistemático y formal que se puede codificar, escribir y transferir a otros en documentos o instrucciones generales.
conocimiento tácito conocimiento basado en la experiencia personal, intuición, reglas generales y criterio, y que no se puede codificar o transferir con facilidad a los demás de forma escrita.
conocimiento técnico comprensión y acuerdo acerca de cómo resolver problemas y lograr metas organizacionales.
consenso del problema el acuerdo entre directivos acerca de la naturaleza de los problemas u oportunidades y acerca de qué metas y resultados perseguir.
consorcio grupo de empresas que se aventuran a explotar nuevos productos y tecnologías.
contingencia teoría que denota que una cosa depende de otra; la situación organizacional dicta el enfoque directivo correcto.

contingencias estratégicas acontecimientos y actividades dentro y fuera de una organización, esenciales para lograr metas organizacionales.

control burocrático uso de reglas, políticas, jerarquía de autoridad, documentación escrita, estandarización y otros mecanismos para unificar el comportamiento y evaluar el desempeño.

control de clan uso de las características sociales, como cultura corporativa, valores compartidos, compromisos, tradiciones y creencias para controlar el comportamiento.

control de mercado situación que ocurre cuando la competencia en precios se utiliza para evaluar la producción y la productividad de una organización.

cooptación ocurre cuando se logra que los líderes de sectores importantes en el entorno formen parte de una organización.

creatividad generación de ideas nuevas que puede satisfacer las necesidades percibidas o responder a oportunidades.

cultura burocrática cultura que tiene un enfoque interno y una orientación coherente con un entorno estable.

cultura conjunto de valores, creencias orientadoras, entendimientos y formas de pensar que los miembros de una organización comparten y que se enseña como lo correcto a los nuevos miembros.

cultura de adaptabilidad cultura caracterizada por su enfoque estratégico en el entorno para satisfacer las necesidades de los clientes mediante la flexibilidad y el cambio.

cultura de clan una cultura que se enfoca sobre todo en la intervención y participación de los miembros de la organización y en las expectativas rápidamente cambiantes del entorno.

cultura de misión cultura que enfatiza una visión clara del propósito organizacional y el logro de metas específicas.

D

datos la entrada de un canal de comunicación.

decisiones no programadas decisiones nuevas y mal definidas; se utilizan cuando no existe ningún procedimiento para resolver el problema.

decisiones programadas procedimientos repetitivos y bien definidos que existen para resolver problemas.

declive organizacional condición en la cual ocurre un descenso sustancial y absoluto en la base de recursos de la organización durante un cierto tiempo.

defensiva estrategia de negocios que busca la estabilidad o incluso el repliegue en lugar de la innovación y el crecimiento.

denunciante el empleado que revela prácticas ilegales, inmorales o ilegítimas por parte de la organización.

departamentos creativos los departamentos de la organización que inician el cambio, como investigación y desarrollo, ingeniería, diseño y análisis de sistemas.

dependencia de recursos situación en la cual las organizaciones dependen del entorno pero se esfuerzan por adquirir control sobre los recursos para minimizar su dependencia.

dependencia un aspecto del poder horizontal: cuando un departamento es dependiente de otro, éste se encuentra en una posición de mayor poder.

desarrollo organizacional campo de la ciencia del comportamiento dedicado a mejorar el desempeño a través de la confianza, confrontación abierta de problemas, *empowerment* a los empleados, participación, diseño de trabajo significativo, cooperación entre grupos y el uso del potencial humano completo.

diferenciación diferencias emocionales y cognitivas entre los directivos de diferentes departamentos funcionales y una organización y diferencias estructurales formales entre esos departamentos.

dilema ético cuando cada elección o comportamiento alternativos parecen ser no deseables debido a una consecuencia ética potencialmente negativa.

dimensión estable-inestable estado de los elementos del entorno de una organización.

dimensión simple-compleja cantidad y diferencias de elementos externos relevantes para la operación de una organización.

dimensiones contextuales rasgos que caracterizan a la organización global, incluyendo su tamaño, tecnología, entorno y metas.

dimensiones estructurales descripciones de las características internas en una organización

director de ética ejecutivo de alto nivel en la compañía que vigila todos los aspectos relacionados con la ética, incluyendo el establecimiento y la amplia comunicación de estándares éticos, implementación de programas de capacitación ética, supervisión de la investigación de problemas éticos y asesoría a los gerentes acerca de los aspectos éticos de las decisiones corporativas.

diseño del puesto asignación de metas y tareas a los empleados para su cumplimiento.

distancia de poder el nivel de desigualdad que la gente está dispuesta a aceptar dentro de una organización.

división internacional división que es igual en estatus a otros departamentos importantes dentro de una compañía y que tiene su propia jerarquía para manejar negocios en diferentes países.

dominio campo de actividad en el entorno elegido por una organización.

dominios de actividad política áreas en que las cuales la política ejerce una función. Tres dominios que se encuentran en las organizaciones son el cambio estructural, la sucesión de la administración y la distribución de recursos.

downsizing la reducción intencional en el tamaño de la fuerza de trabajo de una compañía mediante el despido de empleados.

E

economías de alcance el logro del ahorro en los costos mediante la presencia en muchas líneas de producto, tecnologías o áreas geográficas.

economías de escala conseguir costos más bajos mediante la producción de un volumen mayor; muchas veces es posible gracias a la expansión global.

ecosistema organizacional sistema formado por la interacción de una comunidad de organizaciones y su entorno que por lo general afecta las líneas industriales tradicionales.

efectividad el grado al cual una organización logra sus metas.

eficiencia la cantidad de recursos utilizados para generar una unidad de producto.

empowerment o atribución de facultades la delegación de poder o autoridad en los subordinados; también llamada *participación del poder.*

empresa conjunta o joint venture entidad independiente para compartir los costos de producción y desarrollo, y penetrar en nuevos mercados, creada con dos o más empresas como patrocinadores.

empresa integrada una organización que utiliza tecnología de información avanzada, la cual permite la coordinación estrecha dentro de la compañía, así como con los proveedores, clientes y socios.

énfasis de la meta racional aspecto del modelo de valores en competencia que refleja los valores de control estructural y enfoque externo.

énfasis en el proceso interno aspecto del modelo de valores en competencia que refleja los valores del enfoque interno y control estructural.

énfasis en sistemas abiertos aspecto del modelo de valores en competencia que refleja una combinación de enfoque externo y estructura flexible.

enfoque ambidiestro característica de una organización que puede comportarse tanto de forma orgánica como mecanicista.

enfoque basado en metas un enfoque para la efectividad organizacional que está relacionado con la producción y con si la organización logra sus metas de producción.

enfoque basado en recursos perspectiva organizacional que evalúa la efectividad mediante la observación de qué tan exitosamente la organización obtiene, integra y maneja sus recursos valiosos.

enfoque de centro dual perspectiva de cambio organizacional que identifica los procesos únicos asociados con el cambio administrativo, comparados con aquellos asociados con el cambio técnico.

enfoque de ciencia de la administración toma de decisiones organizacionales, análoga al enfoque racional realizado por directivos individuales.

enfoque de sistemas sociotécnicos enfoque que combina las necesidades de las personas con las necesidades de eficiencia técnica.

enfoque de valores en competencia perspectiva sobre la efectividad organizacional que combina diversos indicadores de desempeño que representan los valores directivos en competencia.

enfoque del participante también se le denomina *enfoque de la comunidad de usuarios;* esta perspectiva evalúa la satisfacción de los participantes como indicador del desempeño de la organización.

enfoque del proceso interno enfoque que considera las actividades internas y evalúa la efectividad mediante indicadores de salud y eficiencia internas.

enfoque la perspectiva organizacional dominante, el cual puede ser interno o externo.

enfoque racional proceso de toma de decisiones que enfatiza la necesidad del análisis sistemático de un problema, seguido por la elección e implementación en una secuencia lógica.

enriquecimiento del puesto diseño del cargo para incrementar la responsabilidad, el reconocimiento, las oportunidades de crecimiento y logros.

entorno de tarea sectores con los cuales la organización interactúa de manera directa y que tienen un efecto directo en la capacidad organizacional de alcanzar sus metas.

entorno general incluye a aquellos sectores que quizá no afecten de manera directa las operaciones cotidianas de una empresa, pero que la influyen de manera indirecta.

entorno institucional normas y valores de los participantes (clientes, inversionistas, consejos, gobierno, etcétera), que las organizaciones intentan seguir con el fin de complacer a los participantes.

entorno o ambiente organizacional todos los elementos que existen fuera de la frontera de la organización y tienen el potencial de afectar al todo o a parte de ella.

entornos de alta velocidad industrias en las cuales el cambio competitivo y tecnológico es tan extremo que los datos del mercado o no están disponibles o son obsoletos, las ventanas estratégicas se abren y cierran con rapidez, y el costo de un error de decisión redunda en el fracaso de la organización.

equipo virtual compuesto por miembros organizacional o geográficamente dispersos que están vinculados mediante tecnologías de información y comunicación avanzada. Con frecuencia, los miembros utilizan Internet y el software de colaboración para trabajar en conjunto, en lugar de reunirse de manera personal.

equipos de empleados-directivos un enfoque cooperativo diseñado para incrementar la participación de los trabajadores y proporcionar un modelo cooperativo para problemas entre el sindicato y la dirección.

equipos de riesgo técnica para promover la creatividad dentro de las organizaciones mediante la cual se configura un equipo pequeño como su propia empresa para fomentar la creación de innovaciones.

equipos de trabajo globales grupos de trabajo conformados por miembros de múltiples naciones cuyas actividades abarcan a numerosos países; también llamados *equipos trasnacionales.*

equipos especiales grupos independientes, pequeños, informales, altamente autónomos y muchas veces secretos, que se enfocan en ideas innovadoras para el negocio.

equipos fuerzas de tarea permanentes que se utilizan con frecuencia en conjunto con un integrador de tiempo completo.

especialista organización que tiene un rango limitado de bienes o servicios o atiende a un mercado pequeño.

estandarización política que asegura que todas las marcas de la compañía y en todos los lugares operen de la misma forma.

estrategia configuración existente de planes, decisiones y objetivos que se han adoptado para lograr las metas organizacionales.

estrategia de enfoque estrategia en la cual una organización se concentra en un mercado regional específico o grupo de compradores.

estrategia de globalización la estandarización del diseño de producto y de la estrategia de publicidad a través del mundo.

estrategia multinacional estrategia en la cual la competencia en cada país se maneja de manera independiente de la competencia en otros países.

estructura de producto global forma en la cual las divisiones de producto asumen la responsabilidad de las operaciones globales en sus áreas de producto específicas.

estructura de red virtual la empresa subcontrata muchos o la mayoría de sus procesos importantes a compañías independientes y coordina sus actividades desde pequeñas oficinas generales.

estructura divisional estructuración de una organización de acuerdo con productos individuales, servicios, grupos de productos, proyectos importantes o centros de utilidades; también llamada *estructura de producto* o *unidades estratégicas de negocio*.

estructura funcional el agrupamiento de actividades mediante una fusión común.

estructura geográfica global forma en la cual una organización divide sus operaciones en regiones del mundo, y cada una está subordinada al director general.

estructura híbrida estructura que combina características de diferentes enfoques estructurales (funcional, divisional, geográfico, horizontal) a la medida de las necesidades estratégicas específicas.

estructura horizontal estructura que virtualmente elimina tanto la jerarquía vertical como las fronteras departamentales mediante la organización de equipos de trabajadores en torno a procesos de trabajo centrales; trabajo global, información, flujos de materiales que proporcionan un valor directo a los clientes.

estructura matricial forma enérgica de vinculación horizontal en la cual tanto las estructuras de producto como las funcionales (horizontal y vertical) se implementan de manera simultánea.

estructura matricial global tipo de vinculación horizontal en una organización internacional en la cual tanto las estructuras de producto como las geográficas se implementan de manera simultánea para lograr un balance entre estandarización y globalización.

estructura organizacional designa las relaciones de subordinación, incluyendo el número de niveles en la jerarquía y la envergadura del control de los directivos y supervisores; identifica el agrupamiento de los individuos en departamentos y de los departamentos en la organización global; abarca el diseño de sistemas para asegurar la comunicación, coordinación e integración efectiva de esfuerzos a través de los departamentos.

estructura relaciones formales de subordinación, agrupamiento y sistemas organizacionales.

estructuras cambiantes organización que crea una estructura orgánica cuando tal estructura es necesaria para fomentar la creación de nuevas ideas.

Estudios de Hawthorne serie de experimentos realizados para medir la productividad del trabajador, los cuales comenzaron en 1924 en la planta Hawthorne de Western Electric Company, Illinois; estos estudios atribuyeron el incremento en la producción de los empleados al mejor trato de los directivos hacia ellos durante el experimento.

etapa de colectividad fase del ciclo de vida en la cual una organización tiene un fuerte liderazgo y comienza a desarrollar metas y dirección claras.

etapa de elaboración fase del ciclo de vida de la organización en la cual la crisis burocrática se resuelve mediante el desarrollo de un nuevo sentido de equipo de trabajo y colaboración.

etapa de formalización fase del ciclo de vida de una organización que implica la implementación y el uso de reglas, procedimientos y sistemas de control.

etapa emprendedora fase del ciclo de vida en la que una organización nace, y para la cual lo más importante es la elaboración de un producto y la supervivencia en el mercado.

etapa global etapa de desarrollo internacional en la cual la compañía trasciende a cualquier país único.

etapa internacional la segunda etapa del desarrollo internacional, en la cual la compañía toma las exportaciones con seriedad y comienza a pensar multinacionalmente.

etapa multinacional la etapa de desarrollo internacional en la cual una compañía cuenta con instalaciones de marketing y producción en muchos países y más de un tercio de sus ventas provienen de fuera de su país de origen.

etapa nacional o local la primera etapa del desarrollo internacional en la cual una compañía está orientada a nivel nacional al tiempo en que los directivos están conscientes del entorno global.

ética el código de principios y valores morales que rigen el comportamiento de una persona o grupo con respecto a lo que está bien o mal.

ética en los negocios principios que rigen las decisiones y comportamiento de los directivos en lo concerniente a si actúan bien o mal desde el punto de vista moral.

evasión de la incertidumbre el nivel de tolerancia y comodidad con la incertidumbre e individualismo dentro de una cultura.

extranet red de información privada.

F

factores de producción provisiones necesarias para la producción, como tierra, materias primas y mano de obra.

financiamiento para nuevos riesgos fondo que proporciona recursos financieros a los empleados para que desarrollen nuevas ideas, productos o negocios.

forma organizacional tecnología, estructura, productos, metas y personal específicos de una organización.

formación de equipos actividades que promueven la idea de que la gente que trabaja de manera conjunta también puede trabajar como un equipo.

formalización el grado al cual una organización tiene reglas, procedimientos y documentación escrita.

fortaleza de la cultura el grado de consenso entre los miembros de una organización acerca de la importancia de valores específicos.

fuentes de conflicto intergrupal factores que generan conflicto, incluyendo incompatibilidad de metas, diferenciación, interdependencia de tareas y recursos limitados.

fuentes de poder existen cinco fuentes de poder horizontal en las organizaciones: dependencia, recursos financieros, centralidad, imposibilidad de sustitución y la capacidad de manejar la incertidumbre.

fuerza de tarea comité temporal compuesto por representantes de cada departamento que se ve afectado por un problema.

fuerzas coercitivas presiones externas como requerimientos legales ejercidos sobre una organización para adoptar estructuras, técnicas o comportamientos similares a otras organizaciones.

fuerzas miméticas bajo condiciones de incertidumbre, la presión de copiar o imitar organizaciones que parecen ser exitosas en el entorno.

fuerzas normativas presiones para adoptar estructuras, técnicas o procesos administrativos debido a que la comunidad los considera modernos y efectivos.

función de enlace función de una persona ubicada en un departamento que es responsable de comunicar y alcanzar la coordinación con otro departamento.

Función o rol una parte del sistema social dinámico que permite a un empleado utilizar su albedrío y capacidad para alcanzar resultados y metas.

funciones de amortiguación actividades que absorben la incertidumbre del entorno.

funciones de interconexión de fronteras actividades que vinculan y coordinan una organización con elementos clave en el entorno.

G

generalista organización que ofrece un amplio rango de productos o servicios y que atiende a un mercado amplio.

gobierno de la ley surge de un conjunto de principios y regulaciones codificados que describen de qué forma se requiere que la gente actúe, son generalmente aceptados en la sociedad y pueden hacerse valer en los tribunales.

H

héroes miembros de la organización que sirven como modelo o ideal por haber cumplido con los valores y normas culturales.

historias narraciones basadas en acontecimientos verídicos que con frecuencia comparten los miembros de la organización y cuentan a los empleados nuevos a fin de que conozcan a la organización.

I

identificación del problema etapa en el proceso de toma de decisiones en la cual se monitorea la información acerca de las condiciones organizacionales y del entorno para determinar si el desempeño es satisfactorio y diagnosticar la causa de las fallas.

imitación la adopción de una decisión que se ha puesto en práctica en alguna otra parte con la esperanza de que funcione en la situación presente.

imposibilidad de sustitución característica de un departamento cuyas funciones no pueden ser desarrolladas mediante otros recursos ya disponibles.

incertidumbre se presenta cuando las personas encargadas de tomar las decisiones no tienen la suficiente información acerca de los factores del entorno y es difícil para ellos predecir los cambios externos.

incubadora de ideas un puerto seguro donde las ideas de los empleados de toda la organización se pueden desarrollar sin la interferencia de la burocracia o políticas de la compañía.

información es aquella que altera o refuerza un conocimiento.

innovación organizacional la adopción de una idea o comportamiento que es nuevo para la industria, mercado o entorno general de una organización.

inspiración una solución innovadora, creativa, que no se logra a través de medios lógicos.

integración calidad de la colaboración entre los departamentos de una organización.

integración interna estado en el cual los miembros de una organización desarrollan una identidad colectiva y saben cómo trabajar en conjunto de manera efectiva.

integrador puesto o departamento creado únicamente para coordinar diferentes departamentos.

inteligencia de negocios análisis de alta tecnología para grandes cantidades de datos internos y externos a fin de identificar patrones y relaciones.

intercambio electrónico de datos (EDI) la vinculación de las organizaciones a través de computadoras para la transmisión de datos sin la interferencia humana.

interconexión de directores vínculo formal que ocurre cuando un miembro del consejo de administración de una compañía forma parte del consejo de otra compañía.

interconexión indirecta situación que ocurre cuando un director de una compañía y un director de otra son directores de una tercera compañía.

interdependencia grado al cual los departamentos dependen unos de otros para la obtención de recursos o materiales a fin de desempeñar sus tareas.

interdependencia mancomunada la forma más básica de interdependencia entre departamentos, en la cual el trabajo no fluye entre las unidades.

interdependencia recíproca el nivel más alto de interdependencia, en el cual la salida de una operación es la entrada de una segunda operación, y la salida de la segunda operación es la entrada de la primera (por ejemplo, un hospital).

interdependencia secuencial forma serial de interdependencia en la cual la salida de una operación se convierte en la entrada de otra.

intervención de grupo grande enfoque que conjunta a participantes de diferentes lugares de la organización (y puede incluir a participantes externos también) para analizar los problemas u oportunidades y planear el cambio.

intranet red de información privada que abarcan a toda la compañía, y que utiliza protocolos de comunicaciones y estándares de Internet, pero a la que sólo tiene acceso el personal de la organización.

investigación del problema ocurre cuando los directivos buscan en su entorno inmediato una solución para resolver con rapidez un problema.

legitimidad la perspectiva general de que las acciones de una organización son deseables, apropiadas y adecuadas en el sistema de normas, valores y creencias del entorno.

lenguaje eslóganes, dichos, metáforas y otros tipos de expresiones que transmiten un significado especial a los empleados.

L

leyendas anécdotas de eventos basados en la historia, las cuales se pueden embellecer con detalles ficticios.

liderazgo basado en valores relación entre un líder y sus seguidores que está basada en valores fuertemente compartidos, defendidos y puestos en práctica por el líder.

liderazgo en costos estrategia que intenta incrementar la participación de mercado al enfatizar los costos bajos comparados con los productos de la competencia.

línea de atención telefónica ética un número telefónico que los empleados pueden marcar en busca de orientación y para reportar comportamientos cuestionables.

lucha por la existencia principio del modelo de ecología poblacional que sostiene que las organizaciones están involucradas en una lucha competitiva por los recursos y luchan por sobrevivir.

M

manejo de la incertidumbre fuente de poder para un departamento que reduce la incertidumbre de otros departamentos mediante la obtención previa de información, prevención y absorción.

manufactura esbelta utiliza a empleados altamente capacitados en todas las etapas del proceso de producción quienes asumen un enfoque esmerado en los detalles y una solución continua a problemas para disminuir el desperdicio y mejorar la calidad.

marco de contingencia para la toma de decisiones una perspectiva que conjunta las dos dimensiones organizacionales del consenso del problema y del conocimiento técnico acerca de las soluciones.

matriz de producto variación de la estructura matricial en la cual los gerentes de proyecto o producto tienen la autoridad principal y los gerentes funcionales simplemente asignan personal técnico a proyectos y ofrecen su expertise de consultoría.

matriz funcional estructura en la cual los jefes funcionales tienen una autoridad primaria y los gerentes de producto o proyecto simplemente coordinan las actividades relacionadas con el producto.

mecanicista un sistema organizacional marcado por reglas, procedimientos, jerarquía de autoridad clara y toma de decisiones centralizadas.

meta organizacional el estado deseado de los asuntos que la organización intenta alcanzar.

metas oficiales definición expresada formalmente del ámbito de negocios y resultados que la organización esté intentando alcanzar; otro término de *misión*.

metas operativas descripciones de los fines que se persiguen a través de los procedimientos operativos reales de la organización; éstas explican qué es lo que la organización está intentando alcanzar.

minería de datos software que utiliza procesos sofisticados de toma de decisiones para buscar en datos sin procesar patrones y relaciones que pueden ser importantes.

misión la razón de existir que tiene una organización.

mitos historias congruentes con los valores y creencias de la organización pero que no están respaldadas por hechos.

modelo basado en las relaciones humanas enfatiza un aspecto del modelo de valores en competencia que incorpora los valores de un enfoque interno y una estructura flexible.

modelo de Carnegie toma de decisiones organizacionales que involucra a muchos directivos y una elección final basada en una coalición entre esos directivos.

modelo de control basado en la retroalimentación un ciclo de control que implica la formulación de metas, el establecimiento de estándares de desempeño, la medición del desempeño real y la comparación de éste con los estándares, y el cambio de actividades según sea necesario con base en la retroalimentación.

modelo de coordinación horizontal modelo compuesto por tres componentes del diseño organizacional necesarios para lograr la creación de nuevos productos: especialización departamental, interconexión de fronteras y vínculos horizontales.

modelo del cesto de basura modelo que describe el patrón o flujo de decisiones múltiples dentro de una organización.

modelo del proceso de decisión incremental modelo que describe la secuencia estructurada de actividades que se emprenden a partir de la identificación de un problema hasta su solución.

modelo político organización definida por su composición de grupos con intereses, metas y valores separados en los cuales el poder y la influencia son necesarios para tomar decisiones.

modelo racional descripción de una organización caracterizada por un enfoque racional para la toma de decisiones, sistemas de información confiables y amplios, poder centralizado, norma de optimización, valores uniformes entre los grupos, poco conflicto y orientación hacia la eficiencia.

modelo trasnacional tipo de organización horizontal caracterizada por múltiples centros, gerentes subsidiarios que inician la estrategia e innovaciones para la compañía como un todo, una unidad y coordinación logradas a través de la cultura corporativa, y una visión y valores compartidos.

N

negociación colectiva la negociación de un acuerdo entre directivos y trabajadores.

negociación proceso que con frecuencia ocurre durante la confrontación y permite a las partes alcanzar de manera sistemática una solución.

negocios electrónicos o e-business cualquier negocio que tenga lugar mediante procesos digitales en una red de cómputo y no en el espacio físico.

nicho dominio de recursos y necesidades únicos en el entorno.

nivel de análisis en teoría de sistemas, es el subsistema al cual se le proporciona el principal enfoque; normalmente las organizaciones se caracterizan por cuatro niveles de análisis.

O

optimización conjunta la meta del enfoque de los sistemas sociotécnicos, la cual establece que una organización funcionará mejor sólo si los sistemas sociales y técnicos están diseñados para satisfacer sus necesidades mutuas.

orgánico un sistema organizacional caracterizado por el libre flujo, procesos versátiles, jerarquía de autoridad poco clara y toma de decisiones descentralizadas.

organización burocrática perspectiva que enfatiza la dirección sobre una base impersonal y racional mediante elementos como la autoridad y la responsabilidad claramente definidas, la documentación administrativa formal y la aplicación uniforme de reglas estandarizadas.

organización que aprende una organización en la cual todos están involucrados en la identificación y solución de los problemas, lo que permite a la organización experimentada mejorar e incrementar de manera continua su capacidad.

organizaciones entidades sociales que están dirigidas por metas, sistemas de actividad deliberadamente estructurados y vinculados con el entorno.

outsourcing o subcontratación asignar a compañías externas ciertas funciones corporativas, como manufactura, tecnología de la información o procesamiento de crédito.

P

participante cualquier grupo dentro o fuera de una organización que tenga un interés en el desempeño de la organización.

perspectiva de ecología poblacional perspectiva que se centra en la diversidad organizacional y la adaptación dentro de una comunidad o población de organizaciones.

perspectiva de la racionalidad limitada forma de tomar decisiones cuando el tiempo es limitado, hay un gran número de factores internos que afectan una decisión, y el problema está mal definido.

perspectiva institucional un punto de vista en desarrollo que sostiene que en condiciones de alta incertidumbre, las organizaciones imitan a otras en el mismo entorno institucional.

planeación de recursos empresariales (ERP) sistemas computarizados sofisticados que recaban, procesan y proporcionan información acerca del negocio integral de una compañía, incluyendo el procesamiento de pedidos, diseño de productos, compras, inventarios, manufactura, distribución, recursos humanos, recibos de pago y pronósticos de la demanda futura.

población un conjunto de organizaciones involucradas en actividades similares con patrones de utilización de recursos y resultados similares.

poder capacidad de una persona o departamento en una organización de influir en otros para producir los resultados deseados.

política organizacional actividades para adquirir, desarrollar y utilizar el poder y otros recursos a fin de tener el resultado deseado cuando existe incertidumbre o hay desacuerdo en cuanto a las elecciones.

posibilidad de análisis una dimensión de la tecnología en la cual las actividades de trabajo se pueden reducir a pasos mecánicos y los participantes pueden seguir un procedimiento computacional objetivo para resolver problemas.

premisas de decisión marcos de referencia y lineamientos restrictivos implementados por la alta dirección en las decisiones que toman los rangos más bajos.

principios administrativos perspectiva de administración de sistemas cerrados que se enfoca en la organización integral y tiene su origen en las ideas de los practicantes.

proceso de cambio forma en la cual ocurren los cambios dentro de una organización.

proceso grupo organizado de tareas y actividades relacionadas que trabajan en conjunto para transformar las entradas en salidas que crean valor para los clientes.

producción de lotes grandes proceso de manufactura caracterizado por corridas de producción largas y partes estandarizadas.

producción de proceso continuo un proceso de manufactura completamente mecanizado en el cual no hay comienzo ni suspensión.

producción en lotes pequeños proceso de manufactura, que con frecuencia implica trabajo hecho a la medida, que no está altamente mecanizado y depende en su mayor parte del operador humano.

producción personalizada en masa uso de sistemas asistidos por computadora y procesos de trabajo flexibles que permiten a las compañías producir en masa una variedad de productos o servicios diseñados según la exacta especificación del cliente.

prospectiva estrategia de negocios caracterizada por la innovación, toma de riesgos, búsqueda de nuevas oportunidades y crecimiento.

punto-contra punto técnica de toma de decisiones que divide a quienes toman las decisiones en dos grupos y les asigna diferentes responsabilidades, muchas veces contrapuestas.

R

razones del crecimiento de las organizaciones el crecimiento ocurre debido a que es una meta organizacional, es necesario atraer y conservar directivos de calidad, o es necesario mantener la salud económica.

reactiva estrategia de negocios en la cual se responde a las amenazas y oportunidades del entorno de una manera específica.

recursos financieros el control sobre el dinero es una fuente importante de poder dentro de una organización.

red de colaboración una perspectiva emergente en la cual las organizaciones se permiten a sí mismas volverse dependientes de otras organizaciones para incrementar el valor y la productividad de todas.

reingeniería el rediseño de una organización vertical junto con sus flujos de trabajo y procesos horizontales.

relaciones interorganizacionales transacciones de recursos, flujos y vínculos relativamente perdurables, que ocurren entre dos o más organizaciones.

relaciones o razones de personal proporciones de personal de soporte administrativo, con respecto al personal de oficina y profesional.

responsabilidad social la obligación de los directivos de realizar elecciones y emprender acciones de manera que la organización contribuya al bienestar y el interés de la sociedad tanto como al suyo.

retención la preservación e institucionalización de las formas organizacionales elegidas.

ritos y ceremonias actividades elaboradas y planeadas que conforman un acontecimiento especial y muchas veces se llevan a cabo para el beneficio de una audiencia.

rotación de puestos cambiar a los empleados de un puesto a otro para darles una mayor variedad de tareas y reducir su aburrimiento.

S

sectores subdivisiones del entorno que contienen elementos similares.

selección proceso mediante el cual las variaciones organizacionales están determinadas para encajar en el entorno; las variaciones que no se adaptan a las necesidades del entorno son "descartadas" y fracasan.

símbolo algo que representa otra cosa.

similitud institucional surgimiento de estructuras, enfoques administrativos y comportamientos comunes entre las organizaciones del mismo campo.

simplificación del puesto reducción del número y dificultad de las tareas desempeñadas por una sola persona.

síntomas de deficiencia estructural signos de que la estructura organizacional está desalineada, como el retraso o la mala calidad en la toma de decisiones, no responder de manera innovadora a los cambios del entorno y demasiado conflicto.

sistema abierto sistema que debe interactuar con el entorno para sobrevivir.

sistema cerrado sistema autónomo, contenido e independiente de su entorno.

sistema conjunto de elementos que interactúan entre sí y que adquiere entradas del entorno, las transforma y descarga salidas en dicho entorno.

sistema de comando de incidentes se desarrolla para mantener los beneficios de eficiencia y control de la burocracia y sin embargo impide los problemas de la lenta respuesta ante las crisis.

sistema de información para directivos sistemas interactivos que ayudan a los altos directivos a monitorear y controlar las operaciones organizacionales mediante el procesamiento y la presentación de datos de forma útil.

sistema de información vertical informes periódicos, información escrita y comunicaciones asistidas por computadora, las cuales se distribuyen entre los directivos.

sistema de redes vincular a las computadoras dentro o entre organizaciones.

sistema de soporte a las decisiones sistema que permite a los directivos de todos los niveles de la organización recuperar, manejar y presentar información de bases de datos integradas para tomar decisiones específicas.

sistemas de control administrativo rutinas organizadas, informes y procedimientos que utilizan información para mantener o alterar patrones en la actividad organizacional.

sistemas de información administrativa sistema computarizado integral que proporciona información y apoya la toma de decisiones cotidianas.

sistemas de manufactura flexible (SMF) el uso de computadoras para vincular componentes de manufactura como robots, máquinas, diseño de producto y análisis de ingeniería a fin de permitir un cambio rápido de un producto a otro.

sistemas de procesamiento de transacciones automatización de la rutina y transacciones de negocios cotidianas de una organización.

sistemas de reporte de información es la forma más común de sistema de información administrativa; estos sistemas computarizados ofrecen a los directivos informes que resumen datos con los cuales pueden apoyar la toma de decisiones cotidiana.

Six Sigma estándar de calidad que especifica una meta de no más de 3.4 defectos por millón de partes; se refiere también a un conjunto de procedimientos de control que enfatizan la implacable búsqueda de una mejor calidad y costos más bajos.

solución del problema etapa en el proceso de toma de decisiones en la cual se consideran los cursos de acción alternativos y se elige e implementa una alternativa.

solución satisfactoria la aceptación de las organizaciones de un nivel satisfactorio y no de un nivel máximo de desempeño.

subculturas culturas que se desarrollan dentro de una organización para reflejar los problemas, metas y experiencias comunes que los miembros de un equipo, departamento u otra unidad comparten.

subsistemas divisiones de una organización que desempeñan funciones específicas para la supervivencia organizacional; los subsistemas organizacionales desempeñan las funciones esenciales de interconexión de fronteras, producción, mantenimiento, adaptación y dirección.

T

tácticas para incrementar el poder éstas incluyen ingresar en áreas de alta incertidumbre, crear dependencias, proporcionar recursos y satisfacer contingencias estratégicas.

tácticas para mejorar la colaboración técnicas tales como los dispositivos de integración, confrontación y negociación, consulta intergrupal, rotación de miembros, misión compartida y metas superiores que permiten a los grupos superar sus diferencias y trabajar en conjunto.

tácticas políticas para el uso del poder éstas incluyen la construcción de coaliciones, la expansión de redes, el control de las premisas de decisión, la mejora de la legitimidad y el expertise, y realizar una solicitud directa.

tarea porción de trabajo estrechamente definida, asignada una persona.

tecnología artesanal tecnología caracterizada por un flujo muy estable de actividades, pero para la cual el proceso de conversión no se puede analizar o entender bien.

tecnología central proceso de trabajo que está directamente relacionado con la misión de la organización.

tecnología de ingeniería tecnología en la cual existe una variedad sustancial en las tareas desempeñadas, pero, por lo general, las actividades se manejan de acuerdo con fórmulas, procedimientos y técnicas establecidos.

tecnología de mediación suministro de productos o servicios que fungen como intermediarios o vínculos con clientes del entorno y permiten a cada departamento trabajar de manera independiente.

tecnología de rutina tecnología caracterizada por poca variedad de tareas y el uso de procedimientos computacionales objetivos.

tecnología de servicios tecnología caracterizada por la producción y consumo simultáneos, producción hecha a la medida, participación del cliente, resultados intangibles y aplicación intensiva de mano de obra.

tecnología de vinculación larga combinación dentro de una organización de etapas sucesivas de producción en la que cada etapa utiliza como entradas la producción de la etapa precedente.

tecnología herramientas, técnicas y acciones utilizadas para transformar las entradas organizacionales en salidas.

tecnología no central proceso de trabajo de un departamento importante para la organización, pero que no está directamente relacionado con su misión central.

tecnología no rutinaria tecnología en la cual existe una alta variedad de tareas y el proceso de conversión no es susceptible de análisis o está bien entendido.

tecnologías intensivas variedad de productos o servicios proporcionados en combinación a un cliente.

teoría del caos teoría científica que sugiere que las relaciones en los sistemas complejos y adaptables están compuestas por numerosas interconexiones que crean efectos no intencionados y vuelven impredecible al entorno.

teoría meso un nuevo enfoque en el estudio de las organizaciones que integra tanto los niveles micro como macro del análisis.

teoría organizacional macro enfoque hacia las organizaciones que analiza la organización global como una unidad.

toma de decisiones centralizada la toma de decisiones está limitada a una autoridad superior.

toma de decisiones descentralizada la toma de decisiones y la comunicación están difundidas a través de toda la compañía.

toma de decisiones intuitiva el uso de la experiencia y el juicio más que un razonamiento lógico o explícito para resolver un problema.

toma de decisiones organizacionales el proceso organizacional de identificar y resolver problemas.

V

variación aparición de formas organizacionales nuevas en respuesta a las necesidades del entorno, análoga a las mutaciones en biología.

variedad en términos de tareas, la frecuencia de circunstancias inesperadas y nuevas que ocurren en el proceso de conversión.

vínculo horizontal cantidad de comunicación y coordinación que ocurre a nivel horizontal a través de departamentos organizacionales.

vínculos verticales actividades de comunicación y coordinación que conectan la parte superior con la inferior de una organización.

Índice de nombres

Los números de página, seguidos por la letra n, indican la nota en que el nombre se localiza.

A

B

C

D

L

M

N

O

P

Q

R

S

T

U

V

W

X

Y

Z

Índice de empresas

X

Y

Z

Índice alfabético

D

D

G

H

I

P

R

S

T

U

V